中华传世藏书

續資治通鑒

[清] 畢　沅 ◎ 著

線裝書局

续资治通鉴卷第九十七

【原文】

宋纪九十七　起柔兆敦牂【丙午】七月,尽强圉协洽【丁未】四月,凡十月。

钦宗恭文顺德仁孝皇帝

靖康元年　金天会四年【丙午,1126】　秋,七月,乙丑朔,除元符上书邪等之禁。

宋昭先以上书谏攻辽,贬连州;庚午,诏赴都。

乙亥,蔡京移儋州安置,攸移雷州。

丙子,童贯移吉阳军安置。

甲申,蔡京行至潭州,死,年八十。子孙二十三人,分窜远地者,遇赦不许量移。

京天资险谲,舞智以御人主,在人主前,左狙右伺,专为固位之计。终始持一说,谓当越拘挛之俗,竭九州四海之力以自奉。道君虽富贵之,亦阴知其奸谀,不可以托国,故屡起屡仆。尝收其素所不合者,如赵挺之、张商英、刘庆夫、郑居中、王黼之属,迭居台司以柅之。京每闻将罢退,辄入宫求见,叩头祈哀,无廉耻。燕山之役起,攸实在行,京送之以诗,阳为不可之言,冀事之不成,得以自解。暮年,即家为府,干进之徒,举集其门,输货僮奴以得美官者踵相蹑,纲纪法度,一切为虚文。患失之心,无所不至,根结盘固,牢不可脱。卒以召衅误国,为宗社奇祸,虽以谴死,而海内多以不正典刑为恨云。

丁亥,令侍从官改修宣仁圣烈皇后谤史。

辛卯,诏:“童贯随所至州军行刑讫,函首赴阙。”

贯握兵二十年,权倾一时,奔走期会,过于制敕。尝有论其过者,诏方劻往察。劻一动一息,贯悉侦得之,先密以白,且陷以它事,劻反得罪逐死。贯状魁梧,颐下生须十数,皮骨劲如铁,不类阉人。有度量,能疏财,后宫自妃嫔以下,皆献馈结纳,左右妇寺,誉言日闻。宠煽翕赫,庭户杂遝成市,岳牧辅弼,多出其门,穷奸稔祸,流毒四海,死不足偿责。

初,赵良嗣以御史胡舜陟论其罪,已窜柳州,至是诏广西转运副使李升之,即所至枭其首,徙妻子于万安军。

壬辰,侍御史李光远坐言事贬监当。

金萧仲恭使宋还,以所持帝与耶律伊都蜡书自陈。

先是仲恭来索所许金帛,逾月不遣。其副赵伦惧见留,乃绐馆伴邢倞曰:“金有耶律伊都者,领契丹兵甚众,贰于金人,宜结之使南向,宗翰、宗望可袭而取也。”徐处仁、吴敏以伊都、仲恭皆辽贵戚旧臣,而用事于金,当有亡国之戚,信之,乃以蜡书命仲恭致之伊都,使为内应。

至是仲恭以书献,宗望以闻,金主大怒,复议南伐矣。

八月,甲午朔,录陈瓘后。

李纲留河阳十馀日,练士卒,修整器甲之属,进次怀州,造战车,期兵集大举;而朝廷降诏罢减所起兵。纲上疏言:"河北、河东日告危急,未有一人一骑以副其求,奈何甫集之兵,又皆散遣?且以军法敕诸路起兵,而以寸纸罢之,臣恐后时有所号召,无复应者矣。"疏奏,不报,趋赴太原。

纲乃遣解潜屯威胜军,刘(䩇)〔韐〕屯辽州,幕官王以宁与都统制折可求、张思正等屯汾州,范琼屯南北关,皆去太原五驿,约三道并进。时诸将皆承受御画,事皆专达,进退自如,宣抚司徒有节度之名,多不遵命。纲尝具论之,虽降约束,而承受专达自若。

于是刘韐兵先进,金人并力御之,韐兵溃。潜与敌遇于关南,亦大败。思正等领兵十七万,与张灏夜袭金洛索军于文水,小捷;明日战,复大败,死者数万人。可求师溃于子夏山。于是威胜军、隆德府、汾、晋、泽、绛民皆渡河南奔,州县皆空。

丙申,复以种师道为两河宣抚使。

李纲以张灏等违节制而败,又上疏极论节制不专之弊,且言分路进兵,敌以全力制吾孤军,不若合大兵由一路进。及范世雄以湖南兵至,因荐为宣抚判官,欲合众亲率击敌。会以议和,止纲进兵,纲亦求罢,遂召还,以师道代之。

庚子,以彗星,避殿,减膳,令从官具民间疾苦以闻。

金人既得萧仲恭所上蜡书,会麟府帅折可求又言西辽在西夏之北,欲结宋以复怨于金,吴敏劝帝致书西辽,由河东之麟府,亦为宗翰所得,复以闻,于是决计南伐。丁未,以宗翰为左副元帅,宗望为右副元帅,仍分两道,宗翰发云中,宗望发保州。

戊申,录张庭坚后。

戊午,许翰罢知亳州。己未,徐处仁罢知东平府,吴敏罢知扬州。以唐恪为少宰兼中书侍郎,何㮚为中书侍郎,礼部尚书陈过庭为尚书右丞,开封府尹聂昌同知枢密院事。

时翰、处仁主用兵,而吴敏、耿南仲欲和,议不合。翰先罢,处仁又与敏争于帝前,处仁怒,掷笔中敏面。南仲与恪,昌欲排去二人而代之位,讽中丞李回论之,于是俱罢。

初,敏以昌猛厉,可使助己,自衡州召知开封;不数月,拜同知枢密,入谢,即陈扞御之策曰:"三关、四镇,国家藩篱也,闻欲以畀敌,一朝渝盟,何以制之!愿勿轻与,而檄天下兵集都畿,坚城守以遏其冲,简禁旅以备出击,壅河流以断归路。前有坚城,后有大河,劲兵四面而至,彼或南下,堕吾网矣。臣愿激合勇义之士,设伏开关,出其不意,扫其营以报。"帝壮之,命提举守御,得以便宜行事。未几,言者论敏因蔡京进用,安置涪州。

先是遣刘岑、李若水分使金军以求缓师。岑等还,言宗望索归朝官及所欠金银,宗翰则不言金银,专论三镇。庚申,乃遣王云往,许以三镇赋入之数。

是(日)〔月〕,福州军乱,杀知州柳庭俊。

九月,丙寅,金人破太原府。

时宗翰乘胜急攻,知府张孝纯力竭不能支,城破,孝纯被执,既而释用之。副都总管王禀死之。

禀与孝纯同守太原,宗翰屡遣人招谕,不从。至是,并力攻城,列炮三十座,凡举一炮,听鼓声齐发,炮石入城者大于斗,楼橹中炮,无不坏者。禀乃先设虚栅,下又置糠布袋在楼橹上，虽为所坏，即时复成。宗翰又为填濠之法，先用洞子，下置车转轮，上安巨木，状似屋形，以生牛皮缦上，裹以铁叶，人在其内，推而行之，节次以续，凡五十馀辆，皆运土木柴薪于其中。其填濠，先用大枝薪柴，次以荐覆，然后置土在上，增覆如初。禀预穿壁为窍，致火䂎在内，俟其薪多，即放灯于水，其灯下水寻木，能燃湿薪，火既渐盛，令人鼓䂎，其焰亘天，焚之立尽。宗翰又为车如鹅形，下亦用车轮，冠以皮铁，使数百人推行，欲上城楼。禀于城中设跳楼，亦如鹅形，使人在内迎敌，先以索络巨石，置〔被〕〔彼〕鹅车上，又令人在下以搭钩及绳拽之，其车前倒不能进。然人众粮乏，三军先食牛马骡，次烹弓弩皮甲，百姓煮萍实、糠籺、草荄以充腹，既而人相食。城破，禀犹率羸卒巷战，突围出，金兵追之急，遂负太原庙中太宗御容赴汾水死，子邠门祗候苟殉之。通判王逸自焚死，转运判官王毖、提举常平单孝忠亦死于难。

太原既破，知磁州宗泽，缮城浚隍，治器械，募义勇，为固守之计，上言："邢、洺、磁、赵、相五州，各蓄精兵二万，敌攻一郡，则四郡皆应，是一郡之兵，常有十万人也。"帝嘉之。

初，泽知莱州掖县，部使者得旨市牛黄，泽报曰："方时疫疠，牛饮其毒，则结为黄。今和气横流，牛安得黄！"使者怒，欲劾邑官，泽曰："此泽意也。"独衔以闻，一县获免。

己巳，金复以南京为平州。

壬申，臣僚言："蔡攸之罪，不减乃父，燕山之役，祸及天下，骄奢淫逸，载籍所无，若不窜之海外，恐不足以正凶人之罪。"诏移万安军。行至岭外，帝遣使以手札随所至赐死，并诛其弟脩及朱勔。

乙亥，诏："编修敕令所取靖康以前蔡京所乞御笔手诏，参祖宗法及今所行者，删修成书。"

丁丑，以礼部尚书王（寓）〔寓〕为尚书左丞。

戊寅，命李纲出知扬州。

中书舍人胡安国，初为太学博士，足不及权门。蔡京恶其异己。会安国举永州布衣王绘、邓璋遗逸，京以三人乃范纯仁、邹浩之客，置狱推治，安国坐除名；张商英为相，始得复官。帝即位，召赴京师，入对，言："明君以务学为急，圣学以正心为要。"又言："纪纲尚紊，风俗益衰，施置乖方，举动烦扰。大臣争竞而朋党之患萌，百执窥觎而浸润之奸作。用人失当而名器愈轻，出令数更而士民不信。若不扫除旧制，乘势更张，窃恐大势一倾，不可复正。"语甚剀切，日昃始退。耿南仲闻其言而恶之，力谮于帝，帝不答。许翰入见，帝谓曰："卿识胡安国否？"翰对曰："自蔡京得政，士大夫无不受其笼络，超然远迹不为所污如安国者实少。"遂除中书舍人。

及言者论李纲专主战议，丧师费财，纲遂出守。舍人刘珏当制，谓纲勇于报国；吏部侍郎冯澥，言珏为纲游说，珏坐贬。安国封还词头，且论澥越职言事。耿南仲大怒，何㮚从而挤之，遂出知通州。

安国在省一月，多在告之日，及出，必有所论列。或曰："事之小者，盍姑置之？"安国曰："事之大者，无不起于细微。今以小事为不必言，至于大事又不敢言，是无时可言也。"人服其论。

壬午，枭童贯首于都市。

甲申，日有两珥背气。

丙戌，建三京及邓州为都总管府，分总四道，以知大名府赵野总北道，知河南府王襄总西道,知邓州张叔夜总南道,知应天府胡直孺总东道。

罢知扬州李纲提举洞霄宫。

金师日逼,南道总管张叔夜、陕西制置使钱盖,各统兵赴阙。唐恪、耿南仲专主和议,亟檄止诸军勿前。辛卯,遣给事中黄锷由海道使金议和。

是月,夏人陷西安州。

冬,十月,癸巳朔,御殿,复膳。

贬李纲为保静军节度副使,安置建昌军。

丁酉,有流星如杯。

金人破真定府,知府李邈、兵马都钤辖刘翊死之。

种师道及金宗望战于井陉,败绩。宗望遂入天威军,攻真定,翊率众昼夜搏战,久之,城破。翊巷战,麾下稍亡,翊顾其弟曰:"我大将也,可受戮乎!"因挺刃欲夺门出,不果,自缢死。

初,〔邈〕闻敌至,间道走蜡书上闻,三十四奏,皆不报。城被围,且战且守,相持四旬。既破,将赴井,左右持之,不得入。宗望胁之拜,不屈,以火燎其须眉及两髀,亦不顾,乃拘(然)〔于〕燕山府。欲以邈知沧州,笑而不答。后命之易服,邈愤,大骂,金人挝其口,犹呪血噀之,金人大怒,遂遇害。将死,颜色不变,南面再拜,端坐受戮。后谥忠壮。

戊戌,金使杨天吉、王汭来议事,取蔡京、童贯、王黼、吴敏、李纲等九人家属,命王时雍、曹曚馆之。时雍议以三镇所入岁币并祖宗内府所藏珍玩悉归二帅,且以河东宿师暴露日久,欲厚犒之。天吉、汭颇颔其说,先取犒师绢十万匹以行。

时既遣使讲和,金人阳许,而攻略自如。诸将以和议故,皆闭壁不出。御史中丞吕好问,乃请亟集沧、滑、邢、相之戍以遏奔冲,而列群勤王之师于畿邑以卫京城,疏入,不省。金人破真定,攻中山,上下震骇,廷臣狐疑相顾,犹以和议为辞。好问率台属劾大臣畏懦误国,坐贬知袁州;帝闵其忠,下迁吏部侍郎。

庚子,日有赤青黄戴气。

金人攻汾州,知州张克戬毕力捍御,城破,犹巷战,不克,乃索朝服,焚香,南向拜舞,自引决,一门死者八人。兵马都监贾宣亦死之。

金人攻平定军。

辛丑,下哀痛诏,命河北、河东诸路帅臣传檄所部,得便宜行事。

壬寅,天宁节,率群臣诣龙德宫上寿。

甲辰,诏用蔡京、王黼、童贯所荐人。

丙午,集从官于尚书省,议割三镇,召种师道还。师道行次河阳,遇王汭,揣敌必大举,亟上疏,请幸长安以避其锋。大臣以为怯,故召还之。

丁未,以礼部尚书冯澥知枢密院事。

庚戌,以范讷为河北、河东路宣抚使,代种师道也。

辽故将小呼鲁攻破麟州,知建宁砦杨震死之。

王云遣使臣至自真定,报金人已讲和,不复议割三镇,但索五辂、冠冕及上尊号等事,且须康王亲到,议乃可成。壬子,诏太常礼官集议金主尊号,命康王构使宗望军,尚书左丞王寓副之,寓辞,以冯澥行,知东上阁门事高世则充参议官。寻贬寓为单州团练副使。

乙卯,雨木冰。

丙辰，金人入平阳府。

初，汾州既破，议者谓汾之南有回牛岭，险峻如壁，可以控扼，乃命将以守，朝议又遣刘琬统众驻平阳以捍北边。然国用乏竭，仓廪不足，士之守回牛者，日给豌豆二升或陈麦而已。士笑曰："军食如此，而使我战乎!"金人领锐师攻岭，于山上仰望官兵曰："彼若以矢石自上而下，吾曹病矣，为之奈何?"徘徊未敢进。俄而官军溃散，遂越岭至平阳。琬领兵遁去，城遂破，官吏皆缒城而出。已而威胜、隆德、泽州皆破。

庚申，日有两珥及背气。

侍御史胡舜陟请援中山，不省。

辛酉，检校少傅、镇洮军节度使种师道卒。

十一月，甲子，康王构入辞，帝赐以玉带，抚慰甚厚。王出城北，权留定林院，候冠服礼物成而行。

丙寅，夏人陷怀德军，知军事刘铨、通判杜翊世死之。

初，经略使席贡牒铨知怀德军，铨奉檄，即日就道。夏人素闻铨名，乃屯兵绵亘数十里而围之。铨昼夜修战守之备，贼百计攻城，铨悉以术破之。后矢尽粮绝，铨度力不支，乃同翊世聚焚府库，环牙兵为三匝，出战谯门中，官军歼焉。翊世同妻张氏义不受辱，遂火其室，举家死于烈焰中，翊世自缢死。铨欲自裁，已为敌所执。夏太子遣人置之别室，将官之，铨骂曰："我宁死，顾肯降贼邪! 我苟不死，决不贷汝!"遂遇害。

籍谭积家。

康王未行，而车辂至长垣，为金人所却，王遂不行。戊辰，王云至自金军，言事势中变，必欲得三镇，不然则进取汴都，中外大骇。康王复入门。罢冯澥为太子宾客。

己巳，集百官议三镇于延和殿，各给笔札，文武分列廊庑，凡百馀人。惟梅执礼、孙傅、吕好问、洪刍、秦桧、陈国(财)〔材〕等三十六人言不可与，自范宗尹以下七十人皆欲与之。宗尹言最切，至伏地流涕，乞予之以纾祸。已而黄门持宗尹章疏示众曰："朝廷有定议，不得异论。"会李若水归自宗翰军，恸哭于庭，必欲从其请。何㮚初主不与，及退，谓唐恪曰："三镇之地，割之则伤河外之情，不割则太原、真定已失矣。不若任之，但饬守备以待。"恪唯唯。梅执礼建议清野，寻召孙傅及执礼入对，议遂定。

庚午，诏："河北、河东、京畿清野，令流民得占官舍、寺观以居。"

辛未，有流星如杯。

壬申，禁京师民以浮言相动者。

金宗翰自太原趋汴，官吏弃城走者，远近相望。癸酉，至河外，宣抚副使折彦质领兵十二万与之对垒。时金书枢密院事李回以万骑防河，亦至河上。敌发数十骑来觇，回报其帅曰："南兵亦盛，未可轻渡。"或欲整兵俟战，洛索曰："南兵虽多，不足畏也。与之战则胜负未可知，不若加以虚声，尽取战鼓，击之达旦，以观其变。"众以为然。黎明，河上之师悉溃，遂长驱而南。甲戌，金兵悉渡。知河阳燕(英)〔瑛〕、西道总管王襄皆弃城走，永安军、郑州并降于金。

宗望屯兵庆源城下，欲为攻城之计，宣抚范讷统兵五万守滑、浚以捍之。宗望知有备，乃由恩州古榆渡趋大名。

王云固请康王往使。乙亥，命云副康王构再使宗望军，许割三镇，并奉衮冕、车辂以行，仍尊金主为皇伯,上尊号曰大金崇天继序昭德定功休仁惇信修文成武光圣皇帝。

丙子,王及之同金使王汭来,言军已至西京,不复请三镇,直欲画河为界;陛对殊不逊,有"奸臣辅暗主"之语。上下汹惧,即许之,且以两府二人行。唐恪既书敕,何㮚大骇曰:"不奉三镇之诏,而从画河之命,何也?"㮚不肯书,因请罢。

是日,金人由汜水关渡河。京西提刑许高,河北提刑许亢,各统兵防洛口,望风而溃。

京师闻之,土门清野,诏百官疾速上城。遣冯澥、李若水使宗翰军,行至中牟,守河兵相惊,以为金兵至。左右谋取间道去,澥问何如,若水曰:"戍兵畏敌而溃,奈何效之?今正有死尔,敢言退者斩!"若水屡附奏,言和议必不可谐,乞申饬守备,下哀痛诏,征兵于四方。

丁丑,何㮚罢为开封尹;以尚书左丞陈过庭为中书侍郎。

兵部尚书孙傅,因读丘浚《感事诗》有"郭京、杨适、刘无忌"之语,于市人中访得无忌,于龙卫中得京。好事者言京能施六甲法,可以生擒金二帅,而扫荡无馀,其法用七千七百七十(九)〔七〕人。朝廷深信不疑,命以官,赐金帛数万,使自募兵,无问技艺能否,但择年命合六甲者,所得皆市井浮惰,旬日而足。敌攻益急,京谈笑自如,云择日出兵三百,可致太平,直袭击至阴山乃止,傅与何㮚尤尊信之。或谓傅曰:"自古未闻以此成功者。正或听之,姑少付以兵,俟有尺寸功,乃稍进任。今委之太过,惧必为国家羞。"傅怒曰:"京殆为时而生,敌中琐微,无不知者。幸君与傅言,若告它人,将坐沮师之罪。"摄使出。

又有刘孝竭等募众,或称力士,或称北斗神兵,或称天阙大将,大率效京所为。识者危之。

王云、耿延禧、高世则等从康王构出城。云白王曰:"京城楼橹,天下所无。然真定城高几一倍,金人使云等坐观,不移时破之。此虽楼橹如画,亦不足恃也。"王不答。

行次长垣,百姓喧呼遮道,至顶盆焚香,乞起兵扼敌,不宜北去。

戊寅,进龙德宫婉容韦氏为贤妃,康王构为安国、安武军节度使。

是日,康王构发长垣,至滑州;庚辰,至相州。壬午,磁州守臣宗泽迎谒曰:"肃王一去不返,今金又诡辞以致大王,其兵已迫,复去何益!愿勿行。"先是王云奉使过磁、相,劝两郡撤近城民舍,运粟入保,为清野之计,民怨之。及王次磁,出谒嘉应神祠,云在后,百姓遮道谏王勿北去,厉声指云曰:"清野之人,真奸细也!"王出庙,行人噪,执云,杀之。

时宗望军济河,游奕日至磁城下,踪迹王所在。知相州汪伯彦亟以帛书请王如相,躬服橐鞬,部兵以迎于河上。王令韩公裔访得间道,潜师夜发,磁人无一知者。迟明,至相,劳伯彦曰:"它日见上,当首以京兆荐。"由是受知。是役也,议者以为云不死,王必无复还之理。

汤阴人岳飞,少负气节,家贫力学,尤好《左氏春秋》、孙、吴兵法,力能挽弓三百斤,弩八石。刘韐宣抚镇、定,募敢战士,飞与焉,屡擒剧贼。至是因刘浩以见,王以为承信郎。

金宗望遣杨天吉、王汭等来议割地,欲以黄河为界,帝许之。汭又请报使须亲信大臣,帝命耿南仲,以老辞;改命聂昌,以亲辞。陈过庭曰:"主忧臣辱,愿效死!"帝为挥泪太息,而怒南仲、昌,固遣南仲使河北宗望军,昌使河北宗翰军。昌言:"两河之人,忠义勇劲,万一为所执,死不瞑目矣。"行至绛,绛人果坚壁拒之。昌持诏抵城下,缒而登。钤辖赵子清麾众杀昌,抉其目而脔之。

初,南仲与吴开坚请割地以成和好,故战守之备皆罢,致金师日逼。至是与金使王汭偕行至卫州,卫乡兵欲执汭,汭脱去。南仲遂走相州,以帝旨谕康王起河北兵,入卫京师,因连署募兵榜揭之,人情始安。

甲申,以孙傅同知枢密院事,御史中丞曹辅佥书枢密院事。

以京兆府路安抚使范致虚为陕西五路宣抚使,令督勤王兵入援。

乙酉,金宗望军至城下,屯于刘家寺。

初,种师道闻真定、太原皆破,檄召西南两道兵赴阙。会师道卒,唐恪、耿南仲专务议和,乃止两道兵毋得妄动,遂散归。及金人傅城,四方兵无一人至者,城中唯七万人。于是殿前司以京城诸营兵万人分作五军,以备缓急救护:前军屯顺天门,左军、中军屯五岳观,姚友仲统之;右军屯上清宫,(从)〔后〕军屯景阳门,辛(承)〔亢〕宗统之。又以五万七千人分四壁守御。遣使以蜡书间行出关召兵,并约康王及河北守将来援,多为金逻兵所获。

丁亥,大风发屋折木。

佥书枢密院事李回罢。

戊子,金人攻通津门,范琼出兵焚其寨。

己丑,南道都总管张叔夜将兵勤王,至玉津园。帝御南薰门见之,军容甚整,以叔夜为延康殿学士。

时唐恪计无所出,密言于帝曰:"唐自天宝而后,屡失而复兴者,以天子在外,可以号召四方也。今宜举景德故事,留太子居守而幸西洛,连据秦雍,领天下兵亲征,以图兴复。"帝将从之。领开封府何㮚入见,引苏轼所论,谓周之失计,未有如东迁之甚者。帝翻然而改,以足顿地曰:"今当以死守社稷!"及叔夜入对,亦言敌锋甚锐,愿如明皇之避禄山,暂诣襄阳以图幸雍,帝不答。

金宗望遣刘晏来,要帝出盟。

庚寅,幸东壁劳军。

诏三省长官名悉依元丰旧制。以领开封府何㮚为门下侍郎。

闰月,壬辰朔,金人攻善利门,统制姚友仲御之。

唐恪从帝巡城,人欲击之,因求去,罢为中太一宫使。以门下侍郎何㮚为尚书(左)〔右〕仆射兼中书侍郎。

癸巳,京师苦寒,用日者言,借土牛迎春。

都人杀东壁统制官辛亢宗。罢民乘城,(以代)〔代以〕保甲。

金宗翰军自河阳来会,至城下。

甲午,驿召李纲为资政殿大学士,领开封府。

金人破怀州,知州霍安国死之。

安国被围,捍御不遗力。鼎澧兵亦至,相与共守,力尽,城乃破,将官王美投濠死。宗翰引安国以下分为四行,问不降者为谁,安国曰:"守臣霍安国也!"问馀人,通判林渊,钤辖张彭年,都监赵士㻾、张谌、于潜,鼎澧将沈敦、张行中及队将五人同辞对曰:"渊等与知州一体,皆不肯降!"宗翰令引于东北乡,望其国拜〔降〕,皆不屈。乃解衣面缚,杀十三人而释其馀。安国一门无噍类。

时雨雪交作,帝被甲登城,以御膳赐士卒,易火饭以进,人皆感涕。金人攻通津门,数百人缒城御之,焚其炮架五,鹅车二。

乙未,金人入青城,攻朝阳门。

冯澥至自金军。时澥与李若水至怀州,金使萧庆等挟与俱还。

丙申,幸宣化门,帝乘马行泥淖中,民皆感泣。

张叔夜数战有功,帝召见,授资政殿学士。

东道总管胡直孺将兵入卫,与金人遇于拱州,兵败,被执,遂破拱州。

丁酉,赤气亘天。

金人初至,即力攻东壁。刘延庆练边事,措置颇有法;遇夜,即城下积草数百,燕之以警。时有议置九牛炮者,虽砲磨皆可施,于东壁用之,尝碎其云梯,诏封护国大将军。金知东壁不可攻,于是过南壁,以洞子自蔽,运薪土实护龙河,河水遂涸。

以冯澥为尚书左丞。

戊戌,殿前副都指挥使王宗濋率牙兵千馀下城,与金人战,统制官高师旦死之。

己亥,诏毁艮岳为炮石。金复于护龙河叠桥取道,姚友仲选锐卒下城,分布弩炮,又于城上缚虚棚,士众山立,箭下如雨,桥不能寸进,乃弃去,益造火梯、云梯、偏桥、撞竿、鹅车、洞子诸攻城之具。

庚子,张叔夜金书枢密院事,将兵入城。

金人攻宣化门,姚友仲御之。

是日,幸东壁。金人复遣萧庆等来贷粮,且议和。

辛丑,金人攻南壁,杀伤相当。

壬寅,诏河北守臣尽起军民倍道入援。

癸卯,幸安肃门。至朝阳门,金人箭及驾前旗下。令军士三百馀人缒城出战,杀敌数百,复缒而上,命以官者数十人。金人筑望台,度高百尺,下瞰城中,以飞火炮燔楼橹,将士严警备,旋即缮治。又造云梯,施大轮,以革冒之,乘鳞推以叩全,将士出钩竿拄之,使不得进,近者以钩矛取之,发火焚梯,敌数引却。复用鹅车、洞子攻北城,军士射以九牛弩,一发而贯三人。诏募人焚敌炮架、鹅车、洞子及八分者,白身授团练使,馀以次授赏。张叔夜闻南壁飞石击楼橹,与范琼分麾下兵袭敌营,欲燔其炮架,遥见铁骑,军士不克陈而奔,自相蹂籍,溺隍死者以千数。

甲辰,大雨雪。

金人破亳州。

遣间使召诸道兵勤王。

乙巳,大寒,士卒噤战,不能执兵,有僵仆者。帝在禁中徒跣祈晴。

丙午,雨木冰。

丁未,始避正殿。

戊申,金人过登天桥,来攻通津门。

时勤王兵不至,城中兵可用者唯卫士三万,然亦十失五六,因时令挑战以示敢敌。金人复来,言不须帝出城,请亲王及何㮚往议,诏越王往。将行,而宗翰以兵来迓,王乃止。于是金人宣言失信,再遣使来趣亲王出盟。己酉,遣冯澥、曹辅与宗室仲温、士祤使金军请和。既至,宗翰即遣还,不与一语。

命康王构为河北兵马大元帅。

殿中侍御史胡唐老言:"康王奉使至磁,为士民所留,乃天意也。乞就拜为大元帅,俾率天下兵入援。"何㮚以为然,密草诏稿上之。帝令募死士,得秦仔、刘定等四人,遣持蜡诏如相州,拜王为大元帅,陈遘为元帅,宗泽、汪伯彦副元帅,使尽河北兵速入卫,辟官行事,并从便宜。仔先至相,于顶发中出诏,王读之呜咽,军民感动。

辛亥,金人复遣使来议和,要亲王出盟。

壬子,复遣曹辅、冯澥及仲温、士诹使金营。癸丑,仲温、士诹还,云金人须亲王并何㮚至军前。

金人攻通津、宣化门,范琼以千人出战,渡河,冰裂,没者五百馀人,自是士气益挫。

甲寅,大风自北起,俄雪下数尺,连日夜不止。

乙卯,金人复使刘晏来趣亲王、宰相出盟。

何㮚屡趣郭京出师,京徙期再三,曰:"非至危急,吾师不出。"丙辰,大风雪,京乃令守御者悉下城,毋得窃窥。因大启宣化门,出攻金军,京与张叔夜坐城楼上。金人分四翼,噪而前,京兵败走,堕死于护龙河,城门急闭。京向叔夜曰:"须自下作法。"因下城,引馀众南遁。

金人遂登城,众皆披靡,四壁兵皆溃。金人入南薰诸门,统制姚友仲死于乱兵。四壁守御使刘延庆夺门出奔,为追骑所杀。宦者黄经自赴火死。统制何庆言、陈克礼、中书舍人高振力战,与其家人皆被害。京城遂破。帝恸哭曰:"朕不用种师道言,以至于此!"

卫士入都亭驿,执金使刘晏,杀之。

军民数万,斧左掖门求见天子,帝御楼谕遣之。卫士长蒋宣率其众数百,欲邀乘舆犯围而出;左右奔窜,独孙傅、梅执礼、吕好问侍。宣抗声曰:"国事至此,皆宰相信任奸臣,不用直言所致。"孙傅呵之,宣以语侵傅。好问譬晓之曰:"若属忘家,欲冒重围卫上以出,诚忠义,然乘舆将驾,必甲乘无缺而后动,讵可轻邪!"宣屈服,曰:"尚书真知军情。"麾其徒退。

何㮚欲亲率都民巷战,金人宣言议和退师,乃止。

(戊午)〔丁巳〕,遣㮚及济王栩使金军以请成,㮚惧,不敢行,帝固遣之,犹迟回良久不决。李若水嫚骂曰:"致国家如此,皆尔辈误事。今社稷倾危,尔辈万死何足塞责!"㮚不得已,乃上马,而足战不能跨,左右扶上,北出朱雀门,所执鞭三堕地。既至,宗翰、宗望曰:"自古有南即有北,不可相无也。今之所议,期在割地而已。"㮚还,言金欲邀上皇出郊,帝曰:"上皇惊忧而疾,必欲之出,朕当亲往。"㮚喜和议成,既归都堂,作会饮酒,谈笑终日。

自乙卯雪大作不止,天地冥晦。或雪未下时,于阴云中有雪丝长数寸堕地。是夜,雪霁,彗星见,有白气出太微垣。

己未,遣何㮚再往金军。诏曰:"大金坚欲上皇出郊,朕以宗庙生灵之故,义当亲往。咨尔众庶,毋致惊疑。"

庚申,日赤如火无光。

辛酉,车驾诣青城,何㮚、陈过庭、孙傅等从。帝望斋宫门即下马,步入一小位中。金人邀请乘马入,帝不听。与二帅相见,宗翰以未得金主之命,以好语相慰籍,宗望唯唯而已。都人自宣德楼至南薰门,立泥雪中以俟驾回。

十二月,壬戌朔,帝留青城。宗翰遣萧庆入城,居尚书省,朝廷动静,并先关白。

是日,康王开大元帅府于相州,有兵万人,分为五军而进;既渡河,次于大名。宗泽以二千人与金人力战,破其三十馀砦,履冰渡河,见王曰:"京城受围日久,入援不可缓。"王纳之。既而知信德府梁扬祖以三千人至,张俊、苗傅、杨沂中、田师中等皆在麾下,兵威稍振。会帝遣曹辅赍蜡诏至,云"金人登城不下,方议和好,可屯兵近甸毋动。"汪伯彦等皆信之,宗泽独曰:"敌人狡谲,是欲款吾师耳。君父之望入援,何啻饥渴！宜急引军直趋澶渊,以解京城之围！"伯彦等难之,劝王遣泽先行,自是泽不得与帅府事矣。耿南仲及伯彦请移军东平,王从之。

癸亥,帝至自青城,士庶及太学生迎谒,帝掩面大哭曰:"宰相误我父子！"观者无不流涕。

〔甲子〕,金遣使来,索金一千万锭,银二千万锭,帛一千万匹。于是大括金银,金价至五十千,银至三千五百。金又索京城骡马,括得七千馀匹,悉归之。

金主诏元帅府曰:"将帅士卒立功者,第其功之高下迁赏之。其殒身行陈,殁于王事者,厚恤其家。赐赠官爵,务从优厚。"使完颜勖就军中劳赐,宗翰、宗望皆执其手以劳之。宗翰等问勖所欲,勖曰:"惟好书耳。"载数车而还。

丙寅,遣陈过庭、折彦质往两河,割地以界金,又分遣欧阳珣等二十人持诏而往。

珣尝上书,极言祖宗之地尺寸不可以与人。及事急,会群臣议,珣至,复抗论:"当与力战,战败而失地,它日取之直;不战而割地,它日取之曲。"时宰怒,欲杀珣,乃以珣为将作监丞,奉使割深州。珣至深州城下,恸哭谓城上人曰:"朝廷为奸臣所误至此,吾已办一死来矣！汝等宜勉为忠义报国！"金人怒,执送燕,以焚死。

辛未,定京师米价,劝粜以赈民。

乙亥,康王如北京。

丙子,尚书省火。

庚辰,雨雹。

金主诏曰:"朕惟国家四境虽远而兵革未息,田野虽广而畎亩未辟,百工虽备而禄秩未均,方贡虽修而宾馆未赡。是皆出乎民力,苟不务本业而抑游手,欲上下皆足,其可得乎！其令所在长吏敦劝农桑。"

癸未,大雪,纵民伐紫筠馆花木以为薪。

庚寅,康王如东平府。

初,范致虚闻汴京围急,会西道总管王襄、陕西制置使钱盖之师,凡十万人赴援。至颍昌,闻汴京陷,襄、盖遁去,致虚独与西道副总管孙昭远、环庆帅王似、熙河帅王倚率步骑号二十万,命马祐昌统之以趋汴,以僧赵宗印为参议官。致虚将大军遵陆,宗印将舟师趋西京。宗印又以僧为一军,号尊胜队,童行为一军,号净胜队。致虚勇而无谋,委己以听于宗印,宗印徒大言,实未尝知兵。师出武关,至邓州千秋镇,金将洛索以精骑冲之,不战而溃,死者过半。王似、王倚、孙昭远等留陕府,致虚收馀兵入潼关。

初,金太祖定燕京,始用汉官宰相,置中书省、枢密院于广宁府,而朝廷宰相自用本国官号。金主初立,移置中书、枢密于平州,复移置燕京。及宗干当国,劝金主改女直旧制,用汉官制度。是岁,始定官制,立尚书省,以天下诸司府寺诏谕中外。

二年 金天会五年【丁未,1127】 春,正月,辛卯朔,诣延福宫朝太上皇帝。命济王栩、景王杞出贺金二帅,二帅亦遣人入贺。

高丽遣使如金贺正朔,自后岁以为常。

壬辰,金人复趣召康王,遣中书舍人张澂赍诏以行,以前此曹辅往迎,不见王而还故也。

癸巳,康王次东平府。

金元帅宗翰、宗望遣人奏捷,并呈帝之降表。

诏使出割两河地,民坚守不奉诏,凡累月,金人止得石州。甲午,诏两河民开门出降。

乙未,有大星出建星西南,流入于浊没。

金知枢密院事刘彦宗,上表请复立赵氏,金主不听。

丁酉,雨木冰。

己亥,阴曀,风迅发。夜,西北阴云中有光如火。

庚子,帝复诣青城。时金人索金银益急,欲纵兵入城。帝以问萧庆,庆曰:"须陛下亲见元帅乃可。"帝有难色,何㮚、李若水以为无虞,劝帝行。帝乃命孙傅辅太子监国,而与㮚、若水等往。唐恪闻之曰:"一之为甚,其可再乎!"邠门宣赞舍人吴革亦白㮚曰:"天文帝座甚倾,车驾若出,必堕敌计。"㮚不听。

辛丑,帝留青城。郓王楷、何㮚、冯澥、曹辅、吴开、莫俦、孙觌、谭世勣、汪藻皆分居青城斋宫,馀并令先归。初,帝约五日必还,至是民以金银未足,各竭其家所有献之。有福田院贫民,亦纳金二两,银七两。而金人来索不已,于是增侍郎官二十四员再根括,又分遣搜掘戚里、宗室、内侍、僧道、伎术、倡优之家。

帝在青城,舍于亲王位,供张萧然,馈饷不继。金人持兵守闉,维以铁绳,夜则然薪击柝,传呼达旦。群臣相顾失色,帝每对之流涕。

乙巳,籍梁师成家。

丙午,太学生徐揆诣南薰门,以书白守门者,乞达二帅,请车驾还阙。二帅取揆赴军中诘难,揆厉声抗论,为所杀。

是日,通奉大夫刘韐死于金营。

韐为河东割地使,金人令仆射韩正馆之僧舍,谓曰:"国相知君;今用君矣。"韐曰:"偷生以事二姓,有死不为也。"正曰:"军中议立异姓,欲以君为正代。与其徒死,不若北去取富贵。"韐仰天大呼曰:"有是乎!"乃书片纸曰:"贞女不事二夫,忠臣不事二君。况主忧臣辱,主辱臣死,此予所以不敢偷生也!"使亲信持归,报其子子羽等,即沐浴更衣,酌卮酒而缢。金人叹其忠,瘗之寺西冈上,遍题窗壁以识其处。凡八十日,乃就敛,颜色如生。

丁未,大雾四塞,金人下含辉门剽掠,焚五岳观。

副元帅宗泽自大名至开德,与金人十三战,皆捷,遂以书劝康王檄诸道兵会京城。又移会北道总管赵野、两河宣抚范讷、知兴仁府曾楙合兵入援。三人皆以泽为狂,不答。泽遂以孤军进至卫南,先驱云前有敌营,泽挥众直前,连战,败之,转战而东。敌益生兵至,泽将王孝忠战死,前后皆敌垒,泽下令曰:"今日进退等死,不可不死中求生。"士卒知必死,无不一当百,斩首数千,金人大败,退却数十里。泽计其势必复来,乃亟徙其营,金人夜至,得空营,大惊,自是惮泽,不敢复出兵。泽出其不意,遣兵过大河袭击,又败之。

二月,辛酉朔,帝在青城。都人日出迎驾,而宗翰不遣。

丙寅,金主诏废帝及上皇为庶人。萧庆促帝易服。从臣震惧,不知所为,李若水独持帝曰:"陛下不可易服!"金人曳之去,若水大呼曰:"若辈不得无礼!"因加丑诋,金人击之破面,气结仆地,良久乃苏。

是夜,金人堑南薰门,令吴开、莫俦入城,推立异姓堪为人主者。先是宗翰欲留萧庆守汴,又有推刘彦宗者,二人辞不敢当,遂有别择之议。

2223

丁卯，范琼逼上皇及太后赴金营，上皇曰："若以我为质，得皇帝归保宗社，亦无所辞。"又取御佩刀付从臣，乃御辇车出南薰门。上皇顿足舆中曰："事变矣！"呼取佩刀，已被搜去。宗望令其礼部侍郎刘思来易服，以铁骑拥之而去。都人号哭，琼立斩数人以徇。

金人以内侍邓述所具诸皇子及后宫位号，尽取入军。时肃王枢已出质，郓王楷等九人先从帝在青城，于是安康郡王楃等九人及王贵妃、乔贵妃、韦贤妃诸后宫，康王夫人邢氏与王夫人、帝姬暨上皇十四孙皆出，唯广平郡王捷匿民间，金人檄开封尹徐秉哲取之，迄不免。

是日，孙傅率百僚申状金二帅，请立皇太子为君，金人不听。

金人迫上皇令召皇后、太子，孙傅留太子不遣，吴开、莫俦督胁甚急，范琼恐变生，以危〔言〕誻卫士，辛未，遂拥皇后、太子共车而出。孙傅曰："吾为太子傅，当同生死。"遂以留守事付王时雍，从太子出，至南薰门，守门人不许，傅遂宿门下以待命。

李若水在金营旬日，骂不绝口，乃裂颈断舌而死。金人相与言曰："辽国之亡，死义者十数，南朝唯李侍郎一人。"若水临死无怖色。副使相州观察使王履亦死之。

是日，留守王时雍召百官会议所立，众欲举在军前者一人。左司员外郎宋齐愈适自外至，或问以敌意所主，齐愈写张邦昌三字示之，议遂定。时不书议状者，唯孙傅、张叔夜，金人遂取二人往军中。太常寺主簿张浚、开封士曹赵鼎、司门员外郎胡寅皆逃入太学，不书名。

癸酉，王时雍、梅执礼召百官、士庶、僧道、军民集议推戴事。时孙傅、张叔夜已出，独时雍主其事，恐百官不肯书，乃先自书以率之，百官亦随以书。御史马伸独奋曰："吾曹职为诤臣，岂容坐视！"乃与御史吴给约中丞秦桧共为议状，愿复嗣君以安四方，桧不答。有顷，伸稿就，首以呈桧。桧犹豫，伸率同僚合词立请，桧不得已始书名。伸遣人驰达金军，并论张邦昌当上皇时蠹国乱政以致倾危之罪。吴开、莫俦持状诣军前。明日，赍金牒至，言已据所由奏本国，册立张相为皇帝讫，令取册宝及一行册命礼数。

乙亥，金人取秦桧并太学生三十人，博士、正、录十员；何㮚已下随驾在军前人，并取家属。

庚辰，康王如济州。

时王有众八万，屯济、濮诸州，高阳关路安抚使黄潜善，总管杨惟忠，亦部兵数千至东平，王遣真定总管王渊以三千人入卫宗庙。金人闻之，遣甲士及中书舍人张澂赍蜡诏自汴京至，命王以兵付副帅而还京。王问计于左右，后军统制张俊曰："此金人诈谋耳。今大王居外，此天授，岂可徒往！"王遂如济州。

既而金人谋以五千骑取康王，吕好问闻之，遣人以书白王曰："大王之兵，度能击之；不然，即宜远避。"且言："大王若不自立，恐有不当立而立者。"

癸未，城内复以金七万五千八百两、银一百一十四万五千两、衣缎四万八十四匹纳军前。

观文殿大学士、中太一宫使唐恪自杀。时金人逼百官立张邦昌，恪既书名，仰药而死。

乙酉，金人以括金未足，杀户部尚书梅执礼，侍郎陈知质，刑部侍郎程振，给事中安扶，枭其首，乃下令曰："根括官已正典刑，金银或尚未足，当纵兵白索。"既而汉军都统刘彦宗言于宗翰、宗望曰："萧何入关，秋毫无犯，惟收图籍。辽太宗入汴，载路车、法服、石经以归，皆令则也。"宗翰等颇纳其言。

丁亥，知中山府陈遘为部将沙振所害，帐下卒执振杀之。

是日，建宁宫火。元祐孟皇后徒步出居相国寺前通直郎、军器监孟忠厚家。时六宫有位号者皆北徙,惟后以废得存。

戊子,夜,白气贯斗。

三月,辛卯朔,帝在青城。

张邦昌由南薰门入居尚书令厅。

丁酉,金人奉册宝立张邦昌,百官会于尚书省。邦昌泣,即上马,至西府门,佯为悁愦欲仆,立马,少苏,复号恸,导至宣德门西(关)〔阙〕下,入幕次,复恸。金人持御衣红伞来,设于次外。邦昌出次外,步至御街褥位,望金国拜舞,跪受册,略曰:"咨尔张邦昌,宜即皇帝位,国号大楚,都金陵。"邦昌御红伞还次讫,金人揖,上马出门,百官引导如仪。邦昌步入自宣德门,由大庆殿至文德殿前,进辇,却勿御,步升殿于御床西侧,别置一椅,坐受军员等贺讫,文武合班,邦昌乃起立,遣邠门传云:"本为生灵,非敢窃位。"传令勿拜。王时雍等恳奏,传云:"如不蒙听从,即当归避。"时雍率百官遽拜,邦昌但东面拱立。

邠门宣赞舍人吴革,耻屈节异姓,率内亲事官数百人,皆先杀其妻孥,焚所居,举义兵东门外。范琼诈与合谋,令悉弃兵仗,乃从后袭之,杀百馀人,执革,胁以从逆。革骂不绝口,引颈受刃,颜色不变,并其子杀之;又擒斩十馀人。

是日,风霾,日晕无光,百官惨沮,邦昌亦变色,惟时雍及吴开、莫俦、范琼等,欣然以为有佐命功。邦昌心不安,拜官皆加权字。大抵往来议事者,开、俦也;逼逐上皇以下者,时雍、秉哲也;胁惧都人者,范琼也;遂皆擢用。

邦昌见百官称予,手诏曰手书。虽不改元,而百官文移必去年号。权金书枢密院事吕好问所行文书,独称靖康二年。百官犹未以帝礼事邦昌,唯时雍每言事,称"臣启陛下";又劝邦昌坐紫宸、垂拱殿以见金使,好问争之,乃止。时雍复议肆赦,好问曰:"四壁之外,皆非我有,将谁赦邪!"乃但赦城中,而选郎官为四方密谕使。

庚子,金人复来取宗室,徐秉哲令坊巷五家为保,毋得藏匿,凡三千馀人,悉令押赴军前,衣袂连属而往。济王夫人曹氏,避难它出,捕而拘之柜中,舁以出城。开封府捉事使臣窦鉴曰:"生为大宋之臣,何忍以大宋宗族交与敌人!"自缢而死。

乙巳,张邦昌往青城见二帅致谢,且面议七事:一,乞不毁赵氏陵庙;二,乞免取金帛;三,乞存留楼橹;四,乞俟江宁府修缮毕,三年内迁都;五,乞五日班师;六,乞以帝为号,称大楚帝;七,乞借金银犒赏。皆许之。又请归冯澥、曹辅、路允迪、孙觌、张澂、谭世勣、汪藻、康执权、元(当可)〔可当〕、沈晦、黄夏卿、邓肃、郭仲荀、太学、六局官、秘书省官,亦从之。唯何㮚、孙傅、张叔夜、秦桧、司马朴等,令举家北迁。

癸丑,金人归冯澥等,且令权止根括金帛。

丁巳,张邦昌率百官诣南薰门、五岳观内,望军前遥辞二帝。邦昌哭,百官军民皆哭,有号绝不能止者。

是日,金帅宗望退师,道君皇帝北迁,宁德皇后及诸亲王、妃嫔以下,以牛车数百乘由滑州进发,行皆生路,无人迹,至真定府,乃入城。

戊午,金兵下城,尽逐南师,分四壁屯守。张邦昌诣金营辞,服赭袍,张红伞,所过起居并如常仪,从行者王时雍、徐秉哲、吴开、莫俦。

夏,四月,庚申朔,金帅宗翰退师,帝北迁,皇后、皇太子皆行,由郑州路进发。凡法驾、卤簿,皇后以下车辂、卤簿、冠服、礼器、法物、大乐、教坊乐器、祭器、八宝、九鼎、圭璧、浑天仪、铜人、刻漏、古器、景灵宫供器、太清楼、秘阁、三馆书、天下州府图及官吏、内人、内侍、技艺工匠、倡优、府库蓄积,为之一空。帝在军中,顶青毡笠,乘马,后有监军随之,自郑门而北,每过一城,辄掩面号泣。

初,金人将还,议留兵以卫邦昌,吕好问曰:"南北异宜,恐北兵不习风土,必不相安。"金人曰:"留一贝勒统之可也。"好问曰:"贝勒贵人,有如触发至病,则负罪亦深。"金人乃不留兵而去。

宗泽在卫,闻二帝北狩,即提军趋滑,走黎阳,至大名,欲径渡河,据金人归路,邀还二帝,而勤王之兵卒无一至者,遂不果。

甲子,张邦昌迎元祐皇后于私第,入居延福宫。

吕好问谓邦昌曰:"相公真欲立邪,抑姑塞敌意而徐为之图邪?"邦昌曰:"是言何也?"好问曰:"相公知中国人情所向乎? 特畏女直兵威耳。女直既去,能保如今日乎? 大元帅在外,元祐皇后在内,此殆天意。盍亟还政,可转祸为福。且省中非人臣所处,宜寓直殿庐,毋令卫士夹陛。敌所遗袍带,非戎人在弗服。车驾未还,所下文书不当称圣旨。为今计者,当迎元祐皇后,请康王早正大位,庶获保全。"邦昌以为然,乃迎元祐皇后入延福宫,尊为宋太后。其册文有曰:"尚念宋氏之初,首崇西宫之礼。"盖用太祖即位迎周太后入西宫故事。识者有以觇邦昌之意,非真为赵氏也。

郭京自都城走,沿路称撒豆成兵,假幻惑众,至襄阳,有众千馀,屯洞山寺,欲立宗室为帝。钱盖、王襄及张思正等止之,不从。会有自汴来者,具说京欺罔事,思正囚京,刺杀之。

丙寅,张邦昌遣其甥吴何及王舅韦渊同赍书于康王,大略言:"臣封府库以待,臣所以不死者,以君王之在外也。"王召何等,饮以酒,赐予良厚。

丁卯,谢克家以邦昌之命,赍玉玺至大元帅府,其篆文曰"大宋受命之宝"。耿南仲、汪伯彦等引克家捧宝跪进,王谦拒再三,恸哭不受,命伯彦司之。

监察御史马伸上书,请张邦昌易服归省,庶事禀取太后命令而后行,仍速迎奉康王归京,庶几中外释疑,转祸为福,且曰:"如以伸言为不然,即先次就戮。伸有死而已,必不敢辅相公,为宋朝叛臣也!"邦昌读其书,气沮。戊辰,降手书,请元祐皇后垂帘听政,以俟复辟。书既下,中外大悦。追回诸路赦文,并毁所立宋太后手书不用。

元祐皇后遣尚书左丞冯澥为奉迎使,权尚书右丞李回副之,持诏往济州迎康王。王览书,命移檄诸道帅臣,具言张邦昌恭顺之意,以未得至京,已至者毋辄入。

庚午,太后御内东门小殿,垂帘听政,张邦昌以太宰退处资善堂,群臣诣祥曦殿起居太后毕,邦昌服紫袍,独班归两府幕次。自僭位号至是凡三十三日。

壬申,在京文武百官上表康王劝进,宗泽亦以状申请,王不许。

甲戌,太后手书告天下曰:"比以敌国兴师,都城失守,祲缠宫阙,既二帝之蒙尘,诬及宗祏,谓三灵之改卜。众恐中原之无统,姑令旧弼以临朝,扶九庙之倾危,免一城之惨酷。乃以衰癃之质,起于闲废之中,迎置宫闱,进加位号,举钦圣已还之典,成靖康欲复之心。永言运数之屯,坐视家邦之覆,抚躬独在,流涕何从! 缅维艺祖之开基,实自高穹之眷命,历年二百,人不知兵,传序九君,世无失德。虽举族有北辕之衅,而敷天同左袒之心。乃眷贤王,越居近服,已徇群臣之请,俾膺神器之归,繇康邸之旧藩,嗣我朝之大统。汉家之厄十世,宜光武之中兴;献公之子九人,唯重耳之尚在。兹为天意,夫岂人谋! 尚期中外之协心,同定安危之至计,庶臻小愒,渐底不平。"

乙亥,金人破陕州,武经郎、权知州事种广死之,统领军马刘逵战死,其属朱弁、孙旦悉遇害。

丁丑,元祐皇后手书至济州,百官上表劝进。康王答以俟入京城躬谒宗庙时,若銮舆未返,即抚定军民,权听国事。

直龙图阁、东道副总管、权应天府朱胜非至济州。

先是金分兵侵应天,胜非逃匿民间。会宣总司前军统制、嘉州防御使韩世忠、将军杨进击破之,胜非复出视事。至是以军赴帅府,卫王如南。

庚辰,王发济州。刘光世以所部来会,以光世为五军都提举。路允迪、范宗尹自京师奉迎进发。辛巳,次单州,赵子崧、何志同以兵来会。壬午,王至虞城。癸未,至南京,驻军府治。甲午,王率僚属诣鸿庆宫,朝三殿御容,哭移时。乙酉,王时雍等奉乘舆服御至南京,张邦昌继至,伏地恸哭请死,王以客礼见,且抚慰之。

丙戌,金以六部路都统完颜昌为元帅左监军,以南京路都统栋摩为元帅左都监。

初,金人破晋、绛,将及同州,唐重度不能守,开门纵百姓出,自与残兵数百居城中。敌疑有备,不复渡河。重闻王在济,即移檄川、秦十郡帅臣,具启奉迎,且招成都路转运判官赵开入关计事。

【译文】

宋纪九十七　起丙午年(公元 1126 年)七月,止丁未年(公元 1127 年)四月,共十月。

靖康元年　金天会四年(公元 1126 年)

秋季,七月,乙丑朔(初一),废除元符上书邪等禁令。

宋昭原先以上书劝谏攻辽之事,被贬官连州;庚午(初六),诏令其回京都。

乙亥(十一日),蔡京被迁往儋州安置,蔡攸被移往雷州。

丙子(十二日),童贯被迁往吉阳军安置。

甲申(二十日),蔡京行至潭州,死去,终年八十岁。其子孙二十三人,被贬徙边远地区的,遇大赦也不许减刑移动。

蔡京天性阴险诡诈,耍奸弄滑蒙蔽人主,在人主面前,左挡右护,专想巩固自己地位的方法。始终坚持一说,认为应该超越拘束限制的习俗,竭全国各地的民力财力来供奉自己。道君皇帝虽然让他享有荣华富贵,私下里也知道他的奸诈阿谀,不可以把国家大事托付给他,所以使蔡京屡起屡仆。皇帝曾经任用与蔡京不相合的人,如赵挺之、张商英、刘庆夫、郑居中、王黼等,都曾先后位居台司以掣肘他。蔡京每次听说自己将要被罢免,就入皇宫求见皇帝,叩头请求哀怜,廉耻丧尽。燕山战役爆发,蔡攸实际懂些军事,蔡京却送给他一首诗,明确地表达了不可战的意思,希望事情不成功,使自己得以解脱。晚年,以家为衙门,沽名钓誉之徒聚集门下,以输送货物僮奴求得美差的接踵而来,纲纪法度,全都变成了虚文。患失患得的心态,随处可见,盘根错节,牢不可脱。终因招惹是非误国殃民,成为国家的大祸害,虽因流放致死,海内人士还多以他未被正以典刑而愤愤不平。

丁亥(二十三日),诏令侍从官改修宣仁圣烈皇后谤史。

辛卯(二十七日),下诏命令"将童贯在所到州军行刑完毕后,把首级函装送往宫阙"。

童贯握兵权二十年,权倾一时。来回奔走和出入约会,比皇帝还要威风。曾有人上书议论他的过失,皇帝诏令方劭前去考查。不料方劭的一举一动,全被童贯侦知,先秘密报告皇帝,又以其他事进行诬陷,方劭反被治罪死去。童贯长相魁梧,面颊下只有十多根胡须,肌肉骨骼强劲如铁,不像被阉过的人。有气度、能疏散财物,后宫自妃嫔以下,都馈赠东西与他结交,皇帝左右的妇人,赞扬他的话每天都能听到。权势炙手,门庭若市,中央相辅和地方大员,多出自他门下,穷凶大恶,流毒全国,虽死不足以抵罪。

当初,赵良嗣因为御史胡舜陟揭发他的罪过,已逃往柳州,到现在皇帝下诏给广西转运副使李升之,令就其所在地斩首,将其妻子儿女流放到万安军。

壬辰(二十八日),侍御史李光远因犯谏言不当罪被贬到监狱当值。

金萧仲恭出使宋朝回国,将所带宋钦宗给耶律伊都用蜡丸封的诏书送给金主。

原先萧仲恭来宋索取答应给他们的黄金和布帛,过了一个月仍然没有发送。他的副使赵伦怕被扣留,就欺骗陪伴官员邢倞说:"金国有个叫耶律伊都的,率领很多契丹兵,对金人不忠,应该结纳而使他投向宋朝,宗瀚、宗望就都可以被袭取了。"徐处仁、吴敏认为耶律伊都、萧仲恭都是辽国贵戚旧臣,却在金国被驱策,应当有亡国的悲情,就相信了他们,并书写成信用蜡封好让萧仲恭交给耶律伊都,让他做内应。到现在萧仲恭将书信献了出来,宗望把这件事报上去,金主大怒,又讨论起南伐来了。

八月,甲午朔(初一),任用陈瓘的后代。

李纲留守河阳十余天,训练士兵,修整盔甲兵器等军需用品,进驻怀州,制造战车,等大军集结后大举进攻;但朝廷却下诏取消了这次发兵。李纲上疏说:"河北、河东天天告急,却没有一人一骑响应所求,为何刚刚集中起来的兵马,又全部遣散? 况且用军法敕令诸路起兵,却以寸纸诏书取消,我恐怕将来有什么号召,会没有人再响应了。"疏奏上去后,不报告,直奔太原。

李纲派解潜屯威胜军,刘韐屯军辽州,幕僚王以宁与都统制折可求、张思正等屯兵汾州,范琼屯兵南北关,都离太原五驿远,约定三路并进。当时各将皆受皇帝直接指挥,遇事直达皇

李纲像

上,进退不受约束,宣抚司徒有节度之名,多不遵命。李纲曾具体论述过此事,虽然皇帝诏令听从约束,这些人仍然只承命于皇帝不受管束。

于是刘韐率兵先攻,金人合力抵御他,刘韐兵败。解潜与敌人在关南遭遇,也大败。张思正等领兵十七万,和张灏在文水夜袭金洛索军,获小胜;第二天出战,又大败,死的有数万人。折可求部在子夏山崩溃。于是威胜军、隆德府、汾、晋、泽、绛等地百姓全都渡河南奔,州县都空旷无人。

丙申（初三），又任种师道为两河宣抚使。

李纲因张灏等不听节制而败，又上疏论述节制不专的弊端，并且说分路进军，敌人可以用全力制服我方孤军，不如会合大军从一路进攻。等到范世雄率湖南军队到达后，趁机荐他为宣抚判官，想会合诸军亲率击敌。正好碰上议和，命令李纲停止进兵。李纲也请求辞职，就召回了他，由种师道代替。

庚子（初七），因为彗星，皇帝避离正殿，减食，命令百官具体诉说民间疾苦给他听。

金人得到萧仲恭所上的蜡封诏书以后，正好这时麟府元帅折可求又说西辽在西夏的北方，打算交结宋朝重新跟金人抗争，吴敏就劝皇帝致书西辽，由于河东的麟府，也为宗翰占据，他又把这件事报上去，于是金主决心向南伐宋。丁未（十四日），任命宗翰为左副元帅，宗望为右副元帅，仍然分兵两道，宗翰发兵于云中，宗望发兵于保州。

戊申（十五日），任用张庭坚的后代。

戊午（二十五日），许翰罢知亳州。己未（二十六日），徐处仁罢知东平府，吴敏罢知扬州。任用唐恪做少宰兼中书侍郎，何㮚为中书侍郎，礼部尚书陈过庭做尚书右丞，开封府尹聂昌为同知枢密院事。

当时许翰、徐处仁主张用兵，而吴敏、耿南仲想求和，双方意见不合。许翰先被罢免，徐处仁又和吴敏在皇帝面前争执不休，徐处仁一生气，将毛笔掷到吴敏脸上。耿南仲与唐恪、聂昌想把这两人挤走而取代他们，讽中丞李回论奏了这件事，于是他们全被罢官。

当初，吴敏认为聂昌威猛严厉，可以让他帮助自己，把他从衡州召来知开封府；没几个月，官拜同知枢密，进宫谢恩，就陈述他的防御策略："三关、四镇，是国家的藩篱，听说要让给敌人，一旦他们违背盟约，用什么制约他们！希望不要轻易出让，传檄把天下精兵集中于京城郊区，坚固城防以阻遏敌人的冲击，训练禁军做出击的准备，堵塞河流以切断敌人归路。前有坚城，后有大河，劲兵从四面八方进行包围，敌人如果南下，就堕入我们的罗网之中了。我愿召集忠勇大义之士，打开关门进行埋伏，出其不意，扫荡敌营以报君恩。"皇帝认为他气派雄壮，命他掌管守御，可以便宜行事。不久，言事者指出吴敏是靠蔡京的关系而被重用的，于是被安置到涪州。

此前曾遣刘岑、李若水分别出使金军请求暂缓出兵，他们回来后，说宗望索要朝廷官员及所欠金银，宗翰则不谈金银，只谈三镇；庚申（二十七日），遂派王云前去，答应以三镇的财赋收入数目供给金军。

这月，福州军队发生动乱，知州柳庭俊被杀。

九月，丙寅（初三），金军攻破太原府。

当时宗翰乘胜急攻，知府张孝纯力竭不敌，城被攻破，张孝纯被捉，接着又释放并起用他。副都总管王禀战死。

王禀与张孝纯同时守卫太原，宗翰多次派人招降，不听。这时，金人合力攻城，列炮三十座，每发一炮，只听鼓声齐鸣，大过斗的炮石打入城中。瞭望敌军的高台中炮，没有不被毁坏的。王禀就先虚设栅栏，又在瞭望台的下面放置糠布袋，虽然被毁，立即就可修复。宗翰又使用"填濠之法"，先用洞子，在下面安置车转轮，上面架上巨木，跟屋子形状相似，用生牛皮蒙上，用铁叶裹上，人在里面，推着使其行走，一个衔接一个，共五十多辆，都用来向护城河运土木柴薪。填护城河时，先放大枝薪柴，再用草盖上，然后在上面盖土，直到填到如原来的平地。王禀则预先把护城河壁穿成许多小洞,将吹火的皮套放在里面,等敌人柴薪增多,即在水中放灯,灯随水下一碰到木头,就能把湿柴烧着,逐渐旺盛以后,命令士兵用皮套鼓风,就会火焰冲天,立即就将敌人的柴薪烧尽。宗翰又作鹅形车,下面也安上车轮,上面盖上皮和铁,让数百人推着走,想攻上城楼。王禀在城中设置跳楼,也作鹅形,让士兵在里面等候敌人,先用绳索绑上巨石,放在敌人的鹅车上,又让人在下面用搭钩和绳索拉拽,使敌车倒向前方不能前进。然而宋军人多粮缺,三军将士先吃牛马骡,接着煮弓弩皮甲,百姓则煮草籽、糠秕和野生的荬来充饥,接着出现人吃人的现象。城破后,王禀还率领残兵与敌人巷战,突围出城后,因金兵追得很急,就背负太原庙中的太宗画像投汾水而死,其子阁门祗候王荀也殉难。通判王逸自焚而死,转运判官王惌,提举常平单孝忠也死于此役中。

太原已破,磁州知州宗泽,修缮城防,疏浚护城河道,整治兵器,招募义勇之士,做固守打算。上书说:"邢、洺、磁、赵、相五州,各蓄有精兵两万,敌人进攻一郡,四郡都响应,如此一郡的兵力,就可常有十万人。"皇帝嘉奖了他。

当初,宗泽知莱州掖县,有个衙署使者奉旨购买牛黄,宗泽对他说:"当时疫流行的时候,牛饮下疫毒,就结成牛黄。现在和气横流,牛怎会结牛黄!"使者大怒,想弹劾该城官吏,宗泽又说:"这是宗泽一人的意思",只署自己的官衔名字上书让皇帝知道,结果一县免于罪责。

己巳(初六),金又改南京为平州。

壬申(初九),有官吏进言说:"蔡攸的罪过,不下于他父亲,燕山之役,祸及天下,骄奢淫佚,史书记载中都难找到,如果不流放海外,恐怕不足以惩治这个恶人的罪过。"下诏遣往万安军。行至岭外,皇帝派使者带着手札就地赐死,并且诛杀了他的弟弟蔡儵及朱劢。

乙亥(十二日),下诏:"编修敕令中选取的靖康以前蔡京请求皇帝手写的诏书,参照祖宗成法及现时实行的,删改修撰成书。"

丁丑(十四日),用礼部尚书王寓为尚书左丞。

戊寅(十五日),命令李纲出京任扬州知州。

中书舍人胡安国,当初是太学博士,脚不登权贵门。蔡京痛恨他不跟自己同心,正巧胡安国荐举永州布衣王绘、邓璋作遗逸,蔡京就诬陷这三人是范纯仁、邹浩的门客,关押审讯,胡安国受牵连被除名;张商英为相时,才得以恢复官职。钦宗继位,召他到京,进去答问时,他说:"明君把务学作为急务,而学习又以端正思想为最重要。"又说:"国家纲纪还比较紊乱,风俗越发不好,设置举措方法不当,动不动就烦扰百姓。大臣争权夺势因而萌发朋党之患,小官觊觎高位因而奸行泛滥。用人失当因而国家的声誉越来越轻薄,发出的命令多次更换因而老百姓不相信。如果不废除旧的制度,乘势改革,我恐怕大势倾斜之后,就不能再端正了。"话说得很切实,日落才退出。耿南仲听到这些话后很恨他,竭力在皇帝面前诋毁他,皇帝没说话。许翰进宫求见,皇帝对他说:"你认识胡安国吗?"许翰回答说:"自从蔡京掌权,士大夫没有不被拉拢的;像胡安国这样超然远迹不被同污的实在是少数。"就让他作了中书舍人。

等到议论的人指责李纲一味主战,浪费财物损失军队,李纲就出任外官。舍人刘珏当时在朝,说李纲勇于报效国家;吏部侍郎冯澥,说刘珏替李纲游说,刘珏因而被贬官。胡安国封还了朝廷任他为中书舍人的谕旨,并且说冯澥越职评论事情。耿南仲大怒,何㮚也跟着他排挤胡安国,于是出知通州。

胡安国在中书省一个月，多数日子都在休假期间；等到出京，对很多事都必有所批评。有人说："小事情，就暂时不管它吧！"胡安国说："大事，都是从细微的小事而来。今天认为小事就可以不提，而大事又不敢议论，那不是没有可发议论的时候了吗？"大家都佩服他所说的话。

壬午（十九日），把童贯的首级示众于京城街市。

甲申（二十一日），太阳有两珥背气。

丙戌（二十三日），在三京及邓州设都总管府，分别统领四道，任用知大名府赵野统领北道，知河南府王襄统领西道，知邓州张叔夜统领南道，知应天府胡直孺统领东道。

免去李纲扬州知州改为掌管洞霄宫。

金军日益逼近，南道总管张叔夜、陕西制置使钱盖，各统兵赴京。唐恪、耿南仲专主和议，急忙传檄各军停止前进。辛卯（二十八日），派给事中黄锷由海路出使金国求和。

这月，西夏攻陷了西安州。

冬季，十月，癸巳朔（初一），宋钦宗升殿，如前用膳。

降李纲为保静军副节度使，安置在建昌军。

丁酉（初五），有酒杯大的流星划过。

金军攻破真定府，知府李邈、兵马都钤辖刘翊战死。

种师道和金将宗望在井陉开战，战败。宗望遂进占天威军，进攻真定，刘翊率领众将与敌人昼夜搏战、时间长了，城墙终于被攻破。刘翊与敌巷战，部下逐渐逃散，刘翊回头对其弟说："我是大将，怎么能受戮于敌人！"就举刀想夺门突围，不成，自缢身死。

当初，李邈听说敌人将到，派人从小道送蜡书给朝廷，连奏三十四次，都没有报知皇帝。城被包围后，边战边守，相持四十多天。城破后，准备跳井，被身边的人拉住，没能跳成。宗望胁迫他跪拜，不屈膝，用火烧其须眉及两髀，亦不回头，就拘送到燕山府。想任用李邈知沧州，他笑而不答。后来命令他改换朝代。李邈愤怒已极，破口大骂，金人打他嘴巴，还呕血唾他们，金人大怒，遂被害。临死前，脸色不变，面向南方拜了又拜，端正地坐着等待杀戮。后来被谥为忠壮。

戊戌（初六），金人派杨天吉、王汭前来议事，带走蔡京、童贯、王黼、吴敏、李纲等九人家属，叫王时雍、曹曚接待他们。王时雍建议把三镇收入的岁币及皇帝内府所收藏的珍玩全部送给金国两元帅，并且说他们在河东的驻军长时间辛苦，想好好犒劳他们。杨天吉、王汭很赞成他的意见，先拿了犒劳军队的十万匹绢回去。

当时既然已派使讲和，金人却表面答应议和，实际随意进攻。各位将军因为和议的关系，都坚守不出战。御史中丞吕好问，就请求立即聚集沧、滑、邢、相等州的守军遏制金军进攻；在京郊部署各路效力君王的士兵保卫京城，奏疏上去后，没有人理睬。金人破真定，攻占中山后，才上下震惊害怕，大臣相对狐疑不决，仍把和议作为说辞。吕好问率领同僚弹劾大臣怯懦误国，因而获罪贬知袁州；皇帝怜悯他的忠心，降为礼部侍郎。

庚子（初八），太阳有赤青黄戴气。

金人攻汾州、知州张克戬全力防御，城破后，还进行巷战，未能成功，就索要朝服穿上，燃香，面向南方拜舞，自杀而死，一门死者八人。兵马都监贾宣亦死于此役。

金人攻平定军。

辛丑(初九),皇帝下哀痛诏,命令河北、河东诸路帅臣传令部下,可以便宜行事。

壬寅(初十),天宁节,皇帝率群臣上龙德宫祝寿。

甲辰(十二日),下诏任用蔡京、王黼、童贯推荐的人为官。

丙午(十四日),召集大小官吏到尚书省,商议割让三镇,召种师道还朝。种师道行进到河阳,遇王汭,推测敌人会有大的举动,遂急忙上书请求皇帝驾临长安以避敌锋。大臣认为他胆怯,所以召他回朝。

丁未(十五日),任用礼部尚书冯澥知枢密院事。

庚戌(十八日),任用范讷为河北、河东路宣抚使,代替种师道。

辽旧将小呼鲁攻破麟州,知建宁砦杨震死于此战。

王云从真定派使臣来朝,说金人已同意讲和,不再要求割让三镇,只是索要皇帝的车子、礼服和帽子及皇帝的尊号,并且得康王亲自去,和议才成。壬子(二十日),诏太常礼官集体议定金王尊号,命令康王赵构出使宗望军,尚书左丞王寓为副使。王寓不去,派冯澥去,知东上阁门事高世则充任参议官。不久贬王寓为单州团练副使。

乙卯(二十三日),下雨后树上结冰。

丙辰(二十四日),金人攻入平阳府。

当初,汾州被攻破后,议论的人以为汾州南面有回牛岭,险峻如墙壁,便于进攻和据守,就命将领镇守。朝廷议论后又派刘琦率众驻军在平阳以防守北边。然而国家财物极缺乏,粮食不够。守回牛岭的将士,每天只给二升豌豆或陈麦。士兵讥笑道:"军队吃食如此,还能让我们作战吗?"金人带领精兵攻岭,在山上仰望宋朝官兵说:"他们如果用弓箭石块由上向下攻击,我们就完了,这该怎么办?"徘徊不敢进攻。不久官兵溃散,金人就越岭到达平阳府。刘琦率兵逃走,城破,官吏都用在城墙上垂绳索的办法逃出。接着威胜、隆德、泽州都失守。

庚申(二十八日),太阳有两珥和背气。

侍御史胡舜陟请求援助中山,不理睬。

辛酉(二十九日),检校少傅、镇洮军节度使种师道去世。

十一月,甲子(初三),康王赵构入宫辞行,皇帝赐给他玉带,很好地安慰他一番。康王出来到城北方,暂住定林院,等候冠服礼物准备好了就出发。

丙寅(初五),夏人攻陷怀德军,知军事刘铨、通判杜翊世战死。

起初,经略使席贡发文让刘铨知怀德军,刘铨拿到檄文后,当日上路。夏人平日知道刘铨的名声,就屯兵绵延达数十里来包围他。刘铨日夜作战守准备,夏军用各种办法攻城,都被刘铨用计击退。后来矢尽粮绝,刘铨估计力量不足以抗敌,就同林翊世聚众焚烧府库,让牙兵环列三匝,出去与敌军战于谯门中,官军全数阵亡。林翊世及其妻张氏坚决不受敌辱,就点燃房屋,全家死在烈火中,林翊世自己上吊死去。刘铨准备自杀,已被敌人捉住。夏太子派人把他安置在另一处房子里,打算让他做官,刘铨骂道:"我宁愿死,也不肯投降!我如不死,决不饶你!"终于遇害。

没收谭稹的家产。

康王还没动身,可是随行车辆已到长垣,因被金人阻挡,康王遂没成行。戊辰(初七),王云从金军中回来,说形势中途发生变化,金人一定要得三镇,否则就要攻占汴都,朝廷内外震骇。康王重入宫门,冯澥罢原职为太子宾客。

己巳（初八），召集百官在延和殿讨论三镇问题，每人发给笔纸，文武官员分列廊庑，共百余人。只有梅执礼、孙傅、吕好问、洪刍、秦桧、陈国材等三十六人坚持不给，从范宗尹往下七十人，都想给金国三镇。范宗尹说得最痛切，甚至痛哭倒地，请求给金国三镇以平息祸端。一会儿黄门拿着范宗尹的奏章给众人看，说："朝廷有定议，不能再做别的议论。"正巧李若水从宗翰军归来，在大庭上恸哭，一定要皇帝听从他的请求。何㮚起初主张不给，退朝后，对唐恪说："三镇之地，割走会伤河外人的感情，不割而太原、真定已经丧失。不如看事态发展，只是传令坚守以待敌。"唐恪唯唯听命。梅执礼建议坚壁清野，皇上马上召孙傅和梅执礼进宫应对，终于决定了策略。

庚午（初九），下诏说："河北、河东、京郊坚壁清野，传令流民可以在官舍、寺观居住。"

辛未（初十），有酒杯大的流星划过。

壬申（十一日），禁止京师百姓制造谣言动摇人心。

金国的宗翰军从太原逼近汴梁，弃城逃走的官吏，远近都可看到。癸酉（十二日），金军到达河外，宣抚副使折彦质率领十二万兵与他对阵。当时金书枢密院事李回用万骑防守黄河，也到了河上。敌军派数十骑来侦察，回去报告敌帅说："南方兵力充足，不能轻易渡河。"有的人想整兵待战，洛索说："南兵虽人数多，不值得畏惧。同他们作战胜负不可预知，不如虚张声势，把战鼓全部拿出，通宵达旦敲击，用以观察他们的动静。"众人认为对。黎明，黄河上的守军全部溃退，于是长驱向南进军。甲戌（十三日），金兵全部渡过黄河，知河南的燕瑛、西道总管王襄都弃城逃走，永安军、郑州都降归金军。

宗望屯兵庆源城下，打算攻城。宣抚范讷率兵五万，守住滑、浚防范他。宗望知道宋军有所准备，就由恩州古榆渡奔向大名。

王云坚决请康王出使金国，乙亥（十四日），皇帝命王云随康王赵构再次出使宗望军，答应割让三镇，并且携带皇帝穿的礼服和帽子、车辆上路，仍然尊称金主为皇伯，上尊号为"大金崇天继序昭德定功休仁惇信修文成武光圣皇帝"。

丙子（十五日），王及之随同金国使臣王汭来朝，说军队已到了西京，不再要三镇，只想划黄河作为边界；在朝廷应对时很不礼貌，有"奸臣辅佐昏君"的话。上下恐惧害怕，马上答应了他，并且派中书省和枢密院的两个人与他们同行。唐恪已经在诏书上签了字，何㮚非常吃惊地说："不执行割三镇的诏命，而执行划河而治的命令，为什么？"何㮚不肯签字，因而请求罢官。

这天，金人从汜水关渡过黄河。京西提刑许高、河北提刑许亢，各统兵防守洛口，听见风声就溃逃。

京城听到消息，堵门清野，诏命百官迅速上城。派冯澥、李若水出使宗翰军，走到中牟，守河宋兵惊动了，认为是金兵到了。身边的人商量从小路去，冯澥问怎么样，李若水说："守兵畏敌才溃败，为什么要效仿他们！今天正是以死报国的机会，敢说退走的斩首！"李若水多次附奏，说和议必然不能和平，请求饬令守备，下哀痛诏，从四方征兵。

丁丑（十六日），何㮚罢原官为开封尹；任命尚书左丞陈过庭为中书侍郎。

兵部尚书孙傅，因读丘浚《感事诗》有"郭京、杨适、刘无忌"之语，遂从市井中寻访到无忌，从龙卫中找到了郭京。好事的人说郭京能施六甲法术，可以用来生擒金军两个元帅，而且能全部扫荡金兵，这种方法要用七千七百七十七人。朝廷深信不疑，命令给以官职，赏赐

2233

数万金帛,让他们自己招募士兵,不问技艺如何,只选年命合六甲者,召来的全是市井轻浮懒惰之徒,十天就够数了。敌人攻城更急,郭京谈笑自如,说挑选个日子派出三百士兵,可使天下太平,一直袭击敌人到阴山才停下,孙傅和何㮚特别信任尊敬他。有人对孙傅说:"从古到今没有听说靠这个方法成功的。纵然听信他们,也要暂且少付给兵力,等他们多少有些功劳,再慢慢进升。现在对他们过于倚重,恐怕终将成为国家的耻辱。"孙傅愤怒地说:"郭京恐怕是为这个时代而降生的,敌人的具体情况,没有不知道的。幸亏先生是跟我说,如果告诉别人,将定你个败坏军队名声之罪。"礼送而出。

还有刘孝竭等人招募众人,有人称是大力士,有人称是北斗神兵,有人称是天阙大将,大概效法郭京的做法。有识之士认为很危险。

王云、耿延禧、高世则等人随康王赵构出城。王云对康王说:"京城的瞭望台,天下无双。然而真定城的高出几乎一倍,金人让我等坐下来观看,不多时就攻破该城。这里虽然瞭望台如画,也不值得凭借。"康王没有回答。

行到长垣,百姓拦路高呼,甚至顶盆焚香,请求起兵抗敌,不应该去北方议和。

戊寅(十七日),晋升龙德宫婉容韦氏为贤妃,康王赵构为安国、安武军节度使。

这天,康王赵构从长垣出发,到滑州;庚辰(十九日),到达相州。壬午(十九日),磁州守臣宗泽迎接拜见康王说:"肃王一去不回,现在金国又编造谎话用以招诱大王,他们的军队已经迫近,去了会有什么好处?希望您不要去。"原先王云奉使命经过磁、相,劝两郡撤除靠近城墙的民房,运粮进城守卫,做清野的打算,百姓怨恨他。等到康王到达磁州,出来拜谒嘉应神祠,王云跟随在后面,百姓拦道建议康王不要北去,并且厉声指责王云说:"清野的人,是真正的奸细!"康王从庙中出来,行人叫骂,捉住王云,杀了他。

这时金国宗望军过了黄河,游奕日到达磁州城下,寻找康王的踪迹。知相州汪伯彦立即用帛书请康王到相州,服装整肃,率兵在黄河边迎接康王。康王命令韩公裔寻找一条小道,暗中带兵夜里出发,磁城人没有一个知道。天明时候,到达相州,慰劳汪伯彦说:"将来见了皇帝,会首先荐你作京兆官。"因此受知遇。这一次,议论的人认为王云不死,康王肯定没有再回故国的希望了。

汤阴人岳飞,少年有气节,家贫却努力攻读,尤其喜欢《左氏春秋》、孙子、吴起的兵法,有挽弓三百斤、弩八石的力气。刘韐宣抚镇定时,招募敢战人士,岳飞参加,多次擒获敌将。这时因刘浩的推荐见了康王,康王让他作承信郎。

金国的宗望派杨天吉、王汭等来议割地事,欲以黄河为线,皇帝同意了。王汭又说要用亲信大臣作报使,皇帝命耿南仲去,他借口年老不去;改派聂昌,也借口父母的缘故推托。陈过庭说:"皇帝有忧是大臣的耻辱,我愿前去效命!"皇帝因此挥泪叹息,从而恼怒耿南仲和聂昌,坚持派耿南仲出使河北宗望军,聂昌出使河北宗翰军。聂昌说:"两河一带的人,忠义勇猛,万一被他们捉住,死了也合不上眼。"走到绛州,绛人果然坚壁抗拒他。聂昌拿着诏书到城下,攀绳登上城墙。钤辖赵子清指挥众人杀了聂昌,挖出眼睛并将其尸体切成小块。

原先,耿南仲和吴开坚持请求割地以促成和议,所以战守的准备全都取消,导致金军日益进逼。现在和金使王汭同行到卫州,卫州的乡兵想捉王汭,王汭逃走。耿南仲就逃到相州,以皇帝圣旨命康王发河北兵马,进京护卫。因为接连签署了募兵榜张贴出去,人们情绪才安定下来。

甲申(二十三日),任用孙傅为同知枢密院事,御史中丞曹辅为金书枢密院事。

任用京兆府路安抚使范致虚为陕西五路宣抚使,命他督率勤王兵入京援助。

乙酉(二十四日),金宗望军到达汴京城下,驻扎在刘家寺。

当初,种师道听说太原、真定都失守,传檄召西南两路兵赴京城。正好种师道死去,唐恪、耿南仲专做议和的事,就制止两道兵不得乱动,终于解散而归。等到金人逼近京城,四方兵马无一人到来,城中只有七万人。于是殿前司把京城诸营兵一万人分为五军,作为紧急时的救护后备军:前军驻顺天门,左军、中军驻五岳观,姚友仲统领;右军驻上清宫,后军驻景阳门,辛亢宗统领。又派五万七千人分守四壁。派使者带上蜡书走小路出关召兵。并约康王及河北守将前来援救,多被金巡逻兵捉获。

丁亥(二十五日),大风掀起屋顶折断树木。

罢免金书枢密院事李回官职。

戊子(二十六日),金人进攻通津门,范琼出兵焚烧敌营寨。

己丑(二十七日),南道都总管张叔夜率兵救援皇帝,到达玉津园。皇帝亲到南薰门接见他,军容很整齐,任命张叔夜做延康殿学士。

这时唐恪没有计策可想,秘密对皇帝说:"唐朝自天宝以后,多次失守而又兴起,原因在于天子在外,可以号召四方。现在应该按景德旧事办,留下太子守京城而皇帝去西洛,连接并据守秦雍之地,率领天下兵马亲自征战,以图谋复兴。"皇帝打算听从他。领开封府何桌进宫求见,引用苏轼的观点,认为周朝的失策,没有比东迁更严重的。皇帝幡然悔改,顿着脚说:"现在应该死守社稷!"等到张叔夜进宫应对,也说敌人锋芒很锐利,请求像唐明皇避安禄山那样,暂去襄阳以图据守雍地,皇帝没有答应。

金国宗望派刘晏来京,要皇帝出城签订盟约。

庚寅(二十八日),皇帝亲到东壁慰劳军队。

下诏决定三省长官名称全依元丰旧制。任用领开封府何桌作门下侍郎。

闰月,壬辰朔(初一),金人进攻善利门,统制姚友仲抵御敌军。

唐恪跟随皇帝巡视城防,大家都想攻击他。因此请求去官,罢原官为中太一宫使。任用门下侍郎何桌做尚书右仆射兼中书侍郎。

癸巳(初二),京城寒冷已极,采用天相家的说法,借土牛迎接春天。

京城人杀死了东壁统制官辛亢宗。取消百姓守城,用保甲代替他们。

金国宗翰军从河阳前来会合,到达汴京城下。

甲午(初三),利用驿书传召李纲为资政殿大学士,领开封府事。

金人攻破怀州,知州霍安国死于此战。

霍安国被包围后,不遗余力地抗击敌人。鼎州、澧州的援兵也都到达,共同防守,力量耗尽,城才攻破。将官王美护城河而死。宗翰分四行召见霍安国以下诸将,问谁是不投降的人,霍安国说:"守臣霍安国!"问其余的人,通判林渊、钤辖张彭年,都监赵士诪、张谌、于潜,鼎、澧将领沈敦、张行中及队将五人异口同声回答说:"林渊等和知州一样,都不肯投降!"宗翰命令将他们带到东北乡,望金国朝拜报降,都不肯屈服,就脱去他们的衣服蒙上他们的脸,杀了这十三个人,而释放其余的人。霍安国一家没有一个人活下来。

当时雨雪交加,皇帝披上铠甲登城,拿御膳给士兵吃,换来士兵的饭吃了下去,众人都感激涕零。金人进攻通津门,数百人利用绳索下到城外抵抗敌人,烧毁敌炮五架,两辆鹅车。

乙未(初四),金人攻入青城,攻打朝阳门。

冯澥从金军中归来。当时他与李若水到怀州,金国使臣萧庆等挟持他同回。

丙申(初五),皇帝亲临宣化门,皇帝乘马行走于泥淖之中,百姓都感动得流泪。

张叔夜几次出战有功,皇帝召见他,授予资政殿学士官职。

东道总管胡直孺率兵进宫守卫,和金人在拱州遭遇,兵败,被捉,金人于是破了拱州。

丁酉(初六),赤气横贯天空。

金人初到,就全力攻东壁。刘延庆熟悉边事,措置很有方法;到了夜间,在城下积数百捆草,点燃作为警戒。当时有人议论设置九牛炮,虽是石磨盘也可施放,在东壁用了它,曾击碎敌人的云梯。下诏封为护国大将军。金人知道东壁攻不克,于是攻南壁,用洞子隐蔽自己,运柴和土填护龙河,河水就干涸了。

用冯澥做尚书左丞。

戊戌(初七),殿前副都指挥使王宗濋率千余牙兵下城,与金人交战,统制官高师旦战死。

己亥(初八),下诏毁艮岳作炮石。金人又在护龙河架桥修路,姚友仲选精兵下城,散布弩炮,又在城上绑虚棚,众兵如山般站立,射箭如雨,敌桥不能有一点推进,就弃桥而去,增造火梯、云梯、偏桥、撞竿、鹅车、洞子等攻城器具。

庚子(初九),张叔夜佥书枢密院事,带兵入城。

金人进攻宣化门,姚友仲抵御他们。

这日,皇帝亲临东壁。金人又派萧庆等人前来赊贷粮食,并且议和。

辛丑(初十),金人进攻南壁,双方死伤相当。

壬寅(十一日),下诏命河北太守动员全体军民加速进京救援。

癸卯(十二日),皇帝亲临安肃门。到朝阳门时,金人的弓箭射到皇帝驾前旗下。命军士三百多人用绳索下到城外与敌交战,杀敌数百人;又用绳索爬上城墙,被任命为官者数十人。金人建筑瞭望台,高度达百尺,下观城中,用飞火炮点燃宋城内的瞭望台,因将士严格警备,很快就修缮完好。金兵又造云梯,安装上大轮,用皮革覆盖,乘隙推动想靠近城垒,宋将士用钩竿抗击,使它不能靠近,距离近的就用钩矛获取,放火烧梯,敌人多次退却。金军又用鹅车、洞子攻北城,宋军士用九牛弩射击,一箭连中三人。下诏招募能焚烧敌炮架、鹅车、洞子到八分的人,平民授给团练使,其余的按等受赏。张叔夜听到南壁飞石击中瞭望台,和范琼分派部下袭击敌营,想燃烧敌炮架,远远看见敌人的骑兵,军士不交战就逃跑,自相践踏,淹死在护城河中的有一千多人。

甲辰(十三日),天下大雨雪。

金人攻破亳州。

派秘使召诸道兵马前来救援皇帝。

乙巳(十四日),天气寒冷极了,士兵全身打战,不能握住兵器,有冻僵倒地而死者。皇帝在宫中赤足步行祈求晴天到来。

丙午(十五日),雨后树上结冰。

丁未(十六日),皇帝开始出正殿躲避。

戊申(十七日),金兵经过登天桥,进攻通津门。

当时救援皇帝兵马没到,城中可用兵力只有三万卫士,然而也损失了五、六成,因而不时命令前去挑战以示宋军还有抗敌的力量。金人又派使者来京,说不必皇帝出城,请派亲王和何㮚前去商议就可以,下诏命越王前去。刚准备去,宗翰派兵来迎接,越王就没去。于是金人说宋朝不讲信用,又派使者来催促亲王出城结盟。已酉(十八日),派冯澥、曹辅与宗室赵仲温、赵士㻕出使金军请求和议。等他们到后,宗翰就让他们回来,不对他们说一句话。

任命康王赵构为河北兵马大元帅。

殿中侍御史胡唐老说:"康王奉命到磁州,被军民留住,是天意。请求拜他为大元帅,使他率领天下兵马进京援助。"何㮚认为很对,秘密写好诏书草稿给皇帝。皇帝命令招募敢死之士,召到了秦仔、刘定等四人,派他们拿着用蜡裹着的诏书到相州,拜康王为大元帅,陈遘为元帅,宗泽、汪伯彦为副元帅,让他们带领河北所有兵马迅速入京护卫,设官办事,都可随意处置。秦仔先到相州,从头发上拿出诏书,康王读诏时声音呜咽,军民都很感动。

辛亥(二十日),金人又派遣使者前来议和,邀请亲王出京结盟。

壬子(二十一日),又派曹辅、冯澥及赵仲温、赵士㻕出使金营。癸丑(二十二日),赵仲温、赵士㻕回来,说金人要求必须派亲王和何㮚去金军营前。

金人攻通津门、宣化门,范琼率一千人出去接战,渡河时冰裂,淹没死去5百余人,从此士气更加受挫。

甲寅(二十三日),北边刮来大风,一会儿雪下了数尺深,几天几夜不停。

乙卯(二十四日),金人又派刘晏来催促亲王、宰相前去结盟。

何㮚多次催促郭京发兵,郭京再三改变日期,说:"不到危急关头,我的军队不出战。"丙辰(二十五日),天下大雪刮大风,郭京就令守城士兵全部下城,不能偷看。就此大开宣化门,出去攻打金军,郭京与张叔夜端坐在城楼上。金人兵分四路,呐喊前进,郭京兵败逃,掉下护龙河而死,城门赶紧关上。郭京对张叔夜说,"必须我亲自下去施行法术"。就下了城,带着剩余的人往南逃去。

金人于是登上了城墙,所到之处无人能够抵抗,四壁兵都溃散。金人攻入南薰等门,统制姚友仲死于乱兵之中。四壁守御使刘延庆夺门奔逃,被敌人骑兵追杀。宦官黄经自己投入火中烧死。统制何庆言、陈克礼、中书舍人高振死战,和家人一起全被杀害。京城于是失守。皇帝放声大哭说:"我不听种师道的话,才造成这种局面!"

卫士进入都亭驿,捉住金国使者刘晏杀掉。

数万军民,用斧子砍开左掖门求见皇帝,皇帝在御楼接见并遣散了他们。卫士长蒋宣率领他的数百名部众,想请皇帝乘车突围而出;皇帝身边的人都逃走了,只有孙傅、梅执礼、吕好问侍随身边。蒋宣提高声音说:"国家的事到了这步田地,都是宰相信任奸臣、不采纳直谏导致的。"孙傅呵斥了他,蒋宣就用话伤害孙傅。吕好问开导他们说:"你们不顾自己的家,想越过重围保卫皇帝出城,实在忠义,然而皇帝的车子要走,必须有足够的兵马车辆保卫才能行动,怎么可以轻率从事呢?"蒋宣被说服了,说:"尚书确实熟悉军情。"指挥他的部下退走。

何㮚想亲自率领京城百姓与敌巷战,金人传出议和撤军的话,才作罢。

丁巳(二十六日),派何㮚和济王赵栩出使金军请求停战,何㮚害怕,不敢去,皇帝坚持派他去,仍迟疑徘徊很长时间不能决定。李若水责骂说:"把国家弄成这样,全是你们误事的结果,现在国家危亡,你们就是死一万次也不足抵销罪责!"何㮚没办法,才上马,然而脚打战跨

2237

不上去，侍从扶他上去，往北出朱雀门，拿着的马鞭多次掉到地上。到了以后，宗翰、宗望说："从古到今有南方就有北方，不可缺少任何一方。今天要议的，只希望割地罢了。"何㮚回来，说金国想请太上皇到城郊，皇帝说："太上皇惊忧成疾，一定要去的话，我应当亲自去。"何㮚因和议成功而高兴，回到都堂后，聚众饮酒，谈笑一整天。

自从乙卯（二十四日）大雪下个不停，天昏地暗。有时不下雪，阴云里有长达数寸的雪丝落在地上。这天夜里，雪停了，彗星出现，太微星有白气冒出。

己未（二十八日），派何㮚再去金军。下诏说："大金一定要太上皇出城，我因为宗庙和生灵的缘故，理应该亲自去。告诉你们众人，不要惊慌疑虑。"

庚申（二十九日），太阳像火一样红却没有光芒。

辛酉（三十日），皇帝车驾到达青城，何㮚、陈过庭、孙傅等随行。皇帝看见斋宫门立即下马，步行走到一个下面的座位。金人邀请皇帝乘马进去，皇帝没骑。和金国两元帅相见，宗翰因为没有得到金主的命令，遂用好话安慰皇帝，宗望只是随声附和。京城人自宣德楼到南薰门，都站在雪泥里地等待皇帝归来。

十二月，壬戌朔（初一），皇帝被扣留在青城。宗翰派萧庆进城，进驻尚书省，朝廷的一举一动，都得先告诉他。

这天，康王在相州设大元帅府，拥有一万兵力，分成五军前进。渡过黄河后，驻扎在大名府。宗泽用二千人和金人死战，破金营垒三十余座，踏冰渡过黄河，拜见康王说："京城被包围很久，进京援救不能迟缓。"康王采纳了他的话。接着知信德府的梁扬祖带三千人到达，张俊、苗傅、杨沂中、田师中等都在部下，兵威渐渐振作。这时皇帝派曹辅带蜡封诏书到，说："金人虽登上城墙却没攻下京城，正在议和修好，你可以驻扎在近郊不要进攻。"汪伯彦等人都相信了，唯独宗泽说："敌人狡猾阴险，是想阻滞我军。皇帝和父亲盼望你入援，比之救饥渴还甚！应急速发兵直赴澶渊，以解京城之围！"汪伯彦等刁难他，劝康王派宗泽先去，从此宗泽不能参与帅府事务。耿南仲和汪伯彦请求移军驻扎在东平，康王采纳了他们的意见。

癸亥（初二），皇帝从青城回来，士大夫和太学生前去迎接，皇帝捂住脸大哭说："宰相害了我父子！"看见的人没有不流泪的。

甲子（初三），金派使者来，索要黄金一千万锭，二千万锭白银，一千万匹帛。于是朝廷大量搜求金银，金价涨到五十千，银价涨到三千五百。金国又索要京城骡马，搜求到七千余匹，全送给他们。

金主给元帅府下诏说："将帅士兵立功的，按他们功劳的高低升官职。在阵中死去、为国家而死的，要丰厚地抚恤他的家属。赐封官爵，一定要优厚。"让完颜勖到军队中去慰劳赏赐，宗翰、宗望都握着他的手慰问他。宗翰等问完颜勖想要什么，完颜勖说："只喜欢书。"让他装了几车回去。

丙寅（初五），派陈过庭、折彦质去两河割地给金。又分别派欧阳珣等二十人带诏书前去。

欧阳珣曾上奏书，坚持说祖宗留下的地盘一尺一寸都不能给别人。等到事情紧迫，正赶上群臣商议此事，欧阳珣到来，又持异论说："应该死战到底，战败而失去地盘，将来要夺回有道理，不战而割地给人，将来想拿回来就无理了。"这时宰相大怒，想杀欧阳珣，就让欧阳珣做将作监丞，奉使命割让深州。欧阳珣到了深州城下，大哭着对城上人说："朝廷被奸臣贻误到这种地步,我也是拼着一死来的,你们应该尽力忠义报国!"金人大怒,捉住他送到燕京,用火把他烧死。

辛未(初十),限定京城米价,劝商人卖米赈济百姓。

乙亥(十四日),康王到北京。

丙子(十五日),尚书省着火。

庚辰(十九日),降雨和冰雹。

金主下诏说:"我国国家地盘虽广战争却没有停息,田野虽然广阔而田亩却没有全部垦种,工匠虽然齐全但俸禄等级不均,四方进贡的人很多但宾馆却不够用。这些都要老百姓出力,如果不注重农业而抑制游好好闲的人,想上下都富足,能实现吗!所以命令各地长官敦促规劝百姓务农种桑。"

癸未(二十二日),大雪,任凭百姓伐砍紫筠馆花木作柴薪。

庚寅(二十九日),康王到达东平府。

当初,范致虚听说汴京被围紧急,会合西道总管王襄、陕西制置使钱盖的部队,共十万人去援救。到达颍昌,听说汴京陷落,王襄、钱盖逃走,范致虚单独和西道副总管孙昭远、环庆军元帅王似、熙河军元帅王倚率领步骑兵号称二十万,命令马祐昌统率前往汴京,用和尚赵宗印为参议官。范致虚率大军沿陆路进发,赵宗印率水师开往西京。赵宗印又把和尚编成一军,称为尊胜队,把出家寺院尚未取得度牒的少年编成一军,称为净胜队。范致虚勇敢却无谋略,全部听从赵宗印的话,赵宗印只知说大话,实际上不懂兵法。军队开出武关,到邓州千秋镇,金将洛索用精锐骑兵冲击该军,没有接战就溃败了,死去了一大半。王似、王倚、孙昭远等人留守陕府,范致虚收拾残兵退入潼关。

当初,金太祖定都燕京,开始用汉人做宰相,在广宁府设中书省、枢密院,而朝廷宰相仍采用本国的官名。金主初立,移置中书省、枢密院到平州,又移到燕京。到宗干当权,劝金主改女真旧官制,采用汉族的官吏制度。这年,开始定官制,设立尚书省,把国内各司府寺的名号用诏书晓谕朝廷内外。

靖康二年 金天会五年(公元1127年)

春,正月,辛卯朔(初一),皇帝到延福宫朝拜太上皇帝。命令济王赵栩、景王赵杞出城朝贺金国二帅,二帅也派人来朝祝贺。

高丽派使者到金国贺年初一,此后每年都去。

壬辰(初二),金人又催促召康王,就派中书舍人张澂捧诏前去,这是因为以前曹辅前去迎接,没有见到康王回还之故。

癸巳(初三),康王驻东平府。

金元帅宗翰、宗望派人上奏捷报,并呈上宋朝皇帝的投降书。

下诏割让两河之地,百姓坚守不听诏命,过了几个月,金人只得到了石州。甲午(初四),下诏命令两河百姓打开城门出降。

乙未(初五),有一颗大星出现于建星西南,飞到浊地消失。

金国知枢密院事刘彦宗,上表请求再立赵姓人为帝,金主不从。

丁酉(初七),雨后树木结冰。

己亥(初九),天阴暗,风很迅猛。夜里,西北方阴云中有火般的光。

2239

庚子(初十),皇帝又到青城。当时金人索要金银很急,想放士兵进城。皇帝拿这事问萧庆,他说:"须陛下亲自去见元帅才行。"皇帝觉得为难,何㮚、李若水认为不会有危险,劝皇帝去。皇帝就命孙傅辅佐太子监理国事,和何㮚、李若水等前去。唐恪听后说:"去一次都过分了,怎么能再去呢!"阁门宣赞舍人吴革也告诉何㮚说:"天象上帝座很倾斜,皇帝如果去了,一定会中敌人之计。"何㮚不听。

辛丑(十一日),皇帝被留在青城。郓王赵楷、何㮚、冯澥、曹辅、吴开、莫俦、孙觌、谭世勣、汪藻都分住青城斋宫,其余人全令先回去。当初,皇帝约定五日一定要回还,到现在老百姓因为金银不够,各倾其家产献了上来。福田院贫民、亦交出黄金二两,银七两。但金人求索不止,因此增派二十四名侍郎官再去搜求,又分别派人搜索挖掘戚里、宗室、内侍、僧道、伎术、倡优的家。

皇帝在青城,退到了亲王的地位,供奉很少,食用的东西都接不上。金人握兵器守门,胜铁绳捆绑,夜里就点火敲木梆子,高叫直到天亮。群臣相对惊慌失色,皇帝更经常面对群臣哭泣。

乙巳(十五日),抄没梁师成的家。

丙午(十六日),太学生徐揆到南薰门,把书信交给守门人,请求转达金国两元帅,让皇帝早日回宫。二位元帅捉拿徐揆到宫中并诘难他,厉声抗辩,被他们杀害。

这天,通奉大夫刘韐在金营中死去。

刘韐是河东割地使臣,金人命令仆射韩正让他住在僧舍,对他说:"我国宰相赏识你,现在要任用你了。"刘韐说:"苟活着侍从两位皇帝,虽死也不干。"韩正说:"军队中在议论另立皇帝,想用你替代我。与其白白死掉,不如去北方谋取富贵。"刘韐仰天大叫说:"有这样的事!"就在一片纸上写道:"贞节女子不跟两个男人,忠义臣子不侍从两个君主。何况主有忧愁是臣下的耻辱,主受辱臣子应去效死,这是我不敢苟活的原因。"派亲信带回,告诉他的儿子刘子羽等人,就洗澡换衣,喝了杯酒上吊自杀。金人感叹他的忠心,把他埋在寺庙西边的山岗上,在窗户墙壁上到处题字来标记他埋葬的地方。共八十天,才入棺收敛,面容跟活着一样。

丁未(十七日),大雾弥漫,金人攻下含辉门抢掠,烧毁五岳观。

副元帅宗泽从大名到开德,和金人作战十三次,都获胜,就写信劝康王命令各路兵马会集京城。又前去会合北道总管赵野、两河宣抚范讷,知兴仁府曾楙合兵入京救援。三人都认为宗泽狂妄,不答应。宗泽就孤军北进到卫南,前哨说前方有敌营,宗泽指挥军队直向前方,连续作战,击败敌人。转战到东边,敌人增添新兵力到了,宗泽部将王孝忠战死,前后都是敌人的营垒,宗泽下令说:"今天前进后退都是死,必须死里求生。"士兵知道难逃一死,无不以一当百,斩数千敌人首级,金人大败,退却几十里。宗泽估计敌人肯定会反扑,就迅速转移营寨。金兵夜里到来,见是空营,非常吃惊,从此害怕宗泽,不敢再出兵。宗泽却出乎敌人意料之外,派兵过黄河袭击敌人,把敌人打败。

二月,辛酉朔(初一),皇帝还住在青城。京城人每天出去迎接皇帝,但宗翰不放。

丙寅(初六),金主下诏废皇帝和太上皇为平民。萧庆催促皇帝换衣服。随从官吏又惊又怕,不知道该怎么办。唯独李若水拉住皇帝说:"陛下不能换朝服!"金人把他拉走,李若水大叫说:"你们不能胡来!"因此谩骂金人,金人击破他的脸,昏倒在地,好长时间才苏醒过来。

这天夜里，金人攻陷南薰门，命令吴开、莫俦进城，推立别姓可以做皇帝的人。在此以前宗翰想留萧庆守汴梁，又有人推荐刘彦宗，两人推说不敢承当，才有另选别人的议论。

丁卯（初七），范琼逼迫太上皇和太后去金营，太上皇说："如果以我为人质，能让皇帝回来保全国家，也就没什么可推辞的。"又把自己的佩刀交给随从大臣，就驾着牛车出了南薰门。太上皇在车里顿足说："事情有变故！"高呼拿佩刀来，已被搜走。宗望命令他们的礼部侍郎刘思来给太上皇换衣服，用铁骑挟持上皇而去。京城人大哭，范琼立即杀了几个人示众。

金人按照内侍邓述所写的各皇子及后宫位号，全部把他们劫持到军营中。当时肃王赵枢已经出去作人质，郓王赵楷等九人原先在青城跟着皇帝，于是安康郡王赵握等九人及王贵妃、乔贵妃、韦贵妃等后宫嫔妃，康王夫人邢氏和王夫人，帝姬及太上皇十四个孙子都出去作了人质，只有广平郡王赵捷藏到民间，金人传令开封府尹徐秉哲搜捕他，终不能幸免。

这天，孙傅率领百官向金国两元帅诉说情况，请求立皇太子做皇帝，金人不听。

金人逼迫太上皇让他发令召皇后和太子，孙傅留住太子不让去。吴开、莫俦催促胁迫很紧，范琼害怕生变，就用话威逼卫士。辛未（十一日），就挟持皇后、太子同车出城。孙傅说："我是太子傅，应当与他同生共死。"就把留守事务交付给王时雍，跟着太子去了。到了南薰门，守门人不让去，孙傅就宿在门下等待命令。

李若水在金营十天，骂不绝口，终于被砍断脖子割掉舌头死去。金人相互议论说："辽国灭亡，死于忠义的有十几个人，南朝只有李侍郎一个人。"李若水临死前面无惧色。副使相州观察使王履也死去。

这天，留守王时雍召集众官吏共议立君，大家想立一个在军前的人。左司员外郎宋齐愈正好从外边回来，有人问他敌方的意思是立谁，宋齐愈写了张邦昌三个字给他看，于是商定。当时不写议状的人，只有孙傅、张叔夜，金人就捉拿他两人去军中。太常寺主簿张浚、开封士曹赵鼎、司门员外郎胡寅都逃到太学，不写名字。

癸酉（十三日），王时雍、梅执礼召集众官吏、士族和庶族、僧人道士、士兵百姓集体议论拥立皇帝的事。当时孙傅、张叔夜已经出城，只有王时雍主持这件事，恐怕百官不愿写，就自己先书写做表率，众官吏跟着也写了。只有御史马伸大声说："我们作正直官员的，怎么能看着不管！"就和御史吴给约中丞秦桧共写议状，愿意再奉太子安定四海，秦桧不回答。一会儿，马伸拟好稿，首先给秦桧看。秦桧拿不定主意，马伸率同僚同声请求，秦桧没办法才写上名字，马伸派人骑马送到金军中，并述说张邦昌在太上皇时就蚀国乱政以致造成国家危难的罪过。吴开、莫俦拿着状子到军前。第二天，捧金国文书回来，说已经根据众人的意见上奏金国，册封张相为皇帝的事已经办完，令来取册书和宝玺及太子、皇后、王妃及诸王的册封命令。

乙亥（十五日），金人带走秦桧及太学生三十人，博士、正、录十员；何㮚以下随皇帝在金营的人，也带走他们的家属。

庚辰（二十日），康王到济州。

当时康王有八万兵力，驻济、濮等州，高阳关路安抚使黄潜善、总管杨惟忠，也带兵数千到东平，康王派真定总管王渊带三千人入城保卫宗庙。金人听说后，派带甲士兵及中书舍人张澂带蜡丸封制的诏书从汴京到来，命令康王把兵力交给副帅然后回京。康王问部下应该怎么办,后军统制张俊说:"这是金人的奸计。现在大王在外,这是上天的赏赐,怎么能白白地前去!"康王于是到了济州。

后来金人打算用五千骑兵捉拿康王。吕好问听说这件事,派人写信告诉康王说:"大王的兵力,估计能够战胜来敌就攻打;否则,就应该远远地退避。"并且说:"大王如果不自立为君,恐怕会有不该立的人被立为君。"

癸未(二十三日),城内又把七万五千八百两黄金,一万四千五百两白银、四万零八十四匹衣缎送到金军面前。

观文殿大学士、中太一宫使唐恪自杀而死。当时金人逼迫百官拥立张邦昌,唐恪写上名字以后,喝毒药死去。

乙酉(二十五日),金人因搜刮的黄金不够数,杀死户部尚书梅执礼、侍郎陈知质、刑部侍郎程振、给事中安抚,悬挂他们的人头示众,还下令说:"搜刮金银的官员已经处死,金银还是不够,应当任凭兵士自己索取。"后来汉军都统制刘彦宗对宗翰、宗望说:"萧何入关,秋毫无犯,只收户籍。辽太宗进入汴梁,带回的是路车、法服、石经,都是好的榜样啊。"宗翰等赞赏并采纳了他的意见。

丁亥(二十七日),知中山府陈遘被部将沙振杀害,帐前士兵捉住沙振杀了他。

这天,建宁宫起火。元祐皇后步行出宫住到相国寺前通直郎、军器监孟忠厚家。当时六富有位号的都被迁到北方,只有皇后因为被废得以幸存。

戊子(二十八日),夜里,北斗星有白气横贯。

三月,辛卯朔(初一),皇帝留在青城。

张邦昌从南薰门入居尚书令厅。

丁酉(初七),金人拿来册命和宝玺立张邦昌为帝,百官在尚书省集合。张邦昌泣泪,接着上马,到西府门,假装昏昏然要倒的样子。停马,稍稍苏醒,又大哭,被引导至宣德门西阙下马,进入临时搭起的帐篷,又痛哭。金人拿来御衣红伞,放在临时搭起的帐篷外面。张邦昌走出临时搭起的帐篷,步行到御街登位,向金国方向拜舞,跪受金主诏书,大致说:"告诉你张邦昌,应该登上皇帝的位子,国号大楚,以金陵为都。"张邦昌在红伞覆盖下回到临时搭起的帐篷以后,金人告退,上马出门,众官按礼仪引导。张邦昌从宣德门步行进宫,从大庆殿走到文德殿前,有人进献皇帝的辇车,张邦昌推却不用,步行登上大殿到御床西侧,另放一把椅子,坐着接受文武官员的朝贺之后,文武合班,张邦昌就站起来,派阁门传话:"本来是为了百姓才如此,不敢窃取皇位。"传令让大家不要参拜。王时雍等人恳切奏请,张邦昌传话说:"如果不被大家听从,立即辞让。"王时雍带着百官赶快参拜,张邦昌只是面向东方拱手站着。

阁门宣赞舍人吴革,以屈节于异姓为耻,带领宫内亲事官数百人,都先杀死自己的妻子儿女,烧毁住宅,在东门外举义兵。范琼假称和他一起干,让他们全部放弃兵器,就从后面袭击他们,杀死一百多人,捉住吴革,威胁他顺从逆贼。吴革骂不绝口,伸头就刀,面色不变,他的儿子也一同被杀。又擒杀了十多人。

这日,大风扬尘,太阳昏暗无光。百官沮丧,张邦昌也变了脸色。只有王时雍和吴开、莫俦、范琼等,高兴地认为自己有佐命的功劳。张邦昌心神不安,任命官吏都加上临时字样。来往讨论事情的,是吴开、莫俦;逼迫赶走太上皇等人的,是王时雍、徐秉哲;威胁震慑京城百姓的,是范琼;于是都得到提升重用。

张邦昌见百官时自称予,手诏称手书。虽然不改年号,但官僚文书往来一定要取消年号。权金书枢密院事吕好问所发的文书,是唯一称靖康二年的。众官吏仍没有用皇帝的礼节对待张邦昌,只有王时雍每次论事,称"臣启陛下";又劝张邦昌坐紫宸、垂拱殿会见金国使者,吕好问争辩,才作罢。王时雍又提出大赦,吕好问说:"四壁之处,都不为我们所有,将大赦谁呢?"就只赦城中人,并选郎官为四方密谕使。

庚子(初十),金人又来捉拿宗室,徐秉哲命令坊巷五家互相作保,不许隐藏,总共三千多人,全令押到军前,衣袖联结在一起而去。济王夫人曹氏,到别的地方避难,捕获后放在柜中,被抬出城外。开封府捉事使臣窦鉴说:"生下来就是大宋的臣子,怎么忍心把大宋宗族交给敌人!"上吊而死。

乙巳(十五日),张邦昌去青城参见金国两元帅表示谢意,并且当面议定七件事:一、请求不要毁坏赵姓陵墓宗庙;二、请求不再索取金帛;三、请求保留了望台;四、请求等江宁府修缮完毕,三年之内迁都;五、请求金军五日内撤兵;六、请求用皇帝名作年号,称大楚帝;七、请求借金银作赏赐用。都答应他。又请求遣回冯澥、曹辅、路允迪、孙觌、张澄、潭世勣、汪藻、康执权、元可当、沈晦、黄夏卿、邓肃、郭仲荀和太学、六局官、秘书省官,也答应了。只有何㮚、孙傅、张叔夜、秦桧、司马朴等,令全家迁到北方。

癸丑(二十三日),金人送回冯澥等人,并且命令暂停搜刮金帛。

丁巳(二十七日),张邦昌率领众官吏到南薰门、五岳观内,朝着军前远远地告别宋国两皇帝。张邦昌哭了,官吏军民都哭了,有人号哭停不下来。

这天,金元帅宗望退军,道君皇帝迁往北方,宁德皇后及各亲王、妃嫔等人,乘坐数百辆牛车从滑州出发,走的都是荒路,没有人迹,到了真定府,才进城。

戊午(二十八日),金兵下城,全部赶走宋朝军队,分兵四方驻守。张邦昌到金营辞行,穿着赭袍,撑盖红伞,经过的地方都按常礼接待,同行的有王时雍、徐秉哲、吴开、莫俦。

夏季,四月,庚申朔(初一),金国元帅宗翰退军,皇帝迁往北方,皇后、太子同行,从郑州路出发。法驾、卤簿,皇后下面人的车辆、卤簿、冠服、礼器、法物、大乐、教坊乐器、祭器、八宝、九鼎、圭璧、浑天仪、铜人、刻漏、古器、景灵宫供器,大清楼、秘阁、三馆书籍、天下州府图及官吏、内人、内侍、技艺工匠、倡优,以及府库蓄积,全都一空。皇帝在军列中,头戴青毡笠,骑着马,后面有监军跟随,从郑门向北,每次经过一座城池,都蒙面大哭。

当初,金人准备撤军,商议留兵保卫张邦昌,吕好问说:"南北情况不一样,恐怕北方士兵不习惯南方的风土,肯定不会相安无事的。"金人说:"留下一个贝勒统率就行了。"吕好问说:"贝勒是贵人,如果引发他生了病,那么所负的罪责也很深了。"金人就没有留兵撤走了。

宗泽在卫地,听说二位皇帝北去,立即带兵奔赴滑州,过黎阳,到大名,想直接渡河,截断金人的归路,请回二位皇帝,但救援皇帝的兵马一个也没到,遂没有成功。

甲子(初五),张邦昌到私人住宅接回元祐皇后,进住延福宫。

吕好问对张邦昌说:"你是真想自立呢,还是暂且搪塞敌人而慢慢图谋恢复呢?"张邦昌说:"这话是什么意思?"吕好问说:"你知道中原人心所向吗?只是怕女真兵淫威罢了。女真兵已撤走,你能保住现在的局面吗?外边有大元帅,里边有元祐皇后,这大概是天意。何不迅速交还政权,可以变祸为福。况且宫禁之中不是臣子应该居住的地方,应该住值在殿庐,不要让卫士成对地站在宫殿台阶上。敌人所送的袍带,女真人不在时不要穿。皇帝没有回来,发下的文书不应该称圣旨。现在要采取的办法,应该迎接元祐皇后,请求康王早日即皇帝位,也许能够保全自己。"张邦昌认为对,就迎元祐皇后进延福宫,尊称宋太后,册文上有这样的内容:"尚怀念宋朝初建之时,尊崇西宫之礼。"大概采用宋太祖登皇位时迎周太后入西宫的旧作法。有识之士观察张邦昌的心意,认为他并非真为赵家考虑。

郭京从都城逃走后,沿途说自己能撒豆成兵,用幻术惑众,到襄阳时,已拥有一千多人,驻扎洞山寺,想立宗室做皇帝。钱盖、王襄及张思正等劝阻他,不听。这时有从汴梁来的人,细致诉说了郭京骗人的事情,张思正逮捕了郭京,杀死了他。

丙寅(初七),张邦昌派他外甥吴何及康王的舅父韦渊一同带书信给康王,大致说:"我封存府库等待你。我之所以没有死,是因为君王尚在外边。"康王召见了吴何等人,让他们饮酒,赐给优厚。

丁卯(初八),谢克家奉张邦昌的命,捧玉玺到大元帅府,它的篆文写着"大宋受命之宝"。耿南仲、汪伯彦等人带领谢克家跪着捧着玉玺进去,康王推辞好几次,大哭不肯接受,命令汪伯彦收了起来。

监察御史马伸上书,请求张邦昌换衣服回家,大小事禀报太后听她的命令行事,还要迅速迎康王回京,或许内外不再怀疑他,变祸为福。并且说:"如果认为我说的不对,就请先杀了我。只有一死而已,绝不敢辅佐你,当宋朝的叛臣。"张邦昌看了他的上书,泄了气。戊辰(初九),发下手书,请求元祐皇后垂帘听政,等待宋室复辟。手书发下后,朝廷内外非常高兴。追回发给各路的赦文,并且烧毁所立的宋太后手书不再用。

元祐皇后派尚书左丞冯澥为奉迎使,权尚书右丞李回为副使,持诏书到济州迎接康王。康王看过诏书后,命令传令各道帅臣,说明张邦昌恭顺之意,因为还没到京城,已经到了的人不要随便进入。

庚午(十一日)。太后亲到内东门小殿,垂帘听政,张邦昌以太宰的身份退处资善堂,群臣到祥曦殿拜见太后后,张邦昌穿着紫袍,单独回到中书省、枢密院去处理政事。从僭越皇帝位号到现在共三十三天。

壬申(十三日),在京城的文武百官上表康王劝他登皇帝位,宗泽也上书请求,康王不答应。

甲戌(十五日),太后发手书公告天下说:"以前因敌国兴兵,都城失守,宫廷遭扰,接着二位皇帝蒙难,累及宗庙受辱,可以说是天、地、人都遭大变故。众人担心中原失去统领,暂让旧日的宰相临朝,支撑将要倾倒的大宋江山,免得一城百姓遭受屠戮。还把我这衰老有病的人,从闲废中推举出来,迎接到宫中,加上皇后的封号,像钦圣已经还位那样理政,成就靖康欲恢复大业之心。长言运数有危难,坐看家庭和国家灭亡,反躬自问只有我在,泪水向谁去流!缅怀太祖开创基业,实在出自上天的恩惠,历经二百年,没有人经历过战争,传位九代,代代都没有丧失君德。虽然有全族北去的祸端,但普天下却都有祖护之心。顾念贤王,远近佩服,已经对众宣示群臣的请求,希望回来接受国家政权,带领王府旧部,继承我朝之帝位。汉家危险出现在第十代,应该由光武中兴;献公有九个儿子,只有重月一个人在。这是上天的意思,哪里是人能决定的!只希望朝廷内外同心,共同制定安定危局的良策,希望稍得休整,逐渐达到太平。"

乙亥(十六日),金人攻破陕州,武经郎、权知州事种广战死,统领军马刘迭战死,部属朱弁、孙旦全部遇害。

丁丑(十八日),元祐皇后手书到达济州,百官上表请求康王登位。康王回答说等到了京城亲拜宋室祖庙后,如若二位皇帝没有回来,就安抚军民,暂理国事。

直龙图阁、东道副总管、权应天府朱胜非到济州。

原先金军分兵攻应天,朱胜非逃到民间藏匿。正好宣总司前军统制、嘉州防御使韩世忠、将军杨进击败敌人,朱胜非又出来管理事务。到现在带兵来帅府,保卫康王南行。

庚辰(二十一日),康王从济州出发。刘光世带领所部来会合,任命刘光世做五军都提举。路允迪、范宗尹从京城前来迎接康王进京。辛巳(二十二日),康王到单州,赵子崧、何志同带兵来会合。壬午(二十三日),康王到达虞城。癸未(二十四日),到南京,驻在军府治所。甲午(五月初五),康王率领僚属到鸿庆宫,朝拜三朝皇帝像,哭了好长时间。乙酉(六月二十七日),王时雍等带着车辆服装到南京,张邦昌随后也到,趴在地上痛哭请死。康王以客人的礼节接见他,并且安慰他。

丙戌(二十七日),金国任命六部路都统完颜昌为元帅左盟军,任命南京路都统栋摩为元帅左都监。

当初,金人攻破晋、绛,准备到同州,唐重估计守不住,开城门放出百姓,自己和数百残兵留守城中。敌人怀疑守军有准备,不再渡黄河。唐重听说康王在济州,就传令川、秦十郡帅,全部前去迎接,并且招来成都路转运判官赵开入关议事。

【原文】

宋纪九十八　起强圉协洽【丁未】五月,尽六月,凡两月。

高宗受命中兴全功至德　圣神武文昭仁宪孝皇帝

讳构,徽宗第九子,母曰显仁皇后韦氏,大观二年五月乙巳,生帝于大内,赤光照室。八月,赐名,除建武军节度使、检校太尉,封蜀国公;三年,封广平郡王;宣和三年,进封康王。资性朗悟,好学强记,日诵千馀言,挽弓至一石五斗。钦宗立,改元靖康,人拆其字,谓十二月立康王也。金兵至汴京,奉使军前,意气闲暇。宗翰谓非亲王,遂更请肃王为质,帝始得还。八月,被命再使军前议和,卒不赴,留相州。闰十二月,钦宗诏帝为兵马大元帅,开府相州。二年四月,钦宗北迁,张邦昌奉元祐皇后垂帘听政,命帝嗣统。帝次南京,百官上表劝进,乃许。

建炎元年　金天会五年【丁未,1127】　五月,庚寅朔,兵马大元帅康王即皇帝位于南京,筑坛天治门左,作册告天,撰文肆赦。适太常寺主簿张浚自京师至,因以浚摄太常少卿,导引行事。昧爽,登坛受命,册曰:"嗣天子臣构,敢昭告于昊天上帝:金人内侵,二帝北狩,臣构以道君皇帝之子,奉宸旨以总六师,握兵马元帅之权,倡义旅以先诸将,冀清京邑,复两宫。而百辟卿士,万邦黎献,谓人思宋德,天眷赵宗,宜以神器属于臣构。辞之再四,惧不克负荷。万口一辞,咸曰不可稽皇天之宝命。栗栗震惕,敢不钦承。"读毕,帝南乡恸哭久之,即位于应天府治之正厅,帘陛如殿仪。张邦昌率百官称贺。改元,大赦天下。命西京留守修奉祖宗陵寝;罢青苗钱;应死及殁于王事者并推恩;奉使未还者,禄其家一年;选人在职、非在职者并循资;臣僚因乱去官者,限一月还任;溃兵、群盗,咸许自新;系欠官负,不以名色皆免;南京及大元帅府尝驻军一月以上者,夏税悉蠲之;应天府特奏名举人并与同出身,免解人与免省试;诸路特奏三举以上及宗室尝预贡者并推恩;州郡保守无虞者推赏;应募兵勤王之人,以所部付州县主兵官讫赴行在;中外臣庶并许直言;自今命官犯罪,更不取特旨裁断;布衣有材略者,令禁从、监司、郡守限十日各举一员,馀如累朝故事。以黄潜善为中书侍郎,汪伯彦同知枢密院事。

是日,元祐皇后东京撤帘。

辛卯,尊靖康皇帝为渊圣皇帝,元祐皇后为元祐太后。诏:"宣仁圣烈皇后,有安社稷大功,奸臣怀私,诬蔑圣德,可令国史院摭实刊修,播告天下。"

翁彦国知江宁府兼江南东、西路经制使,赐钞盐钱十万缗,使修江宁城及缮治宫室,以备巡幸。

宝文阁直学士赵子崧请对,略谓:"开边之患,验在目前。今熙河五路进筑州军堡寨,不系紧要控扼去处,并宜罢功。明谕夏人,示以德意。诸郡守成之兵,分屯陕西见在兵马与河东、北之兵合六万人,分为三屯,一屯澶渊之间,一屯河中、陕、华之间,一屯青、郓之间。平时训练以备非常,万一敌骑南渡,则并进深入,以捣燕山之虚,焚舟渡河,人自为战,功未必不成也。"

壬辰,诏尚书左仆射兼门下侍郎张邦昌为太保、奉国军节度使,封同安郡王,五日一赴都堂参决大事。以范讷为京城留守,刘光世为省视陵寝使。耿延禧、董耘、高世则并提举万寿观,留行在,延禧、耘仍兼侍读。赵子崧为延康殿学士、知镇江府,梁扬祖为徽猷阁待制、知扬州,随军应副黄潜厚试户部侍郎,范致虚知京兆府、充南道都总管,河北转运判官顾复本为北道副总管,张深充龙图阁直学士、知熙州,直徽猷阁、陕府西路计度转运副使王庶升直龙图阁、知延安府。

胡舜陟言:"今日措画中原,宜法艺祖命郭进、李汉超、董遵诲等守边之术,以三京、关陕析为四镇,拱、滑、颍昌隶东京,郑、汝、河阳隶西京,恩、濮、开德隶北京,同、华、陕府隶京兆。择人为节帅,使各以地产之赋,养兵自卫,且援邻镇。又,京帑积钱千馀万缗,宜给四镇为籴本。若四帅得人,庶几中原不失,江左可居。"诏付三省。未几,舜陟罢去,议遂格。

癸酉,遥尊韦贤妃为宣和皇后。旧制,帝母称皇太妃,至是以道君皇帝在行,特上尊号。立嘉国夫人邢氏为皇后。

门下侍郎耿南仲罢为观文殿学士、提举杭州洞霄宫。帝薄南仲为人,因其告老,故有是命。

甲午,资政殿大学士李纲为尚书右仆射兼中书侍郎,趣赴阙。先是黄潜善、汪伯彦自谓有攀附功,拟得相,帝恐不厌人望,乃外用纲。二人不平,因与纲忤。

直龙图阁、权应天府朱胜非,召试中书舍人,延康殿学士何志同知应天府,杨维忠为建武军节度使、主管殿前司公事,赏翊戴功也。

黄潜善、汪伯彦议罢民兵及降盗,而拣其士马之精锐者隶五军。是日,以孔彦威为东平府兵马钤辖,刘浩为大名府兵马钤辖,丁顺为沧州兵马钤辖,秉义郎王善为雷泽尉。浩所将皆民兵,而顺与彦威,帅府所降诸盗也。未几,顺、善作乱于河北。

乙未,恭谢鸿庆宫,帝大恸,群臣皆哭。

先是太常卿刘观,在围城中与汪藻谋,夜以栗木更刻祖宗诸后神主二十四,而取九庙累朝宝册,悉埋之太庙。至是观导驾,因陈其事,帝嘉叹久之。

以五月二十一日为天申节。

尚书右丞冯澥,罢为资政殿学士、知潼川府,李回知洪州,吕好问守尚书右丞。好问持元祐太后手书来贺,帝劳之曰:"宗庙获全,皆卿之力。"遂有是命。

王时雍提举成都府玉局观。言者论:"时雍留守东京,金人取皇族,遣之殆尽。及取其婿太学博士熊(产)〔彦〕诗,则设计为免。自以身兼将相,请用二府鞯盖,又窃禁中宝物,以遗金使为名,有何面目复居都堂!"遂有是命。自是受伪命诸臣稍稍引退矣。

诏:"自今天文休咎,并令太史局依经奏闻;如或隐蔽,当从军法。"

李纲至太平州,闻帝登极,上时事,略谓:"和不可信,守未易图,而战不可必胜。"又言:"恭俭者,人主之常德;英哲者,人主之全才。继体守文之君,恭俭足以优于天下;至于兴衰拨乱,则非英哲不足以当之。惟英,故用心刚,足以断大事而不为小故所摇;惟哲,故见善明,足以任君子而不为小人所间。在昔人君,惟汉之高、光,唐之太宗,本朝之艺祖、太宗,克体此道,愿陛下以为法。"

金宗翰既班师,留诸帅分守河东、北地:万户尼楚赫屯太原,洛索屯河中,副都统素赫屯真定,蒙古进据磁、相,渤海万户大托卜嘉围河间。是日,命龙神卫四厢都指挥使马忠、沂州观察使张焕将所部合万人,自恩、冀趋河间以袭之。

丙申,吕好问兼门下侍郎。

观文殿大学士、提举西京嵩山崇福宫徐处仁为大名尹、北道都总管。

初,南都之围,处仁在城中,都人指为奸细,杀其长子直秘阁庚,处仁感疾,至是力疾入见而行。

签书枢密院事曹辅卒。

时前执政皆免,辅独留。始至南都,首陈五事:一曰分屯要害以整兵伍;二曰疆理新都以便公私;三曰甄拔人才以待驾驭;四曰经制盗贼,恩威并行,叛则讨之,服则舍之;五曰裂近边之地为数节镇以谨秋防。帝嘉纳。未几,以病卒,谥忠达。

丁酉,黄潜善兼御营使,同知枢密院事汪伯彦兼御营副使。

初制,殿前、侍卫马步司三衙禁旅合十馀万人,高俅得用,军政懈弛,靖康末,卫士仅三万人,及城破,所存无几。至是殿前司以殿班指挥使左言权领,而侍卫二司犹在东京,禁卫寡弱。诸将杨惟忠、王渊、韩世忠以河北兵,刘光世以陕西兵,张俊、苗傅等以帅府及降盗兵,皆在行朝,不相统一。乃置御营司,总齐军政,因所部为五军,以王渊为都统制,韩世忠、张俊、苗傅等并为统制官,又命刘光世提举使司一行事务。潜善、伯彦别置亲兵各千人,优其廪赐,议者非之。

诏翟兴团结义兵,保护祖宗陵寝。

遣统制官薛广以三千人出内黄,张琼以二千人出开德,共复磁州。

邵溥为京城副留守。

王时雍责授安化军节度副使,黄州安置,以言者论时雍围城中擅行三省事也。

吴开自陈:"国家祸变,不能死节,乞正典刑。"诏以龙图阁学士提举江州太平观。

莫俦自陈:"久留敌营,备遭困辱,乞置散地。"诏以述古殿直学士提举亳州明道宫。

戊戌,诏赠李若水观文殿学士,赐其家银帛五百匹、两,官子孙五人。

以路允迪、耿延禧为京城抚谕使。王伦迁朝奉郎,假刑部侍郎,充大金通问使,进士朱弁为修武郎,副之;又以傅雱假工部侍郎,充通和使,武功大夫赵哲副之。

伦家贫无行,以任侠往来京、洛间。京城破,渊圣御宣德门,都人喧呼,伦乘势径造御前曰:"臣能弹压。"帝解所佩夏国宝剑赐之。伦曰:"臣未有官,岂能服众!"帝亟取片纸书王伦除兵部侍郎。伦与恶少数人传旨抚定。至是上书自伸前志,乞使敌国问二圣起居。既而议改秀为祈请使,邠门宣赞舍人马识远为副,而伦、弁、哲不遣。

时潜善等复主议和,因用靖康誓书,画河为界。始,敌求割蒲、解,围城中许之。潜善乃命刑部不得誊敕文河东、北两路及河中府解州;其乙未、丁酉所遣兵,且令屯大河之南,应机进止。

己亥,诏:"朕将谨视旧章,不以手笔废朝令,不以内侍典兵权;容受直言,斥去浮靡,非军功无异赏,非戎备无僭工。若群臣狃以故习,导谀讳过;大臣蔽贤,所主非实;台谏纠慝,有言非公;凡此之属,必罚无赦。"

时诸道勤王兵皆至行在。陕西将官王德,初隶刘光世为右军将官,德有威名,号"王夜义"。

以胡蠡为高丽国信使,黄越副之。

李纲诛军贼周德于江宁。

德既作乱,会经制司属官鲍贻逊统勤王兵七千至城下,江淮发运判官、直徽猷阁方孟卿檄贻逊进兵逼城。德乃受招,而杀掠如故。知溧阳县杨邦乂亦起民兵讨之。纲至太平州,遣使谕以勤王,始受节制,然犹桀骜,欲乘间逃去。纲次江宁,与江南东路转运判官、权安抚司事李弥逊谋,大犒群贼于转运司,执德与其徒聂旺,磔于市,诛党四十馀人,而令提举常平王枋统其馀兵。旋改鲍贻逊宣教郎,杨邦乂就升通判江宁府。

庚子,诏:"靖康大臣,主和误国。特进李邦彦,责授建宁军节度副使,安置浔州;崇信军节度副使、涪州安置吴敏移柳州,秘书少监、亳州居住蔡懋移英州,责授正奉大夫、提举南京鸿庆宫李梲惠州,中大夫、提举亳州明道宫宇文虚中韶州,承议郎、提举亳州明道宫郑望之连州,通直郎、提举杭州洞霄宫李邺贺州,并安置。"

壬寅,封后宫潘氏。帝在康邸,宣和皇后为纳之,有宠。邢后北去,妃以无名位得留,至是封贤妃,以梁师成第赐其叔父永思。

江淮发运使梁扬祖与工部员外郎杨渊同提领措置东南茶盐公事,置司真州。

时东北道梗,盐筴不通。扬祖奏:"真州,东南水陆要冲,宜遣官置司,给卖钞引,所有茶盐钱并充朝廷封桩,诸司毋得移用。"故有是命。

以开封尹徐秉哲充徽猷阁直学士、提举江州太平观。

赵子崧言:"京城人士籍籍,谓王时雍、徐秉哲、吴开、莫俦、范琼、胡思、王绍、王及之、颜博文、余大均,皆左右卖国,逼太上皇,取皇太子,污辱六宫,公取嫔御,捕系宗室,盗窃禁中财物。张邦昌未有反正之心,十人皆日夕缔谋,冀以久假。至僭号时,思献赦文,直用濮安懿王庙讳。邦昌惶恐,博文则曰:'虽欲避尧之子,其如畏天之威!'伏望将此十人付狱鞫治,明正典刑,以为万世人臣之戒。"

是日,渊圣皇帝次代州,度太和岭,至云中,留十馀日。自离都城,旧臣无敢问起居者,至代州,惟滕茂实迎谒于道。茂实以靖康初出使,时兄祚通判代州,已先降。宗翰素重茂实,迁之代州,又自京师取其弟华实同居。茂实闻渊圣将至,即自为哀词,篆"宋工部侍郎滕茂实墓"九字,取奉使黄旛裹之,授其友董铣。翼日,渊圣及郊,具冠帻,号哭迎拜。宗翰逼令易服,茂实力拒不从,并请侍旧主俱行,不许。

癸卯,诏以二圣未还,罢天申节上寿常礼。自是至绍兴十二年皆如之。

姚平仲再复吉州团练使,所在出榜,召赴行在。平仲劫寨不利,传者以为乱兵所杀。靖康末,复忠州刺史。帝思其才,命所在访之。或云平仲隐九江山中。

乙巳,诏诸路勤王兵还营,令所在人赐钱三千。

资政殿学士、签书枢密院事张叔夜卒。

初,叔夜北迁,道中惟饮汤水,至白沟,御者曰:"过界河矣。"蹶然而起,仰天大呼,翼日,扼吭死,年六十三。遥拜观文殿大学士、醴泉观使。又,何㮚至金国,不食死。孙傅北迁,不知所终。

丙午,诏:"覃恩进秩,惟侍从及宗室南班官给告,馀并尚书省出敕。"

知同州唐重上疏言:"今急务有三,大患有五。急务大率以车驾西幸为先;其次则建藩镇,封宗子,守我土地,缓急无为敌有;再欲通夏国之好,继青唐之后,使相掎角以缓敌势。所谓大患者:法令滋彰而官吏因缘为奸;朝纲委靡而士夫相习诞谩;军政败坏而将兵奔溃;国用既竭而利源又失;民心已离而调发方兴。欲救此者,莫若于守祖宗成宪,登用忠直,大正赏刑,选将帅之臣,择循良之吏。天下大计,无出于此。"

金人破河中府,贵州防御使、权府事郝仲连死之。

初,金人攻河中,守臣(温)〔席〕益通,范致虚遣仲连节制军马,屯河中,就权府事。至是洛索以重兵压府城,仲连力战而外援不至,度不能守,先自杀其家;城破,不屈,洛索使击杀之。后赠中侍大夫、明州观察使。

丁未,路允迪守吏部尚书,王襄领开封府职事。

诏:"文武臣僚,非笃疾废疾,毋得陈乞致仕。"以士大夫避事求退者众也。

是日,道君皇帝次燕山府,馆于延寿寺。上皇以乌凌噶色呼美有迎奉劳,遗以后宫曹氏,曹武穆王彬之裔,宁德后近侍也。

时司马朴在燕,有传建炎登极赦书至者,朴私遣持诣上皇,为人所告。金主怜其忠,释之。

庚戌,宗泽充龙图阁学士、知襄阳府,权邦彦充天章阁待制、知荆南府,直秘阁、知深州姚鹏升直龙图阁、知洪州。时黄潜善等不欲泽居中,故与河北勤王守臣并命。

辛亥,太师、镇南军节度使、中太一宫使乐平郡王郑绅,谒告往江浙改葬。绅,道君皇后父也。未几,薨,谥熹靖。

壬子,张邦昌以覃恩迁太傅。

丙辰,张所为尚书兵部员外郎。

所案视陵寝还,上疏,略云:"恭闻行在留南京,军民俱怨,不知谁为此谋者? 京师重城八十里之广,宗社、宫阙、省闼、百司皆在,居之足以控制河东、河北根本之地。以臣计之,实有五利:奉宗庙,保陵寝,一也;慰安人心,二也;系四海之望,三也;释河北割地之疑,四也;早有定处而急于边防,五也。一举而五利,而陛下不为。臣知此时迁延,别无长策,不过缓急之际,便于南渡。不知国家安危,在乎兵之强弱,将相之贤不肖,而不在乎都之迁与不迁也。诚使兵弱而将相不肖,虽云渡江,安能自保? 大河不足恃,大江亦不足恃,徒使人心先离,中原先乱耳。为今之计,允宜图任将相,协谋其力,经营朔方,鼓励河北忠愤之人,使人自为战,则强敌可摧,土宇可保,京师可以奠枕而都矣。"所复言黄潜善兄弟奸邪,恐害新政,潜善引去,帝谕留之,乃罢所言职。潜善意未已,寻责凤州团练副使,江州安置。

李孝忠破襄阳府,守臣直徽猷阁黄叔敖弃城去。孝忠入城肆焚掠,尽驱强壮为军。

丁巳,范致虚为观文殿大学士。

两浙路提点刑狱季质试太常少卿。质,邦昌子婿,闻僭位,自系越州狱,提举茶盐司以闻,至是擢用之。

戊午,太常少卿周望,假给事中,充大金通问使;赵哲领达州刺史、副之。

邵兴据解州神稷山,屡与金人战。时金将鹘眼屯安邑,执其弟招之。兴不顾,饮泣死战,大破金军。

是月，管干龙德，宣赞舍人曹勋，自燕中间道南还。

先是上皇至邢、赵间，燕王俣以绝食殁于庆源，敛以马槽，犹露双足。至真定，过河，十馀日，上皇密语勋曰："我梦四日并出，此中原争立之象，不知臣民肯推戴康王否？"翼日，出御衣三衬，自书领中曰："可便即真，来救父母。"复谕："如见康王，第奏：有清中原之策，悉举行之，毋以我为念。"并持韦贤妃信，令勋间行南还。邢夫人亦脱金环，使内侍付勋曰："为我白大王，愿如此环，早得相见。"濒行，复谕王："艺祖有誓约，藏之太庙，誓不杀大臣及言事者，违者不祥。"

六月，己未朔，李纲至行在。

先是范宗尹主议和，乃言纲名浮于实而有震主之威，不可以相。章三上，不报。会诏勤王之师还本道，纲遂留升、潭兵于泗，自诣南都。途次，颜岐遣人持劾副遗纲。帝闻纲至，趣召入，见于内殿。纲涕泣，并辞新命，且言："臣愚蠢，但知有赵氏，不知有金人。言者谓臣才不足以任宰相则可，谓金人所恶不当为相则不可。若为赵氏之臣而金人喜之，反可为相，则卖国以与人者，皆为忠臣矣。愿乞身以归田里。"帝曰："朕知卿忠义，靖康时尝欲言于渊圣，使远人畏服，非相卿不可。"纲顿首谢，然犹未受命也。

奉国军节度使王宗濋责授定国军节度副使，邵州安置，坐首引卫兵逃遁，致都城失守也。

宗泽自卫南分兵屯河上，以数百骑赴南都，入对。帝将留泽，而黄潜善、汪伯彦恶之，乃令之襄阳。

庚申，诏李纲立新班奏事。

执政退，纲留上十议，且言："陛下度其可施行者，愿赐施行，臣乃敢受命。"一议国是，略谓："今日并主和议，盖以二圣播迁，非和则速其祸。不知汉高与项羽战于荥阳，太公为羽所得，置之几上屡矣，高祖之战弥厉，羽卒不敢害而还之。昔金人与契丹战，必割地厚赂讲和，既和则又求衅以战，二十馀载，卒灭契丹。金又以此惑中国，至于破都城，堕宗〔祖〕〔社〕，易姓改号，而朝廷犹以和议为然，是将以天下畀之而后已也。为今之计，专务自守，建藩镇于要害之地，置帅府于大河及江、淮之南，修城壁，治器械，教水军，习车战，使其进无抄掠之得，退有邀击之患，则虽有出没，必不敢以深入。故今日法勾践尝胆之志则可，法其卑词厚赂则不可。止当岁时遣使奉问二圣，三数年间，军政益修，甲车咸备，然后大举讨之，以报不共戴天之仇，而雪振古所无之耻。"一议巡幸，略谓："天下形势，关中为上，襄、邓次之，建康又次之。今宜以长安为西都，襄阳为南都，建康为东都，各命守臣，葺城池，治宫室，积糗粮，以备巡幸。三都既成，其利有三：一则藉巡幸之名，使国势不失于太弱；二则不置定都，敌人无所窥伺；三则四方望幸，奸雄无所觊觎。至汴梁，宗庙社稷所在，天下根本，陛下即位之始，岂可不一见宗庙以安都人之心！愿先降敕，以修谒陵寝为名，择日巡幸。"一议赦令，略谓："恶逆不当赦，罪废不当尽复，选人不当尽循资格。今登宝位赦书，一切比附张邦昌伪赦非是，宜改正以法祖宗。"一议僭逆，略谓："张邦昌久与机政，擢冠宰司，国破而资之以为利，君辱而攘之以为荣，易姓建邦，四十馀日，逮金人之既退，方降赦以收恩。考其四日之手书，犹用周朝之故事。愿肆诸市朝，以为乱臣贼子戒。"一议伪命，略谓："国家更大变，士大夫屈膝伪庭者，不可胜数，宜依唐肃宗六等定罪，以励士风。"一议战，谓："军政久废，宜一新纪纲，信赏必罚。"一议守，谓："沿河及江、淮，措置抗御以扼敌冲。"一议本政，略谓："朝廷之尊卑，系于宰相之贤否。唐至文宗,可谓衰弱,武宗得一李德裕而威令遂振。德裕初相,上言:'宰相非其人,当亟废罢;至天下之政,不可不归中书。'武宗听之,故能削平僭伪,号为中兴。我朝自崇、观以来,政出多门,阉官、恩幸、女宠,皆得以干预朝政。所谓宰相者,保身固宠,不敢为言,以至法度废弛,驯致靖康之祸。愿陛下察德裕之言而法武宗之任,监崇、观之失以刷靖康之耻。"一议责成,略谓:"靖康间进退大臣太速,功效蔑著;宜择人而久任之,以要成功。"一议修德,略谓:"初膺天命,宜益修孝悌恭俭之德,以副天下之望。"帝与潜善等谋之,翼日,出其章付中书,惟僭逆、伪命二章不下。

靖康军节度使、知西外宗正事仲湜为开府仪同三司,封嗣濮王。

金左副元帅宗翰还西京。金主诏曰:"自河之北,今既分画,重念其民,或见城邑有被残者,遂相坚守,若即讨伐,生灵可愍。其申谕以理,招辑安全之。倘执不移,自当致讨。若诸军敢利于俘掠,辄肆荡毁者,底于罚。"

辛酉,名潜邸为升旸宫。

以徐秉哲假资政殿学士,领开封尹,充大金通问使。秉哲不受命,责授昭信军节度副使,梅州安置。

壬戌,李纲言:"今日急务,在通下情。"乃诏置检鼓院于行宫便门外,以达四方章奏。

颜岐充徽猷阁待制、提举亳州明道宫,以岐尝论李纲故也。

范宗尹亦求去,乃诏为徽猷阁待制、知舒州。徽猷阁待制、提举亳州明道宫钱伯言为开封尹。

诏:"宗室衔位不书姓名,官司毋得受。"

自熙宁以来,宗室外官,单衔奏事,并不著姓。至是赵子崧以表谢上,黄潜善〔援〕近旨劾之,乃申明行下。

癸亥,张邦昌责授昭化军节度副使、潭州安置,所过巡尉伴送,仍令监司、守臣常切觉察,月具申尚书省。

李纲言:"王时雍等四人,与金人传导指意,议废赵氏,胁迫二圣出郊,又受伪(金)〔命〕为执政,实为罪魁。"时徐秉哲已先窜,于是移时雍高州,吴开永州,莫俦全州,并安置。吕好问谓纲曰:"王业艰难,正纳污含垢之时,遽绳以峻法,惧者众矣。"纲不纳。

赠徽猷阁待制、知怀州霍安国延康殿学士。

李纲言:"自崇、观以来,朝廷不复崇尚名节,故士大夫寡廉鲜耻,不知君臣之义,靖康之祸,视两宫播迁如路人。然仗节死义,在内惟李若水,在外惟霍安国,馀未有闻。愿诏诸路询访,优加赠恤。"乃自安国及刘韐以下次第褒录,复诏诸路询访死节以闻。

初,贼祝靖寇荆南,安抚使邓雍遁。贼乘势欲渡江,知公安县程千秋率邑人及广西、湖南勤王之兵在邑者御之,复遣人渡江,焚舟毁筏,杀贼甚众。李希忠继至,千秋沿江设备,唐恁自鼎州,复调本路弓弩手助之,贼乃去。

时通判鄂州赵令裪,部官兵戍武昌县。贼阎谨犯黄州,其徒纵掠,既去,令裪渡江存抚,黄人德之。

自金再围城,京西、湖北诸州,悉为贼寇侵犯,随州陆德先、复州赵纵之、郢州舒舜举与荆南、德安皆失守,独知汝州、徽猷阁待制赵子栎,知襄阳府、直徽猷阁黄叔敖,知蔡州、直秘阁阎孝忠,知汉阳军、朝议大夫李彦卿,能守境捍贼。至是李纲言于帝,夺雍龙图阁直学士,罢德先等三人,仍夺其职。迁子栎宝文阁直学士,叔敖秘阁修撰,孝忠进一官,彦卿直秘阁,千秋进二官,通判荆南府,而擢令裨直龙图阁、知黄州。

甲子,诏犒设行在将士,抚循百姓,蠲赋役,改弊法,招群盗,案赃吏。

纲又言:"靖康间号开言路,遇有议论,鲠峭者辄加远窜,其实所以塞之也。"帝乃诏:"靖康敢言之士有窜逐者,悉召还。"

李纲以覃恩迁正奉大夫,仍兼御营使。

时河东、北所失才十馀郡,馀皆为朝廷固守。纲言:"今日中兴规模,有先后之序,当修军政,变士风,裕贤才,宽民力,改弊法,省冗费,诚号令,信赏罚,择帅臣,选监司。俟吾政事已修,然后可议兴师。中尤急者,当先理河北、河东,盖两路,国之屏蔽。今河北惟失真定等四郡,河东惟失太原等七郡,其馀率推其土豪为首,多者数万,少者数千。宜于河北置招抚司,河东置经制司,择有才者为使,以宣陛下德意。有能保一郡者,宠以使名,如唐之方镇,俾自为守。否则食尽援绝,必为金人所用。"帝许之。

复帝姬为公主。于是贤德懿行大长帝姬封秦国,淑慎长帝姬封吴国。

始,张邦昌既废,范琼不自安。朝议以其握兵,特诏:"节义所以责士大夫,至于武臣卒伍,理当阔略。惟王宗濋首引卫兵逃遁,以致都城失守,不可不责。此外一切不问,以责后效。"

乙丑,马忠为河北经(置)〔制〕使,张所、直秘阁、通判河阳府傅亮赴行在。以王渊代忠龙神卫四厢都指挥使。

诏:"自今以绢定罪,并以二千为准。"旧制,以绢计赃,千三百为一匹。有言绢直近高,乃改定。

丁卯,诏河东、北郡县,略谓:"河东、北国之屏蔽,靖康间,以金人凭陵,不得已以割地为名,将以保全宗社。今君父之仇,不共戴天,两河之地,何割之有!方命帅遣师以为声援,州县守臣,有能保一方及力战破敌者,当即授以节钺。应移用税赋,辟置将史,并从便宜。其守臣皆迁进职,馀次第录之。"

喻汝砺为四川抚谕官。

初,汝砺自京师见帝,复命为郎。汝砺因对:"近闻迁都之议,臣以为敌可避,都不可迁。汴都,天下根本,舍汴都而都金陵,是一举而掷中州之地以资于敌矣。夫以诸葛亮之才而不能轧曹操,李克用之勇而不能抗朱温者,盖曹魏、朱梁先定中原,庸蜀、晋阳竭然一方,安足以当其强大!臣谓中原决不可舍,以为兴王之资;汴都决不可迁,以蹈金人之计。"帝命赴都堂与李纲语,纲奇之。寻以母老,乞归省,遂除抚谕官,且令督输四川漕计羡缗及常平钱物。汝砺入辞,复奏言:"金人决渡河,陛下宜急为之防,毋以宴安之故而成鸩毒之忧。"帝嘉纳之。

戊辰,以宗泽知开封府。

泽闻黄潜善等复倡和议,上疏言:"河之东北、陕之蒲、解三路,为祖宗基命之地。今闻刑部指挥,不得誊播赦文于两河、蒲、解,是欲裂前王一统之宏规,蹈东晋既迁之覆辙。谁为此谋,不忠不孝!臣虽驽怯,当躬冒矢石,为诸将先。"帝壮之,以泽知青州,召(建)〔延〕康殿学士、知青州曾孝序赴行在。

李纲言:"京师根本之地,新经扰攘,人心未固,不得忠义之士加意抚绥,非独外忧,且有内变。"帝乃徙泽知开封府。既而青州民诣南都借留孝序,帝许之。

2253

己巳,俞向改知陕州。

向初除朝议郎、充秘阁修撰、知河南府兼西道都总管,代姚古也,至是以孙昭远代之。朝廷先闻昭远在陕西,就除知陕州,既而令将所募西兵赴行在。内乡贼尚虎,有众万馀,昭远破之。至南都,人见,即以为河南尹、西京留守、西道都总管,悉以昭远所募兵三千人付张俊,昭远独与蜀兵数百之河南。

庚午,尚书右司员外郎苏迟直秘阁、知高邮军。

既至,守臣赵士瑗以发运司举留,遮境不受代。诏贬士瑗二秩,依旧在任,徙迟知婺州。汪藻言:"今以士瑗为非,则方命不从者,尧四凶之罪也,不可使之在任;以士瑗为是,则借留在任者,汉循吏之恩也,不可使之降官。一士瑗之身而赏罚如此,臣窃惑之。愿斥士瑗,以为后来鄙夫之戒。"不从。

辛未,以贤妃潘氏生皇子旉,赦天下。

籍诸路神霄宫财谷付转运使,充省计;拘天下职田钱隶提刑司。士民封事可采者,看详官由尚书省取旨旌擢;党籍及上书人,尽还合得恩数。诸郡县各举才谋勇略可仗者三人,赴(都)〔营〕御〔营〕司量才录用。

始,李纲言:"陛下即位,赦书不及河东、北勤王之师。夫两路为朝廷坚守,赦令不及,人皆谓已弃之,何以慰忠义之心! 至勤王之师,虽未尝用,然在道半年,荷戈擐甲,冒犯雪霜,疾病死亡,不可胜数,倘不加以恩恤,后复有急,何以使人! 愿因今赦,并示德音。"帝从之。

唐重充天章阁直学士、知京兆府。

直秘阁刘岑,自河东还行在,帝问可守关(东)〔中〕者,岑荐重可用。又荐朝请大夫、提举陕西常平公事郑骧,除直秘阁、知同州兼沿河安抚使;通判京兆府曾谓为陕西转运判官。

时军兴之后,军府壁立,重乃告之于成都府路判官赵开,籍其资,修城池,备供张,且率长安父老子弟请帝驻跸汉中,治兵关中。骧亦疏言:"长安四塞,天府之国,项羽弃之高祖,李密弃之太宗,成败灼然,乞为驻跸之计。"

壬申,李纲请降见钱钞三百万缗,赐两河市军需。因命使臣赍夏药,遍赐两河守臣将佐,且命起京东夏税绢于北京,河东衣绢于永兴军,以待支取。于是人情翕然,蜡书日至,应募者甚众。

是日,班军制:凡师行掳掠违节制者死,临陈先奔者族,败军者诛,全队一军危急而它军不救者刑主将;馀如(将)〔军〕法从事。

乙亥,汪伯彦请两河、京东、西增置射士,县五百人,悉募土人有产籍者,置武尉以掌之,县令领其事,凡四县置二将。射士挽弓至二石五斗以上及教头满七年无过者,皆补官。江、浙、淮南诸路,大县增二百人,小县百人。从之。寻用知光州任诗言,每半岁令通判诣县案阅。未几,复增于闽、广、荆湖等路,且令提刑按察,应募者免其身丁。

宗泽至东京。

自金兵退归,楼橹尽废,诸道之师,杂居寺观,盗贼纵横,人情凶惧。时金人留屯河上,距京师不二百里,金鼓之声,日夕相闻。泽至京,下令曰:"为盗者,赃无轻重,皆从军法。"由是盗贼屏息,人情粗安。一日,有金使牛大监等八人,以使伪楚为名,直至京师,泽曰:"此觇我也。"命留守范讷械累之,闻于朝。

戊寅,汪伯彦进知枢密院,张悫除户部尚书。

李纲言："惎以晓财利勤干称,判曹事乃其任也,今除太峻,未副人望,乞稍缓之。陛下用宰相,臣不得而知,至于执政,臣固当与闻者。"

傅雱迁宣教郎,充大金通问使。

初,黄潜善等既奏遣周望往河北、河东独未有人。李纲言:"今日之事,内修外攘,使国势日强,则二圣不俟迎请而自归。不然,虽冠盖相望,卑辞厚礼,终恐无益。今所遣使,但当奉表两宫,致旦暮之忱可也。"帝乃命纲草二帝表,致书宗翰。雱遂与其副马识远行。

己卯,诏:"三省、枢密院置赏功司,三省委左右司郎官,枢密院委都承旨检察以受功状,三日不行,罚;行赂乞取者,依军法。仍以御史一员领其事。"用右正言邓肃请也。

李纲请以河北之地建为藩镇,朝廷量以兵力授之;沿河、淮、江置帅府、要郡、次要郡以备控扼。沿河帅府十一,京东东路治青、徐,西路治郓、宋,京西北路治许、洛,南路治襄、邓,永兴军路治京兆,河北东路治魏、沧。沿淮帅府二,治扬、庐。沿江帅府六,治荆南、江宁府、潭、洪、杭、越州。大率自川、陕、广南外总分为九路,每路文臣为安抚使、马步军都总管,总一路兵政,许便宜行事;武臣副之。要郡以文臣知州,领兵马钤辖;次要郡以文臣知州,领兵马都监,许参军事;皆以武臣为之副。如朝廷调发军马,则安抚使措置办集以授副总管。若帅臣自行,则漕臣一员随军,一员留摄帅事,宪臣文武各一员,弹压本路盗贼。沿河帅府八军,要郡六军,次要郡三军,非要郡二军;沿淮帅府五军,要郡三军,次要郡二军,非要郡一军;沿江帅府五军,要郡三军,次要郡一军,非要郡半军;军二千五百人。自帅府外,要郡四十,次要郡三十六,总为兵九十六万七千五百人,非要郡不预。又别置水军帅府两军,要郡一将。纲又请出度牒、盐钞及募民出财,使帅府常有三年之积,要郡二年,次要郡一年。疏奏,悉从之。先遣御营司干办公事杨观复往江、淮造舟,馀路悉委宪臣措置。

范讷落节钺,淄州居住。邓肃论:"讷去年出师两河,望风先遁,遂奔南京,拥众自护。今在东京揭榜,有曰'今日汴京已为边面'。两河之地,陛下未尝弃置,军民效力,几于百万,日有捷音,讷乃呼为边面,且日思去计。尝曰:'留守之道四,战、守、降、走而已。今战则无卒,守则无粮,不降即走耳。'此语大播郡邑,非属风闻。汉得人杰,乃守关中,岂奔军之将可与比乎!"疏入,遂有是命。

金右副元帅宗望还自凉陉,庚辰,以寒疾卒。宗望首创南伐之谋,兵机神速,故所向克捷。旋封魏王,后改封宋王,谥桓肃。

时汉国王宗杰相继卒,后谥孝悼。宗杰、宗望,皆太祖子;宗杰圣穆皇后所生,宗望钦宪皇后所生也。

诏以二圣未还,郡县官毋得用乐。

辛巳,诏:"沿大河置巡察六使,自白马、浚、〔滑〕抵沧州,分地以为斥候。"

李纲言:"国家御戎,皆在边郡,金人乃扰吾心腹。请命诸路州军以渐修葺城池,缮治器械,朝廷量行应副。"乃命城池应修者,降度牒与之。又令淮、浙、荆湖六路,以常平钱造袄衣二十万(尺)〔及〕市竹枪、箭簳、弩桩输行在。帝尝问纲:"靖康初能守京城,金人再至,遂不克守,何也?"纲曰:"金人初来,未知中国虚实,虽渡河而尼玛哈兵失期不至,再来则两路并进;初时勤王之师,数日皆集,再来围城,始召天下兵,遂不及事;初时金人寨于西北隅,而行营司兵屯城中要地,四方音问不绝,再来朝廷自决水浸西北隅,而东南无兵,敌反据之,故外兵不得进。又,渊圣即位之初,将士用命;其后刑赏失当,人尽解体,城中无任责之人,敌至,造桥渡濠,全不加恤,敌遂登城。此前后所以异也。"

壬午,张悫同知枢密院事。

甲申,诏:"尚书户部右曹所掌坊场、免役等法及所辖库务,并归左曹,以尚书总领。"

乙酉,诏监司、州县职田并罢,令提刑司尽数申尚书省。

以宗泽为延康殿学士、开封尹、东京留守。抗疏请帝还京,不听。

钱盖复龙图阁待制,充陕西总制使;右武大夫、恩州观察使、主管西蕃部族赵怀恩,特封陇右郡王。

初,盖在陕西,尝建议:"青唐无豪发之得,而所费不赀,请求唃氏后而立之,必得其力。"帝是其策,俾持告赐怀恩,因召五路兵赴行在。

初,京西北路提点刑狱公事许高,河北西路提点刑狱公事许亢,总师防洛口,望风奔溃,夺官,流琼州、吉阳军。高、亢自颍昌以五百骑趋江南,至南康,谋为变,知军事李定、通判韩玮以便宜斩之,及是以闻。众谓擅杀非是,李纲言:"高、亢之弃其师,朝廷不能正军法,而猝取诛之,必健吏也。使后日受命捍贼者,知退去而郡县之吏亦得诛之,其亦少知所戒乎!是当赏。"乃命进一官。

丙子,李纲上疏,一曰募兵,谓:"熙、丰时,内外禁旅五十九万人,崇、观以来,阙而不补者几半。为今之计,莫若取财于东南而募兵西北。河北之人为金人所扰,未有所归,关西、京东、西流为盗者,不知其几。请乘其不能还业,遣使招之,合十万人,于要害州军别营屯戍,使之更番入卫行在。"二曰买马,谓:"金人专以铁骑取胜,而吾以步军敌之,宜其溃散。今行在之马不满五千,可披带者无几,权时之宜,非括买不可。请先下令,非品官将校,不许乘马;然后令州籍有马者,以三等价取之,严隐寄之法,重搔扰之禁,则数万之马,尚可得也。至其价则须募民出财以助,多者偿以官告、度牒。"诏三省以次施行。其募兵陕西、河北各三万人,委经制〔招〕抚司;京东、西各二万人,委本路提刑司。溃卒、厢军,皆许改刺。

诏:"京东、西、河北东路及永兴军、江、淮、荆湖等路,皆置帅府、要郡。"

初,李纲欲因帅府以寓方镇之法,黄潜善等言:"帅府、要郡虽可行,但未可如方镇割隶州郡。仍命帅府、要郡屯兵有差,遇朝廷出师,则要郡副钤辖、(钤辖)、副都监皆以其军从师。"纲又言:"步不足以胜骑,骑不足以胜车,请以车(骑)〔制〕颁于京东、西路,使制造而教习之。其法用靖康间统制官张行中所创两竿双轮,上载弓弩,又设皮篱以捍矢石,下设铁裙以卫人足,长兵御人,短兵御马,旁施铁索,行则布以为陈,止则联以为营。每车用卒二十有五人,四人推竿以运车,一人登车以发矢,馀执军器夹车之两傍。每军二千五百人,以五之一为辎重及卫兵,馀当车八十乘;即布方陈,则四面各二十乘,而辎重处其中。"诸将皆以为可用,乃命两路宪臣总领。

丁亥,张所借通直郎、直龙图阁,充河北西路招抚使。

初,上皇北迁,龙德器玩皆为都监王(求)〔球〕窃取,至是内侍陈烈以其馀宝器来上,皆遐方异物。李纲谏,帝命碎之。时纲每留身奏事,多所规益,如论开封收买童女及待遇诸将恩礼宜均一,帝皆嘉纳。

诏:"文臣许养马一匹,馀官吏士民有马者并赴官,委守令籍为三等,以常平封桩钱偿其直。马高四尺六(尺)〔寸〕为上等,率直百千,馀以是为差。有田之家则折其税,僧道俱以度牒取偿。限半月籍定,有隐寄者,以违制论。买及百匹,则守倅、令佐迁一官,不及者等第推赏。诸军团练,以五人为伍,伍有长;五伍为甲,甲有正;四甲为队,五队为部,皆有二将;五部为军,有正副统率。凡招军,量增例物,其白身充募者全给,溃兵、降盗及它军改刺者半之。陕西六路,仍听支诸司钱及截川纲金银。如有良家子愿备弓马从军者,依敢勇法,月给钱米。官吏、寺观、民户愿以私财助国者,听于所在送纳,等第推恩。仍令当职官劝诱,而宪臣总之,解赴行在。"皆用纲所请也。

谏议大夫宋齐愈疏论李纲,谓:"民财不可尽括,西北之马不可得,东南之马又不可用。至于兵数,郡增二千,岁用千万缗,费将安出!"帝纳之。

显谟阁学士翟汝文奏:"祖宗上供,悉有常数,后为献利之臣所增者,当议裁损。如浙东郡预买绢岁九十七万六千匹,而越乃二十万五百匹,以一路计之,当十之三。刭经方寇焚劫,户口凋耗,今乞将户三等以上减半,四等以下权罢。及身丁钱盐旧有定制,其后折米而已,今悉为帛,臣以为宜纳见直。"从之。

【译文】

宋纪九十八　起丁未年(公元1127年)五月,止六月,共两月。

宋高宗　名讳赵构,是宋徽宗的第九子,母亲为显仁皇后韦氏。大观二年(公元1108年)五月乙巳,在皇宫内生下高宗皇帝,有红色的光芒照耀室内。八月,赐给名字,任命为建武军节度使、检校太尉,封为蜀国公;大观三年(公元1109年)封为广平郡王;宣和三年(公元1121年)加封为康王。天资清朗有悟性,好学习善于记忆,每天能读千余言,拉弓力量达一石五斗。宋钦宗即位改年号为靖康,有人拆字认为是十二月当立康王。金兵到达汴京,奉命出使到军前,意气闲适。宗翰认为不是亲王于是就改换肃王为人质,皇帝才得以返回。八月,被任命再次出使军前议和,始终没有前往,留在相州。闰十二月,钦宗皇帝下诏任命高宗皇帝为兵马大元帅,在相州开设府治。二年(公元1127年)四月,钦宗皇帝被掳往北方,张邦昌奉元祐皇后垂帘听政,命高宗继位。高宗皇帝停驻在南京,百官上表功高宗即位,才同意。

建炎元年　金天会五年(公元1127年)

五月,庚寅朔(初一),兵马大元帅康王赵构在南京即皇帝位,在天治门左侧筑坛,作册文奏告上天,撰写大赦文书。正好太常寺主簿张浚从京城来到,于是任命张浚代理太常少卿职,导引进行。天刚亮,皇帝登坛接受天命,册文说:"继位的天子赵构,冒昧地奏告天帝:金国人入侵内地,皇帝北去,臣赵构以道君皇帝的儿子,接受皇帝的命令统帅六师,掌握兵马元帅的大权,倡导义军以作各将的表率,希望肃清京城,恢复两宫。而百官将士,天下百姓,认为人心想念宋的恩德,上天眷念赵家宗族,应该将皇帝位交给臣赵构。再三推辞,担心不能承担重任,众口一词,都说不能延误皇天的使命。战栗警醒,哪敢不接受。"读完,皇帝向南痛哭很久,在应天府治所的正厅即位,帘帐按殿中仪仗。张邦昌率领百官称贺。改年号,大赦天下。命令西京留守修整祭奉祖宗的陵寝;取消青苗钱,所有死难以及为王事而死的人都推以恩赏;奉命出使没有返回的人,给他的家中一年的俸禄;选人在职与不在职的都按资序授职;臣僚中因为战难离职的,限在一个月内回到职任;逃散的士兵、盗贼,都允许改过自新;亏欠官府的,不论何名目都免除;南京以及大元帅府曾经驻军一个月以上的,夏税全部免除;应天府特别奏名都赐予同进士出身,免解试的人免予省试;各路特别上奏贡举三次以上以及宗室曾经预贡的都推以恩德;保护州郡没有问题的推以恩赏;所有招募勤王士兵的人,将所部交付给州县主管兵事的官员后到皇帝暂停之地；朝廷内外大臣平民都允许直言政务；从今官员犯罪，再不取皇帝特别旨意决断；平民有才干的，命令禁从、监司、郡守限十天内推举一人，其余按历朝的旧例。任命黄潜善为中书侍郎，汪伯彦同知枢密院事。

本日，元祐皇后在东京撤帘不再听政。

辛卯（初二），尊靖康皇帝为渊圣皇帝，元祐皇后为元祐太后。诏令："宣仁圣烈皇后，有安定社稷的功劳，奸臣怀着私心，诬蔑圣德，可以命令国史院根据实际修正，宣告天下。"

宋高宗赵构像

翁彦国担任知江宁府兼江南东、西路经制使，赐给钞盐钱十万缗，让他修江宁城以及修整宫室，做皇帝巡幸的准备。

宝文阁直学士赵子崧请求奏对，大意说："开启边事的祸患，目前可以看到效验了。现在熙河五路修建州军的堡寨，不是紧要必须扼守的地方，都应该停止兴办。明确向西夏人宣布，告诉以德相待的意思。各郡守卫的士兵，分驻在陕西现有的兵马与河东、河北的兵共有六万人，分为三支，一支驻在澶渊之间，一支驻在河中府、陕州、华州之间，一支驻在青州、郓州之间。平时训练以作特殊情况时的准备，万一敌人渡河向南，那么就同时进军，以捣毁燕山的空虚，烧船渡河，人自为战，事情未必不能成功。"

壬辰（初三），诏令尚书左仆射兼门下侍郎张邦昌为太保、奉国军节度使，封为同安郡王，五天到都堂一次参与决定大事。任命范讷为京城留守，刘光世为省视陵寝使。耿延禧、董耘、高世则一同提举万寿观留在皇帝临时停驻地，耿延禧、董耘仍然兼任侍读。赵子崧为延康殿学士、知镇江府，梁扬祖为徽猷阁待制、知扬州，随军应副黄潜厚试户部侍郎，范致虚知京兆府、充南道都总管，河北转运判官顾复本为北道副总管，张深充龙图阁直学士、知熙州，直徽猷阁、陕府西路计度转运副使王庶升任直龙图阁、知延安府。

胡舜陟说："今天措置中原，应该效法太祖任命郭进、李汉超、董遵诲等守边的办法，将三京、关陕分为四镇，拱州、滑州、颍昌府隶属东京，郑州、汝州、河阳府隶属西京，恩州、濮州、开德府隶属北京，同州、华州、陕府隶属京兆。挑选人担任节帅，让他们各用当地赋税，养兵自卫，而且援助邻镇。又京城积蓄的钱有一千多万缗，应该供给四镇作为籴买粮食的本钱。如果四镇的节帅用人得当，中原几乎不会失去，江左可以安居。"诏令交付三省。不久，胡舜陟免职，提议于是搁置。

癸酉（疑误），遥尊韦贤妃为宣和皇后。旧例，皇帝的母亲称为皇太妃，到此时因为道君皇帝远行，特别上尊号。

册立嘉国夫人邢氏为皇后。

门下侍郎耿南仲免职为观文殿学士、提举杭州洞霄宫。皇帝鄙薄耿南仲的为人，因为他告老求退，所以有这个命令。

甲午（初五），任命资政殿大学士李纲为尚书右仆射兼中书侍郎，催促他赴朝廷。此前黄潜善、汪伯彦自认为以攀附的功劳，准备得到宰相职，皇帝恐怕他们不能满足人望，就在朝外任用李纲。二人不平，于是与李纲相忤逆。

直龙图阁、权应天府朱胜非，召为试中书舍人，延康殿学士何志同知应天府，杨维忠为建武军节度使、主管殿前司公事，是奖赏拥戴的功劳。黄潜善、汪伯彦提议停止民兵以及投降盗贼组成军队，而挑选其中士兵马匹精锐的隶属五军。当天，任命孔彦威为东平府兵马钤辖，刘浩为大名府兵马钤辖，丁顺为沧州兵马钤辖，秉义郎王善为雷泽尉。刘浩所带领的都是民兵，而丁顺与孔彦威是帅府所招降的盗贼。不久，丁顺、王善在河北作乱。

乙未（初六），在鸿庆宫拜谢先人，皇帝痛哭，群臣都哭。

此前太常卿刘观，在围城时与汪藻谋划，夜间用栗木另刻祖宗和各皇后神主二十四，而取其中九庙历朝宝册，全部埋在太庙。到此时刘观引导皇帝车驾，于是陈述此事，皇帝赞叹了很久。

将五月二十一日定为天申节。

尚书右丞冯澥免职为资政殿学士、知潼川府，李回知洪州，吕好问兼代尚书右丞。吕好问拿着元祐太后的亲笔信来祝贺，皇帝慰劳他说："宗庙得以保全，都是卿出的力。"于是有这个任命。

王时雍提举成都府玉局观。言官指论："王时雍留守东京，金人索取皇族，几乎遣送尽。等到索要他的女婿太学博士熊彦诗时，就设法使他宽免。自认为身兼将相，请求用二府的马鞍坐垫，又窃取宫中的宝物，以赠送金国使者作幌子，有什么面目再站在都堂！"于是有此任命。从此接受伪楚命令的大臣逐渐引退了。

诏令："从此天象的祥瑞灾异，都命令太史局按经典奏报；如果有隐瞒，当按军法处理。"

李纲到太平州，听说高宗皇帝登基，上奏陈述时事，大致说："和不能相信，守不容易图取，而战不能必定胜利。"又说："恭俭，是君主永远应有的品德；英哲，是君主应有的全面才干。继承国政守护典制的君主，恭俭足以使天下优足富裕；至于振兴衰弱拨正混乱，那么不是英哲不足以担当此事。只有英，所以用心刚正，足以决断大事而不被小的变故所动摇；只有哲，所以见识完善明确，足以任用君子而不被小人所离间。在过去的君主中，只有汉代的汉高祖、光武帝，唐代的唐太宗，本朝的太祖、太宗，恪守此道，希望陛下作为榜样。"

金国宗翰班师回朝后，留下各帅分守河东、河北各地：万户尼楚赫驻太原，洛索驻河中，副都统素赫驻真定，蒙克进据磁州、相州，渤海万户大托卜嘉围困河间。这一天，命令龙神卫四厢都指挥使马忠、沂州观察使张焕带所部万人，从恩州、冀州奔往河间袭击金人。

丙申（初七），吕好问兼任门下侍郎。

观文殿大学士、提举西京嵩山崇福宫徐处仁为大名尹、北道都总管。

当初，南都被围，徐处仁在城中，都人指责他为奸细，杀掉他的儿子直秘阁徐庚，徐处仁受刺激而得病，到此时带病入朝进见赴任。

金书枢密院事曹辅去世。

当时先前的执政大臣都被免职，唯独曹辅被留下。刚到南都，首先陈述五件事：一是分驻在要害以整治部队；二是划定新都边界以便利公私；三是挑选人才以等待任用；四是治理盗贼，恩威并施，叛乱的就征讨，降服的就释放；五是分割靠近边境的地区为几个节镇加强秋天防务。皇帝赞赏并采纳。不久,因病去世,谥号为忠达。

丁酉(初八),黄潜善兼任御营使,同知枢密院事汪伯彦兼任御营副使。

当初的制度,殿前、侍卫马步司三衙禁军共十余万人。高俅得到任用,军政废弛,靖康末年,卫士仅有三万人,等到城被攻破,所剩无几。到此时殿前司由殿班指挥使左言代领,而侍卫二司还在东京,禁卫力量单薄。各将领杨惟忠、王渊、韩世忠带河北的部队,刘光世带陕西的部队,张俊、苗傅等带帅府以及投降的盗兵,都在高宗临时建立起来的朝廷,不相统一。于是设置御营司,总管军政事务,将所部分为五军,任命王渊为都统制,韩世忠、张俊、苗傅等并为统制官,又命令刘光世提举使司所有事务。黄潜善、汪伯彦另外设置亲兵各一千人,给予优厚的粮食和赏赐,议论的人认为此事不当。

诏令翟兴集结义兵,保护祖宗的陵寝。

派统制官薛广带三千人从内黄出发,张琼带二千人从开德出发,共同收复磁州。

任命邵溥为京城副留守。

王时雍贬责为安化军节度副使,黄州安置,是因为言官指论王时雍在京城被围时擅自行使三省事务的缘故。

吴开自己陈述:“国家有祸乱,不能以死尽节,请求依法处理。”诏令任命为龙图阁直学士提举太平观。

莫俦自己陈述:“长久留在敌营,受尽困苦与侮辱,请求安置在闲散之地。”诏令任命为述古殿直学士提举亳州明道宫。

戊戌(初九),诏令赠予李若水观文殿学士,赏赐他家银五百两、帛五百匹,授予子孙五人官职。

任命路允迪、耿延禧为京城抚谕使。王伦提升为朝奉郎,借刑部侍郎职,充任大金通问使,进士朱弁为修武郎,充任副使;又任命傅雱假工部侍郎职,充任通和使,武功大夫赵哲充任副使。

王伦家中贫困品行不好,靠侠义来往于京城、洛阳之间。京城被攻破,钦宗渊圣皇帝亲临宣德门,京城的百姓喧呼,王伦乘势直接来到皇帝面前说:“臣能够弹压下去。”皇帝解下所佩戴的西夏宝剑赐给他。王伦说:“臣没有官职,怎么能使众人服从!”皇帝马上取下一张纸写下任命王伦为兵部侍郎。王伦与恶少年数人传达皇帝旨意安抚平定。到此时上书伸述先前的志向,请求出使敌国问候二位皇帝的起居平安。接着商议改傅雱为祈请使,阁门宣赞舍人马识远为副使,而王伦、朱弁、赵哲没有派遣。

当时黄潜善等人又主张议和,于是沿用靖康年间的誓书,划定黄河为边界。开始敌人要求割让蒲州、解州,在围城中答应过此事。黄潜善就命令刑部不要誊抄赦文到河东、河北两路以及河中府的解州;那些在乙未(初六)、丁酉(初八)所派遣的部队,暂令驻扎在黄河南,根据时机前进或停止。

己亥(初十),诏令:“朕将谨慎地对待旧政令,不因为皇帝御笔废除朝廷政令,不用内侍掌管兵权;宽容接受直言,斥去奢靡浪费,不是军功不给特别赏赐,不是军备不聚集劳作。如果群臣熟悉于过去的习惯,引导阿谀之言忌讳言过失;大臣挡住贤人,所推举的不当;台谏察举邪恶,言论不公正;凡此之类,一定处罚不宽免。”

当时各道勤王部队都到达皇帝临时停驻处。陕西的将官王德,当初隶属于刘光世担任右军将官,王德有很威风的名声,号称"王夜叉"。

任命胡蠡为高丽国信使,黄越为副使。

李纲在江宁杀掉军贼周德。

周德作乱后,正好经制司属官鲍贻逊统领勤王部队七千人到达城下,江淮发运判官、直徽猷阁方孟卿以檄文命鲍贻逊进军逼攻该城。周德就接受招降,而照旧杀人抢掠。知溧阳县杨邦乂也发动民兵征讨他。李纲到太平州,派使者劝他勤王。开始接受节制,然而仍然不驯服,想乘间隙逃走。李纲驻在江宁,与江南东路转运判官、权安抚司事李弥逊谋划,在转运司大犒群贼,抓住周德和其党徒聂旺,分尸于街市,杀掉其党羽四十多人,而命令提举常平王枋统领其余的兵卒。不久改任鲍贻逊为宣教郎,杨邦乂就地升任通判江宁府。

庚子(十一日),诏令:"靖康时的大臣,主张讲和误害国家。特进李邦彦,贬授建宁军节度副使,安置浔州;崇信军节度副使、涪州安置吴敏移往柳州;秘书少监、亳州居住蔡懋移往英州;贬授正奉大夫、提举南京鸿庆宫李棁在惠州;中大夫、提举亳州明道宫宇文虚中在韶州;承议郎、提举亳州明道宫郑望之在连州;通直郎、提举杭州洞霄宫李邺在贺州,分别安置。"

壬寅(十三日),册封后妃潘氏。潘氏是皇帝在康王府时,宣和皇后为他所娶,很受宠。邢皇后到北方去后,潘妃因为没有名位得以留下,到此时被封为贤妃,将梁师成的宅第赐他的叔父潘永思。

任命江淮发运使梁扬祖与工部员外郎杨渊同担任提领措置东南茶盐公事,在真州设置茶盐司。

当时东北道路阻塞,盐册不通。梁扬祖上奏:"真州,是东南的水陆要冲,应该派官设司,给卖钞引,所有茶盐钱都充入朝廷的封桩库,各司不得移作他用。"所以有这个任命。

任命开封尹徐秉哲充任徽猷阁直学士、提举江州太平观。

赵子崧说:"京城的人士议论纷纷,认为王时雍、徐秉哲、吴开、莫俦、范琼、胡思、王绍、王及之、颜博文、余大均,都操纵卖国,逼迫太上皇,索取皇太子,污辱六宫,公开取嫔妃,捕捉宗室,盗窃宫中财物。张邦昌没有反归于正的心思,十个人都日夜结谋,希望长久宽容。到僭称帝号时,胡思献上赦文,直接用濮安懿王的庙讳。张邦昌惶恐,颜博文则说:'虽然想回避尧的儿子,难道如畏天威一样!'希望将这十个人交付监狱审治,明确地依法处置,以作为万世人的鉴戒。"

本日,渊圣皇帝停在代州,度过太和岭,到了云中,停留十多天。自从离开京城,旧臣没有敢问候起居生活的,到了代州,只有滕茂实在路上迎接拜见。滕茂实在靖康初年出使,当时他的兄长滕祹任代州通判,已经先投降。宗翰平素看重滕茂实,迁他到代州,又从京城带他的弟弟滕华实与他一同生活。滕茂实听说钦宗皇帝将要到来,马上自己写下衰词,篆刻"宋工部侍郎滕茂实墓"九个字,拿奉命出使时的黄幡包住,交给他的朋友董铣。次日,钦宗皇帝到达城郊,滕茂实穿戴衣服,号哭迎接拜见。宗翰逼迫他换衣服,滕茂实极力拒绝不服从,并请求侍奉过去的国君同行,不被允许。

癸卯(十四日),诏令因为二位圣上没有返回,取消天申节祝寿的常规礼节。从此时到绍兴十二年都如此。

姚平仲再次被任命为吉州团练使,在各处张贴榜文,召他前往皇帝临时停驻地。姚平仲劫寨失利,传言认为被乱兵所杀。靖康末年,复用为忠州刺史。皇帝思念他的才干,命令在各地寻访他。有人说姚平仲隐居在九江的山里面。

乙巳(十六日),诏令各路勤王部队回到军营,令所在军队每人赐钱三千。

资政殿学士、金书枢密院事张叔夜去世。

当初,张叔夜北行,路上只饮汤水,到了白沟,驾车的人说:"过了界河。"惊觉而起,仰天大喊,次日,扼住咽喉而死,时年六十三岁。遥拜为观文殿大学士、醴泉观使。另外,何㮚到达金国,绝食而死。孙傅北行,不知结局如何。

丙午(十七日),诏令:"靠皇帝施恩进官秩的,只有侍从以及宗室南班官给予告词,其余的都由尚书省出敕令。"

知同州唐重上疏说:"当今紧急事务有三项,大的患害有五项。紧急事务大概以皇帝车驾西巡为首要;其次是建立藩镇,册封宗族诸子,守卫我国土地,紧急时不被敌人占有;再就是要与西夏通好,继青唐之后,让形成掎角以缓和敌人的攻势。所谓大的患害是:法令更加显明而官吏因此作恶;朝廷纲纪委靡不振而士大夫相延散漫;军政败坏而将士逃散;国家用度已经枯竭而又失去财利来源;民心相离而征发正盛。要挽救这些事,莫过于遵守祖宗的现成制度,选用直臣,严明赏罚,选能做将帅的大臣,择从善的官员。天下的大计,没有离开这些的。"

金国人攻破河中府,贵州防御使、权府事郝仲连遇难。

当初,金军攻打河中,守臣席益逃跑,范致虚派郝仲连节制军马,驻扎在河中府,任权府事。到此时索洛率重兵逼攻府城,郝仲连力战而没有外援到达,估度不能守住,先自己杀掉全家;城被攻破后,不屈服,洛索让人击杀了他。后来赠给中侍大夫、明州观察使。

丁未(十八日),路允迪代理吏部尚书,王襄领开封府职事。

诏令:"文武大臣,不是重病和致残的病,不得陈述请求离职致仕。"是因为士大夫回避事情请求离职的人很多的缘故。

这天,道君皇帝停驻在燕山府,住在延寿寺。太上皇因为乌凌噶色呼美有迎奉的辛劳,将后宫曹氏赠给他,曹氏是曹武穆王曹彬的后裔,宁德皇后的近侍。

当时司马朴在燕山,有传送高宗皇帝登位的敕书到达的,司马朴派人拿着敕书送给太上皇,被人告发。金国主怜惜他的忠心,释放了他。

庚戌(二十一日),宗泽充任龙图阁学士、知襄阳府,权邦彦充任天章阁待制、知荆南府,直秘阁、知深州姚鹏升任直龙图阁、知洪州。当时黄潜善等人不希望宗泽在朝廷中,所以与河北勤王的守臣一起任命。

辛亥(二十二日),太师、镇南军节度使、中太一宫使乐平郡王郑绅,拜谒告假前往江浙改葬。郑绅,是道君皇后的父亲。不久,去世,谥号为熹靖。

壬子(十三日),张邦昌因为施恩提升为太傅。

丙辰(二十七日),张所担任尚书兵部员外郎。

张所察看陵寝返回,呈上疏章,大致说:"恭敬地听说皇帝暂驻南京,军民都怨恨,不知是谁谋划的?京城两道城有八十里之广,宗社、宫阙、省阁、百司都在那里,留在那里足以控制河东、河北根本之地。按臣的想法,实在有五种好处:事奉宗庙,保护陵寝,是第一;安慰人心,是第二;维系四海的期望,是第三;解除割让河北的疑虑,是第四;早有安定之处而抓紧边防事务,是第五。一举而五利,而陛下不这么做。臣知道此时迁延,没有更好的办法,不过在紧急时,便于南渡。不知道国家的安危,在于兵力的强弱,将相的贤良与无能,而不在于都城的迁移与不迁移。如果兵力弱而将相无能,即使渡江,怎么能够自保?黄河不足以作依靠,长江也不足以作为依靠,白白的使人心先离散,中原先混乱罢了。为目前考虑,确实应该图谋任用将相,协力谋划,经营北方,鼓励河北忠直义愤的人,让他们人自为战,那么强敌可以摧毁,疆土可以保全,京城可以安枕而作为都城了。"张所又说黄潜善兄弟奸邪,恐怕误害新政,黄潜善引退,皇帝宣谕留下他,于是罢免张所的言官职务。黄潜善意还未完,不久贬责张所为凤州团练副使,江州安置。

李孝忠攻破襄阳府,守臣直徽猷阁黄叔敖弃城逃走。李孝忠入城大肆抢掠,将强壮的人全部驱赶从军。

丁巳(二十八日),范致虚担任观文殿学士。

两浙提点刑狱季质为试太常少卿。季质,是张邦昌的女婿,听说僭位的事,自己投到越州狱中,提举茶盐司将此事上报,到此时起用了他。

戊午(二十九日),太常少卿周望,以给事中官职,充任大金通问使;赵哲领达州刺史,充任副使。

邵兴占据解州神稷山,屡次与金人作战。当时金将鹘眼驻扎在安邑,抓住他的弟弟招降他,邵兴不顾,含泪死战,大败金军。

本月,管干龙德宫、宣赞舍人曹勋,在燕地从小路回到南方。

此前太上皇到达邢、赵之间,燕王赵俣因为绝食死于庆源,用马槽装殓,还露着双脚。到达真定,过了黄河,十多天,太上皇秘密地对曹勋说:"我梦见四个太阳同时出现,这是中原争立皇帝的征兆,不知大臣百姓肯推戴康王否?"次日,拿出三件衬衣,自己在衣领中写上:"可以马上即位,来救父母。"又宣谕说:"如见到康王,就奏告:有清理中原的计策,就全部实行,不要挂念我。"并拿出韦贤妃的信,命令曹勋从小路南归。邢夫人也取下金环,让内侍交给曹勋说:"为我告诉大王,希望像这个环一样,得以早日相见。"临行时,又告谕康王说:"太祖有誓约,收藏在太庙中,立誓不杀大臣以及言事的人,违背的人不吉祥。"

六月,己未朔(初一),李纲到达皇帝临时停驻地。

此前范宗尹主张议和,就说李纲名过其实而有震动主上的威风,不能担任宰相。疏章呈上三次,没有回复。正好诏令勤王的军队回到本道,李纲就把升州、潭州的兵力留在泗州,自己前往南都。途中,颜岐派人拿着弹劾奏章的副本送给李纲。皇帝听说李纲到达,催召他入见,会见于内殿。李纲哭泣,并推辞新的任命,而且说:"臣愚笨,只知道有赵氏,不知道有金人。言事的人认为臣的才干不足以担任宰相可以,认为被金人所厌恶不应当担任宰相就不可以。如果是赵氏的大臣而金人喜欢他,反而可以担任宰相,那么卖国的人,都成了忠臣了。愿意退职回到乡里。"皇帝说:"朕知道卿忠诚义气,靖康时曾经想向渊圣皇帝进言,使远方的人畏惧服从,非任用卿为宰相不可。"李纲叩首称谢,然而还是没有接受任命。

奉国军节度使王宗濋贬授定远军节度使,邵州安置,是因为首先带卫兵逃跑,致使京城失守的缘故。

宗泽从卫南分兵驻扎在黄河边,带数百骑兵前往南都,入朝奏对。皇帝将要留下宗泽,黄潜善、汪伯彦厌恶他,就命令他到襄阳。

2263

庚申(初二),诏令李纲立在新班奏事。

执政大臣退下,李纲留下呈上十条建议,而且说:"陛下考虑其中可以施行的,希望赐命施行,臣才敢接受任命。"一条议国事,大致说:"今天都主张和议,大概因为二位圣上被掳向北方,不议和就加速他们的祸患。不知道汉高祖与项羽在荥阳交战,太公被项羽抓获,多次放置在几案上,汉高祖作战更加厉害,项羽终究不敢加害而送回。过去金人与契丹作战,必定是割地厚赠以讲和,讲和后又寻找机会用兵,二十余年,终于灭掉契丹。金国又用此办法迷惑本朝,以至攻破京城,毁宗社,改变姓氏国号,而朝廷还认为和议有道理,这是将天下送人而后作罢。为目前考虑,专心于自我防守,在险要的地方建立藩镇,在黄河以及长江、淮河的南面设置帅府,修建城堡,整治武器,教练水军,练习车战,让敌人进抢掠不到东西,退又有拦击的担心,那么即使出没,必定不敢深入。所以今天效法勾践尝胆的志向就可以,效法他卑贱言辞丰厚赠送就不可以。只应当每年按时节派遣使臣问候二位圣上,几年间,军政增修,车甲全部具备,然后大举讨伐敌人,以报不共戴天之仇,而昭雪前古所无的耻辱。"一条议巡幸,大致说:"天下形势,关中为上等,襄阳、邓州为次等,建康又次之。现在应该以长安为西都,襄阳为南都,建康为东都,各命令守臣,修葺城池,整治宫室,积蓄食物,以备巡幸。三都修成后,其利有三条:一则借巡幸的名义,使国势不失于太弱;二则不设置固定都城,敌人没有地方窥探;三则四方盼望巡幸,奸雄之人无所企图。至于汴梁,是宗庙社稷所在的地方,天下的根基,陛下刚刚即位,岂能不见一见宗庙以安定京城人心!希望先降下敕令,以修护拜谒陵寝的名义,选择时日巡幸。"一条议赦令,大致说:"邪恶叛逆不应当赦免,因罪被废不应当全部起复,选拔人才不应当完全按照资格。现在登皇位的赦书,完全比附张邦昌伪政权赦文是不对的,应该改正以效法祖宗。"一条议僭逆,大致说:"张邦昌长久参与政务,提升职务冠于宰司,国家破亡而借此得利,君主受辱而夺其位取荣,改姓建国,四十多天,等到金国退后,才下达赦书以收恩德。考察他四日下达的手书,仍然用周朝的旧例。希望弃尸在街市,以作为乱臣贼子的鉴戒。"一条议伪命,大致说:"国家更有大变。士大夫屈服伪朝廷的,不可胜数,应该按唐肃宗时的六等定罪,以激励士人风气。"一条议战,说:"军政长久被废,应该使纲纪一新,信赏必罚。"一条议守,说:"沿黄河以及长江、淮河,安排抵抗以扼守敌人要冲。"一条议本政,大致说:"朝廷的尊卑,依靠宰相贤良与否。唐代到文宗,可以说是衰弱,武宗得一个李德裕于是威望号令振作。李德裕初为宰相,进言说:'宰相不得人,应当马上罢免;下达天下的政令,不能不归到中书省。'武宗听从此言,所以能够削平僭越,号称中兴。本朝从崇宁、大观年间以来,政令出自多门,宦官、恩幸、女宠,都得以干预朝政。所谓宰相的人,保护自身巩固宠信,不敢进言,以至法度停废松弛,逐渐导致靖康的耻辱。"一条议责成,大致说:"靖康年间进用贬退大臣太快,功效不显著;应该选择人而长久任用他,以求得成功。"一条议修德,大致说:"刚接受天命,应该更加修养孝悌恭俭的品德,以符合天下的希望。"皇帝与黄潜善等人商议,次日,拿出他的奏章交付中书,只有僭逆、伪命两条没有下达。

靖康军节度使、知西外宗正事赵仲湜担任开府仪同三司,封为嗣濮王。

金国左副元帅宗翰回到西京。金国主诏令说:"从黄河以北,现在已经划分,很念及那里的百姓,有人看见城邑被残毁,于是共同坚守,如果马上讨伐,百姓生灵值得怜悯。申明宣告以道理,招辅安定保全他们。如果坚持不改,自然将导致讨伐。如果各军敢俘获抢掠求利,随意扫荡破坏的,最后要惩罚。"

辛酉(初三),皇帝将原来的王府命名为升旸宫。

任命徐秉哲借资政殿学士职,领开封尹,充作大金通问使。徐秉哲不接受任命,贬授为昭信军节度使,梅州安置。

壬戌(初四),李纲上奏:"今天紧要的事,在于通达下情。"于是诏令在行宫便门外设置检鼓院,以通达四方的奏章。

颜岐充任徽猷阁待制、提举亳州明道宫,是因为颜岐曾经指论过李纲的缘故。

范宗尹也要求离职,于是诏令担任徽猷阁待制、知舒州。徽猷阁待制、提举亳州明道宫钱伯言担任开封尹。

诏令:"宗室只写职衔不写姓名,官署不予受理。"

从熙宁年间以来,宗室外官,只具职衔奏报事务,都不署姓。到这时赵子崧以表章感谢皇上,黄潜善援引近来的旨意弹劾他,于是申明下达。

癸亥(初五),张邦昌贬昭化军节度副使、潭州安置,所经过之处由巡尉伴送,并令监司、守臣时常切实监察,每月提供情况上报尚书省。

李纲说:"王时雍等四人,与金人传达意志,商议废除赵氏,胁迫两位圣上出行郊外,又接受伪命担任执政官,实在是罪魁祸首。"当时徐秉哲已经先被放逐,因此移王时雍到高州,吴开到永州,莫俦到全州,都给予安置处理。吕好问对李纲说:"帝王事务艰难,正是纳污含垢的时候,突然严刑处理,害怕的人很多。"李纲不采纳。

赠徽猷阁待制、知怀州霍安国为延康殿学士。

李纲说:"从崇、观以来,朝廷不再崇尚名节,所以士大夫鲜廉寡耻,不懂得君臣的道义,靖康的祸乱,看着两宫迁徙如同路人。然而仰仗气节为大义而死的,在朝廷内的只有李若水,在朝廷外的只有霍安国,其他的没有听说。希望诏令各路查访,给予优厚的赠予抚恤。"于是从霍安国以及刘韐以下依次褒奖登录,又诏令各路查访死于节义的人上报。

当初,贼人祝靖侵犯荆南,安抚使邓雍逃跑。贼人乘势要渡江,知公安县程千秋率县民以及留在本县的广西湖南勤王部队抵抗,又派人渡江焚毁舟筏,杀死贼人很多。李希忠相继到达,程千秋沿江设置防备,唐悫从鼎州又调来本路弓弩手帮助他,贼众才离开。

当时通判鄂州赵令𥙿,统带官兵守卫武昌县。贼人阎谨侵犯黄州,他的手下放纵抢掠,离开后,赵令𥙿渡江安抚。黄州人感激他。

从金军再次围城,京西、湖北各州,全部被贼寇侵犯,随州的陆先德、复州的赵纵之、郢州的舒舜举与荆南、德安都失守,只有知汝州、徽猷阁待制赵子栎,知襄阳府、直徽猷阁黄叔敖,知蔡州、直秘阁阎孝忠,知汉阳军、朝议大夫李彦卿,能够守卫境内抵抗贼人。到此时李纲报告给皇帝,夺去邓雍的龙图阁直学士职,罢免陆德先等三人,并夺职。提升赵子栎为宝文阁直学士,黄叔敖为秘阁修撰,阎孝忠进升一级官阶,李彦卿为直秘阁,程千秋进升二级官阶,为通判荆南府,而提升赵令𥙿为直龙图阁、知黄州。

甲子(初六),诏令为皇帝临时停驻地将士设置犒赏,抚慰百姓,免除租赋,改革不当的法度,招降群盗,察举赃官。

李纲又说:"靖康年间广开言路,遇到有所议论,对鲠直的人随意放逐到远方,实际上是堵塞言路。"皇帝就下诏:"靖康年间敢于直言的人有被放逐的,全部召回。"

李纲因为施恩提升为正奉大夫,仍然兼任御营使。

当时河东、河北失守的才十余郡,其余的都由朝廷所固守。李纲说:"今天中兴的规模,有先后次序,应当修治军政,改变士风,优待贤才,宽容民力,改变有害的法度,节省冗杂的费用,号令诚信,赏罚信实,选择帅臣,挑选监司。等到政事已经修治好,然后可以商议兴兵,其中尤其紧急的,应当先处理河东、河北,因为这两路,是国家的屏障。现在河北只失去了真定四郡,河东只失去了太原等七郡,其余的都推举当地土豪为首领,人多的有数万,人少的有数千。应该在河北设置招抚司,河东设置经制司,选择有才干的人担任使职,以显示陛下的恩德之意。有能够保全一郡的,给予使职以示宠信,像唐代的方镇,让他们各自守卫。否则粮尽援绝,必定被金人所利用。"皇帝批准了。

恢复帝姬为公主。因此贤德懿行大长帝姬封为秦国大长公主,淑慎长帝姬封为吴国长公主。

开始,张邦昌被废后,范琼自己不安。朝廷议论因为他握有兵权,特别下诏:"节义是对士大夫的要求,至于武臣士兵,理当宽容。只有王宗濋首先带卫兵逃跑,致使都城失守,不能不责罚。此外一切都不追究,以观后效。"

乙丑(初七),马忠为河北经制使,张所和直秘阁、通判河阳府傅亮前往行在。任命王渊代替马忠为龙神卫四厢都指挥使。

诏令:"从现在起按绢定罪,都以二千为准。"过去的制度,用绢计算赃物,以一千三百钱为一匹。有人说绢的价钱近来增高,于是修改确定。

丁卯(初九),下诏给河东、河北郡县,大致说:"河东、河北是国家的屏障,靖康年间,因为金人仗势欺凌,不得已以割地为名,以保全宗社完整。现在掳走君父的仇恨,不共戴天,两河之地,如何能够割让!刚命令帅臣派军作为声援,州县的守臣,有能够保全一地以及力战打败敌人的,将马上授予节钺。应该移送调用的税赋,设置将官,都可以灵活处理。守官都升迁官职,其余按顺序录用。"

喻汝砺担任四川抚谕官。

当时,喻汝砺从京城来见皇帝,又被任命为郎官。喻汝砺于是奏对:"近来听说迁都的意见,臣认为敌人可以回避,都城不能迁移。汴京都城,是天下的根本所在,放弃汴京都城而以金陵为都城,是一举抛掷中州地区而资助给敌人。以诸葛亮的才干不能倾轧曹操,李克用的勇敢而不能抵抗朱温的原因,是因为曹魏、朱梁先定下中原,蜀地、晋阳离索的一方,怎么能足以抵挡其强大!臣认为中原决不能放弃,应作为振兴王业的资本;汴京都城决不能迁移,以落入金人的计策。"皇帝命令前往都堂与李纲谈论,李纲认为是奇才。不久因为母亲年老,请求回家省亲,于是任命为抚谕官,而且命令督促输送四川漕运超额缗钱以及常平钱物。喻汝砺入朝告辞,又上奏说:"金人决意渡黄河,陛下应该抓紧作防备,不要因为平安的缘故而造成鸩毒的忧虑。"皇帝赞赏并采纳了。

戊辰(初十),任命宗泽为知开封府。

宗泽听说黄潜善等人又提出讲和意见,上疏说:"黄河的东北、陕西的蒲州、解州三路,是祖宗创建王业的基地。现在听说刑部下令,不得誊抄传播赦文到两河、蒲州、解州,是想割裂先王一统的宏伟规模,重蹈东晋已经迁移的覆辙。谁出的这个主意,就是不忠不孝!臣虽然愚笨怯弱,将冒矢石,作各将的先锋。"皇帝认为气势雄壮,任命宗泽知青州,传召延康殿学士、知青州曾孝序前往行在。

李纲说:"京城是根本地区,刚经过侵扰,人心不稳,不得到忠义之人用心安抚,不仅有外忧,而且有内变。"皇帝就调宗泽任知开封府。接着青州的百姓到南都借曾孝序留任,皇帝批准了。

己巳(十一日),俞向改任知陕州。

俞向刚开始被任命为朝议郎、充秘阁修撰、知河南府兼西道都总管,是代替姚古的职务,此时以孙昭远代替他。朝廷先了解到孙昭远在陕西,就任命他知陕州,接着命令带领所招募的西部兵力到行在。内乡的贼人尚虎,有部众一万多人,孙昭远打败了他。到达南都后,入朝进见,就任命为河南尹、西京留守、西道都总管,将孙昭远所招募的三千人交给张浚,孙昭远只与蜀地兵力数百人到河南。

庚午(十二日),以尚书右员外郎苏迟为直秘阁、知高邮军。

苏迟到达后,守臣赵士㻑因为发运司提出留下他,挡在境上不接受替代。诏令贬赵士㻑两级官阶,依旧在职,迁任苏迟知婺州。汪藻说:"现在认为赵士㻑不对,那么刚刚任命而不服从,就是尧时四凶的罪过。不能让他在任上;认为赵士㻑正确,那么借留在任,是汉代循吏的恩泽,不能让他降官。对一个赵士㻑而赏罚是这个样子,臣私下疑惑。希望贬斥赵士㻑,以作为鄙俗之人的鉴戒。"没有听从。

辛未(十三日),因为贤妃潘氏生下皇子赵雱,大赦天下。

登录各路神霄宫的财谷交付转运使,充作户部财用;扣下天下职田钱隶属提刑司。士人百姓密封奏事可以采纳的,审定官由尚书省听取旨意表彰提拔;在党籍以及上书的人,全部还给应得的恩例。各郡县各推举才干谋略勇敢可以依仗的人三名,送往御营司量才录用。

开始,李纲说:"陛下即位,赦书没有到达河东、河北勤王部队。那两路是朝廷的坚强守卫,赦令没有到达,人们说是已经放弃他们,怎么能安慰怀有忠义的人心!至于勤王部队,虽然不曾调用,然而在路上半年,带着兵器盔甲,顶霜冒雪,患病死亡的,不可胜数。如果不加以恩泽抚恤,以后再有紧急情况,怎么调用!希望利用今天的赦令,一并显示恩德。"皇帝采纳了。

唐重充任天章阁直学士、知京兆府。

直秘阁刘岑,从河东回到行在,皇帝询问可以守卫关东的人,刘岑推荐唐重可以任用。又推荐朝请大夫、提举陕西常平公事郑骧,任命为直秘阁、知同州兼沿河安抚使;通判京兆府曾谓为陕西转运判官。

当时兴兵之后,军府空无所有,唐重就报告给成都府路判官赵开,利用他的资财,修筑城池,准备供帐,而且率领长安父老子弟请求皇帝驻跸汉中,治兵在关中。郑骧也上疏说:"长安四面为屏蔽,是天府之国,项羽丢弃给汉高祖,李密丢弃给唐太宗,成败很清楚,请求作为驻跸的考虑。"

壬申(十四日),李纲请求发下现钞三百万缗,赐给两河购买军需物品。于是命令使臣带着夏天的药物,普遍赐给两河的守臣将佐,而且命令起运京东夏税绢到北京,河东衣绢到永兴军,以等待支用。因此人心一致,蜡封的书信每天送到,应招募的人很多。

这天,颁下军制:凡是军队进行掳掠违抗节制的处死,临阵先逃者灭族,败军的诛杀,全队一军危急而其他军不援救的对主将处以刑罚,其余的按军法从事。

乙亥(十七日),汪伯彦请求在两河、京东、京西增设射士,每县五百人,全部招募当地人中有产业的,设置武尉掌管,县令领管此事,凡四县设置二将。射士挽弓到二石五斗以上以及教头满七年没有过错的,都补授官职。江、浙、淮南各路,大县增设二百人,小县增设一百人。被采纳了。不久,采用知光州任诗言的建议,每半年命令通判到县中考察检阅。不久,又增设到闽、广、荆湖等路,而且命令提刑考察,应募的人免除身丁钱。

宗泽到达东京。

自从金兵退回,城上望楼全部毁坏,各道的军队,杂居在寺院宫观中,盗贼横行,人心惊恐。当时金军留驻在黄河之上,距京城不到二百里,锣鼓之声,每晚都能听到。宗泽到达东京,下令说:"作盗贼的,赃物不论轻重,都按军法处理。"因此盗贼平息,人心略安定。一天,有金国使者牛大监等八人,以出使伪楚国为名,直接来到京城,宗泽说:"这是察探我国。"命令留守范讷用械具绑缚他们,上报到朝廷。

戊寅(二十日),汪伯彦升任知枢密院,张悫担任户部尚书。

李纲说:"张悫以通晓理财勤劳有才干著称,决断吏曹之事是他的职责。现在授官太高,不符合众人的期望,请求略缓此事。陛下任用宰相,臣不得而知,至于任用执政官,臣本来应当参与听闻。"

傅雱升任宣教郎,充任大金国通问使。

当初,黄潜善等人已经上奏派人前往河北,只有河东还没有人选。李纲说:"今天的事务,内修治外除患,使国势日益增强,那么二圣等到迎请就自然可以回来。不然,即使帐盖相望,言辞谦卑礼物丰厚,恐怕终究没有益处。现在所派遣的使人,只应当奉表给两位皇帝,致以朝夕的想念的诚意就可以了。"皇帝就命令李纲起草上给二帝的表,致信给宗翰。傅雱于是与副使马识远出发。

己卯(二十一日),诏令:"三省、枢密院设置赏功司,三省委派左右司郎官,枢密院委派都承旨检察以接受立功状,三日不下达,处罚;行贿取得的,按军法处理。并以御史一人兼管此事。"是采用了右正言邓肃的请求。

李纲请求在河北地区建立藩镇,朝廷考虑以适当兵力授予他们;沿黄河、长江、淮河设置帅府、要郡、次要郡以作为控制扼守之地。沿黄河的帅府十一个,京东东路治所在青州、徐州,西路治所在郓州、宋州,京西北路治所在许州、洛州,南路治所在襄阳、邓州,永兴军路治所在京兆、河北东路治所在魏州、沧州。沿淮河设置帅府二个,治所在扬州、庐州。沿长江设置帅府六个,治所在荆南、江宁府、潭州、洪州、杭州、越州。大致从川、陕、广南处总共分为九路,每路文臣担任安抚使、马步军都总管,总管一路的军政,允许灵活处理事务;武臣担任副职。要郡任命文臣担任知州、领兵马钤辖;次要郡以文臣担任知州,领兵马都监,允许参与军事;都任命武臣担任副职。如果朝廷调发兵马,就由安抚使安排办理以授给副总管。如果帅臣自己出行,就由漕臣一人跟随军队,一人留边境代理帅臣事务,御史文武各一人,弹压本路的盗贼。沿黄河设置帅府八军,要郡六军,次要郡三军,非要郡二军;沿淮河设置帅府五军,要郡三军,次要郡二军,非要郡一军;沿长江设置帅府五军,要郡三军,次要郡一军,非要郡半军;每军二千五百人。自帅府以外,要郡四十,次要郡三十六,总共有兵力九十六万七千五百人,非要郡不计在内。又另外设置水军帅府两军,要郡一将。李纲又请求拨出度牒、盐钞以及招募百姓出钱财,让帅府常有三年的积蓄,要郡二年,次要郡一年。疏章奏上,全部采纳了。先派遣御营司干办公事杨观复前往长江、淮河造船,其余路全部委派御史安排。

范讷免去军职,淄州居住。邓肃指论:"范讷去年出兵两河,远远地望见敌人先逃跑,于是奔往南京,召拥部众自保。现在东京贴榜文,其中说'今天汴京已经成为边境的一面'。两河地区,陛下不曾放弃,军民效力,差不多有一百万,每天都有捷报,范讷却说是边境的一面,而且每天考虑离开的计策。曾经说:'留守的方法有四条,即作战、守卫、投降、逃跑而已。现在作战没有士兵,守卫没有粮食,不投降就是逃跑罢了。'此话在郡县广为传播,不是传闻。汉代得到人中豪杰,才守住关中,难道是奔逃的将官可以相比的吗!"疏章呈上,于是有这个任命。

金国右副元帅宗望从凉陉返回,庚辰(二十二日),因为得寒病去世。宗望首先倡导南伐的计划,用兵神速,故所向胜利。不久封为魏王,后来改封宋王,赠谥号为桓肃。

当时汉国王宗杰相继去世,后来赠谥号为孝悼。宗杰、宗望,都是金太祖的儿子;宗杰是圣穆皇后所生,宗望是钦宪皇后所生。

诏令因为二位圣上没有返回,郡县官员不得用乐。

辛巳(二十三日),诏令:"沿黄河设置巡察六使,从白马、浚州到沧州,分区设立瞭望哨。"

李纲说:"抵抗戎族,都在边郡,金国人却干扰我国腹心地带。请命令各路州军逐渐修葺城池,整治兵器用具,朝廷酌情给予供应帮助。"就命令应当修治的,下发度牒给该地。又命令淮、浙、荆湖六路,用常平钱制造衲衣二十万件以及购买竹枪、箭干、弩桩送往行在。皇帝曾经问李纲:"靖康初年,能够守住京城,金人再次来到,就不能守住,为什么?"李纲说:"金人刚到时,不知道本朝的虚实,虽然渡过黄河而尼玛哈的兵力误期没有到达,再次来时则两路同时进军;当初勤王部队,数日都集结了,再次来围城时,才传召天下兵力,于是不济事;开始时,金人安寨在西北隅,而行营司兵力驻在城中要害的地方,四方的音信不断绝,再次来时,朝廷自己决开水淹没了西北隅,而东南没有兵力,敌人反而占据了那里,所以外面的兵力不能进入。另外,渊圣皇帝即位时,将士听命;之后刑罚奖赏失当,人心都解体了,城中没有负责的人,敌人到达,造桥渡河,全不用担心,敌人于是登上城墙。这就是前后的不同。"

壬午(二十四日),张悫任同知枢密院事。

甲申(二十六日),诏令:"尚书户部右曹所掌管的坊场、免役等法以及所辖的库务,全部归给左曹,由尚书总管。"

乙酉(二十七日),诏令监司、州县职田都取消,命令提刑司全部申报给尚书省。

任命宗泽为延康殿学士、开封尹、东京留守。上疏直陈请求皇帝回到京城,没有听从。

钱盖恢复为龙图阁待制、充任陕西总制使;右武大夫、恩州观察使、主管西蕃部族赵怀恩,特别封为陇右郡王。

当初,钱盖在陕西,曾经建议:"青唐没有丝毫的好处,而花费不可计算,请寻求唃氏的后代而立为王,必定得到他的效力。"皇帝认为这个计策正确,让他持文告赐给赵怀恩,于是传召五路兵力赴行在。

当初,京西北路提点刑狱公事许高,河北西路提点刑狱公事许亢,总兵防守洛口,闻风奔逃溃散,夺去官职,流放到琼州和吉阳军。许高、许亢从颍昌带五百骑兵前往江南,到达南康,谋划变乱,知军事李定、通判韩琦按灵活处置的办法斩杀他们,到此时上报。众人认为擅自斩杀不对,李纲说:"许高、许亢丢弃军队,朝廷没有以军法处置,而果敢地捉住杀了他们的,必定是强有力的官员。让日后接受命令抵抗盗贼的人,知道后退逃离而郡县官员也能杀掉他们,他们也不是稍微知道有所警戒吗!这应当奖赏。"于是命令提升一级官阶。

丙子(疑误),李纲上疏,第一条是募兵,说:"熙宁、元丰时,朝廷内外的禁军五十九万人,崇宁、大观以来,缺而没有补上的几乎有一半。为目前考虑,不如从东南收取财物而从西北募兵。河北的百姓被金人所侵扰,不能安宁,关西、京东、京西流亡成为盗贼的,不知其数。请乘他们不能回到生业时,派人招募他们,合计十万人,在要害州军另外设营驻守,让他们轮番进入保卫行在。"第二条是买马,说:"金人专靠铁骑兵取胜,而我们以步兵抵抗他们,理当步兵溃散。现在皇帝驻跸地的马不到五千,可以披带上阵的没有多少,考虑目前之机,非购买不可。请先下令,不是品官和将校,不许骑马;然后命令州登记有马的人,按三等价钱买取,严格隐藏寄养的办法,重视骚扰的禁令,那么数万匹马,还可以得到。至于马价则必须招募百姓出钱相助,出钱多的偿还给官告和度牒。"诏令三省依次实行。其中在陕西、河北各招募士兵三万人,委派经制招抚司;京东、京西各二万人,委派本路提刑司。溃散的士兵、厢军,都允许改刺充入军队。

诏令:"京东、京西、河北东路以及永兴军、江、淮、荆湖等路,都设置帅府、要郡。"

当初,李纲想利用帅府以寓含方镇的办法,黄潜善等人说:"帅府、要郡虽然可以实行,但不能像方镇割隶州郡。仍然命令帅府、要郡驻兵不等,遇到朝廷出兵,那么要郡的副钤辖、钤辖、副都监都带领兵力从军。"李纲又说:"步兵不足以战胜骑兵,骑兵不足以战胜车骑兵,请求将车骑规定颁行到京东、京西路,让人制造而教练学习。其办法是采用靖康年间张行中所创立的两竿双轮,上面装载弓弩,又设置皮车篷以抵御矢石,下面设置铁车裙以保护人的脚,长兵器抵御敌人,短兵器抵御马,旁边施设铁索,行动时就布为战阵,停止时就联结为军营。每车用士兵二十五人,四人推竿以使车辆运行,一人登车以发弓矢,其余拿着兵器夹在车的两边。每军二千五百人,用五分之一负责辎重以及担任卫兵,其余的负责军车八十乘;就布成方阵,那么四面各二十乘,而辎重处在中间。"各将领都认为可以采用,于是命令两路御史总领。

丁亥(二十九日),张所借官通直郎、直龙图阁,充任河北西路招抚使。

当初,太上皇被迁移到北方,龙德宫玩赏器物都被都监王球盗取,到此时内侍陈烈将其余的宝器送来献上,都是远方的奇异物品。李纲劝谏,皇帝命令砸碎宝物。当时李纲常留身奏事,多加规劝,如论述开封收买童女以及对待各将领恩赏礼仪应该相同统一,皇帝都赞赏采纳。

诏令:"文臣允许养马一匹,其余官员士人百姓有马的都送往官府,委派守令按三等登记,用常平封桩钱补偿马的价值。马高四尺六寸的为上等,大概值百千钱,其余的按此不等。有田的人家就折算为税,僧人道士都用度牒领取补偿。限半月登记确定,有隐藏的,按违制论处。买到一百匹,就给州守通判、县令县丞各升一级官阶,不到的按等级奖赏。各军团练,每五人为伍,伍有伍长;五伍为甲,甲有甲正;四甲为队,五队为部,都有二将;五部为军,有正副统率。凡是招募军队,按情况增加例赏物品,以自身充任招募的,全数供给,溃散的士兵、投降的盗贼及其他军队改刺番号的按半数供给。陕西六路,仍然听任支取各司钱以及截取使用川纲钱粮。如果有良家子弟愿意备弓马从军的人,依照敢勇法,每月供给钱粮。官员、寺观、民户愿意以私人财物帮助国家的,听任他们到所在地方送交,按等级推恩。并命令承担职责的官员劝诱,而由御史总管此事,解送到行在。"都是采用了李纲的奏请。

谏议大夫宋齐愈上疏指论李纲,说:"民财不能搜括尽,西北的马不能得到,东南的马又不能使用。至于士兵人数,每郡增加二千,每年用上千万缗,费用从哪里出来!"皇帝听从了此说。

显谟阁学士翟汝文上奏:"祖宗时的上供钱物,都有常规数目,后来被献财利的大臣所增加的,应当商议裁减。如浙东每郡每年预买绢九十七万六千匹,而越地才二十万五百匹,按一路计算,相当十分之三。况且经过方腊贼寇焚掠,民户人口损耗,现在请求将三等以上的民户减一半,四等以下暂时取消。至于身丁钱有固定的制度,后来折算为米罢了,现在全部用帛。臣认为应该交纳现在的价钱。"同意了此意见。

续资治通鉴卷第九十九

【原文】

宋纪九十九　起强圉协洽【丁未】七月,尽八月,凡二月。

高宗受命中兴全功至德　圣神文武昭仁宪孝皇帝

建炎元年　金天会五年【丁未,1127】　秋,七月,己丑朔,诏:"诸路常平司见在金银,并起发赴行在。"

自宣和末,群盗蜂起,其后勤王之兵,往往溃而为盗。至是祝靖、薛广、党忠、阎瑾、王存之徒,皆招安赴行在,凡十馀万人。李纲为上言:"今日盗贼,当因其力用之。然不移其部曲则易叛,而徙之则致疑,须以术制之,使由而不知。"乃命御营司委官,凡溃兵之愿归营与良农愿归业者听之,又择其老弱者纵之。其它以新法团结,择人为部队将及统制官,其首(令)〔领〕皆命以官,分隶诸将,由是无叛去者。独淮宁之杜用、山东之李昱、河北之丁顺、王善、杨进,皆拥兵数万,不可招;而拱州黎骊、单州鱼台亦有溃卒数千为乱。纲以为专事招安,则彼无所畏惮。庚寅,帝乃诏王渊讨用,刘光世讨昱,韩世忠、张俊分讨黎骊、鱼台溃卒。

时昱犯沂州,守臣闭门,以官妓遗之,乃去。至滕县,掠民,有董氏女,色美,欲妻之,董氏骂昱而死。自费县引兵围长清,光世遣其将乔仲福追击,斩之。既而用亦为渊所杀,馀悉殄平。丁顺尝为沧州兵马钤辖,王善雷泽尉,皆以罢从军,不得志。杨进以其才为渊所忌,惧罪,亡去,号没角牛,兵尤众。又,李孝忠既破襄阳,扰西郡,纲以范琼反侧不自安,因命琼讨孝忠,使离都城,且示不疑之意。琼乃将所部赴行在。而丁顺等皆赴河北招抚司自效。盗益衰。

辛卯,籍东南诸州神霄宫田租及赡学钱以助国用。

谏议大夫宋齐愈罢职。言者论齐愈在皇城司,首书"张邦昌"字以示议臣,遂下台狱。

甲午,右监门卫大将军、贵州团练使士㟧,以义兵复洺州。

初,士㟧从上皇北迁,次洺州城东五里,欲遁还据城,谋未就而敌围已合。士㟧徒步抵武安县,县官资以衣冠、鞍马,少壮者百馀人,从至磁州,乃召集义军以解洺围,不旬日,得兵五千,归附者至数万,以王江、李京将之。先是知洺州王麟,自将勤王兵千人至大名,既以母老求去,帝遣之。及金万户㗖呼围洺州,麟帅军民以城迎拜;军民怒,并其家杀之,独统制官韩一在城中。士㟧至邯郸,统制官李琮亦以兵会,力战破围,翼日入城,部分守御。金人复来攻,士㟧厉将士,以火炮中其攻具,复以计获其将领,乃解围去。士㟧,濮安懿王曾孙也。

金主赐左副元帅宗翰券书,除反逆外,咸赦勿论。

乙未，以范琼为定武军承宣使、御营使司同都统制。

丙申，诏："诸路米纲，以三分之一输行在，其馀赴京师。"时京师军民方阙食，故命济之，仍以空舟载六曹案牍及甲器赴行在。

江淮发运副使向子諲言："去岁闰月，得渊圣皇帝蜡诏，令监司、帅守募兵勤王。臣即时遍檄所部，而六路之间，视之漠然；间有团结起发，类皆儿戏，姑以避责。唯淮东一路，臣亲率诸司，粗成纪律。今京城已失，二帝播迁，夫复何言！然傥置赏罚而不行，臣恐诸路玩习故常，恬不知畏。愿诏大臣案劾诸路监司不勤王者，与夫号为勤王而灭裂者，悉加显黜，以为将来误国忘君之戒！"诏诸路提刑司究实以闻。

戊戌，朝请郎、知海州魏和言："海州至登、莱最近，而登、莱复与金人对境。近闻金人于燕山造舟，欲来东南。望造戈船，修楼橹，依登、莱例，屯兵二三千以备缓急。"许之。

东都宣武卒杜林戍成都，谋叛，伏诛。

初，平阳府吏张昱坐法黜，既而亡归，聚众数千。会磁州无事，军民迎昱权领州事，金人屡过其境，皆不攻。至是以昱为邠门祗候、知磁州。俄金人复来，磁无城，不可守，昱率其众以奔，金人破磁州。

渊圣皇帝自云中至燕山府，居愍忠寺。

辛丑，右正言邓肃，请审斥张邦昌伪命之臣；右司谏潘良贵，亦言宜分三等定罪。帝以肃在围城中，知其姓名，令具上。肃言："叛臣之上者，其恶有五：一，诸侍从而为执政者，王时雍、徐秉哲、吴开、莫俦、李回是也；二，诸庶官及宫观而起为侍从者，胡思、朱宗、周懿文、卢襄、李擢、范宗尹是也；三，撰劝进文与撰赦书者，颜博文、王绍是也；四，事务官者，金人方有立伪楚之语，朝士遂私订十友为事务官，讲求册立之仪，搜求供奉之物，悉心竭力，无所不至；五，因邦昌更名者，何昌言、昌辰是也。已上乞定为上等，置之岭外。次者，其恶有三：一，执政、侍从、台谏称臣于伪楚及拜于庭者，如冯澥、曹辅、李会、洪刍、黎确诸人是也；二，以庶官而升擢者；三，愿为奉使，如黎确、李健、陈戬者。已上乞定为次，于远小处编管。"时王时雍、徐秉哲已先窜，乃诏吴开移韶州，莫俦移惠州；〔卢襄〕、范宗尹，朝奉郎朱宗责衡、鄂、岳三州，并安置。冯澥、李会并降三官，为秘书少监，分司南京，澥成州、会筠州居住；故工部侍郎何昌言，追贬隰州团练副使；通直郎、新通判南剑州何昌辰，除名，永州编管；朝请大夫黎确，朝散郎李健，尚书虞部员外郎陈戬，并与远小当；承议郎、侍御史胡舜陟，朝散郎、新知无为军胡唐老，奉议郎、守殿中侍御史马伸，朝散郎、监察御史齐之礼，朝请郎、新知衢州姚舜明，宣教郎、新知江州王（侯）〔俣〕，皆降二官。撰劝进文及事务官，令留守司具姓名申尚书省。唐老、舜明、（侯）〔俣〕皆坐尝为台官，伸尝请邦昌复辟而不自言，故例贬秩。

观文殿学士耿南仲，龙图阁学士耿延禧，坐父子主和，夺职奉祠，用邓肃再疏也。

壬寅，侍御史胡舜陟，除秘阁修撰、知庐州。

时淮西盗贼充斥，舜陟至，修治城池、楼橹、战棚，又增筑东西水门，固濠垒以备冲击，庐人始安。

癸卯，尚书右丞昌好问罢，以资政殿学士知宣州。

好问与李纲论事不合，会邓肃奏伪命臣僚，其言事务官微及好问。帝札示纲曰："好问心迹与馀人不同，言者所不知，仰尚书省行下。"好问惭，力求去，且上疏自理曰："昨者邦昌僭号之时，臣若闭门避事，实不为难。念臣世受国恩，异于众人，故忍耻含垢，逭死朝夕，不避金人灭族之祸,遣使赍书陛下。天佑神助,得睹今日中兴之业,臣之志愿毕矣。若不速为引退,使言者专意于臣而忘朝廷之急,则两失其宜。"疏入,乃有是命。

延康殿学士、提举南京鸿庆宫许翰守尚书右丞。靖康中,李纲与翰同在枢府,知其贤,至是力荐于帝,遂用之。

腰斩宋齐愈于都市。齐愈初赴狱,以文书一缄囊授张浚曰:"齐愈不过远贬,它时幸为我明之。此李会劝进张邦昌草稿也。"时御史王宾劾齐愈未得实,闻有文书在浚所,遽发箧取之。宾密谕会,使自辨析而证齐愈,齐愈引伏。法寺当齐愈谋叛斩,该大赦,罚铜十斤。帝曰:"使邦昌之事成,置朕何地!"乃命杀之。

甲辰,孟忠厚充徽猷阁待制,提举迎奉元祐皇后一行事务;尚书司封员外郎杨迈沿路计置粮草,济渡舟船。

乙巳,诏幸东南,来春还阙。

时黄潜善、汪伯彦皆欲奉帝南幸,李纲极论其不可,且言:"自古中兴之主,起于西北,则足以据中原而有东南;起东南,则不足以复中原而有西北。盖天下精兵健马,皆在西北,委而去之,岂唯金人乘间以扰关辅,盗贼且将蜂起,跨州连邑。陛下虽欲还阙,且不可得,况治兵制敌以迎还二圣哉!为今之计,或当暂幸襄、邓以系天下之心。盖襄、邓西邻川、陕,可以召兵,北近京畿,可以进援,南通巴蜀,可以取货财,东连江、淮,可以运谷粟,山川险固,民物淳厚。今冬计且驻跸,俟两河就绪,即还汴都,策无出于此者。"帝乃收还手诏,许幸南阳,以范致虚知邓州,修城池,治宫室;又降盐钞、钱帛,付京西南路转运副使范之才储粮草,且漕江、湖纲运,自襄、汉、蜀货出归、峡以实之。迁户部侍郎黄潜厚为本部尚书,提举巡幸一行事务;膳部员外郎陈尧掌顿递,虞部员外郎李俦调具刍粟,直秘阁、江淮发运副使李祐为随行转运使,于秋末冬初启行。

张悫言:"户部财用,唯东南岁运,最为大计。自治平、嘉祐以前,轮发运使一员在真州催督江、浙等路粮运,一员在泗州催督真州至京粮运。自奸臣变乱祖宗转般仓法,每岁失陷,不可胜计。望依旧法,责发运司官分认逐季地分,各行检察催促。"从之。

丁未,诏:"兵部郎官、太常寺官各一员,内侍二员,诣京师奉迎所藏太庙神主赴行在。"

帝命京城留守宗泽移所拘金使于别馆,优加待遇。泽奏曰:"臣不意陛下复听奸谋,浸渐望和,为退奔计。营缮金陵,奉元祐太后,遣官奉迎太庙木主,弃河东、河西、河北、京东、京西、淮南、陕右七路生灵如粪壤草芥,略不顾惜;又令迁金使别馆,优加待遇,不知二三大臣于金人情款何以如是之厚,而于国家讦谟何以如是之薄?臣之朴愚,必不敢奉诏。"又请帝回銮,表略云:"臣前在临濮兵寨中,实忧群臣无识,恐赞陛下去维扬、金陵。又见京城有贼臣张邦昌僭窃,与范琼辈擅行威福,所以暂乞驻跸南都,以观天意,以察人心,仰蒙听从。今复被恩差知开封府事,到任二十馀日,物价市肆,渐同平时。每观天意,眷顾清明;每察人心,和平逸乐。官吏军民,皆称京师朝宗之域,陛下归正九重,是王室再造也。愿陛下早降敕命,示以整顿六师,谒款宗庙之日,毋听奸邪,阴与敌人为地,不胜幸甚!"诏赐泽袭衣金带。

以张浚为殿中侍御史。

诏:"明达皇后、明节皇后应于典礼,并依温成皇后故事施行。"

己酉,罢四道都总管。

初,李纲请于陕西、京东、西、河北东路各置制置使,假以便宜,远近相援。帝遂罢四总管而置诸路制置使。时西道都总管孙昭远初至河南府,调陕西、河北义兵合万人,栅伊阳,使民入保。至是昭远改除京西北路制置使。

庚戌,诏诸兵八月会行在,后期者必诛。

癸丑,卫尉少卿卫肤敏言:"汴都蹂践之馀,不可复处。睢阳封域不广,而又逼近河朔,敌易以至。唯建康实帝都,外连江、淮,内控湖、海,为东南要会。伏唯观察时变,从权虑远,趣下严诏,(凤)〔示〕期东幸,别命忠勇大臣总领六师,留守京邑;又行清野于河北、山东诸道,俟军声国势少振,然后驾还中都,则天下定矣。"中书舍人刘珏亦言:"当今之要,在审事机,爱日力。自金北归,已再逾时,陛下中兴,亦既数月,而六飞时巡,靡所定止,攻战守备,阙然不讲。臣闻近臣有欲幸南阳者,南阳密迩中原,虽易以号召四方,但今日陈、唐诸郡,新刻于乱,千乘万骑,何所取给!夫骑兵,金之长技,而不习水战。金陵天险,前据大江,可以固守;东南财力富盛,足以待敌。"于时汪伯彦、黄潜善皆主幸东南,故士大夫率附其议。

乙卯,改靖康军为保成军,以守臣折可求言其犯年号也。

丙辰,张所、王瓘、傅亮辞行。

先是李纲建议遣所、亮措置两河,乃白帝,赐所内府钱百万缗,为半年之费,给空名告千馀道,又以京畿卒三千人为卫,将(作)〔佐〕官属,许自辟置。

所请置司北京,招谕山寨民兵,俟就绪日渡河,先复怀、卫、浚州及真定,次解中山之围,给地养民为兵,如陕弓箭手法。初,靖康之割两河也,所为御史,独建言以蜡书募河朔民兵入援,士民喜,故所之声满河朔。

亮请置司陕府,从之。亮,西人,习古兵法,纲谓可为将,奏用之。亮复言:"今经制司所得兵才万人,皆盗贼及溃散之卒,未经训练,难以取胜。陕西正兵及弓箭手皆精锐,旧以童贯赏罚不当,陷于民间;若厚资给以募之,不旬日可得二万人,与正兵相表里,度州县可复即复之。"

所、亮既行,两河响应。黄潜善疾纲之谋,建议遣河北经制使马忠节制军马,俾率兵渡河。有雄州弓手李成者,勇闻河朔,积功为本县令。雄州失守,成妻子为乱兵所杀,成以众来归,累官忠州防御使。潜善令将所部,与忠同捣敌虚;纲复奏以河北制置使张焕为副,于是权始分矣。

曹勋自燕山间行至南都,以上皇所授御衣进。帝见衣中八字,泣以示辅臣。

诏华国靖恭夫人李氏杖脊配军营。李氏私侍张邦昌,及邦昌还东府,李氏送之,有语斥乘舆。帝命即内东门推治,李氏辞服,帝由是有诛邦昌意矣。

丁巳,诏慰抚东南诸路。

先是经制使翁彦国,被旨修江宁城池、宫室,两浙转运判官吴昉助之。有击登闻鼓者,诉其横敛,黄潜善、汪伯彦以彦国女为纲弟维妇,因密启之。会彦国卒,因落昉职,与宫观;并抚慰东南,仍起复直龙图阁赵明诚知江宁府兼江东经制副使。

傅雱等至巩县,檄河阳具舟,金守臣张巨不纳。雱晓谕之,巨驰使云中,请命于左副元帅宗翰,九日而还,雱乃得济。

金左副元帅宗翰奏:"河北、河东府镇州县,请择前资官良能者任之,以安新民。"金主遣耶律晖等从宗翰行,诏黄龙府路、南〔京〕路、东京路于所部各选如耶律晖者遣之。

是日,赐故淄州团练使、广南西路兵马都监、知融州李拱家银帛,以拱领兵入援京城,死

2275

于敌也。

贼史斌据兴州,僭号称帝;守臣向子宠弃城遁。斌遂自武兴谋入蜀,成都府、利路兵马钤辖卢法原与本路提点刑狱邵伯温共谋遣兵扼剑门,斌乃去。法原,秉之子;伯温,雍之子也。

八月,戊午朔,洪刍等流窜有差。

初,刍等坐围城中事属吏,帝命马伸劾之。狱具,刍坐纳景王宠姬曹氏,降授朝散郎;陈冲坐括金银自盗,与宫人摘花饮酒,朝请郎金大均坐盗禁中麝脐,私纳乔贵妃侍儿乔氏,朝散大夫周懿文,朝议大夫张卿材,朝奉郎李彝,皆坐与宫人饮酒,朝请郎王及之,坐苦辱宁德皇后女弟,皆辞服。议者以刍、冲、大均当死,帝以新政,重于杀士大夫,乃诏刍、冲、大均长流沙门岛,责懿文、卿材、彝、及之为陇、文、茂、随四州别驾,懿文英州、卿材雷州、彝新州、及之南恩州安置。

徙宗室于江淮以避敌,愿留京师者听之,于是南班至江宁者三十馀人。又移南外宗正司于镇江府,西外于扬州。

杭州军乱。

帝初立,遣勤王兵还诸道,杭兵才三百,其将得童贯残兵与俱,军校陈通等谋为变。至是军士纵火,杀士曹参军及副将白均等十二人。翼日,执守臣龙图阁直学士叶梦得,诣金紫光禄大夫致仕薛昂家,杀两浙转运判官吴昉。转运判官顾彦成闻乱,亟奔湖州。众乃推通等七人为首,囚梦得,逼昂权领州事。浙东安抚翟汝文闻变,自将七千人屯西兴,且奏请浙西兵受其节制。

己未,元祐太后发京师。

庚申,刘光世为奉国军节度使,韩世忠为定国军承宣使,张俊落阶官,并赏平贼功也。

辛酉,洺州防御使、龙神卫四厢都指挥使李孝为东京副留守,以郭仲荀将所部扈元祐太后至南京故也。

御营司都统制范琼将至襄阳,李孝忠闻之,率兵犯荆南府,入其郛,置酒高会。琼败之,孝忠率众趋景陵。

以李纲守尚书左仆射兼门下侍郎,黄潜善守尚书右仆射兼中书侍郎。

先是纲奏以秋末幸南阳,帝已许之。既而潜善与汪伯彦力请幸东南,纲谓人曰:"天下大计,在此一举,国之存亡,于是焉分,吾当以去就争之。"一日,留身奏事,言:"臣近者屡蒙宸翰,改正已行事件,又所进机务,多未降出,此必有间臣者。"因极论君子、小人不可并立,且言疑则当勿用,用则当勿疑,帝但勉慰之。后数日,遂有并相之命。

张悫兼御营副使。癸亥,命御营使大阅五军人马。自是执政皆有亲兵。

丁卯,张悫言:"河朔之民,愤于兵乱,自结巡社。请依唐人泽潞步兵、三河子弟遗意,联以什伍而寓兵于农,使合力抗敌,且从靖康诏旨,以人数借补官资,仍仿义勇增修条画,下之诸路。"乃以忠义巡社为名。其法:五人为甲,五甲为队,五队为部,五部为社,皆有长;五社为一都社,有正副;二都社有都副总首。甲长以上免身役;所结及五百人已上,借补官有差。都总首满二年无过者,并补正。犯阶级者杖之。岁十月,案试于县,仍听守令节制。岁中,巡社增耗者,守贰、令尉黜陟皆有差。

己巳,诏:"诸路兵非专被旨者,毋得会行在。"

是日,傅雱等至河阳,金遣接伴使王景彝来迓,止许雱以五百人自随,日行百八十里。

初,尊元祐皇后为元祐太后,尚书省谓元字犯后祖讳,请以居宫为称。至是,庚午,更称隆祐太后,所居名隆祐宫。

壬申,先是河北宣抚使张所,招徕豪杰,以忠翊郎王彦为都统制,效用人岳飞为准备将。飞初补承信郎,以战功迁秉义郎。帝初立,上书论黄潜善、汪伯彦不图恢复,以越职夺官。至是归所,所问曰:"汝能敌几何?"飞曰:"勇不足恃,用兵在先定谋。栾枝曳柴以败荆,莫敖采樵以致绞,皆谋定也。"所矍然曰:"君殆非行伍中人!"借补修武郎、邠门宣赞舍人,充中军统领。飞因进说曰:"国家都汴,恃河北以为固,苟冯据要冲,峙列重镇,则京师根本之地固矣。招抚能提兵压境,飞唯命是听。"所壮之,借补武经郎。

赵子崧言杭州军变,遣京畿第二将刘俊往捕,又命御营统制辛道宗将西兵二千讨之。

癸酉,耿南仲责授单州团练副使,南雄州安置。

乙亥,李纲罢。

先是张所至京师,河北转运副使、权北京留守张益谦,附黄潜善意,奏所置司北京不当,又言招抚司置后,河北盗贼愈炽,不若罢之。纲言:"所留京师招集将佐,今尚未行,不知益谦何以知其骚扰?朝廷以河北民无所归,聚而为盗,置司招抚,因其力而用之,岂由置司乃有盗贼!今京东、西群盗公行,攻掠郡县,亦岂招抚司过邪!时方艰危,朝廷欲有经略,益谦小臣,乃敢以非理沮抑,此必有使之者。"时傅亮军行才十馀日,汪伯彦等以为逗留,复命宗泽节制之,使即日渡河。亮言:"今河外皆属金人,而遽使亮以乌合之众渡河,不知何地可为家计,何处可以得粮?恐误大事。"纲为之请,潜善等不以为然。纲极论:"潜善、伯彦力沮二人,乃所以沮臣,使不安职。臣每念靖康大臣不和之失,凡事未尝不与潜善、伯彦熟议,而二人设心如此。"既而潜善有密启,翼日,帝批:"亮兵少不可渡河,可罢经制司,赴行在。"纲留御批再上,帝曰:"如亮人才,今岂难得?"纲曰:"亮谋略知勇,可为大将,今未尝试而遽罢之,古之用将,恐不如此。"帝不语。纲退,亮竟罢职。纲复求去,帝召纲曰:"卿所争,细事耳,何为出此?"纲曰:"人主之职在论相,宰相之职在荐贤。方今人才以将帅为急,恐不可为细事。"

殿中侍御史张浚复论纲虽负才气,有时望,然以私意杀侍从,典刑不当,不可居相位;又论纲杜绝言路,独擅朝政,事之大小,随意必行,买马之扰,招军之暴,劝纳之虐,优立赏格,公吏为奸,擅易诏令,窃庇姻亲等十数事。帝乃召朱胜非草制,责纲以"狂诞刚愎,谋谟弗效,既请括郡县之私马,又将竭东南之民财。以喜怒自分其贤愚,致赏罚弗当于功罪。出令允符于清议,屡抗执以邀留;用刑有拂于群情,必力祈于亲(创)〔札〕,以至帖改已画之旨,巧蔽外姻之奸。兹遣防秋,实为渡河之扰,预颁告命,厚赐缗钱,赏逾百万之多,(催运)〔仅达〕京师而止,每敦促其速进,辄沮抑而不行,设心谓何,专制若此!"时浚章未下,纲所坐,皆潜善密以传胜非者。翼日,遂罢纲为观文殿大学士、提举洞霄宫。纲在相位凡七十五日。

邓肃言:"人主职在任相,陛下初登九五,召李纲于贬所,任以台衡,待之非不专也;但纲学虽正而术疏,谋虽深而机浅。陛下尝顾臣曰:'李纲真以身殉国者!'今遽罢之,责辞甚严,既非台章,又非谏疏,不知遣辞者何所据依?且两河百姓,数月无所适从,及纲措置一月,而兵民稍已安集。伪楚之臣,纷然皆在朝列,及纲先逐邦昌,而叛党罪已稍正。今纲去,则二事将何如哉!"肃寻与郡。

许翰亦言:"纲忠义英发,舍之无以佐中兴。今纲既罢,留臣无益。"因力求去,帝未许。然潜善等皆有逐之之意矣。

丙子,浙东安抚翟汝文以兵七千渡江。先是杭贼陈通等绐汝文来受降,及至城下,贼不听命,汝文复还越州。于是通等尽刺城下强壮为军,有众数万。

丁丑,隆祐太后发南京,郭仲苟部禁旅从,且制置东南诸盗。

己卯,黄潜善、汪伯彦共议,悉奏罢李纲所施行者。是日,先罢诸路买马,唯陕西诸州各买百匹,其劝民出财助国指挥勿行。已而傅亮以母病归同州,张所亦以罪贬,招抚、经制司皆废矣。

庚辰,诏:"榜谕为盗军民,率众归降,当赦其罪,仍审量事理,命以官资。若敢抗拒,仍旧为恶,则掩杀正贼外,父母妻子并行处斩。如大兵会合已到城下,改过出降,放罪推赏。仍令监司招募土豪,自率乡兵会合讨荡,亦许先次借补官职。"

辛巳,颜岐复为御史中丞,辞不拜,改工部尚书。

壬午,斩太学生陈东、抚州进士欧阳澈于都市。

先是帝闻东名,召赴行在。东至,上疏言宰执黄潜善、汪伯彦不可任,李纲不可去,且请上还汴,治兵亲征,迎请二帝。其言切直,章凡三上,潜善等思有以中之。会澈亦上书诋用事者,其间言宫室燕乐事,潜善密启诛澈,并以及东。东始未识纲,特以国故,至为之死,行路之人有为哭者。东死年四十二。

甲申,许景衡为御史中丞。

中书舍人朱胜非试礼部侍郎,仍兼直学士院。

乙酉,遣使往诸路抚谕。

时以金人南侵,朝命隔绝,盗贼踵起,乃遣朝臣分往诸路,体访官吏廉污,军民利病。殿中侍御史马伸使湖、广,吏部员外郎黄次山使京东、西,兵部员外郎江端友使闽、浙,监察御史寇防使江、淮。时祠部员外郎喻汝砺往四川划刷钱物,王瓒、王忠经制河东、北,钱盖在陕西,因就命之。寻诏所至决狱,即死罪当议者,许酌情减降以闻。

许景衡言:"臣闻议者多指开封尹宗泽过失。臣自渡淮,闻泽诛锄强梗,抚循善良,又修守御之备,历历可观。臣窃叹慕,以为去冬京城有如泽等数辈相与维持,则其祸变未至如此其酷也。且开封宗庙社稷之所在,苟欲较泽小疵,别选留守,不知今之搢绅,威名政术加于泽者,复有何人?"帝大悟,仍封景衡奏示泽,泽赖以安。

景衡又言:"南阳无险阻城池,而密迩盗区,且漕运不继,不如建康天险可据,请定计巡幸。"

丙戌,尚书右丞许翰,罢为资政殿学士,提举杭州洞霄宫。

陈东死,翰谓所亲曰:"吾与东皆争李相者,今东戮东市,吾在庙堂,可乎!"乃力求去,故有是命。

金以宗辅为右副元帅,驻兵燕京。宗辅性宽恕,好施惠,尚诚实,燕人安之。

金主诏曰:"河北、河东郡县,职员多阙,宜开贡举取士以安新民。"有司以辽、宋取士之制不同为请,命南北各因其所习之业取士,号为南北选。

真定拘籍境内进士试安国寺,宋进士褚承亮亦在籍中,匿而不出。军中知其才,严令押试,与诸生对策。主文者侍中刘宵,故辽官,降于金,愤宋助伐金,发策,问宋上皇无道,少帝失信,举人承风旨,极口诋毁。承亮起,诣宵曰:"君父之过,岂臣子所宜言邪!"长揖而出,宵为之动容。馀悉放第,凡七十二人,遂号"七十二贤榜"。状元许必仕为郎官,一日,出左掖门,堕马,首中阉石死。宵荐承亮知槁城县,承亮弃去。

傅雱、马识远至云中,金左副元帅宗翰在凉陉未还,左监军完颜希尹遣其大理卿、昭文馆学士李侗馆伴,问雱使指,雱以二帝表文及国书授之。凡六日,乃得见希尹与右监军耶律伊都,权知枢密院事时立爱,席地重毡,参决堂上,兵部尚书高庆裔立其旁,雱跪听其语。希尹先言南朝不割三镇事,又言:"通问之初,安可遽及二帝! 即不得请,殆欲以兵取之邪?"雱逊谢再三,乃罢就舍。

【译文】

宋纪九十九　起丁未年(公元 1127 年)七月,止八月,共二月。

建炎元年　金天会五年(公元 1127 年)

秋季,七月,己丑朔(初一),诏令:"各路常平司现存的金银,全部起运送往行在。"

从宣和末年以来,群盗蜂起,之后勤王的部队,往往溃散后成为盗贼。到此时祝靖、薛广、党忠、阎瑾、王存这些人,都接受招安前往行在,共十万人。李纲为此上奏说:"现在的盗贼,应当根据他们的能力而任用他们。然而不调移他们的部属则容易反叛,调迁则容易生疑,必须用手段控制他们,让他们听从而不知道实情。"皇帝就命令御营司委派官职,凡是溃兵中愿意归到军营和良农中愿意归业的听任他们的意愿,又选择其中年老体弱的解除约束。其他的按新办法集结,选择人担任部、队的将官和统制官,他们的首领都任命官职,分别隶属各将领,因此没有人背叛离开。只有淮宁的杜用、山东的李昱、河北的丁顺、王善、杨进,都拥有兵众数万人,不可招安;而拱州的黎驿、单州的鱼台也有溃兵数千人作乱。李纲认为如果专门只招安,那么他们就无所畏惧。庚寅(十二日),皇帝就诏令王渊讨伐杜用,刘光世讨伐李昱,韩世忠、张俊分别讨伐黎驿、鱼台的溃兵。

当时李昱侵犯沂州,守臣关闭城门,用官妓送给他,才离开。到达滕县,抢掠民户董氏的女儿,因为美貌,想作为妻子,董氏骂李昱而死。从费县带兵围攻长清,刘光世派遣部将乔仲福追击,斩杀了李昱。接着杜用也被王渊所杀,其余的全部平定。丁顺曾经担任兵马钤辖,王善曾担任雷泽尉,都因为被罢免而从军,不得志。杨进因为他的才干被王渊所忌恨,害怕获罪,逃走,号称没角牛,兵尤其多。又李孝忠攻破襄阳后,侵扰西郡,李纲因为范琼心中不安,于是命令范琼讨伐李孝忠,让他离开都城,而且显示不怀疑的意思。范琼就带所部前往行在。而丁顺等人都前往河北招抚司自愿效力。盗贼更加削弱。

辛卯(初三),登录东南各州神霄宫田租以及赡学钱以帮助国家用度。

谏议大夫宋齐愈被免职。因为言官指论宋齐愈在皇城司,首先写"张邦昌"给商议的大臣看,于是投入台狱。

甲午(初六),右监门卫大将军、贵州团练使赵士㻪,率义兵收复洺州。

当初,赵士㻪跟随太上皇向北方迁移,停驻在洺州城东五里的地方,想逃回占据洺州州城,谋划成功而敌人已经合围。赵士㻪徒步到达武安县,县官资助他衣帽、鞍马,青壮年一百多人,跟随到磁州,就召集义军以解除洺州的包围,不到十天,得到士兵五千人,归附的人达到数万,任命王江、李京率领。此前知洺州王麟,自己带领勤王的兵力一千人到达大名,接着因为母亲年老请求离去,皇帝差遣他回去。等到金国万户伊呼包围洺州,王麟带领军民献城迎拜;军民愤怒了,杀掉他们全家,只有统制官韩一在城中。赵士㻪到邯郸,统制官李琼也带兵会合,力战破围,次日入城,分别部署守卫。金军来进攻,赵士珸激励将士,用火炮击中敌人攻城器具,又用计抓获敌人的将领,敌人就解除包围离开。赵士珸,是濮安懿王的曾孙。

金国主赐给左副元帅宗翰券书,除了谋反叛逆罪外,其他的都赦免不追究。

乙未(初七),任命范琼为定武军承宣使、御营使司同都统制。

丙申(初八),诏令:"各路米纲,将三分之一输送到行在,其余的送往京城。"当时京城军民正缺粮,所以命令接济,并以空船运载六曹的案牍以及甲器到行在。

江淮发运副使向子湮说:"去年闰月,得到渊圣皇帝的蜡封诏书,令监司、帅守招募兵力勤王。臣当时遍发檄文给所部,而六路之间,漠然视之;间或有结集发起的,大致都如同儿戏,姑且以逃避责罚。只有淮东一路,臣亲自率领各司,大致形成有纪律的队伍。现在京城已经失守,二位皇帝北迁,还能说什么!然而如果搁置赏罚制度不实行,臣担心各路照旧玩弄故技习以为常,安然不知畏惧。希望诏令大臣按察各路监司不勤王的,与那些号称勤王而草率从事的,全部加以明确贬黜,作为将来误国忘记君主的鉴戒!"诏令各路提刑司追究查实上报。

戊戌(初十),朝请郎、知海州魏和说:"海州到登州、莱州最近。而登州、莱州又与金人对境。近来听说金人在燕山造船,想前来东南地区。希望修造戈船,修望楼,按照登州、莱州的先例,驻兵二三千以防备紧急情况。"同意了此意见。

东都宣武卒杜林守卫成都,谋反,被杀。

当初,平阳府吏张昱因为违法被贬黜,接着逃回,聚众数千人。正好磁州没有人掌管州事,军民迎接张昱掌管州事,金军屡次经过该地,都不攻打。到此时任命张昱为阁门祗候、知磁州。不久金军又到来,磁州没有城,不能守卫,张昱率众人奔逃,金国攻下磁州。

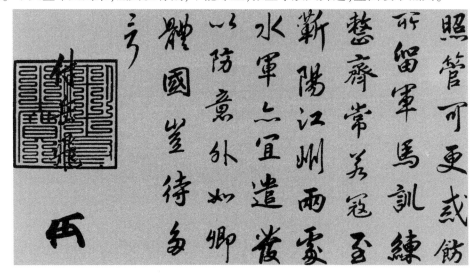

赐手书 南宋 赵构

渊圣皇帝从云中到达燕山府,居住在愍忠寺。

辛丑(十三日),右正言邓肃,请求放逐张邦昌伪命的大臣;右司谏潘良贵,也说应该分为三等确定罪行。皇帝因为邓肃曾在包围的城中,知道他们的姓名,命令提供名单上报。邓肃说:"叛臣在上等的,他们的恶行有五种:一,各侍从而担任张邦昌的执政官的,王时雍、徐秉哲、吴开、莫俦、李回就是这样的;二、各庶官以及宫观被起用担任张邦昌的侍从官的,胡思、朱宗、周懿文、卢襄、李擢、范宗尹就是这样的;三、撰写劝进文与劝进敕书的,颜博文、王绍就是这样的;四、所谓事务官中,是金国人刚有册立伪楚的话,朝士中就私下确立十友为事务官,考究册立的礼仪,搜求供奉的物品,尽心尽力,无所不至;五、因为张邦昌而改变姓名的,何昌言、何昌辰就是这样的。以上全部定为上等罪,安置到岭外。次等的,他们的恶行有三种:一、执政官、侍从官、台谏官向伪楚称臣以及拜于庭下的,如冯澥、曹辅、李会、洪刍、黎确各个人就是这样的;二、由庶官而提升的;三、愿意奉伪朝廷命出使的,如黎确、李健、陈戩。以上请求定为次等罪,在边远小地编管。"当时王时雍、徐秉哲已经先被放逐,就诏令吴开移到韶州,莫俦移到惠州;卢襄、范宗尹、朝奉郎朱宗贬往衡州、鄂州、岳州三州,都给予安置处理。冯澥、李会都贬降三官担任秘书监、分司南京,冯澥在成州、李会在筠州居住;已故工部侍郎何昌言,追贬隰州团练副使;通直郎、新通判南剑州何昌辰,除名,永州编管;朝请大夫黎确,朝散郎李健,尚书虞部员外郎陈戩,并给予边远小地监当官;承议郎、侍御史胡舜陟,朝散郎、新知无为军胡唐老,奉议郎、守殿中侍御史马伸,朝散郎、监察御史齐之礼,朝请郎、新知衢州姚舜明,宣教郎、新知江州王俣,都贬降二官。撰写劝进文以及事务官,命令留守司提供姓名申报尚书省。胡唐老、姚舜明、王俣都犯有曾担任台官之罪,马伸曾经请求张邦昌复辟而不自己言奏,故按例贬秩。

观文殿学士耿南仲,龙图阁学士耿延禧,父子犯有主和的罪,夺职降奉宫观,是采用了邓肃的疏奏。

壬寅(十四日),侍御史胡舜陟,担任秘阁修撰、知庐州。

当时淮西盗贼四处充斥,胡舜陟到任,修治城池、望楼、战棚,又增筑东西水门,加固城壕以防备冲击,庐州人开始安宁。

癸卯(十五日),尚书右丞吕好问免职,被任命为资政殿学士知宣州。

吕好问与李纲议论事情不相合,恰好邓肃上奏接受伪命的臣僚,他谈到事务官略微涉及吕好问。皇帝将札子给李纲看说:"吕好问心迹与其他人不同,言奏者不知道,希望尚书省行下。"吕好问惭愧了,极力要求离去,而且上疏自我分析说:"先前张邦昌僭越称号时,臣如果关门回避时事,实在不难。顾念到臣世代受到国家恩泽,与众人不同,所以忍受耻辱污垢,避死朝夕,不避金人灭族的祸患,派遣使者带书信送给陛下。上天神灵保佑帮助,得以看到今日中兴的大业,臣的志愿完成了。如果不马上引退,使言官专门留意臣而忘记朝廷的急务,那么两义都失。"疏章呈上,才有这个任命。

延康殿学士、提举南京鸿庆宫许翰代理尚书右丞。靖康年间,李纲与许翰同时在枢密府,知道他的贤能,此时极力向皇帝推荐,于是起用了他。

在都市腰斩宋齐愈。宋齐愈刚送往监狱,将文书一缣囊交给张浚说:"我宋齐愈不过是远远地贬逐,他日希望为我洗刷明白。这是李会劝进张邦昌的草稿。"当时御史王宾弹劾宋齐愈没有得到证实,听说有文书在张浚那里,于是开箱取出文书。王宾暗中告诉李会,让他自己辨析而证明是宋齐愈的,宋齐愈认罪。大理寺认为宋齐愈谋反应当斩首,该大赦,罚铜十斤。皇帝说:"假若张邦昌事情成功,将朕放在哪里!"就命令斩杀了他。

甲辰(十六日),孟忠厚充任徽猷阁待制,提举迎奉元祐皇后一行事务;尚书司封员外郎杨迈沿路计划措置粮草,安排渡河船只。

乙巳(十七日),下诏临幸东南地区,来年春天还朝。

当时黄潜善、汪伯彦想事奉皇帝南巡,李纲极力论述此事不可,而且说:"自古中兴的帝王,起于西北,就足以占据中原而拥有东南;起于东南,就不足以恢复中原而拥有西北。大概是天下的精兵良马,都在西北,委弃而离开那里,岂只有金国人乘机以侵扰关辅之地,盗贼将蜂起,跨州连县。陛下虽然想回朝,都不可能,更何况想整治军队制服敌人以迎接二位圣上!为目前考虑,或许应当暂时巡幸襄阳、邓州以维系天下人心。因为襄阳、邓州西邻近川、陕,可以招募军队,北邻近京畿,可能进军援助,南通巴蜀,可以获得财物,东连接江、淮,可以运送谷粟,山川险要坚固,民风淳朴,物产丰厚。今年冬季暂时驻跸那里,等到两河安排好,就返回汴都,计策没有比这更好的。"皇帝就收回手诏,答应巡幸南阳,任命范致虚知邓州,修建城池,整治宫室;又降下盐钞、钱帛,交付京西南路转运副使范之才储备粮草,而且漕运江、湖的纲运,从襄、汉、蜀地的货物出归、峡以充实那里。提升户部侍郎黄潜善为本部尚书,提举巡幸一行事务;膳部员外郎陈充掌管住宿传递,虞部员外郎李俦调动准备粮草,直秘阁、江淮发运副使李祐担任随行转运使,在秋末冬初出发。

张悫说:"户部的财用,只有东南每年的运送,是最大的方面。从治平、嘉祐年间以前,让发运使一人轮流在真州催督江、浙等路的粮运,一人在泗州催督真州到京城的粮运。自从奸臣改乱了祖宗的转般仓法,每年损失的,不可计算。希望依照旧法,责令发运司官分别确认逐季地分,各自检查催促。"采纳了。

丁未(十九日),诏令:"兵部郎官、太常寺官员各一人,内侍二人,到京城奉迎所藏太庙神位赴皇帝驻跸地。"

皇帝命令京城留守宗泽移送所拘留的金使到公馆,给予优厚待遇。宗泽上奏说:"臣想不到陛下又听从奸人的阴谋,逐渐希望和议,为退逃打算。营建修缮金陵,派遣官员奉迎太庙的木主,放弃河东、河西、河北、京东、京西、淮南、陕右七路的百姓小草,毫不顾惜;又命令迁送金使到公馆,给予优厚待遇,不知道那几个大臣对金人情意为何如此之厚,而对国家大计为何又如此之薄?臣很愚笨,一定不敢奉诏命。"又请求皇帝回宫,奏表大致说:"臣先前在临濮兵寨中,实在担忧群臣没有见识,恐怕赞成陛下去维扬、金陵。又看到京城有贼臣张邦昌僭越称号,与范琼等人擅自行使威权,所以请求暂时驻跸在南都,以观察天意,以观察人心,仰蒙听从了。今天又受到恩泽差知开封府事,到任二十多天,物价及市场交易,逐渐同平时一样。常观察天意,眷顾清楚明白;常观察人心,和平安逸快乐。官员军民,都称京师是朝见的地方,陛下归来即九重之位,是再造王室。希望陛下早日下达敕命,宣示整顿六师,拜谒宗庙的时日,不要听从奸邪的话,暗中与敌人疏通,就不胜荣幸!"下诏赐给宗泽衣服和金带。

任命张浚为殿中侍御史。

诏令:"明达皇后、明节皇后应涉及的典礼,都按温成皇后旧例施行。"

己酉(二十一日),取消四道都总管。

当初,李纲请求在陕西、京东、京西、河北东路各设置制置使,授权灵活处置,远近相援助。皇帝于是撤销四总管而设置各路制置使。当时西道都总管孙昭远初到河南府,调集陕西、河北义兵共万人,在伊阳修栅栏,让百姓入内自保。到此时孙昭远改任命为西北路制置使。

庚戌(二十二日),诏令各部队八月在皇帝驻跸地结集,延误日期的必定诛杀。

癸丑(二十五日),卫尉少卿卫肤敏说:"汴都遭受践踏之余,不能再居处。睢阳封疆不广,而又逼近河朔,敌人容易到达。只有建康确实是古代的帝都,外与江、淮相连,内控制湖泊、近海,是东南的重要都会。希望观察时变,从权宜长远考虑,赶紧下严格的诏令,早定日期东巡,另外命令忠直勇敢的大臣总管六师,留守京城;又在河北、山东各道实行清野,等到军队和国家的声势略有振作,然后起驾回中都,那么天下就安定了。"中书舍人刘珏也说:"当今的要务,在于审度时机,爱惜时间。从金人北还,已经过了很多时日,陛下中兴王业,也已有数月,而时常巡幸,没有固定的地方,进攻作战防守准备,虚而不讲求。臣听说近臣有想巡幸南阳的,南阳靠近中原,虽然容易号召四方,但是现在陈、唐各郡,新受到劫乱,千乘万骑,拿什么供给!骑兵,是金国的长处,而他们不熟悉水战。金陵是天险之地。前据有长江,可以坚守;东南财力富庶,足以抗敌。"当时汪伯彦、黄潜善都主张巡幸东南,所以士大夫都相率附合他们的意见。

乙卯(二十七日),改靖康军为保成军,是因为守臣折可求说靖康军名字冲犯到年号。

丙辰(二十八日),张所、王璟、傅亮告辞出发。

此前李纲建议派遣张所、傅亮措置两河,就报告皇帝,赐给张所内府钱一百万缗,作为半年的费用,发给空名告一千多道,又带京畿士兵三千人作为防卫,将佐属官,允许自行设置。

张所请求在北京设司,招劝山寨的民兵,等安排就绪渡河,先收复怀州、卫州以及真定府,次解中山之围,提供土地养育百姓当兵,按陕地弓箭手的办法办理。当初,靖康时割让两河之地,张所担任御史,唯独提议用蜡书招募河朔民兵前来援助,士民很高兴,所以张所的声誉充满河朔地区。

傅亮请求在陕府设司,同意了。傅亮,是西人,研习古代的兵法,李纲认为可以担任将领,上奏任用他。傅亮又说:"现在经制司所得到的兵力才一万人,都是盗贼以及溃散的士兵,未经训练,难以取胜。陕西的正兵以及弓箭手都很精锐,过去因为童贯赏罚不当,流布在民间;如果用丰厚的资财招募他们,不要十天就可以得到两万人,与正兵相互协助,估计州县可收复的就马上收复。"

张所、傅亮出发后,两河之地响应。黄潜善恨李纲的计策,建议派河北经制使马忠节制军马,让他率兵渡过黄河。有个雄州的弓箭手叫李成的,勇敢闻名河朔地区,累积功劳担任了本县县令。雄州失守后,李成的妻子被乱兵所杀,李成带着众人归来,累官为忠州防御史。黄潜善命令他带领所部,与马忠一同捣毁敌人的空虚;李纲又奏请任命河北制置使张焕为副使,因此权力开始分散了。

曹勋从燕山之间走到南都,拿出太上皇所交给的御衣呈上。皇帝看见衣服中的八个字,哭泣着展示给群臣看。

诏令华国靖恭夫人李氏杖打脊背发配到军营。李氏私下侍奉张邦昌,等到张邦昌回到东府,李氏送他,有话指斥皇帝。皇帝到内东门追究,李氏言辞服从,皇帝因此有诛杀张邦昌的意图。

丁巳(二十九日),诏令抚慰东南各路。

此前经制使翁彦国,领旨修筑江宁城池、宫室,两浙转运判官吴昉协助他。有人击登闻鼓,申斥他横加征敛,黄潜善、汪伯彦因为翁彦国的女儿是李纲弟弟的媳妇,于是秘密地挑起此事。正好翁彦国去世,于是吴昉被落职,给予宫观职;并抚慰东南地区,仍起复直龙图阁赵明诚知江宁府兼江东经制副使。

傅雱等到巩县，下檄文给河阳准备船只，金国守臣张巨不接纳。傅雱晓谕他，张巨派使者飞驰到云中，向左副元帅宗翰请示，九天返回，傅雱才得以渡河。

金国左副元帅宗翰上奏："河北、河东府镇州县，请选择先前的有资历官员贤能的人担任，以安抚新接纳的百姓。金国主派耶律晖等人跟随宗翰出行，诏令黄龙府路、南京路、东京路在所部各挑选像耶律晖这样的人给予差遣。"

这天，赐给已故的淄州团练使、广南西路兵马都监、知融州李拱家银帛，是因为李拱带兵入京城援助，死在敌人手中的缘故。

贼人史斌占据兴州，僭越称帝；守臣向子宠弃城逃跑。史斌从武兴谋划进入蜀地，成都府、利路兵马钤辖卢法原与本路提点刑狱邵伯温共同谋划派兵扼守剑门，史斌才离去。卢法原，是卢秉的儿子；邵伯温，是邵雍的儿子。

八月，戊午朔（初一），洪刍等人给予流放不等的处罚。

当初，洪刍等人因为围城中的事被捕，皇帝命令马伸弹劾他们。狱成，洪刍因为娶纳景王的宠姬曹氏，降授朝散郎；陈冲因为搜刮金银自我盗取、与宫人摘花饮酒，朝请郎金大均因为盗取宫中麝脐、私下娶纳乔贵妃的侍儿乔氏，朝散大夫周懿文、朝议大夫张卿材、朝奉郎李彝，都因为与宫人饮酒，朝请郎王及之，因为凌辱宁德皇后的妹妹，都认罪。议论的认为洪刍、陈冲、金大均应当处死，皇帝因为新当政，重视杀士大夫一事，就诏令洪刍、陈冲、金大均远远地流放到沙门岛，贬责周懿文、张卿材、李彝、王及之为陇州、文州、茂州、随州四州别驾，周懿文在英州、张卿材在雷州、李彝在新州、王及之在南恩州安置。

迁宗室到江淮以躲避敌人，愿意留在京城的听任他们，因此南班宗室到江宁的有三十多人。又迁南外宗正司到镇江府，西外宗正府到扬州。

杭州军队变乱。

皇帝刚即位，派遣勤王部队回到各道，杭州的兵力才三百人，将官得到童贯的残余兵力到一起，军校陈通等人谋划变乱。到此时士兵放火，杀掉士曹参军以及副将白均等十二人。次日，抓住守臣龙图阁直学士叶梦得，到金紫光禄大夫致仕薛昂的家中，杀掉两浙转运判官吴昉。转运判官顾彦成听说变乱，马上逃到湖州。众人就推举陈通等七人为首领，囚禁叶梦得，逼薛昂权领州事。浙东安抚翟汝文听说事变，自己带领七千人驻在西兴，而且上奏请求浙西的兵力受他节制。

己未（初二），元祐太后，从京城出发。

庚申（初三），刘光世担任奉国军节度使，韩世忠担任定国军承宣使，张俊开始获得有品阶的官职，都是奖赏平定盗贼的功劳。

辛酉（初四），洺州防御使、龙神卫四厢都指挥使李庠担任东京副留守，是因为郭仲荀带所部护送元祐太后到南京的缘故。

御营司都统制范琼将到襄阳，李孝忠听说此事，率兵侵犯荆南府，进入外城，设置酒宴大会宾客。范琼打败了他，李孝忠率众人前往景陵。

任命李纲代理尚书左仆射兼门下侍郎，黄潜善代理尚书右仆射兼中书侍郎。

此前李纲上奏在秋末巡幸南阳，皇帝已经答应了。接着黄潜善与汪伯彦极力请求巡幸东南，李纲对人说："天下的大计，在此一举，国家的存亡，从这里就分出，我将以离职留任来争此事。"一天,留身奏事,说:"臣近来屡次蒙受皇帝御书,改正已经实行的事件,又所呈上的机务,多没有下达,这里必定有离间臣的人。"于是极力论述君子、小人不能并立,而且说怀疑就不要使用,使用就不要怀疑,皇帝只是劝勉安慰他。数天后,于是有与黄潜善并任宰相的任命。

张悫兼任御营副使。癸亥(初六),命令御营使大规模检阅五军人马。自此后执政官都有亲兵。

丁卯(初十),张悫说:"河朔的百姓,愤怒兵乱,自己结为巡社。请求依照唐代泽潞步兵、三河子弟的遗意,用什伍的方式联结他们而寓兵于农,让他们合力抵抗敌人,而且听从靖康的诏令旨意,按人数借补官资,仍然依照义勇军例增修条画,下到各路。"于是就以忠义巡社为名称。办法是:五人为甲,五甲为队,五队为部,五部为社,都设有长;五社为一都社,有正副职;二都社有都副总首。甲长以上免除劳役;所联结到五百人以上,借补官不等。都总首满二年没有过错的,补正式官职。违犯品阶的杖罚。每年十月,在县中按试,仍听从守令节制。年中,巡社中的增加和损耗的,郡守正副职、县令尉升降不等。

己巳(十二日),诏令:"各路兵力不是专门接到旨意的,不得集结到皇帝驻跸地。"

这天,傅雱等人到达河阳,金国派遣接伴使王景彝来迎接,只允许傅雱带五百人跟随,每天行走八十里。

当初,尊元祐皇后为元祐太后,尚书省认为元字冲犯太后祖父的名讳,请求用居住的宫为名称。到此时,庚午(十三日),改称为隆祐太后,所居住的宫叫隆祐宫。

壬申(十五日),此前河北宣抚使张所,招徕豪杰,任命忠翊郎王彦担任都统制,效用人岳飞为准备将。岳飞先补官为承信郎,因为战功升为秉义郎。皇帝刚即位时,上书指论黄潜善、汪伯彦不图谋恢复,因为越职被夺官。到此时投归到张所那里,张所问道:"你能对付多少人?"岳飞说:"勇敢不足以依仗,用兵在于先定下谋略。栾枝以车曳柴打败荆楚人,莫敖采樵以诱致绞人,都是谋略定下了。"张所惊异地说:"您或许不是行伍中的人!"借补为修武郎、阁门宣赞舍人,充任中宫统领。岳飞于是进言说:"国家以汴京为都城,仗恃黄河固守,如果凭据要冲,布列重镇,那么京城根本地区就巩固了。招抚您能够提兵压境,岳飞我唯命是从。"张所认为很有气势,借补为武经郎。

赵子崧说杭州军队变乱,派遣京畿第二将刘俊前往捕捉,又命令御营统制辛道宗带西兵二千征讨他们。

癸酉(十六日),耿南仲贬授单州团练副使,南雄州安置。

乙亥(十八日),李纲被免职。

此前张所到京城,河北转运副使、权北京留守张益谦,附和黄潜善的意图,上奏张所在北京设置招抚司不当,又说招抚司设置以后,河北的盗贼更加猖獗,不如撤销招抚司。李纲说:"张所留在京城招集将领,现在还没有出发,不知张益谦何以知道他骚扰?朝廷因为河北的百姓无所归附,聚集成为盗贼,设司招抚,就他们的力量而任用,哪里是因为设司导致的盗贼呢!现在京东、京西群盗公然横行,攻掠郡县,也难道是招抚司的罪过吗!时世正很艰难,朝廷想有安排,张益谦是一个小臣,竟敢以不当的名义阻止,这里必定有指使的人。"当时傅亮的部队出发才十多天,汪伯彦等认为是逗留不进,又命令宗泽节制他,让他当天渡河。傅亮说:"现在河外都属于金人,而马上让傅亮以乌合之众渡河,不知哪里可以安家,哪里可以得

2285

到粮食？恐怕误了大事。"李纲为他请求，黄潜善等不认为正确。李纲极力论述："黄潜善、汪伯彦极力指责二人，是为了指责臣，让臣不能安于职责。臣常念及靖康大臣不和造成的损失，凡事没有不曾与他们认真讨论，而两人如此用心。"接着黄潜善有密奏，次日，皇帝指示："傅亮兵力少不能渡河，可撤销经制司，让他赴行在。"李纲留下御批再次呈上，皇帝说："像傅亮这样的人，现在岂是难得的人？"李纲说："傅亮有谋略智勇，可以担任大将，现在没有任用就马上罢免了他，古代用将，恐怕不是这样。"皇帝不作声。李纲退下，傅亮最终被免职。李纲又要求离职，皇帝召见李纲说："卿所争的，是小事情罢了，怎么生出这样的想法？"李纲说："君主的职责在于评价宰相，宰相的职责在推荐贤人。目前的人才以将帅最急需，恐怕不能说是小事。"

殿中侍御史张俊又指论李纲虽然有才气，然而以个人意志杀掉侍从官，用刑不当，不能居于宰相职位；又指论李纲杜绝进言的道路，独专朝政，大小事情，随顺他的意志就必定实行，买马的侵扰，招军的凶暴，劝纳的残虐，优厚地订立赏格，公卿属吏作奸，擅自改变诏令，私下包庇姻亲等数十件事。皇帝就召朱胜非起草制词，指责李纲"狂妄虚诞固执，谋划策略没有结果，请求搜括郡县私人的马匹，又将要搜尽东南百姓的财力。用喜怒分贤良愚笨，致使赏罚与功劳罪过不相当。朝廷做出的命令与公议相合，却屡次驳抗扣留；用刑有违于群情，必定极力请求皇帝亲札，以至帖改已经画定的旨意，巧妙地隐藏外姻的奸邪。现在派遣人防秋，实际为了渡河的侵扰，预先颁布告命，丰厚地赐给缗钱，奖赏超过百万之多，仅仅达到京城而停止，每当敦促他迅速运进，总是阻止不行，居心何在，如此专制！"当时张俊的疏章没有行下，李纲所犯的罪名，都是黄潜善秘密地传给朱胜非的。次日，就罢免李纲为观文殿大学士、提举洞霄宫。李纲在宰相职位共七十五天。

邓肃说："君主的职责在任用宰相，陛下刚登上九五之尊，在贬责之地招用李纲，任用以台谏职，对待他不是不专；但是李纲学问虽然正派而方法简单，谋略虽然深而心机浅。陛下曾经对臣说：'李纲真是以身殉国的人！'现在突然罢免了他，贬责的言辞很严厉，既不是台官的奏章，又不是谏官的疏奏，不知贬遣的言辞有什么依据？而且两河的百姓，数个月无所适从，等到李纲措置一个月，而军民略有安集。伪楚的大臣，纷纷都在朝廷，等到李纲先放逐张邦昌，而叛党的罪行已经略加惩办。现在李纲离职，这两件事怎么办呢！"邓肃不久授一郡职而被赶出朝廷。

许翰说："李纲忠义英发，舍弃了他不能帮助中兴。现在李纲已经罢免，留下臣没有益处。"于是极力请求离职，皇帝没有允许。然而黄潜善等都有驱逐他的意思了。

丙子（十九日），浙东安抚翟汝文带兵七千渡江。此前杭州贼人陈通等骗翟汝文前来受降，等到城下，贼不听从命令，翟汝文又回到越州。因此陈通等人将城中的人全部刺记为兵，有士众数万人。

丁丑（二十日），隆祐太后从南京出发，郭仲荀统带禁军跟随，而且制置东南各盗贼。

己卯（二十二日），黄潜善、汪伯彦共同商议，全部奏请取消李纲所实行的事务。这天，先取消各路买马，只有陕西各州各买百匹，那些劝百姓出财物资助国家的指示不实行。接着傅亮因为母亲病而回到同州，张所也因为罪过受贬，招抚、经制司都废除了。

2286

庚辰（二十三日），诏令："张榜宣谕作盗贼的军民，率领众人归附投降，将赦免罪过，并根据事理，任命官资。如果敢抗拒，仍旧作恶，那么除捕杀盗贼本人外，父母妻子都要处斩。

如果大兵会合到城下,改过出城投降,免罪推以恩赏。并令监司招募土豪,自己率领乡兵会合讨伐,也允许先借补官职。"

辛巳(二十四日),颜岐复职为御史中丞,辞谢不拜受,改任工部尚书。

壬午(二十五日),在都市斩太学生陈东、抚州进士欧阳澈。

此前皇帝听说陈东的名字,召他前往行在。陈东到后,上疏指论宰相黄潜善、汪伯彦不能任用,李纲不能离职,而且请求皇帝回到汴都,整治军队亲征,迎请二帝。他的言辞切直,三次呈上疏章,黄潜善等想有事中伤他。正好欧阳澈也上书诋毁当政的人,他间或提到宫室中用宴乐的事,黄潜善秘密上奏杀欧阳澈,并提及陈东。陈东开始并不认识李纲,只是因为国家的缘故认识,到此时为他而死,行路的人有为他哭泣的。陈东死时年四十二岁。

甲申(二十七日),许景衡担任御史中丞。

中书舍人朱胜非试礼部侍郎,仍兼直学士院。

乙酉(二十八日),派使者前往各路抚谕。

当时因为金人南侵,朝廷的命令隔绝,盗贼接踵而起,就派朝臣分往各路,体察官员的廉洁与贪赃,对军民有利与有害的事。殿中侍御史马伸出使湖、广,吏部员外郎黄次山出使京东、京西,兵部员外郎江端友出使闽、浙,监察御史寇防出使江、淮。当时祠部员外郎喻汝砺前往四川搜括钱物,王瓒、王忠经制河东、河北,钱盖在陕西,于是就地任命他们。不久诏令使者所到之处审决狱案,允许酌情减免上报。

许景衡说:"臣听说议论的人多指责开封尹宗泽的过失。臣自从渡过淮河,听说宗泽锄除强硬的人,安抚引导善良的人,又作防守准备,历历可观。臣私下感叹仰慕,认为去年冬季京城中有像宗泽这样的数人加以维持,那么祸乱就不至于如此残酷了。而且开封是宗庙社稷所在的地方,如果计较小的毛病,另选人担任留守,不知道现在的士大夫中,威名政术超过宗泽的,还有什么人?"皇帝大为感悟,并密封许景衡的奏章给宗泽看,宗泽因此才安心。

许景衡又说:"南阳没有险阻城池,而靠近盗区,而且漕运不能到达,不如建康有天险可以据守,请确定计划巡幸。"

丙戌(二十九日),尚书右丞许翰,免职为资政殿学士,提举杭州洞霄宫。

陈东死后,许翰对亲信说:"我与陈东都是为李纲宰相争辩的,现在陈东斩杀在东市,我在庙堂中,行吗!"就极力要求离职,所以有这个任命。

金国任命宗辅为右副元帅,驻兵在燕京。宗辅性格宽恕,喜好施恩惠,崇尚诚实,燕人因此安心。

金国主下诏令:"河北、河东郡县,职员多有缺额,应该开贡举选取士人以安抚新的百姓。"有关官员因为辽国、宋朝取士制度的不同而上奏请示,命令南北各按所学习的学业取士,称为南北选。

真定拘押登记境内的进士在安国寺考试,宋朝的进士褚承亮也在簿册中,躲藏而不出来。军中知道他的才干,严令拘押去考试,与各生对策。主持策文的是侍中刘宵,过去是辽国官员,投降于金国,愤恨宋朝助长伐金,提出策文,问宋太上皇无道,少帝失信,举人承仰他的旨意,极力出言诋毁。褚承亮站起,到刘宵前说:"君父的过错,难道是臣子所应当说的吗!"长揖而出门,刘宵为此脸色改变。其余的都放榜及第,共七十二人,于是号称"七十二贤榜"。状元许必仕担任郎官,一天,出左掖门,落马,头碰在石槛上而死。刘宵推荐褚承亮担任知槁城县,褚承亮放弃离去。

傅雱、马识远到达云中,金国左副元帅宗翰在凉陉没有回来,左监军完颜希尹派大理卿、昭文馆学士李侗为馆伴使,问傅雱出使目的,傅雱将上二帝的表文以及国书交给他。共六天,才得以见到完颜希尹与右监军耶律伊都,权知枢密院事时立爱,席地坐在厚毡上,在堂上参决事务,兵部尚书高庆裔站在旁边,傅雱跪着听他们讲话。完颜希尹先说南朝不割让三镇的事,又说:"通问开始,怎么能就涉及二帝!就是奏请不成,大概想要用兵迎娶他们吗?"傅雱谦恭地再三拜谢,才作罢下到馆舍。

续资治通鉴卷第一百

【原文】

宋纪一百　起强圉协洽【丁未】九月,尽十二月,凡四月。

高宗受命中兴全功至德　圣神文武昭仁宪孝皇帝

建炎元年　金天会五年【丁未,1127】　　九月,戊子朔,诏:"诸军团结五人为伍等指挥并罢。"

己丑,建州军乱。

先是调建卒往守滑州,为金人攻退,故例当得卸甲钱,转运使不时与。是日大阅,军校张员等作乱,杀福建转运副使毛奎、判官曾伃,执守臣直龙图阁张勤;提举常平公事陈桷檄朝请郎王淮将土军射士讨之,不能克。后诏奎、伃各官其子孙一人。

范琼屡与李孝忠战,败绩。会诸郡兵皆至,琼与都统制官乔仲福及孝忠战于(福)〔复〕州之云泽,大败之。

辛卯,河北经制使马忠,贬秩二等,坐逗遛不进也。

先是河东之民,所在出攻城邑,皆用建炎年号。又有红巾军,于泽、潞间尝劫宗翰寨,故金捕红巾甚急,然真红巾不可得,多杀平民亡命者。忠受命经制,畏敌不敢前。是时命带御器械郑建雄知河阳府,而主管侍卫步军司公事间勍助之,忠仍逗遛,故坐贬。于是黄潜善、汪伯彦共政,方决策奉帝如东南,无复经制两河之意。

诏:"江、池、饶、建州所铸钱,以'建炎通宝'为文。"

甲午,命知扬州吕颐浩修城池,发运〔副使李祐等为随〕军转运使,以将南迁也。

初,命两浙提点刑狱公事周格、高士瞳督捕杭寇,士瞳,戚里子也,欲招安之。翟汝文奏:"今浙东与经制司枪杖手合万人,兵势已盛,而宪臣意在党贼,已受其降。今杭贼猖獗,至于主帅横死,漕臣断首,而反宠以官,是诱人作贼也。"贼乃遣其党往秀州诱士瞳及顾彦臣来杭州受降。士瞳素队入城北,贼百馀骑突出,赖鲍贻逊下枪杖手在北门,始获免。既而格亦领兵至,士瞳始约日进兵。然诸军为贼诱去者甚众。

先是辛道宗奉诏讨贼,军行至镇江府,守臣赵子崧犒赐甚厚,道宗掩有之,行次嘉兴,始给军士人五百钱,众怒,溃去者六百人,道宗奔还镇江。众拥高胜为首,胜旧为太行山盗,名高托天。乱兵攻秀州,守臣直龙图阁赵叔近城守,人遗以绮四缣,贼乃北趋平江府。

丁酉,诏:"荆、襄、关、陕、江、淮,皆备巡幸,并令因陋就简,饮食不事丰美,亭传仅备风雨,桥梁舟楫,取足济渡,道路毋治,官吏毋出,有司百吏敢搔扰者,重置于法。惟军马刍粮,必务丰洁,将士寨栅,必令宽爽。播告诸道,使闻知焉。"

己亥,皇子雱为检校少保、集庆军节度使,封魏国公。

庚子,道君皇帝、渊圣皇帝自燕山徙居中京,居相府院。时嗣濮王仲理等千八百馀人尚在燕,金人计口给粮,监视严密,宗室死者甚众。中书侍郎陈过庭亦在燕,宗翰议纵遣之;俄押赴显州,令厚加养济。

宗泽自河北引兵还京师。

辛丑,杭贼夜劫提点刑狱周格寨,杀之;提刑司所统苏、秀兵,遂入杭与贼合。时格所部淮南兵不肯从,尽为浙兵所害。贼复以金帛遣人诱诸郡不逞,使据城相应。翟汝文虑变生肘腋,遂引兵还越州,贼势愈炽。

壬寅,诏遣官具舟奉迎太庙神主赴扬州。命孟忠厚干办礼仪公事,合用礼器,随宜充代,荐新物,令本州酌量应(判)付。

直秘阁、河北西路招抚司参谋官王珏升招抚〔判〕官,代张所也。于是所落直龙图阁,岭南安置,死贬所。

乙巳,诏:"沿河控扼州县,团结民兵,明远斥候;若金人欲乘船渡河,先使善没水手钻穴其舟,并力掩杀,上下应援,毋为自守之计。有能没两舟者,白身与进义副尉。沿海州军依此。"

初,宗泽募义士守京城,且造决胜战车千二百乘,每乘用五十有五人,运车〔者〕十有一,执器械辅车者四十有四,回施曲折,可以应用。又据形胜,立二十四壁于城外,驻兵数万。泽往来案(视)试之,周而复始。沿大河鳞次为垒,结连两河山水寨及陕西义士,开五丈河以通西北商旅。京畿濒河七十二里,命十六县分守之,县各四里有奇,皆开濠,深广丈馀,于其南植鹿角。又团结班直诸军及民兵之可用者。乃上表请车驾还京,不报。

丁未,中书舍人刘珏言:"近擢黄潜厚为户部尚书,潜厚乃潜善亲兄,祖宗以来,未有弟为宰相,兄为八座,而同居一省者。惟蔡京专政,无所忌惮,京为左相,则卞为元枢,京领三省,则攸领密院。闻潜厚、潜善皆有章疏,陛下从而允之,亦所以全其守法之美。"疏入,乃改命。

金主诏:"内地诸路,每耕牛一具,赋粟五斗,以备歉岁。"

戊申,李孝义、张世引步骑数万袭德安府,诈称来受招。守臣陈规登城,视其营垒,曰:"此诈也。"中夜,孝义引兵围城,规已为之备,大败之,孝义遁走。

河北招抚司都统制王彦,率裨将岳飞等所部七千人渡河。金兵盛,彦不敢进,飞独引所部鏖战,夺其纛而舞,诸军争奋,遂拔新乡。

己酉,募兵入赀授官,自迪功郎以下凡六等。寻命每路以监司一员董其事。

军贼高胜等入常州。

先是胜等过平江,奉直大夫赵研(弃)〔乘〕城,诱胜使入,脔之。众惧而退,推其徒赵万为首,至无锡,李纲时方寓居,出家财散贼,乃去。至常州,守臣何衮恬不为备,贼入城,大掠三日,执通判曾纬而去。

庚戌,始通当三大钱(子)〔于〕淮、浙、荆湖诸路,用张悫请也。

政和旧法,当三大钱止行于京畿东、西及河东、北,由是东南小平钱甚重而物轻,西北反是。惷言："大钱始不行于东南,虑私铸耳。其后改当十为当三,自无私铸之利,何为而不可行? 况财货皆出于东南,常虑钱宝不足于交易。望诏三省参论,以革因循之弊。"从之。

时更军旅之后,诸道财赋,亡于兵火,委于川途,乾没于胥吏者,不可胜计。惷在河朔时,以心计为帝所知,自长地官至于执政,帝独委以理财。严明通敏,文移所至,东南诸路惕息承命,国用赖以毋乏。然惷在中书,至于自作酒肆,议者以为苛碎焉。

辛亥,金主赐元帅右监军完颜希尹、万户尼楚赫券书,除赦所不原,馀悉不问。

壬子,诏赐张邦昌死。

始,李纲议诛邦昌,黄潜善、汪伯彦皆持不可。及是闻金以废邦昌为词,复用兵。帝将南迁,而邦昌在长沙,乃诏湖南抚谕官马伸曰:"张邦昌初闻以权宜摄国事,嘉其用心,宠以高位。虽知建号肆赦,度越常格,优支赏钱数百万缗,犹以迫于金人之势。比因鞫治它狱,始知在内衣赭衣,履黄袍,宿福宁殿,使宫人侍寝,心迹如此,甚负国家。尚加恻隐,不忍显肆朝市,只令自裁;全其家属,令潭州日给口粮,常切拘管。"伸至潭,邦昌读诏已,徘徊退避,不忍自尽。执事共迫之,乃登平楚楼而缢。于是高州流人王时雍亦伏诛。

甲寅,诏:"行在及东京百司官,如擅离任所,并停官根捕,就本处付狱根勘。"

乙卯,诏:"成都、京兆、襄阳、荆南、江宁府、邓、潭州,皆备巡幸。"

宗泽复上疏,略谓:"本朝提封万里,京师号为腹心,宗庙社稷所在,民人依之。今两河虽未敉宁,犹一手臂之不伸;乃欲并腹心而弃之,岂祖宗付托之意,与睽睽万目所以仰望之心! 昔景德间,契丹侵澶渊,警报一闻,中外震恐。是时王钦若江南人,劝幸金陵,陈尧佐蜀人,劝幸蜀都,惟寇准请帝亲征,卒用成功。臣何敢望准,然不敢不以章圣望陛下也。且臣奉迎銮舆还都而后,即当身率诸道之兵,直趋两河之外,亲迎二圣,雪靖康一再之耻,然后奉觞玉殿,以为亿万斯年之贺,臣之志愿始毕。"上疏后,泽复营缮宗庙、宫室、台省,又以东门乃回銮奉迎之地,特增修之。

王彦及金人战于新乡县,败绩。兵溃,彦奔太行山。岳飞以单骑持丈八铁枪刺杀金帅于陈,金人为退却。

初,彦既得新乡,传檄诸郡。金人以为大军之至,率众数万薄彦垒,围之,彦兵寡,且器甲疏略,乃决围出。敌尽锐追击,彦与麾下数十人驰赴之,所向披靡,转战十数里,弓矢且尽,会日暮,得免。彦收散亡,得七百馀人,保共城县西山。部曲感其义,皆面刺"赤心报国"字。未几,两河响应,忠义民兵首领傅选、孟德、刘泽、焦文通等皆附之,绵亘数百里,金人患之。

是日,贼赵万入镇江府境,守臣赵子崧遣将逆击于丹徒,调乡兵乘城为备。府兵败归,乡兵惊溃,子崧率亲兵保集焦山寺。贼逾城入,遂据镇江。

初,傅雱既见金完颜希尹于云中,留弥月。会制置使张焕、招抚使张所遣兵渡河,皆失利,焕为乱军所杀。金以用兵责使者,雱逊谢。希尹乃以国书授雱等还,书中索河北人之在南者及为夏人请熙宁以来侵地,又欲于河阳置榷场以通南货,雱受书以归。金人无聘币,伴使李侗自以乳香、白金等赆之。

金人遣直史馆王枢持册使高丽。

冬,十月,丁巳朔,帝登舟如淮甸。

戊午,隆祐太后至扬州,驻于州治。

中华传世藏书 續資治通鑒

2291

庚申,诏:"诸路官司及寄居待次官,或非王命备补之人,以勤王为名,擅募民兵溃卒者,并令散遣;有擅募者,帅、宪司案劾以闻。"

宗泽复上疏言:"臣契勘京城四壁濠河楼橹与守御器具,当职官吏,协心并力,夙夜自公,率励不懈,增筑开浚,起造辑理,浸皆就绪。臣又制造决胜战车一千二百两,每两用五十有五人,一卒使车,八人推车,二人扶轮,六人执牌,辅二十人执长枪,随牌辅车十有八人,执神臂弓弩,随枪射远,小使臣两员,专干办阅习车事,每十车差大使臣一员总领为一队。见今四壁统制官日逐校阅,坐作进退,左右回旋曲折之陈,委可应用。又,沿河十六县与上下州军,相接作连珠寨以严备御。臣见使王彦、曹中正在河西攻击,收复州县,西京、河阳、郑、滑等州同为一体,敌人畏葸,不敢轻动。臣自到京,奉扬陛下仁风德意,街市人情物态,忻悦敉宁,同太平时景象。顾臣犬马之齿六十有九,比缘陛下委付之重,常患才力不任,惕惕忧惧。近日顿觉衰悴,万一溘先朝露,孤负陛下眷恤怜悯之意,臣死不瞑。傥使臣与将士官民获望回辇之尘,俯伏百拜,然后身填沟壑,则虽死之日,犹生之年!"

先是群盗王再兴以兵数万,王贵万馀人往来河上,王善以车百乘寇濮州;杨进兵尤众,连扰京西诸郡。至德安府,守臣直龙图阁陈规,昼夜相持,十有八日,而进技穷,乃以百馀人自卫,抵濠上求和。规出城,与进交臂而语,进感其诚,折箭为誓,明日,引众去。围光州,泽遣招之,皆听命,以进为留守司统制。泽理财有方,凡两河及京东、西诸郡求军需者,皆辍东京所有与之,不以为问。既而泽闻帝已南迁,又上疏,词意忠恳,帝优诏答之。

癸亥,募群盗能并灭贼众者,授以官。

甲子,李纲落职,依旧宫祠。

时张浚论纲罪未已,略言:"纲阴为惨毒,外弄威权,当时台谏如颜岐、孙觌、李会、李擢、范宗尹,重者陷之以罪,轻则置之闲散。若非察见之早而养成其恶,则宗庙之寄,几败于国贼之手。愿早赐窜殛。"章再上,乃有是命。

直龙图阁知秀州赵叔近招杭贼陈通,降之。

乙丑,诏罢帅府、辅郡、要郡等招置新兵,水军准此。

丁卯,有内侍自京赍内府珠玉二囊来上,帝投之汴水。翼日,以谕辅臣黄潜善曰:"太古之世,摘玉毁珠,小盗不起,朕甚慕之,庶几求所以息盗耳。"

是日,沙州回鹘遣使贡于金。

庚午,帝次泗州。

壬申,升扬州天长县为军。

丁丑,诏:"东南诸州县所桩私茶盐矾赏钱,每处各以千缗计,纲赴行在。"用都省请也。

户部言诸路所收民间助国钱,乞令计置,轻赍赴行在,从之。

己卯,帝次宝应县。御营后军作乱,有孙琦者为首。左正言卢臣中从驾不及,立船舷叱贼,为所逼,堕水死;帝命求臣中所在,得之水中,拱立如故。张浚以为虽在艰难,不可废法,乃劾统制官定国军承宣使韩世忠师行无纪,降观察使。赠臣中左谏议大夫,赐其家银帛,官子孙二人。

自罢常平司,而诸路提举官多以未受命为词,居职如故;伪党之被窜逐者,往往不行。言者以为国家所恃以号令天下者,威信而已;今无所忌惮如此,不可以不申戒。乃诏帅臣、监司体量罢夺，其审斥人护送贬所，隐庇者重坐之。

庚辰，命刘光世讨镇江府叛兵。辛巳，复命光世为滁、和、濠、太平州、无为军、江宁府界招捉盗贼制置使；御营统制官苗傅为制置使司都统制，从光世行。

癸未，帝至扬州，驻跸州治。旧制，三衙管军未尝内宿，至是始日轮一员，直宿行宫。

诏："内侍不许与统兵官相见，如违，停官送远恶州编管。"时入内内侍省押班康履，以藩邸旧恩颇用事，诸将多奉之，台谏无敢言者。

丙戌，两浙制置使王渊率统制官张俊等领兵至镇江府，军贼赵万等不知其猝至，皆解甲就招。时辛道宗前军将官苗翊，犹在叛党中，乃委翊统之，众心稍定。渊寻绐贼以过江勤王，其步兵先行，每一舟至岸，尽杀之，馀骑兵百馀人戮于市，无得脱者。

李孝义攻德安不下，行至蕲州，张世斩之，馀党悉降。

十一月，丁亥朔，以扬州路滑，始听百官乘轿。

戊子，李纲鄂州居住。

时张浚等论纲不学无术，竟气好私，不早窜殛，无以谢天下。言者又奏："近日辛道宗叛兵自苏、秀而来，纲倾其家赀数千缗，并制造绯巾数千，遣其弟迎贼，其意安在？今陛下驻跸维扬，人（清水）〔情未〕安，纲居常州无锡县，去朝廷不三百里。纲素有狂愎无上之心，复怀怏怏不平之气；常州风俗浇薄，万一盗贼群起，藉纲为名，臣恐国家之忧，不在金人而在萧墙之内。"故有是命。

张遇入池州。

遇本真定府马军，聚众为盗，号"一窝蜂"，自淮西渡江，水陆并进，池州守臣滕祐弃城走。遇入城纵掠，驱强壮以益其军，民辞以不习战，遇曰："吾教汝。"即命二人取器械相击，杀一人乃止，曰："此战胜法也，能杀彼，则汝可活耳。"

己丑，诏："诸路无额上供钱（水）〔依〕旧法更不立额，自来年始。"

庚寅，诏求忠信宏博可使绝域及智谋勇毅能将万众者，诣检、鼓院自陈。其后得宇文虚中、刘海、杨应诚、刘正彦，皆擢用之。

徽猷阁直学士、知扬州吕颐浩试户部侍郎，兼权知扬州。

辛卯，金人围磁州。

朝奉郎王伦为大金通问使。

时傅雱、马识远至汴京，诏趣还，问金人意，复遣伦与邠门宣赞舍人朱弁见宗翰议事。雱至扬州，以金国书对于后殿。擢雱朝请郎，识远尚书考功员外郎。

乙未，张悫守尚书左丞兼御营副使、提举户部财用，颜岐同知枢密院事。

乙巳，诏："自今被受中使传宣者，当时密具所得旨，实封以闻；如事有未便者，许奏执。"又诏："凡宣旨及官司奏请事，元无条贯者，并中书、枢密院取旨；非经三省、枢密院者，官司无得受。"复旧制也。

丙午，张悫守中书侍郎，兼知如故。

丁未，黄潜厚请许淮、浙盐入京东，每袋纳借路钱二千。东京，旧东北盐地分也，时滨海道不通，故许之。

戊申，颜岐守尚书左丞，兼权门下侍郎。

许景衡守尚书右丞。

先是景衡陈十事,谓方今人才未备而政事不立,法度未修而宿弊尚存,浮费不节而国用空虚,赋役烦重而民力困弊,命令不行而事多壅滞,赏罚未明而人无惩劝,盗贼继作而吏民被害,边境危急而武备弗严,奸赃未逐而贪暴滋多,公议未申而亲党害政。帝叹息曰:"真今日之急务!"未几,擢为执政。

刑部尚书郭三益同知枢密院事。

右谏议大夫王宾试御史中丞。

初,责授安化军节度副使赵野,行至密州,众推野领州事。时山东群盗纵横,剧寇宫仪据即墨不退,野患之,弃城去。杜彦时据密州,乃与军士李逵、吴顺谋自称权知州事,追执野于张苍镇,数其弃城之罪,脔之,惟一子学老得脱。彦尽刺城中人以益其军。

辛亥,金人破河(中)〔间〕府。

赵叔近言杭卒今已就招,请授以官,许之。刘珏言:"今盗贼数残州县,以招安之说诱之也。金陵黥徒,既被厚赏,钱塘之兵,建安之卒,道宗之师,又袭是迹而动,今湖又见告矣。其视杀漕宪守倅,若刈草菅,非徒无罪,且有子女金帛之获,紫袍象简之荣。观今叔近所乞,乃群盗逼作此奏,非实情也。"许景衡亦言:"官吏无罪,而被诛戮,军吏有罪,反受爵命,其为赏罚,不亦倒置乎!"帝用二人言,乙卯,寝其命。

初,寿春贼丁进,自号丁一箭,聚众至数万,遂围寿春府。守臣康允之募人出城见进,许以金币犒师。进杀使者,围城二十五日,不能拔,乃引去。

刘光世讨张遇于池州,至近郊南门,贼望之曰:"官军少,且不整,可破也。"时湖水涸,贼出城,越湖占长堤,绕出官军背,官军败绩,遇率众循江而上,光世亦整兵追之。

十二月,丙辰朔,诏以侍从四员充讲读官。

命诸路转运司类省试以待亲策。

先是诸州发解进士当以今春试礼部,会围城,不果。上以道梗难赴,乃命诸路提刑选官,即转运司所在州类省试,每路选官六员,临期实封;移牒漕臣一员监试,不得干预考校;仍用省额,统计十有四人而取一人。省试有额自此。

丁巳,诏:"朕罔好游猎,有以鹰犬辄称御前者,流海岛。"

辛酉,御营使司都统制王渊入杭州。

初,渊至秀州,下令治兵,十日乃行,杭贼陈通等闻之,缓为之备。及是渊与统制官张俊驰至城下,传呼"秀州赵龙图来",通出不意,出迎。渊谕以朝廷遣赐告身,通等皆喜。渊、俊入州治,命军士分守诸门,渊召其首三十人至庭下,遽执之。通呼曰:"已受招安,何为乃尔!"渊曰:"我受诏讨贼,不知其它!"并执其馀党,悉腰斩之,凡百八十馀人。百姓相贺。

壬戌,资政殿学士、京东东路制置使、知青州曾孝序为乱兵所杀。

先是临朐土兵赵晟,聚众为乱,夺门而入。孝序度力不能制,因出据厅事,嗔目骂贼,与其子宣教郎讦皆遇害,时年七十九。诏赠光禄大夫,谥曰威。

癸亥,金人攻汜水关。

初,宗翰闻帝如维扬,乃约诸军分道南侵。宗维自河阳渡河,攻河南;右副元帅宗辅与其弟宗弼自沧州渡河,攻山东;陕西诸路都统洛索与副都统萨里罕自同州渡河,攻陕西。时西京统制官翟进扼清河白磊,而带御器械郑建雄守河阳,敌不得济。宗翰乃屯重兵于河阳北城以疑建雄,而阴遣万户尼楚赫自九鼎渡河,背攻南城,破之,建雄遂溃。

西京留守(陈)〔孙〕昭远,既罢西道都总管,所调西师,以非所隶,悉引去。昭远数以洛阳无城池而强敌对境侵轶之状闻于朝,且遗其子书曰:“今日捍御,甚难为功。四男二女,无可置念,要为忠义死耳。”乃遣骁将姚庆拒之于偃师县,军败,庆死之。昭远知城危,即命其将王仔奉启运宫神御间道赴行在。既而金人大入,昭远引馀兵南去,翟进率军民上山保险。

宗翰据氾水,引军而东,命尼楚赫分兵攻京西。先是知阶州董庠以勤王兵入援,溃散无所归,宗泽以庠知郑州。泽闻金兵入境,遣将刘达援之,未至,庠弃城走。是日,尼楚赫至郑州,不入城而去,径如京西,中原大震。

甲子,谏议大夫卫肤敏上疏,谓:“本朝后族、戚里,祖宗以来例不得任文资。乃者除邢焕徽猷阁待制,孟忠厚显谟阁直学士,比又降中旨,王羲叔与郡,王羲叟除太府寺丞。物议太喧,颇为圣政之累。”疏入,改焕光州观察使。

乙丑,诏:“自今除授及行遣有罪之人,并须经由三省及宰执进呈,方得施行;或有干求请托,乞御宝以行下者,重置于法。”

丙寅,张遇寇江州,守臣陈彦文视事始十日,固守不下。遇引去,江淮制置使刘光世截其后军,破之。

丁卯,诏:“诸路都总管司走马承受公事使臣,依旧法隶属帅司。”先是政和中,改走马承受为廉访使者,其权与监司均敌;朝廷每有所为,辄为廉访所议,枢密院藉以摇宰相,因复旧制。

戊辰,卫肤敏疏论:“先朝嫔御皆至行在,建承庆院以处之,又置升旸宫以治兵器及服御所须之物,而使内侍典其役。或母后戚里之家,有所干请,间以内批御宝行之,人言啧啧。望以承庆营缮付之扬州,升旸造作归之有司,戚里内侍有干请过例者,勿复降出。其锡赉之费,量功支赐,则人言不戒而自孚矣。”上嘉纳之。

金人围棣州,守臣姜刚之率军民拒守,不拔而去。

金洛索渡河,拔韩城县。

初,京兆府路经略制置使唐重在关中,以将官曲方为沿河安抚使。方老而缪,统兵屯韩城,日以饮食蹴鞠为事。时河东经制使王璪在陕府,遣人渡河劫寨。洛索遂自慈、隰引兵而南,重遣兵马都监、贵州刺史刘光弼赍金帛至河犒师。光弼至华州,闻敌逼河,遂留不进。洛索至河中府,官军扼蒲州西岸。洛索患之,夜,潜由上流清水曲履冰渡河,出龙门山,并河而南,距韩城四十里,方始觉,引兵遁去。光弼闻之,不归长安而走邠、岐间。

先是荣州团练使陈迪,自泸南安抚司走马承受公事还行在,重以敌兵逼近,奏留迪提举军马措置民兵以备敌。又有嘉州军事推官王尚,被檄过岐下,重辟尚主管机宜文字,留长安。时京兆馀兵皆为经制使钱盖调赴行在,重度金兵且入,以书别其父克臣曰:“忠孝不两立,义不苟生以辱吾父。”克臣报之曰:“汝能以身殉国,吾含笑入地矣。”见者皆义之。

壬申,直龙图阁、知秀州赵叔近罢,仍夺职。

时叔近既招降杭寇陈通,而言者论其尝受贼金,由是免官,拘系于郡。

甲戌,金洛索攻同州,守臣直秘阁郑骧死之。

2295

先是骧闻帝幸维扬，上章请自楚、泗、汴、洛以迄陕、华，各募精兵镇守，有急则首尾相应，庶几敌势不能冲决，不报。至是金兵及韩城，骧帅兵扼险击之，师小却。金人乘胜径至城下，通判以下皆遁，骧独曰："我为太守，义在效死。"闭州门，赴井死。众推前知沙苑监周良立青盖于城上，军民犹守御。金人谕降，良曰："苟无杀戮，当听命。"许之，即授良定国军节度使、知同州，惟遣十数骑入州学，取书籍而归。州人感骧之义，敛葬之；后赠枢密直学士，谥威愍。

同州既破，王瓌军乱不能整。先是邠门祗候张昱弃慈州奔瓌，瓌乃命昱治陕，而率众由金、商西入蜀。州县震恐，欲闭关拒之。利州路提点刑狱张上行，破众议迎瓌屯兴元府，供其衣粮。时叛贼史斌僭号兴州，将攻兴元府，瓌遣统制官韦知几、统领官申世景领兵拒之，复兴州。既而瓌留屯久，军饷不继，成都府路转运判官赵开等乃率两川民间助军钱佐之，又以便宜截用递岁应输陕西、河东三路纲。川、陕屯西兵自此始。

初，直龙图阁、知黄州赵令峛奉诏修城，始毕，会张遇自江州西上，招令峛出城相见，饮以酒。令峛举杯曰："固知饮此必死，愿诸君勿杀城中军民。"遇惊曰："酒诚有毒，以此试公耳。"夺泼地上，地裂有声。群盗皆重令峛器识，引军东去。未几，丁进及群寇来犯，皆击却之。

乙亥，命守令劝农赈乏，罢献助钱物。

金西北路都统鄂啰卒。鄂啰伐辽有大功，后追封郑国王。

丙子，亲卫大夫、宁州观察使、知东上邠门事韦渊言："横行五司，尚未遵元丰旧制，乞并引进司归客省，东、西上邠门合而为一，以省冗员。"从之。

丁丑，诏："宗室归朝官添差者勿罢，已去任者复还之。"始，议以军兴，悉罢州县添差官以纾民力，至是惟二者得留。

己卯，金尼楚赫破汝州。

初，宗辅既渡河，议先攻汴京，且分兵趋行在。而东京留守宗泽增修守御之备，城外千里，无粮可因。金人扰瀕河州郡，诸将请断河梁，严兵自守，泽曰："去岁城破，正坐此尔，尚可袭其轨邪！"命统制官刘衍趋滑州，刘达走郑州，各率车二百乘，战士二百人保护河梁，以俟大军北渡。金人闻之，夜，断河梁而遁。时孙昭远既弃河南去，西京残民无主，乃开门出降。宗翰入西京，以李嗣本知河南府，自屯西京大内，与泽相持。

金人既破汝州，将士挟西京北路提刑谢京以遁，金人击杀之。州民王氏二妇为金兵所得，投汉水死，尸皆浮出不坏。军校王俊收集溃兵，后据伞盖山，有众数万。

庚辰，诏："除京畿东、西、河东、北、陕西等路依元降指挥置巡社外，后来增置路分并罢。"

给事中刘珏试吏部侍郎；右谏议大夫卫肤敏试中书舍人，仍兼侍讲。

肤敏在谏院才两旬，言事至十数，黄潜善等忌之。会肤敏复论邢焕虽已易廉察，而孟忠厚尚仍旧官，诏曰："邢焕，朕之后父，即以换武；忠厚系隆祐太后之亲，宜体朕优奉之意。"肤敏乃力辞新职。时珏亦论户部尚书黄潜厚当避亲，乃以潜厚为延康殿学士、提举醴泉观、同提举措置户部财用。肤敏既移官，遂与珏俱谒告不出。

以杨时为工部侍郎，时年七十五矣。入见，言自古圣贤之君，未有不以讲学为先务者，帝深然之。

中书舍人刘观试给事中。观上言："今日之患，在中国不在外敌，在朝廷士大夫不在边鄙盗贼。愿陛下委谏官、御史,取崇宁以来饕餮富贵最无状之人,编为一籍,已死者著其恶,未死者明其罪,如以开边用兵进,以花石应奉进,以刻剥聚敛进,以交贿权官进,类为数十条,概其罪恶,疏其名氏,有司镂版,播告天下,与众弃之。如此,外敌莫不畏,盗贼莫不服,然后忠贤安于朝,而中兴之业可得而定。"帝嘉纳,命台谏具名以闻。后不果行。

丁进既去寿春,宗泽遣使招之,进纳款。泽以便宜补授言于朝,诏进充京城西壁外巡,以所部赴京城四面屯驻。

温、杭二州上供物,几案有以螺钿者,帝恶其靡,命碎之通衢。

乙酉,带御器械张俊自杭州移兵讨兰溪僧居正,破之。

初,建卒张员等既叛,统制官、朝请郎王淮虽驻兵城下,未能破贼。有军校魏胜者,独不从乱,颇能调护其党。至是有诏招安,员等听命。守臣张勤、提举常平公事王浚明,皆坐失职罢去。会淮治丧,乃起复故官,知建州,使之抚定,而以胜为承信郎、权本州兵马监押。时员等虽开门,然军情犹未定也。

是岁,夏改元正德。

【译文】

宋纪一百　起丁未年(公元1127年)九月,止十二月,共四月。

建炎元年　金天会五年(公元1127年)

九月,戊子朔(初一),诏令:"各军团集结五人为一伍等指挥文书都予以取消。"

己丑(初二),建州军队叛乱。

此前调建州的士兵前往守卫滑州,被金人打退,旧例应当得到卸甲钱,转运使不按时给予。这天大阅军,军校张员等人作乱,杀福建转运使毛奎、判官曾伃,抓住守臣直龙图阁张勤;提举常平公,事陈桷发檄文给朝请郎王淮带土军射士征讨他们,不能攻下。后来诏令授予毛奎、曾伃的子孙各一人官职。

范琼屡次与李孝忠作战,均大败。正好各郡的兵力都到达,范琼与都统制官乔仲福与李孝忠在复州的云泽作战,大败他。

辛卯(初四),河北经制使马忠,贬官秩两等,是因为逗留不进军而获罪。

此前河东的百姓,所到之处攻城镇,都用建炎的年号。又有红巾军,在泽、潞间曾经劫宗翰的营寨,所以金国捕杀红巾军很急迫,然而真正的红巾军不能得到,杀的多是平民中逃命的。马忠受命任经制使,因惧怕敌人不敢前进。这时命令带御器械郑建雄出任知河阳府,而主管侍卫步军司公事勋协助他,马忠仍然逗留不前,所以获罪受贬。在这里黄潜善、汪伯彦共同执政,正决策事奉皇帝到东南,不再有经制两河的意思。

诏令:"江州、池州、饶州、建州所铸的钱,以'建炎通宝'作为文字。"

甲午(初七),命令知扬州吕颐浩修建城池,发运副使李祐等为随军转运使,是因为将要南迁的缘故。

当初,命令两浙提点刑狱公事周格、高士瞳督捕杭州盗寇,高士瞳,是戚里的子弟,想招安杭州盗寇。翟汝文上奏说:"现在浙东与经制司枪杖手共万人,兵力很强盛,而御史官心意在贼人身上,已经接受他们投降。现在杭州盗贼猖獗,以至主帅横遭害死,漕运大臣被斩首,反而尊崇给予官职,这是诱人做贼。"贼人就派他的党羽前往秀州诱骗高士瞳以及顾彦臣前来杭州受降。高士瞳率队伍空手进入城北,贼百余骑兵突然冲出,依靠鲍贻逊的枪杖手在北门,才获免。接着周格也领兵到达,高士瞳才约定时间进军。然而各军被贼诱去的很多。

此前辛道宗奉诏命讨伐贼,军队走到镇江府,守臣赵子崧犒赏很丰厚,辛道宗占有这些东西,行军到嘉兴,才给军士每人五百钱,众人发怒了,逃散的有六百人,辛道宗奔回镇江。众人拥立高胜为首领,高胜过去是太行山的盗贼,名叫高托天。乱兵攻打秀州,守臣直龙图阁赵叔近守城,每人送给绮四缣,贼人才离开向北前往平江府。

丁酉(初十),诏令:"荆、襄、关、陕、江、淮,都准备巡幸,并令因陋就简,饮食不求丰盛,亭馆传舍只要能防风雨,桥梁舟船,取用足够渡河就行,道路不要整治,官员不要出来,有关官员敢骚扰的,按法令重加处理。只是军马粮草,务必丰富洁净,将士寨栅,必定要宽敞明亮。传播宣告给各道,让他们知道。"

己亥(十二日),命皇子赵雱为检校少保、集庆军节度使,封为魏国公。

庚子(十三日),道君皇帝、渊圣皇帝从燕山迁居到中京,居住在相府院。当时嗣濮王赵仲理等一千八百余人还在燕山,金人按人口发粮,监视严密,宗室的人死的很多。中书侍郎陈过庭也在燕山,宗翰提议放回他;不久押往显州,命令厚加供养。

宗泽从河北带兵返回京城。

辛丑(十四日),杭州盗贼夜间劫提点刑狱周格的营寨,杀掉了他;提刑司所统苏州、秀州的兵力,也进入杭州与盗贼合在一起。当时周格所部的淮南兵不肯服从,全部被浙兵所杀害。贼人又派人用金帛招诱各郡心怀不满的人,让他们占据城池相响应。翟汝文恐怕在身旁发生变乱,就带兵回到越州,贼人的势力更加猖獗。

壬寅(十五日),诏令派官员准备舟船迎奉太庙的神主到扬州。命令孟忠厚为干办礼仪公事,应该用的礼器,根据情况代替,时鲜用品,命令本州酌量供应。

直秘阁、河北西路招抚司参谋官王珪升为招抚判官,是代替张所。这样张所被免除直龙图阁职,岭南安置,死在贬谪地。

宋泽像

乙巳(十八日),诏令:"沿河控扼的州县,集结民兵,明白的远远安侦察哨;如果金人想乘船渡河,先派善于潜水的人钻穿他们的船,并力掩杀,上下呼应援助,不要为自己保守考虑。有能够沉没两条船的,白身人给予进义副尉。沿海的州军按此办理。"

当初,宗泽招募义士守卫京城,而且修造决胜的战车一千二百乘,每乘用五十五人,推运车子的十一人,拿着器械辅助车子的四十四人,回旋曲折,可以投入应用。又根据地形,在城外修立二十四壁,驻兵数万。宗泽往来巡视,周而复始。沿黄河依次建立堡垒,联结两河的山水寨以及陕西的义士,开五丈河以与西北商路相通。京畿临河的有七十二里,命令十六县分别加以把守,每县各四里多,都开壕沟,深宽一丈多,在南面埋植鹿角状树枝。又结集班直各军以及民兵中可以任用的人。就上表请求皇帝车驾还京,没有答复。

丁未(二十日),中书舍人刘珏说:"近来提升黄潜厚担任户部尚书,黄潜厚是黄潜善的亲兄弟,从祖宗以来,没有弟弟担任宰相,兄长担任八座,而同在一个省的。只有蔡京专权时,无所忌讳,蔡京担任左相,蔡卞担任枢密院长官,蔡京领三省,蔡攸就领枢密院。听说黄潜厚、黄潜善都有章疏,陛下听从而批准他们,也是成全他们守法的美意。"

金国主诏令:"内地各路,每具耕牛,收赋粟五斗,以防备歉收的年份。"

戊申(二十一日),李孝义、张世带步骑兵数万人袭击德安府,诈称来接受招降。守臣陈规登城,察看他们的营垒,说:"这是欺诈。"半夜,李孝义带兵围城,陈规已经做了准备,大败李孝义,李孝义逃走了。

河北招抚司都统制王彦,率副将岳飞等所部七千人渡黄河。金兵强盛,王彦不敢推进,岳飞只带着自己所部激战,夺取敌人旗帜挥舞,各军争相奋战,于是攻下新乡。

己酉(二十二日),募兵以及收纳财物的授予官职,从迪功郎以下共六等。不久命令每路由监司一人掌管此事。

军贼高胜等进入常州。

此前高胜经过平江,奉直大夫赵研登城,诱高胜入城,剁杀了他。众人惧怕而退兵,推举他的门徒赵万担任首领,到达无锡,李纲当时正寓居在此,拿出家财散给贼人,贼人才离开。到达常州。守臣何衮没有防备,贼人入城,大肆抢掠三天,抓住通判曾纬离开。

庚戌(二十三日),开始在淮、浙、荆湖各路通行当三大钱,是采用了张悫的请求。

政和年间旧法,当三大钱只在京畿东、西路以及河东、河北路通行,因此东南的小平钱很贵重而货物价值低,西北相反。张悫说:"大钱开始不在东南通行,是担心私下铸造罢了。之后改当十为当三,自然没有私铸的好处,为什么不能通行?况且财货都出自东南,常担心钱宝不够交易。希望诏令三省参考讨论,以革除因循旧法的弊害。"采纳了此建议。

当时经过军旅之后,各道的财赋,消失在战火中,委弃在路途,隐没在胥吏手中的,不可计算。张悫在河朔时,因为有心计被皇帝所了解,从地方长官到执政官,皇帝唯独委任以理财的职责。严明通达敏锐,文书所到之处,东南各路谨慎从命,国家的财用依靠他不缺乏。然而张悫在中书时,以至自己设酒店,议论的人认为太苛刻琐碎。

辛亥(二十四日),金国主赐给元帅右监军完颜希尹、万户尼楚赫券书,除了大赦所不宽免的罪行,其他的都不追究。

壬子(二十五日),诏令赐张邦昌死。

开始,李纲提议杀张邦昌,黄潜善、汪伯彦都坚持不同意。到此时听说金国以废除张邦昌作为借口,又用兵。皇帝将要南迁,而张邦昌在长沙,就诏令湖南抚谕官马伸说:"当初听说张邦昌是因为权宜之计代行国家事务,嘉勉他的用心,宠以很高的职位。虽然知道他建年号大赦,超过平常规格,优厚地支用赏钱数百万缗,还是迫于金人的威势。近来因为追究其他狱案,开始知道他内穿赭色衣服,铺黄色褥,住在福宁殿,让宫人侍候就寝,如此心迹,很有负于国家。还加以恻隐之心,不忍心明显地丢弃在市中,只让他自裁;保全他的家属,命令潭州每天供给口粮,常常切实加以拘管。"马伸到达潭州,张邦昌读完诏令,徘徊退避,不忍心自尽。执事共同逼迫他,才登上平楚楼自缢而死。这样流放到高州的王时雍也伏法被杀。

甲寅(二十七日),诏令:"行在以及东京百司官,如果擅自离开任所,都停职追究查捕,就本处交付狱中追查。"

乙卯(二十八日),诏令:"成都、京兆、襄阳、荆南、江宁府、邓州、潭州,都为巡幸做准备。"

宗泽又上疏,大致说:"本朝封疆万里,京城号称是腹心,是宗庙社稷所在地,百姓依奉的地方。现在两河虽然没有安宁,好像一只手臂不能伸直,就想连同腹心都放弃,难道是祖宗付托的意思,与睽睽众目所仰望的心意吗!过去景德年间,契丹侵犯澶渊,警报一到,朝廷内外震恐。当时王钦若是江南人,劝皇帝巡幸金陵,陈尧佐是蜀地人,劝皇帝巡幸蜀都,只有寇准请皇帝亲征,终于获成功。臣哪里敢比寇准,然而不敢不以章圣皇帝盼望陛下。况且臣奉皇帝车驾还都后,就当亲身率领各道的兵力,直奔两河外,亲自迎接二圣,雪洗靖康一次又一次的耻辱,然后在玉殿举杯,以作为亿万年的祝贺,臣的志愿才算完结。"上疏以后,宗泽又营建修缮宗庙、宫室、台省,又因为东门是皇帝车驾返回的地方,特别加以增修。

王彦与金人在新乡县作战,大败。士兵逃散,王彦奔往太行山。岳飞以单骑拿着丈八铁枪在阵前刺杀金帅,金人为此后退。

当初,王彦得到新乡后,传檄文给各郡。金军以为大军来到,率士众数万人逼近王彦的营寨,围住营寨,王彦兵力少,而且武器粗简,就突围逃出。敌人用全部精锐部队追击,王彦与手下数十人奔驰迎敌,所向披靡,转战十多里,弓箭将用尽,正好太阳下山,得以逃脱。王彦召集逃亡的人,得到七百多人,在共城县西山自保。部属被他的道义感动,都在脸上刺"赤心报国"几个字。不久,两河响应,忠义民兵首领傅选、孟德、刘泽、焦文通等都归附他,连绵数百里,金人很顾虑他们。

这天,贼赵万进入镇江府境内,守臣赵子崧派将领在丹徒迎击,调集乡兵据城作防备。府兵大败而归,乡兵惊逃溃散,赵子崧率亲兵据守集焦山寺。贼越城进入,于是占据镇江。

当初,傅雱在云中会见金国完颜希尹,留下满一个月。碰上制置使张浃、招抚使张所派兵渡黄河,都失利,张浃被乱军所杀。金国人因为用兵责备使者,傅雱谦恭地称谢。完颜希尹就将国书交给傅雱让他们返回,国书中索要河北的人在南方的以及为西夏人索要熙宁年间以来所侵占的土地,又想在河阳设置榷场以交易南方货物,傅雱接受国书带回。金人没有给使者的礼物,馆伴使李侗自己将乳香、白金等赠给他们。

金国人派遣直史馆王枢拿着封册出使高丽。

冬季,十月,丁巳朔(初一),皇帝上船前往淮甸。

戊午(初二),隆祐太后到达扬州,停驻在州府。

庚申(初四),诏令:"各路官署以及寄居的待次官,有的不是朝廷命令备补的人,以勤王为名,擅自招募民兵及逃散的士卒的,都令遣散;有擅自招募的,帅、宪司按察上报。"

宗泽又上疏说:"臣考察京城四周的壕沟、望楼与防御器具,负责官员,齐心协力,日夜为公,都勉励不懈怠,增建开挖,修造整治,逐渐就绪。臣又制造了决胜的战车一千二百辆,每辆用五十五人,一个士兵使车,八人推车,二人扶轮,六人拿着盾牌,辅以二十人拿着长枪,随盾牌辅车的十八人,拿着神臂弓弩,随枪射远,小使臣两名,专门干办阅习车的事情,每十辆车派大使臣一人总领为一队。现在看到四周统制官每日校阅,停起进退,左右回旋成曲折的阵势,委实可以应用。另外,沿河十六县与上下的州军,相接作连珠寨以严加防御。臣现在派王彦、曹中正在河西发动攻击,收复州县,西京、河阳、郑、滑等州同一体,敌人畏惧,不敢轻举妄动。臣从到达京城,奉行发扬陛下的仁德风范,街上的人情物态,忻悦安宁,同太平时景象一样。想臣犬马之年六十九岁,近因为陛下委以重任,常常担心才力不能胜任,忧惧惶恐。近来顿觉衰弱疲劳,万一死去,辜负陛下眷爱的心意,臣死不瞑目。倘若臣与将士官民得以盼到皇帝回京的车驾,俯伏百拜,然后以身填入沟壑中,那么虽死之时,犹像在生之年!"

此前群盗王再兴带兵数万,王贵带万余人往来黄河上,王善用车百辆侵犯濮州;杨进的兵尤其多,接连侵扰京西各郡。到德安府,守臣直龙图阁陈规,昼夜相持,十八天后,杨进无计可施,就带百余人自卫,到城壕上求和。陈规出城,与杨进交臂商谈,杨进被他的诚心感动,折箭发誓,次日带领众人离去。围攻光州,宗泽招降他,都听从,任命杨进为留守司统制。宗泽理财有方,凡是两河以及京东、京西各郡需要军需品的,都停下东京的供给给予他们,不让造成隔阂。接着宗泽听说皇帝已经南迁,又上疏,言辞忠诚恳切,皇帝下优抚诏答复他。

癸亥(初七),招募群盗中能够消灭贼众的,授予官职。

甲子(初八),李纲落职,仍旧担任宫观职。

当时张浚指论李纲的罪状不停,大致说:"李纲内心阴险惨毒,外面玩弄威权,当时的台谏官如颜岐、孙觌、李会、李擢、范宗尹,重的陷害以罪行,轻的安置以闲散职。如果不是发现得早而养成更大的恶行,那么宗庙的寄托,几乎败在国贼的手上。希望早日给予放逐。"两次上奏章,才有此命令。

乙丑(初九),诏令停止在帅府、辅郡、要郡等招募设置新兵,水军照此办理。

丁卯(十一日),有内侍从京城带着二囊珠玉来献上,皇帝将此投入汴水中。次日,向辅臣黄潜善宣谕说:"太古之世,掷玉毁珠,小盗不起,朕很羡慕,只是求得平息盗贼罢了。"

本日,沙州回鹘派使臣向金国进贡。

庚午(十四日),皇帝停驻在泗州。

壬申(十六日),将扬州天长县升格为军。

丁丑(二十一日),诏令:"东南各州县所封桩私茶、盐、矾赏钱,每处各按一千缗计算,纲运到行在。"是采用了都省的请求。

户部报告各路所收民间助国钱,请令计办,轻资送往行在,同意了。

己卯(二十三日),皇帝停驻在宝应县。御营后军作乱,有个叫孙琦的是首犯。左正言卢臣中跟随皇帝不及,站在船舷中呵斥乱贼,被乱贼所逼,落水而死;皇帝命令寻找卢臣中在什么地方,在水中找到尸体,拱立于水中和生前一样。张浚认为虽在艰难时期,不能够放弃法令,就弹劾统制官定国军承宣使韩世忠的军队没有纪律,贬降为观察使。赠给卢臣中左谏议大夫,赐给他们家银帛,任命子孙中二人为官。

自从撤罢常平司,而各路提举官多以未受命为借口,居于原职;伪命党徒中被放逐的人,往往不走。言官认为国家所依靠来号令天下的，是威信而已；现在无所忌惮到如此地步，不能不申戒。就诏命帅臣、监司根据情况罢免，那些放逐贬斥的人护送到贬斥之地，隐瞒包庇的人从重论罪。

庚辰（二十四日），命令刘光世讨伐镇江府的叛兵。辛巳（二十五日），又任命刘光世为滁州、和州、濠州、太平州、无为军、江宁府界招捉盗贼制置使；御营统制官苗傅为制置司都统制，跟从刘光世出发。

癸未（二十七日），皇帝到达扬州，驻跸在州治。旧制，三衙管军不曾宿在宫内，到此时开始每天轮流一人，在行宫内值班住宿。

诏令："内侍不许与统兵官相见，如果违反，停职送往边远荒蛮州编管。"当时入内内侍省押班康履，因为高宗为康王时的旧恩颇当权，各将多尊奉他，台谏官没有敢指论他的。

丙戌（三十日），两浙制置使王渊率统制官张俊等领兵到达镇江府，军贼赵万等不知道他突然到达，都放下兵器接受招降。当时辛道宗的前军将官苗翊，还在叛党中，于是委派苗翊统领，降众的人心逐渐安定。王渊不久骗贼兵过江勤王，步兵先出发，每一船到岸上，就全部杀掉，余下的骑兵一百多人杀在街市，没有能逃脱的。

李孝义攻德安不下，行到蕲州，张世斩杀了他，其余的党徒全部投降。

十一月，丁亥朔（初一），因为扬州路滑，开始听任百官乘轿。

戊子（初二），李纲指定在鄂州居住。

当时张浚等指论李纲不学无术，好为私事争气，不早放逐，不能向天下谢罪。言官又上奏："近来辛道宗的叛兵从苏州、秀州而来，李纲拿出家财数千缗，并制造红色头巾数千，派他的弟弟迎接贼人，用意何在？现在陛下驻跸在扬州，人心没有安定，李纲居住在常州无锡县，离朝廷不到三百里。李纲一贯有狂傲目无皇上的心意，又怀有不平的意气；常州风俗浮薄，万一盗贼群起，借李纲的名义，臣担心国家的忧患，不在金人而在自家中了。"所以有此命令。

张遇进入池州。

张遇本来是真定府的马军，聚众为盗，号称"一窝蜂"，从淮西渡江，水陆并进，池州守臣滕祐弃城逃走。张遇进城放纵抢掠，驱赶强壮的人扩充他的军队，百姓以不熟悉作战相推辞，张遇说："我教你。"就命两个人拿起器械相搏击，一人被杀死才停下，张遇说："这是战胜的办法，能够杀对手，你才能活。"

己丑（初三），诏令："各路没有定额的上供钱按旧法不再立定额，从来年开始。"

庚寅（初四），诏令求得忠信宏博可以出使绝域以及智谋勇敢能率领万人的，到检鼓院自我陈述。后来得到了宇文虚中、刘海、杨应诚、刘正彦，都提拔任用。

徽猷阁直学士、知扬州吕颐浩试户部侍郎，兼权知扬州。

辛卯（初五），金人围攻磁州。

朝奉郎王伦担任大金通问使。

当时傅雱、马识远到达汴京，诏令催他返回，询问金人意图，又派王伦与阁门宣赞舍人朱弁见宗翰商议事情。傅雱到达扬州，以金国国书在后殿奏对。提拔傅雱为朝请郎，马识远为考功员外郎。

乙未（初九），张悫守尚书左丞兼御营副使、提举户部财用，颜岐同知枢密院事。

乙巳(十九日),诏令:"自今受到中使传宣的人,当时秘密提供所得到的旨意,实封上奏,如果事情有不便的,允许奏执。"又诏令:"凡是宣旨以及官司奏请事,原来没有条贯的,并在中书、枢密院取旨;不经过三省、枢密院的,官司不得接受。"是恢复了旧的制度。

丙午(二十日),张悫升任代理中书侍郎,兼知依旧。

丁未(二十一日),黄潜善请求批准淮、浙盐进入京东,每袋交纳借路钱二千。东京,是过去东北盐地分,当时滨海的道路不通,所以批准此事。

戊申(二十二日),颜岐升任代理尚书左丞,兼权门下侍郎。

许景衡升任代理尚书右丞。

此前许景衡陈述十件事,认为当今人才不齐备而政事不立,法度未修旧弊还存在,虚浮费用不节制而国家用度空虚,税赋劳役烦多苛重而民力困乏疲惫,命令不通达而事情多阻滞,赏罚不明而人心没有鼓励和惩罚,盗贼相继兴起而官吏百姓受害,边境危急而军备不严,奸邪赃官没有放逐而贪暴行为增多,公正的意见没有早达而亲信党徒患害政事。皇帝叹息说:"真是今天的急务啊!"不久,提升为执政官。

任命刑部尚书郭三益同知枢密院事。

任命右谏议大夫王宾试御史中丞。

当初,责授安化军节度副使赵野,走到密州,众人推举赵野领州事,当时山东群盗横行,大盗宫仪占据即墨不退走,赵野害怕他,弃城离去。杜彦当时占据密州,就与军士李逵、吴顺谋划自称权州事,在张苍镇追上抓住赵野,数落他弃城的罪状,剐杀了他,他只有一个儿子赵学老得以逃脱。杜彦将城中人全部收取扩充他的军队。

辛亥(二十五日),金国人攻破河间府。

赵叔近报告杭州的兵卒现在已经全部接受招安,请求授予官职,同意了。刘珏说:"现在盗贼数次残害州县,是因为招安之说诱导的。金陵的刑徒,已经得到厚赏,钱塘的兵,建安的士卒,辛道宗的军队,又按此办法发动,现在湖州也上报。他们视杀漕官宪臣正副长官,如同割草,不仅无罪,而且有子女金帛的收获,紫袍象简的荣誉。观察赵叔近的请求,是群盗逼他作如此上奏,不是实情。"许景衡也说:"官吏无罪,而被诛杀,军吏有罪,反而授爵命,这样赏罚,不是倒置了吗!"皇帝采纳了二人的意见,乙卯(二十九日),搁置成命。

当初,寿春的盗贼丁进,自称为丁一箭,聚众数万人,并围攻寿春府。守臣康允之招募人出城会见丁进,许诺用金币犒劳贼军。丁进杀掉使者,围城二十五天,不能攻下,才引兵离去。

刘光世在池州讨伐张遇,到近郊南门,贼众望见他说:"官军少,而且不整齐,可以打败他们。"当时湖水干涸,贼众出城,越过湖绕到官军背后,官军大败。张遇率领贼众沿江而上,刘光世也整兵追击他们。

十二月,丙辰朔(初一),诏令用侍从四人充任讲读官。

命令各路转运司举行类省试以等待皇帝亲自策问。

此前各州发解进士应当在今年春天在礼部考试,碰上围城,没有实现。皇帝因为道路阻塞难以赶来,就命令各路提刑选择官员,在转运司所在的州举行类省试,每路选择官员六人,临近日期实封;送文书让漕臣一人监试,不得干预考校;仍然用省试的名额,统计十四人录取一人。省试有名额自此开始。

丁巳（初二），诏令："朕不喜好游猎，有总是在御前拿鹰犬称道的，流放到海岛。"

辛酉（初六），御营使司都统制王渊进入杭州。

当初，王渊到达秀州，下令整治军队，十天才出发，杭州盗贼陈通等听说此事，慢慢在做防备。在此时王渊与统制官张俊骑快马到城下，传呼："秀州赵龙图来了"，陈通出于意料，出城迎接。王渊晓谕以朝廷派来赐给告身，陈通等都很高兴。王渊、张俊进入州治，命令军士分守各门，王渊召集其中为首的三十人到庭下，突然抓住他们。陈通喊道："已经接受招安，为什么这样！"王渊说："我接受诏命讨伐贼人，不知道其他的事！"并抓获其余的党徒，全部腰斩，共一百八十多人。百姓互相祝贺。

壬戌（初七），资政殿学士、京东东路制置使、知青州曾孝序被乱兵所杀。

此前临朐士兵赵晟，聚众作乱，夺门而进城，曾孝序不能制止，于是出门占据大厅办事之地，怒目骂贼。与他的儿子宣教郎曾讦都遇害，时年七十九岁。诏令赠给光禄大夫，谥号为威。

癸亥（初八），宗翰听说皇帝到达扬州，就约各军分路南侵。宗翰从河阳渡河，进攻河南；右副元帅宗辅与他弟弟宗弼从沧州渡河，进攻山东；陕西各路都统洛索与副都统萨罕从同州渡河，进攻陕西。当时西京统制官翟进扼守清河白磊，而带御器械郑建雄把守河阳，敌人不得渡河。宗翰就驻重兵在河阳北城以迷惑郑建雄，而暗中派万户尼赫楚从九鼎渡河，从背后攻南城，城被攻破，郑建雄于是溃败。

西京留守孙昭远，被罢免西道都总管后，所调的西师，因为不是他所隶属，都引兵离去。孙昭远数次将洛阳没有城池而强敌对境内侵犯包抄的情况报告给朝廷，而且给他的儿子写信说："目前的抵抗，很难成功。四儿两女，没有什么挂念，要为忠义而死。"就派骁将姚庆在偃师县抵抗，军队被打败，姚庆战死。孙昭远知道城很危急，就命令将领王仔敬奉着启运宫神御从小路赴行在。接着金人大举进入，孙昭远带着余兵南逃，翟进率军民上山保守在险要之地。

宗翰占据汜水，带兵向东，命令尼楚赫分兵进攻京西。此前知阶州董庠带勤王军队入援，溃散后无处投奔，宗泽任命董庠知郑州。宗泽听说金兵入境，派遣将领刘达援助董庠，还没有到达，董庠弃城逃走。这天，尼楚赫到达郑州，不入城而离去，径自进入京西，中原大为震动。

甲子（初九），谏议大夫卫肤敏上疏，说："本朝皇后亲族、戚里，按祖宗以来的旧例不得担任文资官。然而却任命邢焕为徽猷阁待制，孟忠厚为显谟阁直学士，近来又降下旨意，王羲叔授予知州，王羲叟授予太府寺丞。议论太厉害，对圣政很是连累。"章疏呈上，改任邢焕为光州观察使。

乙丑（初十），诏令："从今任命以及行遣有罪的人，都必须经三省以及宰执进呈，才得施行；如果有求情请托，请求用御宝行下的，依法重加处置。"

丙寅（十一日），张遇侵犯江州，守臣陈彦文视事才十天，固守不能攻下。张遇带兵离开，江淮制置使刘光世截击他的后军，打败了他。

丁卯（十二日），诏令："各路都总管司走马承受公事使臣，按旧法隶属帅司。"先前在政和年间,改走马承受为廉访使者,权力与监司相当;朝廷每有所动作,就被廉访使者所议论,枢密院借以动摇宰相,因而恢复旧制。

戊辰(十三日),卫肤敏上疏论:"先朝的嫔御都到达行在,修建承庆院以安置她们,又设置旸宫以管理兵器及服御所必须的物品,而让内侍掌管这些工役。有的是母后戚里之家,有所请托,间或以宫内批的御宝颁行,人们议论纷纷。希望把承庆院的营修交给扬州,升旸宫的修造交给有关官员,戚里内侍有请托超过先例的不要再下达。赏赐的费用,按功支出,那么人们的议论不戒止而自己会消失。"皇帝赞赏地采纳了。

金人围攻棣州,守臣姜刚之率领军民抵抗守卫,金人不能攻下而离去。

当初,京兆府路经略制置使唐重在关中,任命将官曲方为沿河安抚使。曲方年老而差失多,每天以吃喝踢球为事。当时河东经制使王璘在陕府,派人渡河袭击敌营。洛索于是从慈、隰带兵向南,唐重派兵马都监、贵州刺史刘光弼带金帛到黄河犒赏军队。刘光弼到达华州,听说敌人逼近黄河,于是留下不前进。洛索到达河中府,官军扼守蒲州西岸。洛索担心此事,夜间,暗中由上游清水曲从冰上渡河,出龙门,沿河向南距离韩城四十里,曲方才发觉,引兵逃走。刘光弼听说此事,不回到长安而逃到洺州、岐州之间。

此前荣州团练使陈迪,从泸南安抚司走马承受公事回到行在,唐重因为敌兵逼近,上奏留下陈迪提领兵马安排百姓军队以防备敌人。又有嘉州军事推官王尚,接受檄文经过岐下,唐重征召王尚主管机宜文字,留在长安。当时京兆的余兵都被经制使钱盖调往行在,唐重估度金兵将要进入,写信与他的父亲唐克臣说:"忠孝不能两立,为大义不苟且偷生以辱没父亲。"唐克臣回复说:"你能以身殉国,我就含笑入地了。"见到的人都认为是有节义。

壬申(十七日),直龙图阁、知秀州赵叔近被罢官,并夺职。

当时赵叔近招降杭州盗贼陈通,而言官指论他曾经接受贼人金钱,因此被罢官,拘捕在郡中。

甲戌(十九日),金国洛索攻同州,守臣直秘阁郑骧战死。

此前郑骧听说皇帝临幸扬州,上章请求从楚州、泗州、汴州、洛州直到陕州、华州,各招募精兵镇守,有急事就首尾相接应,差不多敌人势力不能冲破,没有答复。到此时金兵到达韩城,郑骧率领兵力扼守险要打击敌人,略往后退。金人乘胜直接到达城下,通判以下官员都逃走,郑骧独自说:"我是太守,道义上应该以死效命。"关闭州门,投井而死。众人推举前知沙苑监周良树立青盖在城上,军民仍然守御。金人劝他们投降,周良说:"如果不杀戮,就听命。"金人答应了他,就授予周良为定国军节度使、知同州,只派数十骑兵进入州学,拿取书籍而回。州人感激郑骧的义举,收敛安葬了他;后来赠给枢密直学士,谥号为威愍。

同州被攻破后,王璘的军队混乱不能整治。此前阁门祗候张昱放弃慈州投奔王璘,王璘就命令张昱治理陕西,而率领众人从金州、商州向西进入蜀地。州县震动害怕,想闭关拒绝他。利州路提点刑狱张上行,排开众人的意见迎接王璘驻在兴元府,供给衣粮。当时叛贼史斌在兴州僭越称帝号,将要攻打兴元府,王璘派遣统制官韦知几、统领官申世景领兵抵抗,收复兴州。接着王璘因为留驻太久,军饷跟不上,成都府路转运判官赵开等就率领两川民间出助军钱帮助他,又按灵活处置的原则截留每年应输送的陕西、河东三路的纲运。川陕屯驻西兵从此开始。

当初,直龙图阁、知黄州赵令峘奉诏修城,刚完工,碰上张遇从江州西上,招赵令峘出城相见,请他饮酒,赵令峘举杯说:"本来知道饮酒必死,希望各位不要杀城中军民。"张遇惊异地说:"酒确实有毒,以此试公罢了。"夺过泼在地上,地上响裂有声。群盗都看重赵令峘的器识,引军向东离去。不久,丁进及群盗来侵犯,都击退了。

乙亥(二十日),命令郡守县令劝农耕种和赈济贫乏,停罢助献钱物。

金国西北路都统鄂啰去世。鄂啰讨伐辽国立有大功,后来追封为郑国王。

丙子(二十一日),亲卫大夫、宁州观察使、知东上阁门事韦渊说:"横班的五个司,还没有遵守元丰的旧制,请求合并引进司归于客省,东、西上阁门合而为一,以裁省冗官。"同意了。

丁丑(二十二日),诏令:"宗室和归朝官添差职务者不要停罢,已离职的再恢复。"开始,商议因为军兴,全部停罢州县添差官以舒解民力,到此时只有二种得以保留。

己卯(二十四日),金国尼楚赫攻破汝州。

当初,宗辅渡河后,商议先攻打汴京,而且分兵前往行在。而东京留守宗泽增修作抵抗防御的准备,城外千里,没有粮食可以依靠。金国人侵扰临河的州郡,各将领请求断掉河上的桥梁,严兵自我保守,宗泽说:"去年城破,正是因为此事,还能沿用此法吗!"命令统制官刘衍前往滑州,刘达前往郑州,各率战车二百乘,战士二百人保护河上桥梁,又等大军北渡。金国人听说此事,夜间,毁断河上桥梁而逃走。当时孙昭远放弃河南离开后,西京的残余百姓没有首领,就开门出降。宗翰进入西京,任命李嗣本知河南府,自己驻在西京宫中,与宗泽相持。

金国人攻破汝州,将士挟持西京北路提刑谢京逃走,金人击杀了他。州民王氏二位妇女被金兵抓住,投汉水而死,尸体浮出水面不坏。军校王俊收集逃散的士兵,后来占据伞盖山,有士众数万人。

庚辰(二十五日),诏令:"除京畿东、西、河东、河北、陕西等路依原来下达的命令设置巡社外,后来增设置的路分都停罢。"

给事中刘珏试吏部侍郎;右谏议大夫卫肤敏试中书舍人,仍兼侍讲。

卫肤敏在谏院才二十天,谈论事情数十件,黄潜善等人忌恨他。碰上卫肤敏又指论邢焕虽然已经改为廉察使,而孟忠厚还担任旧职,皇帝下诏令:"邢焕,是朕的皇后的父亲,所以便换武职;孟忠厚是隆祐太后的亲属,应该体现朕优抚的心意。"卫肤敏就极力推辞新职。当时刘珏也在指论户部尚书黄潜厚应当避亲,就任命黄潜厚为延康殿学士、提举醴泉观、同提举措置户部财用。卫肤敏移职后,就与刘珏一起告假不出任。

任命杨时为工部侍郎,当时杨时已经七十五岁了。入朝晋见,说自古圣贤的君主,没有不以讲学作为先务的,皇帝认为很有道理。

中书舍人刘观试给事中,刘观上奏:"今天的忧患,在本国不在外敌,在朝廷不在边地盗贼。希望陛下委任谏官、御史,选取崇宁年间以来贪婪凶恶富贵最无道的人,编为一册,已经死去的公布其罪恶,未死的明确他的罪行,如因为开启边事用兵进用的,因为供奉花石纲进用的,因为刻剥聚敛进用的,因为交结贿赂权贵进用的,编为数十条,概括他们的罪恶,写下姓名,有关官员刻版印刷,传播宣告到天下,与众人一同抛弃他。这样,外敌没有不畏惧,盗贼没有不服从,然后忠诚贤良的人安心在朝廷,而中兴的大业可以安定了。"皇帝赞赏地采纳了,命令台谏官提供姓名上奏。后来没有确定实行。

丁进离开寿春后,宗泽派人招安他,丁进表达忠心。宗泽按灵活处置的原则补授官职报告给朝廷,诏令丁进充任京城西壁外巡,带所部前往京城西面驻守。

温州、杭州二州的上供物品,几案有用螺钿做的,皇帝厌恶这样奢侈,命令在繁华的街上砸碎了它。

乙酉(三十日),带御器械张浚从杭州派兵讨伐兰溪的僧人居正,打败了他。

当初,建州的士兵张员等人叛乱后,统制官、朝请郎王淮,虽然驻兵在城下,没能破贼。有军校叫魏胜的,唯独没有跟随作乱,很能调动保护同党。到此时皇帝有诏书招安,张员等听从命令。守臣张勤,提举常平公事王浚明,都因为失职罢免。碰上王淮办丧事,就起复为原官,知建州,让他安抚平定,而任命魏胜为承信郎、权本州兵马监押。当时张员等人虽然大开城门,然而军情仍旧没有稳定。

本年,西夏改年号为正德元年。

续资治通鉴卷第一百一

【原文】

宋纪一百一　起著雍涒滩【戊申】正月,尽五月,凡五月。

高宗受命中兴全功至德　圣神武文昭仁宪孝皇帝

建炎二年　金天会六年【戊申,1128】　春,正月,丙戌朔,帝在扬州。

丁亥,诏录两河流亡吏士。又于沿河给官田、牛、种,以居流民。

戊子,金万户尼楚赫攻邓州。

初,观文殿学士、京西南路安抚使范致虚既受命,会河东制置使赵宗印引兵自商山出武关,欲趋行在,与致虚会于方城,因将其军偕至。

致虚之未至也,转运副使、右文殿修撰刘汲摄守事。汲初受命,即遣家属还乡,治兵为战守计。及金兵将压境,州兵不满万人,致虚闻风亟遁。诏除汲安抚使。语诸将曰:“国家养汝曹久,不力战,无以报,且吾不令汝曹独死也。”士皆奋。汲募敢死士,得四百馀人,乃遣兵马都监戚鼎以兵三千出东门迎敌,靳仪以兵八百出南门,赵宗印以兵三千出西门掎之。汲以牙兵四百登埤以望,见宗印遁,即自至鼎军中,麾其众以待敌至,士争死斗,敌为却。俄而仪亦败,敌以二军夹乘之,矢如雨。军中请汲去,汲曰:“使敌知(宣)〔安〕抚使在此乐为国致死。”敌大至,汲死之。宗印率军民自房陵奔襄阳。事闻,赠汲大中大夫,后谥忠介。

是日,金陕西诸路都统洛索围长安。

先是河东经制副使(传)〔傅〕亮自陕府归冯翊,会唐重除永兴帅,因与亮俱西。城中兵才千人,重悉以授亮,婴城固守,金益兵攻之。

己丑,直秘阁谢昹提点京西北路兼南路刑狱公事,专切总领招捉贼盗。

先是有撰《劝勇文》者,揭于关羽庙中,论敌兵有五事易杀:“连年战辛苦,易杀;马倒便不起,易杀;深入重地力孤,易杀;多带金银,易杀;作虚声吓人,易杀。各宜齐心协力,共保今岁无虞。”昹得而上之,诏兵部镂版散示诸路。

辛卯,诏:“自今武臣未至武功大夫,不得除遥郡,虽系军功、特旨,亦不施行。”

户部侍郎兼知扬州吕颐浩转对,论“官军所至,争取金帛之罪犹小,劫掠妇女之祸至深。愿申谕将帅,自今有犯,必罚无赦。昨镇江城中妇女有尚在军中者,乞速令放归。”诏以付诸将。

壬辰,金人侵东京,至白沙镇,留守宗泽遣兵击却之。

初,金以知滑州王宣善战,不敢窥其境,乃遣兵自郑州抵白沙,距京才数十里,都人甚恐。

泽方与客对弈,僚属请议守御之策,泽不应。诸将退,布部伍,撤吊桥,披甲乘城,都人益惧。泽闻之,命解甲归寨,曰:"何事张皇!"时统制官刘衍、〔刘〕达将车二百乘在郑、滑间,泽益选精锐数千助之。下令张灯如平日,民始安堵。

甲午,移扬州宗室于泰州、高邮军。命秘阁修撰赵令慮知西外宗正事,主管泰州宗子;洺州防御使士从添差同知西外宗正事,主管高邮军宗子。令慮,燕懿王元孙。

刑部尚书兼侍读周武仲上言:"前朝得罪党人,既已复官,宜并还其恩数。"帝纳之。乃诏:"系籍及上书人,令其家自陈,当与赠谥碑额,其致仕、遗表恩泽皆还之。"

是日,金书武胜军节度判官厅公事、权邓州李操叛,降于金。

初,刘汲既死,金得穰县小吏格某,使入城招谕曰:"尼楚赫大王兵十万,今日已时攻城。城破,鸡犬亦不留;惟速降可以免祸。"有士曹参军赵某者,欲投拜,操不可,曰:"当死节。"赵曰:"岂不知尽节为忠!顾死无益,奈一城生灵何!"操许诺,乃偕见尼楚赫于城外。尼楚赫折箭为誓,遂入城。

乙未,诏:"自今犯枉法、自盗赃人,令中书籍记姓名,罪至徒者,永不叙用;按察官失于举劾者,并取旨科罪,不以去官原免。"时议者以为崇、观以来赃吏甚众,其害民甚于盗贼,故条约之。

丙申,金尼楚赫破均州,守臣杨彦明遁去,添差武当县丞任雄翔以城降。

丁酉,金人破房州。

戊戌,洛索破长安,守臣天章阁直学士、京兆府路经略使唐重死之。

初,金人在河中,重上疏言状,且乞五路兵自节制,不报。马步军副总管、贵州刺史杨宗闵尝为重谋曰:"今河东诸州,皆非我有,敌距此才一水,而本路兵弱,宜急缮城堞为守御计,以待外援,舍此无策。"重以秦民骄,不欲扰之而止。及金兵入境,重不知所为,贻书转运使李詹孺曰:"重平生忠义,不敢辞难。始意迎车驾入关,居建瓴之势,庶可以临东方。今车驾南幸矣,关陕又无重兵,虽竭尽智力,何所施其功!一死报上不足惜。"

逮洛索围城弥旬,外援不至,于是前河东路经制副使傅亮以精锐数百夺门降金。时地大震,金人因其势而入,城遂破。重尚徐亲兵,与敌战。诸将扶重去,重曰:"死吾职也。"战不已。众溃,重中流矢,死之。陕西转运副使、直秘阁桑景询、判官曾谓、提刑郭忠孝、主管机宜文字王尚友及其子建中与宗闵俱死。提举军马、荣州团练使陈迪,犹率徐众巷战,呕血誓众,敌大人,死之。事闻,赠重资政殿学士,谥恭愍,宗闵贵州防御使,它赠官推恩有差。忠孝尝师事程颐,或劝云:"监司出巡,可以免祸。"忠孝不答,遂遇害。

己亥,秘阁修撰、河南尹、京西北路安抚制置使孙昭远为叛兵所杀。

初,金攻西京,昭远率麾下南去,行至陈、蔡间,溃兵满野,昭远犹欲安集之,而麾下单弱,乃欲拥之以行,昭远骂之曰:"若等衣食县官,不以此时报国,南去何为!"叛兵怒,击昭远,死焉。事闻,赠徽猷阁待制,后谥忠愍。

庚子,主客员外郎谢亮为陕西抚谕使,持诏书赐西夏主乾顺;从事郎何洋为太学博士,偕行。

金游骑至京城下,宗泽示以不备,疑不敢入。是日,统制官刘衍与金人遇于板桥,败之;追击至滑州,又败之。金人引去。

是日,张遇陷镇江府。

續資治通鑑

初，遇自黄州引军东下，遂犯江宁，江淮制置使刘光世追击之，遇乃以舟数百绝江而南，将犯京口。既而回泊真州，士民皆溃。将作监主簿马元颖妻荣氏为贼所得，荣氏厉声骂贼，为所害。荣氏，薿女弟也。翼日，遇自真州攻陷镇江，守臣钱伯言弃城去。

辛丑，入内内侍省押班邵成章除名，南雄州编管。

时金人攻掠陕西、京东诸郡，而群盗起山东，黄潜善、汪伯彦皆蔽匿不以奏。及张遇焚真州，去行在六十里，帝亦不闻。成章上疏，条具潜善、伯彦之罪，及申潜善使闻之。帝怒，谓成章不守本职，辄言大臣，故有是命。

右文殿修撰邓绍密，依旧知兴仁府。

初，济南阙守，而新知府事张悦迟留不行，乃以绍密知济南府。至是绍密留兴仁，更命中奉大夫刘豫。

豫，阜城人，世为农，至豫始举进士，仕至殿中侍御史、河北西路提刑，后挂冠去，避乱真州。靖康末，落职，致仕；召还，道梗不能赴。及是中书侍郎张悫与豫有河北职司之旧，力荐于朝，除知济南府。时山东盗起，豫欲易江南一郡，而执政厌其频数，皆拒之，豫怏怏而去。

是日，金人破郑州，通判州事、直秘阁赵伯振率兵巷战，为流矢中，坠马，金剖其腹而杀之。后赠朝请大夫，官其二子。

癸卯，金人破潍州。

时右副元帅宗辅引兵下山东，而京东无帅，士大夫亦皆避地。朝议大夫周中，世居潍州，独不肯去，率家人乘城拒守。中弟辛，家最富，尽散其财以享战士。城破，中阖门百口皆死，守臣韩浩亦遇害。浩，琦孙也。

宗辅又破青州，知临淄县、承议郎陆有常率民兵拒守，死于陈；知益都县张侃、知千乘县丞丁兴宗亦死。后赠有常朝散郎，录其家三人；赠侃、兴宗二官，官一子。

宗弼至千乘县，市民率土军、射士、保甲及滨州溃兵葛进等击败之，金人弃青、潍去。

洛索自长安分兵攻延安府，会鄜延经略使王庶在鄜州寓治。于是金破府东城，权府事刘选率军民据西城以守。

甲辰，直秘阁、知寿春府康允之奏丁进解围。帝谓辅臣曰："此郡守得人之效也。卿等六人，宜广询人才，若人得二人，则列郡便有十馀守称职。然须参议，不可徇私。"张悫曰："崔祐甫尝谓'非亲非旧，安敢与官！'今日当问所除当否耳。"寻迁允之直龙图阁。

时进既受邡门宣赞舍人、京城外巡之命，遂引所部屯京城，往参留守宗泽。将士疑其非真，主管侍卫步军司公事吕勍等请以甲士阴卫，泽曰："正当披心待之，虽木石可使感动，况人乎！"及进至，泽抚劳甚至，待之如故吏，进等感服。翼日，请泽诣其壁，泽许之不疑，进益怀感畏。后其党有谋乱者，进自擒杀之。

初，进既受招，其所刺良民有复还乡里者，允之请刺填诸军阙额，帝许之。

初，大臣有荐泸州草泽彭知一者，有康济略，隐居凤翔，得旨，令津发赴行在所。既入朝，乃以所烧金及药术为献。乙巳，帝札付三省曰："朕不忍烧假物以误后人，其遣还之，仍毁其烧金之具。"

丁未，诏谕流民、溃兵之为盗贼者，释其罪。

北京留守兼河北东路制置使杜充奏磁、洺解围，诏尚书省榜谕。遂以右监门卫大将军、贵州团练使、权知洺州土瑒为洺州防御使。

东京留守宗泽复奉表请帝还京师。泽至是凡十二奏矣。

辛亥，诏曰："近缘臣僚论列，乞以崇宁以来无状之人编为一籍，已降指挥，候谏官、御史具到，令三省、枢密院参酌施行。念才行难于兼全，一眚不可终废，当宏大度，咸俾图新。除参酌到罪恶深重不可复用人外，并许随材选任；如显有绩效，可以补前行之失者，因事奏陈，特与湔洗，仍许擢用。"

是日，两浙制置使王渊，招贼张遇降之。

遇自金山寺进屯扬子桥，众号二万。会渊还行在，自将数百骑入其寨招之。遇见渊器械精明，惶惧迎拜。渊曰："汝等赖我来晚，故得降，不然，已无遗类矣。"渊奏以遇为郊门宣赞舍人。守臣钱伯言乃得还其府。

遇犹纵兵四劫，扈从者危惧。户部侍郎兼知扬州吕颐浩，带御器械、御营使司前军统制韩世忠，联骑造其垒，晓以逆顺祸福，执其谋主刘彦，磔于扬子桥，缚小校二十九人，送渊戮之，馀党怖而释甲。得其军万人，隶世忠。

壬子，金人焚邓州。

初，帝既用李纲议营南阳，于是截留四川轻赍纲及聚刍粟甚众，城破，悉为金有。金又需百工伎艺人及民间金币，如根括京城之法，凡再旬乃尽。至是将退师，使人谕城中富民，令献犀象金银以谢不死。城中人既出，尼楚赫谕之曰："大金欲留兵十万屯于邓州，尔当供刍粟。"众曰："邓州多水，非屯兵之地。"尼楚赫曰："尔等既已投拜，皆大金之民矣。今引兵而去，后有它盗，若何？"众莫对。尼楚赫传令竭城北迁，士大夫许调官，缁黄归寺观，商贾使居市，农家给田种作。城中传闻，皆大恸。少顷，金兵四面纵火，尽驱城中人入大寨中，后四日，拥之而去。

是月，太学录万俟卨为枢密院编修官。卨，阳武人也。

金人破颍昌府，守臣孙默为所杀。

初，刘汲之未死也，檄承事郎裴祖德权通判府事。祖德时丁母忧，默奏起复。会金南侵，默乞退保郾城。既而巡检赵俊密报祖德，金人不来，祖德以挈家为词，绐默暂归阳翟，乃妄申留守司，言默遁去，默大怒，劾于朝，未报。俄金人再侵颍昌，默死，宗泽乃假祖德直秘阁、知颍昌府。

洛索既得长安，即鼓行而西，进攻凤翔府，陇右大震。

夏人谍知关陕无备，遂以宥州监军司檄至延安府，自言："大金以鄜延割隶本国，须当理索，若敢违拒，当发兵诛讨。"鄜延经略使王庶，口占檄词报曰："（尔）贪利之臣，何国蔑有，岂意夏国躬蹈覆辙！比闻金人欲自泾原径捣兴、灵，方切为之寒心，不图尚欲乘人之急。幕府虽士卒单寡，然类皆节制之师，左支右梧，尚堪一战。果能办此，何用多言！"径檄兴中府，因遣谍间其用事臣李遇，夏人竟不出。

二月，乙卯朔，言者请令群臣入对，具所得上语，除机密外，关治体者悉录付史官，从之。

丙辰，金再侵东京，宗泽遣统制官李景良、阎中立、统领官郭俊民等领兵万馀趋滑、郑。遇金兵，大战，为金所乘，中立死之，俊民降金。景良以无功遁去，泽捕得，谓曰："胜负兵家之常。不胜而归，罪犹可恕；私自逃遁，是无主将也！"即斩之。既而金令俊民持书招泽，俊民与金将史某及燕人何祖仲直抵八角镇，都巡检使丁进与之遇，生获之。泽谓俊民曰："汝失利就死，尚为忠义鬼。今乃为金游说，何面目见人邪！"摔而斩之。谓史某曰："上屯重兵近甸，我

2311

留守也,有死而已,何不以死战我,而反以儿女语胁我邪?"又斩之。谓祖仲本吾宋人,胁从而来,岂出得已,解缚而纵之。诸将皆服。

戊午,金尼楚赫破唐州,遂纵焚掠,城市一空。

辛酉,刑部尚书周武仲迁吏部尚书兼侍读,户部侍郎兼知扬州吕颐浩迁户部尚书,御史中丞王宾迁刑部尚书,仍兼侍讲。

时寇盗稍息,而执政大臣偷安朝夕,武仲请对,引《孟子》言:"国家闲暇,及时明其政刑,虽大国必畏之。今不乘时为无穷之计,何以善其后!愿诏二府条天下大事与取人才、纾民力、足国用、选将帅、强兵势、消盗贼之策,讲究而力行之。"又言:"今宿将无几,后来以武略称者,未见其人。请诏武臣郡守、路都监以上,各举可为将者。"

会议者言:"三省旧合为一,文书简径,事无留滞,乞循旧以宰相带同平章事。"诏侍从、台谏议。武仲曰:"今敌兵尚炽,军防兵政,所宜讨论者甚多,何暇讲求省并条例!莫若且依元丰官制元立吏额及行遣日限,庶无冗员滞事而得省并之实。"翰林学士朱胜非亦言:"唐制,仆射为尚书省长官,奉行两省诏令而已,今为相职。如复平章事,则三省规制与昔不同,左右丞以下官曹职守以至诸房体统纲目,皆合改易。典故散亡,未易寻绎。傥辅佐得人,官称异同,似非急务。矧今行朝事无巨细,皆三省、枢密院日再进呈,同禀处分,兵机国政,宰相实已平章矣。请俟休兵日议之。"

甲子,金人攻滑州。东京留守宗泽闻之,谓诸将曰:"滑,冲要必争之地,失之,则京城危矣。不欲再劳诸将,我当自行。"右武大夫、果州防御使张㧑曰:"愿效死。"泽大喜,即以锐卒五千授之。

丁卯,复延康殿学士为端明殿学士,述古殿直学士为枢密直学士,从旧制也。

己巳,张㧑至滑州,身率将士与金迎敌,众且十倍,诸将请少避其锋,㧑曰:"退而偷生,何面目见宗元帅!"鏖战数合,日暮,敌少却。泽遣统领官王宣以五千骑往援,未至,㧑再战,死之。后二日,宣至滑州,与金兵大战于北门,士卒争奋,敌出不意,退兵河上。宣曰:"敌必夜济。"收兵不追,半济而击之,斩首数百,所伤甚众。泽即命宣权知滑州,且令载㧑丧以归,为之服缌,厚加赙恤。仍请于上,赠㧑拱卫大夫、明州观察使,录其家四人。金自是不复图攻东京矣。

癸酉,尼楚赫破蔡州。

初,金人自唐州北归,守臣直秘阁阎孝忠闻之,先遣其家往西平,依土豪翟冲以避寇,而自聚军民守城。金围之数日,城陷于东南隅,居人自东奔者皆达,其馀皆死。知汝阳县丞郭赞,朝服骂敌,不肯降,敌执之,赞骂不绝口而死。金人遂焚掠城中而去。孝忠为所执,金人见貌陋而侏儒,不知为守臣,乃令荷担,孝忠乘间奔西陵。

甲戌,诏曰:"自来以内侍官一员兼钤辖教坊;朕方日极忧念,屏绝声乐,近缘内侍官失于检察,仍带前项,可减罢,更不差置。"

丙子,金人攻淮宁府。

知府事向子韶率众城守,谕士民曰:"汝等坟墓之国,去此何之!吾与汝当死守之。"时郡有东兵四千人,第三将岳景绶欲弃城率民走行在,子韶不从,景绶引兵迎敌而死。敌昼夜攻城,子韶亲擐甲胄,冒矢石,遣其弟子率赴东京留守宗泽乞援。兵未至,城破,子韶率众巷战,力屈,为所执。金帅坐城上,欲降之,酌酒于前,左右案令屈膝,子韶直立不动,戟手骂,遂杀之。其弟新知唐州子褒等，与阖门皆遇害，惟一子鸿得存。事闻，赠通议大夫，官其家六人，后谥忠毅。子韶，子諲兄也。

戊寅，责朝议大夫赵子崧单州团练副使、南雄州安置。

初，子崧与御营统制辛道宗有隙，道宗得子崧靖康末檄文上之，诏监察御史郑毂置狱京口，究治得情。帝震怒，然不欲暴其罪，乃坐子崧前弃镇江，责官安置。

庚辰，捧日天武四厢都指挥使、保大军承宣使、御营使司都统制王渊为向德节度使，以平杭贼功也。

初，武功大夫、和州防御使马扩聚兵西山，既为金所执，因之真定。右副元帅宗望义而赦之，欲授以官，扩辞不受，请给田以养其母。既而又言耕田不即得食，愿为酒肆以自活，宗望许之。时武翼大夫赵邦杰，聚忠义乡兵保庆源五马山寨，扩因此杂结往来之人，复与山寨通。辛巳，寒食节，扩伪随大众送丧，携亲属十三人奔山寨。先是皇弟信王榛既亡去，更称梁氏子，为人摘茶，扩等阴迎以归，遂奉榛总制诸山寨，两河遗民闻风响应，愿受旗榜者甚众。

壬午，诏募河南、北、淮南土人有民籍者为振华军，以六万人为额；即不足，听募两河流移之众，毋得过三分；皆于左鬓刺“某州振华”四字。

洛索既破同州，系桥以为归路，西下陕、华、陇、秦诸州。秦凤经略使李复生降，陕右大扰。

鄜延经略使王庶，檄召河南、北豪杰，共起义兵击敌，远近响应，旬日间，以公状自达姓名者，孟迪、种潜、张勉、张渐、白保、李进、李彦仙等，兵各以万数。胜捷卒张宗自称观察使，亦起兵于南山下。彦仙时为石壕尉，陕府既下，彦仙独不去。民知彦仙在，稍稍至，彦仙因以军法部勒之，于是月中破敌五十馀壁。

三月，辛卯，金人破中山府。

时城中粮绝，人皆羸困，不能执兵。城破，金见居人瘦瘠，叹而怜之，兵校千馀人皆不杀。中山自靖康末受围，至是三年乃破。

甲午，诏经筵读《资治通鉴》，以司马光配飨哲宗庙庭。

时帝初御经筵，侍讲王宾讲《论语》首篇，至“孝弟为仁之本”，因以二圣、母后为言，帝感动涕泣。侍读朱胜非尝奏：“陛下每称司马光，度圣意有‘恨不同时’之叹。陛下亦知光之所以得名者乎？盖神宗皇帝有以成就之也。熙宁间，王安石创行新法，光每事以为非是，神宗独优容，乃更迁擢。其居西洛也，时劳问不绝，书成，除资政殿学士，于是四方称美，遂以司马相公呼之。至元祐中，但举行当时之言耳。若方其争论新法之际，便行窜黜，谓之立异好胜，谓之沽誉买直，谓之非上所建立，谓之不能体国，谓之不遵禀处分，言章交攻，命令切责，亦不能成其美矣。”帝首肯者久之。

己亥，东京留守宗泽复上疏乞车驾还京。时泽招抚河南群盗及四方义士，合百馀万，粮支半年，故复有是请。帝遣中使赍诏抚谕。

庚子，河南统制官翟进复入西京。

先是金都统洛索兵至，既得秦州，陇右大震。熙河经略使张深，厉军民为城守计，遣兵马都监刘惟辅将三千人骑御之。自千秋溃归之馀，兵籍失八九，仅有惟辅一军可用。金前军逾巩州，距熙才百里，惟辅留军熟羊城，以千一百骑夜趋新店。金兵自入陕西，所过城邑辄下，未尝有迎敌者，故恃胜不虞。黎明，军进，短兵相接，杀伤大当。会惟辅舞矟刺其先锋将哈番

2313

堕马死,敌为夺气。惟辅,泾州人也。

深闻洛索退,更檄陇右都护张严往追之。时帝命御营左翼军统制韩世忠为京西等路捉杀盗贼,将所部及张遇军万人赴西京。金左副元帅宗翰闻张严东出,自河南西入关,迁西京之民于河北,尽焚西京而去。由是进得以其众自山寨复入西京。东京留守宗泽言于朝,即以进为閤门宣赞舍人、知河南府,充京西北路安抚制置使。

宗翰留宗弼屯河间府,左监军完颜希尹、右都监耶律伊都屯河南白马寺,以待世忠之至,且与进相持。既而张深以功升端明殿学士。

是月,石壕尉李彦仙复陕州。

初,彦仙既集兵,会金人用陕降者守陕,使招集散亡。彦仙阴纳士数百,至是乘虚趋陕南郭,夜,潜师自河薄东北陬,因所纳士以入。金兵败,弃陕去。

吏行文书,请州印章,彦仙曰:"吾以尉守此,第用吾印,吾敢佩太守印章邪!"事闻,即以彦仙知陕州兼安抚司事。

彦仙以信义治陕,不营豪发之私,与其下同甘苦,由是人多归之。邵兴在神稷山,闻彦仙得陕州,乃以其众来归,愿受节制。彦仙辟兴统领河北忠义军马,屯三门。

信王榛倡义举兵,遣使闻于朝。

夏,四月,甲寅朔,磁州统制官赵世隆以所部诣宗泽降。

世隆本磁州书佐,泽在磁,以为中军将。泽既去磁,以州事付兵马钤辖李侃。金人围磁州急,有禁兵,有民兵,民兵甚众,禁兵恐其势盛,将校郭进乃作乱。世隆与进谋,遂杀侃,以通判赵子节权州事。至是世隆与其弟世兴将三千人归泽,将士颇疑之,泽曰:"世隆吾一校耳,必无它,有所诉也。"

乙卯,世隆入拜,泽面诘之,世隆辞服。泽笑曰:"河北陷没,而吾宋法令上下之间亦陷没邪?"命引出斩之。时众兵露刃于庭,世兴佩刀侍侧,左右皆惧。泽徐语世兴曰:"汝兄犯法当诛,汝能奋志立功,足以雪耻。"世兴感泣。会滑州报金骑留屯城下,泽谓世兴曰:"试为吾取滑州。"世兴忻然受命。

丙辰,诏:"文臣从官至牧守,武臣管军至遥郡,各荐所知二人;置为二籍,一留禁中,一付三省、枢密院,遇监司、帅守、将官、钤辖有阙,于所举人内擢用之;犯赃连坐。罪废及法不当得之人,皆毋得举。"用议者请也。

戊午,赵世兴至滑州,掩敌不备,急攻之,斩首数百,得州以归。宗泽复厚赐之。

时有降寇赵海者,屯板桥,堑路以阻行者。管军间勒卒者八人过其垒,海怒而扃之,觇事者以告。泽召之,海以甲士五百自卫而入。泽方对客,海具伏,即械之系狱。客曰:"彼甲士甚众,姑徐之。"泽笑谓其次将曰:"领众还营。"明日,诛海于市。闻者股栗。

统制官杨进屯城南。王善者有众二千馀,皆山东游手之人,先进来降,屯城北。二人气不相下,一日,各率所部千馀,相拒于天津桥,都人颇恐。泽以片纸谕之曰:"为国之心,固如是邪? 当战陈立功时,胜负自见。"二人相视,惭沮而退。

时故辽旧部人日有归中国者,间有捕获。宗泽选契丹汉儿引坐侧,推诚与语,谕以期奋忠义,共灭金人以刷君父之耻,即给资粮遣之。且赐以公凭,俟官军渡河以为信验,人令持数百本去。又为榜文,散示陷没州县;及为公据付中国被掠在北之人。因驿疏以闻。

庚申,帝谕大臣曰:"故事,端午罢讲筵,至中秋开。朕方孜孜讲史,若经筵暂辍,则有疑无质,徒费日力,朕欲勿罢,可乎?"大臣皆称善。乃诏勿罢。

时帝在宫中,内侍有言:"讲读官某人,敷陈甚善,臣今拟奖谕诏书以进。"帝曰:"此当出自朕意。若降诏书,自有学士,尔等小臣,岂宜如此!是后不许妄言!"

乙丑,帝谕辅臣曰:"朕每〔退〕朝,押班以下奏事,亦正衣冠,再坐而听,未尝与之款昵。又性不喜与妇人久处,多坐殿旁小邠,笔砚外不设长物,静思军国大事,或阅疏章。宫人有来奏事者,亦出邠子处分毕而后入,每日如是。"帝恭己勤政如此。

丙寅,京西北路制置使翟进袭金人于河南,败绩。

时御营左翼统制官韩世忠至西京,会进及大名府路都总管司统领官孟世宁、京城都巡检使丁进与金战。进夜袭右监军完颜希尹营,金兵先知,反为所败。进又导世忠与金战于文家寺,会丁进失期,而统领官、邠门宣赞舍人陈思恭以后军先退,金乘胜追击,至永安后洞,世忠被矢如棘,其将张遇以所部救之,乃力战得免。思恭,执中曾孙也。世忠还东京,诘先退者,一军皆斩左右趾以徇。于是世忠与丁进不和,军士相击无虚日。世忠虑有变,遂收馀兵数千人南归,希尹复入西京。

时陇右都护张严追洛索及凤翔境上,严锐意击敌,而熙河兵马都监刘惟辅不欲听严节制,乃自别道由吴山出宝鸡。严拥大兵,及金人于五里坡,洛索知之,伏兵坡下。严与泾原统制官曲端期而不至,径前遇伏,战不利,严死之,惟辅自石鼻寨遁归。

先是端治兵泾原,招流民溃卒,所过人供粮秣,道不拾遗。至是端屯军麻务镇,闻严死,金游骑攻泾原,遣第十三副将、秉义郎吴玠据清谿岭逆拒之。将战,其牙兵三百馀人皆溃,玠率馀兵奋击,大破之,金兵乃去。端,镇戎人;玠,陇干人也。

左副元帅宗翰闻严死,自平陆渡河归云中。左监军完颜希尹、右都监耶律伊都闻宗翰渡河,亦弃西京去,留万户察罕玛勒戍河阳。

言者论:"近日帅守之弃城者,习以成风。如邓雍之于荆南,何志同之于颍昌,赵子崧之于镇江,皆拥兵先遁,今则安居薄责而未正其罪。如康允之〔之〕于寿春,陈彦文之于九江,以数千之疲旅,捍十万之强寇,而允之止迁一职,彦文才复旧官,议者惑焉。愿诏有司,条具靖康以来,凡弃城逃遁者某人,保城力守者某人,书其功罪,著其赏罚,庶几守土之臣有以劝惩。"诏诸路监司,限半月条具以闻。

金人攻洺州。

初,防御使士珤既引兵入城,金围之甚密,栽鹿角,治濠堑,欲以持久困之,军民终不降。至是金侵京西、陕右,河朔内虚,守者稍息。众以粮尽不可守,乃拥士珤自白家滩往大名府,金人遂入城。自靖康后,两河州郡,外无救援,内绝粮储,悉为金所取,惟中山、庆源、保、莫、祁、洺、冀、磁相持,久而始破。

戊辰,工部侍郎兼侍讲杨时,以老疾求去,章四上,既而除龙图阁直学士、提举杭州洞霄宫。

甲戌,徽猷阁待制、知濠州连南夫,"请令诸路州县于近城十里内,开凿陂湖以备灌溉,使春夏秋三时尝有水泽,则良民有丰年之望,敌骑有还泞之苦;方冬水涸,即令耕犁硗确,则敌骑又有历块之患。其自来不系种稻地分,即乞令依仿雄州,开凿塘泺,亦有菱芡莲藕鱼虾之利,可以及民。仍免一年租赋,以为人工之费"。诏诸州相度。后不行。

初,鸿胪寺丞赵子砥从北迁至燕山,久之,欲遁归,乃结归朝官忠翊郎朱宝国、承信郎王孝安至中京,得上皇宸翰。是日,子砥发燕山。

以皇弟检校太傅庆阳、昭化军节度使信王榛为河外兵马都元帅。

初,马扩自五马山以麾下五百人渡河,至东京见宗泽,至是始赴行在,从者不满百人。扩既见,出榛奏事。黄潜善等皆疑非真,帝识其字,即有是命。扩迁拱卫大夫、利州观察使、枢密副都承旨、元帅府马步军都总管。扩将行,上奏,略曰:"臣疏远小人,陛下断以不疑,付以阃外之事。愿鉴前世之成败,明当世之嫌疑,俾臣得效愚,毕意攻取。今王师大举,机会神速,军期文字,不可少缓。若依常制下都堂等处,然后以达天听,则事涉疑似;或欲规避者,定逶巡藏匿,不以进呈。望令专置一司,不限昼夜,画时通进。"又言:"自唐以来,用中贵人监军,夺权掣肘,每致败事。伏望圣断,罢差中贵监军及选给器械。"凡四事,帝皆从之,又许扩过河,得便宜从事。时潜善与汪伯彦终以为疑,乃以乌合之兵付扩,且密授朝旨,使讥察之,扩行,复令听诸路帅臣节制。扩知事变,遂以其军屯于大名。

五月,甲申朔,宗泽再上表请乞还京。会尚书右丞许景衡建请渡江,宰相黄潜善持不可。时既得信王榛奏,或有言榛有渡河入京城之谋,乙酉,下诏还京。遂罢景衡为资政殿学士、提举杭州洞霄宫。景衡之执政也,凡有大政事,必请间极论榻前。黄潜善、汪伯彦恶其异己,每排抑之。至是因下诏还京而有此命。

丙戌,诏:"后举科场,讲元祐诗赋、经术兼收之制。"中书省请"习诗赋举人不兼经义,习经义人止习一经,解试、省试,并计数各取,通定高下。"礼部侍郎王绹请前降举人兼习律义、《孙子》义等指挥勿行,从之。自绍圣后,举人不习词赋者近四十年。绹在后省,尝为帝言:"经义当用古注,不专取王氏说。"帝以为然。至是申明行下。

秘书省正字冯楫献书于黄潜善曰:"伏睹昨晚出黄榜诏,欲择日还阙,东来从卫官吏士,无不欣喜,西北尤以近乡,倍极踊跃。以楫计之,阙未可还。万一驾到东京,而金人秋后再来,不知吾兵何以当之?吾兵或不可当而复为避地计,今蔡、汴两河已渐湮塞,其或被其断绝水道,虽避地亦不能,此不得不虑也。假如今日,驻跸维扬为得策,倘主上坚欲以马上治之,不许迁徙,但当留兵将及宰执中谙练边事运筹帷幄之人,从驾居此,专务讲武,以为战守之备。其馀宗庙、百官,尽令过江,于建康置司。至于财用百物,除留赡军费用外,亦尽藏之建康府库,庶几缓急遇敌,可战则战,可守则守,度不可战守,而欲动则动,亦易行而无牵制之累。"楫,遂宁人也。

戊子,翰林学士朱胜非守尚书右丞。

辛卯,陕西、京东诸路及东京、北京留守并奏金人分道渡河,诏遣御营左军统制韩世忠、主管侍卫步军司公事闾勍率所部迎敌,命宗泽遣本司统制官杨进等援之。

先是泽闻河北都统制王彦聚兵太行山,即以彦为武功大夫、忠州防御使,制置两河军事。彦所部勇士万数,以其面刺八字,故号"八字军"。彦方缮甲治兵,约日大举,欲趋太原。泽亦与诸将议六月起师,且结诸路山水寨民兵约日进发,上奏曰:"臣自留守京师,夙夜匪懈,经画军旅。近据诸路探报,敌势穷蹙,可以进兵。臣欲乘此暑月,遣王彦等自滑州渡河,取怀、卫、浚、相等处,遣王再兴等自郑州直护西京陵寝,遣马(横)〔扩〕等自大洺、赵、真定,杨进、王善、丁进、李贵等诸头领各以所领兵分路并进。既过河,则山寨忠义之民相应者不啻百万,契丹汉儿亦必同心抵御金人。事才有绪,臣乞朝廷遣使声言立契丹天祚之后,讲寻旧好。且兴灭继绝,是王政所先,以归天下心也;况使金人骇闻,自相携贰邪?仍乞遣知几博辩之士,西使夏,东使高丽,喻以祸福。两国素蒙我宋厚恩,必出助兵,同加扫荡。若然,则二圣有回銮之期,两河可以安帖,陛下中兴之功,远过周宣之世矣。愿陛下早降回銮之诏,以系天下之心。臣当躬冒矢石,为诸将先。"疏入,黄潜善等忌泽成功,从中沮之。泽叹曰:"吾志不得伸矣!"因忧郁成疾。

泽尹京畿,岁修城池,治楼橹,不扰而办,屡出师以挫敌锋。其抗疏请帝还京,凡二十馀上,言极切至。潜善与汪伯彦等虽嫉之深,竟不能易其任。

甲午,曲赦河北、陕西、京东诸路。

初,陕西制置使钱盖闻金人破长安,檄集英殿修撰、鄜延经略王庶,兼节制环庆、泾原兵拒敌。既而义兵大起,金人东还,庶以金人重载,可尾袭取胜,移文两路,各大举协力更战。而环庆经略使王似,泾原经略使席贡,自以先进望高,不欲受其节度,遂具文以报,而实不出兵。

金游骑上清谿,既为泾原裨将吴玠所扼,至咸阳,望渭河南义兵满野,不得渡,遂循渭而东。其右军入鄜延,攻康定,围龙坊,庶急遣将断河桥,又令将官刘延亮屯神水峡,断其归路,金人遂去。于是洛索盘礴于冯翊、河中,扼新河桥以通往来,人情大恐。

泾原统制官曲端,乘敌退,复下秦州,而凤翔、长安皆为义兵收复。会经制司统领官刘希亮自凤翔归端,端斩之。端雅不欲属庶,及闻孟迪、李彦仙等受事鄜延,皆不乐,遂揭榜称金人已过河归国,农务不可失时,乃尽散渭河以南义兵。庶不敛兵保险,犹以书约似、贡,欲逼金人渡河,至于再三。似不应,贡许出兵四万,亦迁延不行。

时鄜延人以秋深必被兵,多避地者,道出环庆,吏兵民皆恶其惊徙,所在掠其财而杀之,闾里萧条矣。

乙未,诏:"苏轼追复端明殿学士,尽还合得恩数。"时轼孙司农寺丞符,以轼政和中复职未尽,诉于朝,乃有是命。

戊戌,河北制置使王彦,以八字军渡河。

时宗泽以彦孤军无援,不可独进,乃以书延彦计事。彦遂合诸寨兵万馀人,以是日济河。后五日,彦至京师。泽大喜,谕以京师国家根本,宜宿兵近甸,遂命其军屯滑州之沙店。

壬寅,中书侍郎兼御营副使、提举措置户部财用张悫卒。

悫立朝谔谔,无所顾避。时黄潜善当国,专务雍蔽,自汪伯彦而下,皆不敢少忤其意。惟悫事必力争,虽言不行而不少屈。秉政未逾岁遽殁,士民皆痛惜之。帝以悫河朔人,无家可归,常赐外赐田十顷,第一区。后谥忠穆。

癸卯,通问使王伦始渡河,遂与其副朱弁至云中,见左副元帅宗翰计事,金留不遣。时进武校尉朱勋从弁行,宗翰赐以所掠内人,勋阳受之,逃去。宗翰怒,追而杀之。

甲辰,洛索破绛州,权知州事赵某率军民巷战,凡六日。

乙巳,资政殿学士、提举杭州洞霄宫许景衡卒。

景衡罢政而归,至瓜洲,得暍疾,及京口,疾甚,端坐自语曰:"陛下宜近端人正士,以二圣、苍生为念。"遂逝,年五十七。后谥忠简。

庚戌,增天下役钱以为新法弓手之费。

初,汪伯彦既建请,乃以免役宽剩、厢禁军阙额、裁减曹掾等钱供其庸直。至是所增遍于东南诸路,遂诏不受庸者人给田三十亩,马军增三之一。议者恐费不给,乃请官户役钱勿复

2317

减半,而民役钱概增三分,从之,故有是诏。

诏:"自今见任官有涉疑异志者,如径行杀戮,事虽有实,亦坐擅杀官吏之罪。即妄杀平人以为奸细者,从军法。"自军兴,所在奸民杀官吏、害良善者甚众,朝廷恐其生事,至是下诏条约之。

【译文】

宋纪一百一　起戊申年(公元1128年)正月,止五月,共五月。

建炎二年　金天会六年(公元1128年)

春季,正月,丙戌朔(初一),高宗皇帝巡幸在扬州。

丁亥(初二),皇帝下诏,收录两河一带流亡的吏士。又在沿黄河岸边分给官田耕牛种子,使流民安居下来。

戊子(初三),金国万户尼楚赫领兵攻打邓州。

当初,观文殿学士、京西南路安抚使范致虚收受命令后,正好碰到河东制置使赵宗印率兵从商山出武关,本想赶到临安,跟范致虚在方城会合,因而率领他的军队一同到了邓州。

当范致虚还没到的时候,转运副使、右文殿修撰刘汲代理邓州守备事务。刘汲刚上任时,就把家属送回故乡,专心练兵做攻战和防守的准备。到了金兵将要入境时,邓州的兵力不满万人。范致虚听见风声就急忙逃跑了。皇帝下诏提升刘汲为京西南路安抚使。他对部下将领说:"国家供养你们很久,不奋力战斗,无法报答,况且我不会让你们独自去死的。"士卒都很振奋。刘汲招募敢于献身的勇士,得到四百多人;于是就派兵马都监戚鼎带着三千兵马出东门迎敌,靳仪带着八百兵马出南门,赵宗印带三千兵马出西门以牵制敌人。刘汲带领护卫兵四百人登上城墙上的小墙瞭望,看到赵宗印败退逃跑了,就来到戚鼎军中,指挥众军士以等待敌人的到来,士卒争先恐后,冒死战斗,敌人被打退。不久,靳仪也战败了,敌人用两路兵力来夹击他,箭像下雨一般。刘汲军中部下请求他赶快离开,刘汲说:"让敌人知道安抚使在此乐以为国捐躯。"敌军大队人马到了,刘汲战死。赵宗印率领军队和百姓从房陵跑到了襄阳。朝廷听到此事,追赠刘汲为大中大夫,以后谥号忠介。

这天,金陕西诸路都统洛索,带兵包围了长安。

在这以前,河东经制副使傅亮从陕府回冯翊,正好唐重被授予永兴帅,因而跟傅亮一起西去。城中的兵力只有千人,唐重全部兵力都交给了傅亮,据城固守,金又增兵攻打。

己丑(初四),直秘阁谢昒提点京西北路兼南路刑狱公事,专门负责总领招抚和捉拿盗贼。

起先是有人撰写一篇《劝勇文》,张贴在关羽庙中,文中议论到敌兵如果有以下五种事态情况之一的,都容易击杀:"连年征战,士卒辛苦,容易击杀;马倒下便起不来,容易击杀;深入重要险地,力量孤弱,容易击杀;行军多带金银财宝,容易击杀;故意虚张声势吓人,容易击杀。各自应当齐心协力,共同保卫今年平安。"谢昒得到此文,奏禀给朝廷,皇帝下诏,让兵部刻板印刷,散发示知诸路。

辛卯(初六),皇帝下诏:"从今以后,武臣没有达到武功大夫的封爵,不能授官到远方的州郡,即使是属于军功、特旨,也不能施行。"

户部侍郎兼知扬州吕颐浩转奏对策,论及"官军所到之处,争相夺取金银布帛的罪过还算小,劫掠妇女的祸害最深。希望皇上申明旨意,晓谕将帅,从今以后,如有违犯,必定处罚,不予宽赦。昨日镇江城中妇女还有在军中的,恳求赶快下命令放归"。皇帝下诏,付给诸将。

壬辰(初七),金兵进犯东京,到了白沙镇,留守宗泽派兵击退了他们。

当初,金国因为知道滑州王宣善于征战,不敢偷视滑州边境,于是派兵从郑州抵达白沙镇,距离京城只有几十里,京都里人们很害怕。宗泽此时正和客人下棋,属下请求商议守御的对策,宗泽没有反应。诸将退出,部署队伍,撤掉吊桥,披挂甲胄,登上城墙,京都里的人们更加害怕。宗泽听说此事,命令诸将解去武装回归营寨,并且说:"什么事这样慌张!"这时统制官刘衍、刘达率领战车二百辆在郑州、滑州之间,宗泽增选精锐将士数千人协助他们。下令全城张灯,一如平时,百姓才安定下来。

甲午(初九),迁移在扬州的皇室宗族到泰州、高邮军。命秘阁修撰赵令懬知西外宗正事,主管泰州皇族子弟;洺州防御使赵士从添差同知西外宗正事,主管高邮军皇族子弟。赵令懬,是燕懿王的玄孙。

刑部尚书兼侍读周武仲上书说:"前朝获罪的党人,现在既然已恢复了官爵,应当一并还给他们恩赐的礼数。"皇帝采纳了。于是下诏:"关系到名籍和上书人,让他们的家人自己陈述,应当赠谥碑刻匾额,他们退休、遗表等恩泽,都发还给他们。"

这天,金书武胜军节度判官厅公事、暂代邓州李操叛变,向金国投降。

当初,刘汲已死,金国得到穰县小吏格某,让他进城宣布招降的手谕说:"尼楚赫大王的兵力十万人,今天已时攻城,如果城被攻破,连鸡犬也不留下;只有赶快投降,才可以免除大祸。"有个姓赵的士曹参军,想投降金兵,李操认为不可以这样做,说:"应当以死来殉节。"姓赵的说:"哪个不懂得以死尽节叫作忠,但是死了有何益处,怎能保全全城人的生命呢!"李操答应了,于是一起去城外会见尼楚赫,尼折箭发誓,于是金兵入城。

乙未(初十),皇帝下诏:"从今犯法违法的人,自盗栽赃害人的人,命令中书省记录姓名,犯罪流放的,永远不叙用;按察官对于举报、弹劾失职的,一并取得圣旨批准处罚罪责,不因罢官而免除罪责。"当时评议时事的认为崇宁、大观时期以来,贪官污吏很多,他们祸害百姓比盗贼还厉害。所以订了这一条来加以约束。

丙申(十一日),金国尼楚赫攻下了均州,守臣杨彦明逃跑,添差武当县丞任雄翔献城城投降。

丁酉(十二日),金兵攻破房州。

戊戌(十三日),洛索攻破了长安,守臣天章阁直学士、京兆府路经略使唐重战死。

当初,金兵在河中一带,唐重向皇帝上奏说明情况,并且请求五路兵马自行节制,但没有答复。马步军副总管、贵州刺史杨宗闵曾替唐重出主意说:"现在河东诸州,都不是我们所占有,敌人离这里仅一水之隔,况且本路兵力薄弱,应当赶紧修缮城墙壕堑,做防守抵御的打算,以等待外来援兵,除此没有别的办法。"唐重认为陕西百姓骄横,不想扰民而停止未办。到了金兵攻入境内,唐重不知怎么办,写信给转运使李詹孺说:"我唐重一生忠义,不敢推却战败身死的祸难。当初的想法是迎接皇帝车驾进关,居于高屋建瓴之势,或者可以临视东方。现在皇帝车驾已到了南方去了,关陕又没有重兵,即使竭尽才智,又怎么能取得胜利呢!我用一死来报答皇上不足为惜。"

等到洛索围城已满十天,外援仍然未到,这时前河东路经制副使傅亮带领精锐士卒数百

2319

人抢夺城门向金军投降。这时恰逢大地震,金兵乘势而入,于是城被攻破。唐重当时还剩下一些亲兵,跟敌人继续战斗。诸将搀扶着唐重让他离开,唐重说:"战死,是我的天职。"仍战斗不停。军众败逃,唐重被流矢射中,死去。陕西转运副使、直秘阁桑景询、判官曾谓、提刑郭忠孝、主管机宜文字王尚友和他的儿子王建中与杨宗闵也都同时战死。提举军马、荣州团练使陈迪,还带着余下的士卒进行巷战,吐血向士卒发誓,敌军大批攻入,陈迪战死。朝廷闻知此事,赠唐重资政殿学士,谥号恭愍,杨宗闵为贵州防御史,其他战死者赠官加恩不等。郭忠孝曾以师礼事奉程颐,有人劝他说:"监司外出巡察,可以避免灾祸。"忠孝不同意,于是遇害。

己亥(十四日),秘阁修撰、河南尹、京西北路安抚制置使孙昭远被叛兵杀害。

当初,金兵攻打西京,孙昭远率部下南去,走到陈、蔡之间,溃兵四处可见,孙昭远还想安抚收集他们,可是部下力量孤单薄弱,于是他的部下想拥推走开,孙昭远骂他们说:"你辈是衣食百姓的县官,不在这时报国,往南去做什么!"叛兵发怒,殴击孙昭远,因而死去。朝廷闻知此事,赠孙昭远为徽猷阁待制,后赠封谥号为忠愍。

庚子(十五日),主客员外郎谢亮为陕西抚谕使,拿着皇帝诏书赐予西夏国主乾顺,从事郎何洋为太学博士,一同前往。

金军派小股骑兵至京城下,宗泽表示出没有防备的样子,金兵疑虑,不敢进入。这天,统制官刘衍和金兵在板桥遭遇,击败了金兵;追击到滑州,又打败了金兵。金人领兵退去。

这天,张遇攻陷了镇江府。

当初,张遇从黄州带兵东下,于是进犯江宁,江淮制置使刘光世追击他,张遇就用数百条船横渡长江向南下,打算进犯京口。不久又回师停泊在真州,士民都溃散。将作监主簿马元颖妻荣氏被贼人掠得,荣氏厉声骂贼,被贼人杀害。荣氏,是荣薿的妹妹。第二天,张遇从真州攻陷镇江,守臣钱伯言弃城逃跑。

辛丑(十六日),入内内侍省押班邵成章,除去名籍,送往南雄州,由地方官加以管束。

当时金兵攻打掠夺陕西、京东诸郡,同时群盗又在山东兴起,黄潜善、汪伯彦都隐瞒不上奏。到了张遇放火烧真州,离皇帝临时驻地只有六十里,皇帝也不知道。邵成章上疏,分条列具黄潜善、汪伯彦的罪行,并申明黄潜善使他闻之。皇帝怒,下诏责邵成章不守本职,妄议大臣,所以才有这个诏命。

右文殿修撰邓绍密,仍旧知兴仁府。

当初,济南府缺少一位知府事,而新任命的知府事张悦迟迟不去上任;于是就任命邓绍密知济南府。到这时邓绍密留在兴仁,改命中奉大夫刘豫为济南知府事。

刘豫,阜城人,世代务农,到了刘豫,刘家开始有人考中进士,官做到殿中侍御史、河北西路提刑,以后辞官离去,在真州躲避战乱。靖康末年,降去职务,退休。又经皇帝召回,因道路梗阻不便,不能赴任。到了这时,中书侍郎张悫和刘豫在河北有过同事的旧交,张悫极力向朝廷举荐,授予刘豫知济南府事的官职。这时,山东盗贼兴起,刘豫打算改换到长江以南某一郡任职,可是朝中掌握政权的讨厌他要求次数频繁,都拒绝了,刘豫心中怏怏不快地离去。

这天,金兵攻破郑州,通判州事、直秘阁赵伯振率兵与金兵进行巷战,被流矢射中,从马上掉下来,金兵剖开他腹部,杀害了他。后来朝廷追赠他为朝请大夫,并对他的两个儿子也赐予了官爵。

癸卯（十八日），金兵攻破潍州。

当时，金兵右副元帅宗辅率领军队攻打山东，可是京东没有统帅，士大夫也都到其他地方躲起来。朝议大夫周中，世代居住在潍州，独自不肯离去，带领着家人依靠着城墙抗拒防守。周中的弟弟周辛，家产最富，他把全部家产财物都拿出慰劳战士。潍州被敌人攻破后，周中满门百口人都死了，守臣韩浩也遭害。韩浩，是韩琦的孙子。

宗辅又攻破了青州，知临淄县、承议郎陆有常率民兵拒守，死在阵地上，知益都县张侃、知千乘县丞丁兴宗也都战死。以后朝廷追赠陆有常为朝散郎，录用了他家的三个人。朝廷也追赠了张侃、丁兴宗二人的官衔，让他们的一个儿子为官。

宗弼到了千乘县，市民率领当地军人、射士、保甲和滨州溃散兵葛进等人共同打败了宗弼，金兵放弃青州、潍州离去。

洛索自长安分派兵力攻打延安府，正好鄜延经略使王庶在鄜州寓所。于是金兵攻破延安府东城，代理知府刘选率领军队百姓，依西城防守。

甲辰（十九日），直秘阁、知寿春府康允之奏报丁进解围之事。皇帝对辅臣说："这是郡守得人才的效果。你等六人，应当广泛询招人才，如果每人得两位人才，那么诸郡便会有十多个称职的守臣。然而须要参酌商议，不可以徇私情。"张悫说："崔祐甫曾说'非亲非旧，安敢与官！'现在应当问问所授的官是否恰当罢了。"不久，迁升康允之直龙图阁。

当时丁进已接受阁门宣赞舍人、京城外巡的任命，于是带领部下驻扎在京城，去参拜留守宗泽。将士惑疑他不是真心，主管侍卫步军司公事吕勍等人要求派甲士暗加保卫，宗泽说："正应该敞开心胸来对待他，即使是木石，也可以使他感动，何况是人呢！"到了丁进来了，宗泽慰劳很是周到，对待他像多年部下一样，丁进等人十分感动佩服。第二天，丁进心中更加感动敬畏。以后他的手下人有想谋乱的，丁进自己擒拿杀掉他们。

当初，丁进已受招安，他们中被刺配的良民，有回到故乡的，康允之请求把刺配过的人补充到诸军缺额中去，皇帝同意了。

当初，大臣中有人推荐泸州草泽之人名叫彭知一的，有康复济人的韬略，隐居凤翔，得到圣旨，令他从水路出发到皇帝驻地。已入朝，就用他所烧制的金子和药术作为向皇帝的献礼，乙巳（二十一日），帝写札子交付三省说："朕不忍烧制假东西而贻误后人，可以让他回去，毁掉他的烧金工具。"

丁未（二十二日），皇帝下诏晓谕流民、溃兵中做过盗贼的，释免他们的罪过。

北京留守兼河北东路制置杜充奏禀磁州、洺州解围，下诏尚书省张榜晓谕天下。不久派右监门卫大将军、贵州团练使、权代知洺州赵士琋为洺州防御使。

东京留守宗泽又奉表请皇帝返回京师。宗泽到这时，已经上过十二次奏表了。

辛亥（二十六日），皇帝下诏说："近来因为臣下僚属议论列举，请求将崇宁以来无善状之人编在一本册籍，已降旨指挥，候谏官、御史具文到，让三省、枢密院斟酌实行。考虑到才能和德行，难以兼全，犯过一次过错，不可废弃终身不用，应当宽宏大度，使他们都能弃旧图新。除掉斟酌到罪恶深重不可以再用的人以外，都可以量才任用；如果有显著成绩，可以弥补以前行为的过失的，应该以事实陈奏，特别给予洗刷名誉，仍旧允许擢升迁任。"

这天，两浙制置使王渊，招降了叛贼张遇。

2321

张遇从金山寺进驻扬子桥,兵众号称两万人。正好王渊回皇帝驻处,自己带领几百骑兵进入张遇的营寨招降他。张遇看到王渊器械精良明亮,惶恐迎拜。王渊说:"汝等全靠我来晚了一些,所以才得投降的机会。不然的话,你们就不能留下一个了。"王渊奏禀皇帝,以张遇为阁门宣赞舍人。真州守臣钱伯言才能够返回府中。

张遇仍然放纵叛兵,到处劫掠,跟从他的人都很害怕。户部侍郎兼知扬州吕颐浩,带御器械、御营使司前军统制韩世忠,联合率领骑兵,来到他的营垒,告知他叛逆和归顺的祸福后果,并将主谋刘彦捕获,凌迟在扬子桥,捆绑小校二十九人,送给王渊杀掉,其余部下害怕而放下了武器,得到他的兵力有一万人,隶属韩世忠管辖。

壬子(二十七日),金兵放火烧了邓州。

当初,皇帝已用李纲的主意经营南阳,于是截留了四川轻资纲及敛聚粮草很多,邓州城破,都被金兵占有。金又需要各种工匠、伎艺和民间金币,依照彻底搜刮京城的办法,共二十天,才掠尽了。到这时将要退兵,派人晓谕城中富户,命令他们献上犀角、象牙、金银等物,以感谢不杀之恩。城中人已经出来了,尼楚赫告诉他们说:"大金国欲留下大军十万屯驻在邓州,你们应当供应粮草。"大家说:"邓州多水,不是屯驻军队的地方。"尼楚赫又说:"你们既然投降了,那就是大金国的百姓了,现在我们带兵走了,以后有了其他贼盗。怎么办?"大家不能回答。尼楚赫传令尽全城北迁,士大夫允许调任,僧道归于寺庙道观,做生意的让他住在市里,农民给田地让其耕作。城中人听说,都大声恸哭。不一会,金兵四处放火,把城中人全部驱赶到大寨中,四天后,推拥着城中人走了。

这个月,太学录万俟卨为枢密院编修官。万俟卨,是阳武人。

金兵攻破颍昌府,守臣孙默被杀害。

当初,刘汲未死时,征召承事郎裴祖德暂代通判府事。祖德这时因母丧丁忧,孙默上奏,在其守丧未满时征召起用。正好金兵南侵,孙默请求退兵保守郾城。不久,巡检赵俊密报裴祖德,金兵不来,祖德以携带家眷为借口,欺骗孙默暂时回归阳翟,同时谎报留守司,说孙默跑了,孙默大怒,向朝廷弹劾,没有答复。不久,金兵再次侵犯颍昌,孙默死,宗泽于是给予裴祖德直秘阁、知颍昌府。

洛索既攻占长安,就一鼓作气向西进军,进攻凤翔府,于是陇右大为震动。

夏国人密探知关陕地区没有防御准备,于是让宥州监军司传檄文到延安府,自称:"大金以鄜延割让隶属本国,必须按理索取;如果敢于违反拒绝,定当发兵讨伐诛杀。"鄜延经略使王庶,口述檄文回答说:"你们贪利的人,哪国没有,你们没有想到夏国是自蹈覆辙!近来听说金人想从泾原直捣兴、灵,我们正痛切地替你们寒心,不料想你们还想乘别人之急!我们幕府尽管士卒较少,力量单薄,然而他们都是纪律严明之师,左右应付,还能一战。你们如果能办到,何必多言!"檄文径直送往兴中府,遂又派谍报离间主事大臣李遇,因此,夏人竟不敢出兵。

二月,乙卯朔(初一),负责进言的官员,请求将君臣入朝问对时,所奏报自己所得的情况,除了机密以外,关系到治体的记录一律交付史官,皇帝同意了。

丙辰(初二),金兵再次侵犯东京,宗泽派统制官李景良、阎中立,统领官郭俊民等领兵万余人前往滑州、郑州。同金兵遭遇,展开一场大战,被金兵所败,阎中立战死,郭俊民降金,李景良因无战功而逃,宗泽把他捕捉回来,对他说:"胜负是兵家的常事,不打胜仗回来,罪过还可以宽恕,私自逃跑,是眼中没有主将。"立即把他斩杀了。不久,金人让郭俊民拿着金国主的书信,来向宗泽招降;郭俊民和金国将领史某及燕人何祖仲直抵八角镇,都巡检使丁进同他们遭遇,活捉了郭俊民。宗泽对郭俊民说:"你在战争中失败而死,还可成为一个忠义鬼。如今竟替金人游说,有什么脸面见人呢!"于是揪住他的头发推出斩了。又对史某说:"皇帝屯驻大军在近郊,我为留守,我们只有死守罢了,你们为什么不以死来同我战斗,却反而用儿女之言来胁迫我呢!"又把他杀了。又说何祖仲本来是我们大宋国的人,被胁迫而来,并非是他自己的本意,松绑把他放了。诸将都很佩服。

戊午(初四),金国尼楚赫攻破了唐州,于是放火掠夺,成了一座空城。

辛酉(初七),刑部尚书周武仲迁任吏部尚书兼侍读,户部侍郎兼知扬州吕颐浩升任户部尚书,御史中丞王宾迁升刑部尚书,仍兼任侍讲。

当时寇盗稍稍平息,可是执政大臣苟且偷安,只顾眼前;周武仲请求皇帝让他陈述对策,他引用《孟子》中的话:"国家闲暇,及时明其政刑,虽大国必畏之。""今不乘时机为长远的打算,怎么会有好的结果!请诏令二府条陈天下大事与选取人才、宽裕民力、充实国用、选拔将帅、增强兵力、消灭盗贼的对策,细细探究而努力实行。"又说:"现今老将没有几个了,以武略著称的后来者,也未见其人。请诏令武臣郡守、路都监以上者,各举可为将者。"

参与议论的人说:"三省旧时合并为一,文书简单直接,许多大事,没有留滞现象,请求依照旧例以宰相带管同平章事。"下诏让侍从、台谏商议。周武仲说:"现在敌兵势力还很盛,军防兵政,所有应当讨论的事很多,哪有闲暇时间研究三省合并条例!不如暂且依照元丰时期的官制所订立的官吏名额及公文流转的时限,这样可以做到没有多余无事的官员阻滞大事,而获得三省合并的实效。"翰林学士朱胜非也说:"唐代体制,仆射是尚书省长官,执行两省诏令罢了;现在则是宰相的责任。如果恢复平章事,那么三省的规制与过去不同,左右丞以下官曹职守,以至诸房体统纲目,都要合在一起更改。典章掌故,散失很多,不容易寻找连接。假如辅佐是最适合的有能力的人,官称的同与不同,似乎不是急迫的事。况且现在朝中事情大小,都是三省、枢密院隔一天进呈共同秉承皇上旨意处理,军事机要,国家大政,宰相实际上也已经是平章了。请到息兵之日再商量办理这件事。"

甲子(初十),金兵进攻滑州。东京留守宗泽听到这个消息,对诸将说:"滑州,是兵家必争之军事要地,失掉它,京城就危险了。不想再烦劳诸将,我将亲自带兵前往。"右武大夫、果州防御史张㧑说:"我愿以死报效。"宗泽大喜,当即以精兵五千人交给他。

丁卯(十三日),恢复延康殿学士为端明殿学士,述古殿直学士为枢密直学士,这是遵从旧制的缘故。

己巳(十五日),张㧑至滑州,亲率将士迎战金兵,敌众有其十倍之多,诸将请求暂避开敌人的锋锐,张㧑说:"退却偷生,有什么脸面见宗元帅呢!"鏖战几个回合,天黑了,敌人稍退。宗泽派统领官王宣以五千骑兵前往增援,还未到达时,张㧑又与敌人战斗,最后战死。过了两天,王宣到了滑州,跟金兵在北门展开大战,士卒争相奋力杀敌,出于敌人意料以外,敌人退兵到黄河的上游。王宣说:"敌人一定在夜间过河。"收兵不去追赶,等到敌人夜间过河,在过到一半时,突然对敌发动进攻,斩敌人首级数百,打伤的很多。宗泽命王宣暂知滑州,并且让装运张㧑遗体回来,并替他穿孝服,厚加赙恤。并向皇上请求,追赠张㧑为拱卫大夫、明州观察使,录用他的四位家人为官。金国从此以后,不再图谋攻打东京了。

癸酉(十九日),尼楚赫攻破蔡州。

当初,金兵从唐州北归,守臣直秘阁阎孝忠听到后,先将家眷送往西平,依靠土豪翟冲以躲避敌寇,自己聚集军民守城。金兵包围几天,城东南角被攻陷,居民从东跑的逃脱了,其余都被敌人杀死。知汝阳县丞郭赞,穿上朝服大骂敌人,不肯投降,敌人抓住他,郭赞仍然骂不绝口而死。金兵于是焚烧抢掠城中财物退去。阎孝忠被敌捉住,金人见他相貌丑陋并身体很矮,不知道他是守臣,于是让他担挑,阎孝忠乘机逃奔西陵。

甲戌(二十日),下诏说:"自来以内侍官一员兼钤辖教坊,朕正每天极为忧念国事,屏弃禁绝声乐,近因内侍官失于检察,仍旧如前一样,可以减去罢黜,以后再不要设置。"

丙子(二十二日),金兵攻打淮宁府。

知府事向子韶率兵守城,告谕士民说:"你们祖先世居之地,如果离开这里往何处呢!我打算跟你们一起拼死守城。"这时郡内有东兵四千人;第三将岳景绥想放弃城池率领百姓投奔皇帝的驻地,子韶不听,景绥带兵迎敌战死。敌人昼夜攻城,子韶亲自穿着甲胄,顶着箭头石子,派他弟弟向子率去东京找留守宗泽求援。援兵未到,城被攻破,子韶率领队伍与敌展开巷战,力气使尽,被敌人抓住。金军主帅坐在城头上,想使他投降,摆酒在子韶面前,左右按着他,让他屈膝,子韶直立不动,手指金兵大骂,于是被杀。其弟新知唐州子褒等,同全家都遇害,只有一个儿子向鸿,得以活下来。事情被朝廷听到,追赠向子韶为通议大夫,他的家庭六人都封官,以后谥忠毅。子韶,是子谭的哥哥。

戊寅(二十四日),责贬朝议大夫赵子崧为单州团练副使,送南雄州安置。

当初,赵子崧与御营统制辛道宗不和,道宗得到赵子崧在靖康末年的檄文,上呈皇帝,皇帝诏监察御史郑毅把赵子崧关在京口狱中,追究得知情况。皇帝非常生气,然而也不想公开暴露他的罪过,于是追究赵子崧以前丢弃镇江之罪,责令官员安置。

庚辰(二十六日),以捧日天武四厢都指挥使、保大军承宣使、御营使司都统制王渊为向德节度使,因为他有平定杭州贼寇的功劳。

当初,武功大夫、和州防御使马扩聚兵西山,既而被金兵抓住,把他囚禁在真定。金右副元帅宗望以大义赦免了他,想授予官职,马扩辞谢不接受,请求给田地用来养活母亲。不久又说种田不能马上得到吃的,愿做开酒店的买卖来自己养活自己,宗望同意了。这时,武翼大夫赵邦杰,聚集忠义乡兵保卫庆源五马山寨,马扩借此广泛结交往来之人,又与山寨沟通。辛巳寒食节,马扩假装跟随大家送丧,携亲属十三人投奔山寨。早先是皇帝的弟弟信王赵榛已经跑了,改姓称为梁家的儿子,替人摘茶,马扩等暗暗迎接信王回来,于是尊奉赵榛总管诸山,两河一带宋朝遗民闻风响应,愿意接受打着他的旗子的人非常多。

壬午(二十八日),皇帝下诏招募河南、河北、淮南一带当地人有民籍的为振华军,以六万人为限;倘若不足,听凭招募两河流居的人众,但不得超过总额的三成;都在左鬓上刺下"某州振华"四个字。

洛索既已攻破了同州,连接桥梁作为退路,向西攻下陕、华、陇、秦诸州。秦凤经略使李复生向敌人投降,陕右一带,遭到严重的骚扰。

鄜延经略使王庶,发出檄文号召河南、河北豪杰,共同起义抗击敌人,远近都纷纷响应,十天之中,用公开文状自达姓名的,有孟迪、种潜、张勉、张渐、白保、李进、李彦仙等,每人兵力都有万人。胜捷卒张宗自称观察使,也起兵在南山下。李彦仙当时是石壕尉,陕府既被攻下,彦仙独自不走。百姓知彦仙还在,渐渐到来,彦仙因以军法统领他们,在这个月中攻破敌人五十多座营垒。

三月,辛卯(初七),金兵攻破中山府。

当时城中绝粮,人都很瘦弱疲困,拿不了兵器。城被攻破后,金人看到居民瘦弱,悲叹而怜惜他们,对兵卒校官一千多人,都不加杀害。中山自靖康末年受包围,到这时已经三年才被攻破。

甲午(初十),下诏经筵读《资治通鉴》,把司马光配享在哲宗庙庭。

这时皇帝初次御临经筵,侍讲王宾讲《论语》首篇,到"孝悌为仁之本",因以二圣及母后为讲解涉及,皇帝感动得涕泪交流。侍读朱胜非曾上奏:"陛下常称赞司马光,臣揣度圣上的心意,有'恨不同时'的慨叹。陛下也知道司马光之所以得以闻名的缘故吗?是神宗皇帝有以使他得到成就的啊。在熙宁期间,王安石创立新法。司马光对每件事都认为不正确,神宗独能宽容,并且更提升官职。当司马光住在洛西时,常常对他慰问;书编成后,授予司马光资政殿学士官职,于是各方面称颂赞美,就用司马相公称呼他。到了元祐中,只是举出当时一些的话罢了。假如正在争论新法之时,就将其放逐罢黜,说他是标新立异,好胜逞强,说他是沽名钓誉,收买身价,说他攻击皇帝言行,说他不能体谅国家,说他不遵守禀报处分。言论文章互相攻击,命令责备,也就不能成其美名了。"皇帝点头许久表示同意。

己亥(十五日),东京留守宗泽又上奏疏请求皇帝回京城。这时宗泽招抚了河南群盗和各处的有志之士,合计有一百多万人,粮食能支持半年,所以又有这次请求。皇帝派中使带着诏书慰问。

庚子(十六日),河南统制官翟进又进入西京。

早先是金国都统洛索大军到来,已取得秦州,陇右大为震动。熙河经略使张深,鼓励军民为守城大计,派兵马都监刘惟辅率领三千骑兵抵御他。从千秋败回的残兵,兵籍十之八九都失去了,只有刘惟辅一支军队可以用。金兵前锋过了巩州,距离熙州只有百里。刘惟辅留下部队驻在熟羊城,派一千一百骑兵连夜奔向新店。金兵自从进入陕西,所经过的城邑,均不战拿下,不曾有抵抗的,所以仗恃连胜的形势不做戒备。天亮时,军队前进,短兵相接,杀伤大部。正好刘惟辅挥动长矛刺中敌先锋将哈番,堕马而死,敌人因此失去士气。刘惟辅是泾州人。

张深听说洛索败退了,又传檄文让陇右都护张严前往追击。当时,皇帝命御营左翼军统制韩世忠为京西等路捉杀盗贼,率领所部及张遇军万人赴西京。金左副元帅宗翰听说张严向东出发,从河南西进入关,迁移西京的百姓到河北,放火烧完西京离去。因为这样,翟进才得以带领他的队伍从山寨又入西京。东京留守宗泽向朝廷报告,就任用翟进为阁门宣赞舍人、知河南府,充任京西北路安抚制置使。

宗翰留下宗弼屯兵河间府,左监军完颜希尹、右都监耶律伊都屯兵河南白马寺,以等待韩世忠的到来,且与翟进相持。不久,张深以功升端明殿学士。

这个月,石壕尉李彦仙收复了陕州。

当初,李彦仙已集结了兵力,正好金人用投降的人防守陕州,派人招抚散失流亡的人,李彦仙暗地送纳士卒几百人,至这时他就乘虚趋向陕州南城外,夜里,暗暗派兵从河边迫近东北角,借所暗地送去兵士做内应,从而进入。金兵败走,放弃陕州退去。

吏部发文书,请加盖陕州知州印章,李彦仙说:"我以尉官的名义防守于此,只用我原来的印好了,我怎敢佩带太守印章呢!"事情被朝廷闻知,就用李彦仙知陕州兼安抚司事。

李彦仙以信义治理陕州,不图丝毫利益,跟他的部下同甘共苦,因此人们大多归附他。邵兴在神稷山,听到李彦仙得到陕州,就带着他的部下来归顺,愿受他的指挥。李彦仙就派邵兴统领河北忠义军马,屯驻三门。

信王赵榛带头举兵起义,派使向朝廷报告。

夏季,四月,甲寅朔(初一),磁州统制官赵世隆带着部下到宗泽处投降。

赵世隆本来是磁州书佐,宗泽在磁州,以他做中军将。宗泽既离开磁州,把州事交给兵马钤辖李侃。金兵包围磁州很危急,有禁兵,有民兵,民兵很多,禁兵担心民兵势力强盛。将校郭进于是作乱。赵世隆和郭进密谋,杀掉了李侃,让通判赵子节暂代州事。到了这时,赵世隆和他弟弟赵世兴带领三千人归降宗泽,宗泽手下将士对他们很怀疑,宗泽说:"赵世隆是我的小校罢了,一定没有别的,是想有所陈诉的缘故。"

乙卯(初二),赵世隆入营拜见,宗泽责问他,世隆言辞表示归附。宗泽笑着说:"河北一带陷落,我们大宋法令上下之间也没有了吗?"命令拉出去斩首。这时士兵在大庭之上露出兵器来,赵世兴佩刀站在旁边,左右都很害怕。宗泽慢慢地对赵世兴说:"你哥哥犯法,应当杀,你能发奋立功,足以洗去耻辱。"赵世兴感动得哭了。正好滑州来报金人骑兵留驻城下,宗泽对赵世兴说:"试试去替我夺取滑州。"赵世兴高兴地接受命令。

丙辰(初三),皇帝下诏:"文臣做官到牧守,武臣管带军到远方的州郡,各自推举所了解的二人;设为二籍,一个留朝廷禁中,一个交给三省、枢密院,遇监司、帅守、将官、钤辖有缺额,在所推举人中擢升任用;犯法同罪。罪废之人及依法不得为官的人,都不得举荐。"这是采用奏议的人所请求的。

戊午(初五),赵世兴到了滑州,乘着敌人没有防备,迅速地加以攻击,斩杀敌人几百人,占领了滑州,宗泽又厚厚的对他赏赐。

这时,有个降贼叫赵海的,屯兵在板桥,掘断道路用来阻挡通行的人,管军间勋部下八名运草的士兵经过他的营垒,赵海大怒,把他们切成肉块。偷看到的向宗泽报告,宗泽召令赵海来见,赵海带着甲士五百人保卫自己入营。宗泽正接待客人,赵海具结认罪,马上把他套上刑械投入狱中。客人说:"他的甲士很多,暂且慢慢处置他。"宗泽笑着对赵海的次将说:"你们带着兵士回营。"第二天,在刑场杀了赵海,他的部下听到了都吓得双腿发抖。

统制官杨进屯兵城南;有个叫王善的有兵力二千余人,都是山东的游手好闲的人,先于杨进来降,屯兵城北。两个人谁都不服气谁,一天,各自带领部下一千多人,相聚在天津桥,京城中的人都很害怕。宗泽写了一张纸条,告诫他们说:"有报国之心,应当这样吗?在对敌战斗立功的时候,胜负自然会证明谁有本领。"两人对望,都很惭愧气消而退去。

这时,旧辽国部下每天有归顺中原的,有时有捕获的。宗泽选出契丹汉儿带来坐旁,推诚布公地跟他谈话,告诫他们应当期望奋发忠义之心,共同消灭金人,以洗刷君父的耻辱,然后发给粮食放了他们,并发给公文凭证,等到官军过了黄河作为证据查验,让他们拿了几百本离去。又张贴榜文,散发告示于沦陷州县,作为公家证据交付被掠去在北方的中原人。并按驿站传送奏疏报告朝廷。

庚申(初七),皇帝告谕大臣说:"过去旧例,端午节停止讲学,到中秋开始。朕正孜孜不倦研习历史，如果经书讲学暂时停止，就会有疑难问题无人质疑，白白荒废时间精力，朕想不要停止，可以吗?"大臣都说很好。于是下诏不要停止在端午节到中秋节一段时间讲学的事。

这时皇帝在宫中，内侍有人说:"讲读官某人，分析陈述很好，臣现在草拟奖谕诏书呈进陛下。"皇帝说:"这应当出自朕意。如果要降诏书，自当有学士办理，你们小臣，怎么可以这样做。从此以后不许随便乱讲。"

乙丑(十二日)，皇帝告谕辅臣说:"朕每次退朝，押班以下奏禀事情，也要端正衣冠，再坐下来听，不曾同他们亲密。又性情不喜同女人常呆在一起，大多都坐在殿旁小楼内，除掉笔墨纸砚之外。不设置别的东西，安静地思虑军国大事，有时批阅奏章。有宫人来奏禀事情的，也走出小楼处理完毕才回来，每天都是这样。"皇帝如此谦恭克己，勤于政事。

丙寅(十三日)，京西北路制置使翟进在河南袭击金人，大败。

这时，御营左翼统制官韩世忠到了西

宋朝开封铁塔

京，正好翟进及大名府路都总管司统领官孟世宁、京城都巡检使翟进和金兵交战。翟进夜里偷袭右监军完颜希尹营地，金兵事先得知，反而被金兵击败。翟进又给韩世忠引路和金兵在文家寺交战，却碰上翟进误了时间，统领官、阁门宣赞舍人陈思恭以后军却先撤退，金兵乘胜追击，到了永安后涧，韩部受到敌箭如棘一样地射击，部将张遇率部援救，奋力战斗才得脱免。陈思恭，是陈执中的曾孙。韩世忠回到东京，诘问先后退的人，一军的人皆被剁去左右脚趾来示众。于是韩世忠和翟进不和，每天军士互相攻击。世忠恐怕发生事变，于是收集剩下兵卒几千人南归，希尹再次进入西京。

这时陇右都护张严追赶洛索到了凤翔境内，张严坚定心意打击敌人，而熙河兵马都监刘惟辅不想听从张严节制，于是从别路由吴山出兵宝鸡。张严带领大军，在五里坡赶上金兵，洛索知道后，在坡下设下埋伏。张严与泾源统制官曲端约会但曲端却没有到，便直向前遇上伏兵，战斗不利，张严战死，刘惟辅从石鼻寨逃跑回去了。

早先，曲端在泾源练兵，招抚流民和溃败兵卒，所经过之处，百姓供应粮草，道不拾遗。到了这时，曲端屯军麻务镇，听到张严死了，金兵小股骑兵攻泾源，派第十三副将、秉义郎吴玠据清溪岭迎头拒敌。将要攻战时，他的下级军官三百多人都溃散了，吴玠率领剩下的兵力奋战，大破敌军，金兵才离去。曲端是镇戎人;吴玠，是陇干人。

　　左副元帅宗翰听到张严战死,从平陆渡黄河回到云中,左监军完颜希尹、右都监耶律伊都听说宗翰渡河,也放弃西京离去,留下万户察罕玛勒守河阳。

　　言官议论:"近来守城之将弃城而逃的,习以成风。如邓雍弃守荆南,何志同弃守颍昌,赵子崧弃守镇江,都是率兵先逃跑,现在安居在家,只是轻轻地责备一下没有严正处罚其罪。如康允之保卫寿春,陈彦文保卫九江,只是凭着几千人的疲劳兵力,抵御十万人的强敌,可是康允之仅迁升一级,陈彦文恢复旧官,对此,人们迷惑不解。希望下诏有司,上报从靖康以来,凡是有弃城逃跑的,有保卫守城的,写出他们功劳和罪过,公开给予奖赏和处罚,这样守土的臣子,或者可以据此劝勉惩戒。"下诏诸路监司,限期半个月分条具写上报。

　　金兵攻打洺州。

　　当初,防御使赵士珸带兵进城,金兵包围得很严密,埋栽鹿角状的树枝杈,挖掘壕沟,修筑壁垒,打算长期围困,军民始终不投降。到了这时,金兵侵犯西京、陕右、河朔一带内部空虚,守卫的稍有懈怠。大家认为粮食完了不可再守,于是保护士珸从自家滩去大名府,金兵才进入城里。自靖康以来,两河州郡,外无援兵,内无粮草,都被金兵占取,只有中山、庆源、保、莫、祁、洺、冀、磁诸州相持,时间很长才被攻破。

　　戊辰(十五日),工部侍郎兼侍讲杨时,以年老有病请求离去,四次上表章,不久升龙图阁直学士,提举杭州洞霄宫。

　　甲戌(二十一日),徽猷阁待制、知濠州连南夫,上表"请让诸路州县在靠近城十里以内,开凿陂塘湖沼,以为灌溉之备,使春夏秋、三个季节时常有水泽,那么良民有丰收的希望,敌人骑兵有泥泞不堪的苦处;值冬季水干了,就令耕犁坚硬的土块,那么敌人又有坎坷不平的担忧。从来就不是种稻的地区,请让依照雄州的经验,开凿池塘,也有菱、芡、莲藕、鱼虾之利,可以使百姓受益。并免除租税一年,用来做人工费用。"下诏让诸州自己度量,以后没有实行。

　　当初,鸿胪寺丞赵子砥跟从二位皇帝北迁至燕山,时间长了,想逃回,于是结交归朝官忠翊郎朱宝国、承信郎王孝安到了中京,得到皇帝的书迹。这天,子砥从燕山出发。

　　以皇帝检校太傅庆阳、昭化军节度使信王赵榛为河外兵马都元帅。

　　当初,马扩自五马山以部下五百人渡过黄河,至东京拜见宗泽,到这时才前往皇帝驻处,随从不到一百人。马扩既见到皇帝,拿出赵榛的奏折。黄潜善等人都怀疑奏折不是真的,但是皇帝认识他的字迹,所以就有了这个诏令。马扩迁升拱卫大夫,利州观察使、枢密副都承旨、元帅府马步军都总管。马扩将要走时,向皇帝上奏表,大略意思是说:"臣是边远地方的小人物,陛下给以充分的信任,交给阃外领兵的大事;希望借鉴前代的成功经验和失败的教训,申明当世的嫌疑,使臣得以报效愚忠,尽意攻取。现在王师大举发兵;机会应当极快,军事限期的文字,不能少有迟缓。如果依照常规上报的文书下到都堂等处,然后才向皇帝报知,则事情就涉及怀疑;有的想回避,一定犹豫不决隐藏,不去向上呈报。希望下令专门设置一司,不限夜晚白天规定时间通报。"又说:"自唐代以来,任用中贵人监军,争夺权力,牵制别人,常把事情办坏。请求皇上做出决定,罢黜中贵监军及选给器械。"共四件事,皇帝都听从了,又许马扩过黄河之后,允许相机办事。这时黄潜善和汪伯彦始终在怀疑,就以乌合之众交给马扩,并且秘密授给朝廷旨意,派人暗中查问他;马扩走了,又令他听从诸路帅臣的节制。马扩知道事情发生变化,于是把他的军队屯驻在大名。

　　五月,甲申朔(初一),宗泽再次上表请求皇帝返回京城。正好尚书右丞许景衡建议请皇帝过江,宰相黄潜善认为不可以。这时,已得信王赵榛奏表,有人说赵榛有渡黄河入京城的打算,乙酉(初二),下诏书返回京城。于是罢许景衡为资政殿学士、提举杭州洞霄宫。景衡执政时,凡是有大的政事,一定找时间在皇帝榻前尽力谈论。黄潜善、汪伯彦厌恶他是异己分子,常排斥压抑他。到这时下诏还京而有这样的诏命。

　　丙戌(初三),皇帝下诏:"以后举行科举考试,要实行元祐时期诗赋、经术并收的规定。"中书省请求"学习诗赋举人不要兼学经义,习经义之人只学习经术的一种,各地解试、省试,一起计算数额分别录取,统一订出高下等级。"礼部侍郎王绹请求明令不要再实行让以前录取的举人兼习律义、《孙子》义的做法,皇帝听从了。从绍圣以后,举人不习辞赋近四十年。王绹在后省,曾向皇帝说:"经义应当用古注,不专取王氏一家之说。"帝认为很对,到这时申明执行下去。

　　秘书省正字冯檝向黄潜善献书说:"看到昨晚出黄榜诏告,想选择合适的日期回京,随皇帝东来的侍从卫官吏士,没有不高兴的;西北来的因靠近家乡了,更加高兴。以我冯檝合计,不可以返回京城。万一皇帝銮驾回到东京,金兵秋后又来,不知道我们军队怎样抵挡他们?我们的军队如果抵挡不住敌人而又作避地考虑,现在蔡、汴两条河已渐湮没堵塞,其中有的水道或被断绝,即使想避往别地也不可能,这不得不考虑。假如现在,驻跸扬州是上策,倘或皇上坚决想以武力治办,不许迁徙,只要留下兵将及宰执中对边事熟悉能运筹帷幄的人,跟从圣驾居住这里,专门讲武,作为战守的准备。其余宗庙、百官,都让过江,在建康设司。至于钱财日用百物,除了留下养军的费用外,也都全存放在建康府库中,这样可以或者有缓有急地对付敌人,可以战就战,可以守就守,估量不可以战守,那想移动别地就移动到别地,容易办理而没有什么牵制的连累。"冯檝,是遂宁人。

　　戊子(初五),以翰林学士朱胜非守尚书右丞。

　　辛卯(初八),陕西、京东诸路及东京、北京留守一起向皇帝奏报金兵分路渡过黄河,下诏派遣御营左军统制韩世忠、主管侍卫步军司公事间勃带领部下迎战敌人,命宗泽派本司统制官杨进等作为援兵。

　　开始是宗泽听到河北都统制王彦聚兵太行山,就任用王彦为武大夫、忠州防御史,节制处理两河一带的军事。王彦的部下有勇敢之士几万人,因为他们的脸都刺上八字,所以号称"八字军"。王彦正在修理武器训练队伍,约定日期大举进攻,想直趋太原,宗泽亦与诸将计议,六月间发兵,并且邀集诸路山水寨民约定日期一同发兵,上奏表说:"臣自从留守京城,朝夕不懈怠,经营策划军中大事。近来根据诸将报告,敌人情势穷尽紧张,可以发兵进攻。臣打算乘着热季,派王彦等从滑州过黄河,夺取怀、卫、浚、相等处,派遣王再兴等从郑州直去保护西京陵寝,派遣马扩等从大名夺取洺、赵、真定,杨进、王善、翟进、李贵等诸头领各自带领部下兵力分路前进。已经过了黄河,各山寨忠义之民响应的不止百万,契丹汉儿亦必定同心抵抗金兵。大事已准备就绪,臣请求朝廷派使者声称立契丹天祚之后,谋划寻求和好。况且复兴灭亡,继续绝代,是施行王政所首要的,可以使天下归心;况且让金人恐惧地听到,自相带有二心呢!再请求派遣知理博学善辩之士,西去出使夏国,向东出使高丽,告知他们祸福得失,这两国素来蒙受我大宋恩德,一定出兵相助,同心对敌,加以扫荡。如果这样,那么徽、钦二帝有回銮的日子了,两河一带可以安宁,陛下中兴的功劳,远远超过周宣王的时代了。

希望陛下早日降下回銮的诏书,以维系天下人心。臣当亲自冒着敌人的武装进攻,做诸将的带头人。"奏疏送入,黄潜善等忌妒宗泽成功,从中阻止。宗泽慨叹说:"我的报国大志得不到施展了!"于是忧郁得了病。

宗泽主管京畿,每年修筑城池,制作高台,不扰民而办理成功,多次出兵挫败敌人精锐之兵。他抗疏请求皇帝返回京城,有二十多次,谈的道理很深也最恳切。黄潜善、汪伯彦等虽然对他嫉妒很深,终于也不能改换掉他的官职。

甲午(十一日),部分赦免河北、陕西、京东诸路。

早先,陕西制置使钱盖听到金兵攻破长安,传檄文给集英殿修撰、鄜延经略王庶,令其兼节制环庆、泾原军队抗御敌人,不久,义兵大起,金兵向东退去。王庶认为金兵重载,可以尾随袭击取胜,发文两路,各大力同心再进行战斗。可是环庆经略使王似,泾源经略使席贡,自认为先做了官威望比王庶高,不想受他的节制调度,于是具文回报,可是实际并不出兵。

金兵小股骑兵上清溪,既被泾源裨将吴玠所遏阻,到了咸阳,看到渭河以南义兵漫山遍野,不能渡过,于是顺着渭河向东去。其右军进入鄜延,攻打康定,包围龙坊;王庶赶快派人切断河桥,又让将官刘延亮屯驻神水峡,切断了他的退路,金兵才离去。于是洛索盘踞在冯翊、河中,扼守新架的河桥,以沟通往来,人心大为恐慌。

泾原统制官曲端,乘着敌人退却之时,又攻下秦州、凤翔、长安都被义军收复。正好经制司统领官刘希亮自凤翔归附曲端,曲端把他杀了。曲端素来不想附属王庶,到了得知孟迪、李彦仙等接受事奉鄜延,都不高兴,于是张榜称金兵已过黄河回国,农事不可以错过时节,于是全部解散渭河以南义军。王庶不收兵保卫险要之地,还用书信邀约王似、席贡,想逼使金兵过河,以至于二次三次相约,王似仍不响应;席贡虽答应出兵四万,也拖延不执行。

这时鄜延人民认为秋深之时,一定遭到战乱,大多躲避到别的地方去了。路经环庆驻地,官吏兵士都厌恶他们惊怕迁徙,把所有的财物都夺去并且加以杀害,乡里之间十分萧条了。

乙未(十二日),下诏:"苏轼恢复端明殿学士,全部发还应得的恩数。"这时苏轼的孙子司农寺丞苏符,因为苏轼在政和中未能全部复职而向朝廷上诉,所以才有这条诏命。

戊戌(十五日),河北制置使王彦,带领着八字军过了黄河。

这时,宗泽认为王彦孤军无援,不可以独自进军,就下书请王彦商量大事。王彦遂集合各寨兵力一万多人,从这天渡河。五天后,王彦到京城。宗泽十分高兴,告诫他京城是国家的根本,应当驻兵靠近京城郊外,于是让他屯驻滑州的沙店。

壬寅(十九日),中书侍郎兼御营副使、提举措置户部财用张悫去世。

张悫在朝为官正直敢言,无所顾虑回避。当时黄潜善把持国政,专门搞蒙蔽朝廷的事,从汪伯彦以下,都不敢少有违背他的意见。只有张悫遇到事情有问题一定力争,即使所说的话不执行,也一点不屈服。当政不到一年忽然死去,士民都悲痛惋惜。皇帝因张悫是河朔人,无家可以归葬,以钱财办丧外赐田十顷,宅第一处。以后追封号为忠穆。

癸卯(二十日),通问使王伦刚渡黄河,就和他的副手朱勣到云中,见左副元帅宗翰商量大事,金人留下他不让回来。这时进武校尉朱勣跟从朱弁同行,宗翰赏赐他从内地抢掠的人,朱勣表面接受后,又逃跑了。宗翰发怒,追到把他杀了。

甲辰(二十一日),洛索攻破绛州,暂理知州事赵某带百姓兵卒巷战,共六天。

乙巳(二十二日),资政殿学士、提举杭州洞霄宫许景衡卒。

景衡辞政回,到了瓜州,得伤暑病,到京口后,病得更厉害,端坐自言自语地说:"陛下应当亲近端正人士,以二位上皇、百姓为念。"说着就去世了,年纪五十七岁。以后追谥为忠简。

庚戌(二十七日),增加天下役钱,作为新法弓手的费用。

当初,汪伯彦已建策请求,才以免役的宽多剩余、厢禁军缺额、裁减官员等钱供雇佣作报酬。到这时所增加的普遍在东南各路,于是下诏不受雇佣的每人给田地三十亩,马军增加三分之一。议论者担心花费不够,于是请求官户役钱、不再减半、民役钱一律增三分,皇帝听从了,所以才有这个诏命。

皇帝下诏:"从现在开始发现任官有涉嫌怀异心的,如果直接将其杀死,即使有事实根据,也因擅杀官吏而获罪。如随便杀害平常的人认为他是奸细的,以军法从事。"自征战用兵以来,奸民杀害官吏杀害良善百姓的甚多,朝廷担心发生事端,到这时下诏令订条例,加以约束。

续资治通鉴卷第一百二

【原文】

宋纪一百二　起著雍涒滩【戊申】六月，尽十二月，凡七月。

高宗受命中兴全功至德　圣神武文昭仁宪孝皇帝

建炎二年　金天会六年【戊申，1128】　六月，己未，诏："右文殿修撰胡安国已除给事中指挥，更不施行。"

初，安国数上疏乞祠，诏不许，仍趣赴行在。安国因奏言："陛下拨乱反正，将建中兴，而政事人才，弛张升黜，凡关出纳，动系安危，闻之道途，揆以愚见，尚未合宜，臣切寒心。而况锁闱典司封校，傥或隐情患失，缄默不言，则负陛下委任之恩。若一一行其职守，事皆违异，必以戆愚妄发，干犯典刑，徒玷清时，无补国事。臣所以不敢上当恩命者也。"疏入，黄潜善大怒，请特赐黜责，以为不恭上命者之戒，安国遂罢。

金初未有文字，亦未尝有记录。宗翰好访问女直故老，多得先世旧闻。至是金主诏求访祖宗遗事以备国史，命完颜勖等掌之。

庚申，侍御史张浚充集英殿修撰、知兴元府。

浚有远志，数招诸将至台，讲论用兵筹策。浚本黄潜善所引，至是因请汰御营使司官属，又论此时金即不来，亦当汲汲治军，常若敌至，潜善始恶之，浚以母在蜀中求去，故有是命。未行，留为礼部侍郎。

乙丑，御营使司中军统制张俊引兵入秀州，前知州事赵叔近为所杀。

初，御营都统制王渊，在京师有所狎妓，乱后为叔近所取，渊衔之。及俊辞行，渊谓之曰："赵叔近在彼。"俊谕其意。前一日，俊总兵至郡，叔近以太守之礼逆诸城北沈氏园。俊叱令置对，方下笔，群力遽前，断其右臂，叔近呼曰："我宗室也。"语未毕，已断首于地。秀卒见叔近死，遂反戈婴城，纵火殴掠，江东西路经制司书写机宜文字辛安宗在城中，为所害。翼日，俊破关捕徐明等，斩之。俊以功迁武宁军承宣使。叔近子朝奉郎交之，亦坐受贼所献玩好，降六官，勒停。后十馀年，御史言叔近之冤，始赠集英殿修撰。

丁卯，国信使杨应诚、副使韩衍至高丽，见国王楷谕旨。楷拜诏已，与应诚等对立论事。楷曰："大朝有山东路，何不由登州以往？"应诚言："不如贵国去金国最径，第烦国王传达金国。今三节人自赍粮，止假二十八骑。"楷难之。已而命其门下侍郎傅佾至馆中，具言："金人今造舟，将往二浙，若引使者至其国，异时欲假道至浙中，将何以对？"应诚曰："金人不能水战。"俛曰："金人常于海道往来。况金人旧臣本国，近乃欲令本国臣事，以此可知强弱。"后十馀日，府燕。又数日，复遣中书侍郎崔洪宰等来，固执前论，且言二圣今在燕、云，不在金国。馆伴使文公仁曰："往年公仁入贡上国，尝奏上皇以金人不可相亲，今十二年矣。"洪宰笑曰："金国虽纳土与之，二圣亦不可得。大朝何不练兵与战！"应诚留高丽凡六十有四日，楷终不奉诏。应诚不得已，受其表而还。

己卯，言者以为："东南武备利于水战，金人既破唐、邓、陈、蔡，逼进淮、汉，去大江直一间耳。为今之策，宜于大江上游如采石之类，凡要害处，精练水军，广造战舰，仍泊于江之南岸，缓急之际，庶几可倚。"诏江、浙州军措置，限一月毕。

是月，以集英殿修撰、知延安府王庶为龙图阁待制，节制陕西六路军马，泾原经略使司统制官曲端为右武大夫、吉州团练使，充节制司都统制。诏书有曰："倘不靖难于残暑之前，必致益兵于秋凉之后。"

先是温州观察使、河东经制使王璆既遁归，朝廷除璆知凤翔府。东京留守宗泽，承制以庶权陕西制置使，端权河东经制使。会主客员外郎、陕西抚谕使谢亮西人关，庶移书曰："大夫出疆，有可以安社稷，利国家，专之可也。夏国为患，至小而缓，金人为患，至大而迫。方敌兵挫锐于熙河，奔于本路，子女玉帛，不知纪极，占据同、华，畏暑休兵。阁下能仗节督诸路，协同义举，漕臣应给粮饷，争先并进，虽未能洗雪前耻，亦可以驱逐渡河，全秦奠枕，徐图恢复。夏人秋稼未登，饥饿疲困，何暇兴兵！庶可保其无它。"亮不听，遂自环庆入西夏，夏国主乾顺已称制，倨见之。亮留夏国几月，乃与约和罢兵，更用钧敌礼，乾顺许之。亮归，夏人随之，以兵掩取定边军。明年，亮乃还行在。

初，王璆之溃也，其属官王择仁以众二万入长安，复为经略使郭琬所逐。祠部员外郎、四川抚谕使喻汝砺尝言："今朝廷已专命王庶经制中夏，窃闻五路全不禀庶节制，望择久历藩方，晓畅军事，近上两制，节制五路，招集溃兵，式遏寇盗，仍以臣所刷金帛八百馀万缗为军粮犒设之费，庶可以系二京、两河、山东、陕西五路父老之心。若谓四川钱物不当应副陕西，臣谓使此钱自三峡、湖、湘平抵建康，固为甚善，万一中途为奸人所窥，适足资寇。臣又闻王择仁所统皆三晋劲勇之馀，今关辅榛莽，军无见粮，故其人专以剽掠为事。若得上件财帛养之，则秦、晋之民，皆为吾用矣。"时庶已擢待制，而汝砺停官，然皆未受命也。

初，二帝既徙中京，上皇闻帝已即位，作书与左副元帅宗翰，与约和议，大略言："唐太宗复突厥而沙陀救唐，冒顿单于纵高帝于白登而呼韩赖汉，近世耶律德光绝灭石氏，而中原灰烬数十年，终为它人所有，其度量岂不相远哉！近闻嗣子之中有为人所推戴者，盖祖宗德〔泽〕之在人，至深至厚，未易忘也。若左右欲法唐太宗、冒顿单于，受兴灭继绝之名，享岁币玉帛之好，当遣一介之使，奉咫尺之书，谕嗣子以大计，使子子孙孙永奉职贡，为万世之利也。"宗翰受其书而不答。

秋，七月，癸未朔，资政殿学士、东京留守、开封尹宗泽卒。

泽为黄潜善等所沮，忧愤成疾，疽作于背，至是疾甚。诸将杨进等排闼入问，泽矍然起曰："吾固无恙，正以二帝蒙尘之久，忧愤成疾耳。尔等能为我歼灭强敌，以成主上恢复之志，虽死无恨！"众皆流涕曰："愿尽死。"诸将出，泽复曰："吾度不起此疾，古语云：'出师未捷身先死，长使英雄泪满襟。'"遂卒，年七十。是日，风雨晦冥，异于常日。泽将殁，无一语及家，但连呼"过河"者三。遗表犹赞帝还京,先言"已涓日渡河而得疾",其末曰:"属臣之子,记臣之言,力请銮舆,亟还京阙,大震雷霆之怒,出民水火之中。夙荷君恩,敢忘尸谏!"

泽自奉甚薄,方谪居时,饘粥不继,吟啸自如。晚年俸入稍厚,亦不异畴昔,尝曰:"君父当侧身尝胆,臣子乃安居美食邪!"所得俸赐,遇寒士与亲戚贫困者,辄分之,养孤遗几百馀人。死之日,都人为之号恸,朝野无贤愚,皆相吊出涕。

初,泽既拘留金使,帝屡命释之,泽不奉诏。至是资政殿大学士充祈请使宇文虚中至东京,而泽已病,虚中摄留守事,遂归之。

时帝已除泽门下侍郎兼御营副使、东京留守,命未下而讣闻,诏赠观文殿学士。后谥忠简。

甲申,叶(秾)〔浓〕自福州引兵破宁德县,复还建州,既而又破政和、松溪二县。

戊子,诏:"自今士卒有犯,并依军法,不得剜眼、刳心,过为惨酷。"令御营使司行下。

乙未,侍卫马军都指挥使郭仲荀为京城副留守。

甲辰,以北京留守、河北东路制置使杜充为枢密直学士,充开封尹、东京留守。且命充镇抚军民,尽瘁国事,以继前官之美;遵禀朝廷,深戒妄作,以正前官之失。

自宗泽卒,数日间将士去者十五,都人忧之,相与请于朝,言泽子宣教郎颖尝居戎幕,得士卒心,请以继其父任。会充已除留守,诏以颖直秘阁,起复,充留守判官。充无意恢复,尽反泽所为,由是泽所结两河豪杰皆不为用。

金人闻宗泽死,决计用兵,河北诸将欲罢陕西兵,并力南伐,河东诸将不可,曰:"陕西与西夏为邻,事重体大,兵不可罢。"左副元帅宗翰曰:"初与夏人约夹攻宋而夏人弗应,而耶律达实在西北交通西夏。吾舍陕西而会师河北,彼必谓我有急难,将乘间窃发以牵制吾师,非计也。宋人积弱,河北不虞,宜先事陕西,略定五路,既戡西夏,然后取宋。"时宗翰之意,欲舍江、淮而专事于陕,诸将无能识其意者。议久不决,奏请于金主。金主曰:"康王当穷其所往而追之,俟平宋,当立藩辅如张邦昌者。陕右之地,亦未可置而不取也。"乙巳,命洛索平陕西,博勒和监军。以尼楚赫守太原,耶律伊都留云中。命宗翰南伐,会东师(子)〔于〕黎阳津。

金移宋二帝于上京。

是月,礼部贡院〔言〕应词学兼茂科朝奉郎袁正功合格,诏减二年磨勘。正功,无锡人也。

燕山人刘立芸,聚众攻破城邑,所至不杀掠,但令馈粮,蕃、汉之民归者甚众。

金洛索遣兵攻解州之朱家山,统领忠义军马邵兴苦战三日,败之。

八月,甲寅,初铸御宝,一曰"皇帝钦崇国祀之宝",二曰"天下合同之宝",三曰"书诏之宝"。

庚申,殿中侍御史马伸言:"黄潜善、汪伯彦为相以来,措置天下事,未能惬当物情,遂使敌国日强,盗贼日炽,国步日蹙,威权日削。且如二圣北狩,社稷不绝如线者,系陛下一人。三镇未复,不当都汴。以处至危之地。然前日下还都之诏以谪许景衡,至如今日,当如之何?其不慎诏令有如此者!草茅对策,误不如式,考官罚金可矣,而一日黜三舍人,乃取沈晦、孙觌、黄哲辈以掌丝纶。其黜陟不公有如此者!又如吴给、张阐以言事被逐,邵成章缘上言远窜,今是何时,尚以言为讳?其壅塞言路有如此者!又如祖宗旧制,谏官、御史有阙,御史中丞、翰林学士具名取旨，三省不与，潜善近来自除台谏，仍多亲旧，李处遁、张浚之徒是也。观其用意，不过欲为己助。其毁法自恣有如此者！又如张悫、宗泽、许景衡，公忠有才，皆可重任，潜善、伯彦忌之，沮抑至死。其妒功害能有如此者！又如有人问潜善、伯彦救焚拯溺之事，则二人每曰难言，其意盖谓陛下制之不得施设。或问陈东事，则曰外廷不知，盖谓事在陛下也。其过则称君善则称己有如此者！又如吕源狂横，陛下逐去数月，由郡守而升发运。其强很自专有如此者！又如御营使虽主兵权，凡行在诸军皆御营使所统，潜善、伯彦别置亲兵一千人，请给居处，优于众兵。其收军情有如此者！陛下隐忍不肯斥逐，涂炭苍生，人心绝望，则二圣还期，在何时邪？臣每念及此，不如无生。岁月如流，机会易失，不早改图，大事去矣。"疏留中不出。

承议郎赵子砥自燕山遁归，至行在，帝命辅臣召问于都堂，且取子砥所得上皇御书以进。子砥奏此事甚悉，大略言："金人讲和以用兵，我国敛兵以待和。迩来遣使数辈，皆不得达。刘彦宗云：'金国只纳楚使，焉知复有宋也！'是则我国之与金国，势不两立，其不可讲和明矣。往者契丹主和议，女直主用兵，十馀年间，竟灭契丹，今复蹈其辙。譬如畏虎，以肉喂之，食尽终必噬人。若设陷阱以待之，然后可以制虎矣。"后半月，复以子砥为鸿胪寺丞。已而赐对，嘉奖，遂以子砥知台州。

癸亥，兵部尚书卢益言："近世以田括丁，号为民兵，有古乡兵之遗意。请命提刑检察。"从之。

己巳，诏："试学官并用诗赋，自来年始。"

辛未，徽猷阁待制、江南等路制置发运使、提领措置东南茶盐梁扬祖迁徽猷阁直学士，以措置就绪也。

茶法自政和以来，许商人赴官买引，即园户市茶，赴合同场秤发。淮、浙盐则官给亭户本钱，诸州置仓，令商人买钞算请，每三百斤为袋，输钞钱十八千。闽、广盐则隶本路漕司，官般官卖，以助岁计，公私便之。自扬祖即真州置司，岁入钱六百万缗。其后历三十年，东南岁榷茶，以斤计者，浙东七州八万，浙西五州四十八万，江东八州三百七十五万，江西十一州四百四十五万，湖南八州一百一十三万，湖北十州九十万，福建五州九十八万，淮西四州一万，广东二州二千，广西五州八万，皆有奇。合东南产茶之州六十五，总为一千五百九十馀万斤，通收茶引钱二百七十馀万缗。盐以石计者，浙西三州一百十三万，浙东四州八十四万，淮东三州二百六十八万，广东三州三十三万，广西五州三十三万，率以五十斤为一石，皆有奇。以斤计者，福建四州二千六百五十六万。合东南产盐之州二十二，总为二万七千八百一十六万馀斤，通收盐息钱一千七百三十馀万缗，后增至二千四百万缗。而四川三十州，岁产盐约六千四百馀万斤，隶总领财赋所赡军；成都府路九州，利路二州，岁产茶二千一百二万斤，隶提举茶马，皆不系版曹之经费焉。

丁丑，金主命以宋二庶人素服见太祖庙，遂入见金主于乾元殿，封赵佶为昏德公，赵桓为重昏侯。

庚辰，诏："东京所属官司，般发祭器、大乐、朝祭服、仪仗、法物赴行在。"时帝将祀天南郊，命有司筑坛于扬州南门内江都县之东南，而从行无器杖，故取之旧都焉。

辛巳，右武大夫、忠州防御使、河北、京东都大捉杀使李成引兵入宿州。

2335

初,成既不能渡河,朝廷恐其众太盛,命成分所部三千人往应天府及宿州就粮,馀赴行在。有道士陶子思者,谓成有割据之相,劝之西取蜀,成遂有叛意。乃分军为二,一侵泗州,别将主之,一侵宿州,成自将之,皆约八月晦日。至是成陈仗入城,宿人初不之备,军入未半,即有登城者。俄顷,纵火焚掠,尽驱强壮为军。别将犯泗州者不及期,乃焚虹县而还,复与成会。成知事不集,妄以前军史亮反、已即时抚定告于朝,朝廷待以不疑,乃就赐铠甲。成遂屯符离,军势甚盛。

工部员外郎滕茂实,既为金所拘,忧愤成疾,是月,卒于云中。

九月,甲申,京城外巡检使丁进叛,率众犯淮西。

进初受宗泽招,泽卒,乃去。时韩世忠军中有进馀党百馀人,世忠尽斩于扬州竹西亭。斩至王权,有武臣段思者,劝世忠释而用之。寻命御营右军副统制刘正彦以所部收进。

庚寅,帝御集英殿,赐诸路类省试正奏名进士李易等四百五十一人及第、出身、同出身,而川、陕、河北、京东正奏名进士一百四人,以道梗不能赴,皆即家赐第。特奏名张鸿举已下至五等皆许调官,鸿举以龙飞恩特附第二甲。易,江都人;鸿举,邵武人也。故事,殿试上十名,例先纳卷子御前定高下。及是御药院以例奏,帝不许,曰:“取士当务至公,既有初复考、详定官,岂宜以朕意更自升降!自今勿先进卷子。”

壬辰,诏:“朝议大夫褚宗鄂等二十一人,并令乘驿赴行在;秘书省校书郎富直柔、太学(士)〔正〕王觉,并令赴都堂审察。”

先是,〔帝〕尝语大臣以从官班列未当,且谓黄潜善曰:“求贤,宰相之职也,宜加意询访。”因命取旧从臣姓名来上,亦有召还复用者。它日,帝又以人才未能广收为言,潜善乃请用祖宗故事,命近臣各举所知一二人以俟选择。于是户部尚书吕颐浩举宗鄂,兵部尚书卢益举朝请郎惠柔民,刑部尚书兼侍读王宾举新通判襄阳府程千秋,翰林学士叶梦得举直龙图阁、新知潭州辛炳、朝散郎致仕王庭芳,端明殿学士、提举醴泉观黄潜厚举登州学教授邹潜,御史中丞兼侍读王璹举通直郎蔡向,吏部侍郎刘珏举前秀州崇德县令邓根、从事郎朱鞸,礼部侍郎张浚举富直柔,工部侍郎康执权举王觉及朝请大夫李公彦,给事中黄哲举杭州州学教授李谊,中书舍人黄唐傅举朝请大夫、知兴化军张读,中书舍人张澂举从(正)〔政〕郎致仕周虎臣等,各二人。帝问辅臣:“今所举进士人,卿等有识者否?”潜善曰:“臣等未识者数人,亦皆知名之士。”帝甚喜。宗鄂,高密人;柔民,晋陵人;潜,浩弟;根,邵武人;鞸,安吉人;公彦,临川人;谊,南昌人;读,闽县人;虎臣,管城人也。政和间,虎臣为永康令,部使者科须甚峻,虎臣争不听,即请老,人惜其去,绘像祠之,至是得召。

是日,叶浓入浦城县。

癸巳,金人破冀州,权知军州事单某自缢死。

初,权邦彦既以兵赴师府勤王,有将官李政者,措置守城甚有法,纪律严明。金人攻城,屡御退之,或夜劫金人寨。所得财物尽散士,无纤豪入私,由是皆用命。一日,金人攻城甚急,有登城者,火其门楼,与官军相隔。政曰:“事急矣,能跃火而过者有重赏。”于是有数十人以湿毡裹身,持仗跃火,大呼力战。金人惊骇,有失仗者,遂败走。至是金以计诱其副将使害政,故不能保。事闻,赠政忠州刺史。

乙未,诏:“诸路禁兵隶师府,土兵射士隶提刑司,即调发,皆无过三之一。”

丁酉，赐新及第进士钱千七百缗，为期集费。自是以为故事。李易等以帝忧劳，辞闻喜宴，从之。

冬，十月，癸丑，诏："濒江州县官渡口，并差官主之，应公私舟船，遇夜并泊南岸。"以御营使司都统制王渊言金人在河阳，恐其奄至也。

甲寅，诏扬州修城浚濠，仍令江、淮州军阅习水战。

壬戌，诏御营平寇左将军韩世忠以所部自彭城至东平，中军统制官张俊自东京至开德，以金人南下故也；仍命河外元帅府兵马总管马扩充河北应援使，与世忠、俊互相应援。

是日，金人围濮州。

初，马扩既至北京，欲会兵渡河，复所没诸郡；次馆陶，闻冀州已破，而金人在博州，皆彷徨不敢进，其副任重与统制官曲襄、鲁〔珏〕、杜林相继遁归。扩军乏食，众汹汹，以顿兵不动为言，扩遂引兵攻清平县。金右副元帅宗辅、左监军昌、左都监栋摩，合兵与扩战于城南，统制官阮师中、巩仲达及其子元忠皆死于陈。日向晡，清平人开门助金，金绕扩军之背，扩军乱，统制官任琳引众叛去，其属官吴铢、孙懋皆降金，信王不知所终。扩知事不集，乃由济南以归。主管机宜文字万俟（虔）〔簨〕与敌遇，及其子刚中死之，后赠朝散大夫。

扩之未败也，左副元帅宗翰以兵来会，闻扩败，遂由黎阳济河以侵澶渊，守臣王棣御之，不能下，进攻濮州。时遣韩世忠、张俊以所部兵迎敌，而命扩佐之，盖未知扩败也。既而言者以俊中军，不可远去，遂命御营平寇〔前〕将军、权同主管侍卫马军司公事范琼代行。琼请阁门宣赞舍人王彦与俱，乃以彦为平寇前军统领。彦知琼臣节不著，难与共事，即称疾，就医真州，琼并将其军万人而去。

扩至扬州，上疏待罪。诏降三官，罢军职。

甲子，命常德军承宣使孟忠厚奉隆祐太后幸杭州，以武功大夫、鼎州团练使苗傅为扈从统制。

先是张浚为侍御史，尝请"先措置六宫定居之地，然后陛下以一身巡幸四方，规恢远图。"帝纳其言，遂命六宫随太后先往。忠厚申明应办事，帝谕大臣曰："三省须与定色目，若仓卒索难得之物，使百姓何以供亿！太后比朕虽粗留意，亦不以口腹劳人。如朕于两膳，物至则食，未尝问也。向自相州渡河，野中寒甚，烧柴温饭，用瓢酌水，与汪伯彦于茅舍下同食，今不敢忘。"辅臣曰："陛下思艰崇俭以济斯民，天下幸甚！"

京西北路安抚制置使、知河南府翟进战死。

进与金人夹河而战，屡破之。时东京留守杜充，酷而无谋，士心不附，诸将多不安之。马扩、王彦既还朝，馀稍稍引去。起复留守判官宗颖，屡争不从，力请归持服。统制官、荣州防御使杨进亦叛，以数万众攻残汝、洛间。翟进谓其兄兵马钤辖兴曰："杨进凶贼，终为国家大患，当力除之。"至是进率其军与杨进遇于鸣皋山下，夹伊水而军，杨进多骑兵，兴皆步卒，将士望骑兵有惧意。翟进激之使战，进渡水先登，为流矢所中，马惊坠堑，为贼所害。贼乘势大呼，击官军，官军遂败。兴收馀兵保伊阳山寨。诏赠进左武大夫、忠州刺史。

初，宗泽之为留守也，日缮兵为兴复计，两河豪杰皆保聚形势，期以应泽。泽又招抚河南群盗聚城下，欲遣复两河，未出师而泽卒。充无远图，由是河北诸屯皆散，而城下兵复去为盗，掠西南州县，数载不能止，议者咎之。

癸酉,金知枢密院事刘彦宗卒。

彦宗自燕京降金,金初得平州,凡州县之事,悉委裁决。及下燕京,凡燕京一品以下,皆承制注授,其委任如此。后追封(充)〔兖〕国公,谥英敏。

丁丑,范琼引兵至京师。

江、淮制置使刘光世败李成于新息县。

先是光世以统制官王德为先锋,与成遇于上蔡驿口桥,败之。成奔新息,哀散卒再战。光世以儒服临军,成遥见白袍青盖者,曰:"必大将也。"并兵围之,德溃围拔光世以出。光世下令,得成者以其官爵予之,士奋命争进,再战皆胜,成遂遁走,擒其谋主陶子思。

戊寅,金徙昏德公、重昏侯于韩州。

十一月,戊子,银青光禄大夫、提举西京嵩山崇福宫李纲,责授单州团练〔副〕使,万安军安置。

初,纲既贬,会有旨左降官不得居同郡,而责授忻州团练副使范宗尹在鄂州,乃移纲澧州居住。〔至是御史中丞王绹劾纲不赴贬所,又论纲三罪,请投之岭海,遂有是命。〕

己丑,江淮制置使刘光世还行在。

李成之败也,获其党之家属,诏分养于真、泰、楚三州,至是光世具上男女六百馀人。帝谓宰执曰:"此曹身且不顾,岂恤其家!朕念作乱者非其家属之罪,故令分养之。"黄潜善曰:"臣闻光世凯旋过楚州,降卒见家属无恙,皆仰戴圣恩。"朱胜非曰:"郊赦中可载此,以见陛下德意。"帝又曰:"昨于光世处得成所用提刀一,重七斤。成能左右手运两刀,所向无前,惜也惑于陶子思邪说,使朕不得用之。"是日,光世俘子思诣都堂,既而以火燃于开明桥上,其军士降者皆释之。

壬辰,金人破延安府,通判魏彦明死之。

先是金人破府之东城,而西城犹坚守。金人谍知都统制曲端与经略使王庶不协,遂并兵攻鄜延康定,统制官王宗尹不能御。庶在坊州,闻金人攻康定,夜趋鄜延以遏其前。金诡道陷丹州,州界于鄜、延之间,庶乃自当鄜州来路,遣统制官庞世才、郑恩当延安来路。

时端尽统泾原精兵,驻邠州之淳化,庶日移文趣其进,且遣使十数辈往说谕端,端不听。庶知事急,又遣属官鱼涛督师,端阳许之,而实无行意。权转运判官张彬为端随军应副,问以师期,端笑谓彬曰:"公视端所部,孰与李纲救太原乎?"彬曰:"不及也。"端曰:"纲召天下兵,不度而往,以取败北。今端兵不满万,〔万〕一若败,敌骑长驱,无陕西矣。端计全陕西与鄜延一路〔孰〕重轻,是以未敢即行;不如直捣巢穴,攻其必救。"乃遣泾原兵马都监吴玠攻华州,端自攻蒲城县。华州、蒲城皆无守兵,玠拔华州。端不攻蒲城,引兵趋耀之同官,复迁路由邠州之三水,与玠会于宁之襄乐。在深山中,去金人五百里,天大雪,寒甚,敌攻世才,世才与战,下不用命,乃败。

自此金兵专围西城,昼夜攻击不息。西城初受围,彦明与权府事刘选分地而守。彦明当东壁,空家赀以赏战士,敌不敢近。庶子之道,年未二十,率老弱乘城,敌昼夜攻,士多死者。阅十有三日,城之后大门破,选与马步军总管马忠皆遁去。彦明独曰:"吾去,则民谁与同死!城以外,非吾所当死之地也!"金人大入,彦明率所部力敌,坐子城楼上。敌并其家执之,谕使速降,彦明曰:"吾家食宋禄,汝辈使背吾君乎!"洛索怒,杀之。久之,诏赠彦明中大夫,官一子。彦明，开封人也。

初，庶闻围急，自收散亡往援，温州观察使、新知凤翔府王瓒亦将所部发兴元。比庶至甘泉，而延已破，庶无可归，乃以军付瓒，而自将百骑与官属驰至襄乐劳军。庶犹以节制望端，欲倚端以自副，端弥不平。端号令素严，叩其壁者，虽贵亦不敢驰。庶至军，端令每门减其后骑之半，至帐下，仅有数骑而已。端犹虚中军以居庶，庶坐帐中，端先以戎服趋于庭，既而与张彬及走马承受公事高中立同见帐中。良久，端声色俱厉，问庶延安失守状，且曰："节制固知爱身，不知为天子爱城乎？"庶曰："吾数令不从，谁其爱身者！"端怒曰："在耀州屡陈军事，而不见一听，何也？"因起，归帐。庶留端军，终夕不自安。端谋即中军诛庶而夺其兵，乃夜走宁州，见陕西抚谕使、主客员外郎谢亮，说之曰："延安五路，襟喉已失。《春秋》大臣出疆之义，得以专之，请诛庶归报。"亮曰："使事有指，今以人臣而擅诛于外，是跋扈也。公则自为之。"端意沮，因复归。明日，庶见端，为言已自劾待罪。端乃拘縻其官属，又夺庶节制、使印而遣之。王瓒将两军在庆阳，端使人召之，瓒不应。会有告瓒过邠州，军士掳掠者，端怒，命统制官张中孚率兵召瓒，谓中孚曰："瓒不听，则斩以来。"中孚至庆阳而瓒已去，遽遣兵要之，不及而止。瓒亦不能军，遂将其馀众还入蜀。

金人既破延安府，遂自绥德渡河攻晋宁，守臣徐徽言遣使约知府州折可求夹攻之。洛索闻徽言与可求合，乃令人说可求，许封以关中地，可求遂降。金挟可求招徽言于城下，徽言登陴，以大义责之，且引弓射，可求乃去。金攻晋宁急，徽言屡败之，斩洛索之子。徽言，西安人也。

癸巳，两浙提点刑狱赵哲与叶浓战于建州城下，大败之。浓引兵东走，哲遣人招谕，浓遂降。其后浓至张(浚)〔俊〕军中，复谋为变，(浚)〔俊〕执而诛之。

乙未，金人破濮州。

初，左副元帅宗翰自澶渊引兵至城下，意以为小郡，甚轻之。将官姚端，乘其不意，夜劫其营，直犯中军，宗翰跣足而走，仅以身免。金攻城凡三十三日，至是自西北角登城，守陴者不能当，端率死士突出，宗翰入其城。守臣直秘阁杨粹中登浮图最高级不下，宗翰嘉其忠义，许以不死，乃以粹中归。城中无长少皆杀之。又攻澶渊，显谟阁学士、知开德府王棣率军民固守。金人为伪书至城下曰："王显谟已归，汝百姓何敢拒师？"军民闻之，欲杀棣。棣走至南门，为军民践死，城遂破，经略司主管机宜文字郑建古亦为乱兵所杀。金怒其拒战，杀戮无遗。事闻，赠棣资政殿学士，赠建古朝请大夫。建古，铅山人也。

时相州围久，粮食皆绝。守臣直徽猷阁赵不试谓军民曰："今城中食乏，外援不至。不试，宗子也，岂可顺敌！诸人当自计。"众不应。不试又曰："约降如何？"众虽凄惨，然亦有唯唯者。不试乃登城，遥谓金人，请开门投拜，乞弗杀，金人许之。不试乃具降书，启门，而纳其家属于井，然后以身赴井，命提辖官实之以土，人皆哀之。

东京留守杜充，闻有金师，乃决黄河入清河以沮敌，自是河流不复矣。

初，太学生建安魏行可应诏使绝域，遂以为奉议郎，充军前通问使，果州团练使郭元迈逼之，仍命行可兼河北、京畿抚谕。戊戌，行可等渡河，见金人于澶渊。时河北军甚众，行可等始惧为所攻，既而见使旌，皆引去。元迈亦应募出疆，朝(延)〔廷〕各官其子弟，廪给之。然金人知其布衣借官，待之甚薄，因留不遣。

庚子,帝亲祫太庙神主于寿宁寺。

壬寅,亲祀天于圜丘,配以太祖,用元丰礼也。礼毕,赦天下。命侍从于废放黜谪之中,举才干强敏之士。吏民因忤李彦、朱勔被罪者,许自陈改正。

先是诏浙江、淮南、福建〔起大礼〕赏给钱二十万缗,金三百七十两,银十九万两,帛六十万匹,丝绵八十万两,皆有奇。是日,帝自常朝殿,用细仗二十人,诣坛行礼。

甲辰,金人破德州,兵马都监赵叔(贩)〔皎〕死之。

旧制以广南地远,利入不足以资正官,故使举人两与荐送者,即转运司试刑法,以其合格者摄之。两路正摄凡五十人,月奉人十千,米一斛,满二年则锡以真命。后增五十人,号曰待次。崇、观后,又增五十人,号曰额外。其注拟皆自漕司;建炎初,敕归吏部。至是逾年,无愿就者。乙巳,吏部请复归漕司,从之。

己酉,诏:“蔡京、童贯、王黼、朱勔坟上刹皆毁之,收其田充省计。”

陕西安抚司都统制邵兴败金人于绛州曲沃县。

金人破淄州。

初,李成为刘光世所败,遂转寇淄州。权州事李某固守不下,成粮尽,引去。淄人求救于知沧州刘锡,会金人来攻,骑军至城下,淄人望之曰:“沧州救兵至矣!”乃具香花于城上,望尘欢噪。既而知为敌至,遂降。金人大喜,不入城而去。

泾原兵马都监兼知怀德军吴玠袭叛贼史斌,斩之。

初,斌侵兴元,不克,引兵还关中。义兵统领张宗,诱(兵)〔斌〕如长安而散其众,欲徐图之。曲端遣玠袭击斌,斌走鸣犊镇,为玠所擒。端自击宗,杀之。玠以功迁右武大夫、忠州刺史。

统制〔滨州〕军马葛进围棣州,守臣直秘阁姜刚之与战,城破,为所害。后赠刚之奉直大夫。

十二月,乙卯,隆祐太后至杭州,扈从统制苗傅以其军八千人屯奉国寺。

庚申,金人侵东平府,守臣宝文阁直学士、京东西路安抚制置使权邦彦遁去。时御营使司同都统制范琼自京师引兵至东平,敌众方盛,邦彦无兵,不能守,遂弃其家,与琼俱南归。琼引兵至淮西。

金既得东平,又攻济南府,守臣刘豫遣其子刑曹掾麟与战,金兵围之数匝。通判张东益兵援之,乃去。金即遣人啖豫以利,豫因有邪谋,与东偕往投拜,民遮道不从,豫遂缒城,军前通款。

甲子,金左副元帅宗翰破北京,河北东路提点刑狱郭永死之。

初,金人攻北京急,河北转运副使兼权大名尹张益谦欲遁去,永曰:“北门所以遮梁、宋,敌得志则席卷而南,朝廷危矣。借力不敌,犹当死守,徐挫其锋以待援。”因自率兵昼夜乘城,且缒死士持帛书诣行在告急。金俘东平、济南人至城下,大呼曰:“二郡已降,降者富贵,不降者无噍类!”益谦与转运判官裴亿皆色动,永曰:“今日正吾侪尽节之时!”即行城抚将士,曰:“王师至矣。”众皆感泣。是日,大雾四塞,金以断碑残础为炮,橹楼皆坏,左右蒙盾而立,至有碎首者。良久,城破,永安坐城楼上,或掖之以归,诸子环泣请去,永曰:“吾世受国恩,当以死报。然巢倾卵覆,汝辈亦将何之! 兹命也,奚惧!”益谦、亿率众迎降。

金人入城，宗翰曰："沮降者谁？"永熟视久之，曰："不降者我也，尚奚问！"宗翰夙闻永名，乃以富贵啖之，永瞋目骂曰："恨不灭尔报国，何说降乎！"宗翰令译者申谕永，永戟手骂不绝。宗翰恶其言，麾之使去，永复厉声曰："胡不速杀我！我死，当率厉鬼以灭尔曹！"大名人在縶者皆出涕。宗翰令断所举手，并其家害之，年五十三，城中人相与负其尸瘗之。永长七尺，美须髯，望之如神人，轻财好义，而吏治精明。事闻，赠资政殿大学士，谥勇节。

金人破袭庆府，衍圣公孔端友已避兵南去。军人将启宣圣墓，左副元帅宗翰问其通事高庆裔曰："孔子何人？"曰："古之大圣人。"宗翰曰："大圣人墓岂可犯？犯者杀之！"故阙里得全。端友，孔子四十八世孙也。

自金人入中原，凡官汉地者皆置通事，高下轻重，悉出其手，得以舞文纳贿，人甚苦之。燕京留守尼楚赫，以战多贵，而不知民政。有僧讼富民逋钱数万缗，通事受贿，诡言久旱不雨，僧欲焚身动天以苏百姓，尼楚赫许之。僧号呼不能自明，竟以焚死。

乙丑，金人破虢州。

己巳，尚书右仆射兼中书侍郎黄潜善迁左仆射兼门下侍郎，知枢密院事汪伯彦守尚书右仆射兼中书侍郎，仍并兼御营使。二人入谢，帝曰："潜善做左相，伯彦作右相，朕何患国事不济！"皆稽首谢。

潜善入相逾年，专权自恣，卒不能有所经画。伯彦继相，略与之同。由是金人遂大举南下。

尚书左丞颜岐守门下侍郎，尚书右丞朱胜非守中书侍郎，兵部尚书卢益同知枢密院事。

戊寅，礼部侍郎张浚兼御营使司参赞军事。

时金人来往山东无所阻，群盗李成辈因之为乱。金左副元帅宗翰，将自东平历徐、泗以趋行在，而宰相黄潜善、汪伯彦皆无远略，且斥候不明，东京委之御史，南京委之留台，泗州委之郡守，所报皆道听途说之辞，多以金缯使人伺金之动息。于是淮北累有警报，而潜善等谓成馀党，无足畏者。金谍知行在不戒，亦伪称成党以款我师。

帝以边事未宁，诏百官言所见。吏部尚书吕颐浩上备御十策，曰收民心，定庙算，料彼此，选将帅，明斥候，训强弩，分甲器，备水战，控浮桥，审形势，其说甚备。户部尚书叶梦得亦请帝南巡，阻江为险，以备不虞。帝曰："自扬州至瓜洲五十里，闻警而动未晚。"梦得曰："河道仅通一舟，恐非一日可济也。"梦得又请以重臣为宣总使，一居泗上，总两淮及东方之帅以待敌，一居金陵，总浙江之路，以备退保。帝一日召诸军议事，中军统制官张俊，奏敌势方张，宜且南渡，复请移左藏库于镇江。吏部侍郎刘珏亦言："备敌之计，兵食为先。今以降卒为见兵，以籴本为见粮，二者无一可恃。维扬城池未修，卒有不虞，何以待敌？"不报。殿中侍御史张守上防淮渡江利害六事，大率尤以远斥候探报为先。别疏论淮甸之路有四，宜取四路帅臣、守倅，铨择能否，各赐缗钱，责之募战士，储刍粟，缮甲兵，明斥候，公赏罚，使之夙夜尽力捍蔽，疏至再上。又请诏大臣以选将治兵为急，凡细微不急之务，付之都司六曹。潜善、伯彦滋不悦，乃请遣守抚谕京城，守即日就道。

至是闻北京破，议者以敌骑且来，而庙堂宴然不为备，张浚率同列谒执政力言之。潜善、伯彦笑且不信，乃命浚参赞军务，与颐浩教习河朔长兵。

【译文】

宋纪一百二　起戊申年(公元1128年)六月,止十二月,共七月。

建炎二年　金天会六年(公元1128年)

六月,己未(初六),下诏:"右文殿修撰胡安国已除授给事中指挥,更改不再执行。"

当初,胡安国上奏疏请求免去现职,转任宫观官守闲职,下诏不允许,仍催促他去临安。胡安国因而上疏奏禀说:"陛下拨乱反正,将建树中兴大业,可是政事人才,松缓紧张升迁废黜,关系到派出纳入,都牵动国家安危,闻于道途,按臣浅见,还不合适,臣十分寒心。更何况锁闭宫廷侧门典司封校,假如隐情失漏,闭口不讲,就辜负了陛下委托的恩德,如果一件一件地按职守范围去办,事情都有违背不同,那时一定认为臣子憨愚随意处理,违犯了典章刑律,白白玷污了清明之时,无补于国家大事,这是臣不敢对上担当恩命的缘故。"奏疏送入,黄潜善大怒,请求皇帝特别赐予废黜责罚,把它当作对抗皇上不恭的一种告诫。胡安国于是被罢免了。

金人当初没有文字,也不曾有记录。宗翰喜好访问女真旧时老人,得到许多先代的旧闻。到了这时,金主下诏寻求查访祖宗遗事用来准备编修国史,派完颜勖等人主管这件事情。

庚申(初七),侍御史张浚充任集英殿修撰、知兴元府。

张浚有远大志向,多次招集诸将到台前,讲论用兵的筹划策略。张浚本来是黄潜善所推荐的,到了这时因请淘汰御营使司官属,又谈论到这时金兵即使不来,也应当不停止地训练军队,经常觉得像敌人到来一样,黄潜善开始对他厌恶起来。张浚因以老母在蜀地请离去,所以才有这个诏命。后没有成行,留下做了礼部侍郎。

乙丑(十二日),御营使司中军统制张俊带兵进入秀州,前知州事赵叔近被他杀害。

当初,御营都统制王渊,在京师有一个心爱的妓女,乱后被赵叔近夺去,王渊对他含恨在心。到了张俊辞行时,王渊对他说:"赵叔近在那里。"张俊明白他的意思。前一天,张俊总领大军至郡,叔近以太守之礼在城北沈氏园迎接。张俊呵斥命令他置对,刚下笔,众人突然向前去,砍断他的右臂,叔近大喊:"我是皇家宗室。"话未说完,已斩首在地。秀州土卒看到叔近死去,于是反戈据城,放火殴打抢掠,江东西路经制司书写机宜文字辛安宗在城内被他们杀害。第二天,张俊打破城关捕获徐明等,也杀掉了。张俊因功迁升武宁军承宣使。叔近的儿子朝奉郎赵交之,也因犯了接受贼人所献给的玩好珍品之罪,降官六等,停职。十余年以后,御史说赵近叔的冤情,才追赠为集英殿修撰。

丁卯(十四日),国信使杨应诚、副使韩衍到高丽,会见高丽国王王楷传谕圣旨。王楷拜谢诏后,和杨应诚等对立谈论事情。王楷说:"大朝有山东路,为什么不从登州来?"杨应诚说:"不如贵国离金国最近,只是麻烦国王传达金国。今三节人自备粮食,只借二十八骑兵。"王楷感到为难。不久,派他的门下侍郎傅俏到宾馆里,说:"金人现在造船,将开往两浙,假如带使者到他们国内,他日想借路到浙中,将怎样对答?"杨应诚说:"金人不会水战。"傅俏说:"金人在海路常来常往。何况金人过去臣属本国,近来却想令本国臣奉于它,从这儿可知强弱的变化了。"后十余日,府宴。又过了几天,又派中书侍郎崔洪宰等来,坚持以前的说法,并且说徽、钦二圣现在燕云，不在金国。馆伴使文公仁说："往年我入贡上国，曾奏请上皇说金人不可以相亲近，现在十二年了。"洪宰笑着说："对金国虽然割纳土地给它，二圣亦不可能得以回归。大朝为什么不练兵和他战斗！"杨应诚在高丽共住了六十四天，王楷始终不奉诏。杨应诚没有办法，接受他们的表章回国。

己卯（二十六日），言官认为："东南武备有利于水战，金兵既已攻破唐、邓、陈、蔡诸州，进逼淮河、汉水一带，离长江只有一点距离了。为了当今的打算，应该在长江上游如采石矶这样的地方，凡是要害之处，精心训练水军，大量修造战舰，并停泊在长江的南岸，形势紧张的时候，或者就可以有所倚靠。"皇帝下诏令江、浙州军办理，限一个月内做完。

这个月，任命集英殿修撰、知延安府王庶为龙图阁待制，节制陕西六路军马，泾源经略使司统制官曲端为右武大夫、吉州团练使，充任节制司都统制。诏书并说："假若不在酷暑以前平靖战乱，一定招致在秋凉之后增兵。"

早先是温州观察使、河东经制使王瓘已逃回，朝廷授王瓘知凤翔府。东京留守宗泽，奉皇帝之命以王庶暂代陕西制置使。曲端暂代河东经制使。正好主客员外郎、陕西抚谕使谢亮向西入关，王庶送去信说："大夫出守边疆，有可以使社稷安定、国家有利的作用，完全可以独断处置。夏国为患，最小并且缓慢，金人为患，却最大并且紧迫。敌兵刚在熙河挫折锐气，跑向本路辖境，子女玉帛，不知有多少，占据同、华，畏惧酷暑休兵。阁下如果能够持杖留守大权督促诸路兵马，共同参加正义之举，漕臣供应粮饷，争先恐后，携手并进，即使不能洗雪以前的耻辱，也可以将敌驱逐渡过黄河，从而使全部秦地得以安定，慢慢地图谋恢复天下。夏人秋粮尚未登场，饥饿疲劳困乏，哪有闲暇兴兵打仗，我王庶可以保证不会发生意外。"谢亮没有听从。于是从环庆进入西夏，夏国主乾顺已称帝，傲慢地接见了他。谢亮在夏国停留几个月，才同夏国订立和约罢兵，改用平等礼节，乾顺允许了。谢亮回归，夏人追随其后，以武力夺取定边军。第二年，谢亮才回到皇帝驻地。

当初，王瓘溃退时，他的属下王择仁带兵两万人进入长安，又被经略使郭琬赶走。祠部员外郎、四川抚谕使喻汝砺曾说："现朝廷已专门任命王庶经制中夏，我私下听说五路全都不服王庶节制，希望选择长期经历边境事务，通晓军事，接近皇上的两制官，节制五路，招集溃散败兵，依法遏止盗贼，并以臣所统查究来的金帛八百余万缗作为军粮犒赏的费用，或许可以维系二京、两河、山东、陕西五路父老之心。如果说四川钱物，不该当助陕西，臣以为将这些钱从三峡、湖、湘平安运抵建康，固然很好，但万一中途被奸人窥察到，却正好足以资助贼寇。我又听说王择仁所统领的都是三晋劲勇之士，现在关辅榛莽丛生，军中没有现成的粮食，所以他们以抢掠为业。如果能得到上述财帛养活他们，那么秦、晋的百姓，都可为我所用。"这时王庶已擢升待制。而喻汝砺停止了官职，但是都未受命。

当初，二帝已被迁移到中京，上皇听到皇帝已即位，写信给左副元帅宗翰，要与其订立和约，大意是："唐太宗恢复突厥而沙陀救了唐，冒顿单于在白登放了高帝而呼韩单于依赖汉朝；近代耶律德光灭绝石氏而中原成为灰烬几十年，最后被他人占有，这种盘算不是相差太远了吗！近来听说嫡嗣儿子之中有被人拥戴的，实在是祖宗德泽在于人，最深最厚，不容易忘掉。如果你们欲效法唐太宗、冒顿单于，领受到兴灭继绝的名誉，享得岁币玉帛的好处；我可以派一个使臣，捧着不到一尺的书信，告知嗣子以大计，使子子孙孙永远奉献职贡，是为万代的利益。"宗翰接受其信但不做答复。

秋季,七月,癸未朔(初一),资政殿学士、东京留守宗泽去世。

宗泽被黄潜善等所阻止大志,忧愤得了病,痈疽在背上发作,这时病得更厉害了。诸将杨进等人推开小门进入慰问,宗泽很有精神起来说:"我本来没有病,只是因为二帝蒙受污辱太久,忧愤得病罢了。你们能够代替我歼灭强敌,以完成主上恢复江山的大志,我即使死了也没有遗恨了!"大家都流着泪水说:"我们都愿尽死相报。"诸将刚要退出,宗泽又说:"我自己度量可能一病不起,古话说'出师未捷身先死,长使英雄泪满襟'。"遂逝世,终年七十岁。这天,风雨交加,天空阴暗,不同于往常的日子。

宗泽墓

宗泽将去世时,没有一句话涉及家庭,只是连声喊着"过河",一连喊了三声。留下的表章仍旧赞成皇帝返回京城,表章开头说:"已择日渡河却得了病",末尾说:"嘱臣的儿子,记住臣的话,竭力请求皇帝銮驾,及早还京,大大发出雷霆震惊愤怒之声,救民于水火之中。平时蒙受皇帝恩德,岂敢忘掉尸谏!"

宗泽自奉很微薄,当他贬官谪居时,连吃稠粥都接不上,却歌吟长啸,心情自然。到了晚年,俸禄稍优厚些,但同往日也没有什么不同。曾说:"做国君的正卧薪尝胆,做臣子的怎能安居美食呢!"所得到的俸禄赏赐,碰到贫寒之士和家族亲戚中贫困的,就分送掉了,养育遗孤几百人。去世的那天,京都百姓为之哀号悲恸,朝野上下不分贤愚,都流着眼泪,相互吊念。

当初,宗泽既已拘留金国使臣,皇帝多次让释放他们,宗泽不听诏令,至这时资政殿大学士充任祈请使的宇文虚中到东京,而宗泽已经病了,宇文虚中代理留守事,才放他们回去。

这时,皇帝已除授宗泽为门下侍郎兼任御营副使、东京留守,诏命没有下达而宗泽去世讣告已报知,下诏赠观文殿学士。后谥忠简。

甲申(初二),叶浓自福州率兵攻破宁德县,又回建州,不久又攻破政和、松溪两县。

戊子(初六),高宗下诏:"从今以后士卒有犯罪的,都依据军法,不许剺眼、剖心,因为这样太过残酷。"并令御营使司行文下发。

乙未(十三日),侍卫马军都指挥使郭仲荀被任为京城副留守。

甲辰(二十二日),以北京留守、河北东路制置使杜充为枢密直学士,充开封尹、东京留守。并且命杜充镇抚军民,尽心于国事,以继承前任官的美德;遵从禀报朝廷,严戒任意作为,以纠正前任官的失误之处。

从宗泽去世后,几天的时间将士离去的十分之五,京都的人们都很担心,共同向朝廷请求,说宗泽的儿子宣教郎宗颖曾居军中,深得士卒之心,请任用继承其父的职务。正好杜充已除授留守;高宗便下诏以宗颖直秘阁,宗颖守父丧期限未满,应诏出任留守判官。杜充无意恢复疆土,一反宗泽所作所为,从此,宗泽所结交的两河豪杰都不被用。

金人听到宗泽死讯,决心用兵。河北诸将想要停止在陕西用兵,合力南征,而河东诸将认为不可以,说:"陕西跟西夏相邻,事关重大,兵力不能撤除。"左副元帅宗翰说:"当初跟夏人约定夹攻宋朝而夏人没有答应,而耶律达实在西北结交通连西夏。我们舍去陕西而会师河北,他一定认为我们有什么急难,将会趁机偷发兵以牵制我军,不是好计策。宋人力量薄弱,积时较久,河北不必担心,应该先对陕西采取行动,平定五路,既已戡平西夏,最后攻取宋朝。"当时宗翰的用意,欲舍掉江、淮而专力对陕用兵,诸将没有人能懂得他的用意,议论了很长时间不能做出决定,便向金主奏请。金主说:"对康王应当尽力追赶,到平定宋朝时,应当立藩辅像张邦昌那样的人。陕右之地,亦不可放置那里不去攻取。"乙巳(二十三日),命洛索平陕西,博勒和为监军。以尼楚赫防守太原,耶律伊都留守云中,派宗翰向南伐宋,在黎阳津与东师会合。

金人转移徽、钦二帝到上京。

这月,礼部贡院说应词学兼茂科朝奉郎袁正功合格,应诏许减少二年考核期限。袁正功,是无锡人。

燕山人刘立芸,聚众攻破城邑,所到之处不杀不抢,只让赠给粮食,蕃、汉两族百姓,归附的很多。

金将洛索派兵攻打解州的朱家山,统领忠义军马邵兴苦战三天,打败了他。

八月,甲寅(初二),开始铸造印宝:一方叫"皇帝钦崇国祀之宝",第二方叫"天下合同之宝",第三方叫"书诏之宝"。

庚申(初八),殿中侍御史马伸上言:"黄潜善、汪伯彦做宰相以来,处理天下大事,没能恰到好处,于是使敌国日渐强盛起来,盗贼也一天一天地猖獗起来,国运日见困难,权威一天一天地削减。并且像徽、钦两位圣上被敌掠到北方,社稷没有断绝如一线相连者,全系陛下一人。现在三镇没有恢复,不应当以汴京为都,使自己处于最危险的境地,然而以前下了还都的诏书,贬谪了许景衡,到了今天,应当怎么办呢?诏令之不慎到了如此地步!在野未仕之人对答大策,答错了不合格式,对考官处以罚金就可以了,可是却在一天之内贬斥三位舍人,相反却选取沈晦、孙觌、黄哲等用来掌管诏书。处罚升迁之不公正有如此的吗!又如吴给、张阄因进言的事被逐出,邵成章本是向上进言而被流放远方,现在是什么时候,还讳忌敢说话的?堵塞言路有像这样的吗!又如祖宗旧制,谏官、御史有缺额,御史中丞、翰林学士开具姓名取旨,三省不参与,黄潜善近来却自己任用台谏,并且大部分是亲戚故旧,李处遁、张浚之辈就是这样的人。看看他用心,不过是想培植自己的势力。恣意毁坏法律有像这样的吗!又如对张悫、宗泽、许景衡,公正忠良并有才能,都可以重用,可是黄潜善、汪伯彦却忌妒他们,阻止压抑他们直到死去。妨害建功立业,陷害贤能有像这样的吗!又如有人问黄潜善、汪伯彦救济被焚烧被淹溺的事,他们两人常说难讲,他们的意思是说在陛下控制之下无法实施。有人问陈东之事,就说我们外廷人不知道,认为事情是陛下做的。有了过失就称君主负责,有了好事就称自己所为,有像这样的吗! 又如吕源狂妄骄横,陛下将其逐去几个月,可是他又从郡守而升官为发运粮财重任,强横自专,有像这样的吗? 又如御营使虽然主管兵权,大凡皇帝驻地诸军都是由御营使所统领,可是黄潜善、汪伯彦又另外设亲兵一千人,并请求给予住处,比众兵还优厚。收买军心,有像这样的吗! 陛下内心暗自忍耐不肯将其斥责赶走,却使天下苍生涂炭,人心绝望,那么二帝返回之期,在什么时候呢! 臣常想到这些,不如死了。时光如流水,机会容易失去,不早点图谋改正,大事就完了。"奏疏留朝中没有发出来。

承议郎赵子砥从燕山逃回,到了皇帝的驻地,皇帝命辅臣召其在都堂上问话,并且取到赵子砥所得到的二位上皇的御书进呈。赵子砥禀奏此事很是详细,大意是说:"金人为了讲和而用兵,我国应收兵以等待讲和。近来派使臣数人,都不能通达。刘彦宗说:'金国只接纳楚地使臣,怎还知道有宋呢!'如此我国之与金国,将势不两立,不能与其讲和是很明白了。以前契丹主张议和,女真主张用兵,十余年的时间,竟把契丹灭亡了,现在又重蹈覆辙。好比怕老虎,用肉喂它,吃完了肉,最后一定还是吃人,假若设下陷阱来等待他,然后就可以制服老虎了。"后来过了半个月,又任命赵子砥做鸿胪寺丞。不久赏他对话,给予嘉奖,于是用赵子砥知台州。

癸亥(十一日),兵部尚书卢益上言说:"近世以田地包括人丁,号称民兵,具有古代乡兵的旧意。请命提刑检察。"皇帝听从了。

己巳(十七日),皇帝下诏:"考试学官并用诗赋,从来年开始。"

辛未(十九日),徽猷阁待制、江南等路制置发运使、提领措置东南茶盐梁扬祖迁升徽猷阁直学士,因为他办事很有条理的缘故。

茶法从政和以来,允许商人到官府卖出购销凭证,就园户买茶,到合同场过秤运发。淮、浙盐则是由官府给制盐亭户本钱,各州设仓库,让商人买钞算申请,每三百斤为一袋,输入钞钱十八千。闽、广盐则隶属本路漕司,官运官卖,用以补助每年国家支出,对公对私都感方便。自从梁扬祖开始做真州置司,每年收入钱六百万缗。以后三十年,东南每年榷茶,以斤计算,浙东七州八万,浙西五州四十八万,江东八州三百七十五万,江西十一州四百四十五万,湖南八州一百一十三万,湖北十州九十万,福建五州九十八万,淮西四州一万,广东二州二千,广西五州八万,都超过这个数目。合计东南产茶各州共六十五个,总计为一千五百九十余万斤,共收茶引钱二百七十余万缗。盐以石计,浙西三州一百一十三万,浙东四州八十四万,淮东三州二百六十八万,广东三州三十三万,广西五州三十三万,大约以五十斤为一石,都超过此数。以斤计算的,福建四州二千六百五十六万,合计东南产盐各州为二十二个,总计为二万七千八百一十六万余斤,共收盐息钱一千七百三十余万缗。以后增加到二千四百万缗。四川三十州,每年产盐约计六千四百余万斤,隶属总领财赋所用来赡养军队;成都府路九州,利州二州,每年产茶二千一百零二万斤,隶属提举茶马,都不在版曹的经费之内。

丁丑(二十五日),金主命宋徽宗、宋钦宗二人穿着白衣服拜见太祖庙,于是在乾元殿拜见金主,金主封宋徽宗赵佶为昏德公,宋钦宗赵桓为重昏侯。

庚辰(二十八日),皇帝下诏:"东京所辖属官司,搬运祭器、大乐、朝祭服、仪仗、法物到皇帝的驻地。"这时皇帝将要在南郊祭祀上天,命令主管部门修建祭坛在扬州南门内江都县的东南。因为跟从皇帝出行时没有器杖,所以从旧都取来。

辛巳(二十九日),右武大夫、忠州防御使、河北、京东都大捉杀使李成领兵攻入宿州。

当初,李成既不能过黄河,朝廷担心他的人马太盛,命令李成分兵三千去应天府及宿州就食,其余的开往皇帝驻地。有个名叫陶子思的道士,说李成有割据为主的相貌,劝他向西取蜀地,李成于是就产生了背叛的想法。于是分兵两路,一路进犯泗州,由另一位将官指挥,一路进犯宿州,李成自己统领,都约定八月末为发兵时间。到这时李成摆开仪仗进入宿州城,城里人开始没有防备,军队进入没到一半,就有人爬上城墙。不一会,放火焚烧抢掠,驱使全部强壮的人为兵。别将没有按其进犯泗州,就烧掉虹县回来,又与李成相会师。李成知道事情不能成功了,便谎称前军史亮反叛,已及时平定向朝廷报告,朝廷对他没有怀疑,于是就赏赐铠甲。李成于是屯兵符离,军队势力很强。

工部员外郎滕茂实,既被金人拘留,忧愤成疾,这月,死在云中。

九月,甲申(初三),京城外巡检使丁进反叛,率兵进犯淮西。

丁进当初接受宗泽的招降,宗泽去世,就离开了。这时韩世忠军中有丁进的同党一百多人,韩世忠在扬州竹西亭全部把他们杀了。当对王权行斩首之刑时,有个叫段思的武臣,劝韩世忠将其释放而任用他。不久命御营右军副统制刘正彦带领所部收服了丁进。

庚寅(初九),皇帝驾临集英殿,赐予各路照例省试正式奏上姓名的李易等四百五十一人进士及第、出身、同出身,而家住川、陕、河北、东京等地正式奏上姓名的一百零四人,因道路梗阻不能前来,都在家赐予进士及第。特奏名叫张鸿举的以下到五等都准许调派官职,张鸿举以龙飞恩特附于第二甲。李易,是江都人;张鸿举,是邵武人。过去惯例,殿试前十名,按例先呈上卷子在皇帝面前定出高下。到这时,御药院以旧例奏请,皇帝不赞同,说:"录选人才应当本着最公的原则,既然有了初考复考详定官,难道还应该凭着朕的意见再自更改升降吗!从今以后不要先进上卷子。"

壬辰(十一日),皇帝下诏说:"朝议大夫褚宗鄂等二十一人,一齐命令乘驿马来皇帝驻地;秘书省校书郎富直柔,太学士王觉,一起到都堂审察。"

早先,皇帝曾告诉大臣认为从官排列不恰当,并且对黄潜善说:"求得贤能的人,是宰相的职责,应当加倍注意询访。"因此,命令取旧时从臣姓名送上来,也有召回再用的,过了些天,皇帝又说到人才还没有能够广泛收罗,黄潜善于是请求用祖先旧办法,让近臣各推举所了解的一二人来等待选择。于是户部尚书吕颐浩推举宗鄂,兵部尚书卢益推举朝请郎惠柔民,刑部尚书兼侍读王宾推举新任通判襄阳府程千秋,翰林学士叶梦得推举直龙图阁、新任知潭州辛炳、退休朝散郎王庭芳,端明殿学士、提举醴泉观黄潜厚推举登州州学教授邹潜,御史中丞兼侍读王珣推举通直郎蔡向,吏部侍郎刘珏推举前秀州崇德县令邓根、从侍郎朱鞞,礼部侍郎张浚推举富直柔,工部侍郎康执权推举王觉及朝请大夫李公彦,给事中黄哲推举杭州学教授李谊,中书舍人黄唐傅推举朝请大夫、知兴化军张读,中书舍人张澂推举退休的从政郎周虎臣等,各二人。皇帝问辅臣:"现今所推举出来的士人,卿等有认识的吗?"黄潜善说:"臣等不认识的有几个人,但也都是知名之士。"皇帝很高兴。宗鄂,是高密人;惠柔民,是晋陵人;邹潜,是邹浩的弟弟;邓根,是邵武人;朱鞞,是安吉人;李公彦,是临川人;李谊,是南昌人;张读,是闽县人;周虎臣,是管城人。政和年间,周虎臣为永康令,部里派去的使者对科税要求过于严峻,周虎臣与他争论,使者不听从,他就请告老还乡,人们都惋惜他的离去,画像立祠供奉他,到这时又被召还。

这天,叶浓攻入蒲城县。

癸巳(十二日),金人攻破冀州,暂理知军州事单某自己上吊死了。

当初,权邦彦既已带兵奔赴帅府勤王,有个叫李政的将官,布置守城很有办法,纪律严明。金兵攻城,多次把他们打退,有时乘夜攻击金兵营寨。所得到的财物全部分给士卒,没有一丝一毫装入私囊,由于这样,士卒都肯拼命。一天,金兵攻城很是紧急,有一个登上城头的,放火烧起了门楼,将官军隔开。李政说:"事情危急,哪个能跳过大火过去的定有重赏。"于是有数十人用湿毡子裹住身体,拿着武器跳过火去,大喊奋力战斗。金兵惊慌害怕,有丢掉武器的,于是被打败逃跑了。到这时,金人用计策引诱他的副将杀害李政,所以才没有把城保住。朝廷知道此事后,追赠李政为忠州刺史。

乙未(十四日),皇帝下诏:"诸路禁兵隶属帅府,士兵射手隶属提刑司,即刻调动出发,但都不要超过三分之一。"

丁酉(十六日),赐予新及第进士钱一千七百缗,作为按期集中的费用。从此成为定例。李易等因觉得皇帝忧伤劳累,要求辞去出席喜宴之事,皇帝听从了。

冬季,十月,癸丑(初二),皇帝下诏:"濒临长江各州县官家渡口,都派官主管,来往公家私人船只,到了夜晚都停在南岸。因为御营使司都统制王渊说金兵在河阳一带,恐怕他们突然来到的缘故。"

甲寅(初三),皇帝下诏让扬州修缮城池疏浚壕沟,并令江、淮州军练习水战。

壬戌(十一日),皇帝下诏给御营平寇左将军韩世忠令其带领部下从彭城开到东平,中军统制官张俊从东京开到开德,这是因为金兵南下的缘故。并命河外元帅府兵马总管马扩充河北应援使,跟韩世忠、张俊互相呼应支援。

这天,金兵包围了濮州。

当初,马扩到达北京,想会合兵力过黄河,收复沦陷诸郡;军队到馆陶时,听说冀州已被金兵攻破,而金兵已到博州,左右彷徨不敢前进;他的副手任重与统制官曲襄、鲁珏、杜林先后逃回。马扩的军队缺少粮食,大家议论纷纷,扬言停兵不动,马扩于是带兵攻打清平县。金右副元帅宗辅、左监军完颜昌、左都监栋摩,联合兵力跟马扩战于城南,统制官阮师中、巩仲达及其子巩元忠都死在阵前。太阳快落山时,清平人开门帮助金兵,金兵绕到马扩军的背后,马扩军动摇了,统制官任琳带领队伍叛逃而去,他的属官吴铢、孙懋都向金投降了,信王不知下落,马扩知道大事不成,就从济南返回。主管机宜文字万俟簨同敌人遭遇,他同他的儿子万俟刚中战死,后赠朝散大夫。

当马扩没失败的时候,左副元帅宗翰带兵来战,听到马扩败了,于是从黎阳渡黄河来侵犯澶渊,守臣王棣抵御,不能攻下,又进攻濮州。这时皇帝派韩世忠、张俊带领部下迎战敌人,而让马扩辅佐他们,都因为还不知道马扩已败了。后来言官认为张俊是中军,不可以远去,于是派御营平寇前将军、暂理主管侍卫马军司公事范琼代行他的职务。范琼请求让闭门宣赞舍人王彦跟他一起去,是因为王彦为平寇前军统领。王彦知道范琼的为臣节操不显著,难以和他共事,就称病,到真州就医去了,范琼一并带领他的人马万人而去。

马扩到了扬州,上疏请罪。皇帝下诏降官三级,罢免了军职。

甲子(十三日)，皇帝命常德军承宣使孟忠厚侍奉隆祐太后巡幸杭州，以武功大夫、鼎州团练使苗傅为扈从统制。

早先，张浚做侍御史，向皇帝请求："先安置六宫定居的地方，然后陛下以一身到四方巡幸察访，规划恢复江山的远大计划"，皇帝采纳了他的建议，于是命六宫随太后先往。孟忠库申明应办的事情，皇帝告谕大臣说："三省必须与他规定种类名目，假若一时难以找到的东西，使百姓用什么供给！太后比朕虽细心一些，但也不以口腹劳累百姓。如朕对于每日两餐，东西送到就吃，不曾多问。往日从相州渡河，郊野中很冷，烧柴温热饭食，用瓢舀水，跟汪伯彦在茅屋下一块吃饭，至今不敢忘掉。"辅臣说："陛下思艰崇俭，来解救万民，实在是天下人的万幸！"

京西北路安抚制置使、知河南府翟进战死。

翟进跟金兵隔河对战，多次攻败敌人。当时东京留守杜充既残酷而又缺少谋略，得不到兵士们的拥护，诸将大多感到不安。马扩、王彦既已回朝，其余的部队也逐渐退去。又起用留守判官宗颖，多次争论不从，他竭力请求回归居丧守孝。统制官、荣州防御史杨进也叛变了，以数万兵力攻汝、洛间残余的部队。翟进对他的哥哥兵马钤辖翟兴说："杨进是个凶贼。最终将会是国家的一大祸患，应当竭尽力量除掉他。"到这时，翟进率领部队与杨进在鸣皋山下遭遇，列阵伊水两岸对峙。杨进的骑兵很多，翟兴都是步兵，将士看到骑兵有恐惧感。翟进用激将方法使他们战斗，翟进渡水先登对岸，被流矢射中，马受惊掉在壕堑中，被贼兵杀害。贼乘势大声呼喊，打击官军，官军于是败了。翟兴收集余兵退守伊阳山寨。皇帝下诏赠翟进左武大夫，忠州刺史。

当初，宗泽做留守的时候，每日训练部队为复兴打算，两河豪杰都占据有利地形，以期响应宗泽。宗泽又招抚了河南群盗聚集在城下，打算派遣他们收复两河，没有等到出师而宗泽去世。杜充没有长远的打算，由此河北诸屯都散去，而城下的兵卒又去做强盗了，掠夺西南州县，几年不能够制止，议论的人都怪罪杜充。

癸酉(二十二日)，金知枢密院事刘彦宗去世。刘彦宗自燕京降金，金人刚得到平州，大凡州县方面的事情，都委派他裁决。到了打下燕京，凡是燕京一品以下的官员，都由他承金主之命批授，对他的信任委托到这种程度。以后追封刘彦宗为兖国公，谥号英敏。

丁丑(二十六日)，范琼带兵到了京师。

江、淮制置使刘光世于新息县击败李成。

早先刘光世以统制官王德做先锋，在上蔡驿口桥跟李成遭遇，击败了他。李成逃奔新息，奖励零散的士卒再战。刘光世穿着儒生的服装上阵，李成远远望见白袍上边青色的伞盖，便说："这个人一定是大将。"奋力包围，王德突围救出刘光世。刘光世下令，抓到李成的，拿他自己的官爵赏给他。士卒拼命争先恐后地向前，李成于是逃走，捉住他的主谋陶子思。

戊寅(二十七日)，金人迁移昏德公、重昏侯到韩州。

十一月，戊子(初八)，银青光禄大夫、提举西京嵩山崇福宫李纲，贬责授予单州团练副使，在万安军安置。

当初，李纲既遭贬，正好有圣旨左迁降职官员不能在同一个郡里居住，而责授忻州团练副使范宗尹在鄂州，于是就让李纲移居澧州居住。这时御史中丞王绹又弹劾李纲不去被贬谪的地方,并论及李纲三条罪状,请求将其放逐到岭海,这样才有这道诏令。

己丑(初九),江淮制置使刘光世回到皇帝的驻地。

李成失败,抓获他同党的家属,皇帝下诏分别安置在真、泰、楚三州。到这时刘光世报上男女共六百多人。皇帝对宰执说:"这些人自身都不顾了,难道还会怜惜他的家人! 朕思念到叛乱并不是其家属的罪过,所以下令分别收养起来。"黄潜善说:"臣听说刘光世胜利回楚州,投降的士卒见到家属平安无恙,都仰望感戴圣上的恩德。"朱胜非说:"在郊赦中可以记上这件事,用来证明陛下的德意。"皇帝又说:"昨天在刘光世处得见李成所用提刀,重七斤。李成能左右手同时挥动两把刀,所向无前,可惜受到陶子思的邪说蛊惑,使朕不能重用他。"这天,刘光世俘获陶子思把他带到都堂,不久,就用火把他烧死在开明桥上,投降的军士都释放了。

壬辰(十二日),金兵攻破延安府,通判魏彦明战死。

先是金兵攻破延安府的东城,西城还在坚守。金兵探得都统制曲端跟经略使王庶不和,于是合兵进攻鄜延康定,统制官王宗尹抵抗不了。王庶在坊州,听到金兵攻康定,连夜奔鄜延以阻止其前锋。金兵用诡诈的方法取道攻陷丹州,丹州位于鄜、延二州之间,王庶就自己守住鄜州的来路,派统制官庞世才、郑恩堵挡延安来路。

这时曲端带领泾源全部精兵,驻扎在邠州淳化,王庶每天移送文书劝曲端进兵,并且派使十数位前往劝说曲端,曲端不听,王庶知道事急,又遣属官鱼涛督师,曲端表面答应了,而实际上没实行的意思。暂理转运判官张彬作曲端的随军应副,问他出兵的时间,曲端笑着对张彬说:"你看我所带领的队伍,能比得上李纲救太原的兵力吗?"张彬回答说:"比不上。"曲端说:"李纲召天下兵力,不度量情势就前往,因而失败。现今我的兵力不足一万,如果万一败了,敌兵长驱直入,就没有陕西了。我合计保全陕西跟鄜延一路哪个重哪个轻,所以不敢马上实行,不如直捣敌人老窝,攻其必救之地。"于是派遣泾源兵马都监吴玠进攻华州,曲端自己带兵进攻蒲城县。华州、蒲城都没有守兵,吴玠攻克了华州,曲端没有攻打蒲城,带兵奔耀州的同官,又迂回绕路从邠州的三水,跟吴玠会师在宁州的襄乐。在深山里,离金兵五百里,天下起大雪,非常寒冷。敌人攻击庞世才,世才和他们争战,部下不听命,于是败了。

从此金兵专力包围西城,昼夜不停攻击。西城刚被包围时,魏彦明和暂代府事刘选分地防守。彦明承当东壁守御,倾其家财来犒赏士卒,敌人不敢接近。王庶的儿子王之道,年龄不到二十岁,带领老弱登城,敌人昼夜攻打,士卒大多死去。经过十三天,城的后大门被攻破,刘选和马步军总管马忠都逃跑了。魏彦明独自说:"我走了,那么谁和百姓同死! 城外,不是我应该死的地方。"金兵大批进城,魏彦明率领部众奋力抵挡,坐在子城楼上,敌人把他一家人都抓来,告诫他赶快投降,魏彦明说:"我家吃着大宋的俸禄,你们使我背叛吾君吗?"洛索很生气,杀害了他。以后,皇帝下诏赠魏彦明为中大夫,让他一个儿子为官。魏彦明,是开封人。

当初王庶听到延安府被包围情况危急,自己收集流散的士卒去援助,温州观察使、新任知凤翔府王璇也带领所部从兴元出兵。到王庶到达甘泉时,延安已经被攻破,王庶没有退路,就把军队交给王璇,自己带领一百骑兵和属官奔到襄乐慰劳军队。王庶还想以节制期望于曲端,想倚曲端为自己的副手,曲端更加不平。曲端号令素来很严厉,到门前叩问的,即使是权贵,也不敢驰入。王庶到了军中,曲端令进每道门时减少后面骑兵的一半,到了帐下,只有数骑罢了。曲端还留下中军空位让王庶坐。王庶坐帐中,曲端光穿上戎装走到庭院之内,不久同张彬及走马承受公事高中立一同在帐中会见王庶。时间过了很久,曲端声色俱厉,问王庶延安失守的情形,并且说:"节制固然知道爱护自己,但难道不知爱护天子的城池吗?"王庶说:"我多次发令不听,哪是只知爱自身呢!"曲端发怒说:"我在耀州多次陈述军事,却一点都听不进去,这是为什么?"因而起立,回帐。王庶留在曲端军中,终夜不安。曲端谋计就在中军杀掉王庶,夺去他的兵权,于是连夜跑到宁州,见陕西抚谕使、主客员外郎谢亮,劝说他:"延安五路,衣襟咽喉已失去。《春秋》上讲大臣出疆之义,可得以专断,请杀掉王庶回报朝廷。"谢亮说:"做事当有所指,现今以人臣而擅自在外诛杀,是跋扈的行为。你自己去做吧。"曲端很沮丧,因又回营。第二天,王庶见了曲端,说自己已自劾待罪,曲端就拘禁了他的官属,又夺去王庶节制和使印让他走了。王瓒统领两军在庆阳,曲端使人召他,王瓒不理他。正好有人告发王瓒经过邠州时,军士掳掠民财的事情,曲端发怒,派统制官张中孚率兵召王瓒,并对张中孚说:"王瓒不听命,就斩首报来。"张中孚到了庆阳而王瓒已离去,速派兵追赶,来不及了才停止。王瓒也不能在军中了,于是领着余兵回到蜀地。

金兵既攻破延安府,于是从绥德渡黄河攻晋宁,守臣徐徽言派使约知府折可求联合夹攻。洛索听到徐徽言跟折可求联合,就派人劝说折可求,答应封给他关中地区,折可求于是降金。金要挟折可求招徐徽言到城下,徐徽言登上城墙上的矮墙,以大义责备他,并且拉弓射击,折可求就退去了。金兵攻打晋宁很紧急,徐徽言多次打败了他们,斩杀了洛索的儿子。徐徽言,是西安人。

癸巳(十三日),两浙提点刑狱赵哲,跟叶浓在建州城下大战,大败叶浓。叶浓领兵向东逃跑,赵哲派人招谕,叶浓于是投降了。以后叶浓到张浚军中,又阴谋叛变,张浚抓住把他杀了。

乙未(十五日),金兵攻破濮州。

当初,左副元帅宗翰从澶渊带兵到城下,心中认为濮州是个小郡,很轻视它,将官姚端,乘着其不注意,夜里袭击了他的营寨,直冲中军帐中,宗翰光着脚跑了,仅仅保住了性命。金兵攻城共三十三天,到这时才从西北角登上城墙,防守女墙的士兵不能抵挡,姚端领着敢死队突围跑出。宗翰进入他的城中。守臣直秘阁杨粹中爬上佛塔最高处不下来,宗翰嘉奖他的忠义,答应不杀他,于是让粹中归回。城内百姓不分老少都杀掉了。宗翰又攻打澶渊,显谟阁学士、知开德府王棣率领军民坚决防守。金兵做假书信到城下说:"王显谟已经归降,你们百姓怎么还敢抗拒大军?"军民听到,想杀掉王棣。王棣跑到南门,被军民踩死,于是城被攻破,经略司主管机宜文字郑建古也被乱兵所杀。金兵恼恨军民抗拒,一个不留都杀掉了。事情被朝廷听到,赠王棣为资政殿学士,赠郑建古为朝请大夫。郑建古,是铅山人。

这时相州被围时间很久了,粮食都断绝了。守臣直徽猷阁赵不试对军民说:"现今城中吃的缺乏,外援又不能到达。我赵不试乃是皇室族人,怎么可以投顺敌人!你们大家应当自己打算。"大家不答应。赵不试又说:"有条件投降怎样?"大家虽觉凄惨,然而也有答应的。赵不试就登上城墙,远远地对金兵说,请让他开门拜降,并请求不要杀人,金人答应了。赵不试就写了降书,打开城门,把自己的家人投入井中,然后自己也以身投井,命提辖官用土填上,人们都十分哀痛。

东京留守杜充,听到金兵到来,就掘开黄河引入清河以阻止敌人,从此,河水流向就不再回复以前的样子了。

当初,太学生建安人魏行可奉诏出使绝地的地方,于是就任他为奉议郎,充任军前通问使,果州团练使郭元迈为副手;仍命魏行可兼河北、京畿抚谕。戊戌(十八日),魏行可等渡过黄河,看见金人在澶渊。这时河北军队很多,魏行可等开始害怕被攻击,既而看到使臣的大旗,都退去。郭元迈也是响应招募出发边疆,朝廷分别封他们的子弟为官,由官家供给。然而金人知道他们是布衣百姓借出使得官,对待他们很冷淡,因此把他们留下,没有遣回。

庚子(二十日),皇帝亲自在寿宁寺祭享太庙神主。

壬寅(二十二日),皇帝亲自在圜丘祭天,配享太祖,并用元丰时期的礼仪。大礼完毕,大赦天下。皇帝并命侍从在废出放逐贬谪的人当中,推选才干强敏的人士。吏民因得罪李彦、朱勔被罚罪的,允许自己陈述改正。

早先是皇帝下诏浙江、淮南、福建起发大礼赏给钱二十万缗,金三百七十两,银十九万两,帛六十万匹,丝棉八十万两,都有超过。这天,皇帝从常朝殿,用精细的仪仗二十人,到祭坛行礼。

甲辰(二十四日),金兵攻破德州,兵马都监赵叔皎战死。

旧制,因广南地域较远,收入不够资养正式官员的费用,所以使两位举人和推荐选送的,即到转运司考试刑法,以他们中考试合格的代理。两路正式代理共五十人,月俸每人十千,米一斛,任满二年就赐予真正的任命。以后又增加五十人,叫作待次。崇、观以后又增加五十人,叫作额外。他们批注办理都从漕司;建炎初年,敕令归吏部。到了这时已过了一年,没有人愿意干,乙巳(二十五日),吏部请求复归漕司管理,皇帝听从了。

己酉(二十九日),皇帝下诏:"蔡京、童贯、王黼、朱勔坟上修筑的佛塔都毁掉,没收田产补充各省财政。"

陕西安抚司都统制邵兴在绛州曲沃县打败了金兵。

金兵攻破淄州。

当初,李成被刘光世击败,就转而攻打淄州。暂代州知事李某固守不能攻下,李成的军粮用光了,退去。淄人向知沧州刘锡求救,正好金兵打来,骑兵到了城下,淄人远远地看见了说:"沧州的救兵到了!"就排香花在城上,望着飞起的尘土欢呼,不一会知道敌人来了,于是就投降了。金兵非常喜欢,没进城就离开了。

泾源兵马都监兼知怀德军吴玠袭击叛贼史斌,杀掉了他。

当初,史斌侵犯兴元,没有攻下,率兵回关中。义兵统领张宗,诱史斌入长安而解散了他的队伍,打算慢慢设法图谋大计。曲端派吴玠袭击史斌,史斌跑到鸣犊镇,被吴玠擒获。曲端亲自袭击张宗,把他杀了。吴玠因功迁升右武大夫、忠州刺史。

统制滨州军马葛进包围了棣州,守臣直秘阁姜刚之同他交战,城破,被杀害。后来赠姜刚之为奉直大夫。

十二月,乙卯(初五),隆祐太后到了杭州,扈从统制苗傅,带着八千人屯驻奉国寺。

庚申(初十),金人侵犯东平府,守臣宝文阁直学士、东京西路安抚制置使权邦彦逃跑了。

当时御营使司同都统制范琼从京城领兵到了东平,敌军正处于强盛之时,权邦彦没有兵力,不能防守,于是丢掉他的家人,跟范琼一起南归。范琼领兵到了淮西。

金人既取东平,又攻打济南府,守臣刘豫派遣他的儿子刑曹掾刘麟同他们交战,金兵包围了几层。通判张东增兵对他救援,金人才退去。金人即派人以利益引诱刘豫;刘豫因有奸邪的图谋,和张东同往投拜,百姓拦阻道路不听从,刘豫就用绳子追到城下,在军前通连条款。

甲子(十四日),金左副元帅宗翰攻破北京,河北东路提点刑狱郭永战死。

当初,金兵攻打北京形势危急,河北转运副使兼暂代大名尹张益谦想逃跑,郭永说:"北门是梁、宋之屏障,如果敌人得之就会席卷向南,朝廷就危险了。即使力量不与敌人相当,还当死守,慢慢挫败敌人的锋锐气势,以等待援兵。"因而自己带领着兵卒昼夜登城,并且用绳子缒敢死兵士拿帛书去皇帝驻地告急。金兵俘虏东平、济南人到城下,大声喊话:"东平、济南二郡已投降了,投降的重赏,不投降的就没活人了!"张益谦和转运判官裴亿脸色都变了,郭永说:"今天正是我辈尽节的时候!"即上城安抚将士,说:"皇家的军队到了。"大家都被感动得流下泪水。这天,大雾四起,金兵用断碑残础做炮弹,栏杆城楼都毁坏了,将士们蒙在盾后边站着,甚至有被打碎头颅的。时间很久,城被攻破了,郭永安然坐在城楼上,有人挟着他回去,几个儿子围着他哭泣着请求他离开,郭永说:"我几代人蒙受国恩,当以死相报。然而巢倾卵覆,你们又将到什么地方! 这是命运啊,怕什么!"张益谦、裴亿带领部下对敌迎降。

金兵进入城内,宗翰说:"阻止投降的是谁?"郭永仔细看了很久,说:"不愿投降的是我,还问什么!"宗翰平常听说郭永的名字,就用富贵来引诱他,郭永瞪大眼睛骂着说:"我恨不得消灭你们报效国家,怎么跟我讲投降呢!"宗翰让翻译申明告谕郭永,郭永举起双手骂不绝口。宗翰厌恶他的语言,指挥让他下去,郭永又厉声说:"为什么不赶快杀我! 我死之后,当率领厉鬼来消灭你辈!"被捆绑的大名人听到都流泪。宗翰下令砍断他所举起的两手,并将他全家一起杀害,年纪才五十三岁,城中人互相背着他的尸体埋葬了他。郭永身高七尺,美须髯,看上去像神人,他轻财好义,吏治精明。朝廷知道此事,赠资政殿大学士,谥号为勇节。

金兵攻破袭庆府,衍圣公孔端友已避兵乱向南方去了。军人将要打开宣圣的坟墓,左副元帅宗翰问他的翻译高庆裔说:"孔子是什么人?"回答说:"古之大圣人。"宗翰说:"大圣人墓怎么可以冒犯! 冒犯的杀掉他!"因此阙里得以保金。端友,是孔子第四十八代孙。

自从金人入中原,凡是在汉地做官的都设置翻译,高下轻重,都出自他们手里,因而得以有机会卖弄文字接纳贿赂,人们深受其苦。燕京留守尼楚赫,因为战功多得贵,可是他不懂民政。有个僧人诉讼富民拖欠钱几万缗,翻译接受贿赂,谎称久旱不下雨,僧人打算焚身感动上天以解脱民困,尼楚赫同意了。僧人号呼不能自己明辨,竟被烧死。

乙丑(十五日),金兵攻破虢州。

己巳(十九日),尚书右仆射兼中书侍郎黄潜善迁升左仆射兼门下侍郎,知枢秘院事汪伯彦守尚书右仆射兼中书侍郎,还并兼御营使。二人入朝拜谢,皇帝说:"潜善作左相,伯彦作右相,朕还有什么忧心国事不周全呢!"二人皆叩头谢恩。

黄潜善入相过了一年,恣意专权跋扈,终于不能有什么经略谋划的贡献。汪伯彦继任宰相,大略和他相同。从此,金人终于大举南下用兵。

尚书左丞颜歧守门下侍郎,尚书右丞朱胜非守中书侍郎,兵部尚书卢益同知枢密院事。

戊寅(二十八日),礼部侍郎张浚兼御营使司参赞军事。

这时金人来往山东没有什么阻挡,群盗李成等趁机作乱。金左副元帅宗翰,将要从东平经徐、泗直趋皇帝驻地,可是宰相黄潜善、汪伯彦,都没有远大韬略,并且侦察不明白,东京委托御史,南京委托留台,泗州委托郡守,所报情况都是道听途说的言辞,又多用金子绢缯使人探察金人的动静。于是淮北多次有警报,可是黄潜善等认为是李成余党,没有什么可怕的。金人探知皇帝驻地没有戒备,也假称李成余党,用来款缓我们军心。

皇帝因为边防不安宁,诏百官谈谈自己的见解。吏部尚书吕颐浩上备战十策,总的是说收民心,定庙算,料彼此,选将帅,明斥候,训强弩,分甲器,备水战,控浮桥,审形势,他的建议很完备周全。户部尚书叶梦得请求皇帝南巡,隔江作为天险用来防备意外的变故。皇帝说:"自扬州到瓜州五十里,听到报警才行动还不算晚。"叶梦得说:"河道只能通行一条船,恐怕不是一天的时间可以渡过的。"叶梦得又请求用重臣为宣总使,一位居住泗上,总管两淮及东方的将帅以待敌人;一位居住金陵,总管浙江各路,以备退后保守。皇帝有一天召诸军议事,中军统制官张俊,奏说敌人势力正嚣张,应当暂且南渡;又请求迁移左藏库到镇江。吏部侍郎刘珏也说:"防备敌人的根本大计,兵、食是最先。现在用投降的兵卒为现任军队,用籴本为现粮,两者没一件可靠的。维扬城池未修,仓促之间发生了意外,怎能待敌!"皇帝没有回答。殿中侍御史张守上禀防淮渡江利害六大事,大致更以从远斥候探听情报为首先的事。别的奏疏论淮甸诸路有四,应取四路帅臣、守副,权衡能不能,分别赏赐缯钱,责令他们招募战士,储备粮草,修造兵器,侦察清楚,奖赏处理要公正,让他们日夜尽心竭力捍卫保护,奏疏又一次报上。又请求下诏大臣把选拔将领训练军队为当务之急,凡是细微不紧急的事务,交付都司六曹。黄潜善、汪伯彦更加不高兴,就请求派遣张守抚谕京城,张守当日就上路了。

到了这时,听到北京已被攻破,议论的人认为敌人马上会到来,可是朝廷安然不做防备,张浚带领同班谒见执政竭力谈到这些。黄潜善、汪伯彦笑而不信,就命张浚参赞军务,同吕颐浩一起教练河朔人使用戈矛弓箭之类的长兵器。

续资治通鉴卷第一百三

【原文】

宋纪一百三　起屠维作噩【己酉】正月,尽二月。

高宗受命中兴全功至德　圣神武文昭仁宪孝皇帝

建炎三年　金天会七年【己酉,1129】　春,正月,庚辰朔,帝在扬州。

京西北路兵马钤辖翟兴诉翟进死事于朝,乞遣重臣镇守。诏以兴为河南尹、京西北路安抚制置使兼京西北路招讨使。

时叛将杨进据鸣皋山之北,深沟高垒,储蓄粮饷,置乘舆法物、仪仗,颇有僭窃之意;诈言遣兵入云中府,复夺渊圣皇帝及济王南归,欲以摇动众心,然后举事。东京留守杜充遣使臣王汉诣伊阳县见兴,使图之,且檄报进悖逆显著,请兴破贼。于是兴与其子琮率乡社扰劫之,战无虚日矣。

辛巳,金元帅左都监栋摩卒。栋摩,太祖异母弟也,后追封吴国王,改封鲁王,谥壮襄。

乙酉,通问使刘海等自河东还行在。

先是海与其副王贶通问至金,金人遣之,并遣祈请使副宇文虚中、杨可辅,虚中辞曰:“虚中受命迎请二帝,二帝未还,虚中不可归。”于是留虚中而独遣可辅。海、贶与可辅偕至行在,帝嘉其劳,以海为朝奉郎。

甲午,金以南京留守韩企先同中书门下平章事、知枢密院事,以刘彦宗殁,代其任也。旋念彦宗旧劳,起复其子筈直枢密事,加给事中。

丁亥,金人破青州,权知州魏某为所杀;又破潍州,焚其城而去。牛头河土军阎皋与小(校)〔教〕头张成率众据潍州,皋自为知州,以成知昌乐县。

初,山东盗刘忠,号“白毡笠”,引众据怀仁县。御营平寇前〔将〕军范琼在京东,遣其统制张仙等击之,忠伪乞降。是日,仙与将佐入忠壁抚谕,忠留与饮,伏兵击杀之,逐其众。琼怒,屡与忠战,皆败绩。忠自黥其额,时号“花面兽”。

己丑,奉安西京会圣宫祖宗御容于寿宁寺。

怀德军节度使、检校太保占城国王杨卜麻叠加检校太傅;大同军节度使、检校司空真腊国王金哀宾深,怀远军节度使、检校司空阇婆国王悉里地茶兰固野,并加检校司徒;皆用南郊恩也。时占城以方物来献,因有是命。

辛卯,陕西都统制军马邵兴及金人战于潼关,败之;乘势攻虢州,又下之。陕州安抚使李彦仙即以兴知虢州。

甲午,上元节,有南僧被掠至拉林河者,夜,以长竿引灯球,表出之以为戏,金主见之,骇曰:"得非星邪?"左右以实对。时有南人谋变,事泄而诛,故金人疑之,曰:"是人欲啸聚为乱,克日时,以此为信耳。"命杀之。

乙未,京城留守杜充袭其统制官张用于城南,不克。

用与曹成、李宏、马友为义兄弟,有众数万,分为六军。成,外黄人,因杀人投拱圣指挥为兵,有膂力,善战,军中服其勇。友,大名农家,始以巡社结甲,夹河守御。用与王善皆受宗泽招安,泽卒,乃去。及充为留守,又受招安,用屯于京城之南南御园,善屯于京城之东刘家寺。时岳飞自太行山王彦军中归京城,为统制,与桑仲、李宝皆屯于京城之西。充以用军最盛,忌之,乃有图之之意。前一日,众入城负粮,诘旦,充掩不备,出兵攻用,令城西诸军皆发。用觉之,勒兵拒战。会善引兵来援,官军大败,李宝为所执。

金人既弃青州去,军校赵晟据其城。会直显谟阁新知青州刘洪道自潍州之官,至千乘,晟出不意,遂出迎。洪道谓晟:"但交割本州民事而已,军马则公自统之。"晟喜,迓之而入。洪道入城揭榜,百姓在军中愿归者,给据放还。于是晟之党十去六七。

戊戌,徽猷阁待制、提举杭州洞霄宫晁说之告老。帝曰:"是尝著论非孟子者。孟子发明正道,说之何人,乃敢非之! 可致仕。"寻卒。

御史中丞张澂,以边事未宁,请询于众为御敌之策。

吏部尚书吕颐浩言:"今敌骑渐逼京东,百辟皆言强弱不敌。臣愿庙算先定,阴为过江之备,而大为拒敌之资,申饬诸将,训习强弩,以俟夹淮一战,此不易之策。夫彼之所长者骑,而我以步兵抗之,故不宜平原旷野;惟扼险用奇,乃可掩击。又,水战之具,在今宜讲。然防淮难,防江易,近虽于镇江之岸摆泊海船,而上流诸郡,自荆南抵仪真,可渡处甚多,岂可不预为计! 望(制)〔置〕使两员,一自镇江至池阳,一自池阳至荆南,专提举造船,且询水战利害。又,驻跸维扬,当以一军屯盱眙,一军屯寿春,以备冲突。"

户部尚书叶梦得言:"兵,机事也,不度时则为难,今视去冬又为难矣。去冬金但游骑出入陕西、河北,未知总众者何人;今主兵乃尼玛哈,且亲至濮及开德矣。向者开德、大名、东平三大镇,鼎足而立,今惟东平岿然独存,以当宋、魏之冲,而沧州孤绝在后。又,南京最重,而敌骑已至楚丘。且靖康之失,在固守京城而不知避也,事有缓急,必当从权。伏望陛下通下情,远斥候,如必欲过江,则亟降诏以谕中外,则人心安矣。臣又愿饬诸要郡,东则郓、徐、南京,西则庐、寿、和州,南则唐、襄、荆渚,各立军数,使之召募,仍命大将与帅参治,复选近臣为总帅以节制之。又,乘舆或至两浙,则镇江、金陵尤当先治。陛下毋以宇文虚中奉使未回,意和议为可恃也。靖康正缘恃和议而堕敌计,今安可待万里之报哉!"

起居郎兼权直学士院张守言:"金人自去冬已破澶、濮、德、魏,而游骑及于济、郓。虽遣范琼、韩世忠会战,而二将未可恃。臣谓今日莫先于远斥候。昔三国时,烽火一夕五千里;而前日北京失守,再浃始知。今之为策有二:一防淮,二渡江。若屯重兵于楚、泗及淮阴三处,敌亦未能遽犯。然恐我师怯战,望风先溃,及舟楫拘于岸而敌亦能斩木系筏以济,或以精骑间道先绝吾渡江之路,此可患者一也。我若渡江而宿重兵于升、润,敌亦未能遽侵,然去中原益远,民心易摇。又,行在兵多西人,不乐南去,或生意外之事,维扬亦须留兵,则扈卫势弱,此可患者二也。惟其利害相形,遂不能决。若为中原计而幸敌不至,则用防淮之策;若为宗社计而出于万全,则用过江之策。然权其轻重,势当南渡,而别择重帅以镇维扬,则中原不患于摇动;明谕诸军以祸福,则西人不患于不乐。升、润亦择重帅使当一面,则兵分势弱,亦非所患。明诏大臣,预区处以俟探报,探报速闻,则在我之计可得而用也。"

时群臣奉诏论边事者,黄潜善等请皆送御史台抄节申尚书省。

庚子,诏:"有警而见任官辄搬家者,徒二年;因而摇动人心者,流二千里。"由是士大夫皆不敢轻动。

京东东路安抚使刘洪道,以赵晟首乱青州,贼心难制,欲杀之,乃好谓晟曰:"莱州不遭兵火,户口富饶,烦公为守,如何?"晟曰:"诺。"洪道密遣人告权知潍州阎皋、权知昌乐县张成,使伏兵中途邀击。晟以其众行至柜米寨,不虞皋、成之图己也,遂懈而不整。遇伏发,大败,晟死。洪道以成知莱州。

洪道既杀晟,遗民复还,军府浸盛。统制滨州军马葛进,以洪道得青州因己所致,欲夺之,乃与知滨州向大猷引兵至城下。洪道见衷甲,遂阖扉不纳,而缒酒肉以犒师。进怒,攻北城,据之,洪道与军民居南城以守。进遣大猷入南城计事,洪道囚之。

京城统制官张用、王善为杜充所疑,乃引兵去,犯淮宁府。充遣统制马皋追击之,用、善并兵击皋,官军大败,尸填蔡河,人马皆践尸而渡,至铁炉步而还,官军存者无几。用以一骡送李宝归京师。

于是善整兵欲攻淮宁,用不可,曰:"吾徒所以来,为乏粮耳,安可攻国家之郡县?"善曰:"天下大乱,乃贵贱、贫富更变之时,岂止于求粮而已!况京城已出兵来击我,事岂无名乎!"用曰:"汝攻陈州,吾当往蔡州。然兄弟之义,文字勿绝。"乃命诸军束装。翼日,善鸣鼓进,云梯、天桥逼城下,守臣冯长宁命熔金汁灌之,焚其天桥。用劝善勿攻,善曰:"安有小不利而遂止,当俟鸦头变白,乃舍此城耳。"用引其军去。善围淮宁久之,东京留守杜充遣都统制陈淬来援,善乃退。

时知颍昌府、直宝文阁郭允迪已降金,有举人陈味道者,与知蔡州程昌寓善,金遣味道以旗榜招之。昌寓既见味道,使人探其囊中,得金檄文;昌寓大惊,聚官属,执味道,钉之,磔于市。

丙午,金左副元帅宗翰破徐州,守臣龙图阁待制王复死之。

初,宗翰自袭庆引兵欲趋行在,遂围徐州。复率军民力战,外援不至,城破,复坚坐厅事不去,谓宗翰曰:"死守者我也,监郡而次无预焉,愿杀我而舍僚吏与百姓。"宗翰犹欲降之,复大骂求死,由是阖门遇害。城始破,武卫都虞候赵立巷战,夺门以出,为金兵所击,以为已死,夜半,得微雨,渐活,乃杀守者,潜入城,求复尸,埋之,遂阴结乡兵为兴复计。宗翰既去,军民请举人郑某权知州事。事闻,赠复资政殿学士,谥忠节。

御营平寇左将军韩世忠兵溃于沭阳。

初,世忠在淮阳,将会山东诸寇以拒金。会左副元帅宗翰兵至滕县,闻世忠扼淮阳,恐稽师期,乃分东南道都统领兵万人趋扬州,以议事为名,使帝不得出,而宗翰以大军迎世忠。世忠不能当,夜引归,军无纪律,未晚,至宿迁县,不虞金人之躧其后。质明,觉之,奔于沭阳。世忠在沭阳,夜不安寝,与其帐下谋,夜,弃军,乘潮走盐城县。翼日,诸军方觉,遂溃去。邠门宣赞舍人张遇,死于涟水军之张渠村,后军管队官李彦先,率本队四十七人,得二舟,入海聚众。自此辅逵聚众于涟水,李在据高邮,皆世忠之兵也;其馀收散卒自为徒党者,不可胜计。宗翰入淮阳军,执守臣李宽而去。京东转运副使李祓,从军在淮阳,为所杀,后赠中散大夫,官其家二人。宽,遵勖孙;袚,清臣子也。

己酉,金人破泗州。

先是礼部尚书王绹,闻金兵且南至,率从官数人同对,帝命至都堂议。黄潜善、汪伯彦笑曰:"诸公所言,三尺童子皆能及之!"

时金人自滕县以五千骑趋淮,皆金装,白毡笠子。把隘官永州防御使阎瑾屯泗州,遣人伺其实,或曰刘忠犯临淮,或曰李成馀党也。瑾以兵迎之,获游骑数人,乃知为金人至。

江淮发运副使吕源闻之,遣人收淮北舟船数百泊南岸,命使臣张瑾焚浮桥,且贻辅臣书,乞为宗社大计,速图所以安圣躬者。

〔金〕兵至泗州近境,瑾引军南走,昭信尉孙荣将射士百馀拒敌。是日也,尘氛蔽日,金人初不测其多寡,遂相拒逾日。荣斗死,金人乃于泗州之数十里间,计置渡淮。是夕,泗州奏金人且至,帝大惊,军中仓皇,以内帑所有,通夕搬挈。

二月,庚戌朔,帝驾御舟泊河岸,郡人惶怖,莫知所为。知天长军杨晟惇奏拆浮桥,始诏士民从便避敌,官司毋得禁。帝即欲渡江,黄潜善等力请少留俟报,且搬左藏库金帛三分之一,帝许之。户部尚书叶梦得即具舟楫,从大将假二千人津发,一日而毕。然公私舟交河中,跬步不容进矣。梦得复请以户部所馀物,前期支六军春衣及官吏俸一月,亦从之。遂命御营统制官刘正彦以所部从六宫皇子往杭州,干办御药院陈永锡护皇子,又遣吏部尚书吕颐浩、礼部侍郎张浚往沿淮措置。

金以数百骑掩至天长军,统制任重、成喜将万人俱遁。亟遣江淮制置使刘光世将所部迎敌,行都人谓光世必能御贼,而士无斗志,未至淮而溃。

金人以支军攻楚州,守臣直秘阁朱琳,具款状遣人迎降,开西北门纳金人,开东门纵居人自便。军民皆趋宝应县,欲自扬州渡江;金人觉之,悉邀回城中。

阎瑾引兵至洪泽镇,其将姚端杀之。

壬子,金人破天长军。

帝遣左右内侍邝询往天长军觇事,知为金人至,遽奔还。帝得询报,即介胄走马出门,惟御营都统制王渊、内侍省押班康履五六骑随之;过市,市人指之曰:"官家去也!"俄有宫人自大内星散而出,城中大乱,帝与行人并辔而驰。黄潜善、汪伯彦方会都堂,或有问边耗者,犹以不足畏告之,堂吏呼曰:"驾行矣!"二人乃戎服鞭马南骛,军民争门而死者,不可胜数。帝次扬子桥,一卫士出语不逊,帝掣手剑杀之。

时军民怨黄潜善刻骨,司农卿黄锷至江上,军士呼曰:"黄相公在此。"数之曰:"误国害民,皆汝之罪。"锷方辨其非,而首已断矣。少卿史徽、丞范浩继至,亦死。给事中兼侍讲黄哲方徒步,一骑士挽弓射之,中四矢而卒。是日,鸿胪少卿黄唐俊渡江溺死,左谏议大夫李处遁为乱兵所杀,太府少卿朱端友、监察御史张灏,皆不知存亡。锷,南城人;唐俊,唐傅兄也。

吕颐浩、张浚联马追及帝于瓜洲镇,得小舟,即乘以济。次京口,帝坐水帝庙,取剑就靴擦血;百官皆不至,诸卫禁军无一人从行者。镇江闻车驾进发,居民奔走山谷,城中一空。守臣钱伯言发府兵来迓。

始,右谏议大夫郑(愨)〔毂〕请诣建康,潜善等沮之;及是(愨)〔毂〕从行,帝顾曰:"不用卿言,及此!"

是晚,金将玛图以五百骑先驰至扬州,守臣右文殿修撰黄愿已遁去,州民备香花迎拜。

金人入城，问帝所在，众曰："渡江矣。"金人驰往瓜洲，望江而回。

金兵屯于摘星楼下，城中士女金帛，为金所取殆尽。南阳尉晏孝广女，年十五，有美色，为金兵所得，欲妻之，晏氏即刭缢求死，金人皆义之。孝广，殊曾孙也。

金人之未至也，公私所载，舳舻相衔。运河自扬州至瓜洲五十里，仅通一舟。初，城中闻报出城者，皆以得舟为利，及金兵至，潮不应闸，尽胶泥淖中，悉为金兵所取，乘舆服御，官府案牍，无一留者。

帝至镇江，宿于府治，从行无寝具，帝以一貂皮自随，卧覆各半。帝问："有近上宗室否？"时士彰为曹官，或以名对。遂召士彰同寝，帝解所御绵背心赐之。士彰，仲维子也。

初，贼靳赛来就招，朝廷因以赛统制本部军马，会边报日急，乃命赛与统制官王德屯真州。及帝渡江，德以所部兵焚真州而去，真州官吏皆散走，发运使梁扬祖亦遁，赛与其众往来于江中。

癸丑，金游骑至瓜洲，民未渡者尚十馀万，奔进堕江而死者半之。舟人乘时射利，停桡水中，每一人必一金乃济。比金兵至，皆相抱沈江，或不及者，金兵掠而去，金帛珠玉，积江岸如山。

时事出仓卒，朝廷仪物，悉委弃之，太常少卿季陵，独奉九朝神主，使亲事官负之以行。至瓜洲，敌骑已逼，陵舍舟而陆，亲事官李宝为敌所驱，遂失太祖神主。于是太学诸生从帝南渡者凡三十六人。

是日退朝，帝召宰执从官诸将，对宅堂计事。帝曰："姑留此，或径趋浙中邪？"奉国军节度使、都巡检使刘光世遽前，拊膺大恸，帝问何故，光世曰："都统制王渊专管江上海船，每言缓急济渡，决不误事。今诸军阻隔，臣所部数万人，二千馀骑，皆不能济，何以自效！"宰相黄潜善曰："已集数百舟渡诸军。"帝曰："济（渡）〔诸〕军固已处置，今当议去留。"吏部尚书吕颐浩降阶拜伏不起，继而户部尚书叶梦得等三人相从拜伏庭下。帝顾潜善问之，颐浩以首叩地曰："愿且留此，为江北声援；不然，金人乘势渡江，愈狼狈矣。"二府皆曰："善！"帝曰："如此，则宰相同往江上经略，号令江北诸军，令结陈防江，仍先渡官吏百姓。"众遂退，驰诣江干。

浙西提刑赵哲来谒，云王渊欲诛江北都巡检皇甫佐；遣问，则已斩矣。召渊问之，渊曰："佐主海舟，济渡留滞。"盖渊怒光世之语，故杀佐以解。遂谕渊分立旂帜，命将官管押渡人。

有统领官安义，自江北遣使臣林善来言："今早金数百骑来袭，皆无器甲，已率所部千人，集诸溃军射退矣。"遂以义为江北统制，俾收兵保瓜洲渡。

既而渊入对，言："暂驻镇江，止捍得一处。若金自通州渡江，先据姑苏，将若之何？不如钱塘有重江之阻。"诸内侍以为是。日方午，帝遣中使趣召宰执，以渊语告之，潜善曰："渊言如此，臣复何辞以留陛下！"执政未对，有内侍于堂下抗声曰："城中火起！"俄又一人至曰："禁卫涕泣，语言不逊。"帝甚骇，顾中书侍郎朱胜非："卿出问之。"是时管军左言立阶下，胜非请与俱，遂出郡厅事，并立阶檐。卫士或坐或立，有涕泣者，胜非传旨问之，皆以未见家属对。胜非即谕之曰："已有旨分遣舟专载卫士妻孥矣。"众帖然。因问驾去留利害，则曰"一听圣旨"，无敢哗者。乃许以俟驻跸定，当录扈从之劳，优加赏给，三军欣诺。

胜非还，帝与宰执亦至屏后，胜非前，欲奏事，帝曰："已闻矣。适议定，不若径去杭州。此中诸事，暂留卿处置，事定即来，更无文字。"即上马行。以龙图阁直学士、知镇江府钱伯言为枢密直学士，充巡幸提点钱粮顿递，颐浩为资政殿大学士，充江浙制置使，光世为行在五军节度使,主管侍卫马军司公事杨惟忠节制江南东路军马,屯江宁府。初命惟忠节制两浙、江南军马,寻又散之。时潜善拟除颐浩资政殿学士,帝以资政非前执政者,恩数止与从官等,特除大学士。

是夕,上宿吕城镇,渊留部将杨沂中与兵三百在镇江,约曰:"如金人计置渡江,则焚甘露寺为号。"渊及帝于吕城,探者夜闻瓜洲声喧,谓金将渡江,乃焚寺,渊视之曰:"甘露寺火也。"质明,请帝乘马而行。是时仪仗皆阙,惟一兵执黄扇而已。

金人入真州。

甲寅,帝次常州。时镇江官吏皆散,朱胜非求得通判府事梁求祖于竹林寺中,付以郡事,于是百姓稍有入城者。

金人揭榜于扬州市,西北人愿还者听之,去者万馀人。

御营统制官王亦,将京军驻江宁,谋为变,以夜纵火为信,江东转运副使、直徽猷阁李谟觇知之,驰告,守臣秘阁修撰赵明诚,已被命移湖州,弗听。谟饬兵将,率所部团民兵伏涂巷中,栅其隘。夜半,天庆观火,诸军噪而出,亦至,不得入,遂斧南门而去。迟明,访明诚,则与通判毋丘绛、观察推官汤允恭缒城宵遁矣。

是日,御营平寇前将军范琼自东平引军至寿春,其部兵执守臣右文殿修撰邓绍密,杀之。

初,琼次寿春,循城而南,守陴者见其旃,笑曰:"此将军岂解杀敌,惟有走耳!"琼闻而怒,乃檄府索其造语之人。绍密索得一人,送之,琼命斩于麾下。已而琼之军士入城负粮,绍密所将兵怨斩其同类,乃持杖逐之,琼所部与格斗,因入城焚掠,绍密死于乱兵,知下蔡县赵许之亦死。久之,赠绍密大中大夫。

乙卯,帝至无锡县。

金人去真州,靳赛引兵复入城,颇肆杀掠。后数日,守臣向子忞至,以义责之。

丙辰,帝次平江府,始脱介胄,御黄袍,侍卫者皆有生意。命承信郎甄援往江北招集卫兵。

丁巳,下诏慰抚维扬迁徙官吏、军民。

集英殿修撰、提举杭州洞霄宫卫肤敏入对。肤敏在维扬,数为帝言扬州非驻跸地,请早幸建康,帝思其言,复召入。肤敏言:"馀杭地狭人稠,区区一隅,终非可都之地,自古帝王未有作都者,惟钱氏节度二浙而窃居之,盖不得已也。今陛下巡幸,乃欲居之,其地深远狭隘,欲以令令四方,恢复中原,难矣。前年冬,大驾将巡于东也,臣固尝三次以建康为请,盖倚山带江,实王者之都,可以控扼险阻,以建不拔之基。陛下不狩于建康而狩维扬,所以致今日之警也。为今之计,莫若暂图少安于钱塘,徐诣建康。然长江数千里,皆当守备,如陆口直濡须,夏口直赤壁,姑孰对历阳,牛渚对横江,以至西陵、柴桑、石头、北固,皆三国、南朝以来战争之地。至于上流寿阳、武昌、九江、合肥诸郡,自吴而后,必遣信臣提重兵以守之,而江陵、襄阳尤为要害,此尤不可不扼险以为屯戍也。今敌骑近在淮壖,则屯戍之设,固未能遽为,宜分降诏书于沿江守土之臣,使之扼险屯兵,广为守备。许行鬻爵之法,使豪民得输粟以赡军;许下募兵之令,使土人得出力以自效;又重爵赏以诱之,则人人效命,守备无失而敌骑必退矣。敌骑既退,则可以广设屯戍,如前所陈,迟以岁月,国体少安,可以渐致中兴之盛矣。"上颇纳其言。

金人攻泰州,守臣曾班以城降。

丁进既受抚,以其军从帝行,遮截行人,恣为劫掠,且请将所部还江北与金人血战,其意欲为乱。会御营都统制王渊自镇江踵至,进惧,欲亡入山东。朱胜非过丹阳,进与其众匿远林中,以状遮胜非自诉。渊闻叛,遣小校张青以五十骑卫胜非,因绐进曰:"军士剽攘,非汝之过,其招集叛亡来会。"青诱进诣胜非,至则斩之。

戊午,帝将发平江,中书侍郎朱胜非自镇江来,以晡入见。初,帝以吴江之险可恃,议留大臣镇守。胜非既对,帝谕曰:"黄潜善自渡江失措,朕所过见居民皆被焚劫,盖军民数日乏食至此。"胜非曰:"诚如圣谕。陛下离此,亦复扰矣。"帝欲除胜非兼知秀州,辅臣言秀非大臣镇守之地,乃以御札命胜非充平江府、秀州控扼使。胜非再对。留(自)〔身〕言:"臣虽备员执政,与诸军无素,更乞从官一员同治事。"帝曰:"从官何尝预军事?"胜非曰:"如吕颐浩、张浚,皆兼御营司参赞军事,可用也。"于是帝问近臣:"谁能佐胜非者?"浚慷慨愿留,遂命浚同节制控扼等事,仍诏胜非:"行移如尚书省体式,事有奏陈不及者,听便宜施行讫奏。"浚受命,即出城,决水溉田,以限戎马,列烽燧,募土豪,措置捍御,长兵至平江者三千馀人。

忠训郎刘俊民为秉义郎、閤门祗候。

初,帝闻金人尚在扬州,募能使军前者,俊民愿行。俊民尝在敌中,颇知其情伪。帝已乘舟,召俊民就御舟赐对,与语,甚款,遂使持书以往,赐赉极厚。俊民请张邦昌一子弟同行,庶可藉口。帝与黄潜善、汪伯彦、朱胜非共议,因下诏尊礼邦昌。邦昌之在南都也,尝奉诏贻书金人,言约和事,其稿在李纲家,遂下常州取之。邦昌之死也,其子直秘阁元亨与其兄中奉大夫邦荣,皆坐累拘管,至是悉令录用。太学博士廉布,娶邦昌女,太学正吴若,娶邦昌兄女,先亦坐废,诏并乘驿赴行在。

帝临发,又以胜非兼御营副使,留御营都统制王渊总兵守平江府。

是夕,帝舟泊吴江。

是日,金人破沧州。

先是明州观察使刘锡知沧州,闻金兵且至,将数百骑弃城走。道遇葛进,乃知青州尚为朝廷守,即趋青州,驻麻家台,留不进。刘洪道遣人邀入城,锡曰:"青州屡遭寇扰,人心未宁,不可。"洪道出见锡,且犒其师。锡竟不入城,青州人高其义。锡遂将其馀众赴行在。

金兵至(入)城下,通判孔德基以城降。

己未,帝次秀州。

庚申,御舟次崇德县。资政殿大学士、江淮制置使吕颐浩从帝行,即拜同签书枢密院事、江淮、(西)〔两〕浙制置使,所除职去大字。颐浩夜见帝于内殿,帝谕以"金人尚留江北,卿可还屯京口,令刘光世、杨惟忠并受节制"。颐浩以王渊所部精兵二千人还镇江府,命恩州观察使张思正统之。

遣御营中军统制张俊以所部八千人往吴江县防扼。

时朝廷方以金人渡江为虑,故命大将杨惟忠守金陵,刘光世守京口,王渊守姑苏,分(授)〔受〕二大臣节度。于是韩世忠在海道未还,而范琼自寿春渡淮,引兵之淮西境上,扈驾者惟苗傅一军而已。

吏部员外郎郑资之为沿淮防扼,自池州上至荆南府;监察御史林之〔平〕为沿海防扼,自泰州下至杭州。资之,望之兄也。资之请募客舟二百艘,分番运纲把隘,之(为)〔平〕请募海舟六百艘防扼,从之。

辛酉,帝至临平镇。

壬戌,帝至杭州,以州治为行宫,显宁寺为尚书省。帝以百官家属未至,独寝于堂外。帝御白木床,上施蒲荐、黄罗褥。旧制,御膳日百品,靖康初,损其七十,渡江后,日一羊煎肉炊饼而已。

是日,金人破晋宁军,守臣忠州刺史徐徽言死之。

初,徽言在晋宁间,河东遗民土望王师之至,乃阴结汾、晋土豪,约以复故地则奏官为守长,听其世袭。会朝论与金结好,恐出兵则败和议,抑其所请,不报。金人忌徽言,欲速拔晋宁以除其患,围之三月,屡破却之。久之,城中矢石皆尽,士困饿不能兴,会监门官石赟夜启关纳金人,城遂破。徽言闻兵入,即纵火自焚其家,而率亲兵力战。比晓,左右略尽,徽言为金所执。金人知其忠,使之拜,不拜;临之以兵,不动;命降将折可求谕之降,指可求大骂;与之酒,徽言以杯掷其面曰:"我尚饮汝酒乎!"嫚骂不已。金人怒,持刀刺徽言,徽言骂不绝声而死。后赠晋州观察,谥忠壮。

初,晋宁之围也,太原府路兵马都监孙昂率残兵与徽言共守。及城破,昂引所部三百人巷战,自夜达旦,格杀数百人,士卒死亡殆尽。昂自度不免,引刃欲自刺,金兵拥至军前,以甘言诱之,昂终不屈而死。父翊,宣和末,以相州观察使知朔宁府,救太原,死于陈。后赠昂左武功大夫、成州团练使。

癸亥,朝群臣于行宫,降诏罪己,求直言。命杭州守臣具舟往常州迎济衣冠军民家属。省仪物膳羞,出宫人之无职掌者。

乙丑,德音释诸路因杂犯死罪已下,士大夫流徙者悉还之。惟李纲不以赦徙,盖黄潜善建陈,犹欲罪纲以谢金也。

初,冀州云骑卒孙琪,聚兵为盗,号"一海虾",江淮制置使刘光世招降之。维扬之役,行在诸军皆溃,琪拥光世之妻向氏在军中,由真、滁奔淮西,事之如光世。琪至庐州,帅臣胡舜陟乘城拒守,琪邀索资粮,舜陟不与。自部使者以下,皆请以粟遗之,舜陟曰:"吾非有所爱,顾贼必无厌,与之则示弱,彼无能为也。"乃时出兵击其抄掠者,凡六日,琪遁去,舜陟伏兵狙击之,得其辎重而归。是日,琪引兵之安丰县。琪所至不杀人,但掠取金帛而去。后以向氏归光世,光世德之。向氏,汉东郡王宗回女也。

丁卯,百官入见。杭州寄居迪功郎以上,并许造朝。

直龙图阁、知杭州康允之,言维扬无斥候,故金人奄至而不知,于是初置摆铺。凡十里一铺,置递卒五人,限三刻承传。五铺以使臣一员莅之,一季无违滞,迁一官,令尉减半推赏。

戊辰,吕颐浩、刘光世移兵屯瓜洲渡,与金人对垒。

金人焚扬州。

初,金遣甲士数十入扬州,谕士民出西城,人皆疑之,犹未有出城者。是日,又遣人大呼,告以不出城者皆杀,于是西北人自西门出,出则悉留木栅中,惟东城人不出。夜,金纵火焚城,士民皆死,存者才数千人而已。

己巳,尚书左仆射黄潜善、右仆射汪伯彦罢。

时御史中丞张澂上疏劾潜善、伯彦大罪二十,大略谓:"潜善等初无措置,但固留陛下,致万乘蒙尘,其罪一。禁止士大夫搬家,立法过严,议者咸云:'天子六宫过江静处,我辈岂不是人,使一旦委敌!'归怨人主,其罪二。自真、楚、通、泰以南州郡,皆碎于溃兵,其罪三。祖宗神主、神御不先渡江,一旦车驾起,则仅一两卒舁致,倾摇暴露,行路酸鼻,其罪四。建炎初年,河南止破三郡,自潜善等柄任以来,直至淮上,所存无几,其罪五。士大夫既不预知渡江之期,一旦流离,多被屠杀,其罪六。行在军兵,津渡不时,仓卒溃散,流毒东南,其罪七。左帑金帛甚多,不令装载,尽为敌有,其罪八。自澶、濮至扬州,咸被杀掠,生灵涂炭,其罪九。谢克家、李擢俱受伪命,而反进用,其罪十。潜善于王黼为相时,致位侍从,故今日侍从、卿监多王黼之客,伯彦则引用梁子美亲党,牢不可破,罪十一。职事官言时病者,皆付御史台抄节申尚书省,壅塞言路,罪十二。用朝廷名爵以胁士大夫,罪十三。行在京师各置百司,设官重复,耗蠹国用,如以巡幸而置御营使司,则枢密院为虚设,置提举财用,则户部为备员,罪十四。许景衡建渡江之议,挤之至死,罪十五。身为御营使,多占兵卫,不避嫌疑,罪十六。敌人相距,斥候全无,止据道涂之言为真,致此狼狈,罪十七。敌骑已近,尚敢挽留车驾,罪十八。卢益自散官中引为八座,遂进枢副;伯彦之客为起居郎,有罪补外,遂除集英修撰;二人朋比,专务欺君,罪十九。国家殆辱,不知引罪,罪二十。"疏入,未报,遂以状申尚书省,潜善、伯彦乃复求去。签书枢密院事路允迪奏曰:"时方艰棘,不宜遽易辅相,乞责以后效。"诏押赴都堂治事。已而皆罢为观文殿大学士,潜善知江宁府,伯彦知洪州。

户部尚书叶梦得守尚书左丞,御史中丞张澂守尚书右丞。

庚午,金人去扬州。

辛未,湖州民王永从献钱五万缗以佐国用,帝不纳。〔或〕曰:"曩已纳其五万缗矣,今却之,则前(受)〔后〕异同。"乃命并先献者还之。仍诏:"自今富民毋得辄有陈献。"

诏:"御营使司止管行在五军,其边防措置等事,并依祖宗法厘正,归三省、枢密院。"

金人自扬还,至高邮军城下,守臣赵士瑗弃城走,判官齐志行率军、县官出城投拜,金人劫掠而去。

癸酉,靳赛犯通州。城垂破,中书侍郎朱胜非、礼部侍郎张浚在平江,作蜡书招之,赛即听命,诉以无食,乃漕米给之。

韩世忠提辖使臣李在,自沭阳溃散,聚徒百馀人,居宝应县。会金人弃高邮去,在乃诈称五台山信王下忠义军,率众至高邮,有监北较酒务、保义郎唐思问先往迎之。在既入城,遂以其徒时正臣知高邮军,思问通判州事,执投拜官齐志行等,皆杀之。乃遣人截金后军,得金宝数艘,故其军极富。时端明殿学士董耘、朝议大夫李釜,皆寓居高邮,在因以为参议,又聚集溃卒数千,遂据高邮。

甲戌,黄潜善、汪伯彦落职,奉祠。

金主以医巫闾山有辽代山陵,诏禁民樵采。

乙亥,诏:"陈东、欧阳澈,并赠承事郎,〔官〕有服亲一人,令所居州县存恤其家。降授奉议郎、监濮州酒务马伸除卫尉少卿,赴行在。"

先是尚书左丞叶梦得初谢,帝谕宰执曰:"始罪东等,出于仓卒,终是以言责人,朕甚悔之。今方降诏求言,当令中外皆知此意。"帝复曰:"伸前责去,亦非罪,可召还。"或奏曰:"闻伸已死。"帝曰:"不问其死,朝廷召之,以示不以前责为罪之意。"既又赠伸直龙图阁。

丙子,诏曰:"朕遭时多故,知人不明,事出仓皇,匹马南渡,深思厥咎,在予一人。既以悔过责躬,洗心改事,罢黜宰辅,收召隽良,尚虑多方未知朕志。自今政事阙遗,民俗利病,或有关于国体,或有益于边防,并许中外士民直言闻奏,朕当躬览,采择施行。"

御营前军统制张俊自成所赴行在,诏复还吴江。

戊寅,江、淮、两浙制置使吕颐浩奏已复扬州,诏尚书省榜谕士民。

是日,以龙图阁待制、知延安府、节制六路军马王庶为陕西节制使、知京兆府,泾州防御使、陕西节制司都统制曲端为鄜延路经略安抚(司)〔使〕、知延安府。时延安新残破,未可居,端不欲离泾原,乃以知泾州郭浩权鄜延经略司公事。浩,成子也。

温州观察使、新知凤翔府王璪,自兴元以轻兵赴行在,以璪为御营前军统制。璪表请幸西(州)〔川〕,不从。

宫仪自即墨引兵攻密州,围安丘县,筑外城守之。

张用自淮宁引众趋蔡州,至黄离,距城二十里,守臣程昌寓度其未食,遣汝阳县尉杜湛以轻兵诱之,贼果以万人追至城东,遇伏,大败。于是用驻于确山,连亘数州,上自确山,下彻光、寿,号“张莽荡”,钞掠粮食,所至一空。

【译文】

宋纪一百三 起己酉年(公元 1129 年)正月,止同年二月,共二月。

建炎三年 金天会七年(公元 1129 年)

春季,正月,庚辰朔(初一),皇帝在扬州。

京西北路兵马钤辖翟兴向朝廷报告翟进战死之事,请求朝廷派遣重臣镇守。下诏以翟兴为河南尹、京西北路安抚制置使兼京西北路招讨使。

当时叛将杨进盘踞在鸣皋山北面,深沟高垒,储蓄粮饷,置备乘舆法物、仪仗,颇有称帝之企图;扬言要派兵攻入云中府,再次夺回渊圣皇帝和济王南归,打算以此动摇众心,然后举行大事。东京留守杜充派遣使臣王汉到伊阳县会见翟兴,请翟兴谋取杨进,并且传檄奏报杨进叛逆行迹显著,请求翟兴破贼。于是翟兴和他的儿子翟琮率领乡社丁壮骚扰袭击杨进,战事不断。

辛巳(初二),金元帅左都监栋摩死。栋摩,是太祖异母弟,后追封为吴国王,改封为鲁王,谥号壮襄。

乙酉(初六),通问使刘海等回到行在。

此前刘海与其副使王觌作为通问使到金国,金人遣送回国,连同祈请使宇文虚中、副使杨可辅一同发遣,宇文虚中推辞说:“虚中奉命迎接请还二位皇帝,二位皇帝未还,虚中不可回国。”于是金人留下宇文虚中而独将杨可辅遣回。刘海、王觌与杨可辅偕同来到行在,皇帝嘉奖他们劳苦,任刘海为朝奉郎。

甲午(十五日,疑有误),金人以南京留守韩企先为同中书门下平章事、知枢密院事,因为刘彦宗已死,代替刘彦宗任职。不久觉得刘彦宗过去有功,起用他的儿子刘筈任直枢密事,加官给事中。

丁亥(初八),金人攻破青州,代理知青州魏某被金人所杀;又攻破潍州,焚烧城池撤离。牛头河土军阎皋与小教头张成率领兵众占据潍州,阎皋自任知州,委派张成知昌乐县。

起初,山东盗贼刘忠,号称“白毡笠”,引领兵众占据怀仁县。御营平寇前将军范琼驻扎京东,派遣统制张仙等剿杀他们,刘忠假装乞求投降。是日,张仙与将佐到刘忠兵营抚谕,刘忠留他们饮宴,设伏兵袭击杀害了他们,驱散了他们的兵众。范琼大怒,多次与刘忠交战,都被打败。刘忠自己黥了额头,时人号称"花面兽"。

己丑(初十),迎奉安西京会圣宫祖宗遗像于寿宁寺安置。

怀德军节度使、检校太保占城国王杨卜麻加官检校太傅;大同军节度使、检校司空真腊国王金哀宾深、怀远军节度使、检校司空阇婆国王悉里地茶兰固野,一并加官检校可徒;都是用南郊大礼推恩所加。因当时占城国来贡献方物,所以有此诰命。

辛卯(十二日),陕西都统制军马邵兴与金人在潼关交战,打败了金人;邵兴乘势攻打虢州,又攻取鄜州。陕西安抚使李彦仙即以邵兴为鄜州知州。

甲午(十五日),上元节,有被掳掠到拉林河的南方僧人,是夜,用长竹竿支引灯球,高挂空中表演游戏,金主观看,惊讶地说:"这不是星星吗?"左右人以实相告。因当时有南来的人谋划变乱,事泄而被杀,所以金主怀疑那个灯球,说:"表演者企图啸聚为乱,约定时间,用这个作为信号罢了。"命令杀死南方僧人。

乙未(十六日),京城留守杜充袭击属下统制官张用于汴京城南,未取胜。

张用与曹成、李宏、马友是结义兄弟,有兵众数万人,分为六军。曹成,外黄人,因杀人投奔拱圣指挥当兵,有体力,善于作战,军中佩服他勇敢。马友,大名府农民出身,开始时以巡社联结保甲,夹河防守,抗御金兵。张用和王善都接受宗泽招安,宗泽去世,才离去。等到杜充任留守,又接受招安,张用屯兵于京城南面的南御园,王善屯兵在京城东面的刘家寺。当时岳飞从太行山王彦军中归属京城,任统制,与桑仲、李宝都屯兵在京城西面。杜充以为张用军队最强盛,嫉妒他,于是有图谋他的用意。前一天,部众入城运粮,次日早晨,杜充乘其不备,出兵攻打张用,命令城西各军都出动。张用觉察,率兵抵抗。适逢王善引兵支援,官军大败。李宝被俘。

金人既已放弃青州而去,军校赵晟占据青州城。适逢直显谟阁新任青州知州刘洪道从潍州到青州赴职,走到千乘,赵晟由于意外,于是出来迎接。刘洪道对赵晟说:"只需交割本州民事罢了,军马则公自行统领。"赵晟很高兴,迎接刘洪道入城。刘洪道入城揭贴榜文说,百姓在军中自愿退伍者,给予凭据回家。于是赵晟的党徒十去六七。

戊戌(十九日),徽猷阁待制、提举杭州洞霄宫晁说之报告年老还乡。皇帝说:"此人曾著论非议孟子。孟子阐明王道,晁说之是什么人,竟敢非议孟子! 可以退休。"晁不久去世。

御史中丞张澂,以边事未安宁,请求向众官员征询御敌的策略。

吏部尚书吕颐浩上言:"现今敌人骑兵逐渐逼近京东,百官都说敌强我弱。臣愿朝廷早定大计,暗地里做好过江的准备,同时大力积聚抗敌的资本,饬令各将领,训练强弩,以等待夹淮一战,这是不可更易的策略。对方所擅长的是骑兵,而我方以步兵抵抗他们,所以不宜在平原旷野作战;唯有扼守险要用奇兵,才可以掩击。又,水战的器具,现在应该重视。但防守淮河难,防守长江易,最近虽然在镇江两岸摆泊海船,而上游各郡,从荆南到仪真,可以过渡的地方很多,岂能可以不以预防为计! 建议设置两位官员,一位管辖镇江到池阳,一位管辖池阳到荆南,专门提举造船,并查询水战利害事宜。又,皇上驻跸于维扬,应当派遣一支军队屯盱眙,一支军队屯寿春,以备发生冲突。"

户部尚书叶梦得上奏:"军事,要讲究军机,不审察时势就难以应付,现在比去年冬季的形势更困难了。去年冬季金人只有游骑出入陕西、河北,不知总领兵众的是谁;现在主帅是尼玛哈,而且亲自到了濮州和开德。以往开德、大名、东平三大镇,鼎足而立,现在只有东平岿然独存,以独当宋、魏的要冲,而沧州在后孤立无援。又,南京最为重要,而敌骑已抵达楚丘。况且靖康的失败,在于固守京城而不知迁都避敌,事情有缓有急,一定要从权处理。敬望陛下通晓下情,远派斥候,如果一定要过江,就急需颁布诏令宣谕中外,那么人心就安定了。臣又建议饬令各要郡,东面的郓州、徐州、南京,西面的庐州、寿州、和州,南面的唐州、襄阳、荆渚,各定编军队数额,要他们招募,仍然任命将帅训练管辖,再选近臣为总帅加以节制。又,皇上或许到两浙,那么镇江、金陵尤其应当先行治理。陛下不要以为宇文虚中奉使未回,便认为和议可以依靠。靖康之时正因为依靠和议而陷入敌人圈套,现在怎能等待万里之外的奏报啊!"

金银棍头、铜鞭穗　南宋

起居郎兼代理直学士院张守上言:"金人自从去年冬季已经攻破澶州、濮州、德州、魏府,而游动的骑兵抵达济州、郓州。虽然派遣范琼、韩世忠会战,然而这二位将领也不足以依靠。臣认为现在急务,莫过于首先远派斥候。过去三国时期,烽火一晚可传五千里;而不久前北京失守,两旬后才知晓。现在制定策略有两个:一是防淮,二是渡江。假如屯驻重兵在楚州、泗州和淮阴三个地方,敌人也未必立即侵犯。然而就怕我师胆怯畏战,望风先溃,等到把船只拘系在南岸,敌人也能够砍木编筏以渡江,或者用精锐骑兵绕道先行断绝我渡江之路,这是可忧虑之一。我方假如渡江而集聚重兵在升州、润州,敌人也未必立即侵犯,然而离中原愈远,民心易于动摇。又,随从皇上的士兵多系西部人,不乐意向南去,或许发生意外事变,维扬也须留兵防守,那么扈卫皇上的兵力势必减弱,这是可忧虑之二。只因利害相差不多,于是不能决断。假如为中原考虑而又侥幸敌人不来,就用防淮的策略;假如为宗庙社稷考虑而出于万无一失,就用过江的策略。然而权衡两个策略的轻重,势必应当南渡,继而另选重帅镇守维扬,就不必忧虑中原动摇;明白告谕各军以祸福关系,就不忧虑西部人不乐意南迁。升州、润州也选重帅使其独当一面,如此兵分势弱,也不必忧虑发生割据之祸。明确诏令大臣,预先分别处置以等待探报,探报从速上闻,便可抉择计策,付之施行。"

当时群臣奉诏议论防边之事的,黄潜善等请求把他们的奏折都送御史台抄写节录,申报尚书省。

庚子(二十一日),诏令规定:"有紧急情况而现任官立即搬家的,判徒刑二年;因而摇动人心的,流放两千里。"

京东东路安抚使刘洪道,因为赵晟首先乘乱盘踞青州,难以控制,想杀掉他,于是好言劝诱赵晟说:"莱州没有遭受兵火,户口富饶,请公去守,怎样?"赵晟答:"好。"刘洪道秘密派人告诉代理知潍州阎皋、代理知昌乐县张成，指使他们伏兵在中途拦截击杀。赵晟率本部行至柜米寨，没料到阎皋、张成他们图谋害己，警戒松懈，队列不整，遇到伏兵突起，大败，赵晟死亡。刘洪道任命张成为莱州知州。

刘洪道杀赵晟后，幸存百姓重返青州，军府逐渐兴盛。统制滨州军马葛进，以为刘洪道得到青州是因自己所造成，想夺取它，于是与知滨州向大猷领兵来到青州城下。刘洪道见他们里穿护身甲，便闭门不纳，由城上缒下酒肉犒劳滨州兵。葛进怒，攻占北城，刘洪道与军民居于南城守卫。葛进派向大猷进南城议事，被刘洪道囚禁。

京城统制官张用、王善为杜充所猜疑，于是引兵离去，进犯淮宁府。杜充派统制马皋率官军追击，张用、王善合兵击马皋，官军大败，尸体填满蔡河，人马都践踏死尸渡河，到铁炉步才撤回，官军存活者无几。张用用一头骡送李宝回京师。

于是王善整兵要攻淮宁，张用不赞同，说："我等所以来，是因为缺乏粮食，怎能攻打国家的郡县？"王善说："天下大乱，是贵贱、贫富更变的时候，难道仅为求取粮食而已！何况京城已经出兵来攻击我，攻打难道没有名目吗？"张用说："你攻打陈州，我当往蔡州。但兄弟之义仍在，书信不要断绝。"便下令各军整装待发。第二天，王善鸣鼓进兵，架云梯、天桥逼近城下，守臣冯长宁下令熔化铁水下灌，烧了天桥。张用劝告王善不要攻打，王善说："怎能因小有不利便停止，直等到乌鸦头变白，才放弃此城不攻。"张用率本部兵离去。王善围攻淮宁城很久，东京留守杜充派都统制陈淬救援淮宁，王善才退兵。

当时知颍昌府、直宝文阁郭允迪已经投降金人，举人陈味道和知蔡州程昌寓友善，金人派遣陈味道带着旗榜招降程昌寓。昌寓接见味道，叫人掏他囊中，获得金人檄文；昌寓大惊失色，集合官属，拘执陈味道，钉了枷锁，磔死于市。

丙午（二十七日），金左副元帅宗翰攻破徐州，守臣龙图阁待制王复死于难。

当初，宗翰从袭庆领兵企图进逼行在，于是包围徐州。王复率领军民奋力抗战，外援不到，城被攻破，王复坚持坐在厅堂不离去，对宗翰说："坚持死守的是我，监郡以下的人没有参与，愿杀我而释放僚属吏员和百姓。"宗翰仍想劝降，王复大骂求死，于是全家遇害。城初陷时，武卫都虞候赵立巷战，夺门而出，被金兵击倒，以为已死，夜半，得微雨滋润苏醒，就杀死守门人，潜伏进城，寻找到王复尸首，埋葬了他，于是秘密联络乡兵，谋划兴复。宗翰已撤离，军民请求举人郑某代理知州事。事情奏闻，朝廷赠王复资政殿学士，谥号忠节。

御营平寇左将军韩世忠军队溃散于沭阳。

当初，韩世忠在淮阳，将要会合山东各盗寇以抵抗金人。适逢左副元帅宗翰兵抵滕县，听说韩世忠扼守淮阳，恐怕延误出师时期，便分给东南道都统领兵一万奔赴扬州，以商议事情为名，使皇帝不得外出，而宗翰以大军迎战韩世忠。韩世宗不能抵挡，夜里引兵逃归，军队无纪律，不到天黑，到达宿迁县，不料金人跟踪而来。第二天天刚亮，发觉了跟踪的金人，率部逃奔到沭阳。韩世忠在沭阳，夜不安寝，与他的帐下僚属谋划，夜里，丢弃军队，乘着潮水驾船逃奔盐城县。第二天，各军才发觉，于是军队溃散而去。阁门宣赞舍人张遇，死在涟水军的张渠村，后军管队官李彦先，率领本队四十七人，得到两只船，入海集聚兵众。从此辅逵在涟水聚集兵众，李在占据高邮，都是韩世宗的兵；其余收罗散兵自结为党徒的，不可胜计。宗翰进入淮阳军，拘捕守臣李宽而去。京东转运使李祓随军在淮阳，被金人杀害，后朝廷赠他为中散大夫，授他家二人为官。李宽，是李遵勖的孙子；李祓，是李清臣的儿子。

2367

己酉(三十日),金人攻破泗州。

先是礼部尚书王绹听说金兵将要南来,率领从官数人同时应对,皇帝命令到都堂计议。黄潜善、汪伯彦笑道:"诸公所说,三尺童子都能应对!"

当时金兵从滕县以五千骑奔赴临淮,都是金人装束,戴白毡斗笠。把守关隘官员永州防御使阎瑾屯军泗州,派人侦察实况,有人说刘忠进犯临淮,有人说是李成余党。刘瑾率兵相迎,俘获游骑数人,才知金兵已到。

江淮发运副使吕源闻讯,派人收集淮北船只数百停泊南岸,命令使臣张瑾焚毁浮桥,同时寄给辅臣书信,请求宗庙社稷大计,速谋保护皇帝之法。

金兵到泗州附近,阎瑾引兵南逃,昭信尉孙荣率领射手百余人拒敌。这一天,浮尘蔽日,金人起初不知孙荣兵力多少,于是相拒一天多。孙荣战死,金人才在泗州数十里之间,部署渡淮计划。当夜,泗州奏报金人将到,皇帝大惊,军中仓皇失措,把内府所有帑藏,通宵搬运。

二月,庚戌朔(初一),皇帝上御舟停泊河岸边,郡人惶恐惊怖,不知所为。天长军知军杨晟悍上奏请拆浮桥,才下诏允许士民从便避敌,官方不得禁阻。皇帝急想渡江,黄潜善等人极力请求稍留些时等候情报,又请求搬迁左藏库金帛三分之一,皇帝准许。户部尚书叶梦得立即准备船只,并从大将借二千人从渡口出发,一天搬运完毕。但公私船只交错河中,半步难行。叶梦得又请求以户部所余物资,提前支付六军春衣及官吏俸禄一个月,也得批准。皇帝于是命令御营统制官刘正彦,带领部队,护送六宫、皇子前往杭州,干办御药院陈永锡护卫皇子,又派遣吏部尚书吕颐浩、礼部侍郎张浚到淮河沿岸布防。

金人以数百骑兵突袭到天长军,统制任重和成喜带领万人逃跑。紧急派遣江淮制置使刘光世率领本部人马迎敌,随行扬州人认为刘光世必能抗御敌人,但士无斗志,未到淮上便溃散。

金人用部分兵力攻打楚州,守臣直秘阁朱琳,准备投降书派人迎接金兵,打开西北门接纳金人,打开东门放任居民自便。军民都逃奔宝应县,想从扬州渡江;金人发觉,都拦劫回城。

阎瑾率兵到洪泽镇,被其部将姚端所杀。

壬子(初三),金人攻破天长军。

皇帝派遣左右内侍邝询前往天长军伺察军务,知道金人已到,急速奔还。皇帝得到邝询奏报,立即穿起甲胄骑马出门,只有御营都统制王渊、内侍省押班康履五六个人骑马跟随他;经过街市,市民指着他们说:"官家走了!"不久有宫人从大内星散而出,城中大乱,皇帝与行人争马而逃。黄潜善、汪伯彦正在都堂议事,有人询问边事消息的,仍然以不足畏相告,堂吏高声说:"御驾都走了!"二人才戎装鞭马向南追赶,军民争门而出,死者不可胜数。皇帝行至扬子桥,有一卫士出言不敬,被皇帝拔出手剑杀死。

当时军民刻骨怨恨黄潜善,司农卿黄锷来到江上,军民大喊说:"黄相公在这里!"指斥他说:"误国害民,都是你的罪!"黄锷申辩他不是黄潜善,头已被砍断了。少卿史徽、丞范浩跟着来到,也被杀死。给事中兼侍讲黄哲正在步行,一个骑士挽弓射他,被击中四箭而死。这一天,鸿胪少卿黄唐俊渡江淹死,左谏议大夫李处遁被乱兵所杀,太府少卿朱端友和监察史张灏,都不知死活。黄锷是南城人;唐俊是唐傅的兄长。

吕颐浩、张浚联马并驰在瓜洲镇追赶上皇帝,找到小船,立即乘船渡江。到达京口,皇帝坐在水帝庙，取出手剑就着靴子擦拭血迹；百官都未到，各卫禁军也没有一人跟随。镇江居民听说御驾向该城进发，纷纷逃避山谷，城中一空。守臣钱伯言带领府兵来接驾。

起初，右谏议大夫郑毅请求皇帝到建康，黄潜善等人诋毁他；到此时郑毅跟随着皇帝，皇帝回头看着他说："不采纳卿的话，到了这个地步！"

这天晚上，金人将领玛图以五百人骑马先行奔驰到扬州，守臣右文殿修撰黄愿已经逃离，州民预备香花迎接拜见金人。金人进城，问皇帝在何处，大家说："渡江了！"金人奔驰到瓜洲，望长江而撤回。

金兵屯扎在摘星楼下，城中士女金帛几乎被金人抢掠一光。南阳尉晏孝广女儿，年龄十五，长得美，被金人掳去，打算娶她为妻，晏氏立即上吊自杀，以求一死，金人都说她是义女。晏孝广，是晏殊曾孙。

金人未到扬州时，运河上所见公私货物，舳舻相接；运河从扬州到瓜洲之间五十里，仅容一船通行。当初，城中闻警报出城逃难的，都以得到船为便利，等金兵来到时，因潮水低得不到闸口，船只全都搁浅在泥淖中，所载财货都被金兵获取，乘舆服御、官府卷案文书，无一留存。

皇帝到镇江，留宿于府衙，随行都没有携带被褥，皇帝随身带一件貂皮，半垫半盖。皇帝问："这里有皇室近亲吗？"有人说有担任曹官的赵士彭。皇帝于是召士彭和他同睡，并脱下所穿绵背心赏赐给他。士彭是赵仲维的儿子。

最初，贼人靳赛接受招安，朝廷因而委任靳赛统制本部军马，适逢边报日急，便命令靳赛和统制官王德屯守真州。等皇帝渡江后，王德率所部兵马焚毁真州撤离。真州官吏都散去，发运使梁扬祖也逃遁，靳赛带领部众往来江中。

癸丑（初四），金兵游骑到瓜洲，居民尚未渡江的有十几万人，逃奔拥挤落江而死的约有半数。船家乘机谋利，停船江中，每人索交渡费银一两才允许过渡。等到金兵来到，都相抱投江而死，或来不及投江的，被金兵掳掠而去，金帛珠玉，堆积江岸如山。

当时事出仓促，朝廷仪仗各物，都被丢弃。唯独太常少卿季陵供奉九朝神主，命令亲事官负责南行。到了瓜洲，敌骑逼近，季陵弃船陆行，亲事官李宝被敌追逐，丢失了太祖神主。太学诸生跟随皇帝南渡的共有三十六人。

当天退朝后，皇帝召集丞相及随从官员和将领到宅堂上计议，皇帝说："是暂留此地，还是直奔浙中呢？"奉国军节度使、都巡检使刘光世急奔皇帝面前，捶胸大哭。皇帝问什么缘故。刘光世说："都统制王渊专管江上海船，常言事急能济渡，决不误事。现在各军阻隔，臣所统属几万人、二千多骑，都未能过江，怎能报效朝廷！"宰相黄潜善说："已征集几百条船接渡各军。"皇帝说："济渡各军事宜已经处理，现在当计议去留。"吏部尚书吕颐浩退到阶下拜伏不起，随后户部尚书叶梦得等三人也相继拜伏庭下。皇帝看着黄潜善询问他们，吕颐浩以头叩地说："愿陛下暂留此地，作为江北声援，不然，金人将乘势渡江，便更加狼狈了！"宰相和枢密两府都说："好！"皇帝说："既然如此，就由宰相同往江上布置经营，号令江北各军，令其结阵防江，仍然先渡官吏百姓。"各官退，奔赴江边。

浙西提刑赵哲来朝谒，说王渊要杀江北都巡检皇甫佐。派员查问，已经斩首。皇帝召见王渊问其原因，王渊说："皇甫佐主管海船，济渡留滞。"因王渊不满刘光世批评他的话语，因而杀皇甫佐以解脱自己的责任。皇帝便谕王渊分立旗帜，命将官管押渡人。

统制官安义从江北派使臣林善来说："今早金骑兵几百来袭，都没有器甲。已率领本部队千人，并集结各溃散士兵射箭，击退了金兵。"即以安义为江北统制，使其收集散兵，保卫瓜洲渡。

不久王渊入觐，说："暂驻镇江，只能捍卫一处。如果金人从通州渡江，先占据姑苏，将如何应付？不如钱塘有双重江河的阻隔。"各内侍都说好。当天正午，皇帝派遣中使速召宰相，以王渊的话告诉他们。黄潜善说："王渊如此说，臣还有什么话语能留陛下不走呢？"其他执政尚未对答，一位内侍在堂下大声说："城里起火了！"不久，又一内侍进来说："禁卫军士在哭泣，说了不尊敬的话。"皇帝很惊慌，对中书侍郎朱胜非说："你出去问问情况！"当时管军左言站在阶下，朱胜非请他一道出去，于是走出府厅，并立檐下。卫士有的坐着，有的站着，也有的在哭泣。朱胜非传圣旨问他们，都说没有见到家属。朱胜非劝谕说："已降圣旨分派船只专载卫士妻子了。"众卫士就安静下来。朱胜非又征求皇上去留利弊意见，回答"一切听从圣旨"，没有敢乱吵闹的，于是许诺等待皇帝车驾驻跸定下，当记录扈从劳苦，从优赏给，三军都欢欣许诺。

朱胜非回，皇帝和宰相也来到屏风后，胜非要上前汇报，皇帝说："已经听见了。刚才商议决定，不如直去杭州。这里的事情，暂时留布处事，事定即来杭州，不再另发文书。"立即马上启行。以龙图阁直学士、知镇江府钱伯言为枢密直学士，并任皇上巡幸提点钱粮储运事宜，吕颐浩为资政殿大学士，并任江浙制置使，刘光世为行在五军节度使，主管侍卫马军司公事杨惟忠节制江南东路军马，屯驻江宁府。最初命杨惟忠节熟两浙、江南军马，不久又更改了。当时黄潜善拟授予吕颐浩资政殿学士，皇帝认为资政学士不是执政，恩典只与从官相等，特授予大学士。

当晚，皇帝住宿吕城镇，王渊留部将杨沂中领兵三百在镇江，约定说："如果金人布置渡江，就焚烧甘露寺为讯号。"王渊追及皇帝到吕城，夜里探号听到瓜洲镇喧哗，说是金人将渡江，便放火烧寺，王渊望见说："甘露寺起火了。"天刚亮，就请皇帝乘马出发。此时仪仗都缺，只有一个兵丁执黄扇而已。

金人进入真州。

甲寅(初五)，皇帝至常州。当时镇江官吏都离散，朱胜非访求得通判府事梁求祖于竹林寺中，付托他管理府事。于是百姓稍有回城的。

金人在扬州市贴榜告示，西北人愿意回乡的，听其自便。离开的有一万多人。

御营统制官王亦，统率京军驻扎江宁，阴谋叛变，以夜里放火为讯号，江东转运副使、直徽猷阁李谟窥察得知其阴谋，奔告守臣秘阁修撰赵明诚。赵已受命移守湖州，不理睬。李谟整饬兵将，率领本部及民兵埋伏街巷中，于险要处筑栅防守。半夜，王亦放火烧天庆观，各军鼓噪而出，王亦到，都不得入，就砍开南门而去。天亮，李谟往访赵明诚，赵已和通判母丘绛、观察推官汤允恭在夜里缒城逃跑了。

这一天，御营平寇前将军范琼从东平引军到寿春，部下抓获了守臣右文殿修撰邓绍密，杀了他。

起初，范琼领兵到寿春，沿城南行，守城的见其旗号，讥笑说："这样的将军怎能懂得杀敌，只有逃走了事！"范琼听了恼羞成怒，传檄寿春府，要追索说讥笑话的人。邓绍密找到一个人送去，范琼下令斩于麾下。不久范琼军士入城运粮，邓绍密所率的兵卒怨恨斩杀他的同伴,于是就持杖追逐范军,范琼部众与他们格斗。因而进入城中放火抢掠,邓绍密死于乱兵之中,知蔡县赵许之也被杀死。很久以后,朝廷封赠邓绍密为大中大夫。

乙卯(初六),皇帝到达无锡县。

金人撤离真州。靳赛又引兵入城,颇有杀掠。几天后,守臣向子忞到,用道义责备了他。

丙辰(初七),皇帝到达平江府,才脱去盔甲,穿上黄袍,众侍卫都有了生气。皇帝命令承信郎甄援去江北招集卫兵。

丁巳(初八),皇帝下诏慰抚维扬南迁的官吏、军民。

集英殿修撰、提举杭州洞霄宫卫肤敏奉诏觐见。肤敏在维扬时,多次建议扬州不是驻跸之地,请求早日移驻建康。皇帝仔细思考他的言论,又召他来朝廷。肤敏说:"余杭地方狭小人口稠密,地处小小一角,终久不是建都之地。自古帝王没有以它作为都城的,只有五代时钱氏因为节度两浙,窃据该城为都,实出于不得已。今陛下南行,就想驻居余杭,这个地方偏远狭隘,想以此地号令四方,恢复中原,难啊。前年冬,大驾将东行,臣曾经三次建议,请驻跸建康,因为该地倚山带江,实是王者之都,可以控险遏阻,建立牢固的根基。陛下不驾临建康而留守维扬,所以导致今日危机。为今之计,不如暂时以钱塘作为安置之处,逐步移往建康。但长江数千里,都当守备,如陆口和濡须相对,夏口和赤壁相对,姑孰和历阳相对,牛渚和横江相对,以至西陵、柴桑、石头、北固,都是三国、南朝以来的战争之地。至于上游寿阳、武昌、九江、合肥各郡,自三国吴以后,各朝必定派遣可信赖官员,率领重兵镇守;而江陵、襄阳尤为要害地区,更不可扼险屯戍。今敌骑近在淮河边缘,在这一带地方屯戍设防,固然不能立即做到,但对沿江守土之臣颁降诏书,要他们扼险屯兵,广为守备。允许他们实行鬻爵法,使豪富得以缴纳粮食以供应军需;允许发募兵令,使当地人得以出力保卫家乡故土;又置重爵赏给有功之人,如此就能人人效力,守备无失,而敌骑必退了。敌骑既退,便可广设屯戍,如前面所陈述的那样。经过一个时期,国体稍得安固,可以逐渐导致中兴的盛世了。"皇帝对他的议论颇为赞赏并决定采纳。

金人攻打泰州,守臣曾班献城投降。

丁进已接受招安,率领部众随帝南行,沿途拦截行人,大肆劫掠,并请求带着他的部众返回江北,与金人血战,其实意图叛乱。恰好御营都统王渊自镇江跟着来到,丁进恐惧,想逃亡进入山东。朱胜非过丹阳,丁进和部众远远地藏匿山林之中,派人拦住胜非递状陈诉。王渊听说丁进叛变,派小校张青率五十骑护卫朱胜非,就欺骗丁进说:"军士抢劫,不是你的过错,你即招集叛逃士卒来聚会。"张青又诱骗丁进去见朱胜非,丁进一到,便杀了他。

戊午(初九),皇帝将由平江出发,中书侍郎朱胜非从镇江来,下午入见。起初,皇帝认为吴江有险要可守,议留大臣镇守。朱胜非对答后,皇帝又面告谕说:"黄潜擅自渡江以来举措失宜,朕所到地方,看见居民都被焚劫,因为军民几天缺乏食粮,以至如此。"朱胜非说:"诚如圣上所说。但陛下离开此地,也会发生骚扰。"皇帝拟委任朱胜非兼知秀州,宰相说:"秀州不是大臣镇守之地。"于是以御札任命朱胜非担任平江府、秀州控扼使。朱胜非再次对答皇帝。自己申请:"臣虽位列执政,但与各军素无渊源,乞请委任从官一员,共同治事。"皇帝说:"从官几时参与过军事?"朱胜非说:"像吕颐浩、张浚,都兼御营司参赞军事,可以任用。"于是皇帝问近臣:"谁能辅佐胜非?"张浚慷慨陈词,说他愿留。于是命张浚协同胜非节制控扼。还下诏胜非:"往来公文一如尚书省体式。事有来不及奏请批示的,可以先自决定,然后再行

2371

补报。"张浚受命后,立即出城,决水灌田,以阻敌骑,列置烽火台,招募土豪,布置防御。应募到平江的兵卒达三千余人。

任命忠训郎刘俊民为秉义郎、阁门祗候。

当初,皇帝听说金人尚在扬州,招募能出使敌军的人,刘俊民愿往。刘俊民曾在敌营中,颇知敌情。皇帝已登舟,召见刘俊民在御舟上对答,同他谈话,十分融洽,于是派他持文书去金营,赏赐极厚。刘俊民请派张邦昌一子弟同行,才有借口。皇帝和黄潜善、汪伯彦、朱胜非共同商议,因而下诏尊礼张邦昌。张邦昌在南都时,曾经奉诏写信给金人,言明和约事项,信稿在李纲家中,于是去常州取来。张邦昌死了之后,其儿子直秘阁张元亨与其兄长中奉大夫张邦荣,都连坐拘留管制,这时都下令录用。太学博士廉布娶邦昌的女儿,太学正吴若娶邦昌兄长的女儿,起先也因连坐免官,诏令他们乘驿马赴行在,以备起用。

皇帝临出发时,又以朱胜非兼御营副使,留下御营都统制王渊统率军队守平江府。

当晚,皇帝御舟停泊吴江。

这一天,金人攻破沧州。

先是明州观察使刘锡知沧州,听说金兵将到,率数百骑兵弃城逃跑。在途中遇到葛进,才知道青州尚未失守,立即奔赴青州,驻扎麻家台,逗留不进。刘洪道派人邀他进城,刘锡说:"青州屡次遭到敌寇骚扰,人心不安,不可留。"刘洪道出城面见刘锡,并且犒劳刘锡军马。刘锡终于不进城,青州人推崇他有高风亮节。刘锡便率所部奔赴皇帝驻地。

金兵到沧州城下,通判孔德基献城投降。

己未(初十),皇帝行抵秀州。

庚申(十一日),御舟停泊崇德县。资政殿大学士、江淮制置使吕颐浩随从皇帝南行,当天授予同签书枢密院事、江淮、两浙制置使,所授官职去掉"大"字。吕颐浩夜里见皇帝于内殿,皇帝谕令:"金人尚留江北,卿可以还屯京口,并令刘光世、杨惟忠均受节制。"吕颐浩带领王渊所部精兵二千人回镇江府,命令恩州观察使张思正统率。

派遣御营中军统制张俊率领所部八千人,前往吴江县据险防守。

当时朝廷顾虑的是金人的渡江问题,所以命令大将杨惟忠守金陵,刘光世守京口,王渊守姑苏,分别接受二大臣制置。此时,韩世忠在海上未返回,而范琼自寿春渡淮,引兵去淮西境内,跟随御驾护卫的只有苗傅一军而已。

吏部员外郎郑资之为沿淮防扼,自池州上至荆南府;监察御史林之平为沿海防扼,自泰州下至杭州。郑资之是郑望的兄长。林资之请准招募客船二百只,轮番运输把守隘口,林之平请准招募海船六百艘防扼,都从所请。

辛酉(十二日),皇帝到达临平镇。

壬戌(十三日),皇帝到达杭州,以州衙署做行宫,尚书省设在显灵寺。皇帝因百官家属未到,独立在堂外安寝。睡的是白木床,上铺蒲草席,黄罗褥。旧制度,御膳每天一百个品种,靖康初期,减少七十种,渡江后,每天一羊煎肉炊饼而已。

同一日,金人攻破晋宁军,守臣忠州刺史徐徽言死难。

起初,徐徽言在晋宁时,河东遗民日日盼望王师来到。徐徽言便暗结汾州、晋州土豪,相约收复故土后,奏请出任守长官职,并可世袭。当时朝廷议论多主张和金人讲和,生怕让徽言出兵,会破坏议和,对他的请求,扣压不批准。金人惧怕徽言,企图迅速拔掉晋宁以除忧患,围城三个月,屡攻屡败。被围时间过久,城中矢石都已用光,士兵困乏饥饿不能作战。适逢监门官石赟在夜里开城门接纳金兵,城才被攻破。徽言听说金兵入城,立即放火自焚居舍,率领亲兵奋勇战斗,将近天亮,左右死伤将尽,徽言被俘。金人知道他忠于宋朝廷,要他跪拜,他不拜;用兵器威胁他,他岿然不动;叫降将折可求劝他投降,他手指折可求大骂;折可求递给他酒,徽言把酒杯摔到可求脸上,说:"我还要喝你的酒吗?"谩骂不停。金人恼怒,用刀刺徽言,徽言骂不绝口而死。后来朝廷追赠他为晋州观察,谥号忠壮。

当初,晋宁被围时,太原府路兵马都监孙昂率领残兵,与徽言共同守城。直到城被攻破,孙昂率本部三百人巷战,自夜至天明,格杀金兵数百人,他的士卒死亡将尽。孙昂自知不免于难,拔刀想自杀,被金兵俘获,拥至主将那里,金人以好言劝诱他投降,孙昂终于不愿屈服而死。孙昂父孙翊,宣和末年,以相州观察使知朔宁府,领兵救太原,死于战场。后来朝廷追赠孙昂为左武功大夫、成州团练使。

癸亥(十四日),皇帝在行宫朝见群臣,皇帝下诏罪己,求群臣直言进谏。命令杭州守臣具备船只往常州迎渡士大夫和军民家属。节省仪仗膳食,放回无执掌的宫人出宫。

乙丑(十六日),皇帝颁布德言,释放各路死罪以下的囚杂犯,士大夫流徙远地的都放还。只有李纲不赦还,这是因为黄潜善建议,仍打算归罪李纲以向金人谢罪。

当初,冀州云骑卒孙琪,聚兵为盗,号称"一海虾",为江淮制置使刘光世所招降。维扬战役,行在各军都溃散,孙琪拥护刘光世之妻向氏,安在军中,从真州、滁州奔走淮西,对待她如同对待光世。孙琪到庐州,帅臣胡舜陟闭城拒守,孙琪要求发给粮草,胡舜陟不给。自帅部使者以下,都请求以粮粟赠送他,舜陟说:"我不是爱惜粮食,因为盗贼贪得无厌,送给他们是示弱,他们是无能为力的。"于是不时出兵,截击其掠夺的人,前后六天,孙琪逃遁,舜陟伏兵狙击,抢得孙琪军的辎重而回。这一天,孙琪引兵去安丰县,所到之处不杀人,只掠取金帛而去。后来把向氏送给刘光世,光世很感激他。向氏是汉东郡王向宗回的女儿。

丁卯(十八日),百官入朝见皇帝。在杭州寄居的迪功郎以上官员,一并允许到朝。

直龙图阁、知杭州康允之报告,因为维扬未派斥候,所以金人突然到来而尚不知道。于是开始设置摆铺。十里为一铺,设传讯兵五人,限三刻之内承接传递。五铺设使臣一员监临管理。一个季度无差错和延误,迁升一官,县令县尉减半受赏。

戊辰(十九日),吕颐浩、刘光世移兵屯扎瓜洲渡,同金兵对垒。

金人焚烧扬州。

当初,金人派遣甲士数十人进入扬州,告示士民出西城。人都有怀疑,尚未有出城的。是日,又派人大喊,说是不出城的通通杀死。于是西北城人从西门出,出城后都留木栅中。只有东城人不出城。夜里,金人放火烧城,士民都死,活着的只有几千人而已。

己巳(二十日),尚书左仆射黄潜善、右仆射汪伯彦被罢免。

当时御史中丞张激上疏弹劾黄潜善、汪伯彦大罪二十条,大略有:"潜善等当初没有筹措安排,只知一再坚留陛下,以致皇帝蒙难出走,其罪一。禁止士大夫搬家,立法过严,议论者都说:'天子六宫过江安顿在平静地方,我们的家眷难道不是人,把他们抛弃给敌人!'于是归怨人主,其罪二。自真州、楚州、通州、泰州以南州郡,都遭溃散兵卒的破坏,其罪三。祖宗的神主和遗像不先渡江,一旦皇上车驾起身,就仅有一两位兵卒抬着撤退,沿途倾摇暴露,路人见了,酸鼻难过,其罪四。建炎初年,河南只有三郡失守,自潜善等执政以来,自河南到淮上,州郡所存无几,其罪五。士大夫既不预知渡江的日期,一旦流离,多被金人屠杀,其罪六。行在军兵没有及时济渡,以致仓促溃散,流毒东南,其罪七。左藏库金帛很多,不令装载,尽为敌人所有,其罪八。自澶州、濮州到扬州,都遭敌兵杀掠,生灵涂炭,其罪九。谢克家、李擢都曾受金人伪命,反而任用,其罪十。潜善在王黼为宰相时,位至‘侍从’,所以今日之侍从、卿监各官多系王黼的门下客,伯彦则引用梁子美亲党,牢不可破,罪十一。职事官上表论时政弊病,都交付御史台抄写节略,申报尚书省,壅塞言路,罪十二。用朝廷名爵以胁迫士大夫,罪十三。行在知京师各置百司,设官重复,损耗国用,例如:借巡幸为名而设置御营使司,使得枢密院形同虚设;设置提举财用官员,使得户部成为备员,罪十四。许景衡因建议渡江,被排挤致死,罪十五。身为御营使,多占兵卫,不避嫌疑,罪十六。与敌人对峙,不派斥候,仅根据道听途说,便信以为真,以致如此狼狈,罪十七。敌人骑兵已近,尚敢于挽留皇上车驾,罪十八。卢益由散官升任为八座大臣,便进官为枢密副使;伯彦的门客为起居郎,有罪当调任外官,竟然出任集英殿修撰。潜善、伯彦二人朋比为奸,专务欺君,罪十九。国家遭受耻辱,不知引罪自咎,罪二十。”奏疏进呈,皇帝未批复,便以疏状申报中书省。黄潜善、汪伯彦才又请求离职。签书枢密院事路允迪上奏说:“时势艰难复杂,不宜急于更换宰相,请求责以后效。”诏令押赴都堂办公,不久都罢官为观文殿学士,黄潜善知江宁府,汪伯颜知洪州。

户部尚书叶梦得掌管尚书左丞,御史中丞张澂执掌尚书右丞。

庚午(二十一日),金人撤离扬州。

辛未(二十二日),湖州民王永从献钱五万缗以援助国家财用,皇帝不接受。有人说:“以往曾经已接纳他五万缗了,现在拒收,不免前后不一。”于是下令连前次所献一并归还,还下诏说:“自今以后,富民不得随便陈献。”

朝廷下诏:“御营使司只管行在五个军,其边防筹措等事宜,依照祖宗法规订正,归于三省和枢密院。”

金人自扬州北返,至高邮军城下,守臣赵士瑗弃城逃跑,判官齐志行率军队及县官出城投拜。金人劫掠而去。

癸酉(二十四日),靳赛侵犯通州。城快被攻破,中书侍郎朱胜非、礼部侍郎张浚在平江,寄去蜡书招抚靳赛,靳赛得书听命,但诉苦说没有粮食,于是漕运粮食供给他。

韩世忠部属提辖使臣李在,自沭阳溃败失散后,聚众百余人,驻屯宝应县,适逢金人撤离高邮,李在便诈称五台山信王麾下忠义军,率领兵众到高邮,监北较酒务、保义郎唐思问先往迎接。李在既已入城,就以他的党徒时正臣知高邮军,唐思问为通判州事,逮捕向金人投拜的官吏齐志行等,通通杀了。于是派兵拦截金人后军,获得几艘装有金银财宝的船只,所以李在的军队极富。当时端明殿学士董耘、朝议大夫李釜,皆寓居高邮,李在因而聘为参议,又聚集溃兵几千人,便据守高邮。

甲戌(二十五日),黄潜善、汪伯彦被免职,供奉祠庙。

金主以为医巫闾山有辽代皇陵,下诏禁止民间上山打柴和采摘树果。

乙亥(二十六日),朝廷下诏:“陈东、欧阳澈均封赠承事郎,任命丧服亲属一人为官,并令所居州县抚恤其家。曾被降职而任奉议郎、监濮州酒务马伸晋升为卫尉少卿,令赴行在。”

不久前,尚书左丞叶梦得先谢恩,皇帝对宰相说:“当初判陈东等罪,出于仓卒,终究是因言论而责罚人,朕非常后悔。现在下诏征求言论意见,当使中外都知道个中缘由。”皇帝又说:"马伸以前被贬责离朝,也不是他的罪过,可以召还。"有人启奏说:"听说马伸已死。"皇帝说:"不论他是否死去,朝廷有召,以表示以前朝廷谴责不是他的罪过之意。"既而又追赠马伸为直龙图阁。

丙子(二十七日),皇帝下诏:"朕遭逢时势多有变故,知人不明,致使事出仓促,匹马南渡,深思过错都在我一人。既以悔过自责,洗心改革,罢免宰辅,收召优秀人才,仍然忧虑各方不知朕志。自今以后,政事阙遗,民俗利病,或有关于国体,或有益于边防,一概允许中外士民直言奏闻,朕当亲自披览奏疏,采择施行。"

御营前军统制张俊从驻防地赴行在。诏令他再返吴江。

戊寅(二十九日),江、淮、两浙制置使吕颐浩奏报已收复扬州。诏令尚书省出榜告示安民。

这一天,以龙图阁待制、知延安府、节制六路军马王庶为陕西节制使、知京兆府,泾州防御使、陕西节制司都统曲端为鄜延路经略安抚使、知延安府。当时延安刚遭破坏,不可居住,曲端不打算离开泾原,便以知泾州的郭浩暂代鄜延经略司公事。郭浩是郭成的儿子。

温州观察使、新任凤翔府知府王㻏,从兴元率轻兵赴行在,诏以王㻏为御营前军统制。王㻏上表请皇帝车驾巡幸西川,不听从。

宫仪自即墨引兵攻打密州,围安丘县,筑外城防守。

张用从淮宁率领部众奔赴蔡州,抵达黄离,距离蔡州城二十里。守臣程昌寓估计他们尚未进食,派汝阳县尉杜湛用轻兵引诱,张用贼兵果然中计,以万人追到城东,遇到埋伏,大败。于是张用驻兵确山,连接横贯几个州,上自确山,下通光州、寿州,号称"张莽荡",劫掠粮食,所到之处,为之一空。

续资治通鉴卷第一百四

【原文】

宋纪一百四　起屠维作噩【己酉】三月,尽一月。

高宗受命中兴全功至德　圣神武文昭仁宪孝皇帝

建炎三年　金天会七年【己酉,1129】　三月,己卯朔,日中有黑子。

庚辰,中书侍郎兼御营副使朱胜非守尚书右仆射兼中书侍郎兼御营使。

金人攻江阴,至夏港,距城八里而近。守臣胡纺遣统制官王晚等拒敌,且谓签书判官厅公事李易曰:"吾曹有死城郭之义,公有母,宜少避。"易归告其母蒋氏,蒋氏誓同生死,闻者感泣。既而金人以有备,亦引去。

和州防御使马扩上言前计之误失:"翠华奄处淮甸,泥于请和,势力日益穷蹙,此误计也。信王脱于拘囚,结集忠义,所得壮勇不啻数十万,日望王师相为策应,乃以群言(潜)〔潜〕沮,禁其渡河,反使金人签军南渡,既连破大名、东平,略不为备,遂使金人大肆蹂躏,此失计也。金人远来,人马疲乏,且自争玉帛子女,饱其负载,兼淮西仍多民兵,彼顾前无利,计后有害;又有江北不及渡者,西兵与诸军溃卒,往往夺路,会合于范琼;敌又睥睨金陵、镇江,守把舟船,而天雨连降,平地水发,道涂泥泞,马步俱不能进,是以敌心顿沮,不思渡江以迫大驾。此皆上天眷祐有宋,(计)〔许〕陛下得以图回。臣今辄以机速利害,画为三策:愿陛下幸巴蜀之地,用陕右之兵,留重臣以镇江南,委健吏以抚淮甸,破敌人之计,回天下之心,是为上策;都守武昌,襟带荆湖,控引川、广,招集义兵,屯布上流,扼据形势,密约河南诸路豪杰,许以得地世守,用为屏翰,是为中策;驻跸金陵,备御江口,通达漕运,亟制战舰,精习水军,厚激将士,以幸一胜,观敌事势,预备迁徙,是为下策。若贪顾江湖陂泽之险,纳探报之虚言,缓经营之实绩,倚长江为可恃,幸敌人之不来,犹豫迁延,候至秋冬,使敌人再举,驱集舟楫,江、淮千里,数道并进,然后悔其已晚,是为无策。"累数千言,皆切事机。

辛巳,尚书左丞叶梦得初执政,帝谕之曰:"今日兵、食二事最大,当择大臣分掌。"门下侍郎颜岐等颇疾之,乃语知杭州康允之曰:"上欲以次对授公,而为左丞沮止。"允之怒,与其将曹英谋,以为陈通馀党在者三千馀人,闻梦得秉政,不自安,皆谋为乱,帝不信,岐等证之。梦得与朱胜非旧不相能,胜非入相,首言梦得议论不协。会杭州士民上书讼梦得过失,有及其闱门者。诏以梦得深晓财赋,可除资政殿学士、提举中太一宫兼侍读,提领户部财用、充车驾巡幸顿递使。梦得执政凡十四日而罢,辞不拜,遂径归卞山。

向德军节度使、御营使司都统制王渊同签书枢密院事,仍兼都统制。

渊自平江赴行在，遂有是命，诸将多不悦者。渊轻财好义，家无宿储，每曰："朝廷官人以爵，使禄足代耕。若切切事锥刀，爱爵禄，我何不为富商大贾耶！"

尚书吏部侍郎兼直学士院孙觌试户部尚书。

资政殿学士、同签书枢密院事、江、淮、两浙制置使吕颐浩为江南东路安抚制置使兼知江宁府。自乾德以来，辅臣以本职典藩者，惟吕馀庆、郭逵及颐浩。

壬午，诏："新除签书枢密院事王渊，免进呈书押本院公事。"

初，扈从统制、鼎州团练使苗傅，自负世将有劳，以渊骤得君，颇觖望；威州刺史刘正彦，常招降剧盗丁进等，以赏薄怨望；又渊既荐正彦，后（瞰）〔橄〕取其所予（供）〔兵〕，正彦执不遣，以此怨渊。帝在维扬，入内内侍省押班康履颇用事，妄作威福，诸将多疾之。及幸浙西，道吴江，左右宦者以射鸭为乐；比至杭州，江下观潮，中官供帐，赫然遮道。傅等切齿曰："汝辈使天下颠沛至此，犹敢尔耶！"有中大夫王世修者，能甫兄子也，靖康末，知荥泽县，以守御功改京秩，遂为傅幕宾。世修常疾阉宦恣横，为尚书右丞张澂言之，澂不纳，乃退为正彦言之，正彦曰："君言甚忠，当与君同去此辈。"俄闻渊入右府，傅、正彦以为由宦者所荐，愈不平，遂与世修及其徒王钧甫、马柔吉、张逵等谋先斩渊，然后杀内侍。钧甫、柔吉，皆燕人，所将号"赤心军"。议已定，是日，宰相朱胜非奏言："王渊除命，诸将有语。"乃令渊依执政恩例，不与院事。

傅等即部分兵马，且使人告渊以临安县境有剧盗，欲出兵捕之。康履之从者有得小黄卷文书，卷末字两行，曰"统制官田押，统制官金押"。履问："此何谓也？"曰："军中有谋为变者，以此为信号，从之者书其名于后。"履密以奏。帝命履至都堂谕胜非，使召渊为备。胜非问："知其谋否？"履曰："略知。期以来早集于天竺寺，方谕其意，田即苗，金即刘也；诈言谋于城外以误渊，使遣部曲出外耳。"胜非即召渊告之。日暮，渊遣一将将精兵五百人伏于寺侧。是夜，城中惊惶，居民杜门不敢出，皆通夕不寐。

癸未，神宗皇帝忌，百官行香罢，制以检校少傅、奉国军节度使、制置使刘光世为检校太保、殿前都指挥使，百官入听宣制。苗（传）〔傅〕、刘正彦令王世修伏兵城北桥下，俟王渊退朝，即捽下马，诬以结宦官谋反，正彦手斩之。遂遣人围康履家，分兵捕内官，凡无须者皆杀。

傅揭榜于市，正彦即与傅拥兵至行宫北门外，卫士出刃以指其军，傅、正彦遂陈兵于门下。中军统制官吴湛，与傅等通，为囊橐，被甲持刃守宫门，宫门亟闭。时尚书右丞张澂方留身曲谢，康履遮前奏："有军士于通衢要截行人，履驰马获免。"帝召朱胜非等告之。胜非曰："吴湛在北门下营，专委伺察非常，今有报否？"帝曰："无也。"俄而湛遣人口奏；"傅、正彦手杀王渊，以兵来内前，欲奏事。"帝大骇愕，不觉起立。胜非曰："既杀王渊，反状甚著，臣请往问之。"及门，吴湛迎语曰："人已逼，门不可开。"胜非、澂遂与门下侍郎颜岐、签书枢密院事路允迪急趋楼上，傅、正彦与钧甫、柔吉、世修、逵等介胄立楼下，以竿枭渊首。胜非厉声诘问专杀之由，吴湛引傅所遣使臣入内附奏曰："苗傅不负国家，止为天下除害耳。"

知杭州康允之见事急，率从官扣内东门求见，请帝御楼慰谕军民，不然，无以止变。俄独召允之入，日将午，帝步自内殿，登阙门，盖杭州双门也，百官皆从。权主管殿前司公事王（允）〔元〕大呼曰："圣驾来！"傅等见黄盖，犹山呼而拜。帝凭栏呼傅、正彦问故，傅厉声曰："陛下信任中官，赏罚不公，军士有功者不赏，内侍所主者乃得美官。黄潜善、汪伯彦误国至此，犹未远窜。王渊遇敌不战，因交康履，乃除枢密。臣自陛下即位以来，立功不少，顾止作

2377

遥郡团练使。臣已将王渊斩首,中官在外者皆诛讫,更乞康履、蓝珪、曾择斩之,以谢三军。"帝谕以"内侍有过,当流海岛。卿可与军士归营。"傅曰:"今日之事,尽出臣意,三军无预焉。且天下生灵无辜,肝脑涂地,止缘中官擅权。若不斩履、择,归寨未得。"帝曰:"知卿等忠义,已除苗傅承宣使、御营都统制,刘正彦观察使、御前副都统制,军士皆放罪。"傅不退,其下扬言:"我等欲迁官,第须控两匹马与内侍,何必来此!"帝问百官:"策安出?"主管浙西安抚司机宜文字时希孟曰:"中官之患,至此为极,若不悉除之,天下之患未已。"军器监叶宗谔曰:"陛下何惜一康履!姑以慰三军。"帝不得已,命吴湛执履,捕得于清漏阁仰尘上,卫士擒至邠门,遂以付傅等,即楼下腰斩之,枭其首,与渊首相对。希孟,君卿子也。

　　履既死,帝谕傅等归寨。傅等因前,出不逊语,大略谓:"上不当即大位,将来渊圣皇帝来归,不知何以处?"帝命朱胜非缒出楼下,委曲谕之。傅请隆祐太后同听政,及遣使金人议和。帝许诺,即下诏书,恭请隆祐太后垂帘,权同听政。百官皆出门外。傅、正彦闻诏不拜,曰:"自有皇太子可立,况道君皇帝已有故事。"张逸曰:"民为贵,社稷次之,君为轻。今日之事,当为社稷百姓。"又曰:"天无二日。"众皆惊愕失色。百官复入言:"傅、正彦不拜。"帝问故,众莫敢对,希孟独曰:"有二说:一则率百官死社稷;一则从三军之言。"通判杭州事浦城章谊叱之曰:"此何等语也!三军之言,岂可从耶!"帝谓胜非等曰:"朕当退避,但须禀于太后。"胜非言:"无此理。"颜岐曰:"若得太后自谕之,则无辞矣。"帝乃令岐入奏,又命吴湛谕傅等曰:"已令请太后御楼商议。"是日,北风劲甚,门无帘帷,帝坐一竹椅,无藉褥,既请太后御楼上,即立楯侧不复坐,百官固请,帝曰:"不当坐此矣。"

　　少顷,太后御黑竹舆,从四老宫监出宫。太后不登楼,内侍报帝,密语帝曰:"太后欲出门谕诸军,如何?"执政皆以为不可,曰:"若为邀去,奈何?"胜非曰:"必不敢!臣请从太后出,传道语言,可观群凶之意。"遂肩舆出立楼前见傅等,执政皆从之。傅、正彦拜于舆前曰:"今百姓无辜,肝脑涂地,望太后为天下主张。"太后曰:"自道君皇帝任蔡京、王黼,更祖宗法度,童贯起边事,所以招致金人,养成今日之祸,岂关今上皇帝事!况皇帝圣孝,初无失德,止为黄潜善、汪伯彦所误,今已窜逐,统制岂不知!"傅曰:"臣等已议定,岂可犹豫!"太后曰:"待依所请,且权同听政。"傅等抗言必欲立皇子,太后曰:"以承平时,此事犹不易。况今强敌在外,皇子幼小,决不可行。不得已,当与皇帝同听政。"正彦曰:"今日大计已定,有死无二,望太后早赐许可。"太后曰:"皇子方三岁,以妇人之身,帘前抱三岁小儿,何以令天下!敌国闻之,岂不转加轻侮?"傅、正彦号哭固请,太后不听。傅、正彦呼其众曰:"太后不允所请,吾当解衣就戮。"遂作解衣袒背之状。太后复呼之曰:"统制名家子孙,岂不明晓?今日之事,实难听从。"傅曰:"三军之士,自早至今未饭,事久不决,恐生它变。"顾朱胜非曰:"相公何无一言?今日大事,正要大臣果决。"胜非不能对。适颜岐自帝前来,奏太后曰:"皇帝令臣奏知,已决意从苗傅所请,乞太后宣谕。"太后犹不允。傅等语言益迫。

　　太后还入门,帝遣白以事无可奈何,须禅位。胜非泣曰:"逆谋一至于此,臣位宰臣,义当死国,请下楼面诘二凶。"帝曰:"凶焰如此,卿往必不全。既杀王渊,又害卿,将置朕何地!"乃挥左右稍却,附耳曰:"朕今与卿利害正同,当为后图;图之不成,死亦未晚。"遂命胜非以四事约束傅:一曰尊事皇帝如道君皇帝故事,供奉之礼,务极丰厚;二曰禅位之后,诸事并听太后及嗣君处分;三曰降诏毕,将佐军士即时解甲归寨;四曰禁止军士,无肆劫掠、杀人、纵火。如遵依约束,即降诏逊位。傅等皆曰:"诺。"

帝顾兵部侍郎兼权直学士院李邴,令草诏,邴请帝御札。帝即所御椅上作诏曰:"朕自即位以来,强敌侵凌,远至淮甸,其意专以朕躬为言。朕恐其兴兵不已,枉害生灵,畏天顺人,退避大位。朕有元子,毓德东宫,可即皇帝位,恭请隆祐太后垂帘同听政事。庶几消弭天变,慰安人心,敌国闻之,息兵讲好。"帝书诏已,遣人持下宣示。胜非至楼下,呼傅幕属将佐问之,王钧甫进曰:"二将忠有馀而学不足耳。"宣诏毕,傅、正彦麾其军退,移屯祥符寺。时已未刻,帝徒步归禁中。军士退去,尚喧呼于市曰:"天下太平也!"

是时诸门,皆傅等以甲士守视,不听人出入。

方事之未决也,康允之奏:"恐军士乘势攘杀,请出门慰抚。"乃见傅、正彦,告以故,正彦以一甲马、二十甲士授之。允之周行井衢,杭人赖以安堵。

帝既还内,宰执从至殿门。胜非呼典班高琳附奏:"今夕宰执内宿。"帝独召胜非至后殿,垂帘,太后见胜非号泣。帝曰:"康履、曾择、陵忽诸将,至于马前声喏,或倨坐跂足,使诸将立于前,此皆招祸之事也。"胜非曰:"履、择必有所求,求而不得则怨矣。"帝曰:"此事终如何?"胜非曰:"王钧甫辈皆其腹心,适尝语臣云:'二将忠有馀而学不足,'此语可为后图之绪。"帝曰:"朕来早不出,太后御殿。"胜非曰:"来日当降赦。盖群凶既杀王渊,又劫掠,意必望赦。它日势可行遣,岂复论此! 今当召李邴就草赦,庶可共议。"帝曰:"卿自为之,如何?"胜非曰:"当宣召学士内宿,令御史台集百官宣读,一如平日,庶群凶不疑。"胜非又奏:"母后垂帘,当二人同对;臣有独奏事不可形于纸笔者,岂可与它人同之! 欲降旨,以时事艰难,许臣僚奏对。"太后曰:"彼不疑否?"胜非曰:"宜自苗傅始,仍与其徒日引一人上殿,以弭其疑。"胜非退,太后语帝曰:"赖相此人,若汪、黄未退,事已不可收拾矣。"它日,傅等入对,太后劳勉之,傅等皆喜。由是臣僚独见论机事,贼亦不疑。

是日,上移御显忠寺,宰执〔百〕官侍卫如仪,内人六十四人肩舆以从。傅等遣人伺察,恐匿内侍故也。

甲(午)〔申〕,太后与魏国公垂帘,朱胜非称疾不出,太后命执政诣其府,胜非乃出。是日,上徽号曰睿圣仁孝皇帝,以显忠寺为睿圣宫,留内侍十五人,馀诸州编置。降制大赦。

诏:"有司月以钱米廪给司马光之后。"

起复定国军承宣使、带御器械、鄜延路马步总管、御营平寇左将军韩世忠为捧日天武四厢都指挥使、御营使司专一提举一行事务都巡检使,武宁军承宣使、带御器械、秦凤路马步军副总管、御营前军统制张俊为捧日天武四厢都指挥使。仍命俊以三百人赴秦凤,二千人付统制官陈思恭,一千人付将官杨沂中留吴江把隘,馀令以次统领官押赴行在。

丙戌,京东东路安抚使刘洪道失青州,乃率官吏奔仰天陂寄治,士民多从之者。

江东制置使吕颐浩方至江宁,忽奉内禅诏赦,遂会监司议,皆莫敢对。退,谓其属官李承迈曰:"是必有兵变。"承迈曰:"诏词有畏天顺人之语,此恐其出于不得已也。"其子抗侍侧,曰:"兵变无疑矣。"颐浩即遣人入杭伺贼,并寓书于张浚、刘光世,痛述国家艰难之状,别以片纸遗浚曰:"时事如此,吾侪可但已乎!"承迈,清臣孙,尝通判雄州,避乱南渡,颐浩引用之。

时有自杭州赍傅等檄文至平江者,浚读,恸哭,乃决策举兵。夜,召两浙路提点刑狱公事赵哲,告以故,令哲尽调浙西射士,以急切防江为名,使汤东野密治财计。

戊子,召端明殿学士王孝迪为中书侍郎,资政殿学士卢益为尚书右丞。后二日,诏:"孝迪、益并充奉使大金国信使,武功大夫、忠州防御使辛道宗、武功大夫、永州团练使、两浙西路兵马都监郑大年副之。"孝迪,下蔡人,靖康初尝为中书侍郎,及是再用。

有进士黄大本者,浪迹江湖,旧为蔡絛客。二凶将遣使,朱胜非以金在江北,恐挟此而来,乃建言:"未知敌帅所在,宜先遣小使。"会大本上书求试用,乃以为承奉郎、假朝奉大夫、直秘阁、赐金紫,进武校尉吴时敏为秉义郎、邠门祗候、假武义大夫、邠门宣赞舍人,并为先期告请使以行。

是日,御营前军统制、秦凤路马步军副总管张俊,以兵至平江府。

俊初屯吴江县,苗傅等以其兵属赵哲,使俊之凤翔。会统制官辛永宗自杭乘小舟至俊军,具言城中事。将士汹汹,俊谕之曰:"若等无哗,当诣张侍郎求决,侍郎忠孝,必有筹画。"至是俊引所部八千人至平江,平江人大恐。

会张浚被省札召赴行在,令将所部人马尽付赵哲。浚披衣起坐,不能支持。顷之,汤东野仓皇至,浚问,知俊来。浚知帝遇俊厚,可与谋事,谕东野急开门纳之。浚语俊曰:"太尉知皇帝逊位之由否?此盖苗傅等欲危社稷。"言未讫,泣数行下,俊亦大哭。浚谕决策起兵问罪,俊泣拜,且曰:"此事须侍郎济以机术,勿令惊动官家。"浚哽噎首肯。移时,辛永宗、赵哲至,为浚言:"傅每事取决王钧甫、马柔吉。傅素乏心机,而刘正彦轻疏,闻公旧识钧甫,当先以书离间二人,然后徐为之计。"浚然其说,即同赵哲驰入张俊军中抚谕,且厚犒之,人情大悦。浚以蜡书谕吕颐浩、刘光世起兵状,又令俊先遣精兵二千扼吴江。永宗,道宗弟也。

己丑,改建炎三年为明受元年。

先是王世修见朱胜非,胜非谕曰:"国家艰难,可谓功名之秋。古人见机而作,能易乱为治,转祸为福,在反掌间耳。亦有意于此乎?"世修喜曰:"世修无意从军,因循至此;朝廷若有除授,固所愿也。"胜非曰:"寻常等级序进,所以待常士;若能奋身立事,虽从官可即得。"世修益喜,于是为之往来传道。

会苗傅乞改年号,刘正彦乞移跸建康。胜非留身,太后谕以二事,胜非曰:"移跸岂可遽议!金近在江北,沿江皆未有备。"太后曰:"何以却之?"胜非曰:"俟降出文字,朝廷且与判收,徐议区处可也。"后曰:"审慎处置,此是第一次理会事。"胜非曰:"臣近察二凶,愚无英气。钧甫、世修皆有悔意,未敢深诘,但以利动之,约其再来。"后遽曰:"如何?"胜非请屏左右,后曰:"惟张夫人在此。"胜非问:"夫人何人?"后曰:"张夫人年高习事,官品亦尊,尝教哲宗、道君读书,朝廷文字皆经其手,禁中事莫不预知,即令往来睿圣宫。卿但奏事。"胜非曰:"主上反正,已有端绪;二凶之力,至此极矣。向张逵建议诱说诸军,掠取王渊及诸内臣家,人人可以致富。及掠索之后,所得不副所闻,人有悔意,数日来,小校有遁去者。此皆傅所亲统领官张昕言之,请因张夫人密奏主上。"昕,秦州人,本王渊部曲,后在傅军中,以正彦手杀渊,极衔之。

又二日,傅、正彦至都堂申言二事,胜非以移跸为不可。苗傅趣之,胜非曰:"已议朝夕行。"傅曰:"人言'炎'字是两火,故多盗,乞早改元。"胜非以闻,太后曰:"三事中年号稍轻,若全然不从,恐别生事。"会世修再至,胜非与语,因论二将所陈如改元等事,未得请,颇以为言。语未毕,内批傅第三奏云:"可改元明德或明受。"胜非以示世修曰:"已从请矣。"世修曰:"乞姑留此奏,明日降下。俟还军中,为言已论改元事,庶于世修无疑。"胜非以为然,至是降制。

尚书礼部侍郎、节制平江府、常、秀、湖州、江阴军军马张浚上言:"睿圣皇帝方春秋鼎盛,而遽尔退避,恐四方闻之,不无疑惑,万一别生它事。尚望详酌施行。"

先是苗傅等以省札趣浚行,浚戒汤东野、赵哲各密具奏,称:"金未尽退,及靳赛之众窥伺平江,若张浚朝就道,夕败事。"浚亦奏:"今张俊人马乍回平江,人情震詟,若臣不少留弹压,恐致败事。"浚欲奏请帝复辟,张俊、辛永宗、赵哲共以为:"若此,恐傅等自疑罪大不容,或别生奸谋,请以计欵之。"浚用其策,白递发奏状,并以其副申尚书省,乞率文武百官力赐祈请。又以手书遗傅、正彦,言:"太后垂帘,皇帝嗣位,固天下所愿。向所虑者,宦官无知,时挠庶政,今悉戮其无状者,最快人望。惟睿圣退避一事,若不力请,俾圣意必回,与太母分忧同患,中兴之业,未易可图。二公忠义之著,有如白日,若不身任此事,人其谓何! 浚愚拙,死生出处,当与二公同之。"

前密州州学教授邵彪见浚于军中,浚问策安出,彪曰:"以至顺诛大逆,易如反掌,公处之何如耳。"浚曰:"张俊指天誓地,愿以死援君父之辱,韩世忠有仗节死难之志,二人可以集事。惟浚士卒单弱,恐不足以任兹事。然吕枢密屯兵江宁,其威望为人所信向,且通亮刚决,能断大事,当为天下倡。刘光世屯兵镇江,兵力强悍,谋议沈鸷,可以倚仗。浚皆驰书往矣。"彪曰:"兵贵神速,吕枢密在数百里外,奈何?"浚曰:"吕枢密睹事明而刚决,闻国家之难,必先众倡义而起,何患不速!"

是日,张浚书至江宁,吕颐浩执书以泣曰:"果如所料,事不可缓矣!"再发书与浚及诸大将,约会兵。时议论不一,人情汹甚。江宁士民知颐浩起兵,议留颐浩,颐浩乃檄主管侍卫马军司公事杨惟忠留屯江宁府,以安人心,且谕惟忠以苗傅等计穷,恐挟至尊以遁,由广德渡江,当日夜为控扼之备。

庚寅,百官朝谒于睿圣宫。

检校太保、殿前都指挥使、奉国军节度使刘光世为太尉、淮南制置使,捧日天武四厢都指挥使、定武军承宣使、权同主管侍卫步军司公事、御营平寇前将军范琼为庆远军节度、湖北制置使。苗傅、刘正彦素惮刘光世,又知其与韩世忠、张俊旧不平,欲间之使为己用;而琼素跋扈,至是乃引兵屯淮西,故首擢之。

资政殿学士、同签书枢密院事、江、淮、两浙制置使兼知建康府吕颐浩上言:"近闻将相大臣剿戮内侍,诚可以快天下之心。但方今强敌乘战胜之威,诸盗有蜂起之势,兴衰拨乱,事属艰难,望太后、皇帝不惮再三,祈请睿圣皇帝亟复皇帝位,亲总万机。从此以往,屏绝内侍近习之人,褒赏立功将帅之士,然后驾幸江宁,以图恢复。臣年六十,疾病衰残,目睹今日之事,实社稷存亡安危之所系,不敢爱身,谨泣血雨泪拜章,望圣慈听纳。"仍传檄诸军将,又遣其属敕令所删定官李承造至镇江,趣刘光世起兵。承造,承迈弟也。

先是张浚欲遣辩士持书说二贼,使无它图,以待诸将之集,念无可遣者,浚客遂宁进士冯辐,素负气节,闻之,慷慨请行,且曰:"事成预窃名,不成不过死。"是日,颐浩所遣书至,浚知颐浩已有定谋,大喜,再发书,报以所部军马数及举事次叙。

浚知苗傅等所恃独赤心军,会燕人张斛与其弟溶龠自傅军中间行至平江,为浚言:"此军无负朝廷意,特王钧甫以术驱役之。然斛观将士之情,往往惴恐,非坚附苗、刘者。二贼闻风声鹤唳,皆以为大兵至,安能成事!"

晋宁既破,金人返军趣鄜州。权鄜延经略使郭浩驻兵境上,金人遂破鄜州。

辛卯,张浚遣冯辐赴行在。浚为咨目,请主上亲总要务,兼致书马柔吉、王钧甫,大略云:

"浚与二公最厚,闻苗广道、刘子直颇前席二公,事每计议而行,今日责在二公。浚初闻道路传馀杭事,不觉惊疑。继闻广道、子直实有意于宗社大计,然此事不反正,终恐无以解天下后世之惑。"浚遂备奏兼檄报诸路,且约吕颐浩、刘光世会平江。

时苗傅以堂帖趣张俊赴秦州,命赵哲领俊军。哲不敢受,又以付统领官陈思恭。浚召思恭审问,思恭言:"张俊总此军日久,思恭岂能从人为乱!"浚皆令具以报。是日,张浚檄至江宁。

壬辰,右谏议大夫郑(悫)〔毅〕试御史中丞。(悫)〔毅〕常面折二凶,朱胜非言于太后,故有是命。

徽猷阁学士、提举西京嵩山崇福宫曾楙为翰林学士,楙不受。

尚书刑部侍郎卫肤敏移礼部侍郎。肤敏至杭州,已属疾,闻变恸哭,舟中即请老,不许;请就医秀州,许之。

大理卿商守拙试尚书刑部侍郎,起居郎季陵试中书舍人,尚书右司员外郎叶三省为起居郎,朝奉郎袁植、宣教郎张延寿并为监察御史。植,正功兄,宣和中尝挂冠去,至是复用。延寿,舒城人也。

中书舍人林遹充徽猷阁待制,在外宫观。遹,闽县人。二凶之乱,遹首请纳禄,故有是命。

武功大夫、忠州防御使王彦致仕。

彦疾愈,自真州渡江,苗傅等以彦为御营司统制,彦曰:"鸱枭逆子,行即诛锄,乃欲污我!"即称疾力辞,不听。彦乃佯狂,乞致仕,许之。

两浙转运副使王琮言:"本路上供和买绸绢,岁为一百七十万匹有奇,请每匹折纳钱两千,计三百五万缗,以助国用。"东南折帛钱盖自此始。

甲午,贬内侍官曾择等于岭南。

苗傅使人捕得择等,诏贬择昭州,蓝珪贺州,高邈象州,张去为廉州,张旦梧州。

先是御史中丞郑(悫)〔毅〕言:"黄门宦官之设,本以给事内庭,供扫除而已。俾与政事则贪暴无厌,付以兵权则惨毒不已,皆前世已行之验也。故宦官用事于上,则生民受祸于下,匹夫抗愤,处士横议,力不能胜,然后群起而攻之,众怨所集,故其被害亦莫之救。本朝惩历代之失,祖宗以来,不任以事。崇、观之间,始侵事权,摇毒肆虐,天下不胜其忿。靖康之初,群起而攻之者,庶民也。建炎以来,此(徒)〔徒〕复炽。睿圣皇帝仓皇南渡,江北生灵莫知所归,扈从之臣,请权驻跸镇江,会兵聚粮,以援淮甸,以渡民兵,睿圣俞允,群臣鼓舞,方分事以治。内侍陈恐动之言,即时南来,官吏兵民,颠仆道涂,江北民庶,号天无告,怨怒所钟,驻跸未安,群起而攻之者,众兵也。今陛下即位之初,太后垂帘共政,当原宦侍所以招祸之由,痛革前弊,蠲汰而清除之,然后内外协安。望圣慈垂省,凡内侍之处大内及睿圣宫者,并选择纯实谨愿椎朴之人,勿任以事,惟令掌门阑,备扫除而已。官高职隆、曾经事任、招权纳宠者,屏之远方,轻者补以外任,俾无浸淫以激众怒,则赏罚之柄自朝廷出,而国势尊矣。仍告谕都统制官苗傅等,自后军法便宜,止行于所辖军伍,其它有犯,当具申朝廷,付之有司,明正典刑,所以昭尊君亲上之礼,而全其臣子忠义之节也。"疏留中不出。

择行一程,傅复追还斩之。

苗傅、刘正彦诣都堂,欲分所部代禁卫守睿圣宫,尚书右丞张澂以为不可,固止之。傅等又欲挟帝幸徽、越,朱胜非曲折谕以祸福,且以忠义归之,傅乃已。

时正彦日以杀人为事,每至都堂,传呼满道,从以悍卒,行者皆避之。

冯辖再见傅、正彦于军中,从容白之曰:"辖为国事而来,今已再日,未闻将军之命,愿一言而决。今日之事,言之触怒,立死于将军之前,不言则它日事故愈大,亦死于乱兵之手。等死耳,孰若言而死,使将军知辖非苟生者!自古宦官乱政,根株相连,不可诛锄,诛必受祸,东汉末年事,可考而知也。二公一旦为国家去数十年之患,天下蒙福甚大。然主上春秋鼎盛,天下不闻其过,岂可遽传位于襁褓之子!且前日之事,名为传位,其实废立。自古废立在朝廷,不在军中,二公本有为国之心,岂可以此负谤天下!"少顷,傅按剑瞋视曰:"金人之意在建炎皇帝。今主上当极,太母垂帘,将复见太平,天下咸以为是。如张侍郎处侍从,尝建立,何事而敢梗议?"辖曰:"太母深居九重,安能勒兵与金从事!天下自有清议,太尉幸熟思。"傅益发怒。正彦见辖辞色不屈,即与王钧甫、马柔吉引傅耳语,遂谕辖曰:"侍郎欲复辟,此事固善,然须面议。"词语甚逊。翊日,即遣归朝官宣义郎赵休与辖偕还,遗张浚书,约浚至杭同议。

同签书枢密院事吕颐浩以勤王兵发江宁。

初,苗傅等以诏召颐浩赴行在,命以所部付杨惟忠。颐浩知其意,以羸弱千馀人授惟忠,自将精兵万人讨贼。至是发江宁,而府中揭榜,尚空年号。其属请以族行,颐浩不许,但与其从子擢俱,使掌文字之职。颐浩躬擐甲胄,据鞍执鞭誓众,士皆感励。师次句容驿,颐浩援笔记起师之日,且大书建炎之号,谕县令采石刻之,以坚将士之心。

先是张俊三遗刘光世书,谕以勤王,且遣参议军事杨可辅至镇江趣之,光世不报。是日,俊被朝旨领张浚人马,从浚所请也。

初,保义郎甄援在城中,窃录明受诏赦及二凶檄书以出,至馀杭门,为逻者所得,苗傅命斩之,援笑曰:"将军方为宗社立功,奈何斩壮士!"傅嫚骂,且诘其故,援曰:"今误国奸臣,多散处于外。愿赍将军之文,纠忠义之士,诛漏网以报将军耳。"傅意解。刘正彦曰:"此未可信。"即令拘之。居数日,防禁少缓,更衣逾墙而出。至是见张浚于平江,援诡言尝更服见睿圣皇帝于别宫,帝谓曰:"今日张浚、吕颐浩必起兵,刘光世、韩世忠、张俊等必竭力相辅,语令早来。"词旨甚切。浚微察其意,不复问,即遣诣张俊军,与其将士闻之,皆感恸,浚遂令援遍往韩世忠、刘光世诸军宣谕。援明辩,善为说词,诸将人人自以为帝所倚望,感泣自奋,繇是士气甚振。

丙申,韩世忠以所部至平江。

初,世忠在常熟舟中,闻张浚遣人来,被甲持刃,不肯就岸;取浚及统制官张俊所遗书,使人读之,世忠乃大哭,举酒酹神曰:"誓不与此贼共戴天!"舟中士卒皆奋。世忠见浚曰:"今日大事已成,世忠与张俊以身任之,愿公毋忧。"世忠欲即进兵,浚谕之曰:"事不可急。投鼠忌器,急则恐有不测。浚已遣冯辖甘言诱贼矣。"

贼张彦寇和州,统领官王德,声言往庐州,即日进发。行三十里,彦众稍息,饮酒大醉,德伺知之,率数百人径入,彦之众不能执戈,彦与数十骑遁去,至宣化,为人所杀,德又并其军。

先是朱胜非在平江,尝以蜡书招德,刘光世又以告身数通及所被服战袍细甲等随之,德遂将所部自采石渡江。光世得之,其军复振,遂趣平江,以德为前军统制。光世因言苗、刘逆状,德曰:"救乱之军,当百舍一息。请先率轻兵由桐州趋馀杭,出其不意,则擒二贼易于反掌。"光世以诸帅之议已定,遂不从。

丁酉,吕颐浩帅师次常州,与守臣周杞约,治兵扼其险要。先是文林郎、监常州仓赵隽之闻变,请于杞,率宗室数十人诣秀州,见权两浙提点刑狱公事赵子璿,请团结兵民勤王;子璿不从,事遂止。杞命隽之措置大军钱粮,以俟颐浩。

戊戌,御营平寇左将军韩世忠以所部发平江。

初,苗傅闻世忠自海道还,以都统司檄命世忠屯江阴。世忠至平江,即诡为好词报傅,以所部残零,人马不多,欲赴行在,傅大喜,许之。是日,张浚大犒世忠及张俊两军,酒五行罢,浚引诸将至后园,屏左右问曰:"今日之事,孰逆孰顺?"众皆曰:"我顺彼逆。"浚曰:"浚若迷天悖人,可直取浚头颅归贼,即日富贵矣。不然,一有退缩,当以军法从事。"众皆诺。

初,沭阳之溃,世忠部曲皆散,几不能军,浚以其兵少,命前军统制张俊以统领官刘宝二千人借之。世忠发平江,舟行不绝者三十里,军势甚振。浚恐傅等以伪命易置,乃令世忠偏将张世庆搜绝邮(傅)〔传〕,凡自杭来,悉投之水中。

己亥,张浚复遣冯轓入杭,移苗傅等,告以祸福,使之改图。先是傅又移浚书云:"朝廷以右丞待侍郎,伊尹、周公之事,非侍郎其孰当之!请速赴行在。"浚报书曰:"自古言涉不顺,则谓之指斥乘舆;事涉不顺,则谓之震惊宫阙。至于逊位之说,则必其子若孙年长又贤,因托以政事,使之利天下而福苍生;不然,谓之废立。废立之事,惟宰相大臣得专之,伊尹、霍光之任是也;不然,则谓之大逆,族诛。凡为人臣者,握兵在手,遂可以责其君之细故而议废立,自古岂有是理也哉!今建炎皇帝春秋鼎盛,不闻失德于天下,一旦逊位,似非所宜。浚岂不知废置生杀,二公得专之,盖其心自处已定,言之虽死无悔。呜呼!天祐我宋,所以保祐皇帝者,历历可数,出质则金人钦畏而不敢拘,奉使则百姓讴歌而有所属。天之所兴,孰能废之!愿二公畏天顺人,无顾一身利害。借使事正而或有不测,犹愈于暴不忠不义之名而得罪于天下后世也。"初,浚发书及所措置事,皆托它词,未敢讼言诛之,傅等虽闻大集兵,犹未深信。得此书,始悟见讨,奏请诛浚以令天下。始,张俊所部统领官安义,阴与傅合,欲代俊而夺其兵,乃断吴江桥以应贼,浚即令韩世忠屯秀以伐其谋。世忠至秀,称疾不行,造云梯,冶器械,傅等始惧。

先是秘书省正字冯楫,尝与直龙图阁黄概、军器监叶宗谔密议,欲说二贼令自请复辟,宗谔以为然,因市小舟,欲见浚于平江而不得出。有承议郎、直秘阁范仲熊者,冲之子也,尝为河内丞,留金得归,旧厚王钧甫、马柔吉二人,讽颜岐荐之,除吏部员外郎。楫问仲熊以钧甫、柔吉之为人,仲熊曰:"钧甫疏,柔吉直。"楫曰:"因此说二将,可乎?"仲熊曰:"军中气盛,未可。"庚子,楫再扣之,仲熊曰:"可矣。近日遣人出问卜,是必有所疑也。"

辛丑,诏新除礼部尚书张浚责黄州团练副使、郴州安置。

时两宫音问几不相通,太后遣小黄门至睿圣宫白曰:"早来不得已,已贬张浚。"帝方啜羹,不觉覆羹于手。

初,苗傅得浚手书,即请绌浚,右仆射朱胜非沮止之,至于五六。及是傅等至都堂见胜非,且言"浚见诋为逆贼,所不能堪,如吕枢密则晓事",意欲杀浚。胜非见其悖甚,恐生它变,谓之曰:"罢浚兵权而以付吕枢密,必无事矣。"傅意稍解,遂有郴州之命。

御营都统司统领官苗瑀、参议官马柔吉以赤心队及王渊旧部精锐驻临平,以拒勤王之兵。

时韩世忠扼秀州,张俊前军在吴江,贼气始沮。节制司参议官辛道宗总舟师,与统领官陈思恭亦自华亭进发。

吕颐浩军行至平江之北。先是颐浩以所部万人发江宁,道募得三千人与俱,至平江之北四十五里,张浚乘轻舟迓之。道遇小舟,得邮筒,屏人发封,乃浚郴州谪命,浚得之,恐将士观望不尽力,读书曰:"得书,趋赴行在,即日起发。"浚见颐浩,相与对泣,以大计咨之,颐浩曰:"事不谐,不过赤族。颐浩曩谏开边之失,几死宦官之手;承乏漕辀,又几陷穷边;近者仓卒南渡,举室几丧;今日为社稷死,岂不甚快耶!"浚壮其言,颐浩即召其属官李承造于舟中草檄,而浚为润色之。

初,苗傅闻韩世忠在秀州,取其妻梁氏及其子保义郎亮于军中以为质。朱胜非闻之,乃好谓傅曰:"今当启太后,招二人慰抚,使报知平江,诸人益安矣。"傅许诺。胜非喜曰:"二凶真无能为也!"太后召梁氏入见,封为安国夫人,锡予甚渥。后执其手曰:"国家艰难至此,太尉首来救驾,可令速来。"梁氏驰出都城,遇苗翊于涂,告之故,翊色动,手自捽其耳。梁氏觉翊意非善,愈疾驱,一日夜会世忠于秀州。

俄而傅等遣使以麻制授世忠,世忠曰:"吾但知有建炎,岂知有明受!"斩其使,焚其诏。又遣使持麻制授张俊,俊械以送狱。

冯辖又说王钧甫曰:"此事若了在它人,公何以赎过?"钧甫颇以为然。

吕颐浩、张浚议进兵,韩世忠为前军,张俊以精兵翼之,刘光世亲以选卒为游击,颐浩、浚总中军,光世分兵殿后。遂以勤王为名,癸卯,颐浩、浚传檄中外。遣迪功郎王彦觉持檄谕江宁府,迪功郎洪光祖谕越州,又遣统制官张道率兵三千人屯湖州安吉县以分贼势。光祖,丹阳人也。

初,颐浩至平江,张俊见之,涕泣曰:"主上待我辈厚,今日惟以一死报国,日夜望枢密之至以为盟主。"颐浩慰勉之。

是日,光世亦以所部至平江。光世见张俊,相与释憾,苗傅等计不行。

丁未,宰相朱胜非召苗傅、刘正彦至都堂,议复辟事。傅、正彦至,胜非语之曰:"反正事已定日迎请朝廷,百官皆有章奏,公自可别作一章。"傅面颈发赤,惭恶不语,回顾正彦。正彦起曰:"遽请反正,前后事体相违。"胜非责之曰:"前日王渊不当作枢密,人情犹能如此。今日之事,孰为轻重?不然,下诏率百官与六军请上还宫,公等六人置身何地?"正彦却立不对。傅长吁曰:"独有死耳。"胜非以二将反覆责王世修,又以言逼傅,不能答。胜非令世修即虎间草奏,持归军中,自准备将已上皆书名。执政晚朝,至漏舍,世修持军中请复辟奏状纳胜非,胜非进呈,皇太后极喜,曰:"吾责塞矣!"胜非即召词臣张守至都堂,与李邴分作百官章,三奏三答及太后手诏与复辟赦文皆具。

同签书枢密院事吕颐浩、制置使刘光世、礼部侍郎张浚、平寇左将军韩世忠、御营前军统制张俊等上言:"建炎皇帝即位以来,恭俭忧勤,过失不闻。今天下多事之际,乃人主马上图治之时,深恐太母垂帘,嗣君尚幼,未能勘定祸乱。臣等今统诸路兵远诣行在,恭请建炎皇帝还即尊位,或太后、陛下同共听政,庶几人心厌服。"

时颐浩、浚大军已次吴江,王世修闻之,遣人至军中云:"上已处分兵马重事,止勤王师屯秀,俾颐浩、浚以单骑入朝。"颐浩奏曰:"臣等所统将士,忠义所激,可合不可离,愿提军入觐。"傅等计穷,益惧。是晚,苗傅、刘正彦至都堂见朱胜非,请诣睿圣宫见帝谢过,胜非难之,不得已白于帝。傅、正彦自知罪大,疑不得见,忧惧失色,抵宫门,日已晡矣。帝开门纳之,且令卫士掖以升殿。傅、正彦请降御札以缓外师,帝曰:"人主亲札,非所以取信,其取信于天下者,以有御宝。今朕退处别宫,不与国事,用何符玺以为信?自古废君杜门省愆,岂敢更预军事!"傅等巽请,帝乃赐韩世忠手诏曰:"知卿已到秀州,远来不易。朕居此极安宁。苗傅、刘正彦本为宗社,始终可嘉。卿宜知此意,遍谕诸将,务为协和以安国家。"傅等退,以手加额曰:"乃知圣天子度量如此!"遂遣杭州兵马钤辖张永载持诣世忠。世忠得之,谓永载曰:"主上即复位,事乃可缓。不然,吾以死决之。"傅等大恐。

是月,金人破京东诸郡。

时山东大饥,人相食,啸聚蜂起,巨寇宫仪、王江,每车载干尸以为粮。时当兵火之馀,又值河决,州郡互不相顾。金再攻青州,守臣京东东路安抚使刘洪道力不能守,率馀兵二千弃城去,金人以前知滨州向大猷知青州。于是右副元帅宗辅乘势尽取山东地,惟济、单、兴仁、广济,以水阻尚存焉。洪道在仰天陂,遣其将崔邦弼至安邱县求援于宫仪,仪发兵迓洪道,别为一寨以处之。

徐州武卫都虞候赵立,闻金兵北归,知城中弛备,鼓率残兵邀击于外,断其归路,夺舟船金帛以千计,军声复振。立尽团乡民为兵,誓以平敌,退者必斩。叔父辰后期至,立谓曰:"叔以立故乱法,何以临众!"促命斩之,士皆感厉。诏授立忠翊郎、权知徐州事。立乘疮痍之后,抚循其民,恩意周至,召使复业,井邑一新。

金尚书左仆射高贞罢。

金主诏曰:"军兴以来,良人被掠为奴者,听其父母夫妻子赎之。"

金左副元帅宗翰闻帝渡江,徙济南叛臣刘豫知东平府,充京东、西、淮南等路安抚使,节度大名、开德府、濮、滨、博、棣、德、沧等州,而以其子承务郎麟知济南府。自旧河以南,皆豫所统也。

【译文】

宋纪一百四 起己酉年(公元1129年)三月,止本月末,整一月。

建炎三年 金天会七年(公元1129年)

三月,己卯朔(初一),太阳中有黑子。

庚辰(初二),中书侍郎兼御营副使朱胜非掌管尚书右仆射兼任中书侍郎、御营使。

金人攻打江阴,到达夏港,距离江阴城只有八里,并继续逼近。守臣胡纺派遣统制官王晚等人拒敌,并且对签书判官厅公事李易说:"我们有为城池而死的义务,您有母亲,应该稍微回避。"李易回家,告诉他的母亲蒋氏,蒋氏发誓与大家同生共死,听到的人感动得哭泣。不久金人因为城中有准备,也就引兵离去。

和州防御使马扩上书陈述前时计策的过失:"皇帝停处淮甸,由于拘泥于请求和议,而形势日趋窘迫,这是错误的计策。信王脱身于金人的拘囚,结集忠勇义士,所得壮丁勇士不啻数十万人,每天盼望王师与之相为策应,却因众小人诬陷阻挠,禁止他们渡河,反而使得金人签发军队南渡,既而接连攻破大名、东平,没有稍加防备,于是使金人大肆蹂躏,这是失败的计策。金人远道而来,人马疲乏,并且自相争夺玉帛子女,背负车载,中饱私囊,加之淮西仍有众多民兵,他们顾虑前行无利,计较后撤有害;况且江北还有来不及摆渡的,西兵和各路军溃散的士卒,常常争夺道路,会合于范琼属下;敌人又窥视金陵、镇江,把持船只,而天又连连降雨,平地水漫,道路泥泞,骑兵步兵都不能行进,因此,敌人军心沮丧,士气顿挫,不想渡江逼迫圣驾。这些都是上天眷祐大宋,成全陛下能够谋划收复山河,臣现在就以兵机迟速利害,谋划为三种计策:希望陛下巡幸巴蜀之地,调用陕右的军队,留下重臣镇守江南,委托健吏安抚淮甸,粉碎敌人诡计,收回天下人心,这是上策;在武昌建都固守,通连荆湖,控牵川、广,招集义兵,驻扎分布于上游之地,扼守险要地势,秘密联络河南各路豪杰,应允他们所得土地世代据守,使他们为国家的屏障,这是中策;陛下驻跸金陵,加备防御江口,使漕运通达,速造战舰,精练水军,厚激将士,寄望一战而胜,观察敌情事态,预备迁徙,这是下策。倘若迷信江湖陂泽的险阻,听信探报者的不实之词,延缓营建防御工事的实绩,依凭长江以为可靠,侥幸敌人的不来,犹豫不决迁延时日,等到秋冬,使敌人再次举兵,驱赶聚集船只,长江、淮河长达千里,数路并进,然后后悔就晚了,这是无计策。"累计数千言,都切中事实要害。

辛巳(初三),尚书左丞叶梦得开始执政,皇帝晓谕他说:"现在兵和食两事最大,应当选择大臣分别执掌。"门下侍郎颜岐等人十分妒忌叶梦得,于是对杭州知州康允之说:"皇上打算以位次授您官爵,而为左丞相诋毁而止。"康允之恼怒,与他的部将曹英谋划,提出陈通余党三千多人尚在,听说叶梦得掌权,都不自安,图谋作乱。皇帝不信,颜岐等人证明有此事。叶梦得与朱胜非过去不相和睦,朱胜非入居相位,首先就说叶梦得议论不融洽。适逢杭州士民上书,诉讼梦得过失,有的事已涉及他家闺阁。下诏以叶梦得精通财赋,可担任资政殿学士、提举中太一宫兼侍读,提领户部财用、充任皇帝巡幸顿递使。叶梦得执政共十四天而被罢官,推辞不接受新职,于是直返下山。

向德军节度使、御营使司都统制王渊同签书枢密院事,仍然兼任都统制。

王渊从平江奔赴行在,于是有这项任命,众将领中有许多人不高兴。王渊轻财好义,家中无隔夜储蓄,常说:"朝廷授予官爵,给俸禄足以代耕。假若一切事情都像锥子和刀那样刻薄,贪图官位俸禄,我何不做富商大贾呢?"

尚书吏部侍郎兼直学士院孙觌出任户部尚书。

资政殿学士、同签书枢密院事、江、淮、两浙制置使吕颐浩为江南东路安抚制置使兼知江宁府。自乾德以来,辅臣以本职主管藩镇的人,只有吕馀庆、郭逵和吕颐浩。

壬午(初四),朝廷下诏:"新任命签书枢密院事王渊,免去进呈书押本院公事。"

当初,扈从统制、鼎州团练使苗傅,自恃世代为将,建有功劳,因王渊骤然得到君宠,颇为失望;威州刺史刘正彦,曾招降大盗丁进等人,因赏赐微薄而怨恨,又因王渊已推荐正彦,后又用檄文征选他应提供的军队,正彦执意不派遣,因此怨恨王渊。皇帝在维扬,入内侍省押班康履办事专横,狂妄作威作福,各将领大都怨恨他。待皇帝巡幸浙西,取道吴江,左右宦官以射杀鸭子取乐;等抵达杭州时,到江边观潮,中官提供帷帐,显赫盛大,竟然遮住道路。苗傅等人切齿痛恨说:"你们这帮人使天下百姓颠沛到这种地步,还敢如此!"有位中大夫王世修,是王能甫兄长的儿子,靖康末年,知荥泽县,因守卫防御有功改为京秩,于是成为苗傅幕宾。王世修常常痛恨阉宦恣意横行,对尚书右丞张澂说此事,张澂不与理会,就退而对刘正彦说,正彦道:"您说的事很忠诚,应与您共除这帮人。"不久听说王渊进入右府,苗傅、刘正彦以为是宦官推荐了他,更加气愤不平,于是就与王世修及其党徒王钧甫、马柔吉、张逵等人密谋先斩王渊,然后杀内侍。钧甫和柔吉都是燕人,所率兵众号称"赤心军"。计议已定,这天,宰相朱胜非上奏说:"王渊被任新职,各将领有议论。"就命令王渊依照执政恩例,不参与枢密院事。

苗傅等人当即部署兵马,而且派人告诉王渊,因临安县境内有大盗,想出兵追捕他们。康履侍从中有人得到小黄卷文书,卷尾部分有两行字写道:"统制官田签字,统制官金签字。"康履问:"这是什么意思?"答道:"军中有谋反作乱的人,以此为信号,响应的人便在文书的尾部写上自己的名字。"康履以这些情况上奏皇帝。皇帝命令康履到都堂告诉胜非,让他召见王渊令作防备。胜非问道:"知道他们的谋划吗?"康履说:"大概知道一些。约定以明天早晨在天竺寺集合,才晓谕他们的意图,田就是苗,金就是刘;谎称在城外谋反以使王渊误信,使他派遣部下出外罢了。"朱胜非立即召见王渊告诉了这件事。当天傍晚,王渊派遣一位将领率精兵五百人埋伏在天竺寺旁边。当夜,城里人惊骇恐慌,居民闭门不敢出,都通宵不眠。

癸未(初五),神宗皇帝忌日,文武百官烧香完毕,朝廷下制书以检校少傅、奉国军节度使、制置使刘光世为检校太保、殿前都指挥使,百官入内听取宣布制书。苗傅、刘正彦命令王世修埋下伏兵于城北桥下,等到王渊退朝,立即揪他于马下,诬陷他勾结宦官谋反,正彦亲手杀了王渊。于是派人围住康履家,分兵捕捉宦官,凡是没有胡须的人都杀掉。

苗傅在街市张榜公布。正彦即与苗傅带兵来到行宫北门外,守卫卫士亮出兵刃指向他们的军队,苗傅、正彦就在北门下摆开阵势。中军统制官吴湛,与苗傅等人交通,隐容他们的奸邪,披甲持刀,把守宫门,宫门紧急关闭。当时尚书右丞张澂正留下委婉谢恩,康履急速上前奏告:"有军兵在交通要道拦截行人,我康履奋力驱马飞驰才获免截。"皇帝召见朱胜非等人,告诉了这一情况。朱胜非说:"吴湛在北门扎营,专门委托伺察异常举动,现在有报告没有?"皇帝说:"没有!"不久吴湛派人口头上奏:"苗傅、正彦亲手杀了王渊,领兵来到内殿前,要奏报事情。"皇帝大为惊愕,不觉起身。朱胜非说:"已经杀了王渊,谋反迹象很明显,臣请求前往质问他们。"到了宫门,吴湛近上前来告诉他:"人已逼近,门不能打开。"朱胜非、张澂于是与门下侍郎颜岐、签书枢密院事路允迪等人急步奔到楼上,苗傅、刘正彦与王钧甫、马柔吉、王世修、张逵身穿甲胄立于楼下,用竹竿挑着王渊的首级。朱胜非厉声责问擅杀王渊的理由何在,吴湛便引苗傅所派遣的使臣到内殿代为上奏说:"苗傅不负国家,只为天下铲除祸害罢了。"

知杭州康允之见事情紧急,率领随从官员敲内东门,请求召见,请求皇帝御楼上慰问并晓谕军民,不这样,无法阻止事变。很快皇帝单独召见康允之进内殿。时近中午,皇帝从内殿走出,登上阙门,杭州的阙门是双门,百官都随从在后。代理主管殿前司公事王元高喊说:"圣驾来了!"苗傅等人看见黄盖,就山呼跪拜。皇帝凭栏呼唤苗傅、刘正彦问其中缘故,苗傅厉声说道:"陛下信任中官,赏罚不公,军士有功的不赏赐,而内侍所推荐的却得好官。黄潜善、汪伯彦误国到了这种地步,还没有远远放逐。王渊遇敌不战,因为交结康履,就授予枢密。臣自从陛下即位以来,立功不少,却只做边郡团练使。臣已把王渊斩首,中官在宫外的都诛杀了,再求斩杀康履、蓝珪、曾择,以向三军谢罪。"皇帝晓谕以"内侍有过失,应该流放到海岛。卿可与部下回军营。"苗傅说:"今日之事,全出于臣的主意,三军没有参与此事。况且天下百姓无辜,却肝脑涂地,只因中官专权。如果不斩康履、曾择,不能回营寨!"皇帝说:"理解你们忠义,已任命苗傅为承宣使、御营都统制,刘正彦为观察使、御营副都统制,士兵都免罪。"苗傅仍不撤退,他的部下宣称:"我们若想升官,只需牵着两匹马给内侍,何必来到这里!"皇帝询问百官:"可拿出什么计策?"主管浙西安抚司机宜文字时希孟说:"中官之患,到此已达极点,如果不全部除掉他们,天下之患不会止息。"军器监叶宗谔说:"陛下何必可惜一个康履!姑且以他来抚慰三军。"皇帝不得已,命令吴湛捉拿康履,在清漏阁的天花板上捕获了他,卫士擒拿到阁门,就把他交付苗傅等人,他们立即在楼下将他拦腰斩杀,用竹竿悬起他的首级,与王渊首级相对。时希孟是时君卿的儿子。

康履既已死,皇帝告谕苗傅等人回营寨。苗傅等人因而走向前,口出不敬之言,大意说:"皇上不应当即大位,将来渊圣皇帝归来,不知怎么处理?"皇帝命令朱胜非用绳索捆身放下楼去,委婉曲折地开导他们。苗傅请求隆祐太后一起听政,并委派使臣与金人议和。皇帝应允,立即下了诏书,恭请隆祐太后垂帘,权同听政。百官都走出门外。苗傅、刘正彦听到诏书不拜受,说:"自有皇太子可立为帝,况且道君皇帝已有先例。"张逵

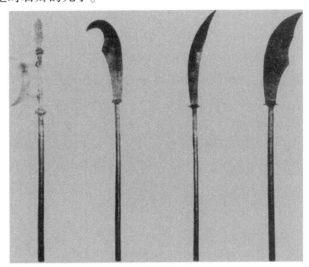

南宋兵器

说:"民为贵,社稷次之,君为轻。今日之事,正是为了社稷和百姓。"又说:"天上没有两个太阳。"众人都惊讶得变了脸色。百官又进言:"苗傅、刘正彦不拜受。"皇帝问其缘故,众官不敢回答,只有时希孟答道:"有两说:一是率文武百官为国捐躯;一是听从三军之言。"通判杭州事浦城章斥责时希孟说:"这是什么话!三军之言,怎能听从呢?"皇帝对朱胜非等人说:"朕应当退位回避,但必须向太后禀告。"朱胜非说:"没有这种道理。"颜岐说:"倘若得到太后亲自告谕他们,就无话可说了。"皇帝就命令颜岐进宫奏告,又派吴湛晓谕苗傅等人说:"已派人请太后御楼商议。"这一天,北风劲吹,门无帘帷,皇帝坐一竹椅,没有垫褥,既已请太后驾临御楼来,便立即站立在楹柱旁,不再坐下,百官坚决请求,皇帝说:"不应当坐在这里了。"

一会儿,太后乘坐黑竹车,随同着四位老宫监出宫。太后不上楼,内侍报告皇帝,秘密地对皇帝说:"太后想出宫门亲自晓谕各军,怎样?"执政官都认为不行,说:"如果被他们拦截而去,怎么办?"朱胜非说:"一定不敢!臣请求随从太后出宫,从传道语言中,可以观察群凶的意图。"于是随太后轿子出宫站立楼前面见苗傅等人,执政官都随其后。苗傅、刘正彦在轿前叩拜说道:"现今百姓无辜,却肝脑涂地,希望太后替天下百姓做主,伸张正义。"太后说:"自从道君皇帝任用蔡京、王黼,更改祖宗法制,童贯在边境闹事,因此招致金人入侵,酿成今日之祸患,怎么关涉到当今皇帝的事!况且皇帝圣孝,开始并没有失德行为,只是因为黄潜善、汪伯彦误事,现今已流放驱逐,统制难道不知道!"苗傅说:"臣下等人已经商议定了,怎能犹豫!"太后说:"将遵依你们的请求,暂且权同听政。"苗傅等人违抗说必须要立皇子,太后说:"即使在承平时期,这事尚不易办到,何况如今强敌在外,皇子年幼,决不可行。不得已,才同

意与皇帝一同听政。"刘正彦说:"今日大计已定,只有一死,别无选择,希望太后早赐许可。"太后说:"皇子才三岁,凭我妇人的身份,帘前抱一个三岁小儿,拿什么去号令天下!敌国听到这一情况,岂不更加轻视侮辱我们?"苗傅、刘正彦号啕大哭,执意请求,太后不听从。苗傅、刘正彦招呼他们的部众说:"太后不答应我们的请求,我们应当脱衣请死。"于是作脱衣露背的情状。太后又大声向其部众喊道:"统制身为名家子孙,难道不懂道理?今日之事,实难听从。"苗傅说:"三军士兵,从早晨到现在还未吃饭,若事情久延不决,恐怕会有其他变故。"回头对朱胜非说:"相公为何不说一句呢?今日大事,正要大臣果决。"朱胜非不能回答。正巧颜岐从皇帝那里来,奏请太后说:"皇帝让臣奏明,已决心听从苗傅的请求,请求太后宣布谕令。"太后还是不允诺。苗傅等人言辞愈发急迫。

太后退还宫门里,皇帝派人将事情说明,无可奈何,必须让位。朱胜非哭着说:"叛逆的阴谋竟到了这种地步,臣居宰朝,义当为国而死,请求下楼当面责问这两个凶逆。"皇帝说:"叛逆气焰如此嚣张,卿下楼必然性命难保。已经杀了王渊,又加害爱卿,将把朕置于何地!"就挥手让左右稍退,附在朱胜非耳边说:"朕现在与卿利害一致,应当为以后着想;以后的图谋不成,死也不晚。"于是命令朱胜非以四件事来约束苗傅:一是按道君皇帝旧事来尊奉辅侍皇帝,供给奉献的礼物,必须极其丰厚;二是禅位之后,诸事一并听从太后和嗣位皇帝处理;三是诏书颁布完毕,将辅佐之军即刻解散武装回营寨;四是禁止军士,不要放肆劫掠、杀人放火。如遵照约束,立即下诏退位。苗傅等人都说:"是。"

皇帝回头看着兵部侍郎兼代理直学士院李邴,命令草拟诏书,李邴请求皇帝亲自写。皇帝就在御椅之上写下诏书说:"朕自即位以来,强敌入侵欺凌,远达淮甸,他们的意图专门以朕的行为作借口。朕担心他们兴兵不息,枉杀百姓,敬服上天,顺应人意,退避帝位。朕有长子,在东宫培育品德,可即皇帝位,恭请隆祐太后垂帘一同听处政事。希望能消除天变,抚慰安定人心,敌国听到这一消息,可以息兵讲和。"皇帝写诏完毕,派人拿到下面去宣示。朱胜非到楼下,喊苗傅的幕属将佐,询问他们,王钧甫进言说:"二位将官忠诚有余而才学不足啊。"宣示诏书完毕,苗傅、刘正彦指挥他们的军队撤退,移驻祥符寺。时辰已到未刻,皇帝步行回到禁中。军士虽然撤退,但还在街市上喧闹呼喊说:"天下太平了。"

这时各城门都是苗傅等人所派的带甲之士守卫监视,不听任人们出入。

刚才的事情还未了结,康允之上奏:"担忧军士乘机攘夺杀掠,请求出宫门安抚。"于是会见苗傅、刘正彦,把来意告诉他们,刘正彦将一匹甲马、二十个甲士交给他。允之走遍市井街道,杭州人依赖他而安定。

皇帝既已回到宫内,宰执随从到殿门。朱胜非招呼典班高琳代他上奏皇帝:"今晚宰执在宫内住宿。"皇帝单独召见胜非来到后殿,垂下帘布,太后看见胜非号啕大哭。皇帝说:"康履、曾择,欺侮轻视众将领,将他们招至马前,唯唯诺诺,或光着脚傲慢地坐着,让各将领站立在他们面前,这都是招致祸患的事端。"胜非说:"康履、曾择必有所求,求而不得就心怀怨恨了。"皇帝说:"这一事件结果会怎样?"胜非说:"王钧甫等人都是他们的心腹,刚才曾对臣说:'两位将官忠诚有余而才学不足',这句话可以作为以后图谋他们的开端。"皇帝说:"朕来日早朝不出去,太后临殿。"胜非说:"来日应当下诏大赦。因群凶已杀王渊,又抢劫掠夺,内心一定希望大赦。以后形势许可即行发遣,难道还论这个!现在应当召来李邴马上草拟赦书,希望可以共同商议。"皇帝说:"卿自己草拟,怎样?"胜非说:"应当召来学士在宫内住宿,命令御史台集合百官宣读,一切和平时一样,这样可能引起群凶不会生疑。"胜非又奏:"母后垂帘,应当二人一起应对;臣有不可形之于纸笔的独奏事,难道可以与他人一样吗?希望降旨说,因时事艰难,允许臣僚独奏。"太后说:"他们不怀疑吗?"胜非说:"当从苗傅开始,另从他的党徒中每日引进一人上殿,以消除他们的疑虑。"朱胜非告退,太后对皇帝说:"依赖此人为宰相,如果汪伯彦、黄潜善没有退职,事情恐怕已经不可收拾了。"以后在苗傅等人入宫应对时,太后慰劳勉励他们,苗傅等人都高兴。从此,大臣官僚单独被召见,讨论机要事宜,贼人也不怀疑。

这一天,皇上移居显忠寺,宰执百官侍奉护卫如往日礼仪相同,内人六十四位随着轿子跟从。苗傅等派人探察,恐怕藏匿内侍的缘故。

甲申(初六),太后与魏国公垂帘听政,朱胜非称病不出朝,太后命令执政官到他府上去请,朱胜非才出朝。这天,上徽号称睿圣仁孝皇帝,把显忠寺作为睿圣宫,留下内侍十五人,余下的各州安排处置。颁降制书大赦。

诏书:"有司每月用钱米供给司马光后人。"

起用恢复定国军承宣使、带御器械、鄜延路马步总管、御营平寇左将军韩世忠为捧日天武四厢都指挥使、御营使司专一提举一行事务都巡检使,武宁军承宣使、带御器械、秦凤路马步军副总管、御营前军统制张俊为捧日天武四厢都指挥使。仍然命令张俊率三百人奔赴秦凤,二千人交付统制官陈思恭,一千人交付将官杨沂中留守吴江把守险要,其余的人以次统领官监督奔赴行在。

丙戌(初八),京东东路安抚使刘洪道失守青州,于是率领官吏奔赴仰天陂寄居而治,土民中有许多人跟随他。

江东制置使吕颐浩刚到江宁,忽然接到内禅诏书大赦,于是会聚监司商议,都不敢发表意见。散会后,吕颐浩对他的属官李承迈说:"这一定是有了兵变。"李承迈说:"诏书文字中有"畏天顺人"的话,这恐怕是皇上出于不得已。"他的儿子吕抗在旁陪侍,说:"兵变是无疑的了。"吕颐浩立即派人进入杭州侦察叛贼动向,并寄书信给张浚、刘光世,沉痛述说国家艰难的情状,另以一纸书信给张浚说:"时事如此,我们这辈人能够就此罢休吗?"李承迈是李清臣的孙子,曾经通判雄州,避乱南渡,吕颐浩将他招来任用。

当时有从杭州带着苗傅的檄文到平江的人,张浚读了,悲哀痛哭,于是决心谋划起兵。夜晚,召见两浙路提点刑狱公事赵哲,将事情的缘故告诉他,命令赵哲全部调动浙西的射箭手,以紧急防江为名,让汤东野暗中料理财会之事。

戊子(初十),召见端明殿学士王孝迪为中书侍郎,资政殿学士卢益为尚书右丞。两天后,下诏:"王孝迪、卢益一并充任奉使大金国信使,武功大夫、忠州防御使辛道宗,武功大夫、永州团练使、两浙西路兵马都监郑大年为副使。"王孝迪是下蔡人,靖康初年曾为中书侍郎,到此时再度起用。

有位进士黄大本,浪迹江湖,过去是蔡絛的门客。二位凶贼将要派遣信使,朱胜非因金人在江北,恐怕挟持信使而来,就建议说:"不知道敌人首领在何处,应该先派官职低的使者。"适逢黄大本上书请求试用,就让他做承奉郎、假朝奉大夫、直秘阁、赐金紫,进武校尉吴时敏为秉义郎、阁门祗候、假武义大夫、阁门宣赞舍人,同为先期告请使出行。

这一天,御营前军统制、秦凤路马步军副总管张俊,领兵到平江府。

张俊起初驻屯吴江县,苗傅等人把他的兵归属于赵哲,派张俊到凤翔。适逢统制官辛永宗从杭州乘小船到张俊军中,详述杭州城发生的事情。将士议论纷纷,张俊晓谕他们说:"你们不要喧哗。应到张侍郎那儿求得解决,张侍郎忠孝两全,定有计谋。"到这时张俊率领部属八千人抵达平江,平江百姓大为恐慌。

恰好张浚被省札召赴行在,命将所部人马全部交给赵哲。张浚披衣坐起,支撑不住。不一会,汤东野仓皇来到,张浚询问,得知张俊来到。张浚知道皇帝礼遇张俊厚重,可以与他谋事,告诉汤东野快开门请他进来。张浚对张俊说:"太尉知道皇帝退位的原因吗?这原因出在苗傅等人企图危害国家。"话未说完,泪水已纷纷下落,张俊也大哭起来。张浚告诉他决计起兵问罪,张俊哭泣而拜,并且说:"这件事必须侍郎拿出重要策略,不要惊动了皇帝。"张浚哽噎点头同意。过了一会儿,辛永宗、赵哲到来,对张浚说:苗傅每件事都由王钧甫、马柔吉做主。苗傅素来缺乏心机,而刘正彦轻浮粗疏,听说您过去认识钧甫,应该先用书信离间二人,然后慢慢为之谋计。"张浚同意他们的说法,立即同赵哲骑马到张俊军中,进行安抚晓谕,并丰厚地犒劳士兵,人们都异常高兴。张浚用蜡书告诉吕颐浩、刘光世起兵的情况,又命令张俊先派遣精兵二千人扼守吴江。辛永宗是辛道宗的弟弟。

己丑(十一日),改建炎三年为明受元年。

此前,王世修去见朱胜非,朱胜非晓谕他说:"国家艰难,可以说是功名之秋。古人见机而作,能易乱为治,转祸为福,在反掌之间罢了。也有意于此吗?"王世修高兴地说:"世修无意从军。因循到如今,朝廷若有官职任命,本来就是我的意愿。"朱胜非说:"一般按等级次序晋升,是所有对待一般士人;倘若能奋身立事,即使是从官也可立即得到。"王世修更加高兴,于是替他往来传递消息。

碰上苗傅请求改年号,刘正彦请求移跸建康。朱胜非留下来,太后晓谕他这二件事,朱胜非说:"移跸大事怎可匆忙议定!金人近在江北,沿江都没有防备。"太后问:"怎么推却他?"朱胜非答:"等他们拿出文字,朝廷暂且予以判收,慢慢计议处理即可。"太后说:"要周密慎重处置,这是第一次处理他们的事。"朱胜非说:"臣近来观察二凶,愚昧而无英气。钧甫、世修都有后悔之意,臣不敢深问,只以利牵动他们,约他们再来。"太后急忙问:"怎么样?"朱胜非请左右回避,太后说:"只有张夫人在这里。"朱胜非说:"张夫人是什么人?"太后说:"张夫人年事已高,通晓事理,官品也高,曾经教过哲宗、道君读书,朝廷文字都经她手,禁中之事都预先知晓,就让她往来于睿圣宫。卿只管奏事。"朱胜非说:"主上回归正位,已经有了端绪;二凶的力量,到如今已达极限了。前时张逵建议诱说各军,去掠取王渊及各宦官的家属,并说人人可以致富。等到掠夺追索到来之后,所得和所说不相符合,人们已有后悔之意,几天来,小校中有逃跑的。这些情况都是苗傅所亲近的统领官张听说的,就请依靠张夫人密奏主上。"张昕是秦州人,本来是王渊的部下,后来到苗傅的军中,因刘正彦亲手杀害王渊,极恨他。

又过了两天,苗傅、刘正彦到都堂重申这件事,朱胜非认为移跸不可以。苗傅催促改元一事,朱胜非说:"已商议,很快便可实行。"苗傅说:"人们说'炎'字是两个火,所以多强盗,请求早改年号。"朱胜非上奏太后,太后说:"这三件事中年号稍轻,倘若完全不采纳,恐怕另生事端。"适逢王世修再次到来,朱胜非与他交谈,就谈起二将所陈述的诸如更改年号等事宜,没有得到批准,很费口舌。话未说完,内殿批准苗傅第三奏折说:"可将年号改为明德或明受。"朱胜非把它给王世修看："已经批准了他的请求。"王世修说："请暂且留下这篇奏疏，明天颁下。等我回到军中，对苗傅说已经谈了更改年号之事，他们可能不会怀疑我世修。"朱胜非认为他说得对，到这天颁降制书。

尚书礼部侍郎、节制平江府、常、秀、湖州、江阴军军马张浚上书说："睿圣皇帝正年富力强，就仓促退位，恐怕四方听到消息，不会没有疑惑，万一另生它种事变，尚望朝廷详细斟酌施行。"

在这之前，苗傅等人用省札敦促张浚行动，张浚告诫汤东野、赵哲各自秘密上奏，声称："金敌没有褪尽，又有靳赛的军队窥伺平江，倘若张浚早晨上路，晚上就会败事。"张浚也上奏："现今张俊人马忽然返回平江，人们惊恐异常，倘若臣不稍留下压制，恐怕招致败事。"张浚想上书请皇帝复辟，张俊、辛永宗、赵哲一致认为："如果这样，恐怕苗傅等人自己怀疑罪孽深重而不被宽容，可能另生奸谋，请用计策缓和他们。"张浚用他们的计策，亲自递发奏状，并用奏状的副本申报尚书省，请求率文武百官尽力恳请。又用亲笔书信给苗傅、刘正彦，说："太后垂帘，皇帝继位，本是天下人所愿。从前所忧虑的，是宦官愚蠢无知，时常干扰许多政事，如今尽杀那些形迹恶劣的，大快人心。只有睿圣退位一事，倘若不努力请求，让圣意一定回转，与太母分忧共患，中兴之业，未便容易可图。二公忠义显著，有如白日，若不亲身担任此事，人将怎么说！我张浚愚钝笨拙，死生出处，当与二公共同。"

前密州州学教授邵彪在军中会见张浚，张浚询问有什么计策，张彪说："用顺天应人诛大逆不道，易于反掌，只在您如何处置罢了。"张浚说："张俊曾经指天誓地，愿以死补偿君父的耻辱，韩世忠有仗节死难的志向，二人可以成事。只是我的士卒单薄势弱，恐怕不能胜任此事。而吕颐浩枢密在江宁驻军，他的威望为人所信任向往，且通亮刚决，能决断大事，应当为天下首倡。刘光世在镇江驻军，兵力强悍，谋议沉稳果决，可以依靠。我都用快马将书信送去了。"邵彪说："兵贵神速，吕枢密在几百里之外，怎么办？"张浚说："吕枢密观察事情明确而刚决，听到国家有难，定在众人之前倡义起兵，何以担心不神速！"

这天，张浚书信到江宁，吕颐浩拿着书信落泪道："果然如我所料，事不宜迟了！"再发书信给张浚和各位大将，约定会兵。当时议论不统一，人们争执很激烈。江宁士民得知吕颐浩起兵，商议留下吕颐浩，吕颐浩就用檄文征召主管侍卫马军司公事杨惟忠留驻江宁府，以安定人心，并且告谕杨惟忠因苗傅等人计谋穷尽，恐怕挟持圣上逃遁，有可能从广德渡江，应当日日夜夜做好控制防守的准备。

庚寅(十二日)，百官在睿圣宫朝见。

检校太保、殿前都指挥使、奉国军节度使刘光世为太尉、淮南制置使，捧日天武四厢都指挥使、定武军承宣使、权同主管侍卫步军司公事、御营平寇前将军范琼为庆远军节度、湖北制置使。苗傅、刘正彦一向害怕刘光世，又知道他和韩世忠、张俊往日不和，想离间他们，使之为自己所用；而范琼平素飞扬跋扈，到现在才领兵屯驻在淮西，所以首先提拔他。

资政殿学士、同签书枢密院事、江、淮、两浙制置使兼知建康府吕颐浩上书说："近日听说将相大臣剿杀内侍，的确能使天下人心大快，但是现今强敌乘战胜之威，各方盗贼有蜂起之势，振兴衰危，拨乱反正，事属艰难，希望太后、皇帝不怕变故再三，祈求睿圣皇帝赶紧恢复皇帝位，亲自总掌万机。从此以后，断绝内侍中亲近皇上之人，褒扬奖赏立功将帅之士，然后驾幸江宁，以图谋恢复大业。臣年已六十，疾病缠身，衰弱身残，目睹今日之事，实在是与国家

2393

存亡安危攸关,不敢爱惜身躯,谨泣血雨泪,拜呈奏章,万望圣慈听取采纳。"仍然传檄各军将,又派遣他的属下敕令所删定官李承造到镇江,敦促刘光世起兵。李承造是李承迈的弟弟。

在这之前,张浚想派遣善辩之士拿书信游说二贼,使他们不另有其他图谋,以便争取时间,等待各将领汇集,考虑没有可以派遣的人选,这时,张浚的客人遂宁进士冯辐,素有气节,听说此事,慷慨请求前往,并说:"事成将窃取功名,不成不过一死。"这天,吕颐浩所发的书信到,张浚知道吕颐浩已有确定的计谋,大喜,再次发送书信,报告所部军马人数和举事的次序。

张浚知道苗傅等人所依靠的只有赤心军,恰逢燕人张斛和他弟弟张常从苗傅军中秘密来到平江,对张浚说:"这支军队没有辜负朝廷的意愿,只有王钧甫用手段驱赶役使他们。但我观察将士的情况,常常惴惴不安,不是死心塌地依附苗傅、刘正彦的。二贼听到风声鹤唳,都以为大军来到,怎么能够成事!"

晋宁已被攻破,金人调回军队奔往鄜州。代理鄜延经略使郭浩在边境驻军,金人于是攻破鄜州。

辛卯(十三日),张浚派遣冯辐奔赴行在。张浚写上咨目,请求主上亲自总掌要务,又写书信给马柔吉、王钧甫,大意说:"张浚与二公义谊最厚,听说苗广道、刘子直很相信二公,遇事都共同计议然后执行,今天的责任在二公身上。我当初道听途说余杭出事,不觉吃惊疑惑。接着听说广道、子直实在是为宗庙社稷的大计考虑,然而此事不由反归正,最终恐怕无法解释天下后世的疑惑。"张浚于是准备奏报并用檄文通报各路,并且约定吕颐浩、刘光世在平江相会。

当时苗傅用堂贴催促张俊赶到秦州,命令赵哲统领张俊的军队。赵哲不敢接受,又把这支军队交付统领官陈思恭。张浚召见陈思恭审查详问,思恭说:"张俊总领这支军时间已久,我思恭怎么能跟随别人作乱!"张浚把这些命令详情上报。这一天,张浚的檄文到了江宁。

壬辰(十四日),右谏议大夫郑毂出任御史中丞。郑毂曾当面驳斥二凶,朱胜非将这一情况告诉太后,所以有此任命。

徽猷阁学士、提举西京嵩山崇福宫曾楙为翰林学士,曾楙不接受。

尚书刑部侍郎卫肤敏晋升为礼部侍郎。卫肤敏到杭州,已经染病在身,听到事变哀号痛哭,在船中就请求告老还乡,不允许;请求到秀州医治,允许了他。

大理卿商守拙出任尚书刑部侍郎,起居郎季陵出任中书舍人,尚书右司事员外郎叶三省为起居郎,朝奉郎袁植、宣教郎张延寿并为监察御史。袁植是袁正功的兄长,宣和中期曾辞官而去,到现在再度任用。张延寿是舒城人。

中书舍人林遹充任徽猷阁待制,在外宫观。林遹是闽县人。二凶叛乱,林遹首先请求上交俸禄,所以有此任命。

武功大夫、忠州防御使王彦退休。

王彦病愈以后,从真州渡江,苗傅等人以王彦为御营司统制,王彦说:"鸱枭逆子,即将被诛杀铲除,却想来玷污我!"就托病极力推辞,不允所请。王彦就假装疯癫,请求退休,允许了他。

两浙转运副使王琮上奏说:"本路上供和买绸绢的费用,每年为一百七十万匹出头,请求每匹折合交纳钱两千,合计三百五十万缗,以助国家财用。"东南地区折帛钱税大概从此开始。

甲午(十六日),将内侍官曾择等人贬到岭南。

苗傅派人捕捉曾择等人,下诏贬曾择到昭州、蓝珪到贺州、高邈到象州、张去为到廉州、张旦到梧州。

在这之前御史中丞郑毅上奏说:"黄门宦官的设置,本来是给内庭做事,以供扫除罢了。使他们参与政事则贪暴无厌,付给兵权则惨毒不已,这都是前世已有的经验。所以宦官在上面用权,则百姓在下面受祸,匹夫抗而愤怒,处士横加指责,竭力而不能取胜,然后群起而攻之,众人怨恨聚集一处,所以他们被害也不可挽救。本朝惩戒历代之过失,祖宗以来,不许宦官任以政事。崇宁、大观年间,开始参与政事,他们放毒肆虐,天下人不胜其怒。靖康初年,群起而攻击他们的,是广大群众。建炎以来,这群人又张狂起来。睿圣皇帝仓皇南渡,江北民众不知所归,护卫大臣请求暂时驻跸镇江,调集军队,汇聚粮草,以援助淮甸,使军民渡江,睿圣应允后,群众深受鼓舞,正职分事务治办。内侍陈说恐惧耸功之辞,便立即南渡,官吏军民在南迁途中颠沛流离,江北民众对天号哭,无处陈告,怨怒积聚,驻跸未安,群起而攻击的是广大士兵。如今陛下即位初期,与太后垂帘共同理政,应当追究宦官招致祸患的根源,彻底革除前时弊端,免掉淘汰而清除他们。然后才能内外和协而安定。希望圣慈亲自省察,凡有内侍的地方,如皇宫和睿圣宫,要一并选择纯正、诚实、谨慎、老实、淳朴之人,不得委任政事,只许他们掌管宫门,做些杂活罢了。官职尊显,曾经委任政事,招权纳宠的,斥逐远方。情节较轻的,可以委任外官,使他们不致渐近亲附以激起众怒,则赏罚之权出自朝廷,而国家的威望就会提高。仍须告谕都统制官苗傅等人,自后军法处理事宜,只能限于所管辖的军伍,其他有犯军法的,当详具申报朝廷,交付有关部门,明确依法判刑,这样做是为了申明尊崇君主亲密皇上的礼法,而保全为臣子忠义的大节。"奏疏留在禁中没有发出。

曾择走了一段路程,又被苗傅追回斩杀了。

苗傅、刘正彦到都堂,企图分派自己部属代替禁卫军守护睿圣宫,尚书右丞张澂以为不可以,坚决制止了他们。苗傅等人又企图挟持皇帝巡幸徽州、越州,朱胜非委婉曲折地晓谕以祸福利弊,并将他们的企图归之为忠义之举,苗傅等人才作罢。

当时刘正彦每天以杀人为事,每到都堂,满道传呼,以彪悍的士卒为随从,走路的人都回避他们。

冯辅到军中再次会见苗傅、刘正彦,从容告诉他们说:"我冯辅为国家大事而来,今天已是第二日,未听到将军的命令,希望一句话而决定下来。今天的事,话如果触怒了二位将军,立即死在将军之前,不说则他日事故更大,也会死在乱兵之手。同样是死罢了,不如说了就死,使将军知道我冯辅并不是苟且偷生之人!自古宦官乱政,根株相连,不可以诛杀铲除,诛杀必遭祸患,东汉末年的事,是可考见而知的。二公一旦为国家除去几十年的祸患,天下蒙受的福泽特别大。然而主上正当年富力强,天下人没有听说他有什么过错,怎么可以匆忙传位给一个在襁褓之中的儿子!况且前些时的事情,名为传位,其实是废止另立。自古以来,废立取决于朝廷,不取决于军队,二公本来有为国之心,怎么能因此而受天下人的指责!"不一会,苗傅按住剑瞪着眼睛说:"金人的意图就在建炎皇帝。现在主上位当至尊,太后垂帘听政,将再度出现太平,天下人都以为做得对。像张侍郎位处侍从,曾经建立过功勋,又什么事敢直言呢?"冯辖说:"太母深居内宫,怎能统帅军队同金人作战,天下人自然会有清楚的评议,希望太尉深思熟虑。"苗傅听了越发生气。刘正彦看到冯辖言辞面色毫不屈服,就同王钧甫、马柔吉一起拉来苗傅耳语,于是告诉冯辖道:"侍郎想恢复君位,这本是好事,然而需要当面商量。"言辞相当谦逊。第二天,就遣派归朝官宣义郎赵休与冯辖一同返还,并交给张浚书信,约张浚到杭州共同商议。

同签书枢密院事吕颐浩率勤王军队从江宁出发。

当初,苗傅等人以诏书召吕颐浩前赴行在,命令将其所统率之兵,交付杨惟忠。吕颐浩明白他的用意,便将一千多病弱老残士卒交授杨惟忠,亲率精兵一万讨贼。到现在兵发江宁,而在官府中公布的告示,上面却还空着年号。他的部下请求率领家族一同随军,吕颐浩不允许,仅携带他的侄子吕擢随行,使他掌管文字的职务。吕颐浩身穿铠甲,头戴盔胄,坐在马鞍之上,手执马鞭,慷慨誓师,士卒都为之感到鼓励。部队临时驻扎于句容驿,吕颐浩拿起笔亲自手书起师日期,并且大书建炎年号,告谕县令采选石头将它刻上,以此坚定将士之心。

在此之前,张浚三次给刘光世书信,晓谕勤王之事,并派遣参议军事杨可辅到镇江催促他,刘光世不报告。这天,张俊接受朝廷圣旨率领张浚人马,采纳了张浚的请求。

当初,保义郎甄援在杭州城中,偷偷抄录明受赦免诏书和二凶的檄文之后出城,到余杭城门,被巡逻兵捕获,苗傅命令将他斩首,甄援笑着说:"将军正在为宗庙社稷立功,怎能斩杀壮士!"苗傅辱骂他,并责问此中缘故,甄援说:"当今误国奸臣,大多分散于外地,我愿带着将军的文书,聚集忠义之士,诛杀漏网误国奸臣以报答将军。"苗傅的疑虑消除。刘正彦说:"此话不可相信。"就下令拘囚他。过了几天,防禁稍微松懈,甄援更换衣服越墙逃出。到这时在平江见到张浚,甄援诈称曾更换衣服于别宫拜见了睿圣皇帝,皇帝对他说:"今日张浚、吕颐浩定会起兵,刘光世、韩世忠、张俊等人必定竭力相辅,命我早来告诉。"辞意颇为恳切。张浚暗暗觉察到他的真意与否,不再问话,就派遣他到张俊军中,将这些话说给将士们知道,都感动落泪,张浚又命令甄援到韩世忠、刘光世各军中走一遭,宣布睿圣皇帝令。甄援明智雄辩,善于编造游说之辞,众将人人自以为是皇帝所依靠、希望的人,感动下泪,自我奋勉,从此士气更加振作。

丙申(十八日),韩世忠率所属部队到达平江。

当初,韩世忠在常熟船中,听说张浚派人来,便身披铠甲,手持兵刃,不肯靠岸;取出张浚和统制官张俊送来的书信,命人宣读,韩世忠竟放声大哭,举起酒杯,奠祭神灵说:"发誓不和此贼共同戴天!"船中的士兵都群情激昂。韩世忠见到张浚说:"今日大事已算成功,我和张俊亲自承担此任务,希望公不必忧虑。"韩世忠想马上进兵,张浚告谕他说:"事不可太急,投鼠忌器,太急则恐怕天有不测风云。我已派遣冯辖以美言引诱贼人了。"

贼寇张彦进犯和州,统领官王德声称去庐州,当日进发。张彦贼众行军三十里,稍事休息,都饮酒大醉,王德探知后,率领几百人直入张彦军中,张彦的部众醉得不能手执武器,张彦和几十个骑兵逃遁,到宣化,被人杀死,王德又兼并了他的军队。

在此前,朱胜非在平江,曾经用蜡书召王德,刘光世又以几次委任状和自己所穿戴的战袍细甲等随之送给他,王德终于率领所属部队从采石渡江。刘光世得到王德的部队,他的军队重新振作,于是奔向平江,以王德为前军统制。刘光世说起苗傅、刘正彦叛逆情状,王德说:"平定叛乱之军,应行军百舍一休息。请求先率领轻装士兵从桐州奔赴余杭,出其不意,则捉拿二贼易如反掌。"刘光世以各将帅商议已定为由,于是没有听从。

丁酉(十九日),吕颐浩率师暂时驻扎在常州,与守臣周杞约定,整治兵众扼守险要之地。在此前,文林郎、监常州仓赵隽之听说兵变,率宗室几十人到秀州去,拜见权两浙提点刑狱公事赵子磷,请求团结军民勤王;赵子磷没有听从,事情就此搁止。周杞命赵隽之筹办大军钱粮,以等待吕颐浩。

戊戌(二十日),御营平寇左将军韩世忠以所属部队从平江出发。

当初,苗傅听说韩世忠从海道回还,以都统司的檄文命令韩世忠驻屯江阴。韩世忠到达平江,即假以好听的言辞报告苗傅,因为所属部队残败凋零,人马不多,想奔赴行在,苗傅大喜,允许了他。这一天,张浚以丰厚的酒食犒劳韩世忠和张俊所统辖的两支军队,酒过五巡才罢,张浚带领各将领到后园,请左右侍从回避,问道:"今日之事,谁逆谁顺?"众将领都说:"我顺他逆。"张浚说:"我假如迷天悖人,可以直接取下我的头颅送归贼人,当即就可以富贵。若不是这样,一旦临阵退缩,当以军法从事。"众将领都说是。

当初,沭阳兵溃,韩世忠部属都已溃散,几乎不能成军,张浚因他军队人数少,命令前军统制张俊将统领官刘宝的两千人借与他。韩世忠从平江出发,船队行进三十里不断,军势颇为振奋。张浚恐怕苗傅等人伪造命令,更换安置,就命令韩世忠副将张世庆搜查断绝邮递传送,凡从杭州来的邮件,都投入水中。

己亥(二十一日),张浚又派冯轓进入杭州,动摇苗傅等人的意志,告谕他们祸福利弊,使他们改变意图。在此之前,苗傅又转交张浚书信说:"朝廷以右丞之职等待侍郎,行伊尹、周公之事,不是侍郎谁能担当!请迅速奔赴行在。"张浚回答书信说:"自古以来,凡是言辞大逆不道的,就说它是指斥皇帝;凡是做事大逆不道的,就说它是震惊宫廷。至于说到退位,就必定是皇帝之子或者孙子中年长而又贤德的,据此将政事托付与他,让其有利于天下百姓,使他们幸福;若不是如此,便称之为废止皇帝。废立的大事,只有宰相大臣才能有权处置,历史上伊尹、霍光之职责就是这样;不然,就叫作大逆不道,合当灭族。凡是做人臣的,兵权在握,就可以责求其君琐细之事,而讨论废立,自古以来难道有这种道理吗!如今建炎皇帝正当年富力强,没有听说失德于天下,一旦退位,似乎不合时宜。我怎能不知道废置生杀之权,二公得以独揽,大概我自己心中位置已定,说出来,就是死了也不后悔。啊!上天保祐我大宋,所以得以保佑皇帝,件件可数:出外作为人质而金人敬畏不敢拘留,奉使金国则百姓歌功颂德而有所属意。上天所要兴立的,谁能废掉他!希望二公敬畏上天顺应人意,不要顾及自己个人利害。假使事情反正而或许有不测之变,就愈发暴露不忠不义的名声而得罪于天下后世啊。"当初,张浚发送书信涉及所筹措安排的事,都借托其他言辞,不敢公开说诛杀他们,苗傅等人虽然听说大集军队,还不太相信。得到这封书信,才明白被讨伐,上疏请求诛杀张浚,以号令天下。开始,张俊所属部统领官安义,暗中与苗傅合谋,企图取代张俊而夺取他的兵权,于是毁断吴江桥以响应贼人,张浚就命令韩世忠屯兵秀州以便击败他们的阴谋。韩世忠到了秀州,称说有病不起行,制造云梯,打造器械,苗傅等人开始害怕。

在此之前,秘书省正字冯楫,曾经与直龙图阁黄概、军器监叶宗谔秘密商议,想游说二贼,令他们自己请求让睿圣复辟,叶宗谔认为可行,就买一只小船,想到平江去拜见张浚,但不能出去。有位承议郎、直秘阁范仲熊是范冲的儿子,曾经为河内丞,滞留金国得以回归,过去与王钧甫、马柔吉交谊深厚,暗示颜岐举荐自己,被任命为吏部员外郎。冯楫向范仲熊询问王钧甫、马柔吉的为人，范仲熊说："钧甫为人粗疏，柔吉为人耿直。"冯楫说："据此来游说二将，可行吗?"范仲熊说："军中之人气焰正旺盛，不可。"庚子(二十二日)，冯楫再次询问他，范仲熊说："可以行动了。近几天派人外出问卜，是一定有所疑心了。"

辛丑(二十三日)，朝廷下诏新授礼部尚书张浚贬谪为黄州团练副使、郴州安置。

当时两宫音讯几乎不相通，太后派小黄门到睿圣宫告诉说："今早不得已，已将张浚贬职。"皇帝正在吃羹，不觉把羹弄泼在手上。

当初苗傅得到张浚亲笔书信，就请求罢免张浚，右仆射朱胜非阻止此事，达到五六次之多。到这时苗傅等人到都堂会见朱胜非，并且说"张浚诋毁我们为逆贼，令人所不能忍受，像吕颐浩枢密就明晓事理"，意思打算诛杀张浚。朱胜非见他们特别悖逆，恐怕生出其他变故，告诉他们说："罢免张浚兵权而将它交给吕颐浩枢密，一定没有事了。"苗傅的意图稍有缓解，于是有郴州的任命。

御营都统司统领官苗瑀、参议官马柔吉率领赤心军和王渊原有精锐部队进驻临平，以抗拒勤王的军队。

当时韩世忠扼守秀州，张俊前军驻扎在吴江，敌贼士气开始受阻。节制司参议官辛道宗总率舟师，与统领官陈思恭也从华亭进发。

吕颐浩的部队行进到平江北部。在此前吕颐浩以自己所统领的军队一万人从江宁出发，途中招募到三千人一同行进，到达平江北面四十五里，张浚乘坐轻便小船迎接他们。途中遇到一只小船，得到了一个邮筒，屏退左右开封来看，竟是他被贬谪郴州的命令，张浚得悉后，恐怕将士们观看后不尽力，读着书信说："得到书信，急速奔赴行在，即日起程。"张浚见到颐浩后，两人相对哭泣，以大计咨询吕颐浩，颐浩说："事情不顺利，不过灭族。颐浩过去劝谏开边的失策，几乎死在宦官之手;负责水陆运输，又几乎陷于穷困的边缘;最近匆忙南渡，全家几乎沦丧;现在为国家而死，难道不是特别痛快吗!"张浚认为他的话很豪壮。吕颐浩当即召来他的属官李承造在船中草拟檄文，张浚为它润色文字。

当初，苗傅听说韩世忠在秀州，取走他的妻子梁氏和他的儿子保义郎韩亮于军中作为人质。朱胜非听说这件事后，于是好言劝苗傅说："如今应该禀奏太后，招来二人慰劳安抚，使他们报知平江，各地的人就更加安定了。"苗傅许诺。朱胜非欣喜地说："二凶真没有能力作为啊!"太后召请梁氏入见，封为安国夫人，赏赐很丰厚。太后握着梁氏的手说："国家艰难到了这个地步，太尉首先来救驾，可要叫他快来。"梁氏骑马奔驰出都城，在路上遇到苗翊，把事情告诉他，苗翊面色有变，用手揪自己的耳朵。梁氏觉得苗翊的意图不善，更加快马加鞭，一天一夜就到达秀州见到韩世忠。

不久苗傅等人派使者以朝廷制书授给韩世忠，韩世忠说："我只知道有建炎，怎么知道有明受?"斩杀了他的使者，焚烧了他的诏书。又派使者以朝廷制书授给张俊，张俊将使者戴上刑具送到了监狱。

冯辅又游说王钧甫道："这件事若由他人来了结，公拿什么赎免罪过?"王钧甫认为他说得很有道理。

吕颐浩、张浚计议进兵，韩世忠为前军，张俊领精兵作为他的两翼，刘光世亲自以精选的士卒为游击，吕颐浩、张浚总掌中军，刘光世分一部分兵力殿后。于是以勤王为名，癸卯(二十五日)，吕颐浩、张浚于朝廷内外传布檄文。派遣迪功郎王彦觉手持檄文宣谕江宁府，迪功郎洪光祖宣谕越州，又派遣统制官张道率领三千士兵屯扎湖州安吉县以分散贼人的兵力。洪光祖是丹阳人。

当初，吕颐浩到平江，张俊见到他，哭泣着说："皇上对待我等相厚，今天只以一死来报答国家，日夜盼望枢密到来，做盟主。"吕颐浩安慰和勉励他。

这一天，刘光世也率领所属部队到平江。刘光世见到了张俊，相互消除了误解，苗傅等人的计谋未能行通。

丁未(二十九日)，宰相朱胜非召苗傅、刘正彦到都堂，商议复辟之事。苗傅、刘正彦到，胜非对他们说："归返帝位之事已确定日期，迎请到朝廷，百官都有奏章，公自己可另外作一奏章。"苗傅面颈泛红，惭愧不语，回头看着刘正彦。刘正彦起身说："仓促请归帝位，前后事理相违背。"朱胜非指责他说："前些时候王渊不应该作枢密，人们的心情还能这样。今天的事，哪个轻哪个重呢？不然的话，下诏书率领百官和六军请皇上回宫，公等六人将置身于何地？"刘正彦退后站立不答。苗傅长叹一声说："只有一死罢了。"朱胜非因二将变化无常而责备王世修，又以言辞威逼苗傅，苗傅不能回答。朱胜非命令王世修立即到厢房草拟奏状，拿回军中，亲自准备把将官以上的名字都写下。执政官晚上到朝，来到漏舍，王世修拿着军队中请求复辟的奏状交给朱胜非，朱胜非进呈给皇太后，皇太后极为高兴，她说："我可以塞责了！"朱胜非就召词臣张守到都堂，与李邴分别作百官的奏状文章，三篇奏章和三篇答章以及太后手诏与复辟的赦文都已完备。

同签书枢密院事吕颐浩、制置使刘光世、礼部侍郎张浚、平寇左将军韩世忠、御营前军统制张俊等人上奏："建炎皇帝即位以来，谦恭俭朴忧国勤勉，没有听说有何过失。现今的天下是多事之际，即人主在马上图谋整治之时，深切感到太母垂帘，嗣君年幼，不能勘定祸乱。我等今统领各路大军长途行军到行在，恭请建炎皇帝还即尊位，或者太后与陛下共同听政，可望人心就会安服。"

当时，吕颐浩、张浚大军已行次吴江，王世修听到这一消息，派人到军队中说："皇上已经处理兵马重事，禁止勤王军队屯驻秀州，使吕颐浩、张浚单独骑马入朝。"吕颐浩上奏说："臣等所统领的将士，为忠义所激励，可以合不可以离，希望率大军入朝觐见皇帝。"苗傅等人计谋穷尽，更加恐惧。这天晚上，苗傅、刘正彦到都堂见朱胜非，请求到睿圣宫拜见皇帝谢过，朱胜非感到为难，迫不得已告诉了睿圣皇帝。苗傅、刘正彦自知罪过大，疑心不得拜见，忧虑惊惧得改变了脸色，到了宫门，时间已是申时了。睿圣帝开门接纳他们，并且命令卫士扶持登上殿堂。苗傅、刘正彦请求颁布御札以缓解在外的勤王之师，皇帝说："人主的亲笔信札，并不能取得信任，它所以取信于天下，是因为有御宝。现今朕退位处于别宫，不参与国事，拿什么凭证、印玺来取信呢？自古以来，被废之君闭门省察过失，怎敢再干预军事！"苗傅等人恭敬请求，睿圣帝于是赐给韩世忠的手诏说："知道卿已到秀州，远道而来不容易。朕住在这里极安宁。苗傅、刘正彦本为宗庙社稷，始终值得嘉奖。卿应该知道这个意思，要让众将领全都知道，努力协作以安定国家。"苗傅等人退下后，用手加在额头上说："才知道圣天子有如此度量。"于是派遣杭州兵马钤辖张永载拿着手诏拜见韩世忠，韩世忠得到手诏，对张永载说："主上立即复位，事情才可以缓和。不是这样的话，我要以死与他们决战！"苗傅等人大为恐惧。

这个月，金人攻破京东各郡。

当时，山东大饥荒，人吃人，叫啸着聚众闹事，群盗蜂拥而起，大盗寇宫仪、王江，每每用车装载干尸以作粮食。当时正当兵火之后，又恰巧黄河决口，州郡相互间不能照顾。金人再次攻打青州，守臣京东东路安抚使刘洪道力不能守，率领二千残余兵卒放弃城池而去。金人委任前知滨州向大猷知青州。于是右副元帅宗辅乘势全部夺取了山东地区，只有济州、单州、兴仁、广济，因为有水阻拦尚且存在。刘洪道在仰天陂，派遣他的将领崔邦弼到安邱县向宫仪求援，宫仪发兵迎接洪道，另设一营寨将他们安顿下来。

徐州武卫都虞候赵立，听说金兵北还，知道城中防备轻弛，率领残兵在城外击鼓拦截打击金人，切断他们的归还路线，夺取船只金帛以千计数，军势重新振作。赵立尽力团结乡民为兵，发誓扫平金敌，退却的一定斩首。叔父赵宸迟到，赵立对他说："叔父因我之故而扰乱军法，让我拿什么来面对众人！"紧急命令将他斩首。士卒都感到军法严厉。诏书授予赵立为忠翊郎、代理知徐州事。赵立乘满目疮痍之后，抚恤慰劳人民，恩意周到，号召百姓恢复家园，城邑焕然一新。

金尚书左仆射高贞被罢免。

金主下诏说："战事兴起以来，良人被掠夺为奴婢的，听任他们的父母、夫、妻、子女赎他们为良人。"

金左副元帅宗翰听说睿圣帝渡江，迁济南叛臣刘豫知东平府，充任京东、西、淮南等路安抚使，节度大名、开德府、濮、滨、博、棣、德、沧等州，而以他的儿子承务郎刘麟知济南府。自此黄河旧道以南，都是刘豫所统辖的范围。

续资治通鉴卷第一百五

中华传世藏书

續資治通鑒

【原文】

宋纪一百五　起屠维作噩【己酉】四月，尽八月，凡五月。

高宗受命中兴全功至德　圣神武文昭仁宪孝皇帝

建炎三年　金天会七年【己酉，1129】　夏，四月，戊申朔，宰相朱胜非等言："臣等召苗傅、刘正彦等到都堂，谕以今国家多事，干戈未弭，当急防秋之计，睿圣皇帝宜还尊位、总万机，苗傅等一皆听从。"太后诏曰："甚契吾心，可依所请。"胜非乃率百官上第一表，请上还宫，诏不允。太后内出札与帝曰："今日朔日，宜入见禁中。"帝奏曰："臣疾作，已奉表起居，容臣望日趋诣。"太后又诏曰："嗣君冲幼，强敌未宁，事尤急于防秋，理难安于垂箔。臣僚恳请，不可重违，宜复御朝，以安中外。"百官再上奏，帝答以："太后垂帘，当共图国事；不然，不敢独当。"太后诏许之。百官三表毕，时已巳刻，上始御殿，百官起居。帝犹未肯入内，胜非再请，遂就西廊，摺笏，掖帝乘马还行宫，都人夹道焚香，众情大悦。

帝及太后同御前殿，垂帘，下诏曰："朕顾德弗类，遭时多艰，永惟责躬避位之因，专为讲好息民之计。今露章狎至，复辟为期，朕惟东朝有垂帘保佑之劳，元子有践阼纂承之托，太后宜上尊号曰隆祐皇太后，嗣君宜立为皇太子。所有三月六日赦书应干恩赏等事，令有司疾速施行。"

是日，吕颐浩、张浚次秀州，韩世忠以下出郊迓之。颐浩谓诸将曰："国家艰危，君父废辱，一行将佐，力图兴复。今幸已反正，而贼犹握兵，包藏奸谋，事若不济，必反以恶名加我，诸公勉之，汉翟义、唐徐敬业之事，可为戒也。"

己酉，帝与太后垂帘听政。初，太后即欲撤帘，日高犹不出。帝令朱胜非陈请，胜非言："当先降诏。"于是暂出御殿。后曰："官家既还内，吾便不当出。"遂诏以四日撤帘。

张浚除中大夫、知枢密院事。浚时年三十三，国朝执政，自寇准以后，未有如浚之年少者。

是日，吕颐浩、张浚次临平。苗翊、马柔吉以重兵负山阻河，为陈于中流，植木为鹿角，以梗行舟，翊以旗招世忠出战。始，世忠以刘宝军非所部，乃悉收其家属诣军；将战，世忠舣家属舟于岸下，率将士当前力战，张（浚）〔俊〕次之，刘光世又次之。军小却，世忠叱其将马彦溥挥兵以进。涂泞，骑不得骋，世忠下马持矛突前，令其将士曰："今日各以死报国，若面不带几箭者，必斩之！"颐浩在中军，被甲立水次，出入行伍间督战。翊等败走，傅、正彦遣兵援之，

2401

不能进。

颐浩等进兵北关。傅、正彦见帝,请设盟誓,两不相害,帝赐金劳遣。傅、正彦退诣都堂,趣赐铁券,胜非命所属检详故事,如法制造。是夕,傅、正彦引精兵二千人,开涌金门以出,命其徒所在纵火;遇大雨,火不能起,遂遁。夜,尚书省檄诸道捕傅等。

世忠、(浚)〔俊〕、光世驰入城,至行宫门。世忠欲入,其下张介曰:"不可,虽闻二贼已去,尚未可知。"其阉者以闻,上步至宫门,握世忠手恸哭。光世、(浚)〔俊〕继至,并见于内殿,上嘉劳久之。

辛亥,皇太后撤帘。

吕颐浩、张浚引勤王兵入城,都人夹道耸观,或以手加额。颐浩、浚与诸将见胜非于殿庐,因求对,邠门白:"故事,无与宰执同对者。"胜非曰:"吕枢密固可随班,然亦须降旨免见,馀人则不知也。"

是日,平寇左将军韩世忠手执工部侍郎王世修以属吏,并拘其妻子,诏制置使刘光世鞫其始谋以闻。

苗傅犯富阳,遣统制官乔仲〔福〕追击之。

壬子,帝初御殿受朝。

知枢密院事张浚等言:"逆臣苗傅、刘正彦引兵遁走,请行下诸州,生擒傅、正彦者,白身除观察使,不愿就者赏钱十万缗,斩首者依(比)〔此〕。捕获王钧甫、马柔吉、张逵、苗瑀、苗翊,并转七官。其馀官兵、将校,并与放罪,一切不问。仍降黄榜晓谕。"从之。

诏:"前日皇太子嗣位赦文内,优赏诸军,改作复辟优赏,馀不行。"

是日,执政奏事毕,朱胜非乞罢,帝未许,胜非曰:"臣若不去,人必以为有所壅蔽。臣去之后,公议乃见。"帝问可代者,胜非曰:"以时事言,须吕颐浩、张浚。"帝曰:"二人孰优?"胜非曰:"颐浩练事而粗暴,浚喜事而疏浅。"帝曰:"人俱轻浚太少年。"胜非曰:"臣向日苏州被召,军旅钱谷,悉以付浚。后来勤王事力皆出于此,浚实主之。"

胜非拜辞,将退,帝曰:"即令更押卿赴都堂,令刘光世、韩世忠、张(浚)〔俊〕等皆参堂,以正朝廷之体。"胜非曰:"臣闻唐李晟平朱泚之乱,奏云:'谨已肃清宫禁,祗奉寝园。'当时寇污宫禁,晟击出之,故云肃清。今陛下还宫已数日,将士直突呼叫,入至殿门,诚为不知理道。"

胜非退,见光世已下于都堂,世忠曰:"金人固难敌,若苗傅,但有少许汉儿,何足畏者!"胜非曰:"请太尉速追讨,毋令过江。"

癸丑,尚书右仆射兼中书侍郎兼御营使朱胜非,罢为观文殿大学士、知洪州,从所请也。胜非在相位凡三十三日。

资政殿学士、大中大夫、同签书枢密院事吕颐浩迁宣奉大夫、守尚书右仆射兼中书侍郎兼御营使,端明殿学士、同签书枢密院事李邴守尚书右丞,端明殿学士、〔同〕签书枢密事郑(毂)〔瑴〕进签书枢密院事。

监察御史陈戭鞫王世修于军中,具伏同苗傅等谋乱状,诏斩于市。

苗傅犯桐庐县。

起复定国军承宣使、带御器械、鄜延路马步军总管、御营平寇左将军韩世忠为武胜军节度使,充御营左军都统制;宁武军承宣使、带御器械、秦凤路马步军副总管、御营前军(管御营前军)统制张俊为镇西军节度〔使〕,充御营右军都统制;秘阁修撰、知平江府汤东野充徽猷阁待制;朝奉大夫、知常州周杞充右文殿修撰;自馀将佐,咸进官二等。张浚言:"迪功郎吕摭,自城中以蜡书陈二凶反状;进士吕擢,掌文字有劳。"得旨,摭改京秩,擢命以官。

始,王渊识韩世忠于微时,待之绝等,至是世忠为请地厚葬,经纪其家。久之,诏赠渊开府仪同三司;而康履亦赠官,谥荣节。渊死年五十三。

斩御营中军统制官、权主管侍卫步军司公事吴湛。

初,帝见韩世忠,握手语曰:"吴湛最佐逆,尚留朕肘腋,能先除乎?"世忠曰:"此易与耳。"时湛已不能自安,严兵为备。世忠诣湛,与语,手折其中指,遂执以出;门下兵卫惊扰,世忠按剑叱之,无敢动者。诏戮湛于市。以统制官辛永宗为带御器械、充御营使司中军统制。

乙卯,赦天下。举行仁宗法度,录用元祐党籍。嘉祐法有与元丰不同者,赏格听从重,条约听从宽。系石刻党人,并给还元官职及合得恩泽。诸路上供木炭、油、蜡之类,有困民力非急用之物者并罢。天下民庶,许置弓弩,技精者保试推恩。

丙辰,苗傅至白沙渡,所过焚桥梁以遏王师,刘光世遣其前军统制王德助乔仲福讨之。

丁巳,诏:"自崇宁以来,内侍用事,循习至今,理宜痛革。自今内侍不许与主兵官交通、假贷、馈遗及干预朝政;如违,并行军法。"

苗傅犯寿昌县,所至掠居人,黥以为军。

戊午,统制官乔仲福追击苗傅至梅岭,与战,败之,傅走乌石山。

庚申,尚书右仆射兼中书侍郎吕颐浩改同中书门下平章事,仍兼御营使;尚书右丞李邴参知政事。

时言者复引司马光并三省状,请举行之,诏侍从、台谏议。御史中丞张守言:"光之所奏,较然可行。若便集众,徒为纷纷。"颐浩乃请以尚书左右仆射并同中书门下平章事,门下、中书侍郎并为参知政事,尚书左右丞并减罢。自元丰改官制,肇三省,凡军国事,中书揆而议〔之〕,门下审而覆之,尚书承而行之,三省皆不置长官,以左右仆射兼两省侍郎。二相既分班进呈,自是首相不复与朝廷议论。宣仁后垂帘,大臣觉其不便,始请三省合班奏事,分省治事,历绍圣至崇宁,皆不能改。议者谓门下相既同进呈公事,则不应自驳已行之命,是东省之职可废也。及是帝纳颐浩等言,始合三省为一,如祖宗之故。

宰相吕颐浩、知枢密院事张浚言:"今天下多事,宜命庶僚各举内外官及布衣隐士材堪大用之才,擢为辅弼,协济大功。"诏行在职官各举所知以闻。

权罢秘书省,废翰林天文局,并宗正寺归太常,省太府、司农寺归户部,鸿胪、光禄寺、国子监归礼部,卫尉寺归兵部,太仆寺归驾部,少府、将作、军器监归工部,皆以军兴并省也。

秘书少监方阊罢为秘阁修撰、知台州,其馀丞、郎、著作、正字十馀人,皆出守或奉祠而去。于是馆、学、寺、监尽废,士人外召而至者,率以尚书郎处之,郎选始轻矣。

减尚书六曹吏,自主事至守当官凡四等,定为九百二十人。吏部七司,三百五十九;户部五司,二百八十八;礼部四司,五十六;兵部四司,一百三十五;刑部四司,六十三;工部四司,一十九;〔其分案〕总为一百七十有三。

苗傅犯衢州,守臣胡唐老据城拒之。大雨雹,城上矢石俱发,不克攻,遂引去。

辛酉,武泰军节度使、知大宗正事仲综,请自江宁府移司虔州,许之。未几,仲综薨,追封平原郡王。

癸亥,乔仲福、王德至衢州。

丙寅,诏:"诸路靖胜军并拨隶御营右军都统制张俊。"

苗傅犯常山县。

丁卯,帝发杭州,留签书枢密院事郑(毂)〔毂〕卫皇太后。

丁卯,御营左军都统制韩世忠请身往讨贼。以世忠为江浙制置使,自衢、信追击之。世忠入辞,请曰:"臣当扑灭二贼,未审圣意欲生得之耶,或函首以献也?"帝曰:"杀之足矣。"世忠曰:"臣誓生致之,显戮都市,为宗社刷耻。"时卫士宋金刚、张小眼者,号有膂力,世忠乞以行,欲使护俘来上。帝壮之,酌巨觥以饯世忠。

戊辰,苗傅犯玉山县。

辛未,苗傅屯沙溪镇,统制官乔仲福、王德乘间入信州。会统制官巨师古自江东讨贼还,与仲福会。傅未至信州十里,闻官军在彼,遂还屯衢、信之间。

壬申,立皇子检校少保、集庆军节度使魏国公旉为皇太子。

丙子,初定两省吏额,自录事至守当官分五等,凡二百三十八人。中书省六分,门下省四分;其分房十有四,大凡六房外,又有制敕库及班簿、章奏、知杂、催驱、开拆、赏功等房,而刑房分上下,诸吏守阙者百五十人,其馀为正额。

丁丑,初定尚书省自都事而下凡二百二十四,其间守阙如两省之数,分房十,自吏、户、工、刑之外,有监印、奏钞、知杂、开拆等房及制敕库,后又增催驱三省、催驱六曹、御史刑、封椿户、营田工等房,通旧为十有五。

是月,御营平寇前将军范琼自寿春渡淮,遣卒五人之庐州,从安抚使胡舜陟责赡军钱帛,舜陟执杀之,遣一骑还报,谕之曰:"将军受命北讨,今弃而南,自为寇,吾岂竭生灵膏血以为汝资!宜急去,不然,将厉兵与将军周旋于城下,必尽杀乃止!"琼乃止。舜陟又檄诸郡勿给其粮,琼遂自光、蕲渡江,引兵之洪州屯驻。

五月,戊寅朔,帝次常州。诏知枢密院事兼御营副使张浚为宣抚处置使,以川、陕、京西、湖南、湖北路为所部。

初,上问浚以方今大计,浚请身任陕、蜀之事,置司秦、川,而别委大臣与韩世忠镇淮东,令吕颐浩扈驾来武昌,张俊、刘光世从行,庶与秦、川首尾相应,帝然之。监登闻检院汪若海亦曰:"天下若常山蛇势,秦、蜀为首,东南为尾,中原为脊;将图恢复,必在川、陕。"议遂决。始,除浚招讨使,左司员外郎兼权中书舍人李正民言:"川、陕吾境,不当以招讨名,请用唐裴度故事。"帝是其言,浚乃改命。帝许浚便宜黜陟,亲作诏赐之。

右司谏袁植言:"前宰相黄潜善、汪伯彦,国之奸贼,其罪不在王黼、蔡攸之下,且怙宠擅权,蔽贤嫉能,登相府曾未逾年,三分天下几失其二。释而不诛,奈宗庙社稷何!望槛送二人,斩之都市,以崇国体。"诏责授镇东军节度副使、英州安置黄潜善降充江州团练副使,责授秘书少监、永州居住汪伯彦降充宁远军节度副使,并即其州安置。

韩世忠引兵发杭州。

庚辰,江、浙制置使周望引兵至衢州,而苗傅与其徒犯江山县。傅之行也,常以王钧甫、马柔吉将赤心队为先锋，去大军十里而屯。时帝命诸将，以罪止傅兄弟及刘正彦、钧甫、柔吉、张逵，馀皆罔治。赤心军士闻诏宽大，乃叛傅，钧甫遂焚河梁以断其路，率赤心之众降于望。望使人受降书，未成，其前军统领、右武大夫、归州防御使张翼等七人，谓钧甫反覆，斩钧甫及柔吉首以降，贼党大惧。诏以翼为翊卫大夫、温州观察使，诸将赵秉渊、杨忠悯、归朝官赵械、赵休，并进三官，仍以械、休为直秘阁。秉渊，易县人，宣和末，杀契丹(瘦)〔廋〕军，以城来降。忠悯，其先榆次人也。

苗傅等闻韩世忠且至，遂引兵趋信州。世忠闻之，恐其滋蔓闽、广，乃自浦城捷出以邀之。

辛巳，帝次镇江府。翰林学士滕康请命有司祭陈东之墓，御笔令守臣并张悫致祭。帝谕执政，以悫古之遗直，东忠谏而死，皆厚恤其家焉。

乙酉，帝至江宁府，驻神霄宫，改江宁府为建康府。

起复朝散郎洪晧为徽猷阁待制、假礼部尚书、充大金通问使。

初，议遣人使金，张浚因荐晧；吕颐浩召与语，大悦。俄诏赐对，时晧方墨衰绖，颐浩脱巾衣服之。既对，帝以国步艰难，两宫远狩为忧。晧极言："天道好还，金人安能久据中土！此正《春秋》邲、鄢之役，天其或者警晋训楚也。"帝悦，晋晧五官，擢待制，而以武功郎龚璹为右武大夫、假明州观察使，副之。

帝遗左副元帅宗翰书，称："宋康王构谨致书元帅邻下：愿用正朔，比于藩臣。"上令晧与宰执议国书，晧欲有所易，颐浩不乐，遂罢迁官之命。

溃卒朱海，有众数千人，入定远县界。知县事魏孝友率兵至永康镇，迓海请战，海曰："我假道而过，秋毫不敢犯，尚何与公战乎！"孝友不从，以兵击之。海怒，与战，民兵皆溃。海执孝友至县，杀之。

苗傅寇浦城县。时御营副使司前军统制王德，既杀江、浙制置司裨将陈彦章，欲与制置使韩世忠战，世忠曰："苗、刘未平，若与之战，乃是更生一敌，不如避之。"

夜，世忠将至浦城北十里，与傅、正彦遇于涣梁驿。正彦屯溪北，傅屯溪南，跨溪据险设伏，相约为应。世忠率诸军力战，骁将李忠信、赵竭节恃勇陷陈，右军统制官马彦溥驰救，死之。贼乘胜至中军，世忠瞋目大呼，挺矛而入，正彦望见，失声曰："吾以为王德，乃韩将军也！"正彦少却，世忠挥兵以进。正彦坠马，世忠生擒之，尽得其金帛子女。傅弃军遁去。苗瑀收馀卒得千六百人，进破剑川县，又犯虔州。事闻，再赠彦溥武成军节度使，谥忠壮。

先是朝散郎刘晏在正彦军中，傅使统赤心队，晏谓其部曲曰："吾岂从逆党反者邪！韩制使来，吾济事矣。"遂率众归世忠。浦城之战，世忠以晏骑六百为疑兵于浦山之阳，贼见，大骇。晏以所部力战，世忠上其功，迁一官。

初，薛庆据高邮，兵至数万人，附者日众。知枢密院事张浚闻庆等无所系属，欲亲往招之。浚既渡江，靳赛以兵降。戊子，至高邮，入庆垒，从者不满百人。浚出榜示以朝廷恩意，庆遂感悦归服。

己亥，都省言："自军兴以来，天下多事，四方文移增倍。前日宰执疲耗于案牍，而边防军政所当急者，反致稽缓。此无它，中书别无属官故也。请用熙宁故事，复置中书、门下省检正官二员，分书六房事，省左右郎官二员。"从之。

是日,苗翊率众出降,未解甲,复从其将孟皋计,欲遁之温、台。裨将江池闻之,杀皋,擒翊,降于制置使周望,其众皆解甲。

有举子程妥者,崇安人,时在(溥)〔傅〕军为傅谋,与苗瑀、张迷收馀兵入崇安县,统制官乔仲福、王德共追之,尽降其众。傅夜脱身去,变姓名为商人,与其爱将张政亡之建阳县,土豪承节郎詹标觉而邀之,留连数日。政知不免,密告标曰:“此苗傅也。”标执以告南剑州同巡检吕熙,以赴福建提点刑狱公事林杞,杞恐政分其功,与熙谋,使护兵杀政崇安境上,自以傅追世忠授之,遂槛赴行在。

辛丑,张浚自高邮至行在。复以浚知枢密院事。

先是浚入薛庆军,人传事有不测,淮南招抚使王瓚即以兵渡江。会薛庆既得厚赏,从其党王存计,驱以兵卫浚而出。帝闻之,即日趣浚归,浚辞曰:“高邮之行,徒仗忠信,虽不至如所传闻,然身为大臣,轻动损威,罪莫甚焉。”诏不允,以庆守高邮军。帝亲书御制《中和堂诗》赐浚曰:“愿同越勾践,焦思先吾身。”卒章曰:“高风动君子,属意种蠡臣。”

是行也,御营使司主管机宜文字、承直郎任赟,至高邮遇贼,坠马死,命以银帛赐其家,录其子仲全为忠州文学。

丁未,尚书省请以江、池、饶、信州为江州路,建康府、太平、宣、徽州、广德〔军为建康府〕路,并以守臣充安抚制置使,其江州守臣,更不带江东、湖北字入衔;从之。

六月,戊申朔,升盱眙县为盱眙军。

徽猷阁待制洪晧奉使至淮南,邀宿、泗州都大捉杀使李成以兵护送。而成方与遥郡防御使耿坚共围楚州,责通判权州事贾敦诗,谓其降敌。坚,河北人,初以义兵保护乡井,既而率所部南来,至袭庆府与成会,及是俱在淮东。晧先以书抵成,成曰:“汴涧,虹有红巾,非五千骑不可往,军食绝,不克如命。”晧闻坚可撼,阴遣说之曰:“君越数千里赴国家急,山阳纵有罪,当禀于朝。今擅兴兵,名勤王,实作贼耳。”坚意动,遂强成敛兵。晧行至泗境,谍报有迎骑介而来,晧复还,且上疏言:“李成以朝廷不恤之而稽馈饷,有引众纳命建康之语。今靳赛据扬州,薛庆据高邮,万一三叛连衡,何以待之!此含垢之时,宜遣辩士谕意,优进其秩,畀以京口纲运,如晋待王敦可也。”帝遂遣邠门宣赞舍人贺子仪抚谕成,给米五万斛。吕颐浩亦为书遗成,言:“左右欲图王图霸,须有天命。若无天命,虽以项羽之强,终必灭亡。”颐浩怒晧不先白己,乃奏其稽留生事,贬秩二等,晧遂转由滁阳以行。耿坚后亦为李成所并。

己酉,帝以久雨不止,谕辅臣,恐下有阴谋或人怨所致,于是吕颐浩、张浚皆谢罪求去。帝曰:“宰执岂可容易去位!来日可召郎官以上赴都堂言阙政。”

御史中丞张守上言:“陛下罪己之诏数下矣,而天未悔祸,实有所未至尔。傥能应天以实不以文,则安知谴告警惧,非诱掖陛下以启中兴之业乎!”先是守尝进修德之说,疏凡三上,且曰:“愿陛下处宫室之安,则思二帝、母后毡庐毳幕之居;享膳羞之奉,则思二帝、母后膻肉酪浆之味;服细煖之衣,则思二帝、母后穷边绝塞之寒苦;操予夺之柄,则思二帝、母后语言、动作受制于人;享嫔御之适,则思二帝、母后谁为之使令;对臣下之朝,则思二帝、母后谁为之尊礼。要如舜之兢业,汤之危惧,大禹之菲恶,文、武之忧勤,圣心不倦,盛德日隆,而天不之助顺者,万无是理也。”及是又申言之,且曰:“天时人事,至此极矣,陛下睹今日之势与去年孰愈?而朝廷之措置施设,与前日未始异也。俟其如维扬之变而后言之,则虽斥逐大臣,无救于祸。汉世灾异策免三公，今位宰相者虽有勋绩，然其才可以办一职而识不足以千万机，愿更择文武全才海内所共推者擢任之。"

中书舍人李陵言："金人累岁南侵，生灵涂炭，城邑丘墟，怨气所积，灾异之来，固不足怪。惟先格王正厥事，则在我者其可忽耶！臣观庙堂之上无擅命之人，惟将帅之权太盛；宫阃之内无女谒之私，惟宦寺之习未革。今将帅位高身贵，家温禄厚，拥兵自卫，浸成跋扈之风。去年御敌，尝遣王渊，桀骜不行；改命范琼，心怀怏怏。苗、刘二贼乘间窃发，岂一朝一夕之故哉！逮勤王之师一至钱塘，拘占房舍，攘夺舟船，凌轹官吏，侵渔百姓，恃功益骄，莫敢谁何，此将帅之权太盛也。宦寺挠权，为日固久，不幸维扬大臣暗于事机，渡江之初，得以自衒，窃弄威柄，有轻外朝之心，上下共愤，卒碎贼手，亦可以戒矣。比闻蓝珪之流，复有召命，党与相贺，气焰益张，众召僧徒，广设斋会，以追荐钱塘之被害者，行路见之，疑其复用，莫不切齿，此宦寺之习未革也。自古天子之出，必载庙主而行，示有尊也。前日南渡，事出仓卒，有司迎奉，不能如礼。既至钱塘，置太庙于道宫而荐享有阙，留神御于河浒而安奉后时，行路之人，见者流涕。今兹驻跸，又几月矣，未闻下款谒之诏，慰在天之灵，《洪范》不肃之咎，臣意宗庙当之。比年盗贼杀戮长吏，如到孤豚，残虐百姓，如刈草艾，朝廷苟且，例许招安，未几再叛，反堕贼计。元凶之罪罔获，忠臣之愤不雪，赤子之冤未报，不谋之咎，臣意盗贼当之。昨太母临朝，奸臣马扩上疏，谓上策入蜀，中策都武昌，下策都江宁，臣常诘之，第言'天子必惮远涉，由下引之以及中，由中引之以及上。'此奸谋也。扩乃西人，知关陕残破，不可以遽往，欲先幸蜀以便私耳。侧闻道路之言，谓銮舆不久居此，人情皇皇，未知死所，立赏禁止，终莫之信。虽自臆度，决无是事，万一有之，不几于狂乎？《洪范》常雨之证，恐或由此。自军兴以来，既结保甲，又改巡社，既招弓手，又募民兵，追呼急于星火，割剥侵于肌肤，民力竭矣，而犹求焉，不几于急乎？《洪范》常寒之证，恐或由此。且阳为德，阴为刑，常雨常寒，阴道太盛，陛下正当修德以应天。能制将帅，乃德之刚，能抑宦寺，乃德之正。事宗庙以孝，禁盗贼以义，谋国以智，安民以仁，如此行之，则人心悦而天意得矣。"帝嘉纳之。

司勋员外郎赵鼎言："自熙宁间王安石用事，肆为纷更，祖宗之法扫地而生民始病。至崇宁初，蔡京托名绍述，尽祖安石之政以致大患。今安石犹配飨庙庭，而京之党未族，臣谓时政之阙，无大于此，何以收人心而召和气哉！"帝纳其言，遂罢安石配享神宗庙庭。靖康初，廷臣有请罢安石配飨者，争议纷然，至是始决。

乙卯，诏："军兴以来忠义死节之家，令中书省、枢密院籍记姓名，优加存恤，访其子孙，量材录用。"

丙辰，诏："诸路监司、郡守，遇朔望率见任官望拜二圣。"

是日，苗傅后军部将韩隽犯光泽县，陷之。

傅之败也，隽以兵六百趣邵武军，守臣朝散大夫张罞先期遁去。隽入城，焚掠皆尽，遂引兵趋建昌军。官吏军民皆欲逃去，守臣方昭以六十口为质，揭榜通衢："敢言去者，以军法从事！"率众婴城，亲督守备。隽攻围之，凡六昼夜，昭鼓众益厉。贼死者十三四，一夕，遁去。隽（乃入城纵掠）既陷临川，又攻湖口县，遂渡江至蕲州，守臣中大夫王𬤇与官吏皆逃去。隽引兵欲依杨进于京西，道为王善、张用所邀，且闻进死，乃还居黄陂境上。会刘光世驻军江州，遣人招隽，隽往见光世，光世命还屯蕲州，因更名世清，号小韩。寻诏世清添差蕲州兵马

2407

钤辖。

戊午,命江、浙、淮南开畎浍水,以限戎马。

庚申,隆祐皇太后至建康,帝率群臣迎于郊外。徽猷阁待制、知平江府汤东野扈太母至行在,遂以东野试尚书户部侍郎,张浚奏以东野兼宣抚司参赞军事。东野建言:"欲图中兴,当先守关中,据形胜以固根本。"

辛酉,帝手诏以四事自责:一曰昧经邦之远图,二曰乏戡难之大略,三曰无绥人之德,四曰失驭臣之柄。仍命出榜朝堂,遍谕天下,使知朕悔过之意。

丁卯,右司谏袁植罢。

初,植请再贬汪伯彦而诛黄潜善及失守者权邦彦、朱琳等九人,帝曰:"渡江之役,朕方念旧责己,岂可尽归罪大臣!植乃朕亲擢,虽敢言,然导朕以杀人,此非善事。"吕颐浩曰:"圣朝弼臣,罪虽大止贬岭外,故盛德可以祈天永命。植发此念,已伤和气。"滕康曰:"如植言,伤陛下好生之德矣。"乃下诏,略曰:"朕亲擢袁植,置之谏垣,意其补过拾遗以救阙失。而植供职以来,忠厚之言未闻,杀戮之事宜戒,可出知池州。"明日,康见帝曰:"大哉王言,太祖以来未尝戮大臣,国祚长过于两汉者,此也。"未几,潜善卒于梅州。

戊辰,诏:"以防秋在近,自荆南至镇江府,沿江巡检五十员,令枢密院各择材武可仕者一人为之贰。其土军有阙者,并招填之。"

升公安县为军,以其能捍御也。

甲戌,帝自神霄宫入居建康府行宫。

乙亥,诏谕军民:"以迫近防秋,已令杜充提重兵准备。又于七月下旬,恭请隆祐皇太后率六宫、宗室近属迎奉神主,前去江表。朕与谋臣宿将,戮力同心,以备大敌,进援中原。应官吏士民家属南去者,官司毋得禁。"

先是东京留守杜充将赴行在,檄直龙图阁、知蔡州程昌寓为留守判官,至是昌寓入京城视事。时京城自四门外皆阛,人以为病,昌寓至,欲尽辟之;又游手杂食,市多窃窃,犯者虽一钱亦死,昌寓欲宽为一千;副留守刘仲荀皆不听。始,昌寓之离蔡也,吏士皆持半月粮,既而食尽,乃挑野菜而食。

是日,金人破磁州。

初,金人围城急,军校杨再兴等作乱,杀权守赵子节,推将官苏畎领州事。珪曰:"吾有三事,能从我则可。"众曰:"试言之。"珪曰:"我欲率军民夺路归京师。"众曰:"不可。""力战,如何?"又不可。珪曰:"盍开门乎?"众不应。于是珪率众请降。金人以大队至城下,且折箭为誓曰:"不杀人。"丙子,金人纵米面入城,其价顿减数十倍。时武安城守甚固,金不能攻,及闻磁降,乃下。

秋,七月,己卯,诏:"东京宗室并移虔州。"

辛巳,韩世忠军还,执苗傅、刘正彦、苗翊诣都堂,审验毕,磔于建康市,枭其首。正彦临刑,瞋目骂傅曰:"苗傅匹夫,不用吾言,遂至于此!"

时张逵、苗瑀及傅二子先已死,议者欲孥戮之,大理少卿王衣曰:"此曹在律当诛,顾其中妇女有雇买及卤掠以从者,傥杀之,未免无辜。"帝矍然,即诏自傅、正彦妻子外皆免。衣,历城人也。

2408

癸未，武胜军节度使、御前右军都统制韩世忠为检校少保、武胜、昭庆军节度使，赏平苗、刘之功也。帝遣使赐世忠金合，且御书“忠勇”二字表其旗帜，又封其妻梁氏为护国夫人，给内中俸以宠之。将臣兼两镇，功臣妻给俸，皆自此始。

言者论备江之策，宜以铁索为沈网，横锁江岸，以防浮江顺流之舟；以木为卧栅，密藏于岸步之下，使战舰不可得而入。此二者，用力甚少而收功甚大。乙酉，诏付水军制置使。

丙戌，庆远军节度使、捧日天武四厢都指挥使、御营平寇前将军、权主管侍卫步军使司提举一行事务范琼入见。

初，琼在江西，右正言吕祉首奏其罪，且进取琼之策，乃召琼赴行在。琼住军南昌，徘徊观望，诏监察御史陈戬趣其入觐。琼未拜诏，先陈兵见戬，且剥人以惧之，戬不为动，徐曰：“将军不见苗、刘之事乎？愿熟计。”琼乃朝服北向谢恩，遂引兵赴阙。既至，未肯释兵，及入见，面奏乞贷左言等朋附苗、刘之罪；且言自祖宗以来，三衙不任河东、北及陕人，今殿帅阙官，乞除殿前司职事；又言招到淮南、京东盗贼十九万人，皆愿听臣节制。帝怒。

知枢密院事张浚奏：“琼大逆不道，罪恶满盈。臣自平江勤王，凡五遣人致书，约令进兵，琼皆不答。今呼吸群凶，布在列郡，以待窃发，若不乘时诛戮，它日必有王敦、苏峻之患。”帝许之。右仆射吕颐浩曰：“臣与琼旧有嫌隙，不敢独任其事，愿付张浚。”浚退，与集英殿修撰、权枢密院检详文字刘子羽谋，夜，锁吏于浚府中，使作文书皆备。

丁亥，朝退，伪遣御前右将军都统制张俊以千人渡江，若捕它盗者，因召俊、琼及御前营副使杜充赴都堂计事，使俊将其众甲以来。琼从兵满街，意气自若。食已，颐浩等相顾未发，子羽坐庑下，遽取写敕黄纸诣前曰：“有敕，将军可诣大理置对。”浚数琼罪，琼怡愕，遂以俊兵拥缚付大理，使光世出，抚其众曰：“所诛止琼耳，若等固天子自将之兵也。”众皆投刃曰：“诺。”于是复以八字军还付武功大夫、忠州防御使、新知洮州王彦，而馀兵分隶御营五军。

是日，太子勇甍。太子病未瘳，有鼎置于地，宫人误蹴之有声，太子即惊搐不止，上命斩宫人。少顷，太子甍，年三岁。诏辍五日朝，殡金陵之佛寺。

戊子，端明殿学士、签书枢密院事郑（悫）〔毂〕卒，年五十。（悫）〔毂〕执政甫百日，上甚悼之，谓大臣曰：“朕元子犹能自排遣，（悫）〔毂〕讣至，殆不能释也！”常赙外，特赐田十顷，第一区，以抚其孤。

辛卯，诏：“谏官别置局，不隶后省，许与两省官相见议事。”元丰初，用唐制置谏官八员，分左右，隶两省，至是始复之如祖宗之故。

升杭州为临安府。

壬辰，诏范琼就大理寺赐死。

时大理少卿王衣奉诏鞠琼，琼不伏。言者又论琼逼迁上皇、擅戮吴革、迎立张邦昌等事。章下大理，衣具以责之，琼词服。诏以台谏三章，责为单州团练副使、衡州安置。章再上，乃赐琼死，亲属将佐并释之。狱吏杀琼，琼犹不肯，吏以刀自缺盆插入，叫呼移时死。其弟及三子皆流岭南。

罢内香药库，以其物归左藏。

甲午，张用与马友分军屯确山，麦且尽，众皆乏食，乃议复往山东。友请所部沿淮巡绰，用识其意，许之。友以本部兵数万去，自分为七军。用与曹成、李宏屯光州境内，沿淮劄木

2409

寨,为久驻之计。

初,京城失守,统制官阎瑾遁去,留其婿刘绍先以兵数千屯光州,守臣任诗厚遇之。诗在光四年,颇得其用。故自靖康以来,诸郡多破,而光独得全。

时金左副元帅宗翰自东平还云中,右副元帅宗辅自滨州还燕,留左监军完颜昌守山东地。帝虑其再至,复遣使议和。

庚子,尚书户部侍郎、宣抚处置使司参赞军事汤东野试工部侍郎兼知建康。

时建康寓治保宁僧舍,而浙江制置使韩世忠屯蒋山,逐守臣显谟阁直学士连南夫而夺其治寺。殿中侍御史赵鼎言:"南夫缓不及事,固可罪;然世忠躬率使臣排闼而入,逐天子之京尹,此岂可训! 请下诏切责世忠而罢南夫,仍治其使臣之先入者,此为两得。"上曰:"唐肃宗与灵武诸军草创,得一李勉,然后朝廷尊。今朕得卿,无愧昔人也。"乃降南夫知桂州,而以东野知建康府。戍兵故皆群盗,喜攘夺市井,东野峻法绳之不少纵,民恃以安。

知枢密院事、御营副使、宣抚处置使张浚,以亲兵千五百人、骑三百发行在。

帝赐川、陕官吏军民诏曰:"朕嗣承大统,遭时多故,夙夜以思,未知攸济。正赖中外有位,悉力自效,共拯倾危。今遣知枢密院事张浚往谕密旨,黜陟之典,得以便宜施行。卿等其念祖宗积累之勤,勉人臣忠义之节,以身殉国,无贻名教之羞,同德一心,共建兴隆之业,当有茂赏,以答殊勋。"

自王璞、谢亮之归,朝廷闻鄜延经略使曲端欲斩王庶,疑其有反心,乃以御营使司提举一行事务召端,端疑不行,权陕西转运判官张郴劝端,不听。议者喧言端反,端无以自明,至是浚入辞,以百口明端不反。

时明州观察使刘锡、亲卫大夫、明州观察使赵哲皆在浚军,浚辟集英殿修撰、知秦州刘子羽参议军事,尚书考功员外郎傅璞、兵部员外郎冯康国主管机宜文字,武功大夫、忠州防御使王彦为前军统制。彦将八字军以从,太学博士何洋、邠门祗候甄援等俱从行。康国将行,往辞台谏,赵鼎谓之曰:"元枢新立大功,出当川、陕,半天下之责,自边事外,悉当奏禀,盖大臣在外,忌权太重也。"

是日,浚军行,屯雨花台。时东京米升四五千,留守杜充既还朝,副留守郭仲荀以敌逼京畿,粮储告竭,遂率馀兵赴行在。充先行至江宁镇,与浚遇,屏人语久之。

初,以靳赛为淮东马步副总管,屯扬州,已而复叛。辛丑,招抚使王璞与遇于兴化县,璞军不整,为赛所乘,大败,制书、金鼓、印文皆为赛所得,璞仅以身免。

壬寅,诏:"迎奉皇太后,率六宫往豫章,且奉太庙神主、景灵宫祖宗神御以行,百司非预军旅之事者悉从。"

八月,戊申,环庆经略使王似言:"方今用兵之际,关陕六路帅,请皆用武臣。"吕颐浩曰:"臣少识种谔,眇小而为西夏信服。今之武帅,类皆斗将,非智将,罕见如谔之比。"杜充曰:"方今艰难,帅臣不得坐运帷幄,当以冒矢石为事。"帝曰:"王似未知武少能知义理;若文臣中有智勇兼资、练达边事如范仲淹者,岂必亲临矢石,何为多籍武帅!"

己酉,移浙西安抚司于镇江府。临安守臣改带管内安抚使。

壬子,资政殿学士、权知三省、枢密院事李邴,以本职提举杭州洞霄宫。邴与吕颐浩论不合,力请免,乃有是命。

资政殿学士、同知三省、枢密院事滕康进权知三省、枢密院事,吏部尚书刘珏为端明殿学士、权同知三省、枢密院事,仍许珏缀执政班奏事。

诏尚书吏部侍郎高卫往洪州,仍兼御营使司参赞军事,沿路因便处置控扼,及具形势以闻。

时虽下诏坚守建康,而议者以为朝廷阴为避敌之计。吕颐浩因奏事为帝言:"如曾 尚疑之,况小民乎!宜量留嫔御,掌批奏牍,以固人心。且免令内臣权管,恐其不密,或缘此开端。"帝纳之。

甲寅,刘文舜寇舒州,通判权州事郑严遣人以礼待之,文舜喜,遂入城,秋毫不敢犯。严请于朝,以文舜为淮西都巡检使,赐金带。严,钟离人也。

龙图阁待制、陕西节制使王庶罢,徽猷阁直学士、知庆阳府王似为陕西节制使。

初,庶闻金兵退,复入延安,而城不可守,乃移驻洛交,收招散亡。会诏似守长安,庶益治军,且上章请不能守延安之罪,遂罢去。延安之破也,金人移兵趋环庆路,似选劲兵邀击于险,兵不能进,故用之。

壬戌,隆祐皇太后登舟发建康,百官辞于内东门。帝犹虑金人南侵,密谕滕康、刘珏,令缓急取太后圣旨,便宜以行。

癸亥,徽猷阁待制洪晧奏自寿春府由东京出界,吕颐浩曰:"将来崔纵未必不先到。"帝曰:"今奉使欲如王云者岂易得!"

先是群盗张俊、李贵啸聚颍上,道益梗,提举官范濉、张锐尝招慰之,旋复乱。晧至顺昌,闻贼有至近郊以牛驴市物者,约与相见谯门下,晧晓譬切至,曰:"自古无白头贼。"〔贼〕竦悟,请归报其渠帅。乃为书至其窟穴,俊、贵皆听命,率所领入宿卫。

乙丑,直龙图阁、权东京留守判官程昌寓自京城还蔡,副留守郭仲荀亦引馀兵归行在,遂以直徽猷阁、京畿转运副使上官悟权京城留守。仲荀既行,都人从之来者以万数,离京师数日,始得谷食,自此京师人来者遂绝矣。

先是知唐州滕牧为董平所逐,会群盗八簶针王民等犯京西,牧自襄阳遣使招之,皆听命,遂以其众还桐柏,攻平。民取道蔡州,昌寓不纳,民营城东两日,无所得而去。牧以民之军与平战,平败,执通判事李祁以行。未几,牧迁京西转运判官,唐州遂无主将。京师自悟留守后,命令不复能行,留守司名存而已。

丙寅,帝谓大臣曰:"国用匮乏,政以所费处多。"吕颐浩曰:"用兵费财,最号不赀,故汉文帝不言兵而天下富。"帝曰:"用兵与营造,最费国用,深可戒之。"

丁卯,朝议大夫、京东路转运判官杜时亮为秘阁修撰、假资政殿学士,充奉使大金军前使;进士宋汝为授修武郎、假武功大夫、开州刺史,副之。

时朝议以为敌兵且至,而洪晧、崔纵未得前,求可使缓师者。时亮,宣和末尝为燕山路干办官,金许王宗杰入燕,与吕颐浩等五人俱被执,既而释之。汝为,丰县人,身长七尺馀,博闻强记,徐州之破,阖族百馀人皆死,至是闻金人南侵,见部使者陈边事,遣诣行在。帝纳其说,命持书遗金主请和,且致书左副元帅宗翰,略曰:"古之有国家而迫于危亡者,不过守与奔而已。今以守则无人,奔则无地,此所以诿诿然惟冀阁下之见哀而赦己。故前者连奉书,愿削去旧号,是天地之间,皆大金之国而尊无二上,亦何必劳师远涉而后为快哉!"时刘豫节制东平,吕颐浩因以书遗之,俾汝为面陈朝廷密意。

光禄少卿范寅敷自金来归,诏寅敷都堂审问。先是知陕州李彦仙遣小将赵成往云、朔觇事,比还,念无以自明,乃挟寅敷以归,至是赴行在。成,正平人也。

庚午,奉安滁州端命殿太祖皇帝御容于建康府天宁万寿观。

壬申,帝谓辅臣曰:"高丽入贡人使将至,闻上皇遣内臣、宫女二人来。朕闻之,一则以喜,一则以悲。朕违远二圣,已及三年,忽得安信,岂得不喜?上皇当承平之久,以天下之养奉一人,彼中居处服食,凡百粗陋,而朕居深宫广殿,极不遑安。且朕父母兄弟及妻皆在远域,惟一子近已薨逝,孑然一身,当此艰难,所以悲也。"言未已,泪下。吕颐浩曰:"愿陛下少宽圣抱,恢中兴之业。"周望曰:"二圣忽有使来,南归之期可望,此必金人之意。若非彼意,数人者虽至高丽,高丽亦不肯令来也。"

【译文】

宋纪一百五　起己酉年(公元 1129 年)四月,止八月,共五月。
建炎三年　金天会七年(公元 1129 年)

夏季,四月,戊申朔(初一),宰相朱胜非等人上奏说:"臣等召苗傅、刘正彦等人到都堂,晓谕以现今国家多事,战事尚未消除,当务之急是秋季防边大计,睿圣皇帝应该回复尊位、总理万机,苗傅等人全部听从。"太后下诏说:"特别合我心意,可以依从你们的请求。"朱胜非于是率领百官进呈第一表,请皇上回宫,诏书没有应允。太后从内廷送出手札给睿圣帝说:"今天初一,应该入禁中相见。"睿圣帝上奏说:"臣疾病发作,已奉上书表问候起居,容许臣十五日前往拜见。"太后又下诏说:"嗣君年幼,强敌未灭,事务中尤以秋季边防最为紧迫,按理难以安心于垂帘。臣僚恳切请求,不可以再加违背,应重新主持朝政,以使朝廷内外安定。"百官第二次上奏,睿圣帝回答说:"太后垂帘,应该共同图谋国事;若不这样,不敢独自担当此任。"太后下诏允许了他的请求。百官上完第三表完毕,时间已到巳刻,睿圣帝开始临殿,百官问候起居。睿圣帝仍然不肯进入皇宫内,朱胜非再次请求,于是走近西廊,插上笏板,扶持睿圣帝上马还归行宫,市民们夹道焚香,民众异常欢悦。

睿圣帝和太后同临前殿,垂帘,下诏说:"朕顾念德政尚未广施,遭遇时事多所艰难,深思自责退位的原因,一心只为讲求民众休养生息的计谋。如今督纠的章奏交替而来,以复辟作为期望,朕以为太后有垂帘保佑的功劳,长子有继位临朝的重托,太后应该奉上尊号称隆祐皇太后,嗣君应该立为皇太子。三月六日的所有赦书涉及恩赏等事,命令有司尽快实施。"

这一天,吕颐浩、张浚行次秀州,韩世忠及下属官员出城外迎接他们。吕颐浩对各将领说:"国家艰难危急,君父蒙辱被废,我们一行将军、副官,要力图兴复。今天幸而已返归正位,但贼人仍然掌握兵权,包藏奸谋,事若不成,定会反过来以恶名加害于我等,诸位尊公要勉励以为之,汉代翟义、唐朝徐敬业的事,可以引为鉴戒。"

己酉(初二),皇帝与太后垂帘听政。当初,太后即想撤帘,太阳高挂天空仍不出来听政。皇帝命令朱胜非陈述请求,朱胜非说:"应该先颁诏书。"于是暂时出来临殿。太后说:"官家既已回到皇宫内,我便不应当出来听政了。"于是颁布诏书,在初四撤帘。

张浚被任命为中大夫、知枢密院事。张浚当时年龄三十三岁,朝廷执政官员,自寇准以后,没有像张浚这样年轻的人。

这一天,吕颐浩、张浚行次临平。苗翊、马柔吉率重兵依靠山势、阻挡河道,在河的中流摆开阵势,植木为鹿角,以梗阻船只通行,苗翊用旗招引韩世忠出来交战。开始,韩世忠因刘宝的军队不是自己统领的部队,就将他们的家属全部收入军中;将要交战,韩世忠把家属的船靠在岸边,率领将士在他们前面奋勇作战,张俊接着出战,刘光世再接着出战。军队稍有退却,韩世忠怒令他的将领马彦溥挥兵前进。道路泥泞,马不能驰骋,韩世忠下马手握长矛冲锋在前,命令他的将士说:"今天各人以死报国,若是脸上不带几处箭伤,一定斩了他!"吕颐浩在中军,身披铠甲站在水边,进出于军中督战。苗翊等人败逃,苗傅、刘正彦派兵援助他们,不能前进。

吕颐浩等进兵北关。苗傅、刘正彦面见皇帝,请求安排盟誓,双方互不伤害,皇帝赏黄金慰劳发遣。苗傅、刘正彦退到都堂,催促赐给铁券,朱胜非命令所属官员详细核检以前先例,如法制造。这天晚上,苗傅、刘正彦率领精兵二千人,打开涌金门出城,命令他的党徒所到之处放火;正遇大雨,火不能烧着,于是逃走。夜里,尚书省传檄各道追捕苗傅等人。

韩世忠、张俊、刘光世飞马入城,来到行宫门口。韩世忠想进门,他的部下张介说:"不可以,虽然听说二贼已逃离,但还不知实情。"守门人听说此话,上奏皇帝,皇帝步行到宫门,握着世忠的手痛哭。刘光世、张俊相继来到,一并在内殿参见,皇帝嘉奖慰劳他们很久。

辛亥(初四),皇太后撤帘归政。

吕颐浩、张浚率领勤王大军入城,市民夹道伸长脖子观看,有的以手加额表示庆幸。吕颐浩、张浚与各将领在殿庐与朱胜非相见,因而请求应对,阁门告诉说:"按照先例,没有和宰执官一同应对的。"朱胜非说:"吕枢密固然可以随班,然而也必须颁旨免见,其他的人就不知道了。"

这一天,平寇左将军韩世忠亲手执拘工部侍郎王世修以归属狱吏,并拘留他的妻子,诏令制置使刘光世审问他们开始谋逆的情况以奏闻。

苗傅进犯富阳,派遣统制官乔仲福追击他们。

壬子(初五),皇帝开始临殿受理朝政。

知枢密院事张浚等人上奏说:"逆臣苗傅、刘正彦率兵逃跑,请下令各州施行,活捉苗傅、刘正彦的,白丁授官观察使,不愿就职的赏钱十万缗,将二贼斩首的依照此例。捕获王钧甫、马柔吉、张逵、苗瑀、苗翊的,一律转升七品官爵。其余官兵、将校,都与免罪,一概不加追究。另颁降黄榜晓谕天下。"皇帝允从。

下诏:"前几天皇太子嗣位赦文之内规定,优赏各军,改为辅助复辟的人优赏,其余的内容不再施行。"

这一天,执政官奏事完毕,朱胜非请求辞职,皇帝不许,朱胜非说:"臣若是不离开朝廷,人们必然以为有所堵塞遮蔽贤路。臣离开以后,众人的议论就会出现。"皇帝询问谁可以代替他,朱胜非说:"以时下情况而言,必须是吕颐浩、张浚。"皇帝说:"二人谁更好些?"朱胜非说:"吕颐浩用事干练但粗暴,张浚喜欢做事但疏浅。"皇帝说:"人们都轻视张浚太年少。"朱胜非说:"臣过去在苏州被召入朝廷,军事钱粮,都交付给张浚。后来勤王的军力和财力全都出于此,张浚实际上主持了这件事。"

朱胜非拜辞，将要退下，皇帝说："立即命令更押卿到都堂，命令刘光世、韩世忠、张俊等人都来都堂参拜，以端正朝廷的体制。"朱胜非说："臣听说唐朝李晟平定朱泚之乱，上奏说：'谨已肃清宫禁，敬奉寝园。'当时寇贼污秽宫禁，李晟击败赶走他们，故说肃清。现今陛下回宫已有几天，将士横冲直撞，大喊大叫，进到殿门，实在是不知伦理道德。"

朱胜非退下，在都堂会见刘光世以下将领，韩世忠说："金人固然难以敌得过，若像苗傅，只有少量汉儿，何足畏惧！"朱胜非说："请太尉迅速追击讨伐，不要让他们过江。"

癸丑（初六），尚书右仆射兼中书侍郎兼御营使朱胜非，罢相为观文殿大学士、知洪州，是按他的请求而任命的。朱胜非在宰相位共三十三天。

资政殿学士、大中大夫、同签书枢密院事吕颐浩升任为宣奉大夫、守尚书右仆射兼中书侍郎兼御营使，端明殿学士、同签书枢密院事李邴守尚书右丞，端明殿学士、同签书枢密事郑毅晋升为签书枢密院事。

监察御史陈戬在军中审讯王世修，王世修全部招认同苗傅等人谋反作乱的情状，诏书命令在街市上斩首。

苗傅进犯桐庐县。

再次起用定国军承宣使、带御器械、鄜延路马步军总管、御营平寇左将军韩世忠为武胜军节度使，充任御营左军都统制；宁武军承宣使、带御器械、秦凤路马步军副总管、御营前军统制张俊为镇西军节度使，充任御营右军都统制；秘阁修撰、知平江府汤东野充任徽猷阁待制；朝奉大夫、知常州周杞充任右文殿修撰；以下将佐，都升官二等。张浚说："迪功郎吕撼，从城里寄蜡书陈述二凶谋反情状；进士吕擢，掌管文书有功劳。"得到圣旨，吕撼改升为京城官吏，吕擢任命以官职。

开始，王渊在韩世忠未做官时相识，对待他极好，至此，韩世忠为他请求墓地厚葬，经管安置他的家属。过了很久，诏书追封王渊为开府仪同三司；而康履也被赠官，谥号荣节。王渊死时享年五十三岁。

斩杀御营中军统制官、代理主管侍卫步军司公事吴湛。

当初，皇帝召见韩世忠，握着他的手告诉说："吴湛最能帮助逆贼，还留在朕的身边，能先除掉吗？"韩世忠说："这容易对付。"当时吴湛已不能自安，严密布兵以为防备。韩世忠到吴湛那里，与他说话，亲手折断了他的中指头，于是把他抓了出来，门下兵卫惊惧骚乱，韩世忠按剑叱责他们，没有敢妄动的。下诏杀戮吴湛于街市。以统制官辛永宗为带御器械、充任御营使司中军统制。

乙卯（初八），大赦天下。推行仁宗制定的法度，任用列入元祐党籍的人。嘉祐法有与元丰不同的，奖赏的标准处理从优，条约处理从宽。凡属元祐党籍碑上刊刻的党人，一并给还原来的官职以及应得到的恩泽。各路上供的木炭、油、蜡之类，若有使民力困窘，且不是急用之物，一律免除。天下民众，允许置备弓弩，技艺精湛之人可以保试推及恩泽。

丙辰（初九），苗傅到达白沙渡，所经过的地方焚毁桥梁以遏制朝廷军队，刘光世派他的前军统制王德协助乔仲福征讨他们。

丁巳（初十），下诏说："自从崇宁年间以来，宦官当权，沿袭到今，理当彻底革除。从今以后宦官不许与掌兵的官员交往、借贷、馈赠及干预朝廷政事；如有违犯，一律以军法从事。"

苗傅进犯寿昌县,所到之处抢掠居民,施墨刑以充军。

戊午(十一日),统制官乔仲福追击苗傅到梅岭,与他交战,苗傅失败,逃奔乌石山。

庚申(十三日),尚书左仆射兼中书侍郎吕颐浩改同中书门下平章事,仍兼任御营使;尚书右丞李邴为参知政事。

当时上疏的人又推荐司马光合并三省的奏状,请求全部实施,下诏侍从、台谏商议。御史中丞张守说:"司马光的奏状,明晰可行。如果马上将三省官员合并,只会引起混乱。"吕颐浩就请求以尚书左右仆射并入同中书门下平章事,门下、中书侍郎并为参知政事,尚书左右丞一并裁减罢黜。从元丰年间改革官制,开始设置三省,凡是军国大事,中书省考察商议,门下省审核而回复,尚书省承接并施行,三省均不设置长官,以左右仆射兼任两省侍郎。两位丞相已分班次进呈奏章,从这时起,首相不再与朝廷商议。宣仁后垂帘听政,大臣感觉这样不方便,才请求三省合班奏事,分省处理政事,历经绍圣到崇宁,均不能更改。议政人认为,门下相已经共同签署进呈公事,则不应该自己回驳已经施行的成命,这说明东省的官职是可以废除的。至此皇帝采纳了吕颐浩等人的建议,开始将三省合并为一处,如祖宗旧制。

宰相吕颐浩、知枢密院事张浚上奏说:"现今天下多事,应该命众官员各自举荐朝廷内外官吏和平民隐士才能可以委以重任之人,提拔为辅弼大臣,共同成就大业。"诏书下达到在职官员中,各自举荐所知道的有才之人,以报告朝廷。

暂时撤销秘书省,废除翰林天文局,将宗正寺归入太常,省太府、司农寺归入户部,鸿胪、光禄寺、国子监归入礼部,卫尉寺归入兵部,太仆寺归入驾部,少府、将作、军器监归入工部,都是因为战事兴起而合并减省。

秘书少监阎罢免为秘阁修撰、知台州,其余丞、郎、著作、正字十多人,都出京任职或者供奉祠庙而离去。于是,馆、学、寺、监全部废置,从外地召来的士人,大都以安排担任尚书郎,尚书郎的人选开始受到轻视了。

减少尚书六部的官吏,从主事到守当官共四等,定为九百二十人。吏部七司,三百五十九人;户部五司,二百八十八人;礼部四司,五十六人;兵部四司,一百三十五人;刑部四司,六十三人;工部四司,一十九人;总共分为一百七十三案。

苗傅进犯衢州,守臣胡唐老把守城池抗拒敌贼。天降大冰雹,城上箭和炮石一齐发射,苗傅攻不下,就率兵撤去。

辛酉(十四日),武泰军节度使、知大宗正事赵仲综,请求从江宁府移官署到虔州,允许他的请求。不久,仲综去世,追封他为平原郡王。

癸亥(十六日),乔仲福、王德抵达衢州。

丙寅(十九日),下诏说:"各路靖胜军一并调拨隶属于御营右军都统制张俊。"

苗傅进犯常山县。

丁卯(二十日),皇帝从杭州起行,留下签书枢密院事郑毅护卫皇太后。

丁卯(二十日),御营左军都统制韩世忠请求亲自前往讨伐贼人。任命韩世忠为江浙制置使,从衢、信二州追击贼人。韩世忠入朝辞行,请命说:"臣肯定消灭二贼,不知圣上是想活捉呢,还是献上首级?"皇帝说:"杀了他们就满足了。"韩世忠说:"臣发誓要活捉送来,公开在都市上杀戮,为宗庙社稷洗刷耻辱。"当时的卫士宋金刚、张小眼,号称有体力,韩世忠请求让他们相随以行,打算让他们护送俘虏来献上。皇帝认为他们很豪壮,以大觥酌酒为韩世忠饯行。

戊辰(二十一日),苗傅进犯玉山县。

辛未(二十四日),苗傅驻屯于沙溪镇,统制官乔仲福、王德乘机进入信州。适逢统制官巨师古从江东讨贼回来,与乔仲福会合。苗傅在未到信州十里处,听说官军在那里,于是返回,屯兵在衢、信二州之间。

壬申(二十五日),立皇子检校少保、集庆军节度使魏国公赵旉为皇太子。

丙子(二十九日),开始确定两省官吏名额,从录事到守当官分五等,共二百三十八人。中书省占十分之六,门下省占十分之四;两省分为十四房,大约六房以外,又有制敕库及班簿、章奏、知杂、催驱、开拆、赏功等房,而刑房分为上房和下房,各吏守阙的一百五十人,其余为正额。

丁丑(三十日),开始确定尚书省从都事以下共二百二十四名吏员,其中守阙的如同两省守阙的人数,分为十房,从吏、户、工、刑之外,有监印、奏钞、知杂、开拆等房及制敕库,后来又增加催驱三省、催驱六曹、御史刑、封桩户、营田工等房,合旧有的为十五房。

这个月,御营平寇前将军范琼从寿春渡过淮河,派遣五名兵卒到庐州,向安抚使胡舜陟索取赡军钱帛,舜陟拘捕杀了他们,派一人骑马回报,告谕范琼说:“将军受朝廷命令向北进讨,现今放弃北方而南下,自己沦为盗寇,我怎能竭尽百姓的膏血以为你的资财!你应急速离去,不然的话,将擦亮兵器与将军在城下周旋,一定全部斩杀才停止。”范琼这才作罢。胡舜陟又下檄文给各郡不要给范琼粮食,范琼于是从光州、蕲州渡长江,领兵到洪州屯驻。

五月,戊寅朔(初一),皇帝行次常州。下诏知枢密院事兼御营副使张浚为宣抚处置使,以川、陕、京西、湖南、湖北路为他所管辖。

当初,皇帝问张浚现今大计,张浚请求亲自任陕、蜀的政事,在秦、川设置官署,而另外委派大臣与韩世忠镇守淮东,命令吕颐浩保驾来武昌,张俊、刘光世随皇帝同行,以期与秦、川首尾呼应,皇帝认为此计有理。监登闻检院汪若海也说:“天下像常山的蛇形地势,秦、蜀为蛇头,东南为蛇尾,中原为蛇脊;将要图谋恢复,必然重在川、陕。”计议终于决定。开始,授张浚为招讨使,左司员外郎兼代理中书舍人李正民说:“川、陕属我本土,不应当以招讨为名,请采用唐朝裴度的先例。”皇帝认为他说得对,于是更改了张浚的任命。皇帝允许张浚因利乘便,见机行事,处置官吏的罢免升迁,并亲自草拟诏书赐给他。

右司谏袁植说:“前宰相黄潜善、汪伯彦,是国家的奸贼,他们的罪恶不在王黼、蔡攸之下,而且恃宠专权,蔽贤嫉能,登相府之位还不到一年,三分天下几乎失去二分。宽恕而不诛杀,怎么面对宗庙社稷!希望以槛车押送二人,在都市上斩首,以尊崇国体。”下诏处罚任镇东军节度副使、英州安置的黄潜善,降任为江州团练副使;处罚任秘书少监、永州居住的汪伯彦,降任为宁远军节度副使,一并在其所在州安置。

韩世忠领兵从杭州出发。

庚辰(初三),江、浙制置使周望领兵到衢州,而苗傅和他的党徒进犯江山县。苗傅出行,常常以王钧甫、马柔吉率领赤心军为先锋,离大军十里处屯驻。当时皇帝命令各将领,以罪过限止于苗傅兄弟以及刘正彦、王钧甫、马柔吉、张逵,其余都不治罪。赤心军士卒听说诏书宽大,于是背叛苗傅,王钧甫于是焚毁河桥以切断其道路,率领赤心军的兵众向周望投降。周望派人接受投降书,尚未办成,他的前军统领、右武大夫、归州防御使张翼等七人,说王钧甫变化无常,斩王钧甫和马柔吉的首级投降,贼人党徒大为恐惧。下诏以张翼为翊卫大夫、温州观察使,各将赵秉渊、杨忠悯,归朝官赵越、赵休,同升三级官职,仍然以赵械、赵休为直秘阁。赵秉渊是易县人,宣和末年,杀契丹度军,献城归降。杨忠悯,他的祖先是榆次人。

苗傅等人听说韩世忠即将来到,于是领兵奔逃信州。韩世忠闻讯,怕他们在闽、广两地滋长蔓延,就从浦城抄近路以阻截他们。

辛巳(初四),皇帝行次镇江府。翰林学士滕康请求命令有司祭奠陈东之墓,皇帝御笔命令守臣和张悫一同致祭。皇帝晓谕执政官,因为张悫具有古代直臣的遗风,陈东为忠谏而死,都要优厚抚恤他们的家。

乙酉(初八),皇帝到江宁府,驻跸神霄宫,改江宁府为建康府。

再次起用朝散郎洪皓为徽猷阁待制、假礼部尚书、任大金通问使。

当初,商议派遣人员出使金国,张浚因而推荐洪皓;吕颐浩召洪皓交谈,大为喜悦。不久诏赐应对,当时洪皓正身着黑色丧服,吕颐浩便脱下衣巾给他穿上。既而应对,皇帝以国步艰难,两宫远狩为忧虑。洪皓极力陈说:"天道易于回还,金人怎能久据中原!这正是《春秋》所记载的邲、鄢之战,天或者警告晋国、教训楚国吧。"皇帝喜悦,晋升洪皓五级官爵,提拔为待制,而以武功郎龚琦为右武大夫、假明州观察使,作为他的副职。

皇帝致左副元帅宗翰书信,称:"宋康王赵构谨致书元帅阁下:愿改用大金国年号,与藩国之臣相当。"皇帝命令洪皓与宰执计议国书,洪皓想要有所更改,吕颐浩为此不快,于是停罢升迁官职的命令。

溃散兵卒朱海,拥有几千人,进入定远县界内。知县事魏孝友率兵到永康镇,迎着朱海请求交战,朱海说:"我借道而过,秋毫不敢犯,还与公交战什么!"魏孝友不听从,以兵攻击他,朱海恼怒,与魏孝友战斗,民兵全部溃散。朱海执俘魏孝友到县城,杀了他。

苗傅寇掠浦城县。当时御营副使司前军统制王德,已杀江、浙制置司裨将陈彦章,打算与制置使韩世忠交战,韩世忠说:"苗傅、刘正彦没有平定,若与王德交战,就又多出一个敌人,不如回避他。"

夜里,韩世忠将要到浦城北面十里,在涣梁驿遇上苗傅、刘正彦。刘正彦屯据溪北,苗傅屯据溪南,跨溪据险要设置伏兵,相约互为呼应。韩世忠率领备军竭力奋战,骁将李忠信、赵竭节依靠勇猛而陷于敌阵,右军统制官马彦溥飞马营救,战死。贼人乘胜进至中军,韩世忠怒目大喊,挺着长矛杀入敌阵,刘正彦望见,不觉失声说:"我以为是王德,却是韩将军!"刘正彦稍有退却,韩世忠挥兵前进。刘正彦掉下马来,韩世忠活捉了他,全部缴获他的金帛子女。苗傅丢弃军队逃离。苗瑀收集残余士卒,仅得一千六百人,进而攻破剑川县,又进犯虔州。朝廷得知浦城战况后,再次赠马彦溥武成军节度使,谥号忠壮。

在这以前,朝散郎刘晏在刘正彦军中,苗傅使他统领赤心队,刘晏对他的部下说:"我怎能跟从逆党反叛呢!韩制使到来,我就成事了。"于是率领部众投归韩世忠。浦城之战,韩世忠在浦山之南以刘晏的六百骑兵为疑兵,贼人看见,大为惊骇。刘晏以所领部众奋力而战,韩世忠上报他的功劳,官升一级。

当初,薛庆占据高邮,拥有兵力几万人,归附他的日益增多。知枢密院事张浚闻讯薛庆等人无所寄属,打算亲自前往招纳他。张浚既已渡江,靳赛带兵投降。戊子(十一日),到高邮,进入薛庆军营,跟随的人不满一百人。张浚出示榜文说明朝廷恩德之意,薛庆于是感悟喜悦而归服朝廷。

己亥(二十二日),都省上奏说:"自战事兴起以来,天下多事,四方上交公文成倍增长。前时宰执批阅文书,极度疲劳,消耗精力,而边防军事政务,应当急需办理的,反遭拖延。这没有其他原因,是中书没有下属官员的缘故。请求采用熙宁旧例,重新设置中书、门下省检正官二员,分别签署六房政事,省去左右郎官二员。"听从这一建议。

这一天,苗翊率兵众出来投降,没有解下铠甲,又听从他的将领孟皋之计,打算逃往温州、台州。裨将江池听到这一消息,杀了孟皋,活捉苗翊,向制置使周望投降,他的兵众全部解除甲胄。

有位叫程妥的举子,是崇安人,当时在苗傅军中为苗傅出谋划策,与苗瑀、张逵收拾残余兵卒进入崇安县,统制官乔仲福、王德共同追击他们,他们的兵众全部投降。苗傅于夜间脱身逃离,改变姓名,做了商人,与他的爱将张政逃亡到建阳县,土豪承节郎詹标觉察后,便邀请他们,逗留了几天。张政知道性命难保,秘密告诉詹标说:"此人就是苗傅。"詹标拘执苗傅后,告知南剑州同巡检吕熙,以押解前赴福建提点刑狱公事林杞处,林杞恐怕张政分了他的功劳,与吕熙谋议,指使护卫兵在崇安县边境杀了张政,自己追上韩世忠将苗傅交给了他,于是用槛车押送苗傅赴行在。

辛丑(二十四日),张浚从高邮到行在。再次以张浚知枢密院事。

在此前,张浚进入薛庆的军营,人们传说事情难以预测,淮南招抚使王瓘当即领兵渡江。适逢薛庆已得到厚赏,听从他的党徒王存的计谋,急忙用兵护卫张浚走出兵营。皇帝听说此事,当日催促张浚回来,张浚推辞说:"高邮之行,唯有仰仗忠诚信义,虽不至像所传说的那样,然而身为大臣,轻易行动,有损威信,罪责莫过如此。"下诏不允许。以薛庆镇守高邮军。皇帝亲笔书写自制《中和堂诗》赐给张浚说:"愿同越勾践,焦思先吾身。"末章说:"高风动君子,属意种蠡臣。"

这次出行,御营使司主管机宜文字、承直郎任觊,到高邮遇到贼人,坠落马下而死,朝廷命令以银帛赐给他家,录用他的儿子任仲全为忠州文学。

丁未(三十日),尚书省请求以江、池、饶、信州为江州路,建康府、太平、宣、徽州、广德军为建康府路,并以守臣充任安抚制置使,其中江州守臣,更换官职称号不带上江东、湖北的字样。朝廷允许这一请求。

六月,戊申朔(初一),晋升盱眙县为盱眙军。

徽猷阁待制洪皓奉命出使到淮南,邀请宿、泗州都大捉杀使李成用兵护送。而李成与遥郡防御使耿坚共同包围楚州,谴责通判代理州事贾敦诗,说他投降敌人。耿坚是河北人,起先以义兵保护乡土,继而率领所部南来,到袭庆府与李成相会,到现在都在淮东。洪皓先用书信送抵李成,李成说:"汴水干涸,虹县又有红巾军,没有五千骑兵是不可前往的,军粮断绝,不能如命。"洪皓听说耿坚可以说服,暗中派人游说他道:"君历行几千里,奔赴国家危急,山阳即使有罪,应当禀告朝廷。现在擅自兴兵,名为勤王,实为做贼啊!"耿坚心意动摇,于是强迫李成收兵。洪皓走到泗州境内,侦探报告说有穿铠甲的骑兵迎面而来,洪皓又返回来,并上疏说:"李成因为朝廷不接济他,而且拖延输送粮饷,有领着兵众到建康接受命令的话。现今靳赛据扬州,薛庆据高邮,万一三人叛变东西连衡,怎么对待他们呢? 现在是容忍耻辱之时,应该派遣能言善辩的人晓谕他们朝廷之意,从优晋升官秩,把京口的纲运物质拨给他们,像晋朝对待王敦那样就可以了。"皇帝于是派遣阁门宣赞舍人贺子仪抚恤晓谕李成,给他五万斛米。吕颐浩也写书信给李成,说:"臣下想图谋称王称霸,这必须有天命。若是没有天命,虽然以项羽的强大,终究必然灭亡。"吕颐浩恼恨洪皓不先告诉自己,于是奏劾他拖延不走,横生事端,贬降官阶二等,洪皓于是转而由滁阳北行。耿坚后来也为李成所吞并。

己酉(初二),皇帝因日久降雨不停,晓谕辅臣,恐怕下面有人搞阴谋或者是有人积怨所致,于是吕颐浩、张浚都谢罪请求离职。皇帝说:"宰执难道可以容易离开职位! 来日可召集郎官以上赴都堂议论朝政阙失。"

御史中丞张守上书说:"陛下责备自己的诏书已多次下达了,而上天没有后悔降祸之意,实在是因为有所未到。倘若能以实际行动顺应天意,而不是限于文辞,那么怎知这种谴责告诫和警惧,不是引导和扶助陛下来开启中兴大业呢!"在此前,张守曾经进呈修德之说,三次上疏,并说:"希望陛下安处宫室之内,则应想到徽、钦二帝和母后还身居简陋的毡屋毡帐;享受送来的饭食,则要想到二帝和母后在吃膻肉酪浆的滋味;身着精致保暖的衣服,则应想到二帝和母后身处边陲塞外的寒苦;操持予夺生杀的大权,则应想到二帝和母后的语言动作正在受制于人;享受妃嫔服侍的好处,则应想到二帝和母后有谁在供他们使唤;面对臣下的朝拜,则应想到二帝和母后有谁在给他们尊敬和礼遇。要像舜那样兢兢业业,像汤王那样思危忧惧,像大禹那样践视丑恶,像文王、武王那样忧思辛劳,圣上之心不疲倦,则盛大的德行便会日益发扬光大,而上天还不辅助顺应天意的人,万无此理。"到此时又申述这个道理。并且说:"天时人事,到此已是极限了。陛下目睹今日时势与去年相比,哪个更好呢? 而朝廷的措置施舍,与前时没有什么不同。若待形势如维扬之变而后再论其他,那么即使斥逐大臣,也不能补救于祸患。汉代出现灾异罢免三公,而今官居宰相的人,虽有功勋业绩,然而他们的才能只能任一职而见识却不足以处理万事,希望再选择文武全才、海内所共同推举的人提拔并委任官职。"

中书舍人季陵说:"金人连年南侵,民众受到残害,城邑化为丘墟,怨气积聚,灾异来临,本来不足为怪。唯有先整顿国家政事,对于我们而言是不可忽视的! 臣观察朝廷之上没有专揽朝纲之人,只是将帅之权太大;后宫妃嫔没有为了私情而提出要求的,只是重用宦官的成习还没有革除。现今将帅职位高身价贵,家庭殷实俸禄优厚,拥兵自卫,渐渐养成跋扈的风气。去年抗御敌人,曾经派遣王渊,他凶暴倔强,拒不执行;改派范琼,他又心怀不满。苗傅、刘正彦二贼乘机偷偷发难,难道是一朝一夕造成的吗? 等到勤王的军队一到钱塘,抢占房屋,偷取抢夺船只,欺压官吏,侵掠百姓,仗着有功更加骄横,谁也不敢对他们怎么样,这是将帅之权太大了。宦官扰乱政权,为时本已久长,不幸维扬大臣不明于事机,渡江初期,宦官们得以自我炫耀,私自舞弄威权,有轻视议政朝臣之心,上下一致愤怒,最后落在贼人之手,也可以算个警戒了。近来听说对蓝珪之流,又有被召之命,他的党徒互相庆贺,气焰更加嚣张,召集众多僧徒,广泛举行斋会,以追悼祭奠钱塘被害宦官,行人目睹此景,怀疑他们又被重用,没有不切齿痛恨的,这是重用宦官的成习还没有革除啊。自古以来,天子出行,一定车载祖庙神位而行,表示有所尊崇。前时南渡,事情出于匆忙,有司迎接侍奉,不能按规定的礼仪。既已到钱塘,将太庙安置于道宫,而祭献供品短缺;将先皇的遗像留在河边而安置供奉拖延时日。过路的行人,见此情景都为之落泪。现今在此驻跸,又有几个月了,尚未听说颁降诚恳地拜见宗庙的诏书,安慰在天的英灵,《洪范》记载的不肃的罪过,臣以为指的就是不敬宗庙。近几年盗贼杀戮官吏,如宰杀一只猪,残害百姓,如割取草艾,朝廷姑息,照例允许招安。不久再次反叛,反而堕入贼人奸计之中。元凶没有得到全部惩处,忠臣的仇恨未雪,赤子的冤屈不伸,没有谋略的罪责,臣以为主要应由不讨伐盗贼来担当。以往太母临朝,奸臣马扩上疏,说上策是进入蜀地,中策是建都武昌,下策是建都江宁,臣曾经诘问他,只是说:'天子必然害怕远途跋涉,由下策引诱他到中策,由中策引诱他到上策。'这是奸诈的计谋。马扩是西部人,他知道关陕已经残破,不可以急速前往,想先幸蜀地以方便他的私心罢了。从侧面听到道路的传言,说皇帝居住此地不久,人心惶惶,不知死在何地,立下赏金禁止传言,终究无人相信。虽然私自揣测,决然没有此事,万一有之,不是几乎等于发狂吗?《洪范》记载的常雨之征候,恐怕或许有这个原因。从战事兴起以来,既组织保甲,又改组巡社,既招募弓手,又募集民兵,追逼呼喊急于星火,割取剥夺侵入到了肌肤,民力已经枯竭了,而仍然索求,不是几乎等于苛急吗?《洪范》记载的常寒之征候,恐怕或许有这个原因。况且阳为德道,阴为刑道,天常雨常寒,说明阴道太旺盛,陛下现在就应当修德道以顺应天意。能控制将帅,就是德之刚,能抑制宦官,就是德之正。事奉宗庙要以孝,禁止盗贼要以义,谋划国策要以智,安抚百姓要以仁,如此行事,那么人心欢悦,天意也就适应了。"皇帝称赞采纳了这些建议。

司勋员外郎赵鼎说:"自从熙宁年间王安石用权,随意乱改法度,祖宗之法被破坏,百姓开始受害。到崇宁初年,蔡京托名接续祖述,全部效法王安石的为政以致招来大祸患。现今王安石还配飨于宗庙明堂,而蔡京的党徒没有被诛杀,臣认为时政的缺失,没有比这更大的了,怎么能收拢人心召来和气呢!"皇帝采纳了他的话,于是撤除在宗庙明堂的王安石配享。靖康初年,就有朝臣请求撤除王安石配飨的,争论纷纭,至此才决断。

乙卯(初八),下诏说:"战事兴起以来为忠义而捐躯者的家属,命令中书省、枢密院登记姓名,优厚地抚恤周济,探访他们的子孙,根据才能录用。"

丙辰(初九),下诏说:"各路监司、郡守,遇到每月初一、十五率领现任官员遥望叩拜徽宗、钦宗二圣。"

这一天,苗傅后军部将韩隽进犯光泽县,并攻陷了该县。

苗傅失败之后,韩隽率兵六百人奔赴邵武军,守臣朝散大夫张罟预先逃走。韩隽入城,焚烧抢掠一空,于是领兵奔向建昌军。那里的官吏军民都想逃走,守臣方昭以六十个人作为人质,在街市要道张榜布告:"敢说离开的,以军法从事!"率领众人环城守卫,亲自督察防守准备。韩隽攻打并包围城池,共六个昼夜,方昭鼓励众人更加努力。贼人战死的有十分之三、四,一天夜里,逃走。韩隽既攻陷了临川,又攻打湖口县,于是渡过长江,来到蕲州,守臣中大夫王牷和官吏都逃走。韩隽领兵想到京西投靠杨进,在途中为王善、张用所阻截,并且听说杨进已死,就折回驻扎在黄陂境内。适逢刘光世驻军在江州,派人招降韩隽,韩隽前往拜见刘光世,刘光世命令他回到蕲州驻屯,于是改名为世清,号为小韩。不久诏书为韩世清增补官爵为蕲州兵马钤辖。

戊午(十一日),命令江、浙、淮南加宽加深田间沟渠,储积水流,以便限制军马。

庚申(十三日),隆祐皇太后到建康,皇帝率领群臣到郊外迎接。徽猷阁待制、知平江府汤东野侍卫太母到行在,于是以汤东野出任尚书户部侍郎,张浚奏请让汤东野兼任宣抚司参赞军事。汤东野建议说:"想要图谋中兴,应先守卫关中,占据有利地形以巩固根基。"

辛酉(十四日),皇帝亲拟诏书以四件事责备自己:一是不明于治理邦国的远大谋略,二是缺乏平定战乱的宏图大略,三是没有安抚人心的德慧,四是丧失驾驭臣僚的权柄。还命令在朝堂张榜,晓谕全天下人,让所有人知道朕有悔过的意思。

丁卯(二十日),右司谏袁植被罢免。

当初,袁植请求再次贬责汪伯彦而诛杀黄潜善以及失去镇守之地的权邦彦、朱琳等九人,皇帝说:"渡江战役,朕正念及故旧之情,责备自己,怎么可以全都归罪于大臣?袁植是朕亲手提拔,虽然敢于说话,然而是引导朕去杀人,这不是好事。"吕颐浩说:"圣朝的辅佐大臣,罪责再大也只贬徙岭外,所以盛大德泽可以祈求上天永远眷命。袁植产生这个念头,已经有伤和气。"滕康道:"按袁植所说的办,伤害了陛下好生的恩德了。"于是下诏,大意是说:"朕亲手提拔袁植,将他安置于谏官官署,用意在让他弥补朝廷过失,拯救朝廷失误。而袁植任职以来,忠诚宽厚之言未听到,杀戮之事却应当惩戒,可出京知池州。"第二天,滕康拜见皇帝说:"圣上之言伟大啊,太祖以来,不曾杀戮大臣,国统长久超过两汉的原因,就在这里啊。"不久,黄潜善死在梅州。

戊辰(二十一日),下诏说:"以秋季防边迫近,从荆南到镇江府,沿江巡检要五十人,命令枢密院分别选择才干武略可以依靠的一个人为巡检副官,沿江民兵有缺员的,一律招人填补。"

升公安县为公安军,因这个地方能抵御敌人。

甲戌(二十七日),皇帝从神霄宫入居建康府行宫。

乙亥(二十八日),下诏晓谕军民:"因秋季防边迫近,已命令杜充率领重兵准备。又于七月下旬,恭请隆祐皇太后率领六宫、宗室近亲迎接尊奉神像,前往江表。朕与谋臣老将,并力同心,以防备大敌,进而声援中原。对待官吏士民家属往南方去的,官署不得禁止。"

在此之前,东京留守杜充将要赶赴行在,檄直龙图阁、知蔡州程昌寓为留守判官,到此时程昌寓进入京城任职。当时京城由于四门之外的门全都关闭,人们以为忧虑,程昌寓到,打算全部打开;又有游手好闲的人和做小买卖的人,使得街市上多游窜偷窃的人,犯法的人即使只偷一钱也被处死,程昌寓想宽大到一千钱;副留守刘仲荀都不听从。当初,程昌寓离开蔡州时,官吏士人都带有半月粮,不久吃完,只得挖野菜吃。

这一天,金人攻破磁州。

当初,金人围城紧急,军校杨再兴等人在城里作乱,杀代理守臣赵子节,推举将官苏珪兼任州事。苏珪说:"我有三件事,能听从我的话就可以。"众人说:"说说看。"苏珪说:"我打算率领军民杀开一条路投归京师。"众人说:"不可。""尽力而战,怎样?"又不行。苏珪说:"何不打开城门呢?"众人不回答。于是苏珪率领众人请求投降。金人率领大队人马来到城下,

2421

并且折箭发誓说:"决不杀人。"丙子(二十九日),金人发放米面进城,米面的价格立时减了几十倍。当时武安城守卫特别坚固,金人不能攻破,等到听说磁州投降,竟被攻下。

秋季,七月,己卯(初三),下诏说:"东京宗室一律迁移虔州。"

辛巳(初五),韩世忠军队回还,押解苗傅、刘正彦、苗翊到都堂,审验完毕,在建康街市被分尸,并悬挂首级示众。刘正彦临受刑时,圆瞪双眼,大骂苗傅说:"苗傅匹夫,不听我的话,终于到了这种地步!"

当时张逵、苗瑀和苗傅的两个儿子先已死去,议论的人想全部杀掉他们的妻子儿女,大理少卿王衣说:"这些人按照刑律应当诛杀,但考虑到其中的妇女,有的是被雇买和掳掠来而被迫跟随他们的人,倘若杀掉他们,未免是杀无辜。"皇帝神情惊惧,立即下诏,除苗傅、刘正彦的妻子和儿女之外,全部免罪。王衣是历城人。

癸未(初七),以武胜军节度使、御前右军都统制韩世忠为检校少保、武胜、昭庆军节度使,奖赏他平定苗傅、刘正彦的功劳。皇帝派使臣赐给韩世忠金盒,并且亲自书写"忠勇"二字作为他旗帜的标志,又封他的妻子梁氏为护国夫人,给宫中的俸禄以使她荣耀。将臣兼管两个镇,功臣妻子给俸禄,均由此开始。

议政者商讨防守长江的计策,认为应以铁索为沉入水中的网络,横锁长江两岸,以防备顺着江水漂浮而来的船只;以树木做成卧式栅栏,秘密藏在岸步下面,使战舰不能进入。这两件事,用力很少而收到功效很大。乙酉(初九),下诏将以上两事交给水军制置使办理。

丙戌(初十),庆远军节度使、捧日天武四厢都指挥使、御营平寇前将军、代理主管侍卫步军使司提举一行事范琼入朝见皇帝。

当初,范琼在江西,右正言吕祉首先上奏他的罪过,并且呈上捉拿范琼的策略,于是召范琼赴行在。范琼驻军于南昌,徘徊观望,下诏监察御史陈戬催他入朝觐见。范琼没有拜领诏书,先陈列军队会见陈戬,并且剥下人皮以恐吓陈戬,陈戬不为其所动,慢慢对他说:"将军没有看见苗傅、刘正彦的事吗?希望仔细考虑。"范琼就穿上朝服向北方谢恩,于是领兵奔赴朝廷。既已到行在,不肯放下兵器,等到入见皇帝,当面上奏请求宽恕左言等人结党归附苗傅、刘正彦的罪行;并说自祖宗以来,殿前司、侍卫马军司、侍卫步军司三个衙门就没有任用河东、北及陕人,现今殿帅缺少官员请求任命殿前司职事;又说招到淮南、京东盗贼共有十九万人,全都愿意听从自己的调度管束。皇帝气愤发怒。

知枢密院事张浚上奏说:"范琼大逆不道,罪恶满盈。臣从平江勤王,共五次派人送他书信,约令他进兵,范琼都没有答理。现今招纳群凶,分布在各郡,以待时机私下发难,若是不乘现在时机杀了他,以后定有王敦、苏峻那样的祸患。"皇帝听从上奏。右仆射吕颐浩说:"臣与范琼过去有隔阂,不敢独自承担这件事,希望交付给张浚。"张浚退朝,与集英殿修撰、代理枢密院检详文字刘子羽谋划,夜里,将官吏锁在张浚的府中,让他们将有关文书都草拟齐备。

水军铜印　南宋

丁亥(十一日),大家退朝后,假装派遣御前右将军都统制张俊领兵一千人渡江,好像抓捕其他盗贼的样子,因而召张俊、范琼和御前营副使杜充前往都堂议事,使张俊率领他的众甲士前来,范琼的随从士兵布满街道,他神态自若。吃完饭,吕颐浩等人相互看着不露声色,刘子羽坐在走廊下面,急速地拿出写有敕书的黄纸到前面说:"有敕令,将军可到大理寺去对质。"张浚列数范琼的罪恶,范琼吃惊得眼睛发直,于是由张俊的甲兵将他围住捆绑交付大理寺,派遣刘光世出面,安抚他的兵众说:"所诛杀的只有范琼一人,你们本来都是天子自己统领的军队。"众人都扔下兵器说:"是。"于是重新把八字军交还给武功大夫、忠州防御使、新知洮州王彦,而剩下兵卒分别隶属御营五军。

这一天,太子赵旉去世。太子病尚未痊愈时,有一个鼎放在地上,宫人误踢发出了声响,太子就惊怕抽搐不止,皇帝命令斩杀这个宫人。不多时,太子死去,年仅三岁。下诏罢朝五天,太子灵柩停放在金陵的佛寺。

戊子(十二日),端明殿学士、签书枢密院事郑毅死,享年五十。郑毅执政刚满一百天,皇帝异常悲伤,对大臣说:"朕的长子去世尚能自我排遣思绪,郑毅丧音报来,几乎不能排解!"按常例馈赠财物之外,特别赐给田十顷,宅第一区,以抚恤他的孤儿。

辛卯(十五日),下诏说:"谏官另设官署,不隶属后省,允许与两省官员面对面讨论朝政事务。"元丰初年,沿用唐朝制度,设置谏官八人,分为左谏官和右谏官,隶属两省,到此时才使之恢复如同祖宗旧制。

升杭州为临安府。

壬辰(十六日),下诏,范琼在大理寺就地赐死。

当时大理少卿王衣奉诏审问范琼,范琼不服罪。谈论的人又指出范琼逼迫迁走上皇、擅自杀害吴革、迎立张邦昌为皇帝等事实。奏章下达大理寺,王衣依照奏章陈述的事实责问他,范琼理屈词穷。下诏以台谏的三篇奏章为凭,将他责罚为单州团练副使、衡州安置。奏章第二次呈上,才赐予范琼死刑,亲属和将佐一并宽免。狱吏杀范琼时,范琼还不肯依从,狱吏用刀从胸部乳房部位插入,他喊叫了一段时间后死去。他的弟弟和三个儿子都流放到岭南。

撤销内香药库,以库中储藏物归入左藏库。

甲午(十八日),张用与马友分兵屯驻确山,麦子将要吃光,大家缺乏粮食,于是议定再次前往山东。马友请求所属部队沿着淮河巡逻警戒,张用知道他的用意,允许了他。马友率本部几万人离去,自己分为七支军队。张用与曹成、李宏屯驻在光州境内,沿淮河扎制木寨,为长久驻守作打算。

当初,京城失守,统制官阎瑾逃走,留下他的女婿刘绍先率兵几千人屯驻光州,守臣任诗待他优厚。任诗在光州四年,很得他的帮助。所以从靖康年间以来,各郡多被攻破,而光州独独得以保全。

当时金左副元帅宗翰从东平回到云中,右副元帅宗辅从滨州回到燕京,留下左监军完颜昌守山东地区。皇帝担忧他们再来,再次派遣使臣议和。

庚子(二十四日),尚书户部侍郎、宣抚处置使司参赞军事汤东野出任工部侍郎兼知建康。

当时建康官署寄设在保宁僧舍内,而浙江制置使韩世忠屯驻蒋山,驱逐守臣显谟阁直学士连南夫,夺取他官署所在的寺庙。殿中侍御史赵鼎说:"连南夫迟缓不会办事,固然可以治罪,但是韩世忠亲自率领使臣推门而入,驱逐天子的京尹官,这难道可以仿效吗?请求下诏狠狠责备韩世忠而罢免连南夫官职,还要惩治那些先推门而入的使臣,这为一举两得。"皇帝说:"唐肃宗与灵武各军开创基业时,得到一个李勉,然后朝廷受到尊重。现在朕得到卿,无愧于古人了。"于是贬降连南夫知桂州,而以汤东野知建康府。戍边兵卒过去都是群盗,喜欢抢夺市民,汤东野以严厉法规处置他们,丝毫不放松,市民靠此得到安定。

知枢密院事、御营副使、宣抚处置使张浚,率领亲兵一千五百人、骑兵三百人从行在出发。

皇帝赐给川、陕官吏军民诏书说:"朕嗣承帝位,遭逢时事多有变故,朝夕忧思,不知挽救之法。正依赖朝廷内外各位,全力以赴,各自效力,共拯倾危。现在派遣知枢密院事张浚前往晓谕密旨,按典章制度罢降和提升官吏,因利乘便施行。卿等念及祖宗积累之勤劳,勉励人臣忠义之节操,以身徇国,不要留下名教之耻辱,同德一心,共建兴隆之业,当有美盛的奖赏,以报答特殊的功劳。"

自从王瓒、谢亮回朝,朝廷听说鄜延经略使曲端企图斩杀王庶,怀疑他有谋反之心,就以御营使司提举一行事务的任职召回曲端,曲端有所怀疑而不去,代理陕西转运判官张彬劝说曲端,曲端不听。议论的人纷纷传言曲端谋反,曲端无法自己申明,至此,张浚入朝辞别时,以全家百口人的性命担保曲端不会谋反。

当时明州观察使刘锡,亲卫大夫、明州观察使赵哲都在张浚军中,张浚征召集英殿修撰、知秦州刘子羽参议军事,尚书考功员外郎傅阁、兵部员外郎冯康国主管机宜文字,武功大夫、忠州防御使王彦为前军统制。王彦将率领八字军随行,太学博士何洋、阁门祗候甄援等人均随行。冯康国临行前,去与台谏辞别,赵鼎对他说:"首席枢密新立大功,出任川、陕,半个天下的责任,除边防事务外,都应当奏明朝廷,这是因为大臣在外,禁忌权力太大的缘故。"

这一天,张浚大军出发,屯驻雨花台。当时东京的米每升四五千钱,留守杜充既已回朝,副留守郭仲荀因敌人进逼京畿,粮食储备已告竭尽,于是率领剩下兵众奔赴行在。杜充先走到江宁镇,遇到张浚,两人屏去左右,谈了很久。

当初,以靳赛为淮东马步副总管,屯驻扬州,不久又叛变。辛丑(二十五日),招抚使王瓒与靳赛在兴化县相遇,王瓒军容不整,被靳赛乘机打得大败,制书、金鼓、印文都为靳赛所得,王瓒独自幸免。

壬寅(二十六日),下诏:"迎奉皇太后,率领六宫前往豫章,并且供奉太庙神像、景灵宫祖宗神御随行,百官不是参与军旅之事的人都随从。"

八月,戊申(初二),环庆经略使王似上奏:"当今用兵之际,关陕六路将帅,请求全部任用武臣。"吕颐浩说:"臣年轻时认识种谔,虽然只有一只眼睛,身材又矮小,但却为西夏所信服。现今武将,大都是斗将,不是智将,很少能与种谔相比。"杜充说:"现在艰难,帅臣不能只坐在帷幄之中,而应当在战场上亲冒飞箭炮石。"皇帝说:"王似不知晓武臣中缺乏能知义理的人;倘若文臣中有智勇兼备、熟悉边事像范仲淹那样的人,不一定要亲冒飞箭炮石,也不一定要大都依靠武帅!"

己酉(初三),迁移浙西安抚司于镇江府。临安守臣改为带管内安抚使。

壬子(初六),资政殿学士、代理知三省、枢密院事李邴,以本职掌管杭州洞霄宫。李邴与吕颐浩议论不合,力请免职,于是有这项任命。

资政殿学士、同知三省、枢密院事滕康升为代理知三省、枢密院事,吏部尚书刘珏为端明殿学士、权同知三省、枢密院事,仍旧允许刘珏继续在执政班奏事。

诏令尚书吏部侍郎高卫前往洪州,仍旧兼任御营使司参赞军事,沿途顺便处置军政大事以及将形势详告朝廷。

当时虽然下诏坚守建康,而议论的人却以为朝廷暗中定下避敌之策。吕颐浩借奏事之机对皇帝说:"像曾楸桥这样的人还对此怀疑,何况小小百姓呢?应适当留下一部分嫔妃、宫女,执掌批阅奏疏文书,以稳人心。并且避免令宫内宦官暂时代管,恐怕他们不能保密,或者因此造成宦官专权的开端。"皇帝采纳这一建议。

甲寅(初八),刘文舜进犯舒州,通判代理州事郑严派人以礼节对待他,刘文舜为此欣喜,于是入城,秋毫不敢侵犯。郑严向朝廷请求,以文舜为淮西都巡检使,赐给金带。郑严是钟离人。

龙图阁待制、陕西节制使王庶被罢免,徽猷阁直学士、知庆阳府王似为陕西节制使。

当初,王庶听说金兵撤退,又进入长安,然而城池不可据守,就移驻于洛交,收拾招集溃散逃亡的士卒。恰逢诏书命令王似守卫长安,王庶更加整治军队,并且呈上奏章请求处罚不能据守延安的罪过,于是罢官离去。延安被攻破了,金人调兵奔趋环庆路,王似挑选精兵阻击于险要之地,使得金兵不能前进,所以任用了他。

壬戌(十六日),隆祐皇太后从建康登舟出发,百官在内东门告辞。皇帝还忧虑金人向南侵略,秘密告谕滕康、刘珏,令他们紧急之时,领取皇太后圣旨,从便见机行事。

癸亥(十七日),徽猷阁待制洪皓上奏疏,请求从寿春府经东京出境,吕颐浩说:"将来崔纵可能先到。"皇帝说:"现今奉命出使想像王云的那样的人,哪里容易得到?"

在此前,群盗张俊、李贵在颍上号令聚众,致使道路越发不通,提举官范溪、张锐曾经招待并慰劳他们,可随后又叛乱。洪皓到顺昌,听说贼人有的到近郊用牛、驴换买物品的,洪皓与他们相约在谯门下相见,洪皓明白开导,譬喻恰切,说:"自古就无白头贼。"贼人听后猛然醒悟,请求回去报告他们的首领。于是洪皓写书信送到他们的巢穴,张俊、李贵均听从命令,率领所领盗贼编入宿卫队。

乙丑(十九日),直龙图阁、代理东京留守判官程昌寓从京城回蔡,留守郭仲荀也率领剩下兵卒回行在,于是以直徽猷阁、京畿转运副使上官悟代理京城留守。郭仲荀走后,京都人跟随而来的以万计数,离开京都几天,才得到谷粮,从此以后京都人跟来的就再也没有了。

在此前,知唐州的滕牧为董平所驱逐,恰逢群盗八篓针王民等进犯京西,滕牧从襄阳派遣使者招降他们,全部听从命令,于是让他们返回桐柏,攻打董平。王民取道蔡州,程昌寓不接纳,王民在城东扎营两天,没有收获而离去。滕牧用王民的军队与董平交战,董平战败,捉拿通判事李祁随行。不久,滕牧迁升京西转运判官,唐州于是没有主将。京师自从上官悟留守后,命令不再得以施行,留守司名称尚存罢了。

丙寅(二十日),皇帝对大臣说:"国家财用匮乏,政务所花费之处过多。"吕颐浩说:"用兵花费财力,可称为数量巨大,无法计算,所以汉文帝不谈兵事而天下富足。"皇帝说:"用兵作战与营造宫室,最费国家财用,深可为戒。"

丁卯(二十一日),朝议大夫、京东转运判官杜时亮为秘书修撰、假资政殿学士,充任奉使大金军前使;进士宋汝为授修武郎、假武功大夫、开州刺史,辅佐杜时亮。

当时朝廷议论以为敌兵将要到来,而洪皓、崔纵又未到敌人军前,想寻找可使敌军推迟到来的人。杜时亮在宣和末年曾经为燕山路干办官,金国的许王宗杰侵入燕山,他与吕颐浩等五人都被拘捕,不久将他们释放。宋汝为是丰县人,他身长七尺有余,博闻强记,徐州被攻破时,全族一百多人都被杀死,到此时,听说金人南侵,见郡使者陈述边防事务,派往行在所在地。皇帝采纳他的意见,命令拿书信给金主请求和议,并且致书信给左副元帅宗翰,大意说:“古代有国家而迫于危亡的人,不过防守与逃亡罢了。如今防守则无人,逃亡则无地,这就是畏惧地希冀阁下怜悯并宽赦我们的原因。所以前时接连奉上书信,愿意削去旧时称号,在这天地之间,都是大金之国,而受到尊崇没有第二个能比得上,又何必有劳大军远途跋涉而后为欢快呢!”当时刘豫节制东平,吕颐浩就以这封书信给他,使宋汝为当面陈述朝廷的秘密意图。

光禄少卿范寅敷从金国来投归,诏令范寅敷到都堂接受审问。在此之前,知陕州李彦仙派遣小将赵成前往云州、朔州侦察敌情,等到返回时,考虑自己没有办法说清楚,就挟持范寅敷一起归来,到此时赴行在。赵成是正平县人。

庚午(二十四日),尊奉安置滁州端命殿太祖皇帝遗像于建康府天宁万寿观。

壬申(二十六日),皇帝对辅臣说:“高丽交纳贡品的使者即将到来。听说上皇派宦官、宫人二人来。朕听说后,一则以喜,一则以悲。朕远别二圣,已到了三年,忽然得到平安的音讯,怎能不喜?上皇应当承平久长,以天下的给养供奉一人,而那里住所衣食,一切都粗糙简陋,而朕居住深宫广殿,极不安心。况且朕父母兄弟及妻子都在远方他国,唯有一子近期也去世,朕孑然一身,当此艰难之时,所以悲伤。”话未说完,眼泪已经流下。吕颐浩说:“希望陛下稍宽怀抱,恢宏中兴大业。”周望说:“二圣忽然派使者来,南回的日期可以盼望,这必定是金人的意图。倘若不是金人的意图,几个人即使到了高丽,高丽也不会让他们回来。”

续资治通鉴卷第一百六

【原文】

宋纪一百六　起屠维作噩【己酉】闰八月,尽十二月,凡五月。

高宗受命中兴全功至德　圣神武文昭仁宪孝皇帝

建炎三年　金天会七年【己酉,1129】　闰八月,(乙)〔丁〕丑朔,诏曰:"敌人迫逐,未有宁息之期。朕若定居建康,不复移跸,与夫右趋鄂、岳,左驻吴、越,山川形势,地利人情,孰安孰否,孰利孰害?三省可示行在职事、管兵官,条具以闻。"

始,张浚建武昌之议,吕颐浩是之,有成说矣。浚行未几,江、浙士大夫摇动,颐浩遂变初议。是日,诏随驾百官及诸统制赴都堂,至晚,封进入,大率皆言:"鄂、岳道远,馈饷难继,又虑上驾一动,则江北群盗乘虚过江,东南非我有矣。"翼日,辅臣入对,上犹未觉,谓颐浩曰:"但恐封事中趣向不一。昔真宗澶渊之役,陈尧叟蜀人,则欲幸蜀,王钦若南人,则欲幸金陵,惟寇准决策亲征。人臣若不以家谋,专为国计,则无不安利矣。"然卒定东行之策。

戊寅,徽猷阁待制、知庐州胡舜陟知建康府,充沿江都制置使,集英殿修撰王羲叔副之。

先是舜陟言:"欲专治军旅,前迎大敌,以谋与战,仰护行在。"王绹曰:"舜陟语甚壮,似可托以方面。"上曰:"言未可信,须在行事。"会兵部侍郎、沿江措置使陈彦文引疾,罢为龙图阁直学士,在外宫观,乃(率)〔卒〕用之。自军兴后,淮西八郡,群盗攻蹂无全城;舜陟守庐二年,安堵如故,由是庐人德之。

丁亥,辅逵攻涟水军南寨,大掠之,杀涟水军使,朝(散)〔请〕大夫郝璘,丞、修职郎吴深,遂以其众降于淮南招抚使王璘。先是太学博士孟健,自海州率民兵数千勤王,至涟水军南寨,因留焉。逵攻之数月,及陷,健与其家皆死。后赠璘等官,录其家有差。

是日,帝召诸将,问以移跸之地。御前右军都统制张俊,御营都统制辛企宗,劝帝自鄂、岳幸长沙。左军都统制韩世忠后至,曰:"国家已失河北、山东,若又弃江、淮,更有何地!"帝乃命内侍押三人赴都堂议。帝闻俊等退避之说,殊怫然,至晚不食。戊子,吕颐浩等入奏,帝谓曰:"俊、企宗不敢战,故欲避于湖南。朕以为金人所恃者骑众耳,浙西水乡,骑虽众,不得骋也。且人心一摇,虽至川、广,恐所至皆敌国尔。"颐浩曰:"金人之谋,以陛下所至为边面。今当且战且避,但奉陛下于万全之地。臣颐浩留常、润死守。"帝曰:"朕左右岂可无宰相?"周望曰:"臣观翟兴、李彦仙辈,以溃卒群盗,犹能与金兵对垒,拒守陕、洛。臣等备位宰执,若不能死战以守,异日何颜见彦仙辈!臣实耻之。"帝曰:"张守入对,言不如留杜充建康,不可过江。"颐浩曰:"臣与王绹、周望、韩世忠议,本自如此。"帝又欲令世忠守镇江府,刘光世守太平及池州,颐浩等以为然,防淮之议遂格。

己丑,尚书右仆射、同中书门下平章事吕颐浩进左仆射,同知枢密院事杜充守右仆射,并同平章事兼御营使。充既升秩,自言中风,在告。上知其不满,且以充久司留钥,天下属望,将授以兵柄,故越次用之。制下四日,充即起视事。

武功大夫、忠州刺史、知济南府宫仪屯盘石河,数与金人战,胜负略相当。金人患之,乃宣言:"宫太尉马军五不能当我之一,然步军绝胜。"仪闻之,以为然。金人屯密州北二十里,时出兵而南,仪御之。敌佯若不胜而退,仪易之;敌伺知懈,至是引兵攻仪,马步俱进,方战,马军少却,既而分为两翼,直攻中军,仪犹不知,众遂大溃。仪与京东经略安抚制置使刘(供)〔洪〕道奔九仙山,金人又逼之,(供)〔洪〕道以馀兵二千奔海州,李逵、吴顺乃以密州降金。(供)〔洪〕道过楚州,为郭中威所败,遂至真州。诏(议)〔仪〕即真州屯驻。

淮东副总管靳赛,以所部诣御营副使刘光世降,光世因以为将,就统其军。

庚寅,起居郎胡寅上疏曰:"臣为陛下画七策为中兴之术:其一曰罢和议而修战略。盖和之所以可讲者,两地用兵,势力相敌,利害相当故也,非强弱盛衰不相侔所能成也。而其议则出于耿南仲,南仲依李邦彦,谐谑小人,不知远虑,分朋(值)〔植〕党,必欲自胜。主战伐者,李纲、种师道两人而已。(几)〔机〕会一去,国论纷然。中制河东之师,必使陷没,以伸和议之必信。二帝远去,宗族尽徙,中原涂炭,至今益甚。使其可和,则渊圣执德不回,驯致祸败,而陛下卑词厚礼,避地称臣,宜其少缓师矣,何乃累年尚无效耶? 若以为强弱绝不相侔,则自古徒步奋臂,无尺寸之地而争帝王之图者,彼何人哉! 伏望陛下明照利害之原,罢绝和议,刻意讲武,以使命之币为养兵之费,此乃晋惠公征缮立圉之策,汉高祖迎太公、吕后之谋,断而行之,庶几敌国知我有含怒必斗之志,沙漠之驾,或有还期。不然,则僻处东南,万事不竞,纳赂则孰富于京室? 纳质则孰重于二帝? 饰子女则孰多于中原之佳丽? 遣大臣则孰加于汴京之宰辅? 如此计出万全,而强敌之来日甚一日,陛下可以深长思矣。其二曰置行台以区别缓急之务。或建康,或南昌,或江陵,审择一处以安太后、六宫、百司,以耆哲谙练大臣总台,从事郎吏而下,不轻移易,其虚名无实,徒费国用之所,一切省罢。陛下奉庙社之主,提兵按行,广治军旅,周旋彼此,不为定居,惟侍从〔臣〕寮、帅〔臣〕监司、要害守牧,以时进退其贤不肖功罪之著明者。而馈饷之权,自宜专责宰相,如汉委萧何以关中,唐委刘晏以东南;经制得人,加以岁月,量入为出,何患无财! 所谓宰相之任,代天理物,扶(镇)〔颠〕持危,其责甚重,非特早朝晚见,坐政事堂,弊弊然于文具无益之末,移那阙次以处亲旧,济其私欲而已也。其三曰务实效而去虚文。大乱之后,风俗靡然,丕变之者,则在陛下。夫将帅之材,智必能谋,勇必能战。庸奴下材,本无智勇,见敌辄溃,无异于贼,赐予过度,官职逾涯,将以收其心,适足致其慢〔者〕,任将之虚文也。分屯所在,无所别择,一切安养姑息之,惟恐一夫变色,教习击刺,有如聚戏,纪律荡然,虽其将帅不敢自保者,治军之虚文也。诏音出于上,虐吏沮于下,诳以出力自保,则调发其丁夫;诱以犒设赡军,则厚哀其钱谷。弓材弩料、竹箭皮革、(于)〔干〕涉军需之具,日日征求,因缘奸弊,乃复蠲其租税,载之赦令,实不能免,苟以欺之者,爱民〔之〕虚文也。望陛下留意实效,勿爱虚文。其四曰大起天下之兵。今宿卫单弱,国威销挫,乞早勾发京师卫士赴行在,又降等杖于两浙、福建、江东、西、湖南、北、四川、二广,抽拣禁军,贡发充御营正兵,厚其月廪,精加训阅,陛下自将之。天子之军既强,则中国之变自弭。其五曰定根本。自古图王霸之业者,必定根本之地。建康固是六朝旧邦,但陛下之责,与晋元不同。陛下父兄在敌中无恙，其闻陛下登宝位也，必旦夕南望曰：'吾有子弟为中国帝王，吾之归庶有日矣！'而献谋者乃欲导陛下南狩，别求建都之所，遂无复国之心。况今河北、河东之民，久知朝廷不复顾惜；而山东、京西、淮甸，犹冀陛下未忍遽弃。若更迟延岁月，则为敌国者，所至皆然矣。臣愿陛下先命吕颐浩、杜充分部诸将过江，广斥堠，治盗贼，自以精兵二三万为舆卫，于稳密州郡速置营屋，以安存其老弱；陛下提兵渡江而北，遣使巡问父老，抚绥梃刃之馀民。至于荆、襄，规模措置，为根本之地，犹汉高之于关中，光武之于河内。况巡历往来，征伐四出，而所固守必争而勿失者，以荆、襄为重。陛下春秋方富，非如昔人白首举事，诚能坚忍耸厉，坐薪尝胆，悠久为之而不能济，陛下聪明洞照，必不谓然。其六曰选宗室之贤才者封建任使之。陛下之族，北辕者众矣，所幸免者几何？黄潜善、郑(谷)〔毂〕小人之见，为陛下以支子入继，又不缘传付之命，恐肺腑之间，不无非望之冀，必曾进言恫疑虚喝，恐动宸心。故自南都以至维扬，诛窜之形，疑忌之意，相寻继见，虽其罪戾或自贻戚，然亦恐未必尽出于治亲齐家之美意。宜渐为茅土之制，星罗棋列，以慰祖宗在天之灵，以续国家如线之绪，使仇敌知赵氏之居中国者尚如此其众，既失而复得者，非特陛下一人而已，则其横心逆谋，庶其少息。其七曰存纪纲以立国体。今万物之原，本于陛下，苟力行孝弟，则天下忠顺者来矣；好贤远佞，则天下名节者出矣；赏清白，则贪污者屏矣；崇行义，则奔竞者息矣；旌能实，则谬诞者惩矣；贵忠厚，则残刻者远矣。苟反此道，则颓波日慢，必至于糜烂而后已。至于文词之丽，言语之工，倒置是非，移易黑白，诚不宜任以为浮薄之劝也。靖康二年，著作郎颜博文佞谀张邦昌，则曰'非汤、武之干戈，同尧、舜之禅让'；及为邦昌作请罪表，则曰'仲尼从佛肸之召，本为兴周，纪信乘汉王之车，固将诳楚'；博文，近世所谓能文之士也，其操术反覆如此。故廉耻道消，四维大坏，则社稷随之，陛下有何利焉！古人称中兴之治者，曰拨乱世反之正，今日之事，反正而兴之在陛下，其遂凌迟不振，亦在陛下！"

疏入，吕颐浩恶其切直，罢之。

辛卯，命尚书右仆射杜充兼江、淮宣抚使，领行营之众十馀万守建康，留中书印付充，统制官王民、颜孝恭、孟涓、刘经、鲁珏、殿前副都指挥使郭仲荀皆隶之，又以御前前军统制王瑴为之援。御前左军〔都〕统制韩世忠为浙西制置使，守镇江府；太尉、御营副使刘光世为江东宣抚使，守太平及池州，光世仍受充节制。御营使司都统制辛企宗守吴江县，御营后军统制陈思恭守福山口，统制官王琼守常州。时仲荀虽已离京师，犹未至也。

壬寅，帝如浙西。

初，太白犯前星次，逼明堂才一舍，帝心甚惧。至是稍北，复归黄道，帝语宰执曰："天之爱君，犹父之于子，见其过告戒之，及其改则益爱之。"王绹曰："今夜必益远。"既而果然。

是日，帝发建康，遣户部侍郎叶份先按视顿递。御前右军都统制张俊、御营使司都统制辛企宗从上行。

时刘光世、韩世忠各持重兵，畏杜充严峻，论说纷纭。光世又上书言受杜充节制有不可者六，帝怒，趣令过江，且诏毋令光世入殿门。光世皇恐受命，帝喜，赐以银合汤药。

光世得杨惟忠所失空头黄敕，即以便宜复郴州编管人王德武略大夫、阁门宣赞舍人，充前军统制，德行至潭州而还。

先是邵青以舟师扰楚、泗间，后受江东帅司招安，充因以青为平江措置司水军统制。时江、浙人皆倚充为重，而充日事诛杀，殊无制御之方，识者为寒心焉。

甲辰,帝次镇江府。

乙巳,宣抚处置使张浚自建康至襄阳,留二十日,召帅守监司,令预储蓄以(侍)〔待〕帝西行。

浚方搜揽豪杰以为用,以泾州防御使、新除御营使司提举一行事务曲端在陕西,屡与敌角,欲仗其威声;承制拜端威武大将军、宣州观察使,充本司都统制。登坛,将士欢声雷动。端退,谓人曰:“使刘平子在,端安敢居此!”平子,濮阳刘铨也,靖康末,以知怀德军死事。

刘豫遣人说东京副留守上官悟,令降于金,悟斩其使;豫乃赂悟之左右乔思恭、宋颐与之同说,悟复斩之。

九月,丙午朔,日有食之。故事,日食不视朝。吕颐浩言:“今车驾巡幸,事务至繁。”乃以晚朝进呈公事。

是日,帝至登云门外阅水军。时谍报金人破登、莱、密州,且于梁山泊造舟,恐由海道以窥江、浙。初,命杜充居建康护诸将,至是辅臣言:“建康至杭州千里,至明、越又数百里,缓急禀命,恐失事机,请以左军都统制韩世忠充两浙、江、淮守御使,自镇江至苏、常界、圌山、福山诸要害处,悉以隶之。”帝曰:“未可。此曹少能深识义理,若权势稍盛,将来必与杜充争衡,止令兼圌山足矣。”

己酉,帝次常州;庚戌,次无锡县。周望言:“昨晚望天象,牛宿光明,正在东南。敌骑不渡江,第恐扰关陕、襄、邓,为五路灾尔。”帝曰:“大率皆本《晋·天文志》。本朝自祖宗禁星纬之学,故自太史外,世罕知者。金人不禁,其人往往习知之。”

辛亥,帝次平江府。

壬子,金人降单州,取兴仁府,遂破南京。守臣直徽猷阁凌唐佐为所执,金人因而用之。

癸丑,端明殿学士、签书枢密院事周望充两浙、荆、湖等路宣抚使。

时尚书左仆射吕颐浩,请自留平江督诸将拒战,而命望驻兵鄂渚以控上流。既而帝以颐浩不可去行在,乃以望为两浙宣抚使,总兵守平江府。

诏江东宣抚使刘光世移屯江州。时隆祐皇太后在南昌,议者以为自蕲、黄渡江,陆行二百馀里可至。帝忧之,遂命光世自姑孰移军,以为南昌屏蔽。

丙辰,迪功郎张邵为奉议郎、直龙图阁、假礼部尚书,充大金军前通问使;起复武翼郎杨宪为武义大夫,副之。

时将复遣使入金,邵以上书得见,因请行。邵自楚渡淮,则逢金军,遂见左监军完颜昌于昌邑,前御史中丞秦桧在焉。知莱州吴(铢)〔铢〕者,宣和间为太学生,与邵善,昌使与邵饮酒,(铢)〔铢〕颇有德色。初,邵之至军也,昌责邵礼拜,邵不从,昌怒,使人拘入昌邑。久之,宪与其从者谋欲共杀监己者,脱身来归;事泄,金人执宪,鞭之,与其徒囚祚山寨土牢,邵以不同谋得免。

高丽请入贡,诏不许。给事中兼直学士院汪藻草诏,略曰:“坏晋馆以纳车,庶无后悔;闭玉关而谢质,匪用前规。”帝大善之,以为得体。

金人攻沂州,守臣以城降。

〔壬申〕,耿静言:“太微垣(正)〔在〕午,推步今岁荧惑躔次方在己未,应至太微垣。”帝曰:“此人不深知。朕夜以星图仰张殿中,四更亲起,见其已至,昨夜已退〔二〕度半。”吕颐浩曰:“宋景出人君之言三而荧惑退舍,或者疑焉。陛下寅畏,天应之速如此,信传记之非虚也。”

甲戌，金陕西都统洛索大合兵渡渭，攻长安。是日，经略使郭炎遁去。

是秋，金元帅府复试辽国及两河学人于蔚州；辽人试词赋，河北人试经义。始用契丹三岁之制，初乡荐，（以）〔次〕府解，次省试，乃曰及第。时有士人不愿赴者，州县必根刷遣之。云中路察判张孝纯主文，得赵洞、孙九鼎诸人。九鼎，忻州人也，宣和间尝游太学，入金五年始登第。

金诏枢密院分河间、真定为河北东、西路，平阳、太原府为河东南、北路。去中山、庆源、隆德、信德、河中府名，复旧州名。去庆成军名，复旧县名。改安肃军为徐州，广信军为遂州，威胜军为沁州，顺安军为安州，永宁军为宁州，升乐寿县为乐寿州，降北平军为永平县。

青州观察使李邈，留金三年，金欲以邈知沧州，笑而不答。及髡发令下，邈愤诋之，金人以挝击其口流血，复吮血噀之。翼日，自祝发为浮屠，金人大怒，命击杀之。邈将死，颜色不变，谓行刑者曰：“愿容我辞南朝皇帝。”拜讫，南向端坐就戮，燕山之人皆为流涕。邈，清江人，家世业儒，其母，曾巩女弟弟也。后秦桧还，言其忠，赠昭化军节度使，谥忠壮。

初，宣武卒阎进，从朱弁出使，至是逃归，为逻者所获，西京留守高庆义而释之。进逃遁至三，乃见杀，进南向受刃而毙。保义郎李舟者，被拘，髡其首，舟愤懑，一夕死。

冬，十月，戊寅，帝发平江府。自渡江以来，驾后诸军多乘势为乱，至是诏驾后诸军先发，独以禁卫诸班扈跸，由是平江得安。

癸未，帝至临安府。

丙戌，执政登御舟奏事，吕颐浩曰：“陛下迩来圣容清癯，恐以艰难，圣虑焦劳所致。然愿以宗庙社稷付托之重，少宽圣抱以图中兴。”帝曰：“朕尝夜观天象，见荧惑星次稍差，食素已二十馀日，须俟复行轨道，当复常膳。”

辛卯，李成陷滁州。

先是李成攻瑯琊山寨，知滁州、中奉大夫向子伋遣僧智修持书遗成通好，且犒师，成不从，攻之益急。寨中惟有涧水，不足以供数万人之食，军中皆食炒米，多得渴疾，于是往往越城遁。鸦觜山高而逼，城成，累土运薪，填其坳处，遂与城平。是日，贼攻城，大肆杀掠，沟涧流血，成执子伋杀之，尽取强壮以充军。

壬辰，帝至越州，人居州廨，百司分寓。

戊戌，知枢密院事、宣抚处置使张浚至兴元，上奏曰：“汉中实天下形势之地，号令中原，必基于此。谨于兴元积粟理财以待巡幸，愿陛下早为西行之谋，前控六路之师，后据西川之粟，左通荆、襄之财，右出秦、陇之马，天下大计，斯可定矣。”

浚治兵兴元，欲易置陕右诸帅，乃徙端明殿学士、知熙州张深知利州，充利州路兵马钤辖、安抚使，而以明州观察使刘锡代之。于是徽猷阁直学士、知成都府卢法原去利州路兵马钤辖，不兼利路，置帅成都。帅臣不兼利路自此始。既而赵哲帅庆，刘锜帅渭，孙渥帅秦，于是诸路帅臣悉用武人矣。锜，锡弟也。

张浚又以武功大夫、忠州防御使、本司前军统制王彦为利州路兵马钤辖。浚初至汉中，问诸将以大举之策，彦曰：“陕西兵将，上下之情皆未相通，若少有不利，则五路俱失。不若且屯兵利、阆、兴、洋以固根本，若敌人来侵，则檄诸将帅互为应援以御敌，若不捷亦未至为大失也。”时浚之幕客皆轻锐，闻彦之言，相视而笑。彦以言不行求去，故浚因而授之。

是日,金人破寿春府。

时金人大起燕、云、河朔民兵南侵,又使万户尼楚赫、布尔噶苏、托卜嘉、王伯(彦)〔隆〕等将女直、渤海、汉军,以宗弼为统帅。

初,邓绍密既死,淮西提点刑狱、邠门宣赞舍人马识远代知府事。识远不开门,司法参军王尚功闻之,夜见识远,说以迎降,识远拒不可。府人藉藉言郡守有异志,识远惧不敢出,以印授通判府事、朝散郎王摅,即自为降书,启城迎拜。金人亦不入城,但邀识远至军中三日。已而以其将周企知府事,遂南行。

修武郎宋汝为奉诏副京〔东〕转运判官杜时亮使金请和,行至寿春,遇完颜宗弼军,不克与时亮会。汝为独驰入金壁,奉上国书。宗弼怒,命执之,欲加戮辱,汝为色不变,曰:"一死固不辞,然衔命出疆,愿达书吐一词,死未晚。"宗弼顾汝为不屈,遂解缚,延之坐,且问其邑里,谓左右曰:"此山东忠义士也。"以金帛酒食遗之,命引至东平见刘豫。汝为曰:"愿伏剑为南朝鬼,岂忍背主,不忠于所事!"宗弼亦感叹,遂留之军中。

庚子,金人攻黄州,守臣直龙图阁赵令峖死之。

先是张用屯光州境内,沿淮为栅,上下百里,尽收禾稼入寨中,储蓄甚富,光州患之。及敌闻隆祐皇太后驻南昌,欲自蕲、黄济,乃遣精骑五百直攻其寨,用之众数万悉奔散,金人遂焚用积聚,径趋黄州。敌之未至也,令峖以内艰去,诏移州治武昌县,命下而令峖起复。前一日辰刻,敌攻黄州,守衔军校晏兴得其木笴凿头箭,遣军士潘明浮江白令峖,令峖视之,惊曰:"金兵也。"夜半,以官军渡江入黄。金人治兵攻城,翼日,城破,令峖在西壁被执。金犹欲降之,令峖大骂曰:"汝辈杀害生灵,我虽死不屈。"金人饮以酒,令峖挥之,又衣以战袍,令峖骂不绝口,遂敲杀之。兵马都监王达、军事判官吴源、巡检刘卓,皆为所杀。令峖守黄逾再岁,群盗李成、丁进、张遇、贵仲正之徒俱不能犯,至是卒以节死。事闻,赠徽猷阁待制,谥曰忠愍。

辛丑,张浚承制以朝请郎、同主管川陕茶马盐牧公事赵开兼宣抚司随军转运使,专一统领四川财赋。开言:"蜀民已困,惟榷率尚有盈馀,而贪猾认以为己私。惟不恤怨詈,断而行之,庶救一时之急。"浚以为然,于是大变酒法。自成都始,先罢公帑,卖公给酒,即旧扑买坊场所置隔槽,听民以米赴官自酿。每一斛,输钱三千,头子钱二十二,多寡不限数。明年,遂遍四路行其法。夔路旧无禁酒,开始榷之。旧四川酒课岁为钱一百四十万缗,自是递增至六百九十馀万缗。

是日,金人自黄州济江。

初,金人得岸下小舟,其数不多,乃毁民居为筏,以舟引之而行。集英殿修撰、荆湖沿江措置副使王羲叔,闻敌逼黄州,引舟遁去。金人遂渡江,凡三日,济江尽绝。时江东宣抚使刘光世在江州,日与朝奉大夫韩梠置酒高会,无有知敌至者。比知之,以为蕲、黄间小盗,遣前军统制王德拒之于兴国军,始知为金人至,遂遁。梠,粹彦子,宣和末为户部侍郎,责黄州安置。于是金人自大冶县径趋洪州。

癸卯,李邺被旨造明举甲,每副工料之费凡八千缗有奇。帝召大将张俊、辛企宗示之曰:"是甲分毫以上,皆生民膏血,若弃掷一甲叶,是弃生民方寸之肤。诸军用之,当思爱惜。"时王绹在侧,曰:"陛下爱民如此,凡百臣下,当体此意。"

是月,盗入宿州,保义郎、权通判州事盛修己守节不屈,为所害。久之,州人为之请,遂赠武翼郎、阁门宣赞舍人,封表其墓。

十一月,乙巳朔,金人攻庐州,守臣徽猷阁直学士、淮南西路安抚使李会以城降。

先是王善自淮宁分军由宿、亳而南,无驻兵之地,遂犯庐州,闻金人至,乃移屯于巢县,既又以其众降。金遂拘善于军中,尽散其众。其将祝友、张渊辈各以所部行,自是两淮皆被善馀党之扰矣。

初,阁门宣赞舍人韩世清在蕲州,州人请以为兵马钤辖,帝许之,仍以世清兼蕲、黄、光、江州、兴国军都巡检使。世清闻金渡江,是日,将吏会于州治。世清有酒,即取黄衣,被兵马钤辖赵令晙于东厅,俾令晙即皇帝位。令晙号呼不听,褫其黄衣。知蕲州、朝请郎甄采等共劝之,世清乃止。

丁未,以帝至越州,命释诸路徒以下囚,罢邠州岁贡火箸、襄阳漆器、象州藤合、扬州照子之属。

初,未行钞盐以前,两浙民户,每丁官给蚕盐一斛,令民输钱一百六十六,谓之"丁盐钱"。皇祐中,许民以绸绢从时价折纳,谓之"丁绢"。自行钞法后,官不给盐,每丁增钱为三百六十,谓之"身丁钱"。大观中,始令三丁输绢一匹,时绢直犹贱,未有陪费。其后物价益贵,乃令民每丁输绢一丈,绵一两。军兴丁少,遂均科之,民甚以为患。至是听五等下户以为半折帛、半纳见钱。于是岁为绢二十四万匹,绵百万两,钱二十四万缗。

勘会宋齐愈所犯当置于法,然已经大赦,只缘憎爱之私,致抵极刑,可追复通直郎,仍与一子恩泽。勘会责授(军)〔单〕州团练副使、昌化军安置李纲,罪在不赦,更不放还,缘累经恩赦,特许自便。纲行至琼州而还。

初,京西制置使程千秋既军襄阳,有剧盗曹端者,自京城聚众,扰于京西,号"曹火星",千秋遣人招之,屯于城下。是时桑仲在唐州,尽取强壮为兵,唐州之民在桐柏者,先为董平攒集;其不属平者,进退无所依,皆尽室归仲。仲之众渐盛,遂自光化军而南;千秋亦招之,屯汉水之北。始,范琼讨李孝忠,至襄阳,留五百兵戍守,使东南第五将徐彦领之。仲故识彦,遗以刀,千秋怒其通寇。是日南至,诸将入贺,酒三行,千秋叱彦起,数其与仲通书之罪,遂斩之。仲怒,引兵犯襄阳,千秋命端出师,并檄知邓州谭充为援。端与仲遇于高车,急击之,仲败,稍引退。会充遣骑兵策应,千秋赏其精锐,端愊,遂率众军于中庐、南漳之间。仲谍知,整众复进,至亭罗冈,与马军遇。冈地坡仰而有低林,非骑兵之利,邓州兵大败,仲进薄襄阳。千秋公安亲随兵,未尝历行陈,皆轻跳,欲出战,千秋不许,至于再三,乃令战。亲随兵无器甲,仲以马军数百伏路两傍,俟其过未尽,即突出,大呼令坐,以棍杖次第敲杀之;统制官贵仲〔正〕等闻之,遁去。千秋弃城奔中庐,仲遂据襄阳。千秋密遣人说端裨将王辟使杀端,端军多溃;惟后军李忠寨差远独不散,自称权京西南路副总管,与其徒(寇)〔冠〕白巾,声言为端报仇。千秋不可居,乃自金州入蜀。贵(正仲)〔仲正〕以溃卒寇荆南,兵马钤辖、武功郎渠成与战,杀之。提点刑狱公事李允文在郢,亦不能守,引所部往鄂州。于是京西列城皆为仲所据。

戊申,金宗弼攻和州,守臣李俦以城降。

时奉使崔纵从行官属卢伸自北逃归,宗弼得归朝官程晖,令携招降书,与伸皆赴行在。

己酉,宣抚处置使张浚,以便宜增印钱引一百万缗以助军食,其后八年间,累增二千五十四万缗。浚又置钱引务于秦州,以佐边用。

是日,金人破无为军,守臣朝散大夫李知几挈其帑藏与其民俱渡江南归,历阳县丞王之道率遗民据山泽以守。之道,无为人也。

庚戌,金人攻采石渡,知太平州郭伟率将士拒敌,败之;翼日,又败之。金人退,攻芜湖,伟又败之,金人趋马家渡。

壬子,隆祐皇太后退保虔州。

前数日,江西转运司得报,敌骑至大冶县,未辨虚实。会江东宣抚使刘光世驰轻骑以闻,翼日,乃知敌至。滕康、刘珏共议奉太后及近上妃嫔陆行,馀皆舟行,百官从便路起发。集英殿修撰、江西安抚制置使、知洪州王子献,弃城遁走抚州,众推土人朝请郎李积中权州事。于是中书舍人李公彦、徽猷阁待制、权兵部侍郎李擢皆遁,司勋员外郎冯楫匿庐山佛舍,郎官以下多潜去者。既而楫贻书光世,劝以出兵掩敌,大略言:"金人深入,最兵家之忌。又进则拒山,退则背江,百无一利。而敢如此横行者,以前无抗拒,后无袭逐,如入无人之境,故无所忌惮,非敌之能也。观村人之强壮者尚敢与之敌,其间胜负亦或相半,岂有国家素练之兵,反不如者?但望风畏之耳,实不足畏也。太尉傥选精兵万人,厚立赏格,自将而来洪州等处援救,开一路令归,伏兵于前而掩之,可使匹马不还。"光世不能用。

丁巳,金人破六合县,又破临江军,守臣中奉大夫、直秘阁吴将之遁去。将之,吴兴人也。

〔戊午〕,金人攻洪州,权知州事李积中以城降。

贼刘忠犯蕲州,蕲、黄都巡检使韩世清与战,破之,忠遂转入湖南。

庚申,金人破真州,守臣向子忞弃城保沙上,其所携金帛,悉为韩世(清)〔忠〕所夺。

辛酉,隆祐皇太后至吉州。

壬戌,金人自马家渡济江。

初,完颜宗弼既破和州,与叛将李成同攻乌江县,尚书右仆射、江淮宣抚使杜充在建康,谍言成师老可击,充遽遣兵,而金师已大入。充闻金且至,以其兵六万人列戍江南岸,而闭门不出,统制官岳飞泣谏,请视师,充不从。会将官张超失守,金人遂过江,充急遣都统制陈淬率飞及刘纲等十七人将兵三万人与战,又命御营前军统制王𤫙以所部万三千人往援。金人攻溧水县,尉潘振死之。

癸亥,保宁军承宣使、主管侍卫步军司公事间勍,奉迎祖宗神御至越州,诏奉安于天庆观。

甲子,陈淬与宗弼遇于马家渡,凡战十馀合,胜负略相当。王𤫙引西兵先遁,淬孤军力不能敌,还屯蒋山。水军统制邵青以一舟十八人当金人于江中,舟师张青中十七矢,遂退于竹箪港,统赤心队朝请郎刘晏所部走常州。浙西制置使韩世忠在镇江,悉所储之资,尽装海舶,焚其城郭。既闻金人南渡,即引舟之江阴,知江阴军胡纺厚待之。

先是𤫙部将辅逵在东阳,被檄策应,𤫙与逵中途,曰:"已失渡口。"遂与逵引其军自信州入闽,所过大扰。

丁卯,金人攻吉州,知州事直龙图阁杨渊弃城去。

隆祐皇太后离吉州,至争米市。金人遣兵追御舟,有见金人于市,乃解维夜行,质明,至太和县。舟人耿信及龙神卫四厢都指挥使杨惟忠所领卫兵万人皆溃,其将傅选、司全、胡友、马琳、杨皋、赵万、王琏、柴卞、张拟等九人,悉去为盗,乘舆服御物皆弃之,钦先孝思殿神御颇有失者。内藏库南廊金帛,为盗所攘,计直数百万,宫人失一百六十人。惟忠与权知三省枢密院滕康、刘珏皆窜山谷中，兵卫不满百，从者惟中官何渐、使臣王公济、快行张明而已。金人追至太和县，太后乃自万安舍舟而陆，遂幸虔州。后及潘贤妃皆以农夫肩舆，宫人死者甚众。

从事郎、三省枢密院干办官刘德老，亦为敌所杀，后官其家一人。先是康、珏为干办官汪若海、何大圭所间，二人不和，遂有兵火之祸。溃兵之作乱也，知永丰县、承议郎赵训之、尉、修职郎陈自仁为所害。后赠训之直秘阁，自仁通直郎。

时金分兵攻抚州，守臣王仲山以城降，金以其子权知州事，令括管内金银赴洪州送纳。及攻袁州，守臣显谟阁侍制王仲嶷亦降。仲山，珪子；仲嶷，仲山兄也。

金人攻六安军，知军事边琪降，金人遣北军三百人屯城中，不杀不掠。已又破建平县。

己巳，帝发越州，次钱清堰，夜，得杜充败书。帝如浙西迎敌，侍御史赵鼎力谏，以为众寡不敌，不若为退避之计。帝谓吕颐浩曰："事迫矣，若何？"颐浩曰："金人以骑兵取胜，今銮舆一行，皇族、百司官吏、兵卫、家小甚众，皆陆行山险之路，粮运不给，必致生变。兼金人既渡浙江，必分遣轻骑追袭。今若车驾乘海舟以避敌，既登海舟之后，敌骑必不能袭我，浙江地热，敌亦不能久留。俟其退去，复还二浙，彼入我出，彼出我入，此正兵家之奇也。"帝沈吟久之，曰："此事可行，卿等熟议。来日，召侍从、台谏至都堂，参议可否。"庚午，帝还越州，遂定策航海，乃移四明。颐浩奏令从官已下各从便去，帝曰："士大夫当知义理，岂可不扈从！若如此，则朕所至，乃同寇盗耳。"于是郎官已下，或留越，或径归者多矣。

辛未，金人破建康。

初，宗弼既济江，士马皆集，遂鼓行逼城下。户部尚书李梲与显谟阁直学士、沿江都制置使陈邦光具降状，遣人即十里亭投之。宗弼喜曰："金陵不烦攻击，大事成矣！"

宗弼入建康，邦光率官属出门迎拜，通判府事、奉议郎杨邦乂不从，大书其衣曰："宁作赵氏鬼，不为它邦臣。"既见，邦乂独不拜。遣人诱以官，以首触阶求死，宗弼不能屈。

居民争出城，取蒋山路而去。金人驰骑往蒋山遮其路，约居民复回城中。

癸酉，帝发越州。

是日，金人攻建昌军。

先是金既破抚州，遣人赍檄谕降。守臣方昭，虑为军民所胁，以印授承事郎、通判军事晁公迈而去。未几，公迈亦以募兵为词而出，众推承信郎、兵马监押蔡延世以守。

公迈，任城人，尝为少府监主簿。延世，建昌人，本太学诸生。先是金人既入洪，遣十人持檄至城下，延世尽斩之。及是敌兵临城，问十人所在，延世示之以其首。金人怒，求战，延世击却之。公迈归，延世拒不纳，遂领军事。公迈坐罢去。

甲戌，奉议郎、通判建康府杨邦乂为金人所杀。

前一日，金帅与李梲、陈邦光燕，乐方作，召邦乂立堂下。邦乂见梲、邦光，叱之。宗弼再引邦乂，邦乂不胜愤，遥望大骂，宗弼大怒，击杀之，剖腹，取其心。邦乂死年四十四，初赠直秘阁，官其二子，赐田二顷。后谥忠襄。

十二月，戊寅，徽猷阁待制、知镇江府兼浙西安抚使胡唐老为军贼戚方所杀。

方勇悍善射，初为教骏卒，军兴，盗起，在九朵花行伍中，未知名。方杀其首人，遂率众赴建康，归杜充，充以为准备将。建康失利，诸军皆散，方率溃卒数千走金坛县。时镇江无兵，独倚浙西制置使韩世忠军为重。世忠既去，唐老力不能拒。因抚定之。方欲引兵犯临安，妄言赴行在，请唐老部众以行，唐老不从，为所害，主管安抚司机宜文字、迪功郎郑凝之亦以兵死。后赠唐老徽猷阁直学士，谥定愍，官凝之家一人。

己卯，帝次明州。提领海船张公裕奏已得千舟，帝甚喜。王绹曰："岂非天邪！"先是监察御史林之平，自春初遣诣泉、福召募闽、广海舟，为防托之计，故大舟自闽中至者二百馀艘，遂获善济。

辛巳，金人破广德军。

时宗弼既得建康，区处已定，乃率众自溧水路径趋临安，道路之人，但知溃卒为乱，不虞金人之至也。金游骑至广德军，周烈遣人迎之，且许其犒军，约以毋扰，宗弼许之。俄顷，传箭至，招其投拜，烈大惊，索马而奔，遂破其城，烈为金人所杀。

壬午，金人攻安吉县，知县事曾绰聚乡兵往石郭守隘，或视其矢曰："金人也。"乡兵皆弃纸甲竹枪而遁。金人入县，遂焚之。

江淮宣抚司溃卒李选，号"铁爪鹰"，与其徒数千攻陷镇江府。

是日，定议航海避敌。执政请每舟载六十卫士，人不得过两口，卫士皆曰："我有父母，有妻子，不知两者如何去留？"诉于主管禁卫入内内侍省都知陈宥，宥不能决。宰相吕颐浩入朝，卫士张宝等百馀人遮道，问以欲乘海舟何往，因出语不逊，颐浩诘之曰："班直平日教阅，何尝有两箭上贴！今日之事，谁为国家死战者？"众欲杀颐浩，参知政事范宗尹曰："此岂可以口舌争？"引其裾入殿门。门闭，众不得入。帝谓辅臣曰："闻人事纷纷，不欲入海，缓急之际，岂可如二圣不避敌，坐贻大祸。今以御笔谕之。"颐浩与参知政事王绹捧御案近御座前，上御翰墨抚谕中军，人情稍定，遂三呼于殿门外。帝密谕宰执曰："此辈欲沮大事，朕今夕伏中军甲士五百人于后苑，卿等翼日率中军入朝，捕为首者诛之。"颐浩退，密谕中军统制辛企宗及亲军将姚端，令为之备。

癸未，执政早朝，命御营使司参议官刘洪道部兵在宫门防变，而中军及姚端已整娖于行宫门外。二府引中军入，遇其宿兵卫，皆擒之。其徒惊溃，或升屋，或逾墙遁去。帝自便殿御介胄，引伏兵出，弯弓手发二矢，中二人，坠于屋下。其众骇惧，悉就擒。帝命召颐浩至都堂，诘为首者以奏，其馀皆囚之。

甲申，诛卫士张宝等十七人于明州市。

乙酉，金宗弼攻临安府，钱塘令朱跸率民兵迎战，伤甚，犹叱左右负己击敌。守臣浙西同安抚使康允之，未知为金人，遣将迎敌于湖州市，得二级，允之视之曰："金人也！"遂弃城遁，保赭山。时直显谟阁刘海自楚州赴召，在城中，军民推之以守。

己丑，帝如定海县，御楼船，诏止以亲军三千馀人自随，百官有司，随便寓浙东诸郡。时上既废诸班直，独神武中军辛永宗有众数千，而御营使吕颐浩之亲兵将姚端众最盛，上皆优遇之。晚朝，二府登舟奏事，参知政事范宗尹曰："敌骑虽百万，必不能追袭，可以免祸矣。"上曰："惟断乃成此事也。"

诏行在诸军支雪寒钱。自是遂为故事。

是日，金人破临安府。

初，宗弼既围城，遣前知和州李俦入城招谕。俦与权府事刘海善，至是服金衣冠而来，二

人执手而言，俦欷歔不能止。有唱言海欲以城降金者，军民因杀海。是晚，城破，钱塘令朱跸在天竺山，亦遇害。宗弼留杭州，遣将追袭。

庚寅，扈从泛海者，宰执外惟御史中丞赵鼎、右谏议大夫富直柔、权户部侍郎叶份、中书舍人李正民、綦密礼、太常少卿陈戬六人，而昕夕密卫于舟中者，御营都统制辛企宗兄弟而已。时留者有兵火之虞，去者有风涛之患，皆面无人色。

辛卯，帝次定海县。癸巳，帝至昌国县。

甲午，右监门卫大将军、眉州防御使、知南外宗正事士樽言："自镇江募海舟，载宗子及其妇女三百四十馀人至泉州避兵，乞下泉州应副请给。"许之。于是秘阁修撰、知西外宗正事令廌，亦自泰州、高邮军〔迁〕宗子等百八十人至福州避兵，(而已)〔已而〕又移潮州。

乙未，金人屠洪州。

丙申，浙西制置使韩世忠以前军驻通惠镇，中军驻江湾，后军驻海口。世忠知金人不能久，大治战舰，俟其归而击之。

浙东制置使张俊，自越州引兵至明州。俊军士在明州颇肆卤掠，时城中居民少，遂出城以清野为名，环城三十里皆遭其焚劫。

资政殿学士、新知鼎州范致虚薨于岳州。

戊戌，金人破越州。

初，两浙宣抚副使郭仲荀在越州，闻敌破临安，遂乘海舟潜遁。知越州、充两浙东路安抚使李邺，遣兵邀于浙江，三捷。既而众寡不敌，邺乃用主管机宜文字、宣教郎袁潭计，遣人赍书降。

敌引兵入城，以巴哩巴为守。亲事官唐琦，袖石击巴哩巴不中，诘之，答曰："欲碎尔首，死为赵氏鬼耳！"巴哩巴曰："汝杀我奚益，胡不率众救汝主？"琦曰："在是汝为尊，故欲杀汝耳。"巴哩巴叹曰："使人人如此，赵氏岂至是哉！"琦顾邺曰："汝享国厚恩，今若此，非人也！"声色俱厉，不少屈。巴哩巴杀之。后为立祠，名旌忠。

初，邺之降也，提点刑狱公事王翿遁居城外，寮吏皆迎拜。朝散郎、新通判温州曾忞监三江寨，独拒敌不屈。敌驱翿至城内，执忞，并其家杀之，惟稚子崈得免。忞，悬兄也。事平，特命忞弟怤及崈以官。

金宗弼使富勒浑追南师，及于会稽之东关，败之，遂渡曹娥江。

己亥，徽猷阁直学士、知平江府汤东野，奏杜充自真州至天长军，与刘位、赵立会合。

先是立以右武大夫、忠州刺史知徐州，朝廷闻金人入侵，诏诸路兵援行在。立以徐州城孤，且乏粮，不可守，乃率亲兵、禁、民兵约三万人南归。会知楚州刘诲已赴召，宣抚使杜充以楚州阙守，命立率所部赴之。

立至临淮，被充之命，兼程至龟山。时金左监军完颜昌围楚州急，立斩刈道路乃能行。至淮阴，与敌遇，其下以山阳不可往，劝立归彭城，立奋怒，嚼其齿曰："正欲与金人相杀，何谓不可！"乃令诸将曰："回顾者斩！"于是率众先登，自旦至暮，且战且行，出没敌中，凡七破敌，无有当其锋者，遂得以数千人入城，而后军孟(城)〔成〕、张庆，皆以所部渡淮北去。方其入城也，立口中流矢，贯其两颊，口不能言，以手指挥，军士皆憩而拔其矢。立之未至也，通判州事、直秘阁贾敦诗欲以城降，至是乃止。

李邺之未降也，上奏，言金分兵自诸暨趋嵊县，径入明州。是日奏至，乃议移舟之温、台以避之。

庚子，帝发昌国县。

先是金分兵攻馀姚，知县事李颖士募乡兵数千，列旗帜以捍敌，把隘官陈彦助之。金人既不知其地势，又不测兵之多寡，为之彷徨不敢进者一昼夜，由是帝得以登舟航海。进颖士两官，擢通判越州。

癸卯，浙东制置使张俊与金人战于明州，败之。

先是金兵追袭至城下，俊遣统制官刘宝战于高桥，兵少却，其将党用、邱横死之。统制官杨沂中、田师中、统领官赵密皆殊死战，主管殿前司公事李质率所部以舟师来助，知州事刘洪道率舟兵射其（榜）〔傍〕，遂败之。金人自城下呼请遣人至寨中计事，俊令小校徐姓往。敌释甲与语，欲招之降，俊拒之。

是月，隆祐皇太后命统制官杨琪军临江军，张忠彦屯吉州，以为行宫声援。

金陕西诸路都统洛索将数万众围陕府，守将李彦仙悉力拒之。

初，彦仙在陕，增陴浚隍，利器械，积粮食，鼓士气，且战且守，人心益坚固可用。又尝渡河与金人战蒲、解间，民皆阳从金人而阴归彦仙。敌必欲下陕州，然后并力西向。彦仙亦自料金人必并兵来攻，即遣人诣宣抚处置使张浚求三千骑，俟金人攻陕，即空城渡河，趋晋、绛、并、汾，捣其心腹，金人必自救，乃由岚、石西渡河，道鄜、延以归，浚不从。浚贻书劝彦仙空城清野，据嵌保聚，俾敌无所掠，我亦无伤，俟隙而动，庶乎功成，彦仙亦不从，守城之意益坚。至是洛索、尼楚赫及知府州折可求合兵来攻，彦仙以死拒之，且告急于浚。

李成知金人已南渡，自滁州率众往淮西。时成之党周虎据芜湖，水军统制邵青与战，一日七败。参议魏矅，以小舟观战于中流，既而告青曰：“吾知所以胜矣，彼以红巾软缠，与我之号同，与我战则不能分彼我，所以必败。宜易其号，则胜矣。”青然之，乃令其徒更作钻风角子，一战胜虎，青遂据芜湖。

初，杜充之众既溃，其统制官岳飞、刘经，自芳山引众入广德军。后军扈成驻于金坛县，为戚方所杀。

【译文】

宋纪一百六　起己酉年（公元 1129 年）八月，止十二月，共五月。

建炎三年　金天会七年（公元 1129 年）

闰八月，丁丑朔（初一），高宗下诏说：“敌人逼迫追逐，没有宁息的时候。朕如果定居建康，不再转移驻跸地，与向右奔赴鄂州、岳州，向左驻跸吴、越之地，山川形势，地利人情，哪里安全哪里不安全，哪里有利哪里有害？三省可以告示行在的职事官、管兵官，分条陈述以奏闻。”

起初，张浚提出在武昌建都的建议，吕颐浩同意此建议，已有定说。张浚出行不久，江、浙士大夫动摇不定，吕颐浩于是改变了当初的意见。这一天，诏令跟随皇帝的百官和各统制前往都堂，到了晚上，密封奏章呈上，大概都说：“鄂州、岳州路远，粮饷供给难以跟上，又担心皇上一动，那么江北群盗就会乘虚过江，东南就非我所有了。”第二天，辅臣入朝奏对，皇上还没有看封章，对吕颐浩说：“只恐怕所上的封章中意见不一致。以前真宗时的澶渊一役，陈尧叟是蜀人，就希望巡幸蜀地，王钦若是南人，就希望巡幸金陵，唯有寇准决策亲征。作臣子如果不以自家为谋，专心为国家出计献策，就无不平安有利了。”然而最终确定了东行的策略。

戊寅（初二），徽猷阁待制、知庐州胡舜陟被任命为知建康府，充任沿江都制置使，集英殿修撰王羲叔充任副使。

在这之前胡舜陟上言："希望专心整治军队，向前迎候大敌，以谋划与他们作战，保护行在。"王绹说："胡舜陟豪言壮语，似可以委托他独当一面。"高宗说："言语未必可信，必须在于行动。"适逢兵部侍郎、沿江措置使陈彦文声称有病请求辞去，罢为龙图阁直学士，在外地任宫观官，于是终于起用胡舜陟。自从战事兴起以后，淮西八郡，群盗攻夺蹂躏已没有完整的城池；胡舜陟任知庐州二年，安然如故，因此庐州人感激他。

丁亥（十一日），辅逵攻打涟水军南寨，大肆掳掠，杀了涟水军使、朝请大夫郝璘及涟水丞、修职郎吴深，于是率领他的兵众投降了淮南招抚使王瓒。先前太学博士孟健，从海州率领民兵数千人勤王，到达涟水军南寨，因而留驻在那里。辅逵攻打涟水军几个月，到涟水寨被攻破后，孟健及其家人都被杀死。后来朝廷追赠郝璘等人官职，录用他们的家人不等。

这一天，高宗召集各将，询问转移驻跸的地方。御前右军都统制张俊，御营都统制辛企宗，劝高宗从鄂州、岳州巡幸长沙。左军都统制韩世忠后到，说："国家已丧失河北、山东，如果又放弃江、淮地区，还有什么地方！"高宗于是命令内侍督促三人到都堂议事。高宗听到张俊等人退避敌人的说法，很不高兴，到了晚上也不进食。戊子（十二日），吕颐浩等人入朝奏对，高宗对他们说："张俊、辛企宗不敢作战，所以准备退避到湖南。朕以为金人所依恃的是骑兵众多罢了，浙西是水乡，骑兵虽然众多，也不能驰骋。况且人心一旦动摇，即便到了川、广，恐怕所到之处都是敌国了。"吕颐浩说："金人的计谋，以陛下所到之处为边界。现在应当且战且避，只奉送陛下到万全之地。臣吕颐浩留在常州、润州死守。"高宗说："朕的左右怎能没有宰相？"周望说："臣观察翟兴、李彦仙等人，以溃兵群盗，还能与金兵对垒，拒守陕、洛。臣等充数列于宰执大臣之位，如果不能拼死力战而守卫，将来有何面目见李彦仙等人！臣实在是以此为耻辱。"高宗说："张守入对时，说不如留下杜充镇守建康，不可以渡过长江。"吕颐浩说："臣与王绹、周望、韩世忠商议，本来是这样的。"高宗又想让韩世忠守镇江府，刘光世守太平州及池州，吕颐浩等人认为可以，防守淮河的计议于是搁置。

己丑（十三日），尚书右仆射、同中书门下平章事吕颐浩晋升为左仆射，同知枢密院事杜充守右仆射，并同平章事兼御营使。杜充升官后，自称中风，在告假期内。皇上知道杜充不满意，而且因为杜充久任留守，为天下所瞩目期望，将要授予他兵权，所以越级任用他。制书下达四天，杜充就上任理事了。

武功大夫、忠州刺史、知济南府宫仪驻扎在盘石河，几次与金兵作战，胜负大致相当。金人害怕他，于是宣称："宫太尉的马军五个不能抵挡我军一个，然而步军绝对能胜。"宫仪听到后，认为是这样。金人驻扎在密州北面二十里地，时时出兵南下，宫仪出兵抵抗。敌人佯装不胜而退，宫仪轻视敌人；敌人探知宫仪松懈了，这时才领兵攻打宫仪，马军步军一齐推进，刚接战，金人的马军稍做退却，不久分为两翼，直攻宫仪中军，宫仪还不知道，兵众于是大败。宫仪与京东经略安抚制置使刘洪道奔赴九仙山，金人又逼近他们，刘洪道率领残兵二千人奔赴海州，李逵、吴顺于是献出密州投降金人。刘洪道经过楚州，被郭仲威打败，于是到达真州。高宗诏令宫仪到真州驻守。

淮东副总管靳赛，率领所部到御营副使刘光世处投降，刘光世就任命他为将，留下来统领他的军队。

庚寅（十四日），起居郎胡寅上疏说："臣为陛下谋划了七项策略作为中兴的手段：其一是停罢和议而研习战略。和之所以可以讲，是因为双方用兵，势力相敌，利害相当的缘故，不是强弱盛衰不相等同所能造成的。而和议的主张刚出于耿南仲，耿南仲依附于李邦彦，是一个诙谐逗趣的小人，不知道深谋远虑，分别亲朋培植党羽，必定想自己得胜。主张抗战讨伐的，只有李纲、种师道两人而已。机会一旦失去，国家议论纷纷，其中有人制约河东的军队，一定要使之陷没，以说明和议的必然可信。二位皇帝远远离去，宗族全都迁徙北方，中原百姓涂炭，至今更加严重。假使可以和谈，则渊圣皇帝坚守仁德而不回，逐渐导致祸乱失败，而陛下卑恭言词厚纳礼物，退避他处向北称臣，应当使他们稍缓出师了，为何竟多年还没有效果呢？如果以为双方强弱绝不相等，则自古徒步振臂，没有尺寸之地而争夺帝王之位的图谋者，他们是些什么人呢！臣敬望陛下明察利害的原委，停罢拒绝和议，刻意讲求武备，把出使的费用作为养兵的费用，这就是晋惠公征税治军立太子圉为国君的计策，汉高祖迎接太公、吕后的谋略，断然而施行，或许使敌国知道我方有含忿必斗的志向，远在沙漠中的皇帝，或许还有回来的日期。不然，则偏居东南，万事不争，缴纳贿赂则谁比京城皇室丰厚？缴纳人质则谁比二位皇帝重要？装饰子女则哪里能多于中原的佳丽？派遣大臣则谁能超过汴京的宰辅大臣？如此计出万全，而强敌的来犯日甚一日，陛下可以深思长虑了。其二是设置行台以区别缓急的事务。或建康，或南昌，或江陵，审慎选择一处以安置太后、六宫、百官，以年老才高熟悉事务的大臣总领行台，从事郎吏以下的官吏，不轻易改换，那些虚名无实、白白浪费国家资财的机构，一律裁减停罢。陛下尊奉庙社的神主，提领大军巡行，大力治理军队，应酬于彼此之间，不做固定的居处，只对待从臣僚、帅臣监司、重要的知州知府，按时提升和贬退其中的贤能和不称职的功劳和罪过显著明白的人。而供给粮饷的权力，自然应当专门责成宰相负责，如汉朝将关中委托给萧何，唐代将东南委托给刘晏；经略节制用人得当，加上每年每月，估量收入而制定支出，怎么会担心没有资财！所谓宰相的任务，就是代替天子治理万物，扶持颠倒倾危，其责任十分重大，不只是早晚朝见皇帝，坐在政事堂，辛苦困顿于没有实际内容的空文末事，移挪空缺以安置他的亲朋故友，满足他的私欲而已。其三是务求实效而屏去虚文。大乱之后，风俗败坏，彻底改变这种状况，则在于陛下。将帅的才能，聪明必能谋划，勇敢必能作战。庸劣的下等之材，本来没有智慧和勇敢，看到敌人就立即溃败，无异乎盗贼，而对他们的赐予超过限度，任命官职超越常规，将用以收敛他们的心，恰恰足以导致他们的怠慢，这就是任用将领的虚文。分别驻扎在所在地，没有别的选择，一切都安于给养而姑息他们，唯恐一人改变脸色，教练出去刺杀，有如聚众游戏，纪律荡然无存，即使他们的将帅也不敢自保，这就是治军的虚文。诏令德音出于皇上，残暴的官吏在下面败坏，欺骗朝廷而出力自保，则调发丁夫；引诱朝廷而设置犒赏供给军队，则厚重地聚敛钱粮。制造弓弩的材料、竹箭皮革，涉及军需的器具，天天征求，乘机徇私舞弊，于是又将免除的租税，记录在赦令中，实际并不能免去，苟且以欺骗他们，这就是爱民的虚文。希望陛下留意实效，不爱虚文。其四是大起天下之兵。现在禁卫军单薄软弱，国威受到销挫，乞求早日调发京师卫士前往行在，再降测量身高的等杖于两浙、福建、江东、江西、湖南、湖北、四川、两广地区，抽选禁军，进献调发充任御营正兵，每月供给优厚的粮食，精心加以训练检阅，由陛下亲自统帅他们。天子的军队既已强大，那么中国的变乱就自然消弭。其五是确定根本。自古争图王霸大业的人，必然确定根本之地。建康固然是六朝旧都，但陛下的责任，与晋元帝不同。陛下的父兄在敌人那里安然无恙，他们听到陛下登上帝位，必然早晚遥望南方说：'我有子弟为中国的帝王,我的归返差不多有日期了!'而进献谋略的人却想引导陛下向南巡狩,另求建都的地方,于是就没有了复国的心志。况且现在河北、河东的百姓,久已知道朝廷不再顾惜他们;而山东、京西、淮甸的百姓,还盼望陛下不要忍心仓促丢弃他们。如果还要拖延岁月,那么成为敌国的地方,所到之处都会一样了。臣希望陛下先命令吕颐浩、杜充分别布置各将过江,广设侦探,整治盗贼,亲自率领精兵二三万人作为护卫,在安稳平静的州郡迅速设置营房,以安抚那里的老弱百姓;陛下统兵渡江北进,派遣使臣巡视慰问父老,安抚手拿棍棒刀枪的剩余百姓。至于荆、襄规划筹措,作为根本之地,就像汉高祖在关中,汉光武在河内。况且往来巡行,四出征伐,而所固守必争而不能丧失的,以荆、襄为重。陛下春秋鼎盛,不像前人那样白首起事,实在是能够坚忍劝勉,卧薪尝胆,长久这样做而不能成功,陛下聪明洞察,必定不会是这样的。其六是选择宗室的贤才之人封建藩国而任用他们。陛下的亲族,北迁的人多了,所幸免的又有几个人? 黄潜善、郑毅以小人之见,认为陛下以庶子入继大统,又没有传位交付的命令,恐怕皇上的近亲之间,不会没有人怀有非分的期望,他们必定曾进言虚张声势恐吓威胁,恐怕震动陛下的内心。所以从南都到维扬,诛杀流窜的迹象,怀疑猜忌的意图,相隔不久就会相继出现,虽然他们的罪戾或许是自寻悲戚,然而也恐怕未必完全出于治亲齐家的美意。应当逐渐建立分封藩国的制度,星罗棋布,以告慰祖宗的在天之灵,以延续国家如线一样的世系,使仇敌知道赵氏所居的中国还有如此众多的人,既失掉而又得到的,不仅仅是陛下一人而已,那么敌人的横心逆谋,或许稍有平息。其七是保全纪纲以建立国体。现在万物的开端,本来在于陛下,如能力行孝弟,那么天下忠顺的人就会来了;喜好贤才远离奸佞,那么天下讲求名誉节操的人就会出现了;奖赏清白,那么贪污的人就会屏息了;崇尚行义,那么追竞私利的人就会停止了;表彰能干务实,那么荒谬怪诞的人就会受到惩罚;尊重忠诚厚道,那么残忍刻毒的人就会被疏远。如果反此道而行之,那么颓败之势会日渐到来,一定至于糜烂而后已。至于文辞的华丽,言语的工整,颠倒是非,混淆黑白,实在不应任用这种人以作为对轻浮不实的引导。靖康二年,著作郎颜博文巧言谄媚于张邦昌,竟说'非汤、武之干戈,同尧、舜之禅让';等到为张邦昌作请罪表,却说'仲尼从佛肸之召,本为兴周,纪信乘汉王之车,固将诳楚';颜博文,是近世所谓能写文章的士人,他的品行手段反复无常竟然如此。所以廉耻之道消亡,礼义廉耻四维大坏,那么国家就随之而衰败,这对陛下又有何利呢! 古人称中兴之治,叫作拨乱反正,今日之事,反正的勃兴在于陛下,而国家从此衰败不振,也在于陛下!"

疏文上奏,吕颐浩厌恶他的深切直率,就罢免了他。

辛卯(十五日),命令尚书右仆射杜充兼江、淮宣抚使,率领行营的兵众十余万人守建康,留下中书省的官印交付杜充,统制官王民、颜孝恭、孟涓、刘经、鲁玉、殿前副都指挥使郭仲荀都隶属于杜充,又以御前前军统制王璿作为杜充的援军。任命御前左军都统制韩世忠为浙西制置使,守镇江府;太尉、御营副使刘光世为江东宣抚使,守太平州及池州,刘光世仍受杜充节制。御营使司都统制辛企宗守吴江县,御营后军统制陈思恭守福山口,统制官王琼守常州。当时郭仲荀虽已离开京师,仍未到达。

壬寅(二十六日),高宗到浙西。

起初,太白侵犯前一星次,逼近明堂才一舍之距,高宗心中十分恐惧。到这时太白稍向北移,复归黄道,高宗对宰执说:"上天爱护君主,好比父亲对他的儿子,看到他有过失就告诫他,等到他改正了就更加爱护他。"王绚说:"今夜太白一定离得更远。"不久果然如此。

这一天,高宗从建康出发,派遣户部侍郎叶份先去巡视中途食宿之处。御前右军都统制张俊、御营使司都统制辛企宗随从高宗出行。

当时刘光世、韩世忠各持重兵,畏惧杜充的严峻,议论纷纷。刘光世又上书说接受杜充的节制有六条不可以,高宗发怒,促令他过江,同时诏令不让刘光世进入殿门。刘光世惶恐受命,高宗高兴,赐给他银盒汤药。

刘光世得到杨惟忠所丢失的空头黄敕,就以随机处置的权力起用郴州编管的王德为武略大夫、阁门宣赞舍人,充任前军统制,王德行到潭州而回。

在这之前邵青率领水军侵扰楚州、泗州一带,后来接受江东帅司的招安,杜充因而任命邵青为平江措置司水军统制。当时江、浙人都倚重杜充,然而杜充每天处理诛杀,完全没有制约驾驭的方略,有识之士为之寒心。

甲辰(二十八日),高宗到达镇江府。

乙巳(二十九日),宣抚处置使张浚从建康到襄阳,停留二十天,召见帅守监司,命令他们预先做好储蓄以等待皇上西行。

张浚正在搜罗收揽豪杰作为己用,因泾州防御使、新任御营使司提举一行事务曲端在陕西,屡次与敌人角逐,想依仗他的声威,就秉承皇上旨意拜任曲端为威武大将军、宣州观察使,充任本司都统制。曲端登坛受命,将士欢声雷动。曲端退下,对人说:"假使刘平子在,曲端我怎敢居此位!"刘平子,就是濮阳刘铨,靖康年末,在知怀德军任上而死。

刘豫派人说服东京副留守上官悟,令他投降于金国,上官悟斩杀刘豫的使者;刘豫于是贿赂上官悟的左右乔思恭、宋颐与他派的人一同说服上官悟,上官悟又斩杀了他们。

九月,丙午朔(初一),出现了日食。按照以前的惯例,出现日食皇帝不视朝政。吕颐浩上言:"现在皇上巡幸,事务最繁重。"于是以晚朝进呈公事。

这一天,高宗到登云门外检阅水军。当时谍报金兵攻破登州、莱州、密州,而且在梁山泊造船,恐怕由海路窥伺江、浙。起初,命令杜充居建康统辖各将,到这时辅臣上言:"建康到杭州千里,到明州、越州又有几百里,紧急禀告承命,恐怕丧失成事的时机,请求以左军都统制韩世忠充任两浙、江淮守御使,从镇江到苏州、常州地界,圌山、福山各要害之处,都隶属于他。"高宗说:"不可。这些人很少能深识义理,如果权势稍盛,将来必定与杜充较量高下,只让他兼管圌山就足够了。"

己酉(初四),高宗到达常州;庚戌(初五),行次无锡县。周望上言:"昨夜观望天象,牛宿光明,正在东南。敌人的骑兵不渡江,只恐怕要侵扰关陕、襄、邓,成为五路的灾祸。"高宗说:"大概都本之于《晋天文志》。本朝从祖宗时就禁止星纬之学,所以除太史外,世上极少有人知道。金人不禁星纬,他们的人往往都知晓这些。"

辛亥(初六),高宗到了平江府。

壬子(初七),金人降服单州,夺取兴仁府,于是攻破南京。守臣直徽猷阁凌唐佐被金人拘执,金人因而任用他。

癸丑(初八),端明殿学士、签书枢密院事周望充任两浙、荆、湖等路宣抚使。

当时尚书左仆射吕颐浩,请求自己留在平江督率各将拒战金兵,而命令周望驻兵鄂渚以控制长江上流。不久高宗以为吕颐浩不能离开行在,于是任命周望为两浙宣抚使,总领军队守卫平江府。

高宗诏令江东宣抚使刘光世移兵驻扎江州。当时隆祐皇太后在南昌,议论的人以为从蕲州、黄州渡江,陆行二百余里可到。高宗为此忧虑,于是命令刘光世从姑孰转移军队,作为南昌的屏障。

丙辰(十一日),迪功郎张邵被任命为奉议郎、直龙图阁、假礼部尚书,充任大金军前通问使;起复武翼郎杨宪为武义大夫,为通问副使。

当时将再派使臣到金国,张邵因上书得见皇上,因而请求出行。张邵从楚州渡过淮河,就遭遇到金军,于是在昌邑拜见了左监军完颜昌,前御史中丞秦桧在那里。知莱州吴铢,宣和年间是太学生,与张邵友善,完颜昌让吴铢与张邵饮酒,吴铢有得意的神色。当初,张邵来到金军,完颜昌要求张邵礼拜,张邵不听从,完颜昌发怒,派人拘囚于昌邑。过了很久,杨宪及其随从谋划想共同杀死监视自己的人,脱身来归宋朝;事情泄漏,金人拘执杨宪,并鞭打他,将他及其随从囚禁于柞山寨土牢,张邵因没有同谋而得以免祸。

高丽请求纳贡,朝廷诏令不许。给事中兼直学士院汪藻起草诏书,大略说:"拆毁晋人的馆舍以接纳使者的车,期望没有后悔;关闭玉门关而辞谢人质,不用以前的成规。"高宗大加称赞他,认为起草的得体。

金人攻打沂州,守臣献城投降。

壬申(二十七日),耿静上言:"太微垣在午的位置,推算今年火星正行次在己未,应到太微垣。"高宗说:"此人不能深知。朕夜晚在殿中悬张星图,四更时亲自起来,看到火星已到太微垣,昨夜已退二度半。"吕颐浩说:"宋景公说出君主忧民的三句话而火星退舍,有人表示怀疑。陛下敬畏天象,上天呼应如此迅速,相信史传记载的并非虚构。"

甲戌(二十九日),金国陕西都统洛索大规模聚合军队渡过渭河,攻打长安。这一天,经略使郭炎逃走。

这年秋季,金国元帅府在蔚州恢复考试辽国及两河学人;辽人考试辞赋,河北人考试经义。开始用契丹三年一试的制度,先是乡荐,其次是府解,再次为省试,才叫及第。当时有的士人不愿赴试,州县必然查清遣送他们。云中路察判张孝纯主考文章,得到赵洞、孙九鼎等人。孙九鼎,是忻州人,宣和年间曾游学于太学,进入金国五年才登第。

金国诏令枢密院划分河间、真定为河北东路、西路,平阳太原府为河东南路、北路。撤去中山、庆源、隆德、信德、河中等府的府名,恢复旧州名。撤去庆成军的军名,恢复旧县名。改安肃军为徐州,广信军为遂州,威胜军为沁州,顺安军为安州,永宁军为宁州,升乐寿县为乐寿州。降北平军为永平县。

青州观察使李邈,留在金国三年,金国想以李邈任知沧州,李邈笑而不答。到金人下令金国境内的汉人剃去头发时,李邈愤怒地斥责金人,金人鞭打他的嘴流血,他又吮血喷金人。第二天,他自己剪断头发出家做和尚,金人大怒,命令击杀他。李邈临死时,脸色不变,对行刑的人说:"希望容许我辞别南朝皇帝。"拜谢完毕,向南端坐接受杀戮,燕山的人都为之流涕。李邈,清江人,家中世代以读书为业,他的母亲,是曾巩的妹妹。后来秦桧还朝,说他忠于宋朝,追赠为昭化军节度使,谥号为忠壮。

起初,宣武兵阎进,跟从朱弁出使,到这时逃回,被巡逻的人抓到,西京留守高庆裔认为他忠义而释放了他。阎进逃跑三次,终于被杀,阎进面向南方被杀而死。保义郎李舟,被金人拘执,剃掉他的头发,李舟愤懑不已,一个晚上就死了。

冬季,十月,戊寅(初三),高宗从平江府出发。自从渡江以来,驾后各军大多乘机作乱,到现在诏令驾后各军先出发,独以禁卫各班扈从皇帝车驾,于是平江得以安宁。

癸未(初八),高宗到达临安府。

丙戌(十一日),执政大臣登上皇帝的船奏事,吕颐浩说:"陛下近来圣容清瘦,恐怕是因为国事艰难,圣虑焦劳所致。然而希望以宗庙社稷付托的重任,稍微宽解怀抱以图谋中兴。"高宗说:"朕曾夜观天象,见火星行次稍差,食素已二十多天,须等到火星恢复运行轨道,就恢复平常的膳食。"

辛卯(十六日),李成攻陷滁州。

在这之前,李成攻打琅琊山寨,知滁州、中奉大夫向子伋派遣僧人智修带书信给李成通好,并且犒劳李成的军队,李成不同意,进攻滁州更加紧急。寨中只有一点山涧的水,不足以供给几万人的饮用,军中都吃炒米,多得渴病,于是往往越城而逃。鸦觜山高而逼近滁州城,李成垒土运柴,填平两者之间的低洼之处,于是与城相平。这一天,贼兵攻城,大肆杀掠,血流沟涧,李成抓到向子伋并杀了他,全部抓走强壮的人以充军。

壬辰(十七日),高宗到达越州,在州府入住,百官分别居住。

戊戌(二十三日),知枢密院事、宣抚处置使张浚到达兴元,上奏说:"汉中实在是天下形势之地,号令中原,必须以此为基地。臣谨在兴元积粮理财以等待皇上巡幸,希望陛下早日做出西行的打算,前面控制六路的军队,后面据有西川的粮食,左面勾通荆、襄的财物,右面出产秦、陇的马匹,天下大计,在此可以确定了。"

张浚在兴元治军,准备更换陕右各帅,于是调端明殿学士、知熙州张深为知利州,充任利州路兵马钤辖、安抚使,而以明州观察使刘锡代替他。于是徽猷阁直学士、知成都府卢法原免去利州路兵马钤辖职务,不兼利州路,在成都设置帅府。帅臣不兼管利州路从此开始。不久赵哲为庆州帅,刘锜为渭州帅,孙渥为秦州帅,于是各路帅臣都用武人。刘锜,是刘锡的弟弟。

张浚又任命武功大夫、忠州防御使、本司前军统制王彦为利州路兵马钤辖。张浚初到汉中,询问各将大举北伐的计策,王彦说:"陕西的兵将,上下的情况都不相通,如果稍有失利,那就会五路全失。不如权且驻兵利、阆、兴、洋等州以巩固根本,如果敌人前来侵犯,就檄令各位将帅互为应援以抗御敌人,倘若不能取胜也不至于有大的损失。"当时张浚的幕客都是些轻佻求利之人,听到王彦的话,相视而笑。王彦因为言论不被施行请求离去,所以张浚因此而授他此官。

这一天,金兵攻破寿春府。

当时金人大举燕、云、河朔的民兵南侵,又让万户尼楚赫、布尔噶芬、托卜嘉、王伯隆等人率领女真、渤海、汉军、以宗弼为统帅。

起初,邓绍密已死,淮西提点刑狱、阁门宣赞舍人马识远代理知府事。马识远不开门,司马参军王尚功听到后,夜里去见马识远,说服他迎接投降金兵,马识远拒绝不从。府人纷纷说郡守有反叛之心,马识远害怕不敢出门,将官印交给通判府事、朝散郎王摅,就自写降书,打开城门迎拜金人。金人也不入城,只邀请马识远到军中三天。不久以金将周企为知府事,于是南行。

修武郎宋汝为奉诏作京东转运判官杜时亮的副手出使金国求和,行到寿春,遭遇完颜宗弼的军队,未能与杜时亮会合,宋汝为独自驰马进入金营,奉上国书。宗弼大怒,命令拘执宋汝为,要加以杀戮污辱,宋汝为脸色不变,说:"一死固然不想逃避,然而受命出国,希望送达国书说一句话,再死不晚。"宗弼看到宋汝为不屈服,于是解开捆缚,请他就座,并且询问他的乡里,对左右说:"此人是山东忠义之士。"将金帛酒食送给他,命令领他到东平去见刘豫。宋汝为说:"愿意以剑自刎作为南朝的鬼,岂能忍心背叛君主,不忠于职守!"宗弼也为之感叹,于是将他留在军中。

庚子(二十五日),金兵进攻黄州,守臣直龙图阁赵令峸战死。

先前张用驻扎在光州境内,沿淮河设置栅栏,上下百里,将庄稼全部收割运到寨中,储蓄非常丰富,光州为之忧虑。等到敌人听说隆祐皇太后驻跸南昌,企图从蕲州、黄州渡江,于是派遣精骑五百直攻他的营寨,张用的部众几万人全都逃散,金兵于是焚烧张用积聚的财物,直奔黄州。敌人还没有到来,赵令峸借以母亲的丧事离去,朝廷诏令将黄州的治所迁到武昌县,诏令下达后赵令峸起复任事。前一天的辰刻,敌人进攻黄州,守州衙的军校晏兴得到金兵的木箭干凿头箭,派军士潘明渡江告诉赵令峸,赵令峸看到箭,惊呼:"是金兵。"夜半,率领官军渡江进入黄州。金人整兵攻城,第二天,城被攻破,赵令峸在西壁被捉。金人还想让他投降,赵令峸大骂说:"你们这些人杀害百姓,我虽死不屈。"金人给他饮酒,赵令峸挥手拒绝,又给他穿上战袍,赵令峸骂不绝口,于是被敲碎脑袋而死。兵马都监王达、军事判官吴源、巡检刘卓,都被金人所杀。赵令峸镇守黄州才两年多,群盗李成、丁进、张遇、贵仲正之徒都不能进犯,到这时终于守节而死。此事奏闻朝廷,赠赵令峸徽猷阁待制,谥号忠愍。

辛丑(二十六日),张浚秉承圣旨以朝请郎、同主管川陕茶马盐牧公事赵开兼任宣抚司随军转运使,专一统领四川财赋。赵开说:"蜀地的百姓已经困乏,只有榷货收入尚有盈余,然而贪财狡猾的官吏认为是自己的私财。唯有不顾怨恨谩骂,断然施行,或许能救一时之急。"张浚认为他说的对,于是大大变更酒法。从成都开始,先停罢公库所卖的供给酒,就在以前私人向官府承包的买坊场所设置隔槽,听任百姓送米到官府自己酿酒。每一斛,上缴官府钱三千,头子钱二十二,多少不限数额。明年,就在四路推行此法。夔州路以前没有禁酒,赵开开始在这里榷酒。过去四川酒税每年为钱一百四十万缗,从此递增到六百九十余万缗。

这一天,金人从黄州渡江。

起初,金人得到岸边小船,其数量不多,于是拆毁民居作筏,用船牵引而行。集英殿修撰、荆湖沿江措置副使王义叔,听说敌人逼近黄州,领着船逃走。金人于是渡江,一共三天,渡江完毕。当时江东宣抚使刘光世在江州,每天与朝奉大夫韩梠设酒举行盛大宴会,没有人知道敌人的到来。等到知道了,以为是蕲州、黄州之间的小盗,派遣前军统制王德在兴国军抗拒,才知道是金人到来,于是逃去。韩梠,是韩粹彦的儿子,宣和末年为户部侍郎,贬谪黄州安置。于是金人从大冶县径直奔赴洪州。

癸卯(二十八日),李邺秉承朝廷旨意造明举甲,每副工料的费用共八千缗有余。高宗召集大将张俊、辛企宗给他们看明举甲并说:"此甲一分一毫以上,都是百姓的膏血,如果丢弃一个甲叶,就是丢弃百姓方寸的皮肤。各军使用此甲,应当想到爱惜。"当时王绚在旁边,说:"陛下爱民如此,凡百官以下,应当体察此意。"

这个月,盗贼进入宿州,保义郎、权通判州事盛修已坚守节操不屈服,被盗贼所害。过了很久,州人为他请求,于是被赠为武翼郎、阁门宣赞舍人,封表他的坟墓。

十一月,乙巳朔(初一),金人进攻庐州,守臣徽猷阁直学士、淮南西路安抚使李会以全城投降。

在这之前王善从淮宁分兵由宿州、亳州而南下,没有驻兵的地方,于是进犯庐州,听到金人到来,于是移驻于巢县,随后又率领其部众投降。金人于是在军中拘执王善,全部遣散了他的部众。他的将领祝友、张渊等人各率所部行动,从此两淮都被王善的余党所骚扰。

起初,阁门宣赞舍人韩世清在蕲州,州人请求任命他为兵马钤辖,高宗准许请求,还以韩世清兼任蕲、黄、光、江州、兴国军都巡检使。韩世清听说金兵渡江,这一天,将吏在州治会合。韩世清醉酒,就取出黄衣,在东厅将它披在兵马钤辖赵令畯的身上,使赵令畯即皇帝位。赵令畯呼叫不听,剥去黄衣。知蕲州、朝请郎甄采等人一同劝阻韩世清,韩世清才停止。

丁未(初三),因皇帝到达越州,命令释放各路徒罪以下的囚犯,停罢邠州每年上贡的火箭、襄阳的漆器、象州的藤盒、扬州的照子之类物品。

起初,没有施行钞盐之前,两浙的民户,每一成年男子由官府供给蚕盐一斛,令民户每年交纳钱一百六十六,称之为"丁盐钱"。皇祐年间,准许百姓用绸绢根据当时的价钱折钱交纳,称之为"丁绢"。自从施行钞法之后,官府不供给盐,每一成年男子增钱为三百六十,称之为"身丁钱"。大观年间,开始令三个成年男子交纳绢一匹,当时绢的价钱仍然便宜,没有赔费。以后物价越来越贵,于是令民户每一成年男子交纳绢一丈,绵一两。战事兴起之后成年男子减少,于是平均征收,百姓特别以此为忧患。到现在听任五等下户将其一半折成帛、一半交纳现钱。于是每年收到绢二十四万匹,绵百万两,钱二十四万缗。

考查验证宋齐愈所犯的罪过应当依法处置,然而已经过大赦,只是因为个人之间的憎恨,以致被处以极刑,可以追复他为通直郎,另外给他一个儿子恩泽以录用为官。考查验证贬授单州团练副使、昌化军安置李纲,其罪过不在大赦之列,仍不予放还,因为屡次经过恩赦,特准许他自便。李纲行到琼州而返回。

起初,京西制置使程千秋已驻军襄阳,有个叫曹端的大盗,从京城聚集兵众,骚扰京西,号称"曹火星",程千秋派人去招降他,让他驻扎在城下。这时桑仲在唐州,全部招取强壮的人为兵,唐州在桐柏的百姓,先被董平聚集,那些不属于董平的人,进退无所依靠,全部举家归附了桑仲。桑仲的兵众逐渐强盛,于是从光化军而南下;程千秋也招降他,让他驻扎在汉水的北面。开始,范琼讨伐李孝忠,到达襄阳,留下五百兵众戍守,让东南第五将徐彦统领他们。桑仲以前认识徐彦,徐彦送给他一把刀,程千秋恼怒徐彦勾结盗贼。这一天是冬至,各将都来祝贺,酒过三巡,程千秋呵斥徐彦起身,数落他与桑仲通信的罪行,于是斩杀了徐彦。桑仲大怒,领兵进犯襄阳,程千秋命令曹端出兵,并且檄令知邓州谭充为增援。曹端与桑仲在高车遭遇,急攻桑仲,桑仲失败,稍稍引兵退却。适逢谭充派骑兵前来策应,程千秋嘉奖他的精锐,曹端恼怒,于是率众驻军在中庐、南漳之间。桑仲探知此事,整顿兵众再次前进,到字罗冈,与马军相遇。冈地坡仰而有低矮的林木,不利于骑兵作战,邓州兵大败,桑仲进逼襄阳。程千秋的公安亲随兵,未曾经历过战斗,都很轻佻,想要出战,程千秋不许,至于再三要求出战,程千秋才命令出战。亲随兵没有器甲,桑仲让马军几百人埋伏在道路两旁,等到他们没有全部经过时,立即发起突击,大声呼令坐下,用棍杖依次将他们敲杀;统制官贵仲正等听说后,都逃离而去。程千秋弃城奔赴中庐,桑仲于是占据襄阳。程千秋暗中派人说服曹端的裨将王辟让他杀了曹端,曹端的军队大多溃散;唯有后军李忠的营寨相距很远独没有溃散,自称是权京西南路副总管,与他的兵众头戴白巾,声称要为曹端报仇。程千秋不能安居,于是从金州进入蜀地。贵仲正率领溃散的兵卒寇掠荆南,兵马钤辖、武功郎渠成与他交战,杀了他。提点刑狱公事李允文在郢州,也不能守卫,带领所部前往鄂州。于是京西各城都被桑仲所占据。

戊申(初四),金国宗弼进攻和州,守臣李俦以城投降。

当时奉使金国的崔纵从行官属卢伸从金国逃归宋朝,宗弼得到了归朝官程晖,令他携带招降书,与卢伸一同前往行在。

己酉(初五),宣抚处置使张浚,以随机自行处置的权力增印钱引一百万缗以帮助军粮,以后八年间,累计增加到二千零五十四万缗。张浚又在秦州设置钱引务,以弥补边疆的费用。

这一天,金兵攻破无为军,守臣朝散大夫李知几携带钱库储藏与他的百姓一起渡江南归,历阳县丞王之道率领留下的百姓占据山泽以守卫。王之道,是无为军人。

庚戌(初六),金兵进攻采石渡,知太平州郭伟率领将士抵抗敌人,打败了敌人;第二天,再次打败敌人。金兵退却,进攻芜湖,郭伟又打败了金兵,金兵转趋马家渡。

壬子(初八),隆祐皇太后退保虔州。

前几天,江西转运司得到报告,敌人的骑兵到达大冶县,没有辨明虚实。正逢江东宣抚使刘光世飞驰轻骑兵以报闻,第二天,才知道敌人到来。滕康、刘钰共同商议奉送太后及皇上亲近的妃嫔从陆路走,其余的都坐船走,百官从便路起程。集英殿修撰、江西安抚制置使、知洪州王子献,弃城逃奔抚州,众人推举本地人朝请郎李积中权州事。于是中书舍人李公彦、徽猷阁待制、权兵部侍郎李擢都已逃走,司勋员外郎冯楫藏匿在庐山寺院,郎官以下的大多暗中逃走。不久冯楫送信给刘光世,劝说他出兵抵挡敌人,大略说:"金兵深入,最为兵家的禁忌。另外他们前进则阻拒山峦,后退则背负大江,百无一利。而他们敢于如此横行,是因为前无抗拒,后无追袭,如入无人之境,所以无所忌惮,并非敌人的能干。看到村野的强壮百姓尚且敢于与他们对抗,其间胜负也许各半,哪里有国家训练有素的军队,反而不如村野之民的? 只是望风畏惧罢了,其实并没有什么足以可怕的。太尉倘若选择精兵万人,优厚制定奖赏规定,亲自率兵到洪州等处援救,网开一路让敌人退回,埋伏军队在前面掩杀敌人,可以使敌人一匹马都不能回去。"刘光世未能采用。

丁巳(十三日),金兵攻破六合县,又攻破临江军,守臣中奉大夫、直秘阁吴将之逃跑。吴将之,是吴兴人。

戊午(十四日),金兵攻破洪州,权知州事李积中献城降敌。

贼寇刘忠进犯蕲州,蕲、黄都巡检使韩世清与他交战,打败了他,刘忠于是转入湖南。

庚申(十五日),金兵攻破真州,守臣向子忞弃城退守于沙上,他所携带的金帛,全被韩世忠所夺取。

辛酉(十六日),隆祐皇太后到达吉州。

壬戌(十七日),金兵从马家渡过江。

起初,完颜宗弼已攻破和州,与叛将李成一同进攻乌江县。尚书右仆射、江淮宣抚使杜充在建康,谍报李成的军队疲惫可击,杜充迅速派兵,而金兵已举兵进入。杜充听说金兵将到,率领他的六万军队列阵戍守在长江南岸,而自己闭门不出。统制官岳飞流泪劝说,请求他出来视察军队,杜充不听。适逢将官张超失守,金兵随即过江,杜充急派都统制陈淬率领岳飞及刘纲等十七人领兵三万人与金兵交战,又命令御营前军统制王瓒率领所部一万三千人前去支援。金兵进攻溧水县,县尉潘振战死。

癸亥(十八日),保宁军承宣使、主管侍卫步军司公事闾勍,奉迎祖宗遗像到越州,诏令在天庆观安奉。

甲子(十九日),陈淬与宗弼在马家渡遭遇,共交战十余回合,胜负大致相当。王瓒领西兵先逃,陈淬孤军力不能敌,回驻蒋山。水军统制邵青率一船十八人在江中抵挡金兵,舟师张青身中十七箭,于是退到竹篆港,统领赤心队的朝请郎刘晏所部退到常州。浙西制置使韩世忠在镇江,将全部储蓄的资财,都装在海舶上,焚烧了镇江城郭。不久听说金兵南渡,就引领舟船到达江阴,知江阴军胡纺优厚地礼遇他。

在这之前王瓒的部将辅逵在东阳,接受檄令出兵支援,王瓒与他在途中相遇,说:“已失掉了渡口。”于是与辅逵带领部众从信州进入福建,在所经过的地方大肆骚扰。

丁卯(二十二日),金兵进攻吉州,知州事直龙图阁杨渊弃城逃走。

隆祐皇太后离开吉州,到达争米市。金人派兵追击皇太后所乘的船,有人在街市上看见了金人,于是解开缆绳连夜出行,第二天天刚亮,到达太和县。舟人耿信及龙神卫四厢都指挥使杨惟忠所领卫兵一万人都溃散,他的将官傅选、司全、胡友、马琳、杨皋、赵万、王璡、柴卞、张拟等九人,都已逃去成为盗贼,皇上所乘的车和所用的器物都被丢弃,钦先孝思殿的祖宗遗像多有丢失。内藏库南廊的金帛,被盗贼所掠取,总计价值达数百万,宫中的人员失去了一百六十人。杨惟忠与权知三省枢密院滕康、刘钰都逃窜到山谷之中,皇太后的兵卫不满一百人,侍从的人只有宦官何渐、使臣王公济、快行张明而已。金兵追到太和县,太后才从万安舍弃舟船而陆行,终于到达虔州。皇太后及潘贤妃都用农夫抬轿,宫人死者很多。

从事郎、三省枢密院干办官刘德老,也被敌人所杀,后来任用他家中一人为官。先前滕康、刘钰受到干办官汪若海、何大圭的离间,二人不和,终于导致兵祸。溃散的兵卒作乱,知永丰县、承议郎赵训之,县尉、修职郎陈自仁被乱兵所害。后来赠赵训之为直秘阁,陈自仁为通直郎。

当时金人分兵进攻抚州,守臣王仲山献城投降,金人任用他的儿子为权知州事,命令搜括管辖区域内的金银送到洪州交纳。等到攻打袁州时,守臣显谟阁待制王仲嶷也投降。王仲山,是王珪的儿子;王仲嶷,是王仲山的哥哥。

金兵进攻六安军,知军事边琪投降,金兵派遣北军三百驻在城中,没有杀掠。不久,又攻破建平县。

己巳(二十四日),高宗从越州出发,到达钱清堰,夜里,得到杜充失败的奏书。高宗到浙西迎敌,侍御史赵鼎极力劝谏,以为寡不敌众,不如作退避之计。高宗对吕颐浩说:“事情紧迫,怎么办?”吕颐浩说:“金人靠骑兵取胜,现在皇上一出行,皇族、各部官吏、兵卫、家小很多,都从陆路行山中的险要道路,粮食运送供应不上,必定导致变乱发生。加上金人既已渡江到达浙江,必定分别派遣轻骑追袭。现在如果皇上乘海船以躲避敌人,已登上海船之后,敌人的骑兵必定不能袭击我们;浙江地区炎热,敌人也不能久留。等到敌人退去,再回到两浙,敌进我出,敌出我进,这正是兵家的奇谋。”高宗深思很久,说:“此事可行,爱卿等熟加计议。明天,召集侍从、台谏到都堂,参与计议是否可行。"庚午(二十五日),高宗回到越州,终于决定航海避敌,于是移往四明。吕颐浩上奏命令侍从官以下各听其所便离去,高宗说:"士大夫应当懂得义理,怎么能不扈从! 如果这样,那么朕所到之处,竟等同于盗贼了。"于是郎官以下的官员,有的留在越州,有的径直逃归的多了。

辛未(二十六日),金兵攻破建康。

起初,宗弼已经渡江,人马都已聚集,于是击鼓行军逼近城下。户部尚书李棁与显谟阁直学士、沿江都制置使陈邦光准备了投降状子,派人到十里亭投送。宗弼高兴地说:"金陵无须烦劳我军攻击,大事可成了!"

宗弼进入建康,陈邦光率领官属出门迎拜,通判府事、奉议郎杨邦乂不服从,在自己的衣服上用大字写道:"宁作赵氏鬼,不为它邦臣。"既已见面,杨邦乂独不下拜。金人派人用官爵引诱他,他以头撞阶求死,宗弼不能使他屈服。

城内居民争相出城,取道蒋山而去。金人飞驰骑兵到蒋山拦截他们的归路,约束居民又回到城中。

癸酉(二十八日),高宗从越州出发。

这一天,金兵进攻建昌军。

在这之前金兵已攻破抚州,派人持檄书劝谕投降。守臣方昭,担心被军民胁迫,将官印交给承事郎、通判军事晁公迈后离去。不久,晁公迈也借口招募兵员而出走,众人推举承信郎、兵马监押蔡延世为守臣。

曹公迈,是任城人,曾任少府监主簿。蔡延世,是建昌人,原本是太学生。在这之前金人已进入洪州,派十人拿着檄书到达城下,蔡延世将他们全部斩杀。等到敌人兵临城下,问十人在哪里,蔡延世将十人首级出示给他们看。金人大怒,求战,蔡延世击退了敌人。晁公迈回来,蔡延世拒不接纳,于是兼领军事。晁公迈因此罢官离去。

甲戌(二十九日),奉议郎、通判建康府杨邦乂被金人所杀。

前一天,金帅与李棁、陈邦光饮宴,音乐正起时,召杨邦乂立于堂下。杨邦乂看到李棁、陈邦光,就斥责他们。宗弼再次招引杨邦乂,杨邦乂不胜愤怒,遥望大骂,宗弼大怒,击杀杨邦乂,将他剖腹,取出他的心。杨邦乂死时年四十四岁,起初追赠他为直秘阁,任用他的二个儿子为官,赐田十顷。后来谥杨邦乂为忠襄。

十二月,戊寅(初四),徽猷阁待制、知镇江府兼浙西安抚使胡唐老被军贼戚方所杀。

戚方勇猛凶悍善于射箭,起初是教骏卒,战事兴起后,盗贼蜂起,他在九朵花军中,还不知名。戚方杀了他们的头领,于是率众前往建康,归附杜充,杜充任命他为准备将。建康失利,各军都已溃散,戚方率领兵卒数千人逃到金坛县。当时镇江没有军队,独倚重浙西制置使韩世忠的军队。韩世忠已离去,胡唐老的兵力不能抗拒敌人,因而安抚稳定他们。戚方打算带兵进犯临安,妄称前往行在,请求胡唐老带领部众出行,胡唐老不听从,被戚方所害,主管安抚司机宜文字、迪功部郑凝之也因兵乱而死。后来朝廷赠胡唐老徽猷阁直学士,谥号定愍,任用郑凝之家中一人为官。

己卯(初五),高宗行次明州。提领海船张公裕上奏已得一千艘船,高宗非常高兴。王绹说:"这难道不是天意吗!"在这之前监察御史林之平,从初春就被派往泉州、福州招募福建、广南的海船,作为防范万一的计策,所以大船从闽中到来的有二百余艘,于是得以顺利渡海。

辛巳(初七),金兵攻破广德军。

当时宗弼已得到建康,分别处置已定,于是率众从溧水取道径直前往临安,道路上的人,只知溃卒作乱,没料到金兵的到来。金兵的游骑到达广德军,周烈派人去迎接他们,并且许诺他们犒劳军队,约束不要骚扰,宗弼同意。一会儿,传箭到,招他投降,周烈大为吃惊,取马奔逃,于是金兵攻破城池,周烈被金兵所杀。

壬午(初八),金兵进攻安吉县,知县事曾绰聚集乡兵前往石郭守卫险要,有人看见金兵的箭说:"是金兵。"乡兵都丢弃纸甲、竹枪而逃。金兵进入县城,于是焚烧了县城。

江淮宣抚司的溃散兵卒李选,号称"铁爪鹰",与他的随从几千人攻陷镇江府。

这一天,决定航海躲避敌人。执政请求每艘船载六十名卫士,每人不得携带二人以上的家属,卫士都说:"我有父母,有妻儿,不知两者如何取舍?"向主管禁卫入内内侍省都知陈宥诉说,陈宥不能决定。宰相吕颐浩入朝,卫士张宝等百余人挡住道路,问想乘海船到哪里去,因出言不逊,吕颐浩诘问他们说:"班直平时教练检阅,何曾有两只箭射中靶心!今日之事,谁为国家死战?"兵众想杀吕颐浩,参知政事范宗严说:"这怎么可以用口舌争论?"拉着吕颐浩的衣襟进入殿门。门关上,众卫士不得进入。高宗对辅臣说:"听说人们议论纷纷,不想入海,缓急之际,难道能像二圣那样不躲避敌人,坐等大祸临头?现在以御笔晓谕他们。"吕颐浩与参知政事王绹捧着皇帝用的几案到靠近皇帝的座位前,高宗亲自用笔墨书写圣旨安抚晓谕中军,人心稍定,于是在殿门外三呼万岁。高宗秘密地对宰相说:"这些人想败坏大事,朕今晚在后苑埋伏中军甲士五百人,爱卿等明天率领中军入朝,捕捉为首的人杀掉。"吕颐浩退朝,秘密告谕中军统制辛企宗及亲军将姚端,令他们为此事做好准备。

癸未(初九),执政大臣早朝,命令御营使司参议官刘洪道在宫门部署兵力防备变乱,而中军及姚端已在行宫门外整肃队伍。二府领中军入宫,遇到值夜的兵卫,一律擒住他们。他们的同伙惊恐溃散,有的爬上屋顶,有人翻墙逃走。高宗从便殿穿上甲胄,带领伏兵出来,弯弓亲自射了两箭,射中两人,坠于屋下。其余的兵众惊骇俱怕,全都就擒。高宗召吕颐浩到都堂,诘问为首的以奏闻,其余的全部囚禁。

甲申(初十),在明州街市诛杀卫士张宝等十七人。

乙酉(十一日),金国宗弼攻打临安府,钱塘令朱跸率领民兵迎战,身受重伤,仍叱令左右背负自己攻击敌人。守臣浙西同安抚使康允之,不知道是金人,派遣将官在湖州街市迎敌,得到两颗首级,康允之看后说:"是金人!"于是弃城逃跑,退守赭山。当时直显谟阁刘海从楚州召赴行在,在城中,军民推举他为守臣。

己丑(十五日),高宗前往定海县,坐上楼船,诏令只让亲军三千余人随从,各部门官员,随便寓居浙东各郡。当时高宗已废除各班直,唯独神武中军辛永宗有兵众几千人,而御营使吕颐浩的亲兵将姚端的兵众最多,高宗一并予以优厚的待遇。晚朝,二府登船奏事,参知政事范宗尹说:"敌人的骑兵虽然有百万之众,必定不能追袭,可以免祸了。"高宗说:"唯有果断才能成就此事。"

这一天,金兵攻破临安府。

起初,宗弼已将城包围,派遣前知和州李俦入城招降。李俦与权临安府事刘海友善,到这时穿着金人的衣冠而来,二人握手交谈,李俦叹息不止。有人高呼说刘海想献城投降金人,军民因而杀了刘海。这天晚上,城被攻破,钱塘令朱跸在天竺山,也遇害。宗弼留在杭州,派遣将领追袭宋军。

庚寅(十六日),扈从高宗渡海的,除宰执大臣外只有御史中丞赵鼎、右谏议大夫富直柔、权户部侍郎叶份、中书舍人李正民、綦崇礼、太常少卿陈戬六人,而朝夕暗中护卫于船上的,只有御营都统制辛企宗兄弟而已。当时留下的人有兵火的忧虑,离去的人有风涛的忧虑,都面无人色。

辛卯(十七日),高宗抵达定海县。癸巳(十九日),高宗到达昌国县。

甲午(二十日),右监门卫大将军、眉州防御使、知南外宗正事赵士樽上言:"自从镇江招募海船,载宗室子弟及其妇女三百四十余人到泉州躲避金兵,请求下令泉州支付俸禄。"高宗同意。于是秘阁修撰、知西外宗正事赵令懬,也从泰州、高邮军迁徙宗室子弟等一百八十人到福州躲避金兵,不久又迁徙到潮州。

乙未(二十一日),金兵屠杀洪州百姓。

丙申(二十二日),浙西制置使韩世忠以前军驻扎通惠镇,中军驻扎江湾,后军驻扎海口。韩世忠知道金人不能持久,大修战舰,等待金人回返时而加以攻击。

浙东制置使张俊,从越州领兵到明州。张俊的军士在明州放肆掳掠,当时城中居民很少,于是出城以清野为名,环城三十里地区都遭到他们的焚烧劫掠。

资政殿学士、新知鼎州范致虚在岳州去世。

戊戌(二十四日),金兵攻破越州。

起初,两浙宣抚副使郭仲荀在越州,听说敌人攻破临安,于是乘船潜逃。知越州、充两浙东路安抚使李邺,派兵在浙江截击敌人,三次获胜。不久因寡不敌众,李邺于是采用主管机宜文字、宣教郎袁潭的计策,派人带着书信投降。

敌人引兵入城,以巴哩巴为知州。亲事官唐琦,袖中藏石击杀巴哩巴不中,巴哩巴斥问他,他答道:"想砸碎你的脑袋,死为赵氏的鬼罢了。"巴哩巴说:"你杀我有什么好处,为何不率众救你的主人?"唐琦说:"在这里你是尊贵,所以要杀你罢了。"巴哩巴叹息说:"假使人人都能如此,赵氏怎么会到这种地步!"唐琦回头看着李邺说:"你享受国家的厚恩。现在竟然如此,不是人!"声色俱厉,一点也不屈服。巴哩巴杀了唐琦。后来为唐琦立祠,名旌忠祠。

起初,李邺投降时,提点刑狱公事王翯逃居城外,同僚官吏都出来迎拜敌人。朝散郎、新任通判温州曾忢监察三江寨,独自抗拒敌人不屈服。敌人驱使王翯到城内,拘执曾惠,并同他的家人一起杀害,只有幼子曾寀得以幸免。曾忢,是曾悬的哥哥。事情平息后,特命曾忢的弟弟曾惢和曾寀做官。

金国宗弼派富勒浑追击宋军,在会稽的东关追上,打败了宋军,随即渡过曹娥江。

己亥(二十五日),徽猷阁直学士、知平江府汤东野,上奏杜充从真州到达天长军,与刘位、赵立会合。

在这之前,赵立以右武大夫、忠州刺史知徐州,朝廷听说金兵入侵,诏令各路军队救援行在。赵立认为徐州是座孤城,而且粮食缺乏,不能防守,于是率领亲兵、禁军与民兵约三万人南归。恰逢知楚州刘海已奉召离去,宣抚使杜充因楚州缺知州,命令赵立率领所部前往楚州。

赵立到达临淮,接到杜充的任命,兼程赶到龟山。当时金国左监军完颜昌包围楚州紧急,赵立开辟道路才能进行。到达淮阴时,与敌人遭遇,他的部下认为山阳不可前往,劝赵立

2451

回到彭城,赵立愤怒,咬着牙说:"正想与金兵拼杀,怎么说不可!"于是命令各将说:"回头看者斩!"于是率众最先登程,从早到晚,且战且行,出没于敌阵当中,共七次攻破敌人,没有人能抵挡他的锋芒,终于得以率数千人入城,而后军孟成、张庆,都率领所部渡淮北去。正当他们入城时,赵立口中流矢,穿透了他的两颊,口不能言,以手指挥,军士都休息了才拔出他口中的箭矢。赵立还没到来时,通判州事、直秘阁贾敦诗打算献城投降,到这时才停止。

李邺没有投降时,上奏,称金人分兵从诸暨奔赴嵊县,直入明州。这一天奏疏到达,于是朝廷计议移船到温州、台州以避敌。

庚子(二十六日),高宗从昌国县出发。

在这之前金人分兵进攻余姚,知县事李颖士募得乡兵数千人,展列旗帜以抵抗敌人,把隘官陈彦援助他们。金兵既不熟悉那里的地势,又不能估测兵力的多少,为之彷徨不敢进达一昼夜,由此高宗得以登船航海。朝廷进加李颖士两官,提拔为通判越州。

癸卯(二十九日),浙东制置使张俊与金兵在明州交战,打败了金兵。

在这之前金兵追袭到明州城下,张俊派遣统制官刘宝在高桥与敌人交战,军队稍有退却,他的部将党用、邱横战死。统制官杨沂中、田师中、统领官赵密都殊死力战,主管殿前司公事李质率领所部以舟师前来助战,知州事刘洪道率领弓兵射杀敌人的侧翼,终于打败了敌人。金兵从城下呼请派人到寨中议事,张俊派一徐姓小校前往。敌人解甲与他交谈,想招降张俊,张俊拒绝了敌人。

这个月,隆祐皇太后命令统制官杨琪驻军于临江军,张忠彦驻扎吉州,作为对行宫的声援。

金国陕西诸路都统洛索率领数万兵众包围陕府,守将李彦仙全力抗拒敌人。

起初,李彦仙在陕府,增筑女墙疏浚护城壕堑,锋利器械,积聚粮食,鼓舞士气,且战且守,人心更加坚固可用。又曾渡河与金兵交战于蒲州、解州一带,百姓都表面上服从金兵而暗中归附李彦仙。敌人一定要攻下陕州,然后合力西进。李彦仙也自己料到金兵必定合兵前来进攻,立即派人到宣抚处置使张浚那里求他派出三千骑兵援助,等到金兵进攻陕州,就留下空城渡过黄河,奔赴晋、绛、并、汾等州,直捣敌人的心腹之地,金兵必定自救,于是从岚、石西渡黄河,取道鄜州、延州而回,张浚没有同意。张浚写信给李彦仙劝他空城清野,占据险要聚众保守,使敌人无所掠取,我方也无所损伤,待机而动,或许能成功,李彦仙不听,守城的意志更加坚定。到这时洛索、尼楚赫及知府州折可求合兵来攻,李彦仙拼死抗拒敌人,同时向张浚告急。

李成知道金兵已经南渡,从滁州率兵前往淮西。当时李成的党羽周虎占据芜湖,水军统制邵青与他交战,一天七次被打败。参议魏曦,乘小船在中流观战,不久告诉邵青说:"我知道他们为什么取胜了,他们用红巾软缠,与我军的记号相同,与我军交战就不能区分彼此,所以我军必败。应当改变我军的记号,就可以取胜了。"邵青同意他的意见,于是命令他的兵众改缠钻风角子,一战打败周虎,邵青于是占据芜湖。

起初,杜充的部众已经溃败,他的统制官岳飞、刘经,自芳山率领兵众进入广德军,后军扈成驻兵于金坛县,被戚方所杀。

续资治通鉴卷第一百七

【原文】

宋纪一百七　起上章掩茂【庚戌】正月,尽六月,凡六月。

高宗受命中兴全功至德　圣神武文昭仁宪孝皇帝

建炎四年　金天会八年【庚戌,1130】　春,正月,甲辰朔,大风,御舟碇海中。

乙巳午,西风忽起,金人乘之攻明州。御前右军都统制、浙东制置使张俊与守臣徽猷阁待制刘洪道坐城楼上,遣兵掩击,杀伤相当。金人奔北,堕田间或坠水。俊急令收兵赴台州。是夜,金人拔寨去,屯馀姚,且请济师于宗弼。

丙午,帝遣中使召御前左军都统制、浙西制置使韩世忠赴行在。世忠已治舟师于通惠镇,乃请往镇江邀敌归师,尽死一战,帝从之。

己酉,诏遣使自海道至福建、虔州,问隆祐皇太后舣舟所在。帝虑太后径入闽、广,乃遣使问安焉。乙卯,滕康言太后已至虔州。

张俊既去,明州士民皆散。有士人率众扣刘洪道马首,愿留以御敌。洪道曰:“予尝数克敌而胜,若等毋虑。”丙辰夜,洪道微服而遁,与浙东副总管张思正引所部奔天童山,所过尽撤其桥,民不得济,数千人哀号震天。城中惟崇节马军与恶少仅千人,以酒官李木将之。

江、淮宣抚司右军统制岳飞自广德军移屯宜兴县。杜充之败也,其将士溃去,多行剽掠,独飞严戢所部,不扰居民,士大夫避寇者皆赖以免。

丁巳,张俊自台州赴行在。

金以同中书门下平章事韩企先为尚书左仆射。企先善于其职,宗翰、宗干皆重之。

是日,金陕西都统洛索破陕府,守臣右武大夫、宁州观察使李彦仙死之。

金自去冬以重兵来攻,彦仙守御甚备,遇士卒有恩,食既尽,煮豆以啖其下而取汁自饮,至是亦尽。宣抚处置使张浚,间道遗以金币,使犒其军,且檄都统制曲端以泾原兵往援。端素疾彦仙出己上,无出兵意。浚属官资阳谢升言于浚曰:“敌朝夕下陕,莫以为忧者,殆未知敌意也。敌已得长安,今取陕,则全据大河,且窥蜀矣。”众议不决,力争数日,师乃出,至长安,而敌先壅阻,不得进。

彦仙日与敌战,将士未尝解甲。洛索命自正月旦为始,以一军攻击,一日不下则翼日更遣一军,每一旬则聚十军并攻一日,期以三旬必拔之。彦仙意气如平常,登谯门,大作伎,潜使人隧而出,焚其攻具,敌愕而却。洛索雅奇彦仙才,尝招之,彦仙斩其使。至是遂欲降之,使人呼曰:“即降,当富贵。”彦仙不应,日钩取敌兵数十磔城上,虽杀伤大当,而敌兵沓至,守

2453

埤者久,伤残日就尽。既而金兵亦乏食,欲引去,或告以急击可人,金人益众攻之。每队以鼓在前,击鼓一声则进一步,既渡濠池,鼓声渐促,莫不争先,疾声并力齐登,死伤者虽满地而不敢返顾。是旦,有鸢鸦数万噪于城上,与战声相乱,洛索曰:"城陷矣!"促使急攻,城遂破。彦仙率士卒巷战,左臂中刃,不殊,犹不已。金人惜其才,以重赏募人生致之。彦仙易敝衣杂群伍中,走渡河,曰:"吾不甘以身受敌人之刃。"敌纵兵屠掠,彦仙闻之,曰:"金人所以杀过当者,以我坚守不下故也,我何面目复见世人乎!"遂投河而死。金人取其家而杀之,陕民无噍类。浚闻,承制赠彦仙彰武军节度使,即商州立庙,且官其子。久之,赐谥忠威。

彦仙守陕再逾年,大小战二百,及城破,其属官陈思道、李岳、杜开、通守王浒、赵叔凭、职官刘效、冯经、县令张玘、将佐卢亨、邵云、阎平、赵成、贾何、吕圆登、宋炎等同死,无屈降者。叔凭,宗室子,初为兵马都监,积功武翼大夫、通判府事,及城危,有子为卢氏吏,间使语之曰:"吾托肺腑,死国难固其所,若则走也。"云,龙门人,金人破蒲城,云独与少年数百保聚山谷,初事邵兴,后为彦仙部曲,累官邠门宣赞舍人。金人得云,欲以为将,云(骂怒)〔怒骂〕不屈。洛索怒,钉云五日而磔之。平,湖城人,官邠门祗候。何,陕县人,与成皆修武郎。圆登,夏县人,尝为僧,城垂破,自外来援,与彦仙相持而泣曰:"围久,不知公安否,今得见公,死且无恨。"创甚,方卧,闻城坏,遽起,战死。炎,陕县人,善蹶张。敌围城,炎取大弩数百调治,所射洞杀伤敌兵甚众。城破,敌欲将炎,呼炎出,不应,战死。后自云以下皆赠官,录其家一人。

己未,金人破明州。

先是金益兵而来,前二日,驻军广德湖旧寨前,遣老弱妇女运瓦砾填堑。次夕,植炮架十馀,对西门。是日,以数炮碎城楼,守者奔散而出,城遂破,金兵入城。

庚申,金主诏曰:"避役之民,以微直鬻身权贵之家者,悉出还本贯。"

辛酉,御舟离章安镇。

甲子,泊温州港口。

丙寅,御舟移次温州之馆头。

先是金人自明州引兵攻定海,破之,遂以舟师绝洋,侵昌国,欲袭御舟,至碶头,风雨大作。和州防御使、枢密院提领海船张公裕引大舶击散之,金人乃去。帝闻明州失守,遂引舟而南,与金人才隔一日。

丁卯,虔州从卫诸军作乱。

初,隆祐皇太后既至虔州,府库所有既尽,卫军上请,惟得沙钱及(二折)〔折二〕钱,市买诸物不售。军士与乡民相争,军士遂纵火肆掠。

初,赵立既至楚州,朝廷因以立知州事,会金右监军昌亲率数万人围城,攻其南壁,自为旗头,引众出战,相持四十馀日。己巳,金人以炮击三敌楼,遂登城。立先取生槐本为鹿角以槎其破处,而下修月城以裹之,月城之中,实以柴薪,城之内为镕炉。敌自月城中人,立命以金汁浇之,死者以百数。金人不能人,遂退守孙村大寨,时遣数百骑出没于城下,以掠取求粮采薪者。由是城中人不能出,而薪粮日竭。

二月,乙亥,御舟至温州江心寺驻跸,更名龙翔。

奉安启圣宫祖宗神御于福州。

金人既破江西诸郡,乃移兵趋湖南。帅臣直龙图阁向子諲,初闻警报,率军民固守,且禁士庶无得出城。敌骑至潭州,呼令开门投拜,军民皆不从,请以死守。宗室成忠郎聿之隶东壁,子谭巡城,督察官吏,顾谓聿之曰:"君宗室,不可效此曹苟简。"聿之感激流涕。敌围之八日,既而登城,四面纵火。子谭率官吏夺南楚门亡去,城遂破,聿之拔刃自杀。

城之始破也,将官成忠郎刘玠率馀兵巷战,身中数十矢,战愈力。敌又以枪中之,众欲扶持而去,玠挥众直前,死于陈。敦武郎、新杭州兵马都监王陳,部民兵守朝宗门,亦死。

聿之,魏悼王后,安定郡王叔东子也。金人掠潭州六日,屠其城而去,子谭乃复入。后赠玠武经大夫,陳武德郎,聿之右监门卫将军。又一日,金人遂引去。

丙子,金人自明州引兵还临安。

初,金既破明州,遣人听命于宗弼,且云搜山检海已毕。宗弼曰:"如扬州例。"金人遂焚其城,惟东南角数佛寺与僻巷居民偶有存者,金人留明州七十日,引兵去。

初,宗弼留临安,闻浙西制置使韩世忠自江阴趋镇江,恐邀其后。是月庚辰,宗弼敛兵于吴山、七宝山,遂纵火,三日夜烟焰不绝。癸未,火息。甲申,纵兵大掠,且束装。丙戌,退军,以卤掠辎重不可遵陆,乃由苏、秀取塘岸路行。先是武功大夫、成州团练使陆渐迎降,宗弼以为临安府兵马(钤)〔钤〕辖。渐劝宗弼括金银,焚临安,因从军北去。

方金人未退军也,有衢州军事判官钱(官)〔观〕复者,以衢当路冲,白郡守,纵民老弱出,户留一丁,不留与留而瘦弱不堪任,论如军法。其后诸兵欲乘时为变,顾城中金帛子女无异获,乃止。时李涛、李邺、郑亿年皆在军中,宗弼因携之以北。

金人分兵侵海盐,县尉朱良率射士百馀拒之,卒力战以死。

先是金人破京师,时河南之北悉为金所有,睢、洛皆屯重兵,惟汴京及畿邑犹为宋固守,而粮储乏绝,四面不通,多饥死。有河北签军首领聂渊者,与其徒十五五,以食物与守城者博易,积久稔熟,遂不之疑。是日,渊与其徒数百人,夜登城之北壁,纵火焚楼橹,犹未敢下城,乃为慢道自守。是时城之东有群盗李溃、苏大刀等,权留守上官悟皆招入城。既入城,则焚掠不止,城中乱,悟及副留守赵伦出奔。悟至唐州,为董平所杀。金人得京师,以前都水使者王燮为留守,时在京强壮不满万人。自是四京皆没矣。

江东宣抚使刘光世奏:"杜充败事,未知存亡,王燮所统前军亦溃,韩世忠径上海船而去。臣今以孤军驻南康,移檄诸路,会兵勤王,望陛下远避贼锋,俟春暄,破之不难。"诏:"光世所部军不少,今又会兵,深虑骚动。可止统本部乘间击之,毋失机会。"

己丑,奉安景灵宫祖宗神御于温州开元寺。

庚寅,帝入温州,驻跸州治。

辛卯,金人破秀州。

先是两浙宣抚使周望在平江,有言敌自越州还金陵者。望素不严斥堠,但以传闻之语为信,乃遣统制官陈思恭、张俊统兵入杭,以规收复之功。思恭至秀州,侦知传言之妄,间道走湖州之乌墩镇以观变。至是金宗弼过秀州,通直郎、权州事邓根留武翼郎、本部兵马都监赵士医,乘城拒敌。城破,士医为流矢所中而死,后赠武翼大夫。望闻金师至崇德县,壬辰,调太湖舟千艘赴吴江御之。

鼎州人钟相作乱,自称楚王。

初,金人去潭州,群盗乃大起,东北流移之人,相率渡江。武经大夫、潍州团练使孔彦舟自淮西收溃兵,侵据荆南、鼎、澧诸郡,秘阁修撰、知荆南府唐悫弃城去。

相以左道惑众,自号大圣,言有神灵与天通,能救人疾患;阴语其徒,则曰:"法分贵贱贫富,非善法也。我行法,当等贵贱,均贫富。"持此语以动小民,故环数百里间,小民无知者翕然从之,备粮谒相,谓之拜父。如此者二十馀年,相以故家赀钜万。及湖、湘盗起,相与其徒结集为忠义民兵,士大夫避乱者多依之。相所居村,有山曰天子冈,遂即其处筑垒浚濠,以捍贼为名。会孔彦舟入澧州,相乘人情惊扰,因托言拒彦舟以聚众,至是起兵,鼎、澧、荆南之民响应。相遂称楚王,改元天载,立妻伊氏为皇后,子子昂为太子,行移称圣旨,补授用黄牒,一方骚然。时鼎州阙守臣,而湖南提点刑狱公事王彦成、单世卿,皆挈家顺流东下,仅以身免。贼遂焚官府、城市、寺观及豪右之家,凡官吏、儒生、僧道、巫医、卜祝之流,皆为所杀。自是鼎州之武陵、桃源、辰阳、沅江,澧州之澧阳、安乡、石门、慈利,荆南之枝江、松滋、公安、石首,潭州之益阳、宁乡、湘阴、江化,峡州之宜都,岳州之华容,辰州之沅陵,凡十九县,皆为盗区矣。

乙未,尚书右仆射、同中书门下平章事兼江、淮宣抚使杜充罢,为观文殿大学士、提举江州太平观。

充自真州而北,宗弼遣人说充,许以中原地封之,如张邦昌故事,充遂降于金。知真州向子忞以闻,帝闻之,不食者累日。御史中丞赵鼎、右谏议大夫富直柔同对,请先罢充,俟得其北降的报,则别议罪,故有是命。

丙申,以帝还温州,德音释天下徒刑,一应士民家属有自金来归者,所在量给钱米,于寺院安泊,访还其家。

徽猷阁直学士、知庆阳府兼陕西制置使王似知成都府。

时宣抚处置使张浚闻帝亲征,亟治兵,自秦州入卫,留参议军事刘子羽掌留司事,凡川、陕军政民事,皆得专决;又徙似知成都府,而以亲卫大夫、明州观察使赵哲代之。徽猷阁直学士卢法原,时守成都,乃命法原赴行在。

是日,金游骑至平江城东,统制官郭仲威,兵未交而退。同知枢密院事、两浙宣抚使周望奔太湖,市人请留,不可,则极口嫚骂,望不顾而去。守臣徽猷阁直学士汤东野,闻望已出,则挈家潜遁,以府印付仲威。次日,仲威与将官鲁珏纵火城中,夜,望及仲威皆遁。其下自城南转劫居民,北出齐门而去,民之得出郭者,多为所杀。

戊戌,宗弼入平江,驻兵府治,卤掠金帛子女既尽,又纵火燔城,烟焰见百馀里,火五日乃灭。

三月,癸卯朔,宗弼去平江府。

甲辰,初,洛索既破陕,遂与其副完颜杲长驱入关。宣抚处置使司都统制曲端,闻敌至,遣右武大夫、忠州刺史、泾原路马步军副总管吴玠及统制官张忠孚、李彦琪将所部拒之于彭原店,端自拥大兵屯于邠州之宜禄以为声援。敌乘高而陈,洛索引兵来战,玠击败之。既而金师复振,宋军败,端退屯泾州,金人亦引去。端劾玠违节,降武显大夫,罢总管,复知怀德军。宣抚处置使张浚素奇玠,寻擢玠秦凤副总管兼知凤翔府,时当兵火之馀,玠劳来安集,民赖以生。

始,青溪岭之战,玠牙兵皆溃,及是玠治兵秦凤,诸溃卒复出就招。玠问讯再三,搜索非是者五六人,斥遣之,馀悉斩于远亭下,去秦州十里,军中股栗。自是每战皆效死,无复溃散者矣。

己酉,张浚言大食献珠玉,已至熙州,诏津遣赴行在。右正言吕祉,言所献珍珠、犀牙、乳香、龙涎、珊瑚、栀子、玻璃,非服食器用之物,不当受,帝谕大臣曰:"捐数十万缗(亦)〔易〕无用珠玉,曷若爱惜其财以养战士!"遂命宣抚司无得受,仍加赐遣之。

壬子,金人攻常州,守臣右文殿修撰周杞闻敌至,弃城走宜兴县,金人遂入常州。

甲寅,权知三省枢密院事卢益至行在,诏趣令入对。先是帝谕吕颐浩曰:"朕初不识隆祐皇太后,自建炎初迎奉至南京,方始识之,爱朕不啻己出,宫中奉养及一年半,朕之衣服饮食,必亲调制。今朕父母兄弟皆在远方,尊长中唯皇太后。不唯相别数千里外,加之敌骑冲突,又兵民不相得,纵火交兵,五六日乃定,复尔惊扰。当早遣大臣领兵奉迎,以称朕朝夕慕念之意。"遂命益与御营使司都统制辛企宗、带御器械潘永思偕行。

丁巳,金人至镇江府,浙西制置使韩世忠已屯焦山寺以邀之,降其将铁爪鹰李选。〔选〕者,江淮宣抚使溃卒也。

宗弼遣使通问,世忠亦遣使臣石皋报之,约日会战。世忠谓诸将曰:"是间形势,无如龙王庙者,敌必登此觇我虚实。"乃遣将苏德将二百卒伏庙中,又遣二百卒伏庙下,戒曰:"闻江中鼓声,岸兵先入,庙兵继出。"敌至,果有五骑趣龙王庙,庙中之伏喜,先鼓而出,五骑振策以驰,仅得其二;有红袍白马,既坠乃跳驰而脱者,诘之,则宗弼也。既而战数十合,世忠妻和国夫人梁氏在行间,亲执桴鼓,敌终不得济。复使致词,愿还所掠假道,世忠不从;益以名马,又不从。时左监军完颜昌在潍州,乃遣贝勒托云趣淮东,以为宗弼声援。

己未,帝诣开元寺,朝辞九庙神主,宰执百官皆扈从。自渡江至是,始有此礼。是日,上御舟复还浙西。

庚申,诏:"昨金人所破州县,其投拜官除知、通别取旨外,(于)〔馀〕并罢。内统兵官以众寡不敌,致有溃散,理宜矜恤,可特放罪,仍旧统押人马。"时朝廷恐将士溃散者众,乘乱为变,故贷之。

辛酉,御舟发温州。

壬戌,御舟次章安镇。

乙丑,帝次台州松门寨。宰执奏事,吕颐浩因言:"此行未审且驻会稽,为复须到浙右?"帝曰:"须由苏、杭往湖州,或如卿所奏往宣州。朕以为会稽只可暂驻,若稍久,则人怀安而不乐屡迁。"颐浩又曰:"将来且在浙右为当,徐谋入蜀。"帝曰:"朕谓倚雍之强,资蜀之富,固善。但张浚奏汉中止可备万人粮,恐太少。两浙若委付得人,钱帛犹可溯流而西。至于粮斛,岂可漕运!"颐浩曰:"若第携万兵入蜀,则淮、浙、江、湖以至闽、广,将为盗区,皆非国家之有矣。"帝曰:"当益进上流,用淮、浙榷货盐钱以赡军费,运江、浙、荆、湖之粟以为军食。"王绹曰:"议者但知轻议晋元帝还都建邺,不能恢复中原,而多言入蜀便。殊不知自秦用张仪至本朝遣王继恩,下蜀者八矣,取辄得之,不劳再举,则亦未可谓之便也。"范宗尹曰:"臣谓若便入蜀,恐两失之;据江表而徐图关陕之事,则两得之。抉择取舍,不可不审。"帝曰:"然。"既而浚复上疏言:"陛下果有意于中兴,非幸关陕不可。愿先幸鄂渚,臣当纠率将士奉迎銮舆,永为定都大计。"帝不许。

诏赐故资政殿学士许景衡家所僦温州官物一区。帝因言:"朕自即位以来,执政中张悫第一,忠直至诚,遇事敢言,无所回避;其次则景衡;若郭三益,则善人而已。"

辛未,帝次定海县。帝见定海为金人所焚,恻然曰:"朕为民父母,不能保民,使至此。"王绹曰:"陛下留杜充守建康,留周望守平江,非轻弃江、浙而遽适南方。不幸充、望不称任使,乃至如此。"吕颐浩因言承平之久,士多文学,而罕有练达兵财可济今日者。帝曰:"前此太平,朝士若乘马驰骋,言者必以为失体;才置良弓利剑,议者将以为谋叛。"绚曰:"大抵文学之士未必应务,有才者或短于行,自非陛下弃瑕录用,则举世无全人也。"

是春,金左副元帅宗翰、右监军希尹、右都监耶律伊都皆在大同,右副元帅宗辅在析(律)〔津〕府,遣贝勒托云率众围楚州,守臣赵立乘城御之,不能下,进围扬州。

初,金人破山东,左监军完颜昌,密有许封刘豫之意。会济南有渔得鳣者,豫妄谓神物之应,乃祀之;既而北京顺豫门下生禾,三穗同本,其党以为豫受命之符。豫乃使其子伪知济南府麟赍重赂昌,求僭立。大同尹高庆裔,左副元帅宗翰心腹也,恐为昌所先,乃说宗翰曰:"吾举兵止欲取两河,故汴京既得,则立张邦昌,后以邦昌废逐,故再有河南之役。方今河南州郡,官制不易,风俗不更者,可见吾君意非贪土,亦欲循邦昌之故事也。元帅盍建此议,无以恩归它人!"宗翰乃令希尹驰白金主,金主许之。

宗翰遂遣庆裔自河阳越旧河之南首至豫所隶景州,会官吏军民于州治,谕以求贤建国之意,皆莫敢言,曰:"愿听所举。"庆裔徐露意以属豫,郡人迎合敌情,惧豫权势;又,豫适景人也,故进士张浹等遂共举之。庆裔至德、博、大名,一如景州之故;既至东平,则分递诸郡以取愿状而已。庆裔归,具陈诸州郡推戴之意,宗翰许之。

夏,四月,甲戌,御舟至明州。丙子,次馀姚县,海舟大不能进,诏易小舟,仍许百官从便先发。癸未,帝次越州,驻跸州治。

浙西制置使韩世忠,与金宗弼相持于黄天荡,而贝勒托云围扬州。朝廷恐守臣张绩力不能支,许还屯京口,绩不为动,敌乃趋真州。绩,金坛人也。

时托云军于北,宗弼军于南,世忠以海舰进泊金山下。将战,世忠预命工锻铁相连为长绠,贯以大钩,以授士之骁捷者。平旦,敌以舟噪而前,世忠分海舟为两道出其背,每缒一绠,则曳一舟而入,敌竟不得济。乃求与世忠语,世忠酬答如响,时于所佩金瓶传酒纵饮示之。宗弼见世忠整暇,色益沮,乃求假道甚恭,世忠曰:"是不难,但迎还两宫,复旧疆土,归报明主,足相全也。"

吕颐浩闻敌穷蹙,乃请帝如浙西,且下诏亲征以为先声,而亟出锐兵策应世忠,庶几必擒乌珠;参知政事王绚,亦言宜遣兵与世忠夹击。帝纳之,甲申,下诏亲征。御史中丞赵鼎言:"臣在温、台,屡言当俟浙西宁静及建康之兵尽渡江,然后回跸。今遽有此举,必韩世忠之报敌骑穷蹙,可以剪除耳。万一所报不实,及建康之众未退,回戈冲突,何以待之?"时有妖人王念经者,聚众数万,反于信州之贵溪,鼎言:"饶、信魔贼未除,王璨溃军方炽,陛下遽舍而去,兹乃社稷存亡至危之几也。"

戊子,韩世忠奏捷。帝曰:"金人南下以来,诸军率望风奔溃,今岁(知)〔如〕世忠辈虽不成大功,皆累获捷。若益训卒缮兵,今冬金人南来,似有可胜之理。"范宗尹曰:"前此兵将望风奔溃,而今岁皆能力战,此天意似稍回;更愿陛下修德,庶几天意必回。"乃出世忠奏,命尚书省以黄榜谕中外。

时敌众十万馀,而世忠战士才八千。宗弼求登岸会语,世忠以二人从,见之。宗弼招之降,世忠怒,引弓且射之,亟驰去。

壬辰,近臣言:"陛下即位以来,灼见祸乱之源,痛思惩艾,故以元祐党籍,屡下诏旨,特加追叙,欲以竦动四方观听,甚盛举也。止缘使逐家各自陈乞,故或子孙零落,不能申请,或子孙虽在而诰敕散失,至有诰敕具在而为有司以微文沮止者,致使往往未被赠典。虽如吕公著、吕大防、韩维、苏辙、顾临、梁(涛)〔焘〕、张舜民、范祖禹、王古辈,尚未沾昭洗之泽,其它可不言而知也。臣私窃恨之。夫名党籍,率皆一时之望,所历官职,众所共知,不容稍有伪滥,而特命追复,又非寻常之比。谓宜诰命从中而下,使异数齐颁,四方改观,岂宜以有司微文沮格耶! 欲望睿旨俾三省条具,不必更待逐家陈乞。"疏奏,诏依德音许本家自陈而已。

丙申,通议大夫、守尚书右仆射、同中书门下平章事兼御营使吕颐浩罢。

先是赵鼎复辞吏部尚书之命,且攻颐浩之过,章十数上,颐浩乃求去,帝宣还之。前一日,颐浩入见毕,面东而立,不预进呈。帝谕王绹等曰:"颐浩功臣,兼无误国大罪,与李纲、黄潜善不同,朕眷遇始终不替。"是夕,遂召给事中兼直学士院汪藻草制罢颐浩。制略曰:"占吏员而有亏铨法,专兵柄而几废枢庭。下吴门之诏,则虑失于先时;请浙右之行,则力违于众论。"遂罢为镇南军节度使、开府仪同三司、充醴泉观使。后二日,复诏中外,以颐浩倡义勤王,故从优礼焉。

时王绹与颐浩论颇同,乃累章乞免。于是范宗尹摄行相事,遂留会稽,无复进居上流之意矣。

是日,浙西制置使韩世忠及宗弼再战于江中,败绩。

宗弼既为世忠所扼,欲自建康谋北归,不得去。或献谋于金人曰:"江水方涨,宜于芦场地凿大渠二十馀里,上接江口,舟出江背,在世忠之上流矣。"宗弼从之,傍冶城西南隅凿渠,一夜渠成,次日早出舟,世忠大惊。金人悉趋建康,世忠尾击,败之,金人终不得济。

先是宗弼在镇江,世忠以海舟扼于江中,乘风使篷,往来如飞,乃揭榜募人献所以破海舟之策,有福州王某,侨居建康,教金人于舟中载土,以平板铺之,穴船板以棹桨,俟风息则出江,有风则勿出,海舟无风,不可动也,以火箭射其篷篷,则不攻自破矣。一夜造火箭成,及是引舟出江,其疾如飞,天霁无风,海舟皆不能动。世忠舟师,本备水陆之战,每舟有兵,有马,有家属,有辎重。金人以火箭射其篷篷,火烘日曝,人乱而呼,马惊而嘶,被焚与堕江者,不可胜数。所焚之舟,蔽江而下,金人鼓棹,以轻舟追袭之,金鼓之声,震动天地。统制官、右武大夫、成州团练使孙世询,武功大夫、吉州防御使严永吉,皆力战死。世忠与馀军至瓜步,弃舟而陆,旋还镇江聚兵,沿江避兵之人,往往取其粮食,亦有得军储银帛者,宗弼乃得绝江遁去。后赠世询五官,永吉四官,仍并为承宣使,录其子。世询,开封人也。

辛丑,诏:"诸路曾经残破州军发解举人,以靖康元年就试终场人数为率,纽计取放。"

是月,金人侵江西者,自荆门北归,留守司统制牛皋潜军于宝丰之宋村,击败之。京西捉杀副使王俊,以皋为武功大夫、和州防御使、充五军都统制。

夏,五月,壬寅朔,诏孟夏飨景灵宫,令平江府、温州守臣分诣;其后福州、潮州准此。

癸卯,金禁私度僧尼,及继父、继母之男女无相婚配。

甲辰,参知政事、权枢密院事范宗尹为通议大夫、守尚书右仆射、同中书门下平章事兼御营使。

时江北、荆湖诸路盗益起,大者至数万人,据有州郡。朝廷力不能制,盗所不能至者,则以土豪、溃将或摄官守之,皆羁縻而已。宗尹以为此皆乌合之众,急之则并死力以拒官军,莫若析地以处之,盗有所归,则可以渐制,乃言于帝曰:"昔太祖受命,收藩镇之权,天下无事,百有五十年,可谓良法。然国家多难,四方帅守,事力单寡,束手而莫知所出,此法之弊也。今日救弊之道,当稍复藩镇之法,亦不尽行之天下,且裂河南、河北数十州为之,少与之地而专

2459

付以权,择人久任,以屏王室。"群臣多以为不可,宗尹曰:"今诸郡为盗据者以十数,则藩镇之势骎骎成矣。曷若朝廷为之,使恩有所归。"帝决意行之,遂以为相。宗尹时年三十三。

己巳,起复承务郎张斛言:"淮南两路见有归正人守官或寄居者,虑人情猜忌,妄生事端,望量移入以南州军,各令自言愿往何州居止。"从之。时给事中兼直学士院汪藻亦言:"自东晋以来,中原失据,故江南、北侨立州郡,纳其流亡之人。比金人南侵,多驱两河之民列之行陈,号为签军,被其劫质以来,盖非得已。今年建康、镇江为将臣所招,逋归者无虑万人,此其情可见。莫若用六朝侨寓法,分浙西诸县,皆以两河州郡名之。假如金坛谓之南相州,许相州之人皆就金坛而居,其它类此,俟其南侵,徐以其职招之。彼既知所居各有定处,粗成井邑,父兄骨肉亲戚故旧皆在,亦何为而不归我哉!况浙西州县,昨经杀戮之后,户绝必多。如令有司籍定田产顷亩,以侨寓之人计口而给,俟稍安居,料其丁壮,教以战陈,皆精兵也,必争先用命,永无溃散。与夫从彼驱虏,反为我敌者,其利害岂止相万哉!"

丁未,金左副元帅宗翰与诸帅分往山后避暑。

先是大同尹高庆裔自东平还云中,言推戴刘豫之意。宗翰复令庆裔驰至东平,问豫可否,〔豫〕阳推张孝纯。宗翰报曰:"戴尔者河南万姓,推孝纯者独尔一人,难以一人之情而阻万姓之愿。尔当就位,我当以孝纯辅尔。"其议遂决。

宗翰与右监军希尹、右都监耶律伊都同之白水泊避暑。于是右副元帅宗辅之儒州望云县之望国崖,左监军昌留居潍州,而宗弼自江南还屯六合县。

戊申,金主诏曰:"河北、河东签军,其家属流寓河南,被俘掠为奴婢者,官为赎之,俾复其业。"

辛亥,朝请郎、直龙图阁、统领赤心队军马刘晏,及戚方战于宣州,死之。

初,宣州围急,朝廷命统领官巨师古统兵三千人自平江往援,又命晏自常州以所部赴之。晏始至城下,未安营垒,乘贼不意,自城南转城西,直趋城北,以捣方之帐,方大惊,退走。晏恃勇,欲生致方,乃单骑追之。贼见官军不多,乃自骆驼山设伏以断其归路,方率龙随迎战。晏力不能敌,退还,至天宁寺前,马陷淖,不可出,桥左有伏贼,以钩枪搭晏,晏犹手杀数十人,以无援被害。师古踵至,连战不胜,遂引众入城。事闻,赠晏龙图阁待制,官其四子,为立庙曰义烈,岁时祀之。

壬子,金人焚建康府,执李棁、陈邦光,自静安渡宣化而去。

时宗弼屯六合县,其辎重自瓜步口舳舻相衔,至六合不绝,建康城中悉为煨烬。棁道死,宗弼以邦光归于刘豫。淮南宣抚司右军统制岳飞,闻金人去,以所部邀击于静安,胜之,飞还屯溧阳。后军统制刘经欲杀飞而并其军,飞诱经杀之。

初,金人既渡江,淮东犹无警,安抚使、直宝文阁张缜尚守扬州,节度濠州军马刘位,领众在横山中,惟饮博而已。逮金人据六合,于是真州为群盗所扰,不可居。守臣王冠率军民渡江,驻于溧水、溧阳之间,金人又入真州,而扬州亦不可守,张缜乃弃扬州。

敌在建康凡半年,自采石至和州,道路往来不绝。宗弼既破浙西,和州粗留兵戍守,然无一官军乘虚至城下者。水军统制邵青屯竹篠,谍知建康敌骑绝少,欲引兵入之,会青为牛所伤,创甚,遂不能行。有都团陈德,结众欲杀金人,部勒已定,前期为其徒所告,德举家被害,兵马都监金沔死之。

岳飞之击金人于静安也,通直郎、权通判建康府钱需,纠率乡兵,邀敌之后,遂从飞入城,因权府事。

夜，有赤云亘天，其中白气贯之，犯北斗及紫微，由东南而散。殿中侍御史沈与求言："此天爱陛下，出变以示警也。愿陛下随宜措置，略修宗庙、陵寝之祀；多遣亲信之臣，迎护柔德帝姬还宫；及取越王之子，使奉朝请，择谨畏儒臣教之。又，天子所在，谓之朝廷，今号令出于四方者多矣，尽假便宜，即同圣旨。然其大者，虔州一朝廷，秦州一朝廷，号令之极，至为诏矣。愿条约便宜事件，度其缓急，特罢行之。申节张浚等，止降指挥，勿为诏令。"

甲寅，金人破定远县，龙神卫四厢都指挥〔使〕、保宁军承宣使、节制淮南军马间勃为所执。至南京，金人欲降之，不可；欲以为京东安抚使，又不可。敌怒，敲杀之。讣闻，赠检校少保、昭化军节度使，谥壮节。

是日，统制官巨师古与戚方战于宣州城下，方三战三败，遂引去。宣州受围，凡二十有九日，方既去，城之东壁摧裂者数十丈。

乙卯，朝奉郎赵霖知和州。

始，宗弼既渡江，和人共推兵马都监、武德大夫宋昌祚权领州事，率军兵固守。逮敌北归，复围之。禁军左指挥使郑立，亦拳勇忠愤，共激士卒，昼夜备御不少息。阅数日，宗弼亲督众攻城，军士胡广伏城东北角，发强弩射之，中其左臂。宗弼大怒，立击破之，昌祚与权通判州事、奉议郎唐景、历阳令訾（□）〔誉〕、司户参军徐炔、历阳尉、成忠郎邵元通皆死谯楼上，敌裂其尸以徇。时士多不降，溃围而出，保州之（须）〔西〕麻湖水寨，推乡人一二豪者为统领。霖时在江东，间关赴难，军民言于朝，故命为守。（浚）〔后〕赠昌祚三官，录其二子；景、炔、元通皆推恩有差。霖尝为直徽猷阁，坐赃废。

戊午，初，帝在明州，诸班直为乱，既诛为首者，遂废其班。及还会稽，乃命御前中军统制辛永宗更选兵三百人直殿，然皆乌合之众。至是赵鼎因奏事言："陛下初即位，议复祖宗之政，至今未行一二。而祖宗于兵政最为留意，熙宁变旧章，独不敢议。盖自艺祖践阼，与赵普讲明利害，著为令典，万世守之，不可失也。昨明州班直缘诉事纷乱，非其本谋，乃尽废之，是因咽而废食。今诸将各总重兵，不隶三衙，则民政已坏，独卫兵仿佛旧制，亦扫荡不存。是祖宗之法废于陛下之手，臣甚惜之。仁宗时，亲事官谋不轨，直入禁廷，几成大祸，既获而诛，不复穷治，未闻尽弃之也。"帝悟，寻复旧制。

甲子，诏曰："周建侯邦，四国有藩垣之助；唐分藩镇，北边无强敌之虞。永惟凉渺之资，履此艰难之运，远巡南国，久隔中原，盖因豪杰之徒，各奠方隅之守。是用考古之制，权时之宜，断自荆、淮，接于畿甸，岂独植藩篱于江表，盖将崇屏翰于京都。欲隆镇抚之名，为辍按廉之使。有民有社，得专制于境中；足食足兵，听专征于阃外。若转移其财用，与废置夫官僚，理或应闻，事无待报。惟龙光之所被，既并享于终身；苟功烈之克彰，当永传于后裔。尚赖连衡之力，共输夹辅之忠。"诏词，直学士院綦崈礼所草也。

先是范宗尹言："从官集议分镇事宜，请以京畿、淮南、湖北、京东、西地方，并分为镇。除茶盐之利，国计所系，合归朝廷置官提举外，它监司并罢；上供财赋，权免三年，馀令帅臣移用。管内州县官许辟置，知、通令帅臣具名奏差，朝廷审量除授，遇军兴，听从便宜。其帅臣不因朝廷召擢，更不除代。如能捍御外寇，显立大功，当议特许世袭。"

乙丑，右武大夫、忠州刺史知楚州兼管内安抚使赵立为楚、泗州、涟水军镇抚使，兼知楚州。时宗弼自六合归，屯于楚州之九里径，欲断立粮道，立又大破之。

先是刘豫在东平,遣立故人葛进等赍书诱立,令贡税赋,立大怒,不撤封,斩之。已而又遣沂州举人刘偲持旗榜招立,具言金人大军且至,必屠一城生聚,立令将出就戮。偲大呼曰:"公非吾故人乎?"立曰:"吾知忠义为国,岂问故人耶?"趣令缠以油布,焚死市中,且表其旗榜于朝。由是忠义之声倾天下,远迩向风归之。

戊辰,统制官岳飞献静安金人之俘。帝呼入译问,得女真八人,磔之,馀汉儿分隶诸军。帝因谓大臣曰:"金人颇能言二圣动静,云今在韩州,及皇后、宫人皆无恙。"帝感动,不怿久之。

三省言:"江道辽远,缓急恐失机会。欲分江东、西为三帅:鄂州路,领岳、筠、袁、虔、吉州、南安军;江州路,领洪、抚、信州、兴国、南昌、临江、建昌军;池州路,领建康府、太平、饶、宣、徽州、广德军;并为安抚使。"从之。

先是浙西帅府移治镇江,故范宗尹请置安抚使于鄂与江、池,谓建康本帅治,缘近镇江,而去江州千四百里,独池在其间,若置帅于此,则沿江道里甚均,三帅相去各七百里。然池阳僻陋,乃置江东大帅,而建康重地,反为支郡隶之,议者不以为是。

六月,壬申,权通判建康府钱需言捕敌兵一人,自言涿州人。上曰:"此吾民,不可杀也。"令隶诸军。

金以故辽旧臣耶律哈哩质等十人分治新附州镇。

癸酉,金主命以昏德公女六人为宗妇。

甲戌,以宰相范宗尹兼知枢密院事,罢御营使。

议者以为:"宰相之职,无所不统。本朝沿五代之制,政事分为两府,兵权付于枢密,比年又置御营使,是政出于三也。望罢御营司,以兵权归之密院,而宰相兼知。凡军额有阙,并申枢密增补,不得非时招收,仍用符以遣发。庶几可以收兵柄,一赏罚,节财用。"于是罢御营使及官属,而以其事归枢密院为机速房焉。自庆历后,宰相不兼枢密者八十馀年,其复兼盖自此始。

诏:"初除执政官,正谢日赐衣带、鞍马如故事。"

乙亥,诏:"六品以上官及初(度)〔改〕京官并给告身,朝官以上给敕,初授官人给绫纸。"

丁丑,太尉、御营副使刘光世充御前巡卫军都统制。

光世所领部曲既无所隶,因号太尉兵,侍御史沈与求论其非宜。会御营司废,乃以巡卫名其军,除光世都统制。

戊寅,诏:"御前五军改为神武军,御营五军改为神武副军,其将佐并属枢密院。"

徽猷阁待制、知临安府季陵复为中书舍人。

陵入对,首上奏曰:"臣观今日国势,危如缀旒。大驾时巡,未有驻跸之地;贤人远遁,皆无经世之心。兵柄分于下而将不和,政权去于上而主益弱,所恃以仅存者,人心未厌而已。

"前年议渡江,人以为可,朝廷以为不可,故讳言南渡而降诏回銮。去年议幸蜀,人以为不可,朝廷以为可,故弛备江、淮而经营关陕。以今观之,孰得孰失?张浚出为宣抚处置使,不过欲迎陛下耳。金人长驱,深入吴、越,至今尚在淮甸,曾无一骑入援王室者。

"维扬之变,朝廷不及知,而功归于宦寺;钱塘之变,朝廷不能救,而功归于将帅。是致陛下信任此曹,有轻朝士之心。黄潜善好自用而不能用人。吕颐浩知使能而不知任贤。自张确、许景衡饮恨而死,刘豫、杜充相继飏去,凡知几自重者,往往卷怀退缩矣。

"今天下不可谓无兵,若刘光世、韩世忠、张俊者,各率诸将,同心而谋,协力而行,何所往而不克！然兵柄既分,其情易暌；各招亡命以张军势,各效小劳以报主恩；胜不相逊,败不相救,大敌一至,人自为谋,其能成功哉？

"君臣之间,义同一体,庙堂出命,百官承禀,知有陛下,不知有大臣。大臣在外,事涉形迹,其可作威福以自便乎？张浚在陕右,区处军事,恐失机会,便宜可也；乃若自降诏书,得无窃命之嫌耶？官吏责以办事,便宜可也；若安置从臣,得无忌器之嫌耶？以至赐姓氏,改寺额,事类此者,无与治乱,待报何损！是浚在外伤于太专矣。

"三代之得天下者,得其民也；得其民者,得其心也。民坠涂炭,无甚于今日。发掘丘墓,焚烧屋庐,六亲不能相保,而戴宋惟旧,实祖宗德泽在人心者未厌也,所望以中兴,惟此一事耳。然人心无常,固亦难保,陛下宜有以结之。今欲薄敛以裕民财,而用度方阙；今欲轻徭以舒民力,而师旅方兴。罪己之诏屡降,忧民之言屡闻,丁宁切至,终莫之信。盖动民以行不以言,臣意陛下举事当,人心服,自足以结之也。爵当贤,禄当功,刑当罪,施设注措无不当于理,天下不心悦而诚服者,未之有也。臣愿陛下以其所当虑者,使一二大臣谋之,无偏听,无自贤,无畏强御,无徇私昵,处之得其当则人心服,人心服则盗贼将自息而外患亦可图矣。"

是日,滁、濠镇抚使刘位为张文孝所杀。

前一日,位引兵入滁州,克之,文孝遁去。诘旦,文孝以其众复至城下,位即引兵迎敌。位逢兵众数百,以为己之兵也,乃指挥杀贼,而所逢者贼兵也。位觉之,欲急战,为贼所杀,权知州事荀某与州县官皆散走。事闻,诏其子武德郎、邠门宣赞舍人、知泗州纲,起复滁、濠州镇抚使,赠位武功大夫、忠州防御使,后为立祠,名刚烈。

己卯,罢临安府守臣兼浙西同安抚使,以防秋在近,欲责任之专故也。

庚辰,和州进士龚楫率民丁袭金人于新塘,为所杀。

时和州、无为军镇抚使赵霖,虽已受命,然寓治水寨,未入城,水寨之众,乘间出掠敌营。宗弼乃遣偏师筑堡新塘,以遏绝濡须之路,楫率二千人袭之,入其营,获敌兵数百,所掠男女尽纵之。楫归,道遇敌救大至,其众多赴水死。楫为敌所得,戟手大骂不绝,敌脔割之,时年二十二。霖上其事于朝,有司以楫率众无所受命而格其恩。楫,原孙也。

敌之得历阳也,有士人蒋子春者,平日教授乡里,敌见其人物秀整,喜,欲命之以官；子春怒骂,为所杀。

乙酉,诏皇兄右监门卫大将军、忠州防御使安时权主奉益王祭祀。

先是安时请袭封,事下礼官,以安时非嫡,遂不许。自仁宗以来。诸王後各以一人袭封,至渡江始废。

戊子,诏遣使抚谕邵青、戚方,以所部赴行在。

时方引兵犯安吉县之上乡,浙西、江东制置使张俊以兵讨之。或言上乡路狭,不可行兵,俊乃遣其将王再兴招之。会统制官岳飞追袭其後,方无路进退,始诣俊乞降。方上兵簿,有马六百匹,所献金玉珍珠不可计。至行在,日与中贵人蒲博,不胜,取黑漆如马蹄者用火燎去,皆黄金也,以偿博,不下数枚。诏迁方武翼大夫,以其军六千人隶王瓒军,後因以方为裨将。时人为之语曰:"要高官,受招安。"

乙丑,枢密院进呈刘光世所获敌人并签军状。参知政事张守曰:"光世谓签军不宜留,盖知吾山川险易,它日叛亡,恐为敌人乡道。"帝曰:"此皆吾民也,不幸陷于敌,驱质而来,岂其得已!"守曰:"若分置军伍中,每队留一二人,岂能遽叛!"帝以为然。

辛卯,大理寺奏魔贼王宗石等款状,帝曰:"此皆愚民无知,自抵大戮。朕思贵溪两时间二十万人无辜就死,不胜痛伤。"乃诛宗石等二十六人于越州市,其馀皆释之。先是浙西、江东制置使张俊,以全军讨饶、信妖盗,(大)〔太〕尉刘光世因命统制官王德、靳赛总兵会之,获王念经。德等凡屠两县,所杀不可胜计。帝闻之不乐,故有此谕。

壬辰,初,山东之破,其士人多不降,有沧州人李齐聚众沙门岛,密人徐文聚众灵山寺,莱州人范温聚众福山岛。会河北忠义人(获)〔护〕送宗室士干泛海南归,文劫之。至是文自称忠训郎、权密州都巡检使,其副宋稳自称忠翊郎、权兵马监押,请以所部五千人、海舟百五十泛海来归。诏各进一官,赴行在。

己亥,封才人张氏为婕妤,和义夫人吴氏为才人。吴氏,开封人,时年十六。自上即位以来,嫔御未备,及是潘贤妃从隆祐皇太后在虔州,后宫近侍者,惟二人而已。

是月,资政殿大学士陈过庭没于燕山,年六十;后谥忠肃。

【译文】

宋纪一百七　起庚戌年(公元 1130 年)正月,止六月,共六月。

建炎四年　金天会八年(公元 1130 年)

春季,正月,甲辰朔(初一),大风,高宗乘坐的船停泊在海上。

乙巳(初二),中午,西风忽然刮起,金兵乘机攻打明州。御前右军都统制、浙东制置使张俊与守臣徽猷阁待制刘洪道坐在城楼上,派兵掩杀,双方死伤相当。金兵败逃,陷入田间或坠入水中。张俊急令收兵赶赴台州。这天夜里,金兵拔起营寨离去,驻扎在余姚,并且向宗弼请求援兵。

丙午(初三),高宗派遣宦官使者召御前左军都统制、浙西制置使韩世忠前往行在。韩世忠已在通惠镇整治舟师,于是请求前往镇江截击敌人撤退的军队,拼死一战,高宗同意了他的请求。

己酉(初六),高宗下诏派遣使者从海路到福建、虔州,询问隆祐皇太后乘坐的船停泊在什么地方。高宗担忧太后径直进入闽、广,于是派遣使者去问安。乙卯(十二日),滕康说太后已到达虔州。

张俊已离去,明州的士民全都离散。有一位士人率众拉住刘洪道的马头,希望他留下来抵抗敌人。刘洪道说:"我曾多次克敌制胜,你们不要忧虑。"丙辰(十三日),夜里,刘洪道微服而逃,与浙东副总管张思正率领所部奔赴天童山,在所经过的地方将桥梁全部拆除,百姓不能渡过,几千人哀号震天。城中只有崇节马军和恶少一千人,以酒官李木统领他们。

江、淮宣抚司右军统制岳飞自广德军移兵驻扎宜兴县。杜充失败时,他的将士溃败离去,大多进行抢劫掳掠,唯独岳飞严格约束所部,不骚扰居民,士大夫躲避敌寇的都赖以幸免。

丁巳(十四日),张俊从台州前往行在。

金国任命同中书门下平章事韩企先为尚书左仆射。韩企先善任其职,宗翰、宗干都很器重他。

这一天,金国陕西都统洛索攻破陕府,守臣右武大夫、宁州观察使李彦仙战死。

金国自去年冬季派重兵来攻,李彦仙防御十分完备,对待士卒有恩惠,粮食已尽,煮豆让部下吃而自己取汁喝,到这时豆也吃完了。宣抚处置使张浚,从偏僻小道送来金帛,让他犒劳军队,并且檄令都统制曲端率泾原的军队前去支援。曲端一向忌恨李彦仙在自己之上,没有出兵的意思。张浚的下属官员资阳人谢升对张浚说:"敌人朝夕就要攻下陕府,没有人为此担忧,几乎不知道敌人的意图。敌人已得到长安,现在攻取陕府,就完全占据了黄河,并将窥视蜀地了。"众人商议不决,极力争辩了几天,才出兵,到达长安时,而敌人已事先阻塞道路,不能前进。

韩世忠像

李彦仙每天与敌人交战,将士未曾解甲。洛索命令从正月初一开始,以一支军队攻击,一天攻不下来第二天就改派一支军队,每十天就聚集十支军队合兵进攻一天,期望用三十天必定攻陷陕府。李彦仙神色和平时一样,登上望楼,大起伎乐,暗中派人挖掘地道出城,焚烧敌人的攻城器械,敌人惊愕而退。洛索欣赏李彦仙的才能,曾招降李彦仙,李彦仙斩杀了洛索的使者。到这时洛索仍想使李彦仙投降,派人呼叫道:"立即投降,当得富贵。"李彦仙不答应,每天钩取数十名敌兵在城上分尸,虽然杀伤大体相当,而敌兵仍纷至沓来,因守城太久,伤残日益接近穷尽。不久金兵也缺乏粮食,想撤走,有人告知金兵发起急攻可以进入,金兵增加兵众攻城,每队以战鼓在前,击鼓一声就前进一步,渡过壕沟后,鼓声逐渐急促,没有不争先的,都大声呼喊并力齐登,死伤者虽然满地都是却不敢回头顾看。这天清晨,有鸢鸟和乌鸦几万只鼓噪于城上,与战斗的呼喊声相混乱,洛索说:"城攻陷了!"催促金兵急攻,城终于攻破。李彦仙率领士卒与金兵巷战,左臂被砍中一刀,没被杀死,仍战斗不已。金兵爱惜他的才干,以重赏募人生擒他。李彦仙改穿破衣混杂在士卒人群当中,快往渡河,说:"我不甘心以身体承受敌人的刀刃。"敌人纵兵屠杀掳掠,李彦仙听说这件事,说:"金人之所以过分屠杀,是因为我坚守不降的缘故,我有何面目再见世人呢!"于是投河而死。金兵抓住他的家人而杀害,陕府的百姓没有能活命的。张浚听说后,秉承皇上旨意赠李彦仙彰武军节度使,就在商州立庙,并且任用他的儿子为官。过了很久,赐李彦仙谥号忠威。

李彦仙守陕府两年多,与敌人大小战斗二百次,到城被攻破,他的属下官员陈思道、李岳、杜开,通守王洙、赵叔凭,职官刘效、冯经,县令张玘,将佐卢亨、邵云、阎平、赵成、贾何、吕圆登、宋炎等一同战死,没有人屈服投降。赵叔凭,是宗室子弟,最初是兵马都监。因功劳被授以武翼大夫、通判州事,等到守城危急时,有一个儿子是卢氏县的官吏,乘间派人告诉儿子说:"我幸得皇上亲近的重托,死于国难本来就是死得其所,你可以逃走了。"邵云,是龙门人,金兵攻破薄城，邵云独自与数百名少年在山谷聚集保守，起初听命于邵兴，后来成为李彦仙的部下，累积升官到阁门宣赞舍人。金兵得到邵云，想用他为将，邵云怒骂不屈。洛索大怒，钉住邵云五天后而将他车裂。阎平，是湖城人，官至阁门祗候。贾何，是陕县人，与赵成都是修武郎。吕圆登，是夏县人，曾是僧人，城将被攻破时，从外地赶来支援，与李彦仙互相扶持而流泪说："被围太久，不知您是否平安，今日得以见到您，死了也将没有遗恨。"受伤严重，正卧在床，听说城被包围，立即起身，战死。宋炎，是陕县人，善于以脚踏弩使之张开。敌人围城，宋炎取出大弩几百副调治，所射穿杀伤敌兵特别多。城被攻破，敌人想用他为将，招呼宋炎出来，宋炎不答应，战死。后来从邵云以下朝廷都追赠官职，录用他们各家中一人为官。

己未（十六日），金兵攻破明州。

在这之前金国增加兵力而来，二天前，驻军于广德湖旧寨的前面，派遣老弱妇女运送瓦砾填壕沟。第二天晚上，植放炮架十多座，对准明州城西门。这一天，用好几座炮轰碎城楼，守城的人奔逃四散而出，城于是被攻破，金兵进入城中。

庚申（十七日），金主下诏说："逃避徭役的百姓，以微薄的价钱卖身给权贵之家的，全部放出归还原来的籍贯。"

辛酉（十八日），高宗乘坐的船离开章安镇。

甲子（二十一日），停泊在温州港口。

丙寅（二十三日），高宗乘坐的船转移停次在温州的馆头。

在这之前，金兵从明州领兵攻打定海，攻破了定海，于是派水军渡海，侵犯昌国，企图袭击高宗乘坐的船，到达碛头时，风雨大作。和州防御使、枢密院提领海船张公裕率领大船击溃了金兵，金兵才退走。高宗听说明州失守，于是率船而南下，与金兵才隔一天的路程。

丁卯（二十四日），虔州随从护卫隆祐皇太后的各军作乱。

起初，隆祐皇太后已到虔州，府库所有已用尽，护卫军向上司请求，只得到沙钱及折二钱，各种物品都不能买到。军士与乡民互相争执，军士于是纵火并大肆掠夺。

起初，赵立已到楚州，朝廷因此任命赵立为知州事，适逢金国右监军完颜昌亲率几万人围城，攻打城的南墙，赵立亲自在前面掌旗，带领兵众出战，双方相持四十余天。己巳（二十六日），金兵用炮轰击三座望敌楼，终于登上了城墙。赵立先取槐树的树干制成鹿角拦截在破城的地方，而在下面修筑月城将它包裹起来，月城之中，放满干柴，城内设置。敌人从月城中进城，赵立命令用金属汁水浇敌人，敌人死的以百数。金兵不能进入，于是退守孙村大寨，时常派遣几百骑兵出没于城下，以掠取出城寻求粮食和采伐柴火的人。因此城里的人不能出来，而柴草和粮食日渐枯竭。

二月，乙亥（初二），高宗乘坐的船到达温州江心寺驻跸，改江心寺为龙翔寺。

将启圣宫祖宗的遗像奉安于福州。

金兵既已攻破江西各郡，于是移兵奔向湖南。帅臣直龙图阁向子諲，最初听到警报，率领军民固守，并且禁止士大夫和百姓出城。敌人的骑兵到达潭州，呼令打开城门投降，军民都不屈从，请求死守。宗室成忠郎赵聿之隶属于东壁，向子諲巡视城墙，督察官吏，看着赵聿之对他说："您是宗室，不可效法这些人轻率而简略。"赵聿之感激流涕。敌人围城八天，不久登上城墙，四面纵火。向子諲率领官吏抢夺南楚门逃走，城于是被攻破，赵聿之拔刀自杀。

城开始被攻破时，将官成忠郎刘玠率领残兵与敌人巷战，身中数十箭，拼杀更加奋力。

敌人又用枪刺中他,众人想扶持他而去,刘珏指挥兵众直往前进,死于阵中。敦武郎、新任杭州兵马都监王晅,带领民兵守在朝宗门,也战死。

赵聿之,是魏悼王的后人,安定郡王赵叔东的儿子。金兵掳掠潭州六天,屠杀全城百姓后而离去,向子谭又进入城内。后来朝廷赠刘珏为武经大夫,王晅为武德郎,赵聿之为右监门卫将军。又过了一天,金兵终于领兵离去。

丙子(初三),金人从明州领兵回到临安。

起初,金兵已攻破明州,派人去听取宗弼的命令,并且说搜寻山海已经完毕。宗弼说:"按照扬州的先例。"金人于是焚烧明州城,只有东南角的几座佛寺与偏僻里巷的居民偶有幸存。金人留在明州七十天,领兵离去。

起初,宗弼留在临安,听说浙西制置使韩世忠从江阴奔赴镇江,恐怕他截击金兵的后路。这个月庚辰(初七),宗弼从吴山、七宝山收兵,于是放火,三天三夜烟焰不绝。癸未(初十),大火熄灭。甲申(十一日),放纵金兵大肆掳掠,并且捆束行装。丙戌(十三日),金人退兵,因所掳掠的辎重不能从陆路运走,于是由苏州、秀州取道塘岸边水路行进。在这之前,武功大夫、成州团练使陆渐迎接投降金人,宗弼任命他为临安府兵马钤辖。陆渐劝宗弼搜刮金银,焚烧临安,便跟随金兵北去。

正当金兵没有退兵时,有一个叫钱观复的衢州军事判官,认为衢州位于交通要冲,告诉知州,下令放百姓中老弱的人出城,每户留下一个成老男子,不留与留下而瘦弱不堪所任的,按军法论处。后来各军士兵想乘机作乱,看到城中金帛子女没有什么特别的收获,才停止。当时李涛、李郇、郑亿年都在军中,宗弼因而带上他们北去。

金人分兵侵犯海盐,县尉朱良率领百余名射士抗拒敌人,最后力战而死。

在这之前金兵攻破京师,当时河南的北部全为金人所有,睢阳、洛阳都驻有重兵,只有汴京及附近城镇还为宋朝固守,但粮食储备匮乏不继,四面交通不通,很多人都饿死了。有个叫聂渊的河北金军首领,与他的同伙十个一群五个一伙的,用食物与守城的人做交易,时日一久彼此就十分熟悉,于是不对他们产生疑心。这一天,聂渊和他的手下几百人,夜里登上城的北壁,纵火焚烧望楼,还不敢下城,于是修筑慢道自守。这时城的东面有群盗李溃、苏大刀等人,权留守上官悟全将他们招入城内。他们入城后,就焚烧掳掠不止,城中大乱,上官悟及副留守赵伦出城逃命。上官悟抵达唐州,被董平所杀。金人得到京师后,任命前宋朝都水使者王燮为留守,当时在京的强壮者不到十万人。从此,四京已全部沦陷。

江东宣抚使刘光世上奏:"杜充失败,不知生死,王燮所统领的前军也已溃败,韩世忠直上海船而去。臣现在率领孤军驻守南康,传递檄书给各路,令各路会合军队为保卫皇室尽力,希望陛下远避敌贼的兵锋,等到春暖时节,打败他们不难。"高宗诏令:"刘光世所率领的军队不少,现在又会合军队,深深忧虑会发生骚动。可以只统领本部人马乘间攻击敌人,不要失去机会。"

己丑(十六日),奉安景灵宫祖宗的遗像于温州开元寺。

庚寅(十七日),高宗进入温州,驻跸州治。

辛卯(十八日),金兵攻破秀州。

在这之前两浙宣抚使周望在平江,有人说敌人从越州回到了金陵。周望一向不严密侦察敌情,只以传闻的话为实情,于是派遣统制官陈思恭、小张俊统领军队进入杭州,以谋求收

2467

复失地的功劳。陈思恭到了秀州，探知传闻的虚妄，从偏僻小道速到湖州的乌墩镇以观察变化。到这时金国宗弼经过秀州，通直郎、权州事邓根留下武翼郎、本部兵马都监赵士医，登城抗拒敌人。城被攻破，赵士医被流矢射中而死，后来赠予武翼大夫。周望听说金兵到达崇德县，壬辰（十九日），调遣太湖船一千艘赶赴吴江抵御金兵。

鼎州人钟相叛乱，自称楚王。

起初，金兵撤离潭州，郡盗于是蜂起，东北流亡迁移的人，相继渡江南下。武经大夫、潍州团练使孔彦舟从淮西收聚溃散的兵卒，侵占荆南、鼎、澧各郡，秘阁修撰、知荆南府唐悫弃城离去。

钟相用邪门旁道惑乱众人，自称大圣，说有神灵与天相通，能救治人们的疾苦忧患；暗中对他的党徒讲时，就说：“法律区分贵贱贫富，不是好的法律。我要推行的法律，应当等贵贱，均贫富。”他拿这些话以鼓动平民百姓，因此方圆几百里之间，平民百姓无知之人迅速跟随他，他们备好粮食去拜见钟相，称之为拜父。这种情况持续了二十多年，钟相因此家财数目极大。等到湖、湘一带盗贼蜂起，钟相与他的党徒结集成为忠义民兵，士大夫中避乱的人大多依附于他。钟相所居住的村子，有一座山叫天子冈，于是就在此处修筑营垒，挖浚壕堑，以抵御盗贼为名。适逢孔彦舟进入澧州，钟相乘人心惊恐混乱之际，借口抗拒孔彦舟聚集兵众，到现在起兵，鼎州、澧州、荆南的百姓纷纷响应。钟相于是自称楚王，改年号为天载，立妻子伊氏为皇后，儿子钟子昂为太子，颁行文书称圣旨，任命官员用黄牒，这一地区为之骚动不安。当时鼎州空缺守臣，而湖南提点刑狱公事王彦成、单世卿，都携带家人顺流东下，仅免于身死。贼众于是焚烧官府、城市、寺观及富豪人家，凡官吏、儒生、僧道、巫医、卜祝之流，都被他们杀害。从此鼎州的武陵、桃源、辰阳、沅江，澧州的澧阳、安乡、石门、慈利，荆南的枝江、松滋、公安、石首，潭州的益阳、宁乡、湘阴、江化，峡州的宜都，岳州的华容，辰州的沅陵，共十九个县，都成了盗贼的区域。

乙未（二十二日），尚书右仆射、同中书门下平章事兼江、淮宣抚使杜充被罢免，改任观文殿大学士、提举江州太平观。

杜充从真州北去，宗弼派人去说服杜充，许诺以中原地区封给他，按照张邦昌的先例，杜充于是投降了金国。知真州向子忞将此事奏闻朝廷，高宗知道后，多日不思茶饭。御史中丞赵鼎、右谏议大夫富直柔同时入朝奏对，请求先罢免杜充，等到他投降金国的确切消息，就再另外议定他的罪行，所以有这道任命。

丙申（二十三日），因高宗回到温州，颁降德音释放天下的徒刑罪人，凡是士民家属有从金国来归朝廷的，所在地方要酌量供给钱米，在寺院安排留住，寻访他们的家以便让他们回还。

徽猷阁直学士、知庆阳府兼陕西制置使王似被任命为知成都府。

当时宣抚处置使张浚听说高宗亲征，急忙整治军队，从秦州入内保卫皇帝，留下参议军事刘子羽掌管留司事务，凡川、陕的军政民事，都可以独自决断；又调王似任知成都府，而以亲卫大夫、明州观察使赵哲代替他。徽猷阁直学士卢法原，当时守成都，于是命令卢法原前往行在。

这一天，金兵的游骑到达平江城东，统制官郭仲威，还没有与敌人交锋就退走了。同知枢密院事、两浙宣抚使周望逃奔太湖，市民请求他留下，他不听，市民就极力抨击谩骂他，周望头也不回而离去。守臣徽猷阁直学士汤东野,听说周望已出逃,就携带家口潜逃,把府印交给郭仲威。第二天,郭仲威与将官鲁玉在城中纵火,夜里,周望和郭仲威都逃走了。他们的部下从城南转而劫掠居民,北出齐门而离去,百姓得以出城的,多被他们杀害。

戊戌(二十五日),宗弼进入平江,驻军于府治,掳掠金帛子女已尽,又纵火烧城,烟焰百余里外都能看到,大火烧了五天才熄灭。

三月,癸卯朔(初一),宗弼离开平江府。

甲辰(初二),当初,洛索已攻破陕州,于是与他的副手完颜杲长驱直入潼关。宣抚处置使司都统制曲端,听说敌人到来,派遣右武大夫、忠州刺史、泾原路马步军副总管吴玠及统制官张忠孚、李彦琪率领所部在彭原店抗拒敌人,曲端自己集聚大军驻扎在邠州的宜禄作为声援。敌人乘地势高而布阵,洛索领兵前来交战,吴玠击败了他。不久金兵重新振作,宋军失败,曲端退到泾州驻守,金兵也领兵离去。曲端上奏弹劾吴玠违抗节制,降为武显大夫,罢免他的总管职务,重新担任知怀德军。宣抚处置使张浚素来认为吴玠是奇才,不久提拔吴玠任秦凤副总管兼知凤翔府。当时正是战乱之后,吴玠劝勉安集百姓,百姓得以生存。

起初,青溪岭之战,吴玠的亲兵全部溃败,到现在吴玠在秦凤整治军队,那些溃败的兵卒重新出来接受招募。吴玠再三问讯,搜查出五六个不是自己亲兵的人,斥责遣散了他们,其余的都斩杀于远亭之下,距离秦州十里,军中十分恐惧。从此每次战斗士卒都效死力战,不再有溃散的了。

己酉(初七),张浚上奏说大食国进献珠玉,使者已到达熙州,朝廷下诏令由水路送到行在。右正言吕祉,上奏称所进献的珍珠、犀牙、乳香、龙涎、珊瑚、栀子、玻璃,不是吃穿日用的物品,不应当接受。高宗晓谕大臣说:"捐弃几十万缗来换这些无用的珠玉,不如爱惜这些资财以给养战士!"于是命令宣抚司不得接受,仍增加赏赐遣送他们回去。

壬子(初十),金兵进攻常州,守臣右文殿修撰周杞闻知敌人到来,弃城逃到宜兴县,金兵于是进入常州。

甲寅(十二日),权知三省枢密院事卢益到达行在,诏令催促他入宫奏对。在这之前高宗晓谕吕颐浩说:"朕当初不认识隆祐皇太后,自从建炎初年迎奉太后到南京,才开始认识她,太后爱护朕不异于自己亲生的,在宫中奉养太后达一年半,朕的衣服饮食,太后必定亲自调制。现在朕的父母兄弟都在远方,尊长中只有皇太后一人。朕与皇太后不仅相别于数千里之外,加之敌人的骑兵冲击突袭,还有军队和百姓不相配合,放火交战,五六天才安定,反复受到这样的惊扰。应当及早派遣大臣领兵奉迎皇太后,以满足朕朝思暮想的心意。"于是命令卢益与御营使司都统制辛企宗、带御器械潘永思一同前往。

丁巳(十五日),金兵到达镇江府,浙西制置使韩世忠已驻扎在焦山寺以便截击敌人,降服金兵将领铁爪鹰李选。李选,是江淮宣抚使的溃散兵卒。

宗弼派遣使者通问,韩世忠也派遣使臣石皋回报他们,约定日期会战。韩世忠对各将说:"这一带的形势,不如龙王庙,敌人必定登上龙王庙窥视我军的虚实。"于是派遣将领苏德率领二百名士兵埋伏在庙中,又派遣二百名士兵埋伏在庙下,告诫他们说:"听到江中的鼓声,岸上的兵首先入庙,庙中的兵接着出去。"敌人到来,果然有五个骑兵奔向龙王庙,庙中的伏兵大喜,在江中击鼓之前就出击,那五个骑兵挥鞭飞驰,仅抓到了其中的两个;有一个穿红袍骑白马的,已坠下马却又跳上飞驰的马而逃脱,诘问俘虏,知道那人就是宗弼。随后双方交战几十回合,韩世忠的妻子和国夫人梁氏在队伍中,亲自挥槌击鼓,敌人始终不能渡江。宗弼又派使者致辞,愿意归还所掠夺的东西而借道通过,韩世忠不同意;又增加了名马,韩世忠还是不同意。当时左监军完颜昌在潍州,于是派遣贝勒托云速往淮东,作为宗弼的声援。

己未(十七日),高宗到了开元寺,朝拜辞别九位先帝的神主,宰相及百官都来扈从。从渡江到现在,才有这一礼节。这一天,高宗乘船又回到浙西。

庚申(十八日),高宗诏令:"以前金人所攻破的州县,那些投降金国的官员除知州、通判另外取旨外,其余的一并罢免。其中统兵官因寡不敌众,以致有溃散的,理应体恤,可特准开释罪过,仍旧统领人马。"当时朝廷担心将士溃散的太多,乘战乱发生变故,所以宽免他们。

辛酉(十九日),高宗乘坐的船从温州出发。

壬戌(二十日),高宗乘坐的船行到章安镇。

乙丑(二十三日),高宗到达台州松门寨。宰执大臣奏事,吕颐浩于是上言:"这次出行不清楚是暂驻会稽,还是又须到浙右?"高宗说:"须由苏州、杭州前往湖州,或者如爱卿所奏前往宣州。朕以为会稽只可暂驻,如果稍微长久,则人心怀念安逸而不乐于屡次迁徙了。"吕颐浩又说:"将来暂且在浙右较为妥当,以免谋求进入蜀地。"高宗说:"朕以为倚靠雍地的强大,凭借蜀地的富庶,固然是好。但张浚上奏称汉中只可准备一万人的粮食,恐怕太少。两浙如果委托得力的人,钱帛还可以逆水向西运输。至于粮食,怎么可以漕运!"吕颐浩说:"如果只带一万军队进入蜀地,那么淮、浙、江、湖以及闽、广,将成为盗贼占据的地区,都不属于国家所有了。"高宗说:"应当更加向上流进取,调用淮、浙榷货务专卖的盐钱来供给军费,运输江、浙、荆、湖的粮食作为军粮。"王绹说:"议论的人只知轻率地议论晋元帝还都建邺,不能恢复中原,而大多主张进入蜀地便利。却不知从秦用张仪到本朝派遣王继恩,占领蜀地已有八次了。攻取就能得到蜀地,不必烦劳再次用兵,这样也不可以认为是有利。"范宗尹说:"臣以为如果立即进入蜀地,恐怕两头都会丧失;占据江表而慢慢图取关陕的事情,那么两头都能得到。决择取舍,不可不审慎。"高宗说:"是这样。"不久张浚又上疏说:"陛下果真有意于中兴,非巡幸关陕不可。希望先巡幸鄂渚,臣当纠集、率领将士敬迎皇上的车驾,永远作为定都的大计。"高宗不准许。

诏令将已故资政殿学士许景衡家所租赁的温州官家房产赐给他。高宗因此说:"朕自即位以来,执政大臣中张悫第一,忠厚正直特别诚恳,遇事敢于说话,无所回避;其次就是许景衡;像郭三益,则只是个好人罢了。"

辛未(二十九日),高宗行到定海县。高宗看见定海被金人焚烧,悲伤地说:"朕为百姓的父母,不能保护百姓,致使百姓到了如此地步。"王绹说:"陛下留下杜充守建康,留下周望守平江,并非轻率地放弃江、浙而仓促地到了南方。不幸的是杜充、周望不称职,才导致如此。"吕颐浩因而奏称太平日子久了,士人多致力于文学。而极少有练达军事财政可以使国家度过目前难关的人。高宗说:"以前太平,朝廷士大夫如乘马驰骋,上言的人必定以为有失体统;才置备良弓利剑,议论的人将会以为是谋反。"王绹说:"大抵致力文学的士人未必适应事务,有才能的人或许品行欠缺,假如不是陛下抛开缺点而录用,那么天下就没有完人了。"

这年春季,金国左副元帅宗翰、右监军希尹、右都监耶律伊都都在大同,右副元帅宗辅在析津府,派遣贝勒托云率领兵众包围楚州,守臣赵立登城抵御金兵,金兵攻城不下,进而包围扬州。

　　起初，金兵攻破山东，左监军完颜昌，私下有许诺封刘豫的意思。恰逢济南有渔民捕到鳣鱼，刘豫妄称是神物的应验，于是祭祀鳣鱼；不久北京顺豫门长出禾苗，三颗穗子长在同一根茎干上，他的党羽认为是刘豫受命的符瑞。刘豫于是让他的儿子伪知济南府刘麟带上贵重宝物贿赂完颜昌，请求非分地立他的为皇帝。大同尹高庆裔，是左副元帅宗翰的心腹，恐怕完颜昌抢在前面，于是说服宗翰说："我举兵只想取得两河地区，所以汴京既已得到，就立张邦昌为帝，后来将张邦昌废除驱逐，所以再有河南之役。现今河南州郡，官制不变、风俗不改，由此可见我国国君的意图并非贪得土地，也是想沿袭立张邦昌的先例。元帅何不提出这一建议，不把恩德归于他人！"宗翰于是命令希尹飞马禀告金主，金主允许。

　　宗翰随即派遣高庆裔从河阳越过黄河故道的南头到刘豫所管辖的景州，在州治会见官吏和军民，晓谕求贤建国的意思，众人不敢说话，说："愿意听所举荐。"高庆裔慢慢流露出属意刘豫的意思，郡人迎合敌情，惧怕刘豫的权势；又，刘豫恰好是景州人，所以进士张浃等人随即一同举荐他。高庆裔到德州、博州、大名府，完全按照在景州的办法处置；既已到达东平府，就分别递送公文到各郡以索取愿状而已。高庆裔回去后，详细陈述了各州郡拥戴刘豫的意思，宗翰准许。

　　夏季，四月，甲戌（初三），高宗乘坐的船到达明州。丙子（初五），到达余姚县，海船大不能进，高宗诏令改乘小船，仍允许百官听便先出发。癸未（十二日），高宗到了越州，驻跸于州治。

　　浙西制置使韩世忠，与金国宗弼相持于黄天荡，而贝勒托云包围了扬州。朝廷恐怕守臣张绩力不能支，准许他回还驻扎在京西，张绩不为所动，敌人于是奔赴真州。张绩，是金坛人。

　　当时贝勒托云的军队在江北，宗弼的军队在江南，韩世忠率领海船行进停泊金山下。将要交战，韩世忠预先命令工匠锻铁相连为长铁链，用大铁钩穿连，把它交给骁勇敏捷的士兵。天刚亮，敌人乘船鼓噪而前进，韩世忠将海船分为两路出击敌人的背后，每缒下一条铁链，就牵拉一只船入阵，敌人终于不能渡江。金兵于是请求与韩世忠讲话，韩世忠用响亮的声音回答，当时韩世忠以自己所佩带的金瓶传酒纵饮给金兵看。宗弼看见韩世忠从容不迫，神色更为沮丧，于是很恭敬地请求借道，韩世忠说："这不难，只要迎接归还两位皇上，恢复以前的疆土，回去报告我朝英明的君主，足可以成全你。"

　　吕颐浩听说敌人窘困，于是请求高宗到浙西，并且下诏亲征以先壮声威，而尽快派出精锐军队策应韩世忠，或许定能擒住乌珠；参知政事王绹，也说应当派遣军队与韩世忠夹击敌人。高宗采纳他们的意见，甲申（十三日），下诏亲征。御史中丞赵鼎上言："臣在温州、台州，屡次上奏主张应当等到浙西宁静和建康的军队全部渡江，然后回还驻跸。现在仓促有此举动，一定是因为韩世忠报告敌骑窘困，可以消灭罢了。万一所报告的不属实，以及建康的敌人还未撤退，掉回刀枪冲出突袭，凭什么对付他们？"当时有个妖人叫王念经的，聚众几万人，在信州的贵溪反叛，赵鼎上言："饶州、信州的魔贼未除，王璪的溃军正在嚣张，陛下骤然放弃他们不理而离去，这才是社稷存亡最为危急的关键。"

　　戊子（十七日），韩世忠奏报获捷。高宗说："金人南下以来，各军大都望风奔溃，今年像韩世忠等人虽然没有成就大功，都多次获捷。如果更加训练士卒修缮兵器，今年冬季金人南来，似有可以战胜他们的理由。"范宗尹说："以前军队的兵将望风奔逃，而今年都能拼死力

2471

战,此是天意似稍有回转;更希望陛下修明仁德,或许天意必定回转。"于是拿出韩世忠的奏章,命令尚书省以黄榜晓谕朝廷内外。

当时敌众有十余万人,而韩世忠的战士才八千人。宗弼请求上岸会谈,韩世忠带上二人随从,见了宗弼。宗弼招引韩世忠投降,韩世忠大怒,拉弓就要射他,宗弼急忙驰马而去。

壬辰(二十一日),亲近皇上的大臣上言:"陛下即位以来,洞悉祸乱的根源,痛心地从失败中吸取教训,所以对元祐党籍,屡次颁降诏旨,特别加以追复官爵,想用以震动各方的视听,这是非常盛明的举动。只是因为让各家各自陈请,所以有的子孙零落,不能申请,有的人子孙虽在而诏诰敕命散失,甚至有的人诏诰敕命都在而被有关官员委婉劝说而阻止,致使他们往往没有得到按典制规定的追赠。即便像吕公著、吕大防、韩维、苏辙、顾临、梁焘、张舜民、范祖禹、王古等人,尚未沾到昭雪洗刷的恩泽,其他人就可不言而知了。臣私下对此十分忌恨。列名党籍的,大都是一时有名望的人士,所历任的官职,众所周知,不容许稍有欺诈越轨,而特别命令追赠,又非寻常的任命可比。臣以为诰命应该从朝廷颁下,使特异的恩泽一齐颁下,让各方改变看法,难道应该被有关官吏的委婉劝说而阻止吗!希望陛下降旨让三省逐条奏报,不必再等各家逐一陈请。"疏文奏上后,高宗诏令依据德音允许本家自己陈请而已。

丙申(二十五日),通议大夫、守尚书右仆射、同中书门下平章事兼御营使吕颐浩被罢免。

在这之前,赵鼎再次推辞了吏部尚书的任命,并且抨击吕颐浩的过失,上了十几次奏章,吕颐浩才请求辞去,高宗宣谕退还他的奏章。前一天,吕颐浩入见高宗完毕,面向东面而立,不参与进呈。高宗晓谕王绹等人说:"吕颐浩是功臣,同时没有误国的大罪,与李纲、黄潜善不同,朕对他的爱念礼遇始终不变。"这天晚上,就召给事中兼直学士院汪藻起草制书罢免吕颐浩。制书大略说:"占据官吏名额而有愧于铨选之法,专擅兵权而几乎废弃了枢密院。颁下吴门的诏书,则考虑有失于先前;请求浙右的巡幸,则极力违背众人的意见。"于是将他罢降为镇南军节度使、开府仪同三司、充醴泉观使。两天后,又下诏朝廷内外,因吕颐浩倡议勤王,所以从优加以礼遇。

当时王绹与吕颐浩议论颇为相同,于是多次上奏乞求罢免。于是范宗尹代行宰相职事,高宗就留在会稽,不再有进居上流的意思了。

这一天,浙西制置使韩世忠与宗弼再次交战于江中,战败。

宗弼已被韩世忠所扼制,想从建康谋划北归,不能通过。有人献谋略给金人说:"江水正在上涨,应当在芦苇地区凿通大渠二十余里,上接江口,船出江背,就处于韩世忠的上流了。"宗弼采纳这一意见,在靠近冶城西南角的地方凿渠,一夜就将水渠凿成,第二天一早就出船,韩世忠大为吃惊。金兵全部奔赴建康,韩世忠尾随追击,打败了金兵,金兵终于未能渡江。

在这之前宗弼在镇江,韩世忠以海船扼守于江中,乘风用帆,往来如飞,于是张榜招募能献上攻破海船计策的人。有个福州人王某,侨居建康,教金兵在船中载土,用平板铺盖,洞穿船板安上船桨,等到风息则出江,有风则不出,海船没有风就不能动,用火箭来射海船上的竹棚,宋军则不攻自败了。一夜之间造成火箭,到这时引船出江,船疾驶如飞,天晴无风,海船都不能动。韩世忠的舟师,本是准备水陆两用之战的,每船都有兵、有马、有家属、有辎重。

2472　金兵用火箭射海船上的竹棚,火烘日烤,船上的人混乱而呼喊,马受惊而嘶叫,被烧和堕江的,不可胜数。所被焚烧的船,蔽江而下,金兵击鼓划船,用轻船追袭宋军,金鼓之声,震天动地。统制官、右武大夫、成州团练使孙世询,武功大夫、吉州防御使严永吉,都力战而死。韩世忠与残兵到了瓜步,弃船上岸,旋即回到镇江聚集军队,沿江一带躲避兵火的人,往往夺取他们的粮食,也有得到军中所储备的银帛的,宗弼终于得以渡江逃去。后来朝廷追赠孙世询五级官,严永吉四级官,还一并授予承宣使,录用他们的儿子。孙世询,是开封人。

辛丑(三十日),高宗诏令:"各路曾经战乱破坏的州军起程解送举人入京应试,以靖康元年参加省试的终场人数为准,根据统计录取发榜。"

这个月,侵犯江西的金兵从荆门向北撤回,留守司统制牛皋埋伏军队于宝丰的宋村,击败了金兵。京西捉杀副使王俊,任命牛皋为武功大夫、和州防御使、充任五军都统制。

夏季,五月,壬寅朔(初一),诏令夏季的第一个月祭享景灵宫,令平江府、温州守臣分别前往;以后福州、潮州按此行事。

癸卯(初二),金国禁止私下剃度僧人和尼姑,以及继父、继母的子女不得互相婚配。

甲辰(初三),参知政事、权枢密院事范宗尹被任命为通议大夫、守尚书右仆射、同中书门下平章事兼御营使。

当时江北、荆湖各路盗贼更加兴起,大股的盗贼达几万人,占据州郡。朝廷的力量不能控制他们,盗贼所不能到达的地方,则以土豪、溃败的将领或代理官镇守,都是笼络维系而已。范宗尹以为这些盗贼都是乌合之众,逼得太急就拼死力以抗拒官军,不如区分地区以处置他们,盗贼有所归处,就可以逐渐控制它,于是对高宗说:"以前太祖接受天命,收回藩镇的权力,天下无事,有一百五十年,可以说是良好的办法。然而国家多难,各方的帅臣守臣,力量单薄,束缚手脚而不知道如何表现,这是这项办法的弊端。现在救治弊端的方法,应当是稍微恢复藩镇的办法,也不在天下全部推行,权且分出河南、河北的几十个州这样做,少划给他们管辖的地区而专门交付他们权力,选择合适的人长久担任,以作为王室的屏障。"群臣大多以为不可,范宗尹说:"现在各郡被盗贼占据的以十计数,则藩镇的形势很快就要形成了。为何不让朝廷来处置这件事,使恩泽有所归宿。"高宗决意推行这一办法,于是任命范宗尹为宰相。范宗尹时年三十三岁。

己巳(疑误),起复承务郎张斛上言:"淮南两路现有归正人守官或寄居者,担心人情猜忌,妄生事端,希望酌量将他们迁移到南方的州军,分别令他们各自奏报愿意前往哪个州居住。"朝廷采纳他的建议。当时给事中兼直学士院汪藻也上言:"自东晋以来,中原失去依据,所以江南、江北设立的侨居州郡,收纳那里的流亡人员。近来金人南侵,多驱使两河的百姓编入军队,号称签军,他们被金人劫持押送而来,大都是不得已。今年建康、镇江为将臣所招,逃回来的无疑有一万人,他们的情况由此可见。不如采用六朝时的侨寓法。划分浙西各县,都以两河的州郡命名。假如金坛称为南相州,允许相州的人都到金坛居住,其他的州郡照此施行,等到金人南侵,慢慢地以他们的职业招降他们。他们既已知道居住有固定的地方,大致已形成市井城镇,父母兄弟骨肉亲戚故旧都在,还为何不归附我朝呢!况且浙西州县,过去经过杀戮之后,户绝的必然很多。如果让有关部门登记核定田产亩数,以侨寓的人家计口给田,等到逐渐安居,统计他们的丁壮,教练他们行军作战,就都是精兵了,他们必定争先效命,永不溃散。与听任对方驱使胁迫、反而成为我们的敌人相比,其利害岂止相差万倍!"

2473

丁未(初六),金国左副元帅宗翰与各帅分别前往山后避暑。

在这之前,大同尹高庆裔从东平回到云中,说出推戴刘豫的意思。宗翰又令高庆裔驰马到东平,询问刘豫是否可以,刘豫表面上推戴张孝纯。宗翰回报刘豫说:"推戴你的是河南万姓,推戴张孝纯的独你一人,难以一人之情而阻止万姓之愿。你应当即位称帝,我当以张孝纯辅佐你。"这一建议于是决定。

宗翰与右监军希尹、右都监耶律伊都一同到白水泊避暑。于是右副元帅宗辅到儒州望云县的望国崖,左监军完颜昌留居潍州,而宗弼从江南回还驻扎于六合县。

戊申(初七),金主下诏说:"河北、河东的签军,其家属流亡居住河南,被俘掠成为奴婢者,由官府将他们赎出,让他们恢复旧业。"

辛亥(初十),朝请郎、直龙图阁、统领赤心队军马刘晏,与戚方交战于宣州,战死。

起初,宣州包围紧急,朝廷命令统领官巨师古统领三千士兵从平江前往救援,又命令刘晏从常州率领所部前往宣州。刘晏刚到城下,还未安营扎寨,就乘贼兵不备,从城南转到城西,直奔城北,以攻打戚方的营帐,戚方大惊,退走。刘晏仗着勇敢,想生擒戚方,竟单骑追赶戚方。贼兵见官军不多,于是从骆驼山设下伏兵以切断刘晏的归路,戚方率领亲随兵迎战刘晏。刘晏力不能敌,退回来,到了天宁寺前,战马陷入泥淖,不能出来,桥的左边有埋伏的贼兵,用钩枪搭住刘晏,刘晏还亲手杀敌数十人,因没有援兵被害。巨帅古接踵而到,连战不胜,于是率众入城。此事奏闻朝廷,追赠刘晏龙图阁待制,任用他的四个儿子为官,为刘晏立庙叫义烈庙,每年按时祭祀。

壬子(十一日),金兵焚烧建康府,拘捕李梲、陈邦光,从静安渡水到宣化后离去。

当时宗弼驻扎在六合县,他的辎重由瓜步口运输船只相接,到六合县不断,建康城中全部成为灰烬。李梲死在途中,宗弼把陈邦光交给刘豫。淮南宣抚司右军统制岳飞,听到金兵离去,率领所部在静安截击,打败了金兵,岳飞回到溧阳驻守。后军统制刘经想杀掉岳飞并兼并他的军队,岳飞将刘经诱杀。

起初,金兵既已渡江,淮东尚无警报,安抚使、直宝文阁张缜仍守扬州,节度濠州军马刘位,率领兵众在横山中,只是饮酒赌博而已。到金兵占据六合,于是真州被群盗所骚扰,不可居留。守臣王冠率领军民渡江,驻扎在溧水、溧阳之间,金兵又攻入真州,而扬州也不可守,张缜于是放弃了扬州。

敌人在建康共半年,从采石到和州,道路往来不绝。宗弼已攻破浙西,和州留下少量士兵戍守,然而没有一个官军乘虚到城下的。水军统制邵青驻扎在竹筿,探知建康敌人的骑兵很少,打算领兵攻入建康,恰逢邵青被牛所伤,伤势很重,于是不能行进。有个都团练陈德,聚结兵众想杀死金兵,部署已定,事前被他的党徒所告发,陈德全家被害,兵马都监金沔也死于难。

岳飞在静安攻打金兵时,通直郎、权通判建康府钱需,聚集率领乡兵,截去敌人的后军,于是跟从岳飞入城,因而以他暂时代理府事。

夜晚,有赤云横亘天空,其中部为白气贯穿,侵犯北斗及紫微,由东南而散。殿中侍御史沈与求上言:"这是上天爱护陛下,出现变异以示警告。希望陛下随意处置,略加修治宗庙、陵寝的祭祀;多派遣亲信的臣子,迎接护送柔德帝姬回宫;以及迎娶越王的儿子,使他奉朝请,选择谨慎小心的儒臣教诲他。另外,天子所在的地方,称之为朝廷,现在号令出自各方的很多,都是凭借随机处置的权力,其号令即等同圣旨。其中大的地方,虔州一个朝廷,秦州一个朝廷,号令到了最高,甚至成为诏书了。希望约束随机处置的事件,估量事情的缓急,特别停罢施行。申明节制张浚等人,只许颁降指挥,不得为诏令。"

甲寅(十三日),金兵攻破定远县,龙神卫四厢都指挥使、保宁军承宣使、节制淮南军马间勔被金兵抓获。到了南京,金兵想让他投降,他不从;想用他为京东安抚使,他又不从。敌人愤怒,将他敲击脑袋杀死。死讯奏闻于朝廷,追赠他为检校少保、昭化军节度使,谥号壮节。

这一天,统制官巨师古与戚方交战于宣州城下,戚方三战三败,于是领兵退去。宣州被围,共二十九天,戚方已离去,城的东壁摧裂之处有数十丈。

乙卯(十四日),朝奉郎赵霖被任命为知和州。

起初,宗弼既已渡江,和州人共推兵马都监、武德大夫宋昌祚权领州事,率领军民固守。到敌人北归时,又包围了和州。禁军左指挥使郑立,也勇武忠愤,共同激励士卒,昼夜防御毫不懈怠。过了几天,宗弼亲自督率兵众攻城,军士胡广埋伏在城东北角,发强弩射杀宗弼,击中他的左臂。宗弼大怒,立即攻破城池,宋昌祚与权通判州事、奉议郎唐景,历阳县令謇誉,司户参军徐焋,历阳县尉、成忠郎邵元通都战死在城楼上,敌人肢解他们的尸体以示众。当时兵士大多不投降,突破包围而出,保守和州的西麻湖水寨,推举乡人中一两个有势力的人作统领。赵霖当时在江东,辗转奔赴国难,军民上言于朝廷,所以任命他为知州。后来朝廷追赠宋昌祚三官,录用他的两个儿子;唐景、徐焋、邵元通都被授予恩赏不等。赵霖曾是直徽猷阁,因犯赃罪被废黜。

戊午(十七日),起初,高宗在明州,各班直作乱,已诛杀为首的人,于是废除了这个班。等到回到会稽,就命令御前中军统制辛永宗另选三百士兵在殿中值班,然而都是些乌合之众。到这时赵鼎借奏事上言:"陛下刚即位时,计议恢复祖宗的政令,至今没有施行一二。而祖宗对军政最为留意,熙宁年间更变旧的章法,唯独不敢议论军政。因为自从太祖为皇帝,与赵普讲明利害,写成法令典制,万世遵守,不可改变。前次明州的班直因为诉说事情导致纷乱,并非他们的本来预谋,却因此全部废除了班直之制,这是因咽而废食。现在各将各领重兵,不隶属于三衙,则军政已被破坏,独禁卫兵仿佛是旧的制度,也荡然无存。这是祖宗的法制废弃于陛下的手上,臣十分惋惜。仁宗时,亲事官图谋不轨,直入宫廷,差点酿成大祸,既已捕获而诛杀了他们,不再追究惩治,没有听说完全废弃亲事官的。"高宗醒悟,不久恢复了旧制。

甲子(二十三日),高宗下诏说:"周朝封建诸侯邦国,四方有诸侯国藩垣屏蔽的辅助;唐朝分设藩镇,北面没有强敌侵犯的忧患。常想朕以微薄的资质,遭遇如此艰难的时运,远远地巡幸南国,长久地隔绝中原,大概凭借豪杰之徒,各自占据一方防守。因此考查古代的制度,权且适宜于眼前,决定从荆、淮直到京畿地区,岂止是在江表设置藩屏,实是将要加强对京都的保卫。想提高镇抚的威名,因而停罢按察廉访的使臣。有百姓有乡社,得以在境内施行专制;有充足的粮食充足的军队,听任统兵在外专擅征讨。若是转移境内的财用,与罢免设置官僚,按理或许应奏闻朝廷,处置事情不要等待回报。只要恩宠荣光之所及,既已一并享用于终身;假如功业能够昭彰,当永远传给后世子孙。尚依赖连衡的力量,共同贡献辅佐的忠诚。"诏书的文辞,是由直学士院綦宗礼所草拟的。

在这之前范宗尹上言:"侍从官集中议论分设藩镇的事宜,请求在京畿、淮南、湖北、京东、京西地方,一并分为藩镇。除了茶盐的专利,是国家财政之所系,应当归朝廷设置官员提举之外,其他的监司一并罢黜;上供的财赋,权且免征三年,余下的令帅臣支用。管内的州县官允许辟置,知州、通判令帅臣列举姓名奏报职务,由朝廷审核衡量予以任命,遇到战事,听任随机处置。藩镇的帅臣除非由朝廷召用提拔,不许另外任命官员代替。如果能够抵御外敌入侵,明显地立有大功的,朝廷应当考虑特许世袭。"

乙丑(二十四日),右武大夫、忠州刺史、知楚州兼管内安抚使赵立被任命为楚、泗州、涟水军镇抚使,兼知楚州。当时宗弼从六合撤回,驻扎在楚州的九里径,想切断赵立的粮道,赵立又大破金兵。

在这之前刘豫在东平,派遣赵立的故友葛进等人带上书信诱降赵立,令他进献赋税,赵立大怒,不撤开书信,就斩杀了葛进等人。不久,刘豫派遣沂州举人刘偲拿着旗帜告示招降赵立,详细陈述金兵的大军就要到来,必定屠杀全城的百姓,赵立令人推出去处死。刘偲大声呼叫说:"您不是我的故友吗?"赵立说:"我只知道忠义为国,难道还问是不是故友吗?"催促令人用油布缠住刘偲,焚死在街市上,并且将他的旗帜告示表奏于朝廷。因此赵立忠义的名声倾盖天下,远近的人如风吹一般归附于他。

戊辰(二十七日),统制官岳飞献上在静安抓获的金兵俘虏。高宗将俘虏呼入通过翻译询问,得到女真人八个,将他们分尸处死,其余的汉人分别隶属于各军。高宗因此对大臣说:"金人颇能讲出二圣的情况,说二圣现在韩州,以及皇后、宫人都安然无恙。"高宗感动,久久不乐。

三省上言:"江路遥远,紧急之时恐怕失去机会。准备在江东、江西分设三个帅司:鄂州路,领有岳、筠、袁、虔、吉州、南安军;江州路,领有洪、抚、信州、兴国、南昌、临江、建昌军;池州路,领有建康府、太平、饶、宣、徽州、广德军;一并都设安抚使。"高宗同意。

在这之前浙西帅府迁移治所到镇江,所以范宗尹请求设置安抚使于鄂州与江州、池州,以为建康本是帅府治所,因为靠近镇江,而离江州一千四百里,唯独池州在它们的中间,如果在此设置帅府,那么沿江的路程十分均衡,三个帅府相距各为七百里。然而池阳偏僻落后,却设置江东的大帅,而建康是重地,反而作为支郡隶属于池阳,议论的人不认为是正确的。

六月,壬申(初二),权通判建康府钱需奏称捕获敌兵一人,敌兵自称是涿州人。高宗说:"这是朕的子民,不可杀。"命令将他隶属于军队。

金国以原来辽国的旧臣耶律哈喱质等十人分别治理新近归附的州镇。

癸酉(初三),金主命令将昏德公宋徽宗的六个女儿嫁给宗室成员。

甲戌(初四),以宰相范宗尹兼知枢密院事,撤销御营使。

议论的人以为:"宰相之职,无所不统。本朝沿用五代的制度,政事分为两府,兵权交付给枢密院,近年又设置御营使,这是政事出于三府。希望撤销御营司,将兵权归到枢密院,而宰相兼知枢密院事。凡军队有缺额,一并申报枢密院增补,不得不按规定的时间招收,仍用符节来调发。或许可以收回兵权,统一赏罚,节约财用。"于是撤销御营使及官属,而将它的事务归到枢密院建立机速房。从庆历年间以后,宰相不兼枢密院职有八十多年,其重新兼任从这时开始。

高宗诏令:"初次任命为执政官的,正式谢恩的日子赐给衣带、鞍马按照先例。"

乙亥(初五),高宗诏令:"六品以上的官及初次改任京官的一并给以告身,朝官以上的给以敕,初次授予官职的人给以绫纸。"

丁丑（初七），太尉、御营副使刘光世充任御前巡卫军都统制。

刘光世所率领的部属既无所隶属，于是号称太尉兵，侍御史沈与求议论它的不适宜。适逢御营司撤销，于是以巡卫命名他的军队，授刘光世为都统制。

戊寅（初八），高宗诏令："御前五军改为神武军，御营五军改为神武副军，其将官一并隶属于枢密院。"

徽猷阁待制、知临安府季陵再次任中书舍人。

季陵入对高宗，首先上奏说："臣观察今天的国势，危如缀旒。皇帝时常巡幸，没有驻跸之地；贤人远逃，都没有治世之心。兵权分散于下而将帅不和，政权离开皇上而君主更加软弱，所赖以仅存的，只是人心没有厌倦而已。

"前年议论渡江，人们以为可以，朝廷以为不可，所以讳言南渡而降诏还都。去年议论巡幸蜀地，人们以为不可，朝廷以为可以，所以放松防备江、淮而经营关陕。从现在来看，哪个得哪个失？张浚出任宣抚处置使，不过想迎接陛下罢了。金人长驱挺进，深入吴、越，至今还在淮甸，不曾有一个骑兵入援王室的。

"维扬之变，朝廷没有及时知道，而将功劳归于宦官；钱塘之变，朝廷不能拯救，而将功劳归于将帅。这样致使陛下信任这种人，而轻视朝廷之士的心。黄潜善喜好恃才自用而不能任用人才，吕颐浩知道使用能人而不知道任用贤才。自从张确、许景衡饮恨而死，刘豫、杜充相继离去，凡知道几分自重的，往往收藏退缩了。

"现在天下不可说是没有军队，像刘光世、韩世忠、张俊，各自率领一些将领，同心而谋划，协力而施行，哪里去不能得胜！然而兵权已经分散，人心容易隔离；各自招纳亡命之徒以扩张军势，各自献效小功劳以报答皇上的恩德；取胜了不能互相谦逊，失败了不能互相救援，大敌一到，各人只为自己打算，这能够成功吗？

"君臣之间，义理形同一体，朝廷发出命令，百官奉命执行，知道有陛下，不知道有大臣。大臣在外，事关行动迹象，怎么可以作威作福而听其自便呢？张浚在陕右，分别处置军事，恐怕失去机会，随机处置是可以的；至于自降诏书，怎能没有窃取国家权柄的嫌疑呢？官吏督责而办事，随机处置是可以的；若是安置侍从大臣，怎能没有投鼠忌器的嫌疑呢？以至赐予姓氏，改变寺庙的门额，诸如此类的事情，无关治乱，等待奏报有何损失！这是张浚在外过于专权了。

"尧、舜、禹三代得到天下，在于得到他们的百姓；得到他们的百姓，在于得到百姓的心。百姓陷入灾难困苦之中，没有比现在更严重的了。挖掘坟墓，焚烧房屋，六亲不能互相保护，而拥戴宋朝依旧，实在是祖宗的德泽在人们的心中未曾抛弃，中兴大业所以还有希望，就只依靠这一件事了。然而人心无常，本来也难以保证，陛下应该有结纳人心的办法。现在想减省赋税以使百姓的财力富裕，而朝廷的用度正缺乏；现在想减轻徭役以使百姓的财力舒缓，而军队正在兴起。归罪于皇帝自己的诏书屡次颁降，忧虑百姓的言论屡次闻听，叮咛恳切，最终没有人相信。因为感动百姓靠的是行动而不是言论。臣料想陛下举事得当，人心信服，自然足以结纳人心了。爵位与贤德相称，俸禄与功劳相附，刑罚与罪行相当，施舍处置无不合乎道理，天下不能心悦而诚服的，还不曾有过。臣希望陛下将那些所应当考虑的事情，让一二位大臣去谋划，没有偏听，不自以为是，不畏强力阻挠，不顺从亲近，处置得当则人心信服，人心信服则盗贼将自行平息而外患也可以设法对付了。"

这一天,滁、濠镇抚使刘位被张文孝所杀。

前一天,刘位领兵进入滁州,攻克了滁州,张文孝逃走。第二天凌晨,张文孝率领他的兵众又来到城下,刘位立即领兵迎敌。刘位遇到了几百名兵众,以为是自己的士兵,于是指挥他们杀贼,而他所遇到的是贼兵。刘位觉察后,想急战,被贼兵所杀,权知州事苟某与州县官全部逃散而走。此事闻于朝廷,诏令他的儿子武德郎、阁门宣赞舍人、知泗州刘纲,起复为滁、濠州镇抚使,追赠刘位武功大夫、忠州防御使,后来为刘位立祠,名叫刚烈祠。

己卯(初九),停罢临安府守臣兼浙西同安抚使,因为防秋临近,想使责任专一的缘故。

庚辰(初十),和州进士龚楫率领百姓丁壮在新塘袭击金兵,被金兵所杀。

当时和州、无为军镇抚使赵霖,虽然已经接受任命,然而治所寄居在水寨,没有入城,水寨的兵众,乘机出寨攻掠敌人的营寨。宗弼于是派遣偏师在新塘修筑堡垒,以阻绝通往濡须的道路。龚楫率领二千人袭击敌人,进入敌人的营寨,俘获敌兵数百人,全部释放金兵所掳掠的男女。龚楫回来时,在路上遭遇大量而来的敌人的救兵,他的兵众大多赴水而死。龚楫被敌人所得,用食指和中指指着敌人大骂不绝,敌人将他碎割处死,龚楫时年二十二岁。赵霖将他的事迹上奏朝廷,有关官吏认为龚楫率众从未接受任命而阻止了对他的恩赐。龚楫,是龚原的孙子。

敌人占领历阳,有个叫蒋子春的士人,平时在乡里传授学业,敌人见他风度秀美严肃,很高兴,想任命他官职;蒋子春怒骂敌人,被敌人所杀。

乙酉(十五日),诏令皇兄右监门卫大将军、忠州防御使赵安时暂且主奉益王的祭祀。

在这之前赵安时请求袭封,此事交给礼官计议,因为赵安时不是嫡生,于是不许。自仁宗以来,各王的后代以一人袭封,到渡江后才废止。

戊子(十八日),诏令派遣使者抚谕邵青、戚方,令他们率领所部前往行在。

当时戚方领兵进犯安吉县的上乡,浙西、江东制置使张俊率兵讨伐。有人说上乡路窄,不可行军,张俊于是派遣部将王再兴去招降戚方。适逢统制官岳飞在后面追袭戚方,戚方进退无路,才到张俊处乞求投降。戚方上交兵簿,有马六百匹,所献上的金玉珍珠不可计数。到了行在,戚方每天与皇上宠信的宦官赌博,不胜,取出涂有黑漆形如马蹄的东西用火烧烤去漆,都是黄金,用来偿还赌博所输,不下数枚。朝廷诏令迁升戚方为武翼大夫,率领他的军队六千人隶属于王瓌的军队,后来王瓌因而以戚方为裨将。当时的人为此而有谚语说:"要高官,受招安。"

乙丑(疑误),枢密院进呈刘光世所抓获的敌人及签军的奏状。参知政事张守说:"刘光世以为签军不宜留下,因为他们知道我们的山川险易,将来反叛逃亡,恐怕成为敌人的向导。"高宗说:"这些都是我们的百姓,不幸陷于敌手,被驱使而来,难道是他们所愿意的吗!"张守说:"如果分别安置在军队中,每队留一二人,怎么会仓促反叛!"高宗认为是这样。

辛卯(二十一日),大理寺上奏魔贼王宗石等人归顺的奏状,高宗说:"这都是愚民无知,自己犯罪而被处死。朕想到贵溪两次就有二十万人无辜而死,不胜悲伤。"于是在越州街市上诛杀了王宗石等二十六人,其余的都予以释放。在这之前浙西、江东制置使张俊,率领全军讨伐饶州、信州的妖盗,太尉刘光世因此命令统制官王德、靳赛总领军队去会合作战,抓获了王念经。王德等人共屠杀了两个县,所杀的人不可胜计。高宗听说后不乐,所以有此诏谕。

壬辰(二十二日),起初,山东被攻破,那里的士人多不投降,有沧州人李齐聚众于沙门岛,密州人徐文在灵山寺聚众,莱州人范温在福山岛聚众。适逢河北忠义民兵护送宗室赵士干渡海南归,被徐文劫持。到这时徐文自称忠训郎、权密州都巡检使,他的副手宋稳自称忠翊郎、权兵马监押,请求率领所部五千人、海船一百五十艘渡海来归服。诏令各进升一官,前往行在。

　　己亥(二十九日),封才人张氏为婕妤,和义夫人吴氏为才人。吴氏,是开封人,时年十六岁。自从皇上即位以来,嫔妃不完备,到这时潘贤妃跟随隆祐皇太后在虔州,后宫亲近侍奉皇上的,只有这二人而已。

　　这个月,资政殿大学士陈过庭在燕山去世,时年六十岁;后来赐谥号忠肃。

续资治通鉴卷第一百八

【原文】

宋纪一百八　起上章掩茂【庚戌】七月,尽十二月,凡六月。

高宗受命中兴全功至德　圣神武文昭仁宪孝皇帝

建炎四年　金天会八年【庚戌,1130】　秋,七月,癸卯,诏:"诸道守臣,自军兴以来得便宜指挥者并罢。"

斩神武前军统领官胡仁参于越州市,宣教郎袁潭除名、韶州编管,坐与李邺同谋投拜,又擅杀两浙提点刑狱王翔故也。寻诏以翔死事,赠朝请大夫,官其家三人。既而言者以为"翔尝降敌,比敌兵之去,遂以印付翔,不当褒赠"。范宗尹主之,卒赠翔一官,录其子云。

甲辰,执政奏以朝议大夫、提举江州太平观刘洪道为建康府路安抚大使司参谋官,帝曰:"不可,是又欲与吕颐浩同官。"赵鼎曰:"颐浩之来尚迟,今先令洪道往池州措置防江。"帝曰:"此固勿害,但议者谓颐浩多引用山东之人,故不欲遣。且颐浩身为宰相,当收揽天下人材,尽为我用;独私乡曲,非公道也。"

先是中书舍人季陵入对,言:"强敌之患,已无宁岁,焚劫杀虏,几遍天下,夏则北去,秋则南牧,往年休士马于燕山,次年移于河北,次年移于京东,今寓淮甸,无复去意,患在朝夕,可谓急矣。张(浚)〔俊〕提兵已赴公安,刘光世提兵已赴镇江,亟召亟遣,事尚可及。若吕颐浩既去,朱胜非未来,使七月受命,八月之镇,九月弓劲马肥,敌人向南,兵不素练,粮不素积,又不设险,何以御之!臣愿陛下急与大臣谋,先遣军马储运,更择贤副经画,以待其来。不然,虽位望崇重,号前宰相,无益也。今日注意将相,非为安危,实为存亡。朝谋夕行,当如拯溺,岂可不惜分阴哉!"至是遂命洪道趣之池州,权管本州及安抚司事,以统制官张俊、李贵、王进、王涣所部合四千人隶本州诸军,权听节制。洪道请用便宜指挥,许之。

戊申,诏:"臣僚至都堂,自正一品外,它并在执政之下,著为令。"为刘光世也。

辛亥,金主命给泰州都统博勒和所部诸穆昆甲胄各五十。

先是金都统洛索经略陕西,所下城邑,旋归附于宋。监战阿里布请益兵,于是诸将会议于帅府。宗翰曰:"前以伐宋故,分西师合于东军,而陕西五路,兵力雄劲,当并力(功)〔攻〕取。宜令达兰抚定江北,宗弼以精兵二万先往洛阳,以八月往陕西,或使宗弼遂将以行。"诸将曰:"陕西兵威非不足,今叛服不常,绥怀之道有未尽尔。诚得位望隆重、恩威并济者以往,可指日而定。当以皇子右副元帅宗辅往莅其事,或于宗翰、希尹中择一人以往。"各具议以闻。金主曰:"往者洛索所向辄克,今使专征陕西,淹延未定。岂倦于兵而自爱邪?关陕重城,卿等其戮力焉!”遂命宗辅往洛阳治兵。

乙卯,金主命徙昏德公、重昏侯于五国城,以将立刘豫故也。

金乌登路统军锡库传金主命,减去随行宗室官吏。上皇力恳之,不从,乃谓从者曰:“远道相随,本图哀乐与共,但事属它人,无如之何。”言讫,泣下,从者皆号呼而出。于是宗室仲堤等五百馀人、内侍黎安国数百人皆留,从行者惟晋康郡王孝骞、和义郡王有奕等六人而已。

丁巳,申命元祐党人子孙经所在自陈,尽还应得恩数。

丁卯,金主如东京温汤。遣高庆裔、韩昉册命刘豫为皇帝,国号大齐,都大名府。

八月,辛未朔,浙西安抚大使〔司〕(副使)置参谋、参议官各二员,俸赐视杂临司。自是诸路以为例。

壬申,诏:“福、建、温、台、明、越、通、泰、苏、秀等州,有海船民户及尝作水手之人,权行籍定,五家为保,毋得发船往京东,犯者并行军法。”

癸亥,诏:“神武中军益选亲兵,通旧作六百人,更三番入直禁中,不隶禁卫所,命统制官辛永宗提举之。”

甲戌,诏:“日轮侍从一员,具前代及本朝关治体者一两事进入。”

初,朝散郎、知蕲州甄采,以得柔福帝姬闻于朝,会采为淮西都巡检使刘文舜所破,乃脱身从韩世清,卫送帝姬赴行在。时帝犹在温、台,先遣入内内侍省押班冯益、宗妇吴心儿往越州验视。戊寅,乃取入宫,封福国长公主。

庚辰,隆祐皇太后至自虔州,上出行宫门外奉迎,因历问太母所过守臣治状。后性恭谨,未尝毫发闻于朝廷。然喜饮酒,上以越酒不可饮,令别市醴,后使持钱往酤,未尝直取也。后在禁中,尝微觉风眩,有宫人自言善用符水咒疾可瘳者,或以启后,后曰:“又是此语,吾岂敢复闻也!此等人其可留禁中邪?”立命出之。

是日,拱卫大夫、福州观察使、承州、天长军镇抚使薛庆,及金人战于扬州城下,死之。

宗弼既屯六合县,欲自运河引舟北归,而赵立在楚,薛庆在承,扼其冲,不得进,宗弼患之。左监军昌自孙村来,见宗弼计事,欲会兵攻楚州。真、扬镇抚使郭仲威闻之,约庆俱往迎敌,庆以是月戊寅出兵,己卯,至扬州。仲威殊无行意,置酒高会,庆怒曰:“此岂纵酒时邪?我为先锋,汝当继后!”上马,疾驰去。平旦,出扬州西门,从骑不满百,转战十馀里,亡骑三人,仲威迄不至。庆与其下走还扬州,仲威闭门拒之。庆仓皇坠马,为追骑所擒。马寻旧路归承州,军中见之,曰:“马空还矣,太尉其死乎!”仲威弃扬州,奔兴化。敌长驱攻承州,兵马(铃)〔鈐〕辖王林出城迎敌,不胜,遁。承州破,金惧庆复归,遂杀之。

庆在承久,军食既足,不复敛取于民;王官自京师至者,馆谷甚厚,皆按格赋禄;官兵隶承州者,月粮时帛,举如令给之;至视其徒,则战士计日廪食,老弱计日受券而已。金人自浙归,大寨于天长、六合间,庆亲率众劫之,得牛数百,悉贱其估,分畀民之力田者。民怀其惠,亦赖其捍御以自固。敌假道于承以攻楚,庆不听,至是被害。庆起群盗,其众多骁隽敢斗。庆临敌勇,亦能以少击众。故庆死,承州遂破,楚势孤,卒无以抗敌,人皆惜之。讣闻,赠保宁军承宣使。

癸未,宣抚处置使张浚复取永兴军。

初,浚之西行也,帝命浚三年而后用师进取。及是金左监军昌与宗弼皆在淮东,约秋高南下。浚度宗弼必将侵东南,议出师分挠其势。召诸将议出师,都统制、威武大将军、宣州观察使曲端曰:"平原广野,敌便于冲突,而我军未尝习战,且金人新造之势,难与争锋。宜训兵秣马,保疆而已,俟十年乃可议战。"浚不听。

复以人言浸润,不能无疑,乃遣本司主管机宜文字张彬往渭州,以招填禁军为名,实欲伺察端意。彬至渭见端,问曰:"公尝患诸路兵不得尽合,及财物不足以供事。今张公之来,兵合财备,洛索孤军深入吾境,我合诸路攻之不难。今失不击,若尼玛哈并兵而来,何以待之?"端曰:"不然。兵法先较彼己,必先计吾不可胜与敌之可胜。今敌可胜,只洛索孤军一事;然彼兵技之习,战士之锐,分合之熟,无异前日。我不可胜,亦只合五路之兵一事,然将帅移易,士不素练,兵将未尝相识,所以待敌者,亦未见有大异于前日。万一轻举,脱不如意,虽有智者,无以善其后。又,自敌来侵,因粮于我,彼去来自如,而我自救不暇,是以我尝为客,彼尝为主。今当反之,精练士卒,按兵据险,使我常有不可胜之势,然后徐出偏师,俾出必有所获。彼所谓关中陆海者,春不得耕,秋不得获,则必取粮于河东,是我为主,彼为客,不一二年,必自困毙,因而乘之,可一举灭矣。"彬以端言复命。

先是吴玠以彭原之败,望端不济师,而端谓玠前军已败,惟长武有险可捍冲突,二人争不已。浚积前疑,卒用彭原事罢端兵柄,与宫观,再责海州团练副使、万州安置;统制官张中孚、李彦琪诸州羁管。陕西人倚端为重,及贬,军情颇不悦。

浚遂决策治兵,移檄河东左副元帅宗翰问罪;宣抚司干办公事万年郭奕力言不可,浚不从。乃以玠权永兴军路经略司公事,遂取永兴军。玠以功升忠州防御使。

丙戌,宁远军节度使、醴泉观使孟忠厚,乞蠲太母所过秋税,范宗尹曰:"顷已免夏税,若复蠲放,虑州郡经费有缺,必致横敛。"帝愀然曰:"常赋外科敛及赃吏害民,最宜留意。祖宗虽崇好生之德,而赃吏死徒,未尝末减。自今官吏犯赃,虽未加诛戮,若杖脊流配,不可贷也。"

己丑,诏通、泰镇抚使岳飞以所部救楚州。

时扬、承二镇已破,楚势亦危,赵立遣人告急,签书枢密院事赵鼎欲遣神武右军都统制张俊往救之,俊曰:"敌方济师,达赍善兵,其锋不可当。立孤垒,危在旦夕,若以兵委之,譬徒手搏虎,并亡无益。"鼎曰:"楚当敌冲,所以蔽两淮,委而不救,则失诸镇之心。"俊曰:"救之诚是。但南渡以来,根本未固,而宿卫寡弱,人心易摇,此行失利,何以善后?"鼎见帝曰:"江东新造,全籍两淮,若失楚,则大事去矣。是举也,不惟救垂亡之城,且使诸将殚力,不为养寇自便之计。若俊惮行,臣愿与之偕往。"俊复力辞。乃命飞、立腹背掩击,仍令刘光世遣兵往援,(母)〔毋〕失事机。

庚寅,诏:"景灵宫神御,自海道迎至温州奉安。"

金人欲发陵寝,河南镇抚使翟兴遣其子琮及统领官赵林率兵自河阳南城至巩县、永安军,邀击之,屡战皆胜,追奔至渑池而还。

九月,辛丑,建昌府路安抚大使兼知池州吕颐浩,请兵五万人分屯建康等处,"内建康府万五千人,太平州万人,池州二万人,饶州五千人。除参谋官刘洪道见管崔邦弼及李贵等兵约五千人,韩世清约六七千人外,乞朝廷贴足,付臣使唤。昔王翦伐楚,谓非六十万人不可,终如所料。杜充以五万人只守建康,犹不免败事。况本路上下近千里,多是紧要渡口,今臣乞兵五万,委为不多。"又言:"刘光世有部曲约二三万人,其势稍强,乃可(殚)〔弹〕压乌合之众。今臣素无部曲,非得知兵政统制官及正兵二万人,难以镇服众心。乞以神武前军统制王

2482

瓊所部前军及诸臣巨师古、颜孝恭自隶。"又请招捕水寇邵青、崔增及赐诸军衣甲。诏赐枢密院见甲千副，本路上供经制钱四千万缗，米二十万斛，馀从之。

颐浩将行，见帝言："臣自去国，不知金人之实，闻已渡淮北去。然金人多诈而难测，臣比经四明，见朝廷集海舟于岸上，是必为避敌备。夫避敌固当预办，然御敌之计，尤不可缓。臣料圣驾万一避敌，不过如永嘉及闽中耳。望鉴去岁敌骑追袭之事，选兵二万，分为二项，一项浙西，一项浙东。或据水乡，或扼山险，邀而击之，使将士戮力，如四明城下之战，则无不胜矣。万一敌不渡江，则愿宰执预为之计，俟来夏则遣北向，分二万由海道赴文登以摇青、齐，分二万由淮阳趋彭城以撼郓、濮。盖金人用兵，深忌夏月，我必乘其忌而攻之。故暑月用兵，臣前后屡陈此计。然安危治乱之要，尤在人主能察，愿留圣意。"

壬寅，刘光世奏："淮南诸镇，郭仲威溃散，薛庆身亡，赵立不知存亡，岳飞现在江阴军，不见赴镇，刘纲以所部渡江赴行在，散在南北岸作过。金人见留承州，臣遣王德渡江过邵伯埭，擒敌军四百馀人。"诏光世以所俘赴行在。既而德自天长引兵趋承州，不得入，斩所部左军统领官刘镇而还。

甲辰，太上皇后郑氏殂于五国城，年五十二。

乙巳，诏刘光世、岳飞、赵立、王林掎角逼逐金兵渡淮。

时金左监军完颜昌，围楚州已百馀日。镇抚使赵立，一日拥六骑出城，呼曰："我镇抚也，首领骁将，其来接战！"南寨有二骑袭其背，立手夺二枪，俱坠地，夺双骑，将还；俄北寨中遣五十馀骑追立，立瞋目大呼，人马俱辟易。明日，立三帜邀战，立以三骑应之。伏发，立中飞矢，奋身突围以出，敌益攻之。

戊申，刘豫僭位于北京。初，军民闻豫至，杀金人，闭门拒豫。豫击而降之，遂即皇帝位，国号大齐，大赦伪境。

乙卯，金左监军昌攻楚州，守臣右武大夫、徐州观察使、楚、泗州、涟水军镇抚使赵立死之。

前一日，昌大进攻具临城，翼日，填濠将进，立率士卒御之。忽报敌进城矣，立笑曰："将士不用相随，吾将观其诡计，且令其匹马只轮不返。"上城东门未半，飞炮碎其首。左右驰救之，立犹曰："吾终不能与国破敌矣！可舁至三圣庙中，声言疾病祈祷，使敌不悟。"言终而绝，年三十七。然人闻其死，知城必破，失声巷哭不可止。众以参议官程括权镇抚使以守，敌益攻之。

己未，帝曰："昨韩世忠进一马，高五尺一寸，云非人臣所敢乘。朕答以九重之中，未尝出入，何所用之，卿可自留为战备。"时世忠妻和国夫人梁氏言积俸未支，三省奏："近惟隆祐皇太后殿下所积供奉物，计直供支；潘贤妃勘请已不给。"帝曰："将帅，朕所委用，当厚恤其家，可特予之，馀人毋得援例。"

是日，金、均、房安抚使王彦，及桑仲战于平丽县之长沙平，败之。

仲既陷均、房，有窥蜀之志，拥众犯金州白土关，彦以官军保长沙平。仲故为彦部曲，以书请曰："仲于公无所犯，愿假道入蜀以就食耳。"彦语僚佐曰："吾知仲之为人，能驭士卒，轻财善斗，然勇而无谋，决为诸公破之。"乃遣统领官门立为先锋。立鏖战不胜，马陷淖，其子璋驰过，立呼之，璋不应而去。立骂贼不绝口而死，人心震恐。时官军才二千，粮且不给，或请少避贼锋，彦曰："今敌在陕西，若贼至安康，则四川腹背受敌矣。敢有言避贼者斩！"遂率同

2483

统制王宗尹相为犄角,士皆争奋。贼张步骑,六道并进,彦执旗大呼麾士,士殊死斗,自辰及酉,贼大败,追至竹山县而还。仲遂据房陵。

仲之未败也,王辟在房州,与仲遥为声援,至是彦遣人招辟,辟遂降。彦欲造其营,众不可,彦曰:"我以诚待辟,辟虽诈,亦何能为!"遂肩舆至辟营,辟大惊,与其党皆听命。张浚承制以彦为左武大夫。辟后腰斩于兴元府。

辛酉,金安班贝勒都元帅杲卒。杲,太祖母弟也,后封辽王,谥智烈。

癸亥,知枢密院事、宣抚处置使张浚,以都统制刘锡及金人战于富平县,败(积)〔绩〕。

初,浚既定议出师,幕客将士皆心知其非,而口不敢言,唯诺相应和。会帝亦以金人聚兵淮上,命浚出兵,分道由同州、鄜延以捣其虚。时权永兴军经略使吴玠已得长安,而环庆经略使赵哲收复鄜延诸郡。浚乃檄召熙河经略使刘锡、秦凤经略使孙渥、泾原经略使刘锜各以兵会合;诸路兵四十万人,马七万,以锡为统帅。浚又贷民赋五年,金钱粮帛之运,不绝于道,所在山积。

浚亲往邠州督战。金左副元帅宗翰闻之,急调宗弼自西京入关,与洛索会。我军行至耀州之富平,金人已屯下邽县,相去八十里。而洛索方在绥德军,众请击之,浚不可,乃约日会战,金人不报。书凡数往,洛索乃自绥德军来,移军与我军对垒,亲率数十骑,登山以望南师,曰:"人虽多,壁垒不固,千疮万孔,极易破耳。"浚犹遣使约战,金人许之;至期,辄不出兵,以为常。浚以洛索为怯,曰:"吾破敌必矣!"幕客有请以巾帼妇人之服遗洛索者。诸路乡民运刍粟者,络绎未已,至军,则每州县自为小寨,以车马为卫,相连不绝。

锡令诸将议战,玠曰:"兵以利动,地势不利,将何以战?宜徙据高阜,使敌马冲突,吾足以御之。"秦凤路提点刑狱公事郭浩亦曰:"敌未可争锋,当分地守之,以待其弊。"诸将皆曰:"我师数倍于敌,又前阻苇泽,敌有骑不得施,何用他徙!"

将战,命立故将曲端旗以惧敌。洛索曰:"彼绐我也。"是日,洛索选三千骑,蓐食,令扎哈贝勒率之,囊土逾淖,径赴乡民小寨,乡民奔乱不止,践寨而入,诸军惊乱,遂薄我军。锜身先士卒御之,自辰至未,胜负未分。金人更薄环庆军,他路军无与援者。会哲擅离所部,将士望尘起,惊遁,军遂大溃。哲旗牌未及卷,众呼曰:"环庆赵经略先走!"至邠州,乃稍定。金人得胜不追,所获军资不可计。

戊辰,金左监军昌急攻楚州,破之。

初,赵立之入城也,有徐州军民老弱仅数千,而胜兵居半,又有楚州将兵二千,四县民兵约五千,共不满万人。围城初,有野豆、野麦可以为粮,后皆无生物,有凫茨、芦根,男女无贵贱斸之。后为水所没,城中绝粮,至食草木,有屑榆皮而食者。徐州将士残暴,席势凌楚军,二州众不相能。立善弹压,使各效其所长,无敢校私隙。其后忿阋日闻,敌谍知之,然犹深忌立,疑其诈死,不敢动。无何,守者稍怠,徐人多溃围而去。敌用降人卫进言,专攻北壁,凡四十馀日,至是乃破。

始,立遣人告急,帝命浙西安抚大使刘光世督淮南诸镇往援之。东海李彦先首以兵至淮滨,扼敌不得进。高邮薛庆至扬州,转战,被执死。光世前军将王德至承州,其下不用命。扬州郭仲威按兵天长,阴怀顾望。独海陵岳飞屯三墼,仅能为墼,而亦众寡不敌。敌知外援绝,攻围益急。

立家属先死于徐,其赴镇,以单骑入楚,后得女子知书者,使侍左右,读军中书记,城破而没。立为人木强,不知书,其忠义盖出天性;善骑射,容貌甚壮;不喜声色财货,月俸给皆取其半,与士卒同甘苦;每战,擐甲胄先登,有退却者,必大呼疾驰至其侧,捽而斩之,众畏服,亦乐为用。其视金人如仇,每言及,必啮齿而怒。常戒士卒,惟以杀金人为言,且自誓必死。

城破,州人扶伤巷战,惟民兵夺门而出,首领万五、石琦、蔚亨,号千人敌,皆得全。自金人南侵,所过名城大都,多以虚声胁降,如探囊取之,惟冀州坚守逾二年,濮州城破巷战,杀伤略相当,皆为金所惮。而立威名战(多)〔功〕,咸出其上。

是役也,金锐意深入,会张浚出师围陕,宗弼往援之,又立以其军蔽遮江、淮,故金师亦困弊而止。议者谓立之功,虽张巡、许远不能过云。

初,海州、淮阳军镇抚使李彦先,在韩世忠军;有李进彦者,犯罪流岭南,道为防送者所释,亦投世忠军。世忠之溃沭阳,彦先入海聚众,后有兵数千,与进彦分统之。至是进彦累官武节郎、阁门宣赞舍人、海州兵马钤辖。及楚州受围,彦先以舟师援赵立,与之刺臂为义兄弟。城破之日,彦先舟师犹在北神镇淮水中,前后扼于金人,不得去。金以楼船并力攻彦先,彦先所乘舟下碇石,急收不应。金人击之,彦先与其家皆死。时进彦在东海县,招集彦先馀众,后渡海至秀州,遂受吕颐浩节制。

冬,十月,庚午朔,张浚斩同州观察使、环庆路经略安抚使赵哲于邠州,遂责本(帅)〔司〕都统制、明州观察使、熙河路经略安抚使刘锡为海州团练副使,合州安置。

初,诸军既败还,浚召锡等计事。浚立堂上,诸将帅立堂下。浚问:“误国大事,谁当任其咎者?”众皆言环庆兵先走,浚命拥哲斩之。哲不伏,且自言有复辟功,浚亲校以棁击其口,斩于垓下,军士为之丧气,浚遂以黄榜放诸军罪。哲已死,诸将帅听命,浚命各归路歇泊。令方脱口,诸路之兵已行,俄顷皆尽。浚率帐下退保秦州,陕西大震。

辛未,宣抚处置使司参谋官王以宁言:“乞下诏幸蜀,俾敌人罔测乘舆所在。”帝曰:“诏令所以取信于民。自非必行之事,不可降诏,使民何所适从!”张守曰:“昨已降旨,令沿江储峙。”

秦桧自楚州孙村归于涟水军丁禩水寨。

初,金人以桧请存赵氏,执还燕山,既而从二帝之上京。上皇之遗金书请和也,桧与闻之。逮二帝东徙韩州,金主以桧赐左监军昌为(在)〔任〕用。任用者,犹执事也。昌之提兵南下也,桧以任用随军,以计得与其妻王氏俱行。昌至淮阴,以桧为参谋军事,又以为随军转运使。及楚城〔破〕之三日,桧与王氏及臧获砚童兴儿、御史台街司翁顺及亲信高益恭等,以小舟至涟水军界,为禩逻者所得,将缚而杀之。桧曰:“我御史中丞秦桧也。”寨兵皆乡民,不晓其说,以为奸细,稍凌辱之。桧曰:“此中有士人,当知我姓名。”时王安道者为酒监,众呼示之。安道佯为识桧,长揖之曰:“中丞良苦!”众信之,乃不杀。翼旦,谒禩于军中,其下诸将招与饮,有副将刘靖者,欲杀桧而取其资,桧知而责之,靖不得发。桧遂泛海赴行在。

乙亥,金主至自东京。

癸未,帝谓辅臣曰:“闻城中百物贵涌,将士经此,寒苦可念。太母日馈朕盘飧,问内侍,云一兔至直五六千,鹌鹑亦数百,朕知之,饬尚食勿进鹌、兔久矣。”范宗尹曰:“陛下恭俭如此,天下幸甚!”

甲申,言者论防海利害,有可虑者三,不足畏者三,大略谓:“海道风帆,瞬息千里,舟师猝至,势难支吾;又,出没示疑,牵制我师,扬旗伐鼓,中夜而至;我若惊溃,彼计得行;此可虑者

2485

三也。冒涉洪涛,敌众方病,乘其未定,易以进击;又,或为风阻,咫尺不前;港道回曲,加以泥泞,其隙易乘;此不足畏者三也。由是言之,无备则可虑,有备则弗畏。今莫若委沿海巡尉及民社,分地防扼。大抵海舟不能齐一,及其未集而击之,必可成功。"从之。

是日,金主命辽、宋诸官之降者,各上其本国诰命,等第换授。

乙酉,言者论:"三年天下之通丧,后世有从权夺服之举者,所以移孝为忠,徇国家之急也。而比来所起之士,多非金革之故,几习宣、政之风,如权邦彦为发运使、姜仲谦为湖北转运使,以至幕职之官,亦行起复。又有夤缘请托三省、枢密院而图起复者,此何理邪?欲望一切罢去,于以明人伦而厚风俗。"诏邦彦专委催发诸路钱粮,应付行在大军支遣,其馀皆罢之。

庚寅,右正言吴表臣言:"臣向尝论奏,乞谕张浚,令提关陕锐旅疾速入援。伏计朝廷必屡已督促,然至今寂然,未有来耗,中外人情,不胜失望。臣伏念朝廷待浚之意亦至矣,浚之奏请,无有不行,浚之官属,推赏甚厚,盖望其竭力为报,缓急有助也。今冬候已深,敌情叵测,在浚臣子之心,亦岂遑安居!若不恤君父之急,于义如何?欲望更遣使臣,由间道相继督促张浚、曲端等,令统帅精骑,星夜前来应援,无使后时。若强敌深入,亦有后顾之虞。此事迫切,不宜缓者。"时朝廷犹未知浚败于富平,乃诏枢密院遣使臣二人趣浚入援。

初,浚既斩赵哲,以陕西转运判官孙恂权环庆经略使。或谓环庆诸将曰:"汝等战勇而帅独被诛,天下宁有是事?"参议军事刘子羽闻之,令恂阴图诸将,恂遂以败军斩统领官张忠、乔泽。统制官慕容洧与诸将列告于庭,恂叱之曰:"尔等头亦未牢!"洧,环州属户,其族甚大,闻此,惧诛,遂首以兵叛,进攻环州。浚命统制官张中彦、干办公事承务郎赵郴守渭州,二人皆曲端旧部曲,素轻刘锜;又,浚已还秦,恐金人至,不能守,乃相与谋逐锜而据泾原。锜至环州,与洧相拒。金以轻兵破泾州,次潘原县,锜留彦琪捍洧,亲率精锐赴渭州。锜至瓦亭而金兵已迫,锜进不敢追洧,退不敢入渭,遂走德顺军。彦琪以孤军无援,亦惧,遁归古原州。中彦、郴闻之,遂遣人诣金军通款。

甲午,伪齐刘豫遣尚书右丞相张孝纯册其母令人为皇太后,立其妾钱氏为皇后。钱氏,本宣、政间宫人,出为民婢,入豫家,有宠,托言吴越王後而立之。

丁酉,诏为赵立辍二日朝,赠立奉国军节度使、开府仪同三司,谥忠烈,官子孙十人,且令访其遗骸,官给葬事;后为立祠,名显忠。

己亥,河南镇抚司兵马钤辖翟宗率裨将李兴渡河,败金人于阳城县,遂进(之)〔至〕绛州之垣曲。横山义士史准等以其众来附。兴归,以所部屯商州。

杜充自南京至云中,金右副元帅宗翰薄其节,不之礼,久而命知相州。

十一月,癸卯,诏曰:"吕公著、吕大防、范纯仁,皆盛德元老,同居庙堂,国势尊安,四裔顺服;而遭罢贬斥,久历岁时,尚拘微文,未获昭雪。朕经此时巡之久,益知致治之难,念兹老臣,是宜褒称。三省可检举速行褒赠,并其馀党籍臣僚,下有司责以近限,具名取旨施行。"

初,帝既下诏褒录元祐忠贤,而朝廷多故,有司未暇检举。及是帝谕大臣曰:"此事议论已久,终是行遣未尽。内中收得《元祐党碑》,即降出,令录所司,一一契勘褒赠。"遂追封公著鲁国公,谥正献;大防宣国公,谥正愍;纯仁许国公,谥忠宣;皆赠太师。

是日,建康府路安抚大使吕颐浩复南康军。

颐浩既驻军都阳,会建武军节度使杨惟忠有兵七千屯州境,颐浩请与俱。是月朔,官军至都昌县,后三日,遂渡江,入居南康军,分守要害。遣统制官巨师古以所部三千七百人救江州。是夜，贼众三万人至南康，与官军鏖战。颐浩及杨惟忠皆失利，引兵渡江避之，陈于北溪洲。翼日，师古引兵未至江州五十里而营，诘朝出战，遇伏，为所败，其众溃去，师古奔洪州。颐浩乃传檄王璪、韩世清会兵，未敢进。

甲辰，端明殿学士、签书枢密院事赵鼎罢。

初，帝欲除神武副军都统制辛企宗为节度使，鼎以企宗非有军功，持不下，帝不乐，诏鼎累乞宫祠，可本职提举临安府洞霄宫，免谢罪。鼎既免，帝欲申前命，参知政事谢克家曰："企宗非有大功，今骤命之，是使鼎得名，企宗得利，而陛下独负谤于天下后世也。"帝乃止。

乙巳，权尚书工部侍郎韩肖胄请复天地、日月、星辰、社稷之祀，事下太常。其后礼寺言："自车驾巡幸以来，宗庙之祭，文虽省而义存，则岁所常行者，亦当姑存其意，而天地、社稷之祀不可辍。今裁定，每岁孟春上辛祈谷，孟夏雩祀，季秋及冬日至四祀天，夏日至一祀地，孟冬上辛祀感生帝，立冬后祭神〔州地〕祇，春秋二社及腊前一日祭太社、太稷，并于越州天庆观设位，免玉与牲，权用酒脯。（乃）〔仍〕依方色奠币，以辅臣为初献，礼官亚终献，宗室奏告，并常服行事。"从之。

丙午，秦桧入见。

初，桧发涟水军寨，权军事丁禩令参议王安道、冯由义辅行，前二日至行在。桧自言杀监己者，夺舟来归。朝士多疑之者，谓其与何㮚、孙傅等同被拘执，而桧独还；又自燕至楚二千八百里，逾河越淮，岂无讥诃之者，安得杀监而南行！就令达兰纵之，必质妻属，安得与王氏俱归！唯范宗尹、李回素与桧善，力荐其忠，乃命先见宰执于政事堂。翼日，引对，桧言："如欲天下无事，须是南自南，北自北。"遂建议讲和，且乞帝致书左监军昌求好。

是日，通、泰镇抚使岳飞自柴墟镇渡江。

金左监军昌既得楚州，有经营南渡之意，乃攻张荣鼍潭湖水寨。金人屡攻荣，阻湖淖，不得进。及是天寒水深，遂并力攻其荻城，荣不能当，焚其积聚而去。金人进攻泰州，飞以泰州不可守，弃城去，率众渡江，屯江阴军沙上。

丁未，朝请郎、试御史中丞致仕秦桧试礼部尚书，赐银帛二百匹两。范宗尹等进呈桧所草国书，帝曰："桧朴忠过人，朕得之，喜而不寐。"桧请以本身合得恩泽授王安道、冯由义官，寻并改京秩，而舟人孙静亦补承信郎。始，帝虽数遣使，然但且守且和，而专与金人解仇议和，则自桧始。

壬子，日南至，帝率百官遥拜二帝。自渡江至是，始有此礼。

丙辰，金左监军昌破泰州。时昌有渡江之意，欲耕地而守，遂亲率万人下（蔡）〔泰〕州而屯之。

己未，金人破通州。

辛酉，伪齐刘豫改元阜昌。豫初僭立，止用天会之号。至是奉金命，乃改之。

甲子，建康府路安抚大使吕颐浩，乞益兵讨李成，帝曰："颐浩奋不顾身，为国讨贼，群臣所不能及。但与贼相距，不度彼己，容易轻进，此其失也。今兵既少衄，须令且持重，急遣王璪引兵助之。"范宗尹曰："颐浩意欲更得韩世忠兵马为助。"帝曰："若遣韩世忠提全军，破贼有馀力；但敌骑尚在江北，未可遽行。"李回曰："成敢拥众跨江跳梁，正倚金人南侵，朝廷不能遣发大兵。若陛下亲御六师，移跸饶、信间，则成败胆矣。"帝曰："朕日夜念此不少置，决意须亲征。俟敌骑稍北，遣世忠先行，朕继总兵临之。先以赏招携其众，许归自新，则成必易擒，亦不欲多杀士众也。”

丙寅，诏神武前军统制王瓒以本部万人速往吕颐浩军策应。

是月，宣抚处置使张浚，自秦州退军兴州。

初，浚兵既溃于富平，金人以所得陕西金币悉归河东帅府。会张中孚、赵彬送款于金人，知慕容洧叛，乃遂引兵而西，走秦凤路。马步军副总管吴玠自凤翔走保大散关之东和尚原，权环庆经略使孙恂由陇关入秦，与浚会。金人至渭州，得其情实，乃入德顺军。浚闻敌人德顺，遂移司兴州，簿书辎重，悉皆焚弃。

浚之出师也，干办公事、朝请郎杨晟悙力言其不可，浚不从，晟悙乃求行边，不随幕下。及是来见浚，浚稍以诸事委之。晟悙言：“金人必欲举川、秦，然后归国。不若引兵金、洋一带，俟敌骑既去，然后收复川、陕，事乃永定。”浚虽不用其说，然已置陕西于度外矣。起复朝议大夫、知兴元府王庶亦来，见浚计事，力陈保秦之策。众议不同，庶请归持馀服。

浚之自邠南归也，将士皆散，惟亲兵千馀人自随，其属官皆惧。有建议当保夔州者，参议官刘子羽曰：“议者可斩也。宣抚司岂可过兴州一步！系关陕之望，安全蜀之心。”干办公事谢升亦言不当远去，请筑青阳潭左右四关、六屯，浚以为然，乃劾异议者，遣子羽单骑至秦州，访诸将所在。时敌骑四出，道阻不通，将士无所归，忽闻子羽在近，宣抚使留蜀口，乃各引所部来会，凡十数万人，军势复振。浚哀死问伤，录善咎己，人心粗安。

或谓吴玠：“宜移屯汉中以保巴蜀。”玠曰：“敌不破我，讵敢轻进！吾坚壁重兵，下瞰雍甸，敌惧吾乘虚袭其后，此保蜀良策也。”诸将乃服。时玠在原，军食不继，凤翔之民感其遗惠，相与夜负刍粟输之；玠亦怜其远意，悉厚赏以银帛，民人益喜。敌怒，遣兵伏渭南，邀而杀之，又令保伍相坐，犯者皆死，而民益冒禁输之，数年然后止。

十二月，庚午，交趾郡王李乾德请入贡，诏却之。

辛未，金左副元帅宗翰，命诸路州县同以是日大索南人及拘之于路；至癸酉，罢籍客户，拘之入官；至次年春，尽以铁索锁之云中，于耳上刺官字以志之，散养民间。既而立价卖之，馀者驱之夏国以易马，亦有卖于蒙古、室韦、高丽之域者。时金既立刘豫，复以旧河为界，宗翰恐两河陷没士庶非本土之人，逃归豫地，故有是举。

丁丑，金陕西都统洛索卒，后赠金源郡王，谥庄义。

己卯，诏户部进钱万缗，奉隆祐皇太后生辰。

时帝以太后诞日，置酒宫中，从容语及前朝事。后曰：“吾老矣，幸相聚于此，它时身后，吾复何患，然有一事当为官家言之。吾逮事宣仁圣烈皇后，求之古今，母后之贤，未见其比。因奸臣快其私愤，肆加诬谤，有玷盛德。建炎初虽尝下诏辨明，而史录所载，未经删定，岂足传信后世？吾意在天之灵，不无望于官家也。”帝闻之恻然。其后更修神宗、哲宗两朝《实录》，〔盖张本于此〕。

癸未，诏：“监司、守倅，并以三年为任。”

乙未，神武右军都统制张俊为江南路招讨使，进解江州之围，且平群盗，事急速者许便宜。

时李成乘金人侵略之馀，据江、淮六七州，连兵数万，有席卷东南之意，使其徒多为文书、符谶，幻惑中外，朝廷患之。至是闻金不渡江，帝乃止饶、信之行。范宗尹因请大将讨成，故有是命。仍令前军统制王瓒、后军统制陈思恭、镇抚使岳飞皆属俊。

诏:"招讨使位宣抚使下,制置使上,著为令。"

翰林学士汪藻言:"古者两敌相持,所贵机会,此胜负存亡之分也。金师既退,国家非暂都金陵不可;而都金陵,非尽得淮南不可。淮南之地,金人决不能守;若为刘豫经营,不过留签军数万人而已,盖可驱而去也。淮南近经兵祸,民去本业,十室而九,其不耕之田,千里相望,流移之人,非朝夕可还。国家欲保淮南,势须屯田,则此田皆可耕垦。臣愚以为正二月间,可便遣刘光世或吕颐浩率所部招安人马过江,营建寨栅,使之分地而耕,既固行在藩篱,且清东西群盗,此万世一时也。"疏奏,未克行。中兴后言屯田者,盖自此始。

是岁,行在大军月费见钱五千馀万缗,银帛、刍粟在外,而诸养兵之费不与焉。

红巾贼屡犯均州,知武当县、奉议郎王焕率邑人保山寨。贼军大至,或劝之使遁,焕曰:"使吾有此心,则不能与邑人来此矣。"遂与一家俱死。后录其家一人。

伪齐刘豫立陈东、欧阳澈庙于归德府,封东为安义侯,澈为全节侯,取张巡、许远庙制,立为双庙以祀之。

初,徽猷阁待制洪皓,与右武大夫龚璹持命至太原,金令其阳曲县主簿张维馆伴。留几岁,金遇使人礼益削。是岁,始遣皓、璹至云中。时通问使、朝奉郎王伦、邠门宣赞舍人朱弁已被拘,伦、皓因以金遣商人陈忠,密令通问两宫。已而左副元帅宗翰召皓等遣官伪齐,皓力辞不可,宗翰怒,命壮士拥以下,执剑夹承之,皓不为动。傍贵人嘻曰:"此忠臣也!"止剑士以目,为跽请,宗翰怒少霁,遂流递于冷山,与假吏沈珍、隶卒邱德、党超、张福、柯辛俱。流递,犹编窜也。云中至冷山行两月程,监军希尹使诲其八子。

是岁,金渤海万户大托不嘉北归,过淮,与知军张涣饮于舟中,因语及册立刘豫事,托卜嘉叹曰:"某,辽之大臣,渤海之大姓,曩者大金见招,许以开国辽东,累载从军,披坚执锐,今求一郡之安,亦不可得。豫不过山东郡守,势孤而降,乃当是任,岂不负我哉!"涣,孝纯从子也。

【译文】

宋纪一百八 起庚戌年(公元1130年)七月,止十二月,共六月。

建炎四年 金天会八年(公元1130年)

秋季,七月,癸卯(初三),诏令:"各道守臣,自开战以来,所授予的不须请示灵活处置权废止。"

神武前军统领官胡仁参,在越州市被斩首,宣教郎袁潭受除名处分,发往韶州编管,因其与李邺同谋降敌,又擅自杀害两浙提点刑狱王翊的缘故。不久,高宗诏令,因王翊被害,追封为朝请大夫,又封了他家的三人官爵。然后有人认为,"王翊曾投降敌人,当敌兵离去的时候,又把印交给王翊,因而不该褒奖。"范宗尹主管这件事,最后就追封王翊家一人为官,任用了他的儿子王云。

甲辰(初四),执政大臣奏请以朝议大夫、提举江州太平观刘洪道为建康府路安抚大使司参谋官,高宗说:"不可以,这样又要和吕颐浩官位相同了。"赵鼎说:"吕颐浩暂时还不能来,现在可以先派刘洪道去池州筹划设置长江防务。"高宗说:"这样做固然没什么危害,但议论的人说吕颐浩多任用山东人,因此不想派他去。而且吕颐浩身为宰相,应当招揽天下人才,为我所用;只对同乡偏心,不是公正之道。"

先是中书舍人季陵入朝对策，说："强敌的祸患，已让我们没有安宁的日子了，敌人烧杀抢掠，几乎遍及天下。他们夏天往北去，秋天到南边放牧，往年兵马在燕山休整，第二年就移到河北，第三年移到京东，今寓居淮甸，毫无退回去的意思，祸患就在旦夕间，可以说很危急了。张浚已领兵去公安，刘光世已带兵去镇江，尽速召回将领派遣军队，事还来得及。现在吕颐浩已经走了，朱胜非还没有来，如果七月下令，八月到达镇守之地，九月就可能做好战备，武器精良马匹肥壮。否则敌人南侵，士兵平常不训练，粮食平素不储备，又不设防，用什么去抵御敌人呢！臣希望陛下急速与大臣谋划，先派军马运送粮草，再挑选贤能的副职经营谋划，以待来犯。否则，即使所派的人地位高名望重，号称前宰相，也无济于事。现在注意将相调配，已经不只是为了国家安危，实际上是为了社稷存亡。现在应该是早上谋划，晚上行动，应当如救人于溺水，怎么能不争分夺秒呢！"到这时高宗才命令刘洪道赶快奔赴池州，权且管理本州及安抚官府诸事，将统制官张俊、李贵、王进、王涣所属部下共四千人划归本州各部队，听从调遣。刘洪道奏请授予不经奏请灵活处置的指挥权，高宗批准。

戊申（初八），高宗下诏："从臣僚到尚书省，除正一品外，其他官员都在执政之下，以此为令。"这是为了加强刘光世的权力。

辛亥（十一日），金主下令给泰州都统博勒和所属各穆昆盔甲各五十套。

先前金的都统洛索用兵陕西，所攻下的城邑，很快都回归宋朝。监战阿里布请求增加兵力，这时各将领在帅府商议。宗翰说："以前因攻打宋的缘故，把西路军合并到东路军。可是陕西方面的五路军，兵力雄劲，应当合力去攻取。应命达兰安定江北，宗弼先领二万精兵开赴洛阳，于八月去陕西，或派宗弼立即去执行。"各将领说："陕西的兵力并非不足，现在各城邑叛服无常，主要是靖绥怀柔工作未做到家。如果有一位声望重地位高、能恩威并施的人前往，可指日平定。应当让皇子右副元帅宗辅前往担任这一要职，或者在宗翰、希尹中间挑选一人前往。"各将领把自己的见解都上报给金主。金主说："过去洛索攻无不克，现在让他专门出征陕西，滞延了很久还攻不下来，难道他现在厌战或爱惜自身了？关陕是重镇，各位可要尽力啊！"于是派宗辅前往洛阳整顿队伍。

乙卯（十五日），金主下令，将昏德公（宋徽宗）、重昏侯（宋钦宗）迁移到五国城，因为要立刘豫了。

金乌登路统军锡库传达金主命令，减去宋徽宗、钦宗随行的宗室官吏。徽宗极力恳请留下这些人，锡库不准，于是徽宗对随行人员说："远道相伴而行，本来图求哀乐与共，但现在受他管理没有什么办法了。"言毕，泪下，随行人员都放声大哭。于是宗室仲提等五百多人、宫内侍臣黎安国几百人都留下了，随行的只有晋康郡王赵孝骞、和义郡王赵有奕等六个人而已。

丁巳（十七日），命令元祐党人子孙向所在的官府自己陈述情况，他们应得的恩惠全都归还他们。

丁卯（二十七日），金主到东京温泉。派高庆裔、韩昉册封刘豫为皇帝，国号大齐，首都大名府。

八月，辛未朔（初一），浙西安抚大使司设置参谋、参议官各两名，俸赏待遇同杂监司。从此以后，各路均以此为例。

壬申（初二），高宗下诏："福、建、温、台、明、越、通、泰、苏、秀等州，凡有海船的民户及曾做过水手的人,权且登记在册,五家编为一保,不得将船开往京东,违者以军法论处。"

金山

癸亥(疑误),高宗下诏:"神武中军增选禁卫兵,加上原有的共六百人,分三拨轮换在宫中值班。不属禁卫所管辖,由统制官辛永宗掌管。"

甲戌(初四),高宗降诏:"每日侍从官轮流一人,挑选前代和本朝有关治体的一两件事进呈皇帝。"

初,朝散郎、知蕲州甄采,因得到柔福帝姬而向朝廷奏报,恰逢甄采被淮西都巡检使刘文舜打败,脱险后跟随韩世清,护送柔福帝姬到行宫。当时高宗还在温、台,命先将柔福帝姬送入宫中。内侍省押班冯益、宗妇吴心儿去越州验看。戊寅(初八),接柔福帝姬入宫,封福国长公主。

庚辰(初十),隆祐皇太后从虔州来,高宗亲自到行宫门外迎接,顺便一一问起太后所经过的地方的守臣治理的情况,太后的性情恭谦谨慎,那些情况丝毫也没有告诉高宗。她喜欢饮酒,皇帝觉得越酒不能喝,命令另买甜酒。太后派人拿钱去买,没有用皇上的钱。太后在宫中,曾觉得有点晕眩,有个宫人说自己善于用符水咒语治病。有人把这话告诉太后,太后说:"又是这些话,我哪里敢再听! 这种人还能留在宫中吗?"立即下令赶出宫了。

这天,拱卫大夫福州观察使、承州、天长军镇抚使薛庆,与金人在扬州城下作战,阵亡。

宗弼屯兵六合县以后,打算从运河乘船北归,不料赵立在楚州,薛庆在承州,扼守住要冲,无法行进。对此宗弼很忧虑。左监军完彦昌从孙村来,面见宗弼商议军事,想和他合兵攻打楚州。真、杨镇抚使郭仲威知道后,约薛庆一起迎敌,薛庆就在这月的戊寅(初八)出兵,己卯(初九),到达扬州。郭仲威却丝毫没有行动的意思,在家大摆酒宴。薛庆大怒,说:"现在哪里是纵酒的时候? 我做先锋,你当后援。"言毕上马,急驰而去。早晨出扬州西门,随从人马不到百员,转战十几里,已亡三匹人马,郭仲威这时还没到。薛庆与他的部下逃回扬州,郭仲威关闭城门拒之于外。薛庆仓皇中落马,被追兵捉住。那匹战马沿着原路回到承州,军中人见到马,说:"空马回来,太尉大概死了!"郭仲威放弃扬州,奔往兴化。敌军长驱直入攻打承州,兵马钤辖王林出城迎战,未胜逃走,承州城破。金人惧怕薛庆再回宋营,就把他杀了。

薛庆长期在承州,军粮已足后,不用再到百姓那儿征收;朝廷的官员从京师来,宾馆里的招待很丰厚,都能按他们的等第规格供给俸禄;隶属承州的官兵,每月的粮食和按季衣服,均能按数发给;至于承州低级胥吏,参战的能按日领军粮,老弱能按天领取物品证券而已。敌人从浙州回来,在天长、六合之间扎下营寨,薛庆亲自率兵去劫营,得到几百头牛,全都贱卖掉,分给种田的老百姓。民众感念他的恩惠,薛庆也依靠民众巩固了防卫。敌人要借道承州去攻打楚州,薛庆不答应,因而被害。薛庆来自盗匪,他的部下多骁勇善斗。薛庆临敌勇敢,也能以少攻多。因此薛庆死后,承州城就失陷了,楚州形势孤立,终于无法抗敌,人们都很惋惜。高宗接到讣告,追封薛庆为保宁军承宣使。

癸未(十三日),宣抚处置使张浚又夺取永兴军。

起初,张浚往西去,高宗命令他三年后领兵攻取。到现在金左监军完颜昌与宗弼都在淮东,约定深秋南下。张浚揣度宗弼一定要进犯东南,商议出兵分散、削弱他们的兵力。张浚召集将领们商议出兵,都统制、威武大将军、宣州观察使曲端说:"平原空阔,便于敌军横冲直撞,而我们的部队还不熟习这种战斗。况且金兵刚到士气旺盛,难以和他们争高低。现在应该厉兵秣马,守卫疆土而已,待十年后才可以商讨出兵。"张浚不听他的。

又因为人们的议论逐渐扩散,使张浚不能不有疑虑,于是派本司主管机宜文字张彬前往渭州,以扩充禁卫军为名,实际是想察看曲端的心意。张彬到渭州见到曲端,问道:"您曾担忧各路大军不能都联合起来,及财物不足以应付军需等事。现在张浚来此,各路大军联合物资充足,洛索孤军深入我们的境地,我们集合兵力攻打他不困难。如今失去时机不进攻,如果尼玛哈与洛索合兵来犯,我们用什么去抵挡?"曲端说:"不是这样,兵法上先要比较敌我双方的力量,一定要先考虑我们不能战败,敌人能战败的多种因素。现在敌兵可以战败,只是洛索孤军深入这一个因素;但是他们兵技熟习,战士精锐,分合熟练,和以前没有不同。我们不可能战败,是只有联合五路兵力这一个因素,然而将帅都有调动,士兵平常不训练,兵将互不了解,所用来对付敌军的条件,也未见和以前有特殊差别。万一轻易举兵,或不顺利,即使有智者来,也没有办法收拾残局。再说,自从敌人入侵,从我方境内就地取粮,他们来去自如,而我们却自顾不暇,因此,我们曾经是客人,他们曾经是主人。如今应反过来,严格训练士兵,按兵据守险要,使我们常有处在不能战败的形势,然后慢慢出动部分主力军,使每一次出击都有收获。他们所说的关中如同陆地上的海,春天不能耕种,秋天没有收获,那么他们必定到河东来获取粮食,这时我们是主,他们是客,不用一、二年,敌人就会自己困死,我们乘虚而入,可一举歼灭敌军。"张彬把曲端的话回报张浚。

在这以前是吴玠因彭原战败,埋怨曲端不出兵相助,而曲端说吴玠的前军已经失败,只有长武还可以据险抵挡,二人争执不停。张浚以前就有怀疑,终于利用彭原战败一事免了曲端的兵权,给予宫观使,又罢免海州团练习副使,发送到万州安置;统制官张中孚、李彦琪发送到有关州县羁管。陕西人依重曲端,到他被贬,军中情绪很不舒畅。

张浚于是决定整治军务,发出公文向河东左副元帅宗翰兴师问罪;宣抚司干办公事万年人郭奕极力劝阻,张浚不听。命吴玠权永兴军路经略司公事,遂取永兴军。吴玠因功晋升忠州防御使。

丙戌(十六日),宁远军节度使、醴泉观使孟忠厚,请求减免隆祐皇太后所经过州县的秋税,范宗尹说:"不久前已免了夏税,若再减免秋税,恐怕州郡的经费就不足了,势必造成下面横征暴敛。"高宗很忧虑地说:"在固定的捐税以外又征科税及贪赃的官吏坑害百姓,这种事应特别留心。祖上虽然崇尚好生之德,而对赃官判死刑和流放的,未曾避重就轻,从现在起官吏贪赃,虽然不判死罪,若判处杖刑或发配流放,不能减刑。"

己丑(十九日),高宗下诏通、泰镇抚使岳飞带领他的部队去援救楚州。

当时扬、承二镇已被攻占,楚州形势危急,赵立派人告急,签书枢密院事赵鼎要派神武中军都统制张俊去援救。张俊说:"敌方刚补充了兵力,达赉很会用兵,他们的锋芒锐不可当。赵立守着一座孤堡,危在旦夕,若派援军,犹如空手打虎,同去送死而无裨益。"赵鼎说:"楚州处在敌人的要冲,用它来掩蔽两淮,弃置不救,会失去各镇的民心。"张俊说:"救援楚州确实应该。但是南渡以来,根本未固,而守卫宫禁者又少又弱,人心容易动摇,此次行动如果失利,怎么去处理善后?"赵鼎去见高宗,说:"江东新建立的一切,全依靠两淮,若失掉楚州,大事也就算完了。这一救援行动,不只是关系到挽救危亡的城市,而且也为使各将领竭尽全力,不要作养护敌寇以图自便的事。若张俊害怕此行,我愿意和他同去。"张俊又极力推辞。于是就命令岳飞、赵立腹背阻击敌人,仍然让刘光世派兵救援,不要失掉战机。

庚寅(二十日),诏令:"景灵宫的神主牌位,经由海路迎送到温州安置。"

金人要挖掘皇陵寝庙,河南镇抚使翟兴派他的儿子翟琮及统领官赵林领兵从河阳南城至巩县、永安军,迎战金人,屡战屡胜,一直追到渑池才回来。

九月,辛丑(初二),建昌府路安抚大使兼知池州吕颐浩,请兵五万人分别屯驻在建康等地,"其中建康府一万五千人,太平州一万人,池州二万人,饶州五千人。除现在由参谋官刘洪道所管辖的崔邦弼及李贵等约五千兵、韩世清约六、七千人外,请求朝廷补足缺额,交付臣调用。过去王翦讨伐楚国,说非六十万兵力不可,最后恰如所料。杜充用五万人只守建康,还不免失败。何况本路上下有千里之遥,多是险要渡口,如今请兵五万,委实不多。"又说:"刘光世的部队约二、三万人,势力比较强,可以镇压乌合之众。现在我素来没有部队,非有知兵政的统制官和二万正规军,难以镇服众心。请把神武前军统制王瓊部队的前军及巨师古、颜孝恭各位大臣分派到我的部队。"又请求招纳水寇邵青、崔增并发给各军衣甲。诏赐给枢密院现有衣甲千副,本路应上缴的经制钱四千万缗,米二十万斛,其余的要求都批准。

吕颐浩将要出发,拜见高宗。说:"我领兵离开京师,不了解金兵的虚实,听说他们已经渡淮往北去了。不过金人很诡诈,难以预测,我最近经过四明,看见朝廷把海船都集结在岸上,这一定是为避敌的准备。避敌固然应该有准备,然而抵御敌人的策略,尤其不要延误。我料想陛下万一躲避寇敌,不过是去永嘉和闽中。希望吸取去年被敌军骑兵追击的教训,选二万兵,分为两路,一路浙西,一路浙东。有的占据水乡,有的扼守险山,招引敌人狠狠打击,如果战士们努力杀敌,象四明城下那一仗,那就没有不取胜的。万一敌人不渡江,就希望宰相预先制定出计谋,等来年夏天再调兵北上,分二万兵由海上赴文登来动摇青、齐的敌军,分二万由淮阳进攻彭城,来动摇郓、濮方面的敌军。金人用兵,特别忌讳夏季,我们必须利用他们的忌讳攻打他们。因此我们要在夏季出兵,我前后多次陈述这个计划。然而安危治乱的要端,特别在于圣主明察,希望能听到您的意见。"

壬寅(初三),刘世光上奏:"淮南各镇,郭仲威溃散了,薛庆阵亡,赵立不知存亡,岳飞现在江阴军,没有见他赶赴楚州,刘纲带着他的部队正渡江往临安,分散在南北两岸做坏事。

金兵现留承州,我派王德渡江经过邵伯埭,活捉敌军四百多人。"诏令刘光世带着他所俘虏的兵来临安。接着王德带兵从天长赶到承州,没有进城,杀了他部下的左军统领官刘镇后返回。

甲辰(初五),太上皇后郑氏死在五国城,终年五十二岁。

乙巳(初六),诏令刘光世、岳飞、赵立、王林夹击敌人,逼使金人渡过淮水。

当时金左监军完颜昌,包围楚州已经一百多天。镇抚使赵立,有一天带着六骑人马出城,大声呼喊:"我是镇抚使,首领骁将,谁敢来迎战!"南寨有两人骑马从背后袭击他,赵立用手夺过两支枪,敌兵摔落在地,又夺得两匹马,刚要返回;突然北寨中派出五十多名骑兵追赶赵立。赵立瞪着眼睛大声呼喊,人马都吓退了。第二天,敌人竖起三面旗帜挑战,赵立也带着三骑人马出来应战。敌军的伏兵向赵立射击,赵立中一飞箭,奋力突出重围,敌军加紧了进攻。

戊申(初九),刘豫在北京僭称皇帝。起初,军民听说刘豫来了,杀金人,闭门抗拒刘豫。刘豫屠杀抗拒者,降服军民。于是登极即位,国号大齐,随即大赦所辖地区囚徒。

乙卯(十六日),金左监军完颜昌攻打楚州,守卫楚州的右武大夫,徐州观察使,楚、泗州、涟水军镇抚使赵立战死。

前一天,完颜昌大举进攻楚州兵临城下,第二天,金兵要填沟前进,赵立带领士兵抵御。忽然有人报告敌军已经进城了,赵立笑道:"将士们不要跟着我,我要看看他们的诡计,让他们一匹马,一只车轮也回不去。"往登东城门未到一半,飞炮就击中了赵立的脑袋。赵立身边的人赶快去救护,赵立还说:"我最终没能为国家打败敌人! 可把我抬到三圣庙中,就说我患疾在祈祷神灵,使敌人不明真相。"说完就死了,年仅三十七岁。然而人们一听说他死了,就知道城必定守不住,大街小巷痛哭声不止。众人推举参议官程括暂代镇抚使防守。敌人又加紧进攻。

己未(二十日),高宗说:"昨天韩世忠进献一匹马,高五尺一寸,说这不是为臣子的敢骑的。我回答他我常住宫中,不曾进出,用它做什么呢! 你自己留着战时备用吧!"当时韩世忠的妻子和国夫人梁氏说积压俸禄久未支付了,三省上奏说:"近来只有隆祐皇太后殿下好久未支的供奉物,都计价支付了,潘贤妃的供奉已不再支付。"高宗说:"将帅,是我任用的,应当优厚地抚恤他们的家属,可以按特例支付,其他人不得沿用此例。"

这一天,金、均、房安抚使王彦,与桑仲在平丽县的长沙平作战,结果失败了。

桑仲攻陷均州、房州之后,有窥取蜀州的心意,带领众人进犯金州白土关,王彦派官军保卫长沙平。桑仲过去是王彦的部下,就写信请求道:"我桑仲并不冒犯你,希望借路到蜀州吃碗饭。"王彦对他的僚属说:"我知道桑仲的为人,能统制士兵,轻财物善争斗,然而有勇无谋,我决心为各位打败他。"就派遣统领官门立为先锋,门立反复苦战不能获胜,战马又陷入泥沼,他的儿子门璋驰马经过这里,门立喊他,他不应声就离开了。门立大骂贼兵不停而死。人们震惊。当时官兵才二千人,粮食尚且不供应,有人请求稍微回避敌人的锋芒。王彦说:"如今敌人在陕西,如果他们到了安康,那么四川就腹背受敌了。有敢再说回避敌人的,立即斩首!"于是率领统制王宗尹两相为掎角之势,士兵们争先恐后奋勇杀敌。敌军摆开步兵骑兵队伍,六路并进,王彦手拿大旗呼喊将士们,士兵们拼死搏斗,从早晨战斗到下午五时,贼兵大败,一直追到竹山县才返回。桑仲就据守房陵。

桑仲未失败时,王辟在房州与桑仲遥相救援。到这时王彦派人去招降王辟,王辟投降了。王彦要到王辟的营中去,众人阻止他,王彦说:"我以真诚待王辟,他虽然诡诈,能做什么呢!"于是坐着轿子来到王辟营地,王辟很惊讶,王辟与他的同伙都服从王彦。张浚沿袭旧制任王彦为左武大夫。后来王辟在兴元府被腰斩。

辛酉(二十二日),金国安班贝勒、都元帅呆去世。呆,是太祖同母的弟弟,后封为辽王,谥号智烈。

癸亥(二十四日),知枢密院事、宣抚处置使张浚,派都统制刘锡在富平县与金人作战,被打败。

起初,张浚已经决定出兵,幕客和将士们心里知道不妥,可是嘴上不敢说,唯唯诺诺表示应和。正逢高宗因金人在淮水上集结兵力,命张浚出兵,分路从同州、鄜延袭击金兵的薄弱地带。当时权永兴军经略使吴玠已占领长安,而环庆经略使赵哲也收复了鄜延各郡。张浚下文书命熙河经略使刘锡、秦凤经略使孙渥、泾原经略使刘锜各领部队来会合;各路大军共四十万人,战马七万匹,以刘锡为统帅。张浚又向百姓借五年的赋税,运载粮食钱帛的车马,不绝于途,存放处堆积如山。

张浚亲自到邠州督战。金国左副元帅宗翰听说后,急调宗弼从西京入关,与洛索屯驻会合。宋军到达耀州的富平,金兵已屯驻下邽县,相距八十里。而洛索刚到绥德军,众人请求袭击金兵,张浚不答应,要与金人约定会战日期,金人不答复,写去几封信,洛索才从绥德军来,领兵与宋军对峙,亲自带领几十骑兵,登上山头。视察宋军,说:"宋军人虽多,但防御工事不坚固,千疮百孔,极容易攻破。"张浚还派人去约战,金人答应了。到了开战日,金人却不出兵,仍像平常一样。张浚认为洛索是胆怯,说:"我一定能打败敌人!"幕府中有人建议送妇女的服饰给洛索讥笑他胆怯。各路乡民往军中送粮草的,络绎不绝,到军营途中每个州县送粮的乡民自成一个小寨,运粮车马成了守卫,一个个接连不断。

刘锡召各将领商讨战事。吴玠说:"兴兵要具备有利条件才行动,地势不利,何为战呢?应该迁移占据地势高的地方,假使敌军人马往高处冲击,我军足可以击退他们。"秦凤路提点刑狱公事郭浩也说:"现在不可和敌人争胜,应分兵把守,等待他们疲惫下来。"各将领都说:"我们的兵力比敌人多好几倍,前面又是苇塘沼泽阻隔,敌人纵有骑兵也施展不开,哪里用得着迁到别处!"

将要开战时,刘锡下令竖起宿将曲端的旗号惊吓敌军。洛索说:"他们在欺骗我们。"这天,洛索挑选了三千骑兵,吃过丰厚的饭食,命扎哈贝勒率领,用袋子装土垫在草泽中越过沼泽,直奔乡民的粮草小寨。乡民们四处乱逃,金兵踏毁小寨冲入,各部队惊恐纷乱,于是金军近迫宋军。刘锜身先士卒抗敌,从早晨战到下午一时,不分胜负。金人更逼近环庆军,别路的军队没有来救援的。正赶上赵哲又擅自离开自己的队伍,将士们看到烟尘飞扬,吓得四散逃跑,于是军队大败。赵哲的军旗还没来得及收卷,众人就高呼:"环庆赵经略使先跑了!"直到邠州,才稍稍稳定下来。金人获胜并不追击,缴获的军用物资不可计数。

戊辰(二十九日),金左监军完颜昌加紧进攻楚州,城被攻破。

起初,赵立进城的时候,徐州的军民老弱只有几千人,而其中有战斗力的兵士占半数,还有楚州兵将共二千,四县的兵民约五千,一共不足万人。围城初期,还有野豆、野麦可以当粮,后来地里生长的东西,只有葶苈、芦根,不论男女不分贵贱都去争抢。最后这些东西被水淹没,城中绝粮,以至于吃草木,有的把榆树皮碾碎了吃。徐州的将士很残暴,倚仗他们势力凌辱楚军,二州的将士互不顺从。赵立善于制服,使双方各自学习对方的长处,不计较私仇。以后愤恨争吵一天天传出来,被敌人的探子打探到,但他们还是很怕赵立,怀疑他诈死,仍不敢轻举妄动。不久,守城的士兵慢慢懈怠起来,徐州人也都溃围逃去,敌人采纳投降的卫进所献计策,专攻北边的城墙,总共用了四十多天,到这时城被攻破。

开始,赵立派人到临安告急,高宗命浙西安抚大使刘光世统帅淮南各镇的军队去救援。东海的李彦先首先领兵到淮水边,扼守住敌人不能前进。高邮的薛庆到了扬州,在转战中,被抓获而死。刘世光的前军将领王德到承州,他的部下不拼命效力。扬州的郭仲威在天长按兵不动,暗中打算观望。只有海陵岳飞屯兵在三墼,仅能做援兵,但也寡不敌众。敌军知道宋断绝外援,围城进攻越加紧急。

赵立的家属先在徐州死了,他来楚州单枪匹马后来得到一个识字的女子,在赵立身边侍候,给赵立读军中来往文书,楚州城陷落时死了。赵立为人直质刚强,但不识字,他的忠义是出自天性;他善于骑射,容貌伟岸;不喜欢声色财物,他的月俸只取一半,和战士同甘共苦,每次作战,他总是穿上盔甲一马当先,有退却的,赵立必定大声喊叱驰马到他的身边,揪住立即斩首,众人都敬畏佩服他,乐意为他效力。他看待金人如同仇敌,往往说到金人,就恨得咬牙切齿。他告诫战士,就是多杀金人这一句话,而且发誓自己一定要战死沙场。

城被攻破,楚州人带着伤和敌人巷战,只有民兵冲出了城,首领万五、石琦、蔚亨,号称是"千人敌",保全了性命。自从金人南侵以后,所经过的各城大都,多以虚张声势威胁我军民投降,如探囊取物一样轻而易举,只有冀州坚守两年多。濮州城破后进行巷战,双方伤亡大致相等,都是金人所惧怕的。赵立的威名和战功,都在众人之上。

这一战役,金人决意深入,正赶上张浚出兵围困陕西,宗弼前往救援,再加赵立的军队布满了江、淮,因此金兵因疲困不堪而停止进攻。人们议论赵立的功劳,张巡、许远那样的人也超不过他。

起初,海州、淮阳军镇抚使李彦先,在韩世忠的军中;有个叫李进彦的人,因犯罪流放到岭南,在半路上被押送他的人放了,也入投韩世忠的军队。韩世忠在沭阳战败,李彦先到海上招募士兵,后来募得几千兵卒,和李进彦分别统领。此时,李彦先已经升为武节郎、阁门宣先舍人、海州兵马钤辖。到楚州被围的时候,李彦先带领水师援助赵立,和赵立在臂上刺纹结为兄弟。楚州城陷落那天,李彦先的水师还在北神镇淮水中,前后被金人阻扼,无法前往救援。金人用高大的战船合力进攻李彦先,彦先的战船都下了碇石,一时来不及起碇。金人攻击李彦先的水师,李彦先和他的家属全都身亡。当时李进彦在东海县,他招集李彦先的残余部队,后来渡海到秀州,于是就接受了吕颐浩的统制。

冬季,十月,庚午朔(初一),张浚在邠州将同州观察使、环庆路经略安抚使赵哲斩首,于是责令本司都统制、明州观察使、熙河路经略安抚使刘锡任海州团练副使、合州安置。

起初,各路大军败退回来之后,张浚召集刘锡等议事。张浚站在大堂上,各将帅站在堂下。张浚问:"误了国家大事,谁应当承担这个罪责?"大家都说环庆的兵先逃跑,张浚下令把赵哲推出斩首。赵哲不服,并说自己有帮助皇帝恢复王位的功劳。张浚亲手拿马鞭子抽打他的嘴,斩于土堡下,军士们因此都很沮丧。张浚就张贴黄榜,释免诸军士的罪。赵哲已经死了,各将帅只听命令,张浚命令各路大军回到自己的原地休整。张俊的命令刚出口,各路大军已经开始行动,一会儿都走光了。张浚率领部下退回秦州防守,陕西方面大为震惊。

辛未(初二),宣抚处置使司参谋官王以宁上奏:"请示皇帝下诏巡幸蜀州,使敌人不能推测皇帝究竟在哪儿。"高宗说:"诏令要能取信于民,非是必定要做的事,不可以下诏书,不能让老百姓无所适从!"张守说:"昨天已经降下旨令,命沿江道途预先准备器械财物。"

秦桧从楚州孙村回到涟水军丁禩水寨。

起初,金人因为秦桧请求保存赵氏,执意要求归还燕山,随后就跟着徽、钦二帝来到上京。徽宗给金人书信请求议和,秦桧曾参与其事。金人挟持二帝东迁到韩州,金主因此把秦桧赐给左监军完颜昌当任用。"任用"就是执事。完颜昌带兵南下,秦桧就随军当执事,而且想办法使他的妻子王氏与他同行。完颜昌到达淮阴时,让秦桧当参谋军事,又命他为随军转运使。等到楚州被攻陷的第三天,秦桧和王氏及家奴书童兴儿、御使台街司翁顺及亲信高益恭等,乘小舟到涟水军界,被丁禩的巡逻兵抓获,将要把他们捆起来杀了。秦桧说:"我是御使中丞秦桧。"寨兵都是老百姓,不知他是谁,以为他是奸细,对他有些凌辱。秦桧说:"你们当中如有读书人,应该知道我的姓名。"当时有个叫王安道的酒监,大家把他叫来看秦桧。王安道假装认识秦桧,深深地向秦桧做了个辑,说:"中丞受苦了!"众人才相信他,就没有杀他。第二天早晨,秦桧到军中拜见丁禩,丁禩的部下的将领招秦桧一起饮酒,有个叫刘靖的副将,要杀秦桧拿他的钱财,秦桧知道后责备他,刘靖没能采取行动。秦桧于是从海上赴临安。

乙亥(初六),金主从东京来。

癸未(十四日),高宗对辅佐大臣说:"听说城里物价猛涨,将士们路过这里,要忍受饥寒,我深以为念。太母每天馈赠我一盘饭食,我问内中侍卫,说一只兔子卖到五、六千钱,鹌鹑也几百钱,我知道后,就下令以后我的食物就不要再买鹌鹑、兔子了。这已经很久了。"范宗尹说:"陛下如此恭勤节俭,真是普天下人的幸福!"

甲申(十五日),有人谈论起海防的利害,有三点令人忧虑,有三点不可怕。大意是:"在海上靠风帆行船,瞬息行千里,兵船突然来到面前,很难抵抗;再有,敌人行踪疑点很多,牵制我军,他们举旗擂鼓,半夜来犯;我若惊慌逃散,他们的阴谋就得逞了;这是可忧虑的三点。在惊涛骇浪中,敌人正疲惫,乘他们还未安定下来,易于攻击;再有,有时受大风阻挠,寸步难行;港湾曲折,又加道路泥泞,可以乘虚而入;这是不可怕的三点。因此可以说,没有防备就有忧虑,有就不用害怕。现在我们不如让沿海巡尉和民社,分段防卫。大体上敌船不能同一时间一齐到达,趁敌船还没有集结起来的时候袭击它,一定可以成功。"高宗同意这个意见。

这一天,金主命令辽、宋投降的官员,每人都呈上在本国的诰命,按其原有的级别换授官职。

乙酉(十六日),有人说:"为父母服丧三年是天下通例,后世也有未满三年就权且脱去孝服的,是移孝而尽忠,服从国家之急需。而近年来起用居丧不满三年的人,大多不是军事急需的原因,几乎都是承袭徽宗政和、宣和朝的风尚,如任命权邦彦为发运使、姜仲谦为湖北转运使,以至幕府的官员,也都是守制未满起复的。又有一些人居丧未满三年,甚至攀附托请三省、枢密院希图起复,这是什么道理呢? 希望这些人都给予罢职,用来表明人伦而淳厚社会风气。"诏令权邦彦,专门负责催发各路钱粮,供应临安军队的军需物资,其余的人都罢官。

庚寅(二十一日),右正言吴表臣说:"我过去曾上奏,请指示张浚,令他调遣关陕的精锐

2497

部队急速救援,心想朝廷一定督促多次了,然而至今仍无声息,没有消息到来,朝廷内外,大为失望。我想朝廷对待张浚的情意已很深厚,张浚的奏请,没有不准的,张浚的部下,举荐奖赏都很优厚,这是希望他尽心竭力报效皇恩,国家危难时有所帮助。现在已是隆冬季节,敌情难测,作为臣子的张浚,又怎能悠闲而安然居处呢!若不顾念君父急需,还谈什么义呢?希望再派一位使臣,从小道去,继续催促张浚、曲端等人,命他们率领精锐骑兵,连夜前来援救,不能再任他们拖延。如果强敌深入,他们也有后顾之忧。这事迫在眉睫,不能迟缓。"当时朝廷还不知道张浚已在富平战败,还诏令枢密院派二名使臣催促张浚赶快入关救援。

起初,张浚杀赵哲以后,让陕西转运判官孙昫权环庆经略使。有人对环庆的将领们说:"你们在战斗中很英勇而统帅却被杀了,天下哪有这样的事?"参议军事刘子羽听到这话,命令孙昫暗中处置诸将,于是孙昫就以战败的罪名杀了统领官张忠、乔泽。统制官慕容洧和各将领一起到大堂申诉。孙昫叱责说:"你们这些人头也不牢固!"慕容洧,家在环州,家族人很多,听到这话,怕被诛杀,于是首先领兵反叛,进攻环州。张浚命统制官张中彦、干办公事承务郎赵彬守卫渭州,这两人都是曲端的旧部下,平素就看不起刘锜,再则,张浚已回到秦州,恐怕金兵打来守不住,就与赵彬一起谋划驱逐刘锜而据守泾原,刘锜到环州,与慕容洧相抗拒,金人以轻兵力攻破泾州,接着又占领潘原县。刘锜留下李彦琪抵抗慕容洧,自己带领精锐部队去渭州。当刘锜到达瓦亭时金兵已迫近,刘锜往前不敢追慕容洧,退不敢去渭州,于是逃到德顺军。李彦琪因孤军无援,也害怕,便逃回古原州。张中彦、赵彬知道后,就派人到金军通降服之意。

甲午(二十五日),伪齐刘豫派尚书右丞相张孝纯册封他的母令人为皇太后,立他的妾钱氏为皇后。钱氏,原是宣、政年间的宫女,出身于婢女,到刘豫家后,受宠,假托是吴越王的后代而立为皇后。

丁酉(二十八日),高宗诏令因赵立死停止上朝二日。追封赵立为奉国军节度使、开府仪同三司,谥号忠烈,又给他的十个子孙封官,同时命令查找他的遗骸,官府为他安葬。以后为他建了祠堂,命名显忠。

己亥(三十日),河南镇抚司兵马钤辖翟宗率领副将李兴渡过黄河,在阳城县把金兵打败,随后进军到绛州的垣曲。横山的义士史准等人带着他的队伍来归附。李兴又回到河南,把他的人马驻扎在商州。

杜充从南京到云中,金右副元帅宗翰看不起他气节低下,不以礼相待,过了好久才任命他知相州。

十一月,癸卯(初四),诏令:"吕公著、吕大防、范纯仁,都是德高望重的元老,他们同在朝廷,国势崇高安定,四方都来归顺,可是他们不幸遭到贬谪,已历时很久,还拘泥于责备他们的文字,没有得到昭雪。我经过这次长时间的巡视,更加体会治政的艰难,想起这些老臣,应该得到褒奖。三省可以举荐事迹迅速褒奖赐赠,连同被牵连的其他臣僚,责令有关衙门在近期内,列出名单奏请按旨意办理。"

起初,皇上已诏令褒奖哲宗元祐朝的忠贤之士,可是当时朝廷多变故,有司也无暇举荐。这时高宗才告诉大臣说:"这件事议论了很久,却始终流放没有结束。宫内收藏有《元祐党碑》,已降旨拿出,令抄录给有关衙署,逐一审核褒奖。"于是追封吕公著为鲁国公,谥号正献;吕大防为宣国公,谥号正愍;范纯仁为许国公,谥号忠宣;都追封为太师。

这天,建康府路安抚大使吕颐浩收复南康军。

吕颐浩在鄱阳驻军以后,正逢建武军节度使杨惟忠有七千兵驻扎在饶州境内,吕颐浩请求和杨惟忠协同作战。这月初一,官军到了都昌县,三天以后,就渡江,进驻南康军,分别把守险要之处。派遣统制官巨师古用他的三千七百人去救援江州。这天晚上,敌军三万人来到南康军,与官军激战一场。吕颐浩和杨惟忠都失利,带兵渡江避开了敌军,在北溪洲摆开阵势。第二天,巨师古带领部队在距江州五十里的地方扎营,早晨出战,遇上了伏兵,被敌军打败,他的部队溃退而去,巨师古逃奔洪州。吕颐浩传文书与王璪、韩世清会合,未敢进军。

甲辰(初五),端明殿学士、签书枢密院事赵鼎被罢官。

起初,高宗要任命神武副军都统制辛企宗为节度使,赵鼎认为辛企宗没有军功,坚持不同意,高宗不高兴,诏令赵鼎多次请求宫祠,可保持原职务去管理临安府洞霄宫,不必前来谢罪。赵鼎罢免后,高宗欲重申他提拔辛企宗的命令,参政知事谢克家说:"辛企宗没有大功,现在突然提升他,这样会使赵鼎得名,辛企宗得利,而唯独您却要受到天下后世的指责了。"高宗这才作罢。

乙巳(初六),权尚书工部侍郎韩肖胄奏请恢复对天地、日月、星辰、社稷的祭祀,这事下达给太常寺。这以后,太常寺说:"自从皇上到各地巡视以来,祭礼宗庙,祭文虽简而义长存,因此每年照常举行的祭祀,也应当姑且存留此意,但祭祀天地、社稷的活动不能停止。现在规定,每年孟春上辛祈祷谷神,孟夏求雨,秋末到冬至的第四天祭祀天,夏至的第一天祭祀地,孟冬上辛祭祀感生帝,立冬后祭土神,春秋两个社日及十二月前一天祭太社、太稷,并在越州天庆观设灵位,不要用玉器和家畜作供品,暂且用酒和干肉,仍旧按照方位祭奠纸钱,首先由辅佐大臣第一次献爵,礼官第二次、第三次献爵,最后宗室奏告,都穿平常服装行礼。"高宗同意。

丙午(初七),秦桧面见皇帝。

起初,秦桧从涟水寨出发,掌管军事的丁祺命令参议王安道、冯由义伴送,两天前到达临安。秦桧自己说他是杀了监视他的人,抢了条船逃回来的。朝廷上不少人都怀疑他,说他和何桌、孙溥等同时被拘捕,而秦桧却独自回来了;再则从燕到楚有二千八百里,要渡黄河淮河,怎么没有盘查他的人,他怎么能杀掉监视他的人南逃呢!即使达兰放了他,必定会以他的妻子亲属为质,怎么能和王氏一道回来呢!只有范宗尹、李回和秦桧友善,尽力举荐他忠心,高宗这才命令秦桧先去政事堂去见宰相。第二天,宰相引他上殿对话,秦桧说:"要想天下太平,必须是南自南,北自北。"于是便建议与金人讲和,并请求高宗致书信向左监军完颜昌求和。

这天,通、泰镇抚使岳飞,从柴墟镇渡江。

金左监军完颜昌占领楚州后,有准备南渡的企图,于是进攻张荣鼍潭湖水寨。金兵数次进攻张荣,为湖泊沼泽所阻,不能进。等到天寒水深,就联合兵力攻打张荣的草寨,张荣抵挡不住,就焚烧聚积的军需物资后撤离。金兵又进攻泰州,岳飞因泰州不可守,就放弃泰州,带领部队渡江,驻扎在江阴军的江边上。

丁未(初八),任命朝请郎、试御史中丞致仕秦桧为礼部尚书,银二百两,帛二百匹。范宗尹呈上秦桧起草的国书,高宗说:"秦桧朴实忠诚超过其他的人,我得到他,高兴得夜不能寐。"秦桧又请求把自己应得的恩泽转授给王安道、冯由义。封他们官职,不久就改任京官,而且连船工孙静也补任承信郎。起初,高宗虽然几次派使臣议和,不过还只是边守边和,而专讲金人解仇议和,则从秦桧开始。

壬子(十三日),冬至日,高宗率领百官遥拜徽、钦二帝。从渡江到现在,才开始有这种礼仪。

丙辰(十七日),金左监军完颜昌攻破泰州。当时完颜昌有渡江南下的企图,想在泰州屯田驻守,于是亲自率领万人下泰州屯田。

己未(二十日),金人攻破通州。

辛酉(二十二日),伪齐刘豫改年号为阜昌。刘豫当初称帝,只用金国的天会年号,现在奉金的命令,改天会为阜昌。

甲子(二十五日),建康府路安抚大使吕颐浩,请求增加兵力讨伐李成。高宗说:"吕颐浩奋不顾身,为国杀敌,君臣都比不上他。但与敌人对峙,不了解敌情,容易轻率进军,这是他的过失。如今兵少,又受过挫折,出兵一定要慎重,迅速派遣王瓘带兵去援助。"范宗尹说:"吕颐浩很想要韩世忠的兵马援助。"高宗说:"若让韩世忠带领全军,打退敌军尚有余力;只是敌人的骑兵还在江北,不可仓促行动。"李回说:"李成敢于率众渡江跨桥,正是依仗金兵南侵,朝廷不敢调动大军。如果陛下亲自率领六军,迁驻饶、信之间,李成就一定被吓破胆。"皇帝说:"我也日夜在考虑这件事,从未搁置下来,我决心亲自去征讨,等敌人再向北撤一点,派韩世忠先遣,我统领军队随后赶到。先悬赏招降李成的士兵,允许他们回来重新做人,那么必定容易活捉李成,也不必多杀他们的人众。"

丙寅(二十七日),诏令神武前军统制王瓘带领自己的部队一万人急速赶到吕颐浩的部队协同作战。

这个月,宣抚处置张浚,从秦州退到兴州。

起初,张浚的军队在富平溃败,金人把他们从陕西劫掠的金银布帛,全都带回河东帅府。恰巧张中孚、赵彬给金人送降书,得知慕容洧叛变,就带兵向西,逃到秦凤路。马步军副总管吴玠,从凤翔直奔大散关驻守其东面的和尚原。权环庆经略使孙恂由陇关入秦,与张浚会合。金兵到渭州,知道实情,攻入德顺军。张浚一听说敌军进入德顺军,就转移到兴州,把文书辎重全部烧毁。

张浚出兵的时候,干办公事、朝请郎杨晟悖极力劝说不可出兵,浚不听,晟悖只好要求在侧辅行活动,不随从帐下。等到来见张浚时,浚就把一些事情委托给他,晟悖说:"金兵一定要攻占川、秦,然后归国。不如带兵到金、洋一带,等敌骑兵离开,再去收复川、陕,国家大事才能长久安定。"张浚虽然没有采纳他的意见,但已经把陕西置之度外了。守孝未满期的朝议大夫、知兴元府王庶也来到,见张浚讨论行动计划,他详尽地陈述保卫秦州的计策。大家的意见不统一,王庶就请求回乡继续服丧守孝。

张浚从邠州回南边的时候,将士们都离散了,只有一千多卫兵跟随他,他的幕僚都很害怕。有建议应当保守夔州的人,参议官刘子羽说:"说这话的人可杀。宣抚司怎么能离开兴州一步!兴州是关陕的希望,关系着安定全蜀的民心。"干办公事谢升也说不应当远走,请求修筑青阳潭左右四关、六屯。张浚认为很对,就斥责持不同意见的人,派刘子羽一人去秦州,访问寻找各位将领。这时敌骑兵四面出击,道路受阻不通畅,将士们无所投归。忽然听说刘子羽就在附近,宣抚使张浚留在蜀口,于是都带领自己的队伍前来会合,总共有十几万人,军队的气势又振作起来。张浚哀悼死者慰问伤者，记录将士们的善行。引咎自责，人心才稍稍安定下来。

有人对吴玠说："应该把军队移驻汉中，以便保住巴蜀。"吴玠说："敌人不向我进攻，我怎么敢轻易进军！我们有重兵把守，壁垒坚固，可以俯视雍甸，敌人怕我们乘虚从背后攻打他们，这是保住巴蜀的良策。"各位将领才信服。这时吴玠在原州，军粮供应不及时，凤翔的百姓感他的恩泽，连夜给部队背送粮草；吴玠也很怜惜他们远道输粮的厚意，全都厚赏银两布帛，老百姓更加高兴。敌军很愤怒，派兵埋伏在渭南，拦截运粮的百姓抓来处死，又颁布保伍相坐的命令，违犯者都以死罪论处，但老百姓更是冒死运送，几年后才停止。

十二月，庚午(初二)，交趾郡王李乾德请求入朝进贡，诏令拒绝。

辛未(初三)，金左副元帅宗翰，命令各路的州县于同一天全面搜索南方人并将其拘留在路之治所。到癸酉(初五)，除掉客户的户籍，拘禁入宫；到第二年春天，全用铁索把他们锁在云中，在他们耳朵上刺官字做记号，放到民间散养。不久又标价出卖，卖剩下的驱赶到夏国去换马，也有卖到蒙古、室韦、高丽地区的。当时金主已立刘豫为帝，又以旧河为界。宗翰怕两河沦陷的士人和庶民不是本地人的，再逃回刘豫的境内，因此才有以上举动。

丁丑(初九)，金国陕西都统洛索去世，后追封金源郡王，谥号庄义。

已卯(十一日)，诏令户部进献钱币一万缗，奉贺隆祐皇太后生辰。

当时高宗为太后过生日，在宫中摆设酒宴，他很从容地谈起前朝的事。太后对高宗说："我老了，有幸能和你在此相聚，他日死后，我还有什么忧虑的，不过有一件事应该对你说。我侍奉宣仁圣烈皇后，从古到今，以母后的贤德，无人可比。但一些奸佞之臣发泄私愤，肆意诽谤，有损她的大德。建炎初年虽曾诏令予以明辨，但史书上所记载的，都没有删改修定，怎么能够把真实留传给后世呢？我想宣仁圣烈皇后在天之灵，不能不寄希望于你。"高宗听了很是崇敬。以后修改神宗、哲宗两朝《实录》，就发端于此。

癸未(十五日)，诏令："监司、守倅都以三年为一任期。"

乙未(二十七日)，命神武右军都统制张浚为江南路招讨使，前去解江州之围。同时平定盗匪。因军情紧急，准予行事不必请示，自行处置。

当时李成乘金兵入侵之际，占据了江、淮六七个州，拥有军队几万人，大有席卷东南的野心，让他的同伙写好多文书、符谶，蛊惑朝廷内外人心，为此朝廷很担忧。这时，听说金人不渡江了，高宗就停止往饶、信之行。于是范宗尹请求派大将讨伐李成，因此才有这道诏令。仍命令前军统制王瓒、后军统制陈思恭、镇抚使岳飞都由张俊统领。

诏令："招讨使的地位在宣抚使之下，在制置使之上，以此为令。"

翰林学士汪藻上奏："古时候两军相持，最重要的是战机，这是区分胜负存亡的关键。现在金军已退，国家不得不暂时建都金陵，若建都金陵，就不得不完全控制淮南。淮南这块地方，金人决不会驻守；如果被刘豫统治，不过留下几万金国签发汉人所组成的军队而已，完全可以把他们赶走。淮南近几年屡遭战火，老百姓弃置农业生产，十家有九家都背井离乡，荒废的农田，瞭望千里到处都是，流离失所的人，不是一朝一夕可以返家的。国家要保住淮南，势必需要屯田，则荒弃的田地都可耕种。我以为正二月间，就可以派遣刘光世或吕颐浩率领他们的招安人马过江，营建村寨栅栏，给他们分田耕种，这样既可以巩固临安的防守，而且也肃清了东西的匪盗，这是万世受益于一时之举啊。"奏疏呈上，未获实行。但中兴后谈屯田

2501

的,大概由此开始。

这一年,临安军队的月饷是五千多万贯,金银绢帛、粮草除外,可是各路军的给养却没有发放。

红巾贼屡次进犯均州,知武当县、奉议郎王焕率领本乡人保卫山寨。大量红巾军到此,有人劝王焕逃跑,王焕说:"我若有逃跑的想法,就不会和我的同乡们来此。"就全家殉难了。后来封他家一人为官。

伪齐刘豫在归德府为陈东、欧阳澈建庙,封陈东为安义侯,欧阳澈为全节侯,采用张巡、许远庙的规格,立为双庙来祭祀。

起初,徽猷阁待制洪皓,和右武大夫龚璹奉命到太原,金人命令阳曲县主簿张维陪住。使臣留住几年之后,金国对他们的待遇更削减了。这年,刚派洪皓、龚璹到云中。当时通问使、朝奉郎王伦、阁门宣赞舍人朱弁已被拘禁,王伦、洪皓用金钱买通了商人陈忠,密令他向徽宗、钦宗通报问候。不久,左副元帅宗翰调洪皓等到伪齐那儿做官。皓等坚决推辞,宗翰大怒,命令勇士把他推下去,拿着剑在左右威逼他,洪皓不为所动。宗翰身边的贵人赞叹道:"这是忠臣啊!"贵人用眼光示意勇士放下剑,并跪下请求宗翰。宗翰的怒气稍有平息,于是就把洪皓流放到冷山,假吏沈珍、隶卒丘德、党超、张福、柯辛也和洪皓一起流放到此。流放就是编管。从云中到冷山的行程有两个月,监军希尹让洪皓教育他的八个儿子。

这一年,金渤海食邑万户大托不嘉回到北方,路过淮州,和知军张涣在舟中对饮,因谈到册封刘豫的事,托不嘉叹息说:"我,辽的大臣,也是渤海的大姓,过去金人召见,答应在辽东建国,从军多年,身披甲胄手执武器,如今只求一个郡作为安身之地,也不能得到。刘豫不过是山东郡守,因势力孤危而降金,让他担当此任,岂不是太负我了吗?"张涣,是张孝纯的侄子。

续资治通鉴卷第一百九

【原文】

宋纪一百九　起重光大渊献【辛亥】正月,尽九月,凡九月。

高宗受命中兴全功至德　圣神武文昭仁宪孝皇帝

绍兴元年　金天会九年【辛亥,1131】　春,正月,己亥朔,帝在越州。平旦,率百官遥拜二帝于行宫北门外,退,御常朝殿,朝参官起居。自是朔望皆如之。

改元绍兴。德音降诸路杂犯死罪以下囚,释流以下;群盗限一月出首自新,仍官〔其首领〕;令州县存恤陈亡战伤将士及奉使金国与取过军前未还之家;民户今日已前倚阁税租,一切除放;复贤良方正直言极谏科;令有司条具元祐党籍臣僚未经褒赠人,吏刑部限一月检举。自绍圣废制科,至是始因德音下礼官讲求故事,然未有应者。

金人掠天水县徙治(翰)〔榆〕林。承奉郎、知县事赵璧方受贺,忽敌骑三百突入,坐上缚璧及统领官雷震、主簿张昔以去。璧等不屈,皆杀之。

己酉,金人攻扬州。

金同中书门下平章事时立(受)〔爱〕,尝在宗望军中数年,谋画居多,至是求解机务,不听。癸丑,以立爱为侍中、知枢密院事,以张忠嗣为资政殿大学士、知三司使事。

丙辰,初许百司每旬休沐。宰执因奏事,帝曰:"一日休务,不至废(使事)〔事,使〕一月间措置得十事,虽二十日休务何害! 若无所施设,虽穷夕何补也!"

己未,浙西安抚大使刘光世言:"自去腊至今,招到女直及签军共六百六十馀人,乞补官。"诏补忠训郎已下,至效用甲头,内无姓人赐姓赵。

先是左监军完颜昌屯海陵,光世知其众久戍思归,乃铸金、银、铜三色为钱,文曰"招纳信宝",皆有使押字,以为信号。获戎人之解事者,贷而不杀,俾密示侪辈,有欲归附者,扣江执钱为信而纳之。自是归者不绝,遂创立奇兵、赤心两军。

辛酉,诏曰:"朕念太祖皇帝创业垂统,德被万世。神祖诏封子孙一人为安定郡王,世世勿绝。乃至宣和之末,以太常、礼部各有所主,依违不决,使安定之封至今不举,朕甚悯之! 有司其上合袭封人名,遵依故事施行。"

是日,辅臣进次,帝因论此事曰:"太祖功德如此,世袭王爵,宜不为过。"范宗尹曰:"太祖尝云:'天下初定,朕思得长君以抚之。'而授太(祖)〔宗〕,则其意专为天下。"

帝又曰:"朕顷在藩邸,入见渊圣皇帝,率用家人礼。一日,论及金人事,尝奏曰:'京师甲士虽不少,然皆游惰羸弱,未尝简练,敌人若来,不败即溃耳。陛下宜少避其锋以保万全。'渊

2503

圣皇帝曰:'朕为祖宗守宗庙社稷,势不可动。'其后敌复逼京师,朕在相州得渊圣亲笔,谓悔不用卿言。是时近习小人,争言用兵,荧惑圣听,殊不量力,遂至今日之祸。"

癸亥,监察御史韩璜言:"臣误蒙使令,将命湖外,民间疾苦,法当奏闻。自江西至湖南,无问郡县与村落,极目灰烬,所至残破,十室九空。询其所以,皆缘金人未到而溃散之兵先之,金人既去而袭逐之师继至。官兵盗贼,劫掠一同,城市乡村,搜索殆遍。盗贼既退,疮痍未苏,官吏不务安集而更加刻剥;兵将所过纵暴而唯事诛求,嗷嗷之声,比比皆是,民心散畔,不绝如系,此臣所欲告于陛下者。然道中伏读改元德音,不觉感泣。州县情伪,陛下既已尽知,蠲烦去苛,恩意已备。臣之馀忠,欲陛下谨信诏令,务在必行。"诏:"比降德音宽恤事件,州县自宜悉意奉行,违者监察案劾,御史台察之。"

是月,金人以万骑攻河南寄治所西碧潭。

时镇抚使翟兴,以乏粮,方散遣所部就食于诸邑,所存惟亲兵数千。报至,人情危惧。兴安坐自若,徐遣骁将彭玘往,授以方略。设伏于井谷,遇敌至,阳为奔北;金人以精骑追之,遇伏,为所擒,馀众溃去。

初,顺昌盗余胜等既作乱,官吏皆散,土军陈望素喜祸,与射士张衮谋,欲举寨应之。军校范旺叱之曰:"吾等父母妻子皆取活于国,今力不能讨贼,更助为虐,是无天地也!"凶党忿,剔其目而杀之,暴尸于市。旺妻马氏闻之,行且哭,贼胁污之,不从,又杀之。贼既平,尸迹在地,隐隐不没,邑人惊异,为设香火。事闻,赠承信郎,赐祠号忠节。

二月,戊辰朔,祝友以其军降于刘光世。

初,友在新店,欲侵宣州,阻水,不克渡。会光世遣人招之,友留其使弥旬,然后受招。时江东路兵马副钤辖王冠在溧水驻军,友移书假道以趋镇江,冠不从,友引兵击之,冠军大败。友遂自句容之镇江,光世分其军,以友知楚州。

先是史康民在淮南,与友合军。康民之军极富,以金宝赂光世,光世喜,康民遂得进用。

庚午,改行宫禁卫所为行在皇城司。

壬申,初定每岁祭天地社稷,如奏告之礼。

己卯,日中有黑子,四日乃没。

辛巳,礼部尚书兼侍读秦桧参知政事。

癸未,范宗尹言:"天象有变,当避殿减膳。今人情危惧之际,恐不可以虚文摇动群听,望陛下修德以消弭之。臣等辅政无状,义当罢免。"帝曰:"日为太阳,人主之象,岂关卿等!惟在君臣同心,行安人利物实事,庶几天变不致为灾也。"

癸未,诏以季秋大飨明堂。江、淮招讨司随军转运使詹至言:"大敌在前,国势不力,请停大飨,以其费佐军。仍督诸军分道攻守,以慰在天之灵。继志述事,莫大于此。"

甲申,诏:"郡守在任改移,并俟新官(分)〔合〕符,方得离任。"

丙戌,复秘书省,仍诏监、少不并置,置丞、郎、著佐各一员,校书郎、正字各二员。范宗尹尝因奏事,言无史官诚朝廷阙典,由是复置。

有崔绍祖者,为金人所掠,自南京遁归,诈称越王次子保信军承宣使,受上皇蜡诏为天下兵马大元帅,兴师取陷没州郡。是日,至寿春府,和州镇抚使赵霖以闻。诏文字不得奉行,召皇侄赴行在。

庚寅,张浚奏:"本司都统制曲端,自闻吴玠兵马到郡,坐拥重兵,更不遣兵策应,已责海州团练副使、万州安置。"诏依已行事理。

初,浚自富平败归,始思端及王庶之言可用。庶时以朝议大夫持母丧居蜀,乃并召之。庶地近先至,力陈抚秦保蜀之策,劝浚收熙河、秦凤兵,扼关、陇以为后图,浚不纳;求终制,不许,乃特授参议官。

浚徐念端与庶必不相容,暨端至平道,但复其官,移恭州。宣抚处置使司主管机宜文字杨斌,素与庶厚,知庶怨端深,乃盛言端反以求合。又虑端复用,谓端反有实迹者十,又言端客赵彬揭榜凤州,欲以兵迎之。秦凤副总管吴玠,亦惧端严明,谮端不已。庶因言于浚曰:"端有反心久矣,盍蚤图之?"会蜀人多上书为端讼冤,浚亦畏其得众心,始有杀端意矣。

癸巳,诏侍从、台谏条具保(明)〔民〕弭盗、遏敌患、生国财之策。

翰林学士汪藻上驭将三说:一曰示之以法,二曰运之以权,三曰别之以分。大略谓:"诸将过失,不可不治。今陛下对大臣不过数刻,而诸将皆得出入禁中,是大臣见陛下有时而诸将无时也。道路流传,遂谓陛下进退人材,诸将与焉。又,庙堂者,具瞻之地,大臣为天子立政事以令四方者也。今诸将率骤谒,径至便衣密坐,视大臣如僚友,百端营求,期于必得,朝廷岂不自卑哉!祖宗时,三衙见大臣,必执梃趋庭,肃揖而退,盖等威之严,乃足相制。又,遣将出师,诏侍从集议者,所以博众人之见,今则诸将在焉。诸将,听命者也,乃使之预谋。彼既各售其说,则利于公不利于私者,必不以为可行,便于己不便于国者,必不以为可罢,欲其冒锋镝,趋死地,难矣。自今诸将当律以朝仪,毋数燕见。其至政事堂,亦有祖宗故事,且无使参议论之馀,则分既正而可责其功。是三说果行,则足以驭诸将矣,何难乎弭盗,何忧乎遏敌哉!

"若夫理财,则民穷至骨,臣愿陛下毋以生财为言也。今国家所有,不过数十州,所谓生者,必生于此数十州之民,何以堪之!惟通加裁损,庶乎其可耳。外之可损者,军中之冒请;内之可损者,禁中之泛取。今军中非战士者率三分之一,有诡名而请者,则挟数人之名;有使臣而请者,则一使臣之俸兼十战士之费;有借补而请者,则便支廪禄与命官一同。闻岳飞军中,如此者数百人,州县惧于凭陵,莫敢呵诘,其盗支之物,可胜计哉?臣窃观禁中有时须索,而户部银绢以万计,礼部度牒以百计者,月有进焉。人主用财,须要有名而使有司与闻。至于度牒,则以虚名而权实利,以济军兴之用,诚非小补,幸无以方寸之纸捐以予人而不知惜也。

"然臣复有私忧过计者。自古以兵权属人久,未有不为患者,盖予之至易,收之至难,不早图之,后悔无及。国家以三衙官管兵而出,一兵必待密院之符,祖宗于兹,盖有深意。今诸将之骄,枢密院已不能制,臣恐贼平之后,方劳圣虑。自古偏霸之国,提兵者未尝乏人,岂以四海之大而寥寥如此!意偏裨之中,必有英雄,特为二三大将抑之而不得伸尔。谓宜精择偏裨十馀人,各授以兵数千,直属御前而不隶诸将,合为数万,以渐销诸将之权,此万世计也。"是时,诸将中刘光世尤横,故汪藻有是言。

藻书既传,诸将皆忿,有令门下作论以诋文臣者,其略曰:"今日误国者皆文臣。自蔡京坏乱纪纲,王黼收复燕、云之后,执政侍从以下,持节则丧节,守城则弃城,建议者进讲和之论,奉使者持割地之说,提兵勤王则溃散,防河拒险则逃遁。自金人深入中原,蹂践京东、西、淮南之地,为王(城)〔臣〕而弃地、弃民、误国、败事者,皆文臣也;间有竭节死难,当横溃之冲者,皆武臣也。又其甚者,张邦昌为伪楚,刘豫为伪齐,非文臣谁敢当之!"自此文武二途,若冰炭之不合矣。

金人以舟载江、浙所掠辎重,自洪泽入淮,至清河口,假宣教郎国秦卿在赵琼水寨,与琼夜劫其舟,得李棁所携户部尚书之印。

丙申,复诏诸路提刑司类省试。于是川陕宣抚处置使张浚,始以便宜合川、陕举人,即置司类省试。

是月,金人至德顺军,经略使刘锡遁去。

金人以兵少,不敢由秦亭,声言分三道,而独出沿边以掠。熙素多马,金人驻兵,搜取无遗。马步军副总管、中亮大夫、同州观察使刘惟辅将遁去,顾熙州尚有积粟,恐敌因之以守,急出,悉焚之。敌追及,所部皆走,惟辅与亲信数百匿山寺中,遣人诣夏国求附属,夏国不受,其亲信赵某诣金军降。金执惟辅,诱之百方,终不言,怒捽以出,惟辅奋首顾坐上客曰:"国家不负汝,一旦遂附贼邪!"即闭口不复言。第六将韩青者,间行从惟辅,为敌所得,骂敌不降而死。统制官□重以熙河降。知兰州龛谷寨高子儒闻惟辅尚存,固守以待。及城破,先刃其家而后死。子儒,狄道人也。

金人既略熙河地,遂引归。李彦琪在古原州,张中孚及其弟中彦导金人劫降之。赵彬引敌围庆阳,守将杨可升守,不降。五路破,秦凤经略使孙渥,收本路兵保凤州;统领官关师古,收熙河兵保巩州。于是金人尽得关中地。

关陕之失也,士大夫守节死义者甚众。陇州既失,守朝请郎、知州事刘化源不肯降,敌使人守之,不得死,遂驱入河北,贩买蔬果,隐民间者十年,终不屈辱。奉议郎、通判原州米璞,亦杜门谢病,卒不受污。化源、璞世家耀州,西人皆敬之。金人入凤翔,秉义郎、权知扶风县康杰,与敌将冯宣战,宣爱而欲招之,杰奋曰:"吾当死于陈,不能死于敌。"遂战死。忠翊郎、知天兴县李伸,为金人所围,坚守不下,城既破,伸曰:"岂使敌杀我!"遂自杀。时庆阳围急,成忠郎卢大受,欲会合军民收复邠、宁二州,解庆阳之围,为人所告,送宁州狱,论死。敦武郎、秦州定西寨都监兼知寨郑涓,为金人所攻,袒臂而战,及城破,自刺不死,金人高其节,亦弗害也。是时守令,城下者金人皆因而命之。文林郎、知彭阳县李喆独不降,与其民移治境上,金人令执之以献,欲官之,凡三辞。其后金人以为归附,命为儒林郎,喆言于所司曰:"元系捕获,不敢受归附之赏。"以其牒还之。有武功大夫、知环州安寨田敢者,尝得太祖御容,欲间行南归以献,事泄,杖之死。其后武功大夫、秦凤路兵马都监刘宣,以蜡书密遣人与吴玠相结,且率金将任拱等以所部归朝。约日已定,有告之者,金人取宣缕擘之,其家属配曹州。

豫又升渭州为平凉府,去庆阳、延安府名,复旧州名,即以叛将张中孚守平凉府,中彦守秦州,赵彬守庆州,慕容洧守环州。

三月,丙午,诏以京畿第二将兵千人隶神武中军,用统制官辛永宗请也。于是中军凡六千人。

金师还自熙河,至弓门寨,巡检王琦御之。金立招降旗榜,改阜昌年号,众皆拜,琦独不屈,金知平凉府张中孚执而杀之。

庚戌,江淮招讨使张俊复筠州。

初,俊引兵至豫章,而李成在江州,其将马进在筠州,皆不进。俊喜曰:"我已得洪州,破贼必矣!"乃复敛兵,若无人者,金鼓不动,令将士:"登城者斩!"居月馀,进以大书文牒使来索战,俊复细书答状以骄之。又命神武前军统制王璟阅水军于江中,贼势方强,谓俊为怯al。

俊谍知贼稍怠，乃议遣诸将分道击贼。中部统制官杨沂中曰："兵分则力弱。"通、秦镇抚使岳飞请自为先锋，沂中由上流径绝生米渡，出贼不意，遇其锋，击破之，乘胜追奔，前一日至筠州。进出军背筠河，先据要地，沂中语俊曰："彼众我寡，当以骑胜。愿以骑见属，公率步兵当其前。"沂中乃将骑数千，与神武后军统制陈思恭分为两道，同出山后，严陈以出。鏖击至午，精骑自山驰下，贼骇乱，退走，大败之，俘获八千。明日，又战，俊疑其复叛，令思恭夜殪之，进力不支，乃遁，俊随复筠州、临江军。马进至南康，遇统制官巨师古，失利。进复还江州，与成会，俊整兵追之。

壬子，朝奉郎、通判泰州马尚就差知泰州，招谕军民归业，并兴盐场等事。

先是张荣在通州，以地势不利，乃引舟入缩头湖，作水寨以守。金右监军昌在泰州，谋久驻之计，至是以舟师攻荣水寨。荣亦出数十舟载兵迎敌，望金人战舰在前，荣惶遽，欲退不可，徐谓其众曰："无虑也！金人止有数舰在前，馀皆小舟，方水退，隔淖不能登岸，我舍舟而陆，击之可尽。"遂弃舟登岸，大呼而杀之。金人不能骋，舟中自乱，溺水陷淖者不可胜计。昌收馀众二千奔楚州，荣获昌子婿佛宁，俘馘甚众。荣自京东来，(末)〔未〕尝承王命，遂无路告捷，闻光世在镇江，乃遣人愿听节制，且上其功。光世大喜，以荣知泰州。

自渡江，国史散佚，至是衢州布衣何克忠献《太祖实录》《国朝宝训》，诏授下州文学。后八九年而国书始备。

甲子，始下诏罪状李成，募有能斩首及获成者，除节度使，赐银万两，钱万缗，且赦成军中胁从者。

初，马进既败，江淮招讨使张俊，追之至奉新楼子庄。贼将商元，据草山设伏，俊熟视，见山险路狭，乃遣步兵从间道直趋山顶，杀伏夺险，遂至江州。进拒战不胜，绝江而遁。乙丑，俊复江州。统制官杨沂中、赵密引兵追击，又大败之，成复还蕲州。自是俊军有"铁山"之号。

是月，金人自阶州引兵侵文州，而江涨不得渡，遂还，因弃城去。武德大夫、知岷州李惟德，亦率官吏弃城来归。

惟德先守郦州，城既破，敌就用之。张浚复以为右武大夫、荣州刺史。于是尽失陕西地，但馀阶、成、岷、凤、洮五郡及凤翔府之和尚原、陇州之方山原而已。

时兴元帅府草创，仓廪乏绝，师旅寡弱，王庶抚教之，河东、陕西溃师，多旧部曲，往往来归，不数月，有众二万。

〔四月〕，己巳，参知政事秦桧言："臣昨与何㮚、陈过庭、孙傅、张叔夜同扈二圣出疆，今臣偶获生还，骤蒙圣奖，擢居政府，而㮚、过庭、叔夜皆死异域，体骸不全，游魂无归，可为伤恻。欲望睿慈特依近者聂昌体例，追赠㮚等官职，仍给其家恩泽，以为死事之劝。"诏赠㮚、过庭、傅、叔夜并开府仪同三司，官子孙各十人。

癸酉，故承议郎刁翚，赠直龙图阁。先是翚通判登州，会金人南侵，翚率兵迎敌，至黄山馆，与敌遇，军败，力战，身被七矢而死。至是言者论其忠，特录之。

甲戌，复政州为龙州，剑川、嘉祥、雷乡、建城、辰阳、罗川、盈川、泉江、枳县并复旧县名，通会镇复旧镇名。以朝奉郎、新通判建昌军庄绰言，自大观以后，避龙、天、万、载等字更易州县名不当也。

丁丑，刑部尚书、权礼部尚书胡直孺等言："参酌皇祐诏书，将来请合祭昊天上帝、皇地祇于明堂，奉太祖、太宗以配天，庶几礼专事简。"从之。

己卯,金主诏曰:"新徙戍边户,匮于衣食,有典质其亲属奴婢者,官为赎之;户计其口而有二三者,以官奴婢益之,使户为四口;又,乏耕牛者,给以官牛。别委官劝督田作,戍户及边军资粮不继,籴粟于民而与赈恤;其续迁戍户在中路者,姑止之,即其种艺,俟毕获而行,及来春农时,以至戍所。"

庚辰,隆祐皇太后崩于行宫之西殿,年五十九。

帝自后不豫,衣不解带者连夕。至是范宗尹等见帝于殿之后庑,帝哀恸甚久,谕宗尹等,丧礼当从厚。

辛巳,诏:"隆祐皇太后应行典礼,并比拟钦圣宪肃皇后故事,讨论以闻。朕以继体之重,当从重服。"

癸未,襄阳镇抚使桑仲陷邓州,杀右武大夫、淮康军承宣使、河东招捉使、知汝州王俊。

初,仲围邓州急,守臣武功郎谭充遣人诣俊求(授)〔援〕,俊自伞盖山引众赴之。充与饮燕,俊醉,充率众突围出奔,遂入蜀。仲攻城陷,执俊归襄阳,磔之。既,遂以其副都统制李横知邓州。

仲,高密人,尝为黄河埽兵,以勇自负。仲虽嗜杀,然性颇孝,或盛怒欲杀人,其母戒之即止。每自称桑仲本王官,终当以死报国,故能服其下焉。

甲申,同知枢密院事李回为攒宫总护使,刑部尚书胡直孺为桥道顿递使,神武(右)〔左〕军都统制韩世忠为总管,内侍杨公弼为都监。调三衙神武辎重越州卒千二百人穿复土。故事,园陵当置五使。议者以遗诰云权宜择地攒殡,故第命大臣一员总护。

乙酉,辅臣拜表,请帝为隆祐服期,从之。

丙戌,以太后崩,下诏恤刑。遣官告天地、社稷、宗(室)〔庙〕,(并)〔望〕告诸(侯)〔陵〕。

丁亥,宣抚处置使张浚杀责授海州团练副使曲端于恭州。

端既为利、夔制置使王庶所谮,忠州防御使、知渭州吴玠亦憾之,乃书"曲端谋反"四字于手心,因侍浚立,举以示浚。浚素知端、庶不可并立,且方倚玠为用,恐玠不自安。庶等知之,即言:"端尝作诗题柱,有指斥乘舆之意曰:'不向关中兴事业,却来江上泛渔舟。'此其罪也。"浚乃送端恭州狱。有武臣康随者,在凤翔,常以事忤端,鞭其背百,切骨憾端,浚以随提点夔州路刑狱。端闻之,曰:"吾其死矣!"呼天者数声。端有马名铁象,日驰四百里,至是连呼"铁象可惜"者数声,乃赴逮。既至,随命狱吏系维之,糊其口,爇之以火,端干渴而死。士大夫莫不惜之,军民亦皆怅恨,浚以是大失西人之心。

是春,金左副元帅宗翰,使右都监耶律伊都将燕、云、女直二万骑攻西辽于和勒城,调山西、河北夫馈饷,自云中至和勒城,经沙漠三千馀里,民无一二得还。始,金人侵中原,有掳掠,无战斗,计其从军之费,及回日所获数倍。自立刘豫之后,南侵淮,西侵蜀,生还者少而得不偿费,人始患之。故漠北之行,民不胜其苦。

伊都之军和勒也,失其金牌,宗翰疑伊都与西辽暗合,迁其妻子于女直,伊都始贰。

五月,己亥,手诏礼部、太常寺,讨论隆祐皇太后合行册礼及奏告天地、宗庙等事。

初,进士黄纵,上书论隆祐皇太后顷年以诬谤废斥,未尝昭雪,虽复位号,然未正典礼及册告宗庙,朝议欲因升祔庙庭,特行册礼。帝谕大臣:"太母失位于绍圣之末,其后钦圣复之,再废于崇宁之初;虽事出大臣,然天下不能户晓,或得以窃议两朝。"范宗尹曰:"太母圣德,人心所归,自陛下推崇位号,海内莫不以为当然。前后废斥,实出章惇、蔡京,人皆知非二圣之过。"礼部员外郎王居正以谓："国朝追册母后,皆由前日未极尊亲之故。隆祐皇太后蚤(俨)〔俪〕宸极,虽蒙垢绍圣,退处道宫,而按元符三年五月诏书,则上皇受命钦圣宪肃皇后以复冢妇之意,亦已明甚。崇宁初,权臣擅政,悖违典礼,以卑废尊,是太后之隆名定位,已正于元符,而不在靖康变故之日也。谓宜专用钦圣诏书及崇宁奸臣沮格之意,奏告天地宗庙,其册礼不须讨论。"议遂定。

癸卯,侍从、台谏集议隆祐皇太后谥曰昭慈献烈后。

甲辰,帝始御正殿。

江西安抚大使朱胜非奏内侍李肖随刘绍先出战,功系第二等,帝曰："恐无此理,肖安得有战功!毋庸行出,惧贻笑四方。"张守曰："不若但以传宣之劳赏之。"

癸卯,帝出"大宋中兴之宝"及上皇所获元圭以示辅臣。宝,上新刻者。

中书舍人洪拟转对,论帝王之学,中叙董仲舒、王吉之言,末以章句书艺为非帝王之事。帝曰："人欲明道见礼,非学问不可。惟能务学,则知古今治乱成败与夫君子小人善恶之迹,善所当为,恶所当戒,正心诚意,率由于此。"范宗尹曰："人主欲以此为先务。"因奏仇士良告其徒之言,帝然之。

忠州防御使、秦凤经略使吴玠及金人乌鲁、折合战于和尚原之北,败之。

时金主之从侄没立,与乌鲁、折合以数万骑分两道西侵,没立自凤翔,二将由阶、成,约日会和尚原。玠与其弟统领官、武翼郎、邠门宣赞舍人璘,以散卒数千人驻原上,朝问隔绝,军储匮乏,将士家属,往往留敌,人无固志,有谋劫玠兄弟北去者,幕客陈远猷夜入告。玠遽召诸将,励以忠义,歃血而誓,诸将感泣,为备益力。

是日,二将以劲骑先期而至,陈于原北,玠击之,四战皆捷。山谷中路狭而多石,马不能行,敌弃马,遂败去。后三日,没立自攻箭笮关,玠遣别将击之,二军卒不得合。又五日,敌移寨黄牛岭,会大风雨雹,翼日引去。张浚录其功,承制〔以〕玠为明州观察使,璘为武德大夫、康州团练使,赐金带,擢秦凤路兵马都钤辖,节制和尚原军马。

丙午,江东安抚大使司奏捕虔贼李敦仁获捷。

真、扬镇抚使郭仲威为刘光世所执。

初,仲威〔闻〕敌退,乃以其将李怀忠知扬州,而自往真州屯驻。仲威与李成有旧,闻在九江,欲往从之。时滁濠镇抚使刘纲,以所部屯建康之雨花台,仲威为所扼,不得进,复还扬州,谋据淮南以通刘豫。光世知其反覆,遣前军统制王德往捕之,宣言游徼淮上,至维扬,仲威迎谒于摘星台,德手擒之,遂并其众。诏斩仲威于平江市。先是仲威焚掠平江,邦人怨甚,故就诛之。

金分遣使者诸路劝农。

丁(未)〔巳〕,诏江、淮州军："自今有金国南归之人,赍到二圣密诏、文檄、蜡弹之类,未得奉行,具奏听旨,违者重置典宪。"先是伪造者众,故条约之。

参知政事秦桧,乞以昨任御史中丞致仕日本家奏补兄彬、男熺恩泽文字毁抹,更用建炎二年大礼恩例补兄彬文资,从之。熺,王唤孽子也。桧娶唤女弟,无子。唤妻,郑居中女,怙贵而妒,桧在北方,出熺以为桧后,奏官之。至是其家以熺见桧,桧甚喜。

庚申,福建制置使辛企宗奏顺昌盗余胜就招。

壬戌,范宗尹等以国用不足,奏鬻通直、修武郎已下官。帝曰："不至人议论否?"张守曰:

"祖宗时尝亦有此,第止斋郎。"李回曰:"此犹愈于科敛百姓。"帝曰:"然。大凡施设,须可行于今,可传于后,即善耳。"宗尹乃退。其后遂止鹭承直郎已下官。

邵青受刘光世招安,太平州围解。

初,青既薄城下,与其徒单德忠、阎在等分寨四郊,开畎河水,尽淹圩岸以断援兵来路。调民伐木为慢道,怠缓者杀而并筑之,一日之间,与城相平。贼攻具毕施,遂纵火焚楼橹。刳孕妇,取胎以卜吉凶。敌楼为炮所坏,守臣郭伟运土实之,贼不能近。伟方食于城上,青以炮击其案,又以矢毙其侍吏,伟亦不顾。相持凡九日,伟募死士乘夜下城,因风焚其慢道;又二日,决姑溪水以灌其营。青穷蹙,会光世遣使来招安,翼日,青遂去。初,青之参议官魏曦多智,伟惮之,乃为书,以响箭射于城外。已而曦力劝青就招,青怒,杀曦。人皆谓伟用间言,青信之也。

癸亥,初,马进既为江、淮招讨使张俊所败,而李成犹在蕲州,至是俊引兵渡江,至黄梅县,亲与成战。成据石幢坡,凭山以木石投人,俊乃先遣游卒进退若争险状以误之。俊率众攻险,贼徒奔溃,进为追兵所杀。成去,以馀众降伪齐。

六月,丙寅朔,诏:"自今朔望遥拜二圣于殿上,百官于殿下行礼。"先是帝与百官并拜于庭,而中书林遹以为非宜,请用家人礼,故有是旨。

壬申,宰相范宗尹率百官奉上昭慈献烈皇后谥册于太庙,宝用银涂金,册以象简,其文,参知政事秦桧所撰也。时太庙神主寓温州,乃即大善寺大殿上设祖宗寓室行礼。

丁丑,诏越州申严门禁。时有溃兵数百直入行在越州,泊于禹迹寺,阖城震骇。论者以为言,乃命诸门增甲士守视,命官亲书职位出入。军马自外至者,悉屯于城外。

戊寅,言者论:"朝廷暂驻江左,盖非得已,当为攘却恢复之图。顷岁驻跸扬州,有兵数十万,可以一战;而斥堠不明,金人奄至,卒以奔走,逾江入越,此宰相黄潜善、汪伯彦之过也。前年移跸建康,是时兵练将勇,食足财丰,据江上不测之险,当敌人疑惧之秋,可以守矣;而舟师不设,金人未至,先已奔走,遵海而南,此吕颐浩之过也。往者不可谏,来者犹可追。陛下今岁战守之策,安所从出?万一事起仓猝,大臣复欲弃土地,遗人民,委府库,脱身奔走,此岂安国家定社稷之谋乎!臣愚以谓有江海,则必资舟楫战守之具;有险阻,则必资郡县固守之力;有兵将,则必驾驭驯扰,不可为将帅自卫之资;有财赋,则必转运灌输,不可为盗贼侵据之用。伏望委任大臣,早赐措画。"

己卯,昭慈献烈皇后灵驾发引,帝遣奠于行宫外门,参知政事张守撰哀册文。礼毕,易吉服还内。百僚服初丧之服,诣五云门外奉辞,退,易常服,诣常朝殿门外立班,进名奉慰。故事,园陵用吉凶仪仗五千三十一人,至是太常请权用五百四十四人。

初,总护使李回既受命,有司犹援园陵之制,辟官分局,费用颇广。宝文阁待制陈戬,时为给事中,上疏论列,以为异日归祔泰陵,复用何礼?至谓会稽之山不可采,而欲取他山之石;(庙)〔厢〕禁之卒不足用,而欲调诸郡之夫;并缘为奸,夸侈如此,岂不违太后慈俭之遗训!于是一切镌省。

辛巳,诏文林郎、越州上虞县丞娄宗亮赴行在,以其言宗社大计也。

宗亮之书曰:"先正有言,太祖舍其子而立弟,此天下之大公也;周王薨,章圣取宗室子育之宫中,此天下之大虑也。仁宗皇帝感悟其说,诏英宗入继大统,文子文孙,宜君宜王,遭罹变故,不断如带,今有天下者,独陛下一人而已。恭惟陛下克己忧勤,备尝艰难,春秋鼎盛,自当则百斯男。属者椒寝未繁，前星不耀，孤立无助，有识寒心，天其或者深为陛下追念祖宗仁心长虑之所及乎？崇宁以来，谀臣进说，推濮王子孙以为近属，馀皆谓之同姓，致使昌陵以后，寂寂无闻，奔进蓝缕，仅同民庶。恐祀丰于昵，仰违天监，艺祖在上，莫肯顾歆，此二圣所以未有回銮之期，强敌所以未有悔祸之意，中原所以未有息肩之时也。欲望陛下于伯字行下，遴选太祖诸孙有贤德者，视秩亲王，使牧九州，以待皇嗣之生，退处藩服。更加广选宣祖、太宗之裔材武可称之人，升为南班以备环列。庶几上慰在天之灵，下系人心之望。臣本书生，白首选调，垂二十年，今将告归，不敢缄默。位卑言高，罪当万死，惟陛下幸赦！"疏入，帝读之，大为叹窹。

壬午，权攒昭慈献烈皇后于会稽县之上皇村，神围方百步，下宫深一丈五寸，明器止用铅锡，置都监、巡检各一员，卫卒百人，生日忌辰，旦望节序，排办如天章阁之仪。改宝山证慈禅院为泰宁寺，专奉香火，赐田十顷。帝事昭慈皇后，备极孝爱，故园陵仪范，率用母后临朝之比焉。

癸未，江淮招讨使张俊以大军至瑞昌县之丁家洲。

初，俊被密旨并收李允文，恐其拒命，乃与神武后军统制陈思恭谋之，思恭言允文兵尚众，须以计取。会英州编管人汪若海自江东赴贬，行至抚州，允文以书招之。招讨使参议官汤东野，因引若海谒俊，俊曰："君与李节制善，盍往说之与俱来，免盛夏提师至鄂。"若海曰："与来而少保诛之，则若海为卖友。"俊曰："以百口保之。"若海先以书与允文曰："张少保既破李成，欲移兵指武昌。若海言君无反状，其属曰：'节制非朝命，且杀袁植与留四川纲运，非反而何！惟少保言'以百口相保'。今有三说：刘豫新立，君能引张用之众，擒豫以取重赏，一也；或引众西投宣抚司张枢密，既相辟，必为君白于朝，二也；信少保百口相保之言，三也。君勿恃张用之徒为强，彼见李成既破，皆已丧魄，若知朝廷怒君，必回戈相逐矣。"允文感悟，乃举其军东下。俊因檄若海并招新除舒蕲镇抚使张用，时用自咸宁县引兵趋分宁，为通泰镇抚使岳飞所逼逐，会俊于丁家洲。俊并将二军，遣统制王（纬）〔伟〕护允文及参谋官滕膺赴行在。

甲申，昭慈献烈皇后神主还越州。

戊子，帝谕大臣曰："昨令广选艺祖之后宗子二三岁者得四五人，资相皆非岐嶷，且令归家，俟其至泉南选之。"先是尚书右仆射范宗尹有造膝之请，帝曰："艺祖以圣武定天下，而子孙不得享之，遭时多艰，零落可闵。朕若不取法仁宗，为天下计，何以慰在天之灵！"同知枢密院事李回曰："自昔人君，惟尧、舜能以天下与贤，惟艺祖不以大位私子，圣明独断，发于至诚。陛下远虑，上合艺祖，实可昭格天命。"帝曰："此事亦不难行，只是道理所在。朕止令于伯字行中选择，庶昭穆顺序。"秦桧曰："须择宗室闺门有礼法者。"帝曰："当如此。"签书枢密院事富直柔曰："宫中有可付托否？"帝曰："朕已得之。若不先择宫嫔，则可虑之事更多。"宗尹曰："陛下睿明，审虑如此，宗庙无疆之福。"帝所指宫嫔，盖张婕妤、吴才人也。

初，安南贼吴忠，与其徒宋破坛、刘洞天作乱，聚众数千人，焚上犹、南康等三县，杀巡尉，进犯军城，统制官张中彦、李山屡举兵讨之，不克。是日，江南提点刑狱公事苏恪，以从事郎田如鳌权南康县丞，令与朝奉大夫、权通判魏彦杞往招捕。未几，破坛为彦杞所杀，如鳌寻遣兵焚贼寨，杀洞天。

壬辰，金赐昏德公、重昏侯时服各两袭。

2511

是夏,金左副元帅宗翰,右监军希尹,自云中之白水泊,右副元帅宗辅,自燕山之望国崖避暑。山西汉民掠宗翰执盖者毒之,宗翰几死。

秋,七月,乙未朔,刘光世以枯秸生穗为瑞,奏之。帝曰:“岁丰,人不乏食,朝得贤辅佐,军中有十万铁骑,乃可为瑞,此外不足信。朕在藩邸时,梁间有芝草,府官皆欲上闻,朕手自碎之,不欲生此奇怪事。”辅臣叹服。

庚子,朝议大夫、新知澧州吴革为潼川府路转运副使。自置宣抚司后,四川监司以敕除者始此。

诏通泰镇抚使岳飞一军,权留洪州弹压盗贼,以江淮招讨使张俊将班师也。遂以飞为神武右副军统制。

壬寅,复置翰林天文局、太史局学生,〔太史局〕五十人,天文局十人。

丁未,太尉、两浙西路安抚大使、淮南、扬、楚等州宣抚使刘光世兼海泗安抚使。时淮北之人归附者甚众,故命光世安辑之。

殿中侍御史章谊言:“闻邵青自太平州乘船,经由镇江府、江阴军,遂入平江之常熟县,所至劫掠。刘光世以骁将锐兵而不能应时擒制,以邵青所乘皆舟楫,而光世皆平陆之兵故也。国家既凭大江以为险阻,而于舟师略不经意。今邵青小丑,光世大帅,乃敢越境深寇;使贼有大于此者,将何以御之!臣闻古兵法,舟师有三等,其舟之大者为陈脚船,其次为战船,其小者为传令船。盖置陈尚持重,故用大舟;出战尚轻捷,故用其次;至于江海波涛之间,旗帜金鼓,难以麾召进退,故用小舟。由此观之,凡舟之大小,皆可以为守战之备,不必皆用大舟然后济也。望于驻跸之地,置一水军,帅以名将,计亦易办。”诏淮南宣抚措置。时青已移舟通州海门镇,而行在未知也。

己酉,昭慈献烈皇后虞主往温州太庙。

乙卯,中书舍人林遹转对,论:“金虽北去,安知不示弱以怠我师,候秋高马肥,遣李成招集濒淮饥民,呼吸群盗,侵轶江南,徐遣劲骑,由真、扬、福山捣虚浙右。愿乘此时,聚众积粟,蒐将阅士,以备防秋之计。今日之弊,在于舟不习战,将不用命,财用殚匮,民食艰鲜,州县以军兴为名而倍取无度。此乃腹心之深病,政事所当先;而盗贼、四裔,尚为病在四肢,可以渐去也。惟陛下与大臣汲汲讲图之。”

初,五湖捕鱼人夏宁,聚其徒为盗,后有众千馀,专掠人以为食,郭仲威尝招之,不应命,至是受刘光世招安。又有仲威馀党出没于淮南,亦受光世招安,皆令〔来〕长芦俟舟以济。宁等无食,半月之间复(陷)〔啖〕万馀人,是日,始具舟迎之。由是江北乡村愈觉凋残矣。

己未,昭慈献烈皇后卒哭,命左监门卫大将军士㒟,即内中天章阁几筵前行卒哭之祭。帝不视事,百官进名奉慰。

辛酉,召江东安抚大使兼知池州吕颐浩赴行在,欲代范宗尹也。

是日,颐浩督诸将与张琪战于饶州城外,大败之。琪自徽州引兵犯饶州,众号五万。时颐浩自左蠡班师,帐下兵不满万,郡人大恐。颐浩遣统制官巨师古招降之,琪诈受招,诱师古入其营,遂薄城下。统制官、右武大夫、宣州观察使阎皋,颐浩爱将也,方捕盗于宜黄,走檄呼之,会皋平盗而归,星驰以赴。颐浩召诸统兵官姚端、崔邦弼、颜孝恭、郝晸等驻军城外,皆令听皋节制。端军为左,邦弼军为右,皋将中军,颐浩自画陈图授之。琪兵至近郊,前军将张俊失利,琪恃其众,直犯中军,皋力战,而端、邦弼两军夹击,遂大破之,追奔三十里,杀贼甚众。

贼又别遣水军分道自景德镇来犯,颐浩遣统领官张庆以崔增馀众御之,琪遁去。是夜,其爱将姚兴以所部诣巨师古降,琪遂走浮梁县,复还徽州。

癸亥,尚书右仆射、同中书门下平章事兼知枢密院事范宗尹,充观文殿学士、提举临安府洞霄宫。

宗尹既建讨论滥赏之议,士大夫侥幸者争排之。诸大将杨惟忠、刘光世、辛企宗兄弟皆尝从童贯行军,论者疑其亦当贬削。同知枢密院事李回,亦言宣和间任中书舍人以校正御前文籍(选)〔迁〕官,乞削秩罢政。帝曰:"宣和政事,恐不必一一皆非。〔人〕主留意文籍,自是美事,岂可与其他滥赏同科!"参知政事秦桧曰:"此法一行,浊流者稍加削夺,便比无过之人,诚为侥幸;清流者少挂吏议,即为辱甚大,不敢立朝,恐君子受弊。"帝顾谕宗尹,宗尹曰:"此事如回者无几,其它亦不足惜。"遂降旨,侍从及馆职兼领者罪。又诏,武臣滥赏,并免讨论,令尚书省榜谕。其日,壬子也。

命既下,帝终以为滥。后二日,帝批:"朕不欲归过君父,敛怨士夫,可日下寝罢。"宗尹坚以为可行,即日求去。翼日,遂召直龙图阁、新知台州沈与求赴行在。又一日,辅臣进呈,帝曰:"天下事不必坚执。至如人主有过,尚许言者极论,若遮沮遏,只须人不进言,如此则于事有损。"始,宗尹之建议也,桧力赞之,至是见帝意坚,反以此挤宗尹。又五日,诏驿召吕颐浩。次日,遂召翰林学士汪藻草宗尹免制曰:"日者轻用人言,妄裁官簿,以庙堂之尊而负天下之谤,以人主之孝而暴君亲之非。朕方丁宁德意而申命于朝,汝乃废格诏书而持必于下。"宗尹入相逾一年。

始,宗尹与辛道宗兄弟往来甚密,帝不乐之,及是遽罢。于是崇、观以来滥赏,悉免讨论,但命吏部审量而已。

八月,乙丑朔,诏奉安天章阁祖宗神御于法济院,以乘舆播越,神御犹在舟中故也。

丙寅,利州观察使、湖东马步军副总管孔彦舟为蕲黄镇抚使兼知黄州,用张俊奏也。时彦舟在鄂州,舟多粮富,俊恐其盘据要地,故奏用之。

拱卫大夫、相州防御使、新除舒蕲镇抚使张用,有众五万在瑞昌。后数日,俊亲拣其军,精锐者留之,老弱者许自便。有投曹成者,有投岳飞者,有投韩世忠者,有自去而为民者。俊既并其兵,遂以用为本军统制。

乙亥,帝谕辅臣曰:"党籍至今追赠未毕,卿等宜为朕留意。程颐、任伯雨、龚夬、张舜民,此四人名德尤著,宜即褒赠。"乃赠夬直龙图阁。

丁丑,命右监门卫大将军士苪祔昭慈献烈皇后神主于温州太庙哲宗室,用太常少卿苏迟议,位在昭怀皇后之上。是日,韩肖胄题神主罢,藏虞主于西夹室。帝不视事,百官进名奉慰。故事,虞主瘗于殿后,议者以帝方巡幸,当(竣)〔俟〕还阙依故事施行,后遂为例。士苪,濮王曾孙也,留金得归,及是甫至行在。

戊寅,同知枢密院事李回参知政事,端明殿学士、签书枢密院事富直柔同知枢密院事。

庚辰,故追复端明殿学士、降授奉议郎苏轼特赠资政殿学士、朝奉大夫,以其孙宣教郎、知蜀州〔符言复官未尽也〕。

辛巳,诏尚书省复置催驱三省房及催驱六曹房。

范宗尹之相也,事多留滞,比其罢相制下,省吏抱成案就宗尹书押者不可胜计,故有是命。

2513

丁亥,参知政事秦桧守尚书右仆射、同中书门下平章事兼知枢密院事。

范宗尹既免,相位久虚。桧倡言曰:"我有二策,可以耸动天下。"或问:"何以不言?"桧曰:"今无相,不可行也。"语闻,遂有是命。

戊子,赠张舜民宝文阁直学士,程颐、任伯雨并直龙图阁。制曰:"朕惟周衰,圣人之道不得其传。世之学者,违道以趋利,舍己以为人,其欲闻仁义道德之说者,孰从而听之?间有老师大儒,不事章句,不习训传,自得于正心诚意之妙,则曲学阿世者又从而排陷之,卒使流离颠仆,其祸于斯文甚矣。尔颐潜心大业,无待而兴。方退居洛阳,子弟从之,孝弟忠信;及进侍帷幄,拂心逆旨,务引君以当道。由其内察其外,以所已为而逆所未为,则高明自得之学,可信不疑。而浮伪之徒,自知其学问文采不足表见于世,乃窃其名以自售,外示恬默,中实奔竞,外示朴鲁,中实奸猾,外示严正,中实回僻,遂使天下闻其风而疾之,是不幸焉尔。朕锡以赞书,宠以延阁,所以振耀褒显之者,以明上之所与,在此而不在彼也。"

先是颐子端中知六〔安〕军,为盗所杀,其孙将仕郎晟,在韩世清军。伯雨子承务郎先由,建炎初尝除御营使司主管机宜文字,不赴。至是诏并赴行在。

壬辰,诏:"夏国历日自今更不颁赐。"

是日,吏部员外郎廖纲言:"古者天子必有亲兵,实自将之,所以备不虞而强主威,使无太阿倒持之悔,汉北军、唐神策之类是也。祖宗军制尤严,如三衙四厢所统之兵,关防周尽。今此军稍废,所恃以备非常者,诸将外卫之兵而已。臣愿稽旧制,选精锐十数万人以为亲兵,直自将之,居则以为卫,动则为中军,此强干弱支之道,最今日急务。昔段秀实尝为唐德宗言:'譬犹猛虎,所以百兽畏者,爪牙也。爪牙废,则孤豚、特犬皆能为敌。'正谓是也。愿陛下留神毋忽。"

戊戌,刑部奏军士黄德等杀案目,其从二人俟于岸次,刑寺欲原其死。帝曰:"强盗不分首从,此何用贷!朕居常不敢(生嗜)〔食生〕物,惧多杀也。此时须当杀以止杀!"富直柔曰:"物不当死,虽蚤虱可矜;其当死,虽人不可恕。"帝甚以为然。

甲辰,初,朝廷以张琪、邵青反覆为盗,命诸将毋得招安。而徽猷阁待制、知平江府胡松年言:"大将四合,连旬不能破贼。今青据通州崇明镇沙上,寨栅之外,水浅舟不可行,泥深人不可涉。本府钱粮已费十三万贯石,公私骚然,而贼未可睥睨。况刘光世兵将,类多西北人,一旦从事江海间,有掉眩不能饮食者,况能与贼较胜负于矢石间哉!"

先是光世奏已遣统制官王德讨青,又奏青穷蹙,朝廷以为然,及松年有是言,乃令光世措置。后二日,右司谏韩璜亦奏谓:"青拥舟数千艘,而朝廷未有舟师制御,恐转入海道,惊动浙东。且浙西正当收成之时,青若倏来,必误国计。又,师老费财,或金、齐侵江,藉青为用。"凡可虑者五事。疏奏,遂趣光世招降之。

辛亥,合祭天地于明堂,太祖、太宗并配。赦天下。诸州守臣更不带节制管内军马,免残破州县耕牛税一年。越州人得解举人,并免将来文解一次。诸路大辟,可免奏案,缘道路未通,并听减等决遣。唐李氏、后汉刘氏、周郭氏、柴氏子孙,并各与一班行名目。录用元符末上书人子孙。应遇兵道弃小(人)〔儿〕十五岁以下者,听诸色人收养,即从其姓。诸盗许一月出首自新,前罪一切勿问。

是日,以常御殿增筑地步为明堂,止设天地祖宗四位,其位版朱漆青字,长二尺有五寸,博尺有一寸,厚亦如之,用丑时一刻行事。帝亲书明堂及飞白门榜。时未有苍璧、黄琮,礼官引故事,请以木为璧,绘天地之色。帝以祀天不当计费,厚价市玉以制之。既而尺寸不及礼经,乃命有司随宜置造。礼毕,就常御殿外宣赦书,以行宫门前地峻狭故也。

是岁,内外诸军犒赐凡一百六万缗,而户部桩办金钱帛三百五万四千七百馀贯匹两,皆委官根括于诸路。川、陕诸军,则宣抚处置司就以川路助赏物帛给之。自诸军外,宰执百官并权行住支,以贡赋未集故也。

时中书舍人兼直学士院席益草赦文,有曰:"上苍怀悔祸之心,群策竭定倾之力。六师奏凯,九扈成功,爰举宗祈,聿修大报。"帝以其夸大,不悦。

壬子,嗣濮王仲湜请合西、南外宗正为一司,以省官吏;事下给舍,中书舍人胡交修等言泉州乏财,不许。是时两外宗子女(归)〔妇〕合五百馀人,岁费钱九万缗。

癸丑,镇南军节度使、开府仪同三司吕颐浩拜少保、尚书左仆射、同中书门下平章事兼知枢密院事。颐浩引故事辞所迁官,乃以特进就职。

甲寅,诏官两浙钱氏子孙嫡长者一人,以赦书所未及故也。

丙辰,吕颐浩言:"先平内寇,然后可以御外侮。今李成摧破,李允文革面,张用招安,李敦仁已败,江、淮惟张琪、邵青两寇,非久必可荡平,惟闽中之寇不一。又,孔彦舟据鄂,马友据潭,曹成、李宏在湘、湖、江西之间,而邓庆、龚富剽掠南雄、英、韶诸郡,贼兵多寡不等。然闽中之寇最急,广东之寇次之。盖闽中去行在不远,二广未经残破,若非疾速剿除,为患不细。"诏枢密院措置。

丁巳,金房镇抚使王彦败李忠于秦郊店,忠走降刘豫。

初,曹端既为程千秋所杀,忠自称京西南路副总管,为端报仇,扰于京西,渐犯金州,谋入蜀。遂申宣抚司,乞下洋州关隘照会。张浚以为忧,乃遣提举一行事务、郃门宣赞舍人颜孝隆、禀议官、宣议郎盖谅驰诣金州,以慰抚为名,且以黄敕除忠知商州兼永兴军路总管。孝隆至军中,为所劫,以状白浚,言忠实有兵二十馀万,谅觇知,白浚乞为备。浚恐孝隆为忠所杀,委利夔路制置使王庶收接忠入关,仍散处其众于梁、洋境内。庶檄忠令解甲给队而入,忠去关二十里驻兵,回翔月馀,无解甲意。一夕,杀孝隆遁去,遂攻金州,彦率兵御之。

忠沉鸷善战,其下多河北骁果,官兵与战,辄不利。一日,彦遣兵与忠战于丰里,令提举官赵璜率统领官门章驻于山趾,为之策应,彦乘高视之。官军少却,彦麾璜救之,不应,官军遂败。彦退舍秦郊,忠遂陷诸关。彦令将士尽伏山谷间,偃旗帜,焚积聚,若将遁者;募死士得千馀人,设伏以俟其至。战之前一日,彦度忠且入郡城,夜半,分官军为三以遏其冲。凌晨,果大至,官军逆战,声震山谷,胜负未分,俄伏骑张两翼绕出,忠大败,追袭至永兴军之秦岭。会王庶遣偏将鹿晟、冯赛来援,赛由间道乘之,斩其将曹威等三人。浚录其功,以彦为拱卫大夫、温州观察使。赛,初除隆德府路经略使,自卢氏从邵隆至兴元府,故庶用之。孝隆,博州人,后赠果州团练使。

是秋,金左副元帅宗翰尽迁祁州居民,以其城为元帅府。民之当迁者,止许携笼篚,其钱谷器用皆留之。

右都监耶律伊都至董城,西辽主率馀众北遁。伊都以食尽,不克穷追而还。

时盗贼愈多,宗翰用大同尹高庆裔计,令窃盗赃一钱以上者皆死。云中有一人拾遗钱于市,庆裔立斩之;萧庆知平阳府,有行人拔葱于蔬圃,亦斩之。民知均死,由是窃盗少衰而劫盗日盛。庆裔又请诸州郡置地牢,深三丈,分三隔,死囚居其下,徒流居其中,笞杖居其上,外

2515

起夹城,圜以重堙,宗翰从而行之。

宗翰患百姓南归及四方奸细入境,庆裔请禁诸路百姓人数行李,以告伍保邻人,次〔百人〕长、巷长,次所司保明以申州府,方给番、汉公据以行;市肆验之以鬻饮食,客舍验之以安行李,至则缴之于官,回则易之以还。在路,日限一舍,违限若不告而出者,决沙袋二百,仍不许全家出及告出而转之它处。于是人行不以缓急,动弥旬日,始得就道。又所费不赀,小商细民,坐阎里莫能出入,道路寂然,几无人迹矣。

河东南路兵马都总管萧庆招降太行红巾首领齐实、武渊、贾敢等,送于宗翰,尽杀之于狱。

【译文】

宋纪一百九　起辛亥年(公元1131年)正月,止九月,共九月。

绍兴元年　金天会九年(公元1131年)

春季,正月,己亥朔(初一),高宗在越州。清晨,率领百官在行宫北门外遥拜徽、钦二帝,回来后,亲临常朝殿,接受上朝大臣的参见问候。从此以后,每月的初一、十五都如此。

改年号为绍兴。高宗颁降恩诏,对各路杂犯死罪以下的囚犯减刑,释放流罪以下的囚犯;群盗限于一个月之内投案自首,并给其首领授官;令各州县抚恤阵亡战伤将士及奉命出使金国与出使金军而没有返回人员的家属;民户自现在以前暂停征收的税租,一切免除;恢复贤良方正直言极谏科;令有关部门分条列出元祐党籍的臣僚又尚未得到褒奖和赠官者,吏部和刑部限于一个月内考查申报。从绍圣年间废除制科,到这时开始因恩诏令礼部官员讲求过去的制度,然而没有应举的人。

金人掳掠天水县,将县治迁到榆林。奉承郎、知县事赵璧正在接受祝贺,忽然有三百名敌骑闯入,就在座位上将赵璧及统领官雷震、主簿张昔捆绑后离去。赵璧等人不屈服,都被杀害。

己酉(十一日),金兵攻打扬州。

金国同中书门下平章事时立爱,曾经供职于宗望军中数年,出谋划策较多,这时请求解除机要事务,朝廷不听。癸丑(十五日),任命时立爱为侍中、知枢密院事,张忠嗣为资政殿大学士、知三司使事。

丙辰(十八日),开始准许百官每十天休息一日。宰相因此奏事,高宗说:"休息一天不办公,不至于荒废公务,假使一个月之间能够处理十件事,即使二十天休息又有何害处! 如果无所措置,即使通宵达旦又有何益处!"

己未(二十一日),浙西安抚大使刘光世上言:"从去年腊月至今,招到女真人及签军共六百六十余人,请求给予补官。"高宗下诏令录用为忠训郎以下,至效用甲头,其中无姓的人赐姓赵。

在这之前,金国左监军完颜昌驻扎海陵,刘光世知道他的部众长期戍守思念回家,于是铸造金、银、铜三种钱,钱文叫"招纳信宝",都有刘光世的签字,作为信号。俘获的金兵中懂事的,宽免不杀,让他们以钱密示同辈,如有想归顺的,到长江以钱为凭证而接纳他们。从此,归顺的人不断,于是创立奇兵、赤心两军。

辛酉(二十三日),高宗下诏说:"朕念太祖皇帝创立基业传给后世子孙,恩德盖及万世。

东船复原图

祖宗诏封子孙一人为安定郡王,世代不绝。但到了宣和末年,因为太常、礼部各有主张,迟疑不决,致使安定郡王之封至今没有实行,朕非常忧虑! 有关官吏奏上应该袭封的人名,遵照过去的规定施行。"

这一天,辅臣入宫依次朝见,高宗因而论及此事,说:"太祖功德如此,世袭王爵,应该不为过分。"范宗尹说:"太祖曾经说:'天下初定,朕想得一年长君主以抚慰天下。'而传位给太宗,则他的用意只是为了天下。"

高宗又说:"朕不久前为王时,入见渊圣皇帝,遵循旧例用家人礼节。有一天,论及金人的事,曾奏曰:'京师的军队虽然不少,然而都是些游荡懒惰、疲惫衰弱之人,没有经过精选训练,敌人如果打来,不是失败就是溃散了。陛下应该稍避敌人的锋芒以保万全。'渊圣皇帝说:'朕为祖宗守护宗庙社稷,事势不可动摇。'后来敌人又逼近京师,朕在相州得到渊圣皇帝的亲笔信,称后悔不听你的话。当时亲信的小人,争相主张用兵,蛊惑皇帝视听,极不量力,于是招至今日之祸。"

癸亥(二十五日),监察御史韩璜上言:"臣承蒙使命,遵旨到湖外,民间的疾苦,依法应当奏报朝廷。从江西到湖南,无论郡县与村落,满目灰烬,所到之处残破不堪,十室九空。询问其原因,都说是由于金兵未到而溃散的官军先到,金兵已经离去而追袭的官军接着到来。官兵盗贼,一样劫掠,城市乡村,搜括殆尽。盗贼已退,疮痍未愈,官吏不务安抚聚集百姓之事而更加刻薄;兵将所过之处放纵暴虐而只是一味地索求,嗷嗷之声,比比皆是,民心离散,不绝若线。这就是臣所要报告陛下的。然而臣在途中读到改变年号的恩诏,不觉感动流泪。州县的情况,陛下既已详知,免烦去苛,恩意已备。臣有余忠,希望陛下谨守诏令,务在必行。"高宗诏令:"近来颁降恩诏宽恤之事,州县自应一心一意执行,违者由监察官检查弹劾,由御史台察处。"

这个月,金人以一万骑兵进攻河南暂寄治所西碧潭。

当时镇抚使翟兴,因缺乏粮饷,正散遣所部到各县邑就食,只留下几千亲兵。金兵进攻的消息传来,人心畏惧。翟兴安坐自若,从容派遣骁将彭玘前往,授给他方略。彭玘在井谷设下伏兵,遇到敌人前来,假装临阵逃脱;金兵以精锐骑兵追击,遭遇埋伏,被宋军擒获,其余兵众溃败而去。

起初,顺昌盗贼余胜等人已反叛作乱,官吏都已逃散,土军陈望一向喜好灾祸,与射士张衮密谋,企图举寨响应余胜。军校范旺叱责他说:"我等父母妻子都依靠国家而生存,现在力量不足以讨伐盗贼,却反而助纣为虐,这是天地不容的!"凶贼愤怒,挖掉范旺的眼睛并杀害他,暴尸于市。范旺的妻子马氏听到死讯后,边走边哭,盗贼威胁污辱她,她不从,又被杀害。盗贼被平定后,范旺的尸迹还在地上,隐约可见,全邑的人都颇为惊奇,为他设香火祭祀。此事朝廷闻知后,追赠范旺承信郎,赐予祠号忠节。

二月,戊辰朔(初一),祝友率领他的军队投降刘光世。

起初,祝友在新店,准备侵犯宣州,被水阻挡,不能渡过。适逢刘光世派人去招抚他,祝友将刘光世的使者扣留十多天,然后接受招抚。当时江东路兵马副钤辖王冠在溧水驻军,祝友写信给他希望借道前往镇江,王冠不同意,于是祝友率兵攻打王冠,王冠军队大败。祝友于是从句容到镇江,刘光世将他的军队分开,任命祝友为知楚州。

先前史康民在淮南,与祝友会合军队。史康民的军队极为富有,用金银财宝贿赂刘光世,刘光世大喜,史康民于是得以被提拔任用。

庚午(初三),改行宫禁卫所为行在皇城司。

壬申(初五),初次规定每年祭祀天地社稷,按照奏告之礼举行。

己卯(十二日),太阳有黑子出现,四天后才消失。

辛巳(十四日),礼部尚书兼侍读秦桧被任命为参知政事。

癸未(疑误),范宗尹上言:"天象有变,应当回避正殿,减少膳食。现在是人心畏惧不安之际,恐怕不可以虚文空话来扰乱众人视听,望陛下修明德政以消除灾异。臣等辅政无功,理当罢免。"高宗说:"日为太阳,是君主的象征,与卿等有何相干!只要君臣同心,做安民利国的实事,或许天象的变异不至于成为灾祸。"

癸未(十六日),高宗诏令秋季在明堂举行合祭祖先的大礼。江、淮招讨司随军转运使詹至上言:"大敌当前,国势不力,请求停止合祭祖先的大礼,把这些费用用来辅助军队。仍督促各路军队分路攻守,以告慰祖先的在天之灵。继承祖先的遗志,绍述祖先的事业,莫大于此。"

2518

甲申(十七日),高宗诏令:"郡守在任期内调离,要等到新官到来后办理完交接事宜,方可离任。"

丙戌(十九日)，恢复秘书省，又诏令秘书监、秘书少监不要同时设置，设置秘书丞、秘书郎、著作郎各一名，校书郎、正字各二名。范宗尹曾借上奏论事，说无史官实是朝廷体制的缺失，于是恢复设置秘书省。

有叫崔绍祖的人，被金人掠走，从南京逃回，诈称是越王次子保信军承宣使，接受上皇徽宗蜡丸所藏诏书为天下兵马大元帅，出兵收复陷落的州郡。这一天，崔绍祖到达寿春府，和州镇抚使赵霖将此事报知朝廷。高宗下诏不得按所谓蜡诏行事，召皇侄前往行在。

庚寅(二十三日)，张浚上奏："本司都统制曲端，自从听说吴玠的兵马到郡，就坐拥重兵，更不派遣军队策应，已责降他的官职为海州团练副使、万州安置。"高宗下诏批准已做出的处理。

起初，张浚从富平战败而回，才想到曲端和王庶的建议可以采用。王庶当时为朝议大夫在四川服母丧，于是一并召他们前来。王庶因住地近而先到，力陈抚秦保蜀之策，劝张浚收编熙河、秦凤的军队，扼守关、陇以图日后大事，张浚没有采纳；又要求为母亲服丧三年，张浚不同意，于是特授他为参议官。

张浚慢慢想到曲端与王庶必定互不相容，等到曲端到平道，只恢复他的官职，将他调到恭州。宣抚处置使司主管机宜文字杨斌，一向与王庶深交，知道王庶与曲端积怨很深，于是大谈曲端谋反以迎合王庶。又考虑到曲端被重新起用，就称曲端谋反有十项事实，还说曲端的门客赵彬在凤州张榜告示，准备起兵迎接曲端。秦凤副总管吴玠，也惧怕曲端严明，不断诋毁曲端。王庶于是对张浚说："曲端有谋反之心已久，为何不及早处置他？"适逢蜀人多上书替曲端争辩冤屈，张浚也畏惧曲端得众人心，开始有了杀曲端的意思。

癸巳(二十六日)，高宗诏令侍从、台谏分条列举保民除盗、遏制敌患、增加财富的计策。

翰林学士汪藻上奏驾驭将领三说：一是将法规展示给他们，二是用权力运用他们，三是以名分区别他们。大意是说："诸将的过失，不可不惩治。现在陛下召对大臣的时间不过数刻，而诸将都可以出入宫禁，这是大臣见陛下有时限而诸将见陛下没有时限。外面传言，就说陛下提拔黜退人才，都有诸将参与。另外，朝廷，是为众人所瞻仰的地方，是大臣为天子推行政事而号令四方的地方。现在诸将轻率地多次谒见陛下，径直而入，身着便装靠近而坐，把大臣看作同僚阁友，百般营求，一定要得到满足，朝廷难道不自卑吗！祖宗朝时，三衙见大臣，必须手执木棒接受教谕，肃然施礼后退下，这是因为等级威仪的严格，才足以互相牵制。还有，派遣将领出征，诏令侍从聚集商议，是为了博采众人的意见，现在却只有诸将在此商议。诸将，是听从命令的人，才让他们参与谋划。他们既然各自兜售自己的主张，那么利于公不利于私的主张，必定不会认为是可行的；便于己不便于国的主张，必定不会认为是可停止的。想让他们冒着敌人的枪箭，奔赴战场，难啊。从今以后，各将应当以朝廷的礼仪来约束自己，不要总是朝见皇上。他们到政事堂，也有祖宗时的先例，并且不让他们参与议论之外的事，这样名分既恰当而又能责成他们立功。这三说果真能实行，就足以驾驭诸将了，消灭盗贼有何难，遏制敌人有何忧呢！"

"说到理财，则百姓穷困入骨，臣希望陛下不要谈及生财之事，现在国家所拥有的，不过几十州，所谓生财，必定生于这几十州的百姓身上，他们如何能承受得了！只有一律加以裁减，或许可以维持。朝廷之外可以裁减的，是军队中的冒名领饷；朝廷之内可以裁减的，是宫

2519

禁中的额外支用。现在军队中不是战士的约占三分之一,有以假名而领饷的,则挟带几人的空名领饷;有使臣而领饷的,则领一个使臣的俸禄相当于十个战士的费用;有以借补为名而领饷的,则顺利支取与命官一样的钱粮。听说岳飞的军中,这样的人有几百人,州县因为惧怕他倚势欺凌,都不敢声张责问,他们盗名支取的钱物,能数得清吗?臣私下观察宫禁中有时索取,而户部的银绢以万计数,礼部的度牒以百计数,每月都向宫中进送。君主用财,须要有名目而让有关官吏知道。至于度牒,则是以虚名而得实利,用来接济战事的费用,实在不是小小的补充,希望不要把这方寸大小的纸随意赐予人而不知爱惜。”

“然而臣又有私下的忧虑和错误的估计。自古以来,将兵权交付于人太久,没有不发生祸患的,这是因为授予兵权最容易,收回兵权最困难,如不及早设计对付,后悔就来不及了。国家以三衙官长掌管军队,而调出一兵一卒必须等待枢密院的符节,祖宗这样规定,是有其深刻用意的。现在诸将的骄横,枢密院已不能制约。臣恐怕贼寇平定之后,会有劳皇上的忧虑。自古偏霸一方的国家,领兵之人未曾缺乏,难道四海之大的国家却如此寥寥无几!料想偏将裨将之中,必有英雄,只是被二三位大将压抑而不能伸展而已。应当精选偏将裨将十余人,各授予军队几千人,直属御前而不隶属诸将,会合起来就是几万人,用以逐渐削弱诸将的兵权,这是万世大计。”这时,诸将中刘光世尤为骄横,所以汪藻有此建议。

汪藻的上书传开后,诸将都很愤怒,有人令门下幕僚写政论文章诋毁文臣,大意是说:“今日误国的人都是文臣。自从蔡京败坏法度,王黼收复燕、云之后,执政侍从以下,持节出使则丧失气节,奉命守城则弃城而逃,建议者进呈讲和之论,奉命出使的坚持割地之说,率兵勤王则溃散,防河据险则逃遁。自从金兵深入中原,蹂躏践踏京东、京西、淮南之地,作为王臣而弃地、弃民、误国、败事的,都是文臣;偶尔有尽忠尽节而死难的,面对全面溃败而挺身而出的,都是武臣。更有甚者,张邦昌建立伪楚,刘豫建立伪齐,不是文臣谁敢干这种事!”从此,文武二途,如冰与炭那样不相容。

金人用船装载从江、浙所掠夺的辎重,从洪泽湖进入淮河,到达清河口。假宣教郎国秦卿在赵琼水寨,与赵琼乘夜劫夺金人的舟船,得到李棁所携带的户部尚书印。

丙申(二十九日),又诏各路提刑司举行类省试。于是川陕宣抚处置使张浚,才根据随机处置权力集合川、陕举人,随即设置机构举行类省试。

这个月,金兵到达德顺军,经略使刘锡逃走。

金人由于兵力少,不敢经过秦亭,扬言兵分三路,而只出兵沿边境掠取。熙州向来多产马,金人驻扎军队后,将马匹搜取无遗。马步军副总管、忠亮大夫、同州观察使刘惟辅将要逃走,考虑到熙州尚有存粮,恐怕敌人凭借这些粮食据守,急忙出兵,将存粮全部烧掉。敌人追上后,部下全部逃走,刘惟辅与亲信几百人躲藏在山寺中,派人到夏国请求附属于它,夏国没有接受,他的亲信赵某到金军去投降。金人抓住刘惟辅,百般诱降,刘惟辅始终不发一言,金人愤怒地把他拉将出去,刘惟辅昂首环视成为金军座上客的宋朝降将说:“国家没有亏待你,一时就附属于敌贼吗!”随即闭口不再说话。第六将韩青,秘密跟随刘惟辅,被敌人抓住,大骂敌人,拒不投降而被杀害。统制官□重献出熙河投降敌人。知兰州尨谷寨高子儒听说刘惟辅还活着,固守等待刘惟辅。到城池被攻破时,他先杀了自己的家人然后自杀。高子儒,是狄道人。

金人掠夺熙河之后,就带兵返还。李彦琪在古原州,张中孚及其弟弟张中彦引导金人劫持李彦琪并迫使他投降。赵彬带领敌人包围庆阳，守将杨可升坚守不降。五路被攻破后，秦凤经略使孙渥，收编本路军队保卫凤州；统领官关师古，收编熙河军队保卫巩州。于是金人尽得关中之地。

关陕沦陷后，士大夫坚守节义而死的人很多。陇州失守后，守朝请郎、知州事刘化源不肯投降，敌人派人看住他，不让他死，于是驱逐他到河北。刘化源贩卖蔬菜瓜果，在民间隐居十年，始终不屈服受辱。奉议郎、通判原州米璞，也称病闭门不出，至死不受污辱。刘化源、米璞都是耀州世家，西人都敬仰他们。金兵进入凤翔，秉义郎、权知扶风县康杰，与敌人冯宣交战，冯宣敬仰他而想招降他。康杰奋然说："我应当死于阵前，不能死于敌手。"于是战死。忠翊郎、知天兴县李伸，被金兵包围，坚守城池，敌人久攻不下，城池被攻破后，李伸说："岂能让敌人杀我！"于是自杀。当时庆阳被围紧急，成忠郎卢大受，准备会合军民收复邠、宁二州，解除庆阳之围，被人告发，押往宁州入狱，被处死。敦武郎、秦州定西寨都监兼知寨郑涓，遭到金兵的攻击，袒露胳膊而战，到城被攻破时，自刺未死，金人敬重他的节操，也就没有杀害他。这时的郡守县令，以城投敌的，金人都按照原职使用他们。文林郎、知彭阳县李喆唯独不降，与百姓迁移县治到边境上，金人命令拘捕他进献金廷，想任命他官职，他推辞了三次。后来，金人认为他已归附金国，任命他为儒林郎，李喆对有关职司说："我原本是被捕获之人，不敢接受归附的奖赏。"并把任命文书退还回去。还有武功大夫、知环州安塞田敢，曾得到太祖的画像，准备秘密南归献给宋朝，事情泄露，被杖击而死。这之后，武功大夫、秦凤路兵马都监刘宣，以蜡书秘密派人与吴玠联结，并率领金将任拱等人以及部下归顺宋朝。约定的时日已定，有人向金人告密，金人将刘宣拘捕并一丝丝碎割而死，将他的家属发配曹州。

刘豫又升渭州为平凉府，去掉庆阳、延安府的名称，恢复以前的州名，就任命叛将张中孚守平凉府，张中彦守秦州，赵彬守庆州。慕容洧守环州。

三月，丙午（初九），高宗下诏将京畿第二将兵一千人隶属神武中军，这是采用统制官辛永宗的请求。于是，神武中军共有六千人。

金兵从熙河返回，行进到弓门寨，巡检王琦进行抵抗。金人立招降旗榜，改用刘豫阜昌年号，众人都下拜，唯独王琦不屈服，被金国知平凉府张中孚抓住并杀害。

庚戌（十三日），江淮招讨使张俊收复筠州。

起初，张俊率兵到达豫章，而李成在江州，他的部将马进在筠州，都不前进。张俊高兴地说："我已得洪州，一定能攻破敌贼！"于是再次收拢兵力，如同没有人一样，金鼓不用，命令将士："登城者斩！"过了一个多月，马进派人送来傲慢的文牒挑战，张俊以措辞温和的信答复以便骄纵马进。又命令神武前军统制王璘在江中检阅水军，贼军势力正强，以为张俊怯战。张俊的间谍侦察到敌人稍有懈息，于是商议派遣各将分道出击敌人。中部统制官杨沂中说："兵力分散力量就会就弱。"通、泰镇抚使岳飞请求自任先锋，杨沂中由上流径渡生米渡，出其不意，遭遇金兵先锋，并打败了敌人，乘胜追击逃敌，提前一天抵达筠州。马进出兵背靠筠河，首先占据要害地方。杨沂中对张俊说："敌众我寡，当以骑兵取胜。希望将骑兵交给我指挥，您率领步兵抵挡敌人的前军。"杨沂中于是率领数千骑兵，与神武后军统制陈思恭分兵两路，同出山后，严阵以待。两军激战到中午，宋军精锐骑兵从山上奔驰而下，贼军惊慌混乱，退走而去，宋军大败金兵，俘虏八千人。第二天，再战，张俊怀疑俘虏再次反叛，命令陈思恭连夜杀掉俘虏。马进兵力不支，于是逃走。张俊随即收复筠州、临江军。马进到了南康，遭遇宋军统制官巨师古,再次失利。马进又回到江州,与李成会合。张俊整顿军队追击。

壬子(十五日),朝奉郎、通判泰州马尚,就地差任知泰州,招谕军民返回田业,并兴办盐场等事业。

先前张荣在通州,因为地势不利,就带领舟船进入缩头湖,修筑水寨防守。金国右监军完颜昌在泰州,图谋久驻之计,到这时派舟师进攻张荣的水寨。张荣也派出数十只船载兵迎敌,望见金兵的战舰在前方,张荣惶恐慌乱,欲退不能,慢慢地对部众说:"不要忧虑!金兵只有几艘舰船在前,其余的都是小船,正当水退,隔着烂泥不能登岸,我们弃船上岸,可以全部消灭他们。"于是弃船登岸,大声呼喊而杀敌。金兵不能奔驰,在船上自乱,溺水陷泥者不可胜计。完颜昌收拢余众二千人奔赴楚州。张荣俘获完颜昌的女婿佛宁,俘虏斩杀敌人甚多。张荣从京东来,未曾接受朝廷任命,于是无路向朝廷报捷,听说刘光世在镇江,就派人去表示愿意听他的节制,同时呈上战功。刘光世大喜,任命张荣为知泰州。

自从南渡以来,国史散佚,到这时衢州平民何克忠献上《太祖实录》《国朝宝训》,高宗诏令授他为下州文学。此后八、九年而国书才齐备。

甲子(二十七日),开始下诏列数李成的罪状,招募有能将李成斩首及俘获的人,授予节度使,赐银万两、钱万缗,并且赦免李成军中的胁从者。

起初,马进既已失败,江淮招讨使张俊,追击马进到奉新楼子庄。贼将商元,占据草山设下埋伏,张俊仔细观察,看到山险路狭,于是派遣步兵从小路直奔山顶,杀退伏兵,夺取山险,随即抵达江州。马进抵抗不能取胜,渡江而逃。乙丑(二十八日),张俊收复江州。统制官杨沂中、赵密率兵追击,又大败马进,李成再次回到蕲州。从此,张俊的军队有了"铁山"的称号。

这个月,金人从阶州率领军队侵犯文州,但因长江涨水不能渡过,于是返回,因而弃城离去。武德大夫、知岷州李惟德,也率领官吏弃城前来归附。

李惟德原先镇守鄜州,城被攻破后,敌人就地用他。张浚又任命他为右武大夫、荣州刺史。于是陕西之地全部丧失,只余下阶、成、岷、凤、洮五郡及凤翔府的和尚原、陇州的方山原而已。

这时兴元府刚刚创建,粮食匮乏,军队少弱,王庶抚慰训练军队,河东、陕西溃散的军队,多是他的旧部,往往来归附,不到几个月,兵众就有二万人。

四月,己巳(初三),参知政事秦桧上言:"臣以前和何㮚、陈过庭、孙傅、张叔夜一同护驾徽、钦二帝出境,如今臣侥幸生还,屡次承蒙圣上褒奖,提拔臣任宰相,而何㮚、陈过庭、张叔夜都死在异国,尸骸不全,游魂无归,真是令人伤心。希望圣上慈悲,特准依照近来聂昌的体例,追赠何㮚等人官职,并施给他们的家属恩泽,以此作为对为国捐躯的劝勉。"高宗下诏追赠何㮚、陈过庭、孙傅、张叔夜同为开府仪同三司,录用他们的子孙各十人为官。

癸酉(初七),已故承议郎刁翚,被追赠直龙图阁。先前刁翚任登州通判,适逢金兵南侵,刁翚率兵迎敌,到黄山馆,与敌人遭遇,宋军失败,刁翚奋力作战,身中七箭而死。到这时上言的人议论他的忠义,朝廷特予记下他的事迹。

甲戌(初八),恢复政州为龙州,剑川、嘉祥、雷乡、建城、辰阳、罗川、盈川、泉江、枳县一并恢复旧县名,通会镇恢复旧镇名。这是因为朝奉郎、新任通判建昌军庄绰上言,称自从大观以后,避龙、天、万、载等字而改变州县名称不当。

丁丑(十一日),刑部尚书、权礼部尚书胡直孺等人上言:"参酌皇祐年间诏书,将来请在明堂合祭昊天上帝、皇地,供奉太祖、太宗以配享,或许礼精而事省。"高宗同意。

己卯(十三日),金主下诏说:"新近迁徙的戍边户,衣食匮乏,有的典卖其亲属为奴婢,由官府代为赎出;户计人口有二三人的,用官府的奴婢补给他们,使每户为四口之家;另外,缺乏耕牛的,给他们官牛。另外委派官员劝勉督促田间耕作,戍边户和戍边军物质粮食接济不上的,从民间收购粮食予以赈济抚恤;那些还在途中的续迁戍边户,暂且让他们停止,就地耕种,等到收获完毕后再前行,到来年春季耕种时节,抵达戍边之地。"

庚辰(十四日),隆祐皇太后驾崩于行宫的西殿,时年五十九岁。

高宗自皇太后驾崩之后,接连几晚上都衣不解带。到这时范宗尹等人在西殿的后阁拜见高宗,高宗非常悲痛,久不平静,晓谕范宗尹等人,丧礼应当优厚办理。

辛巳(十五日),高宗诏令:"隆祐皇太后应举行的典礼,一律依照钦圣宪肃皇后的旧例,讨论后奏闻于朕。朕因为继位的恩重,应当服重丧。"

癸未(十七日),襄阳镇抚使桑仲攻陷邓州,杀右武大夫、淮康军承宣使、河东招捉使、知汝州王俊。

起初,桑仲包围邓州紧急,守臣武功郎谭充派人到王俊那里求援,王俊从伞盖山率兵前去解围。谭充设宴与王俊饮酒,王俊酒醉,谭充率众突围出逃,随即进入蜀地。桑仲攻陷邓州城,抓住王俊后返回襄阳,将王俊车裂。事后,就任命他的副都统制李横为知邓州。

桑仲,是高密人,曾是黄河的护岸兵,以勇猛自负。桑仲虽然嗜杀成性,然而性情颇为孝顺,有时大怒要杀人,他的母亲劝诫后就立即停止。每每自称桑仲本是命官,终当以死报国,所以能使其部下畏服。

甲申(十八日),同知枢密院事李回被任命为攒宫总护使,刑部尚书胡直孺被任命为桥道顿递使,神武左军都统制韩世忠被任命为总管,内侍杨公弼被任命为都监。调拨三衙神武辎重和越州兵一千二百人修筑陵墓。按照旧例,园陵应设置五使。议论的人根据遗诏主张权且择地停放灵柩,所以只任命一员大臣总护。

乙酉(十九日),辅臣上奏,请求高宗为隆祐皇太后服丧一年,高宗同意。

丙戌(二十日),因为太后驾崩,高宗下诏令慎用刑法。派遣官吏奏告天地、社稷、宗庙,告知各陵先王。

丁亥(二十一日),宣抚处置使张浚在恭州杀降授为海州团练副使的曲端。

曲端已被利、夔制置使王庶所诬陷,忠州防御使、知渭州吴玠也忌恨他,于是写"曲端谋反"四字于手心,借侍立张浚身旁的机会,举手出示给张浚看。张浚一向知道曲端、王庶不可并立,况且正倚靠吴玠的力量为自己所用,恐怕吴玠不能自安。王庶等人知道这些情况,就说:"曲端作诗题写在柱上,有指责皇上之意,说:'不向关中兴事业,却来江上泛渔舟。'这是他的罪证。"张浚于是送曲端到恭州下狱。有个武臣叫康随,在凤翔时,常因事忤逆曲端,被鞭打背后百下,对曲端刻骨仇恨,张浚任命康随提点夔州路刑狱。曲端听说后,说:"我死期到了!"大呼苍天几声。曲端有匹马叫铁象,一天驰骋四百里,到这时,曲端连呼"铁象可惜"几声,才前往受缚。到达恭州后,康随命令狱吏将曲端绑缚起来,糊住他的嘴,用火烧烤他,曲端干渴而死。士大夫没有不痛惜曲端的,军民也都怅恨不已,张浚因此大失西人之心。

2523

这年春季,金国左副元帅完颜宗翰,派右都监耶律伊都率领燕、云、女真二万骑兵,在和勒城进攻西辽,调集山西、河北的民夫运送粮食,从云中到和勒城,途经沙漠三千余里,百姓少有几个能活着回来的。开始,金人入侵中原,有掳掠,无战斗,计算其从军的费用,到回去时所获财物是它的几倍。自从立刘豫以后,南侵淮,西侵蜀,生还者很少,因而得不偿费,人们开始厌恨战事。所以漠北之行,百姓不胜其苦。

耶律伊都驻扎和勒,丢失了金牌,宗翰怀疑耶律伊都与西辽暗中勾结,将他的妻儿迁到女真,耶律伊都开始怀有二心。

五月,己亥(初四),高宗下手诏令礼部、太常寺,讨论隆祐皇太后应举行的册礼及奏告天地、宗庙等事宜。

起初,进士黄纵,上书论说隆祐皇太后近年来因诬谤而被废斥,未曾昭雪,虽然恢复位号,但没有正式举行典礼及册告宗庙,朝议时想因此将神主迁到太庙,特行册礼。高宗晓谕大臣:"太母在绍圣末年失位,后来钦圣太后又恢复了后位,崇宁初年再次被废斥;虽然这事是由于大臣诽谤所致,然而天下不能家喻户晓,有人得以私下议论两朝皇帝的过失。"范宗尹说:"太母有圣德,是人心的归向,自从陛下推崇太母为隆祐皇太后,海内莫不认为理当如此。太母前后两次被废斥,实在是由于章惇、蔡京等人的诽谤,人们都知道这不是二圣的过失。"礼部员外郎王居正因此说:"朝廷追册母后,都是由于以前没有尽尊亲之礼的缘故。隆祐皇太后早年是哲宗的配偶,虽然在绍圣年间蒙受污辱,退居道宫,而按元符三年五月的诏书,那么上皇受命于钦圣宪肃皇后以恢复长子之妻的后位的意思,也已十分明确。崇宁年初,权势之臣专擅朝政,违背典章礼仪,让卑微者废黜尊位者,所以太后的盛名尊位,在元符年间已经反正,而不是在靖康年间发生变故的时候。臣以为应只用钦圣皇太后的诏书及崇宁年间奸臣阻止之意,奏告天地宗庙,其册礼无须讨论。"议论于是确定。

癸卯(初八),侍从、台谏聚集议论隆祐皇太后的谥号为昭慈献烈后。

甲辰(初九),高宗开始亲临正殿。

江西安抚大使朱胜非上奏称内侍李肖随刘绍先出战,战功属于第二等,高宗说:"恐怕没有这个道理,李肖怎能有战功!不用颁将此奏,恐怕贻笑大方。"张守说:"不如只以传谕旨意的功劳奖赏他。"

癸卯(疑误),高宗拿出"大宋中兴之宝"印玺及上皇徽宗所获得的元圭给辅臣看。宝玺,是高宗新刻的。

中书舍人洪拟轮次奏事,议论帝王之学,其中叙述董仲舒、王吉的言论,最后认为章句书艺非帝王之事。高宗说:"人若想辨明道理,懂得礼仪,没有学问是不行的。只要能专心于学习,就能知道古今治乱成败与君子小人善恶的事迹,善者当作,恶者当戒,心正意诚,大概都由于此。"范宗尹说:"君主要以此为首要任务。"于是奏上仇士良告诫其弟子的言论,高宗认为是对的。

忠州防御使、秦凤经略使吴玠与金人乌鲁、折合在和尚原以北交战,击败金兵。

当时,金主的从侄没立,与乌鲁、折合率领几万骑分两路西侵,没立从凤翔,二将从阶、成出兵,约定时日在和尚原会合。吴玠和他的弟弟统领官、武翼郎、阁门宣赞舍人吴璘,带领散卒数千入驻扎和尚原上,朝廷音讯断绝,军中储备匮乏,将士家属,大多留在敌方,将士没有坚定的斗志,有人密谋劫持吴玠兄弟投奔北方,幕客陈远猷连夜报告吴玠。吴玠立即召集各将,用忠义激励他们,歃血立誓,各将感动流泪,更加努力备战。

这一天,乌鲁、折合二将率领精锐骑兵先期而到,在和尚原北面摆开阵势,吴玠率兵攻击敌人,四战皆捷。山谷中路窄而多石,马不能行,敌人丢弃战马,于是败走。三天后,没立独自攻打箭筶关,吴玠派遣别将去攻打金兵,使金兵两路兵马最终不能会合。又过了五天,敌人迁移营寨到黄牛岭,适逢大风大雨和冰雹,第二天就退兵而去。张浚记录吴玠等人的战功,奉旨任命吴玠为明州观察使,吴璘为武德大夫、康州团练使,赐予金带,提升为秦凤路兵马都钤辖,节制和尚原兵马。

丙午(十一日),江东安抚大使司上奏,捕获虔州贼寇李敦仁并获胜。

真、扬镇抚使郭仲威被刘光世拘捕。

起初,郭仲威听说敌人退走,于是派他的将领李怀忠任知扬州,而自己前往真州驻扎。郭仲威与李成有旧交,听说李成在九江,想前去跟随他。当时,滁濠镇抚使刘纲,率领所部驻扎在建康的雨花台,郭仲威被他所遏制,不能前往,又回到扬州,图谋据有淮南以便勾通刘豫。刘光世知道他要谋反,就派遣前军统制王德前去拘捕他,扬言要在淮上察捕盗贼,到维扬,郭仲威在摘星台迎接,王德亲自将他擒住,随即收编了他的部众。高宗诏令在平江街市上将郭仲威斩首。在这之前,郭仲威焚烧、掳掠平江,当地百姓十分怨恨,所以就地斩杀郭仲威。

金国分别派遣使者到各路劝勉百姓耕种。

丁巳(二十二日),高宗诏令江、淮州军:"从现在起,凡有金国南归的人,带来二圣密诏、文檄、蜡弹之类,不得奉行,都须上奏听候圣旨,违犯者依法从重惩处。"在这之前伪造者很多,所以颁此条例加以约束。

参知政事秦桧,乞求将以前担任御史中丞致仕时本家奏补兄秦彬、子秦熺承受恩泽的文字毁掉,改用建炎二年大礼恩例补兄秦彬文职,高宗同意。秦熺,是王晚的庶子。秦桧娶王晚的妹妹为妻,无子。王晚的妻子,是郑居中的女儿,依恃高贵而嫉妒,在秦桧出使金国时,将秦熺过继给秦桧做儿子,上奏后授给他官职。到这时王家因秦熺而见秦桧,秦桧非常高兴。

庚申(二十五日),福建制置使辛企宗奏报顺昌盗贼余胜接受招安。

壬戌(二十七日),范宗尹等人以国家财用不足为由,上奏要求卖通直、修武郎以下官职。高宗说:"不至于引起人们的议论吧?"张守说:"祖宗朝时也曾有过这种事,只限于斋郎。"李回说:"这比向百姓加征赋税更严重。"高宗说:"是的。大凡设施,必须在现在可行,还能传于以后,就是妥善的了。"范宗尹于是退下。以后就只卖承直郎以下官职。

邵青接受刘光世招安,太平州解围。

起初,邵青已兵临太平城下,与他的同伙单德忠、阎在等人分别在四郊设下营寨,开挖疏通河水,全部淹没堤岸,以此断绝援兵的来路。还调集百姓伐木修筑慢道,怠慢者被杀死而且一律掩埋在道路中,一天之间,慢道就与太平城相平。贼兵的攻城设施都已齐备,于是纵火焚烧官军的瞭望台。贼兵剖杀孕妇,取出胎儿占卜吉凶。城楼已被贼兵的炮火击坏,守臣郭伟运土填实,使贼寇无法靠近。郭伟正在城上吃饭,邵青用炮轰击他的几案,又用弓箭射死他的侍吏,郭伟也不顾忌。双方相持共九天,郭伟招募敢死勇士乘夜下城,借风势焚烧贼兵的慢道;又过了两天,决开姑溪水灌进贼营。邵青处境窘困,正逢刘光世派人来招安,第二天,邵青就撤退而去。起初,邵青的参议官魏曦多有智谋,郭伟怕他,于是写了封信,用响箭射到城外。不久,魏曦极力劝说邵青接受招安,邵青大怒,杀了魏曦。人们都说郭伟写了离间的话,邵青相信了他。

癸亥(二十八日),起初,马进已被江、淮招讨使张俊所打败,而李成还在蕲州,到这时张俊率兵渡过长江,到黄梅县,亲自与李成交战。李成占据石幢坡,凭借山势投掷木头石块伤人,张俊于是先派遣游动的兵卒进退,像是要争占险隘的样子,以使敌人产生错觉。张俊率领兵众进攻险隘,贼兵奔逃溃散,马进被追兵所杀。李成撤退,率领余众投降伪齐。

六月,丙寅朔(初一),高宗诏令:"自今以后,每月初一、十五日在殿上遥拜二圣,百官在殿下行礼。"在这之前,高宗与百官一并在庭上遥拜二圣,而中书林通认为不合适,请求用家人之礼,所以有此诏旨。

壬申(初七),宰相范宗尹率领百官,在太庙奉上昭慈献烈皇后的谥册,宝印用银制并涂金,册用象简,其文字是由参知政事秦桧所撰写的。当时太庙神主寄寓温州,于是就在大善寺大殿上设置祖宗寓室举行典礼。

丁丑(十二日),高宗诏令越州再次严格门禁。当时,有溃散的士兵数百人直入皇帝所在地越州,在禹迹寺留宿,全城震惊。议论者以此上言,朝廷于是命令各门增加甲士防守观察,朝廷命官亲自书写职位方能出入。兵马从外地到越州的,一律在城外驻扎。

戊寅(十三日),上言者议论:"朝廷暂驻江南,是不得已,应当制定铲除金人恢复中原的计划。近年来驻跸扬州,拥有军队几十万,可以与金国一战;而侦察不明敌情,金兵突袭而来,结果疲于奔命,使敌人渡过长江进入越地,这是宰相黄潜善、汪伯彦的过失。前年皇上移驾建康,这时军队训练有素,将领勇敢,粮食充足,财物丰富,占据长江不测天险,正当敌人疑惧之秋,可以防守;但不设水军,金兵尚未到来,而自己已先逃奔,沿海南下,这是吕颐浩的过失。过去的事已不可直言规劝,将来的事还可以补救改正。陛下今年的战守之策,将从何而出?万一事件仓促发生,大臣再想抛弃土地,丢掉人民,扔下府库,脱身奔逃,这难道是安定国家社稷的谋略吗!臣愚以为,有江河湖海,就必须依靠舟楫战守的器具;有险关阻塞,就必须依靠郡县固守的能力;有士兵将领,就必须驾驭驯服他们,不可成为将帅自卫的资本;有财货贡赋,就必须运转输调各地,不可成为盗贼侵占的资财。希望朝廷委任大臣,早做筹措。"

己卯(十四日),昭慈献烈皇后的灵车启行,送丧者执绋前导,高宗在行宫外门举行祭奠,参知政事张守撰写哀册文。祭礼完毕,高宗换上吉服回到宫内。百官穿着初丧的服饰,到五云门外向灵柩辞别,退下,改穿常服,到常朝殿门外站立值班,进呈职名表示敬意。旧例规定,园陵用吉凶仪仗五千三十一人,此时,太常请求暂且用五百四十四人。

起初,总护使李回已接受任命,有关官吏仍援引园陵的制度,任用官吏分设机构,费用颇多。宝文阁待制陈戬,当时任给事中,上疏论次评定,认为昭慈献烈皇后将来归祔泰陵,又用什么礼仪?至于说会稽山的山石不可采用,而想采用他山之石;厢兵禁军不够使用,而想调集各郡的民夫;都是因为心术邪恶,才如此奢侈,怎么能不违背太后仁慈恭俭的遗训!于是一切削减节省。

辛巳(十六日),诏令文林郎、越州上虞县丞娄宗亮前往行在,因为他上言议论国家大计。

娄宗亮的上书说:"先代贤臣有言,太祖舍其子而立其弟,这是天下之大公;周王赵祐薨,真宗收宗室子弟进入宫中养育,这是天下之大忧。仁宗皇帝领悟了先代贤臣的主张,诏令英宗入宫继承帝位,子子孙孙,宜作君王,遭遇变故,如带子一样延续不断,现在拥有天下的,独有陛下一人而已。敬思陛下约束自己，忧劳辛勤，备尝艰难，正当年富力强之际，自当多有子嗣。以前陛下少近后宫，太子尚未降生，孤立无助，有识之士为之寒心，天意或许深为陛下追念祖宗的仁爱之心和长远的忧虑而有所推及吗？自崇宁年以来，阿谀之臣进言，推尊濮王允让的子孙当作皇帝近亲，其余的都称之为同姓，致使太祖的后代，寂寞无闻，离散破落，仅与百姓一般。恐怕祭祀过于亲近，仰违上天的监视，太祖在天之灵，不肯眷念感动，这是二圣之所以没有返回銮驾的希望、强敌之所以没有后悔祸乱的意思、中原之所以没有休养生息的时日的原因。希望陛下在伯字排行的人中，遴选太祖子孙中有贤能德才的人，依照爵秩封为亲王，让他治理国家，以待皇子降生，然后退处藩王之地。更加广泛选拔宣祖、太宗的后裔中才能武艺可为称道的人，提升到南班学习以备位于环卫之列。这样或许上能慰藉祖宗的在天之灵，下可维系人心的愿望。臣本是书生，白首年老仍为选人，已近二十年了，现在将要告老还乡，不敢缄默不言。臣地位卑微，妄言高贵，罪该万死，只希望陛下赦免！"奏疏呈上宫中，高宗读后大为感叹，并有所悟。

壬午(十七日)，权且将昭慈献烈皇后的灵柩安葬在会稽县的上皇村，陵围方圆一百步，下宫深一丈五寸，陪葬品只用铅锡，设置都监、巡检各一员，卫兵一百人，生日忌辰，每月初一、十五节令时序，按照天章阁的礼仪举行祭祀。改宝山证慈禅院为泰宁寺，专门供奉香火，赐田十顷。高宗事奉昭慈皇后，极尽孝心爱意。所以园陵的礼仪规范，都与母后临朝时相同。

癸未(十八日)，江淮招讨使张俊率领大军到达瑞昌县的丁家洲。

起初，张俊接受密旨去兼并李允文，恐怕他抗拒命令，就与神武后军统制陈思恭谋划此事，陈思恭说李允文兵力还多，必须用计智取。适逢英州编管人汪若海从江东前往贬谪地，行到抚州，李允文写信招他。招讨使参议官汤东野，就带汪若海拜见张俊。张俊说："您与李节制友好，何不去劝说他与您一起来，以免我在盛夏率兵到鄂州。"汪若海说："他与我一起来而少保诛杀他，那么我汪若海就是出卖朋友。"张俊说："我以百口之家担保他的性命。"汪若海先写信给李允文说："张少保已击破李成，想移师直指武昌。我汪若海说您没有反叛的迹象，他的部下说：'节制不是朝廷命官，并且杀了袁植，扣留四川纲运，不是反叛又是什么！'只有少保说：'以百口之家担保他的性命。'现在有三条出路：刘豫新立伪朝，您能率领张用的部众，擒获刘豫以取得朝廷重赏，这是一；或者率领部下往西投奔宣抚司张枢密，既相征召，必定为您报告朝廷，这是二；相信少保以百口之家担保的诺言，这是三。您不要依恃张用之徒而逞强，他们看到李成被击破，都已丧魂落魄，如果知道朝廷谴责您。必定倒戈来驱逐您。"李允文很感动并有所觉悟，于是率领全军东下。张俊因而下达檄书给汪若海，令他一并招抚新任舒蕲镇抚使张用。当时张用从咸宁县领兵奔赴分宁，被通泰镇抚使岳飞所追逼，在丁家州与张俊会合。张俊统领二支军队，派遣统制王伟护送李允文及参谋官滕膺前往行在。

甲申(十九日)，昭慈献烈皇后神主回到越州。

戊子(二十三日)，高宗晓谕大臣说："前时下令广泛选取太祖后裔中二、三代者，得到四、五人，但资质相貌都不聪慧，暂且令他们回家，等他们到泉南后再选取。"在这之前，尚书右仆射范宗尹有亲近之请，高宗说："太祖凭借圣明英武安定天下，而子孙不能享有天下，遭遇时事多艰，其衰败令人哀伤。朕如果不效法仁宗，为天下着想，凭什么告慰祖宗的在天之灵！"同知枢密院事李回说："以前的君主，只有尧、舜能把天下交给贤德之人，只有太祖不把帝位偏私给予自己的儿子,圣明决断,出于至诚。陛下深谋远虑,对上符合太祖的心愿,实在是可以昭示感动天命。"高宗说:"此事也不难做,只是道理所在。朕只让在伯字行辈中选择,或许能合乎昭穆顺序。"秦桧说:"必须选择宗室闺门中有礼法的人。"高宗说:"应当如此。"签书枢密院事富直柔说:"宫中有可以托付的人吗?"高宗说:"朕已找到了他们。如果不先选择宫嫔,那么可担心的事就更多了。"范宗尹说:"陛下睿智英明,考虑如此周密,宗庙有无边的洪福。"高宗所指宫嫔,就是张婕好、吴才人。

起初,安南贼吴忠,与其同伙宋破坛、刘洞天作乱,聚众数千人,焚烧上犹、南康等三县,杀巡尉,进犯军城,统制官张中彦、李山屡次举兵讨伐他们,都不能取胜。这一天,江南提点刑狱公事苏恪,任命从事郎田如鳌代理南康县丞,命令他与朝奉大夫、权通判魏彦杞前往招捕。不久,宋破坛被魏彦杞所杀,田如鳌随即派兵焚毁贼寨,杀了刘洞天。

壬辰(二十七日),金国赐昏德公(宋徽宗)、重昏侯(宋钦宗)每人两套应时服装。

这年夏季,金国左副元帅宗翰,右监军希尹,从云中到白水泊,右副元帅宗辅,从燕山到望国崖避暑。山西汉民贿赂宗翰的侍卫毒杀宗翰,宗翰差点死去。

秋季,七月,乙未朔(初一),刘光世将干枯的秸秆上生出花穗当作祥瑞之兆,上奏此事。高宗说:"年成好,人们不缺乏粮食,朝廷有贤人辅佐,军中有十万铁骑,才可以认为是祥瑞,此外均不足信。朕在藩府时,屋梁间生出芝草,府官都想上奏朝廷知道,朕亲手捏碎了它,不想制造这种奇怪的事情。"辅臣叹服。

庚子(初六),朝议大夫、新任知澧州吴革被任命为潼川府路转运副使。自从设置宣抚司后,四川监司由敕命擢授从这开始。

诏令通泰镇抚使岳飞的军队,暂留洪州弹压盗贼,这是因为江淮招讨使张俊将要班师还朝。于是任命岳飞为神武右副军统制。

壬寅(初八),恢复设置翰林天文局、太史局学生,太史局五十人,天文局十人。

丁未(十三日),太尉、两浙西路安抚大使、淮南、扬、楚等州宣抚使刘光世兼任海泗安抚使。当时,淮北的人归附的很多,所以命令刘光世安抚他们。

殿中侍御史章谊上言:"听说邵青从太平州乘船,经过镇江府、江阴军,随即进入平江的常熟县,所到之处抢劫掳掠。刘光世派出骁将精兵却不能及时擒获制服他们,这是因为邵青的部下所乘的都是舟船,而刘光世的军队都是些陆地上的步兵的缘故。国家已凭借长江作为险阻,却不重视建设水军。现在邵青是一个小丑,刘光世是一位大帅,而邵青竟敢越境深入劫掠;假使有比邵青更强大的盗贼,将凭什么抵抗他! 臣听说古代兵法,水军有三等,舟船最大的为阵脚船,其次为战船,最小的为传令船。大概水军布阵崇尚持重,所以用大船;出战崇尚轻捷,所以用其次;至于江海波涛之间,旗帜金鼓,难以指挥进退,所以用小船。由此来看,凡船无论大小,都可以作为防守出战的器具,不必都用大船然后才能济事。希望在皇上驻跸之地,设置一支水军,任命名将统帅,计划也容易实行。"高宗诏令淮南宣抚使筹措此事。当时邵青已转移舟船驶往通州海门镇。但行在却不知道。

己酉(十五日),昭慈献烈皇后的神主送往温州太庙。

乙卯(二十一日),中书舍人林遹轮到奏事,议论说:"金兵虽然北去,怎么知道它不是示弱以懈怠我军,等到秋高马肥,派遣李成招集淮河沿岸的饥民,迅速收拢群盗,侵袭江南,从容派出精骑,由真、扬、福山乘虚直捣浙右。希望乘现在的时机,聚集兵马,积储粮食,检阅将士,以准备防秋的计策。今日的弊病,在于水军不习水战,将领不听命令,财用完全匮乏,百姓食物艰难,而且极少,州县以战事为名,加倍搜括,没有限度。这才是心腹之患,是政事首先要解决的问题;而盗贼、四裔,尚且是病在四肢,可以逐渐消除。希望陛下与大臣及早商议谋划此事。"

起初,五湖的捕鱼人夏宁,聚集他的同伙为盗贼,后来有贼众一千余人,专门掳掠人食用,郭仲威曾招降他们,他们没有接受,到现在接受了刘光世的招安。又有郭仲威的余党出没于淮南,也接受刘光世的招安,都命令他们来长芦等待船只渡江。夏宁等人没有食物,半月之间又吃掉一万余人,这一天,才派出船只迎接他们。从此,江北乡村更显得凋敝残破了。

己未(二十五日),昭慈献烈皇后卒哭日,命令左监门卫大将军赵士㻑,在宫内天章阁的几筵前举行卒哭祭礼。高宗不上朝理事,百官进呈名帖表示慰问。

辛酉(二十七日),召江东安抚大使兼知池州吕颐浩前往行在,想让他代替范宗尹。

这一天,吕颐浩统率各将与张琪在饶州城外交战,大败张琪。张琪从徽州领兵进犯饶州,兵众号称五万。当时吕颐浩从左蠡班师还朝,麾下兵众不满万人,郡内百姓非常惊恐。吕颐浩派遣统制官巨师古招降张琪,张琪假装接受招降,诱骗巨师古进入他的营寨,于是率兵逼近城下。统制官、右武大夫、宣州观察使阎皋,是吕颐浩的爱将,正在宜黄捕捉盗贼,吕颐浩快速发出文书招他前来,适逢阎皋平定盗贼而回,星夜兼程,赶赴饶州。吕颐浩召集各统兵官姚端、崔邦弼、颜孝恭、郝晸等人驻军城外,都令他们听从阎皋的节制。姚端军为左翼,崔邦弼军为右翼,阎皋率领中军,吕颐浩亲自画阵图交给他们。张琪的军队到了近郊,前军将张俊作战失利,张琪依恃人多势众,径直进犯中军,阎皋拼死力战,而姚端、崔邦弼两军夹击,于是大破张琪、追击三十里,斩杀贼众甚多。张琪又另外派遣水军分道从景德镇前来进犯,吕颐浩派遣统领官张庆率领崔增的余众抵抗张琪,张琪逃去。这天夜晚,张琪的爱将姚兴率领所部向巨师古投降,张琪于是逃到浮梁县,接着又回到徽州。

癸亥(二十九日),尚书右仆射、同中书门下平章事兼知枢密院事范宗尹,充任观文殿学士、提举临安府洞霄宫。

范宗尹提出讨论滥加赏赐的建议,士大夫中不断追求名利的人争相排挤他。大将杨惟忠、刘光世、辛企宗兄弟都曾跟随童贯行军,议论的人怀疑他们也应当受到贬职处分。同知枢密院事李回,也说他在任中书舍人时因校正御前文籍而升官,请求降级停职。高宗说:"宣和时的政事,恐怕不一定都是错的。君主重视文籍,当然是好事,怎么可以与其他滥赏的事相提并论!"参知政事秦桧说:"此法一实行,品行卑劣的人稍加削夺,就如同没有过失的人,实在是侥幸;品行清高的人,稍受处分议罪,就认为是莫大的耻辱,不敢在朝廷任职,恐怕君子受害。"高宗回头晓谕范宗尹,范宗尹说:"此事如同李回的没有几个,其他人不值得顾惜。"于是降旨,侍从及馆职兼领他职的人有罪。又下诏,武臣滥赏,一并免于讨论,令尚书省出榜晓谕。这一天,是壬子(十八日)。

命令已下,高宗终于认为不当。两天后,高宗批示:"朕不想归过于君父,积怨于士大夫,可即日停止。"范宗尹坚持认为可以实行,即日请求辞官离去。第二天,高宗就召直龙图阁、新任知台州沈与求到行在。又过了一天,辅臣进呈公文,高宗说:"天下事不必太固执。至如君主有过失,还允许说话的人畅谈,如果立即加以阻止,只求人不进言,这样就会对事情有损害。"起初,范宗尹提出建议时,秦桧极力赞成,到现在看到高宗主意坚决,反而以此来排挤范宗尹。又过了五天，高宗诏令通过驿站传召吕颐浩。第二天，就召翰林学士汪藻起草罢免范宗尹的制书说："以前轻率采用他人的言论，随意裁减官吏，使朝廷的尊严受到天下的诽谤，使君主的孝顺露出君亲的过失。朕正善意告诫，而申明命令于朝廷，你却搁置诏书不予施行，而在下面坚持已见向下推行。"范宗尹任宰相有一年多。

起初，范宗尹与辛道宗兄弟往来甚密，高宗对此不快，到这时被很快罢免。于是自崇宁、大观以来的滥赏，一律免于讨论。只命令吏部审查酌情处理而已。

八月，乙丑朔（初一），高宗诏令奉安天章阁祖宗的遗像于法济院，因为皇帝颠沛流离，遗像还在船上的缘故。

丙寅（初二），利州观察使、湖东马步军副总管孔彦舟被任命为蕲黄镇抚使兼知黄州，这是采用张俊的奏议。当时孔彦舟在鄂州，船多粮足，张俊恐怕他盘踞要地，所以上奏调用他。

拱卫大夫、相州防御使、新提升的舒蕲镇抚使张用，有部众五万人在瑞昌。几天后，张俊亲自挑选他的军队，精锐者留下，老弱者准许自寻方便。有的投奔曹成，有的投奔岳飞，有的投奔韩世忠，有的自己离去而成为百姓。张俊收编张用的军队后，就任用他为本军统制。

乙亥（十一日），高宗晓谕辅臣说："列入党籍的人至今还没有追赠完毕，爱卿等应替朕留意此事。程颐、任伯雨、龚夬、张舜民，这四个人的名望、德行尤为卓著，应立即褒奖追赠。"于是追赠龚夬直龙图阁。

丁丑（十三日），命令右监门卫大将军赵士芑在温州太庙哲宗室合祭昭慈献烈皇后的神主，采用太常少卿苏迟的建议，昭慈献烈皇后的牌位在昭怀皇后之上。这一天，韩肖胄题写神主完毕，将神主藏放在西夹室。高宗不上朝理政，百官进名慰问。按旧例，神主深埋在殿后，议论的人认为高宗正在巡幸，应当等到回到宫阙再按旧例施行，以后就变为成例。赵士芑，是濮王的曾孙，被金国扣留后回到宋朝，到此时刚抵达行在。

戊寅（十四日），同知枢密院事李回被任命为参知政事，端明殿学士、签书枢密院事富直柔被任命为同知枢密院事。

庚辰（十六日），已故追复端明殿学士、降授奉议郎苏轼特赠资政殿学士、朝奉大夫，因为他的孙子宣教郎、知蜀州苏符上言称苏轼的官职没有全部追复。

辛巳（十七日），诏令尚书省重新设置催驱三省房及催驱六曹房。

范宗尹任宰相时，事情多有滞留，等到他罢相的制书下达后，三省的官吏抱着已办完的文案到范宗尹处签字的不可胜数，所以有这道诏命。

丁亥（二十三日），参知政事秦桧任尚书右仆射、同中书门下平章事兼知枢密院事。

范宗尹罢免后，相位长期空缺。秦桧倡议说："我有二策，可以耸动天下。"有人问："为什么不说？"秦桧说："现在没有宰相，不可以说。"高宗闻知此话，于是有这道诏命。

戊子（二十四日），追赠张舜民为宝文阁直学士，程颐、任伯雨同为直龙图阁。制书说："朕思周朝衰微，圣人之道不能流传。世上的学者，违背圣人之道而追逐功利，不自我修养而追随别人，那些想知道仁义道德学说的人，谁会去追随而听从他的教诲呢？偶尔有老师大儒，不研究章句，不学习训诂，自得于心正意诚之妙，而曲解所学以迎合世俗的人又追随别人而排挤、诬陷他，终于使他颠扑流离，其祸害对儒者就严重了。你程颐潜心于高深的学业，并无期待却兴盛发达。刚退居洛阳，就有子弟跟从，学习孝弟忠信；等到进入朝廷任职，纠正圣上的心意，违背圣上的旨意，一心引导君主符合圣人之道。由他的内心观察他的外表，以已发生的行为预料未发生的行为,则高明自得的学问,可以坚信无疑。而浮夸虚伪之徒,自知其学问文采不足以表现于世,于是盗用程颐之名而贩卖自己的货色,外形恬淡沉默,内藏追名逐利,外形朴实迟钝,内藏奸诈狡猾,外形严肃正直,内藏乖违邪僻,于是使天下听到程颐学说的名声而憎恨他,这才是不幸之所在。朕赐给赞书,赐给延阁以示宠爱,之所以这样激励褒扬他,是为了表明圣上所提倡的,在此而不在彼。"

在这之前,程颐的儿子程端中任知六安军,被盗贼所杀,程颐的孙子将仕郎程晟,在韩世清军中。任伯雨的儿子承务郎任由先,建炎年初曾任御营使司主管机宜文字,没有赴任。到这时诏令他们一并到行在。

壬辰(二十八日),高宗诏令:"夏国的日历从此不再颁赐。"

这一天,吏部员外郎廖纲上言:"古代天子必有亲兵,实际上是自己统帅,这是为了用来防备不测而加强君主的权威,使君主没有宝剑反向的悔恨,汉代的北军、唐代的神策军就是这样的亲兵。祖宗时的军制尤为严格,如三衙四厢所统辖的军队,防范周密完备。现在这种军队逐渐废弛,所赖以防备非常事变的,不过是各将的外卫之兵而已。臣希望考查旧制,选择十几万精锐兵作为亲兵,由皇上直接亲自统帅,平时则用作禁卫,战时则用作中军,这是强干弱枝之道,最是今日的当务之急。以前段秀实曾对唐德宗说:'譬如猛虎,百兽所畏惧的,是它的爪牙。爪牙废残了,就是一只猪、一只狗都能与他为敌。'说的正是这个道理。希望陛下留神而不要忽视。"

九月,戊戌(初五),刑部上奏军士黄德等人劫杀案目,他的两个同伙在拘留所等候处置,刑部想免去他俩的死罪。高宗说:"强盗不分首犯从犯,这种人用不着宽免!朕平时不敢食用活物,害怕多杀。这时应当杀的就必须杀!"富直柔说:"活物不应当死的,即使是跳蚤、虱子也可以怜悯;对其该死的,即使是人也不可宽恕。"高宗认为他说的很对。

甲辰(十一日),当初,朝廷因张琪、邵青反复为盗,命令各将不得招安。而徽猷阁待制、知平江府胡松年上言:"大将四面合围,二十多天还不能击破盗贼。现在邵青占据通州崇明镇沙滩上,贼寨的栅栏外,因水浅船不能行驶,泥深人不能涉过。本府的钱粮已耗费十三万贯石,公私骚动不安,而盗贼不可轻视。况且刘光世的兵将,大多是西北人,一旦在江河湖海中活动,就会有人头晕目眩,不能饮食,怎么能与盗贼在矢石之间较量胜负呢!"

在这之前,刘光世上奏已派遣统制官王德讨伐邵青,又奏邵青处境窘困,朝廷认为真是这样,等到胡松年这样说后,才命令刘光世设法处置。二天后,右司谏韩璜也上奏说:"邵青拥有船只数千艘,而朝廷却没有水军抵御他,恐怕盗贼转入海道,惊动浙东。而且浙西正当收成之时,邵青如果突然到来,必然误我国家大计。另外,朝廷军队疲劳,耗费财力,或者金国、伪齐入侵江南,借邵青为其所用。"凡需考虑的有五件事。疏文上奏后,朝廷就催促刘光世招降邵青。

辛亥(十八日),在明堂合祭天地,太祖、大宗一并配享。大赦天下。各州守臣不再带节制管内军马官衔,免去残破州县耕牛税一年。越州人得以解送举人,并免去将来资格考试一次。各路判处死刑者,可以免去奏请按察,由于道路不通,一并听候减等判案发落。唐李氏、后汉刘氏、周郭氏、柴氏子孙,一并各授予一个官阶依次排列的名目。录用元符末年上书人的子孙。凡在战争中遗弃在道路上的十五岁以下的孩子,听任各种人收养,孩子就随其收养人的姓。盗贼准许在一个月内投案自首,以前的罪行一概不追究。

这一天，以常御殿为基础扩建为明堂，只设置天地祖宗四个神位，其牌位涂红漆，写青字，长二尺五寸，宽一尺一寸，厚一尺一寸，在丑时一刻举行祭礼。高宗亲笔书写明堂和飞白门榜。当时没有苍璧、黄琮，礼官援引旧例，请求用木代璧，绘上天地的颜色。高宗认为祀天不应当计较费用，用高价买玉来制作。不久因尺寸不合礼经的标准，于是命令有关官吏酌情制造。祀天礼毕，在常御殿外宣读赦书，这是因为行宫门前地方陡峭狭窄的缘故。

这一年，内外各军犒劳赏赐共有一百六万缗，而户部置办的金银钱帛三百五万四千七百余贯匹两，都委派官员在各路搜括。川、陕各军，则宣抚处置司就地以川路助赏的物帛供给他们。除各军外，宰相和百官一并暂时实行停止支取，这是因为贡赋尚未收集的缘故。

当时中书舍人兼直学士院席益起草赦文，文中有这样的话："上苍怀有后悔祸患之心，群臣竭尽扶定倾危之力。军队高奏凯歌，农事获得成功，于是举行宗庙祭祀大礼，修德报恩。"高宗认为他夸大其词，不高兴。

壬子（十九日），嗣濮王赵仲湜请求合并西、南外宗正为一司，从而减省官吏；此事下达给给事中和中书舍人，中书舍人胡交修等人上言称泉州财力匮乏，未被准请。这时西、南两外宗子宗女宗妇共五百余人，每年费钱九万缗。

癸丑（二十日），镇南军节度使、开府仪同三司吕颐浩官拜少保、尚书左仆射、同中书门下平章事兼知枢密院事。吕颐浩援引旧例辞去所晋升的官阶，于是以特进就职。

甲寅（二十一日），诏令录用两浙钱氏子孙嫡长者一人为官，这是因为赦书未涉及钱氏子孙的缘故。

丙辰（二十三日），吕颐浩上言："先平定内部贼寇，然后可以抵御外侮。现在李成被挫败，李允文已洗心革面，张用接受招安，李敦仁已经失败，江、淮之间唯有张琪、邵青两股贼寇，不用多久一定可以荡平，只有闽中的贼寇情况不同。另外，孔彦舟占据鄂地，马友占据潭地，曹成、李宏在湘、湖、江西之间，而邓庆、龚富剽掠南雄、英、韶各郡，贼兵多寡不等。然而闽中的贼寇最为紧急，广东的贼寇次之。由于闽中离行在不远，二广未经残酷暴掠，如果不快速剿除贼寇，将祸患不浅。"高宗诏令枢密院筹措此事。

丁巳（二十四日），金房镇抚使王庶在秦郊店打败李忠，李忠败走投降刘豫。

起初，曹端已被程千秋所杀，李忠自称是京西南路副总管，为曹端报仇，侵扰京西，进犯金州，图谋进入蜀地。于是申报宣抚司，乞求下发洋州关隘的照会。张浚为此忧虑，于是派遣提举一行事务、阁门宣赞舍人颜孝隆、禀议官、宣议郎盖谅快马赶到金州，以慰问安抚为名，并且以黄敕任命李忠为知商州兼永兴军路总管。颜孝隆到了李忠军中，被李忠劫持，他将此情况报告张浚，说李忠实际拥兵二十余万，盖谅探知，报告张浚请求做好防备。张浚恐怕颜孝隆被李忠杀害，委派利夔路制置使王庶迎接李忠入关，并且令将他的部众分散安置在梁州、洋州境内。王庶将檄书发往李忠军中，令其解甲列队入关，李忠在离关二十里处驻兵，徘徊了一个多月，没有解甲的意思。一天傍晚，李忠杀掉颜孝隆后逃走，随即进攻金州，王彦率兵抵御。

李忠沉着勇猛善于作战，他的部下大多是河北骁勇果敢之兵，官军与他们作战，往往失利。一天，王彦派遣军队在丰里与李忠交战，命令提举官赵璠率统领官门章驻兵山脚下，作为策应，王彦凭借地势高观察情况。官军稍有退却，王彦指挥赵璠去救援，赵璠没有策应，官军于是失败。王彦退守秦郊，李忠于是攻陷各关。王彦命令将士全部埋伏在山谷之间，放倒旗帜,焚毁积聚,好像将要逃跑似的;招募敢死的士兵一千余人,设下埋伏等候李忠的到来,交战前的一天,王庶估计李忠将进郡城,夜半时分,将官军分为三路遏制要冲。凌晨,果然李忠的大队人马到来,官军迎战,声震山谷,胜负未分,突然埋伏的骑兵张开两翼从山间绕出,李忠大败,官军追击到永兴军的秦岭。适逢王庶派遣偏将鹿晟、冯赛前来支援,冯赛抄小路袭击李忠,斩杀他的部将曹威等三人。张浚记录他们的战功,任命王彦为拱卫大夫、温州观察使。冯赛,起初任隆德府路经略使,自卢氏县跟随邵隆到兴元府,所以王庶任用他。颜孝隆,是博州人,后来追赠为果州团练使。

这年秋季,金国左副元帅宗翰全部迁出祁州居民,将祁州城作为元帅府。应当迁出的百姓,只许携带笼箧,其钱粮器物一律留下。

右都监耶律伊都到董城,西辽主率领余众北逃。耶律伊都因为粮食告罄,不能穷追而返回。

当时,盗贼越来越多,宗翰采用大同尹高庆裔的计策,下令盗窃赃款一钱以上者一并处死。云中有一个人在街市上拾到别人丢失的钱,高庆裔立即将他斩杀;萧庆知平阳府,有行人在菜园拔葱,也将他斩杀。百姓知道偷什么都是死,因此盗窃有所减少,而劫盗日益增加。高庆裔又请求各州郡设置地牢,深三丈,分为三层,死囚在最下层,徒刑流放的在中层,受杖刑的在上层,外面筑起夹城,周围开有深沟,宗翰听从他的请求并付诸实行。

宗翰担心百姓南归和四方奸细入境,高庆裔请求查禁各路百姓的人数和行李,并告知伍保邻人,其次告知百人长、巷长,再次告知所管部门取保证明以申报州府,才给番、汉证件得以出行;市中店铺验证之后方可卖给饮食,客栈检验后得以安放行李,到时则将证件交给官府,回去时则换了证件后才可以回去。在路途中,只限每天行三十里,违犯此限者如果不报告而出行的,决沙袋二百,并且不许全家出行及报请出行而转移到其他地方。于是人们出行没有缓急,动辄需要上十天,才能上路。又加上所需费用很高,小商贩和平民百姓,呆在家里不能出入,道路一片寂静,几乎没有人迹。

河东南路兵马都总管萧庆招降太行红巾首领齐实、武渊、贾敢等人,送给宗翰,都在狱中被杀。

续资治通鉴卷第一百一十

【原文】

宋纪一百十　起重光大渊献【辛亥】十月,尽玄默困敦【壬子】四月,凡七月。

高宗受命中兴全功至德　圣神武文昭仁宪孝皇帝

绍兴元年　金天会九年【辛亥,1131】　冬,十月,(乙丑)〔丁卯〕,诏直秘阁李允文就大理寺赐死,坐拥兵跋扈,擅权专杀也。

己巳,浙西安抚大使司统制官王德以黄榜招水军统制邵青,既而降之。

初,青自镇江引舟师驻于崇明镇,德往招捕,驻军青龙镇,自率亲兵往崇明,而为泥港所隔。青先遣人铺板,布钉签,官军不知,争渡而过,多死于泥中。青遥语德曰:"太尉后隔潮水,我若以数百人(掉)〔棹〕舟扼守津要,则太尉粮食不通而自毙矣。然岂可扼人于险,太尉其速归!"德曰:"邵统制,汝壮士,盍归朝廷乎?"青曰:"诺。然军中不能不犯朝廷之法,太尉可乞降一黄榜,应以前犯罪一切不问,则与太尉同归。"德许之,折箭为誓,言于朝。诏以青改过自新,可依所乞,日前罪犯,特与赦免。德遣使持榜示青,青见榜文,谓其乞降,大怒。其妻谓青曰:"汝不记作贼系狱,我剪发馈汝?今既如此,乃欲负朝廷耶?"时副统制、从义郎单德忠等皆欲就抚,惟统辖官阎在不欲。后数日,诸将晨谒青,德忠即击杀在于坐,谓众曰:"敢有不归朝廷者依此!"众默然。青闻之,挥涕而出曰:"单统制若欲得印,当好相付,胡为乃尔!"德忠食块自明,然后劝青纳兵以赎罪;青从之,遂受抚。

庚午,户部尚书孟庾参知政事。

江东安抚大使司言李捧、华旺已就招,诏拣其兵隶诸将。

初,张琪既遁,捧等乃以所部就刘洪道招安,寻以捧为武经大夫、寿春府兵马钤辖,旺为池州兵马都监。既而洪道言:"捧所部精锐,可得万人,捧状貌伟健,且勇于战斗,虽语言鄙俚,每合兵机,又能不贪,采用众谋以得下情。观捧所长,殆非庸将所及。"乃命神武前军统制王瓒以捧众赴行在。

乙亥,起复明州观察使、陕西诸路都统制、秦凤路经略使吴玠,及金人战于和尚原,大败之。

初,金陕西都统洛索卒,宗弼遂会诸道兵数万谋西入,宣抚处置使张浚命玠先据凤翔之和尚原以待之。宗弼造浮梁于宝鸡县,渡渭攻原,玠及其弟秦凤兵马都钤辖璘率统制官雷仲等,选劲弓强弩与战,分番迭射,号驻队,矢接发不绝,且繁密如雨。金人稍却,则以奇兵邀击,断其粮道,凡三日。是夜,大破之,俘馘首领及甲兵以万计,宗弼中流矢二,仅以身免,得其麾。

于是浚承制以玠为镇西军节度使,璘康州团练使、泾原路马步军副总管。是役也,玠所部全军转五官资,是朝请郎、通判凤翔府兼经略司主管机宜文字陈远猷,亦迁朝散大夫、直秘阁,秉义郎、郃门宣赞舍人王喜,迁左武大夫、威州刺史、宣抚司统领军马。

喜,满城人。靖康初,金人攻京师,陕右大震,喜聚壮士十八人,不旬日,附者甚众,喜为立保伍法于常乐镇,营建寨栅,号“王万年”。王庶为节制使,奏授成忠郎。已乃率所部归玠,玠用为秦州兵马钤辖,改知同州。至是以奇功,遂骤进。

宗弼自河东还燕山,左副元帅宗翰留宗弼在军中,更以陕西副〔统〕完颜杲为陕西经略使,将兵屯凤翔府,与玠相持。

壬午,福建民兵统领范汝为入建州。汝为据建安,众十馀万,至造黄、红伞等,制置使辛企宗用兵连年不能制。及是汝为引兵入城,直秘阁王浚明以下皆遁,贼遂据其城。

甲申,起复龙图阁待制、知兴元府、利夔路制置使王庶升徽猷阁直学士。

初,庶以本路军籍单寡,乃籍兴元府、兴、洋州诸邑及三泉县强壮,每两丁取一,三丁取二,与免户下物力钱二百千,号曰义士。每五十人为一队,知县为军正,尉为军副,日阅武于县,月阅武于州,不半年,有兵数万。每遇敌,则厚犒赏之,教阅有方,可以出战,则令、尉皆改京秩。张浚言于朝,故有是命。其后合兴、洋、三泉四郡义士至七万馀人。

戊子,斩有荫人崔绍祖于越州市,其弟光祖配琼州牢城,以伪造上皇手诏,自称大元帅故也。

己丑,升越州为绍兴府。

张琪自宣州遁去,欲北降伪齐。是日,知承州王林所遣总辖官、郃门祗候张赛生擒之于楚州,槛赴行在。

壬辰,录程颐孙将仕郎易为分宁令;后五日,又官其家一人。

是月,伪齐刘豫遣其将王世冲寇庐州,守臣王亨以计诱世冲,斩之,大破其众。

十一月,乙未,江东安抚大使叶梦得始至建康。

时建康荒残,见兵不满三千人,诸将散居它郡。梦得至,乃奏统制官韩世清一军自宣州移屯建康,遣水军统制官崔增屯采石,及统制官阎皋分守要害,而世清尚未至也。先是王才据横涧山,降刘豫,遂引伪知宿州胡斌以兵入寇,诏淮南宣抚使刘光世遣兵招捕,梦得使统制官张俊自青阳间道会之。吕颐浩欲招才,乃命才以所部赴行在。于是梦得遣使臣张伟谕才如诏旨,才遂率其将丁顺等三十馀人渡江。才惧罪,请留建康。颐浩议以淮西一郡授才,使统其兵之任,梦得以为不可。乃诏才自显武郎、郃门宣赞舍人迁武翼大夫、充建康府兵马钤辖,汰遣其众,得正兵千馀人,分隶诸军。

戊戌,诏以会稽漕运不继,移跸临安,命两浙转运副使徐康国兼权临安府,与内侍杨公弼先营宫室。

先是尚书左仆射吕颐浩言:“今国步多艰,中原隔绝,江、淮之地,尚有盗贼,驻跸之地,最为急务。陛下当先定驻跸之地,使号令易通于川、陕,将兵顺流而可下,漕运不至于艰阻。然后速发大兵,一军从江西、湖南以平群寇,一军往池州至建康府,处置已就,招安尚怀反侧之人,于明年二三月间,使民得务耕桑,则在我之根本立矣。然后乘大暑之际,遣精锐之兵,与刘光世渡淮掎角而北去,由淮阳军、沂州入密州以摇青、郓,命张浚躬亲统兵,由河中府入绛州以撼河东,乘两路馀民心怀我宋未泯之时,知王师有收复中原之意,则中兴之业可觊也。若不速为之,逡巡过春夏,则金人它日再来,不惟大江之南,我之根本不可立,而日后之患不可胜言矣。臣尝观自古有为之君,将以取天下者,弗躬弗亲,则不能戡祸乱,定海内。伏望考汉高祖以马上治之迹,法唐太宗栉风沐雨之事,以速图之,不可缓也。三四年来,金人才退,士大夫及献言之人,便以为太平无事,致机会可乘之便,往往沮抑不得行。今天下之势,可谓危矣,既失中原,止存江、浙、闽、广数路而已,其间亦多曾经残破。浙江郡县,往往已遭焚劫,浙东一路,在今形势,漕运皆非所便。若不移跸于上流州军,保全此数路,及渐近川、陕,使国家命令易通于四方,则民失耕业,号令阻绝。俄顷之间,已至秋冬,金人复来,则虽欲追悔,无及矣。"至是遂定移跸之议。

参知政事孟庾为福建、江西、荆湖宣抚使,神武左军都统制韩世忠副之。时朝廷犹未知范汝为据建州,而论者皆言神武副军都统制、福建制置使辛企宗懦怯玩寇,故更遣世忠自台州进。

辛丑,太常少卿赵子昼言:"每岁春分日祀高禖,自巡幸不行,虽多故之时,礼文难遍。至于祓无子,祝多男,以系四方万里之心,盖不可阙,望自来岁举行。"从之。

乙巳,磔武义大夫、邠门宣赞舍人张琪于越州市。

辛亥,升康州为德庆府。

壬子,手诏:"内外侍从各举所知三人,限五日以闻;举得其当,受上赏,毋以先得罪于朝廷及蔡京、王黼门人为嫌。"

先是帝得陈襄荐司马光等三十三人奏章,大善之,故有是诏。礼部侍郎李正民,以为光等皆不合时宜者,由是帝薄之。

诏天章阁祖宗神御二十四位,权于临安府院奉安,朔望节序酌献,供馔一分而已。

癸丑,守尚书司封员外郎待聘尝言:"原庙之在郡国,有汉故事;而太庙神主,礼宜在都。今新邑未奠,宜考古师行载主之义,还之行阙,以彰圣孝。"

丙辰,诏武功大夫、荣州团练使曹成以所部赴行在,命张俊遣使持诏书往攸县就赐之。

时朝奉大夫、提举江西茶盐公事侯憙言:"成今据衡山,控扼要害,毒流三千里,莫之谁何。马友见与李宏溃卒合为一军,虽驻兵在潭,然素畏曹成。昔成在鄂,友自汉阳移军潭、衡以避之,其忌成可知矣。臣料贼意,若成由衡山顺流而下,友必弃潭而东入江西。盖前有孔彦舟之隙,后逼曹成,西拒刘忠,万一势穷力尽,则必归曹成而攻江西矣。闻友近招人买马,打造兵器,度其狡猾之心,观望向背,止在今春。朝廷若不早作措置,则江西诸郡,恐非朝廷有;江西失,则二广危矣。"诏付宣抚司。

己未,金迁赵氏疏属五百馀人于上京。

辛酉,伪齐秦凤经略使郭振以数千骑掠白石镇,武节大夫、邠门宣赞舍人、宣抚司选锋将王彦与熙河统制官关师古并兵御之。贼大败,振为官军所获,遂复秦州。张浚承制以彦为康州刺史。

壬戌,曹成犯安仁县,执湖东安抚使向子諲。

初,成既屯攸县,而子諲兵不满万,驻司于衡之安仁,遣使招成,亦听命。子諲乃檄成权本司都统制,而命诸将韩京以一军西守衡阳,吴锡以一军南定宜章,贼徒逡巡不敢南向者百有馀日,上江诸郡遂得以获。既而援兵不至,成忿子諲扼己,即拥众而南。子諲遣从事郎、权安抚司干办公事何彦猷、迪功郎、随军钱〔粮〕官张节夫见成计事，遇于途，二人皆遁去。子谭率亲兵与成相拒，自午至申，官军悉溃。子谭度不可遏，单骑入成军，谕以国家威灵。成不服，遂掠安仁县，进攻道州，执子谭而去。

金房镇抚使王彦斩中军统制官赵横、统领官门璋。

彦既败李忠，凯歌而归，大赏将士，待横如初，终不言丰里之败，横亦不疑。至是忽会诸将于球场，酒四行，叱横起，数其丰里不策应之罪，并璋斩之，复饮数行而归。

是月，金主以陕西地赐刘豫，从张邦昌所受封略故也。

十二月，乙丑，赵子昼权尚书礼部侍郎。宋以公族为从官，自子昼始。

己巳，秘书少监傅崧卿权尚书吏部侍郎，充淮东宣谕使。

辛未，宣抚处置使张浚，承制以邠门宣赞舍人、知兴州、同统领秦凤等路军马李师颜知成州，邠门宣赞舍人、利州路第三将柴斌知兴州。

金之破陕西也，师颜为耀州守，独率所部来归，其家属皆为金所得。金人服其忠义，遣其弟师文招之，师颜不顾，师文卒为所害，由是浚擢用之。

丁丑，手诏略曰：“比缘国难，盗起未息者，盖奸赃之吏无恤民之意。及烦王师，而军需不免又取于民。因循辗转，日甚一日，欲民不盗，不可得也。可将建炎三年以前积欠，除形势户及公人外，一切蠲除。如州县不奉诏，及监司迫胁州县巧作催科者，并除名。（并）〔令〕御史台纠察，多出黄榜晓谕。”又诏三省：“备以祖宗朝直决赃吏旧制镂板行下，自今有犯，依法行遣，仍籍没家财。”

曹成至道州，守臣直秘阁向子忞闻之，悉城中官军，得百有二十五人，俾之迎敌，又遣使招之。兵行三十里，与成遇，士皆惊逸。成自东门入，子忞从西门跳奔获免，成遂据道州。

戊寅，以彗见，许臣民实封言事。

庚辰，桑仲遣兵攻复州，守臣修武郎祖遹弃城走。

诏武翼大夫、邠门宣赞舍人、知海州薛安靖，朝散郎、通判州事李汇，并赴行在。令扬、楚等州宣抚使刘光世遣将统兵戍守。

安靖本刘锡属官，汇尝为沙河簿，在沧州，结约南归。会刘豫使守海州，至郡逾年，遂诱率签军谏等，杀金人所命沂南、淮北都巡检使王企中及伪齐之戍守者，率军民以城来归。寻以安靖为浙西兵马副钤辖，赐汇同进士出身、签书海宁军节度判官厅公事。

甲申，右司谏方孟卿言：“祖宗故事，谏官置局于后省，号为两省官。盖两省，朝廷政令所自出，祖宗以谏官居之，不无深意，今行在谏院，许于皇城内建置，未有定处。望令依旧随省置局。”诏谏院许于行在所都堂相近置局。

丁亥，言者请赃吏当死者勿贷，帝曰：“朕本心欲专尚德化，顾赃吏害民，有不得已者，然亦岂忍遽置搢绅于死地？如前诏杖遣足矣。”

（戊子）〔己丑〕，诏襄邓镇抚使桑仲，金房镇抚使王彦，释怨体国，不得自相侵扰。

初，仲虽受命，然犹恃兵众，再图取金州。是冬，以其众分三道，一攻住口关，一出马郎岭，一捣洵阳县，使其副都统制、武节大夫、荣州刺史李横统之，前军去金州三十里。彦曰：“贼兵以我为寡，故寇三道以离吾之势。今吾破其坚，则脆者自走矣。”时贼之大兵在马郎岭北，彦遣统制焦文通御住口关，而自以亲兵营马郎岭，与之对垒。大战凡六日，贼奔溃。彦纵兵追击，均州平。

绍兴二年　金天会十年【壬子，1132】　春，正月，癸巳朔，帝在绍兴。是日，从官已下先发，以将还浙西也。

甲午，诏："自今科场复置贤良方正能直言极谏科。"

丙申，福建、江西、荆湖宣抚副使韩世忠围建州。

先是世忠行师至福州，守臣程迈以贼方锐，欲世忠少留以俟元夕，世忠笑曰："吾以元夕凯旋见公矣！"师次延平，剑潭湍险，贼焚桥以拒王师。世忠单马先浮以济，师遂济。距建宁百里许，范汝为已伐木埋竹，及布铁蒺藜，开陷马坑，以拒诸要路。世忠乃偃兵，自间道急趋凤凰山；是日旦，至城下，遂围之。越四日，辛丑，收建州。

初，范汝为既被围，固守不下。世忠以天桥、对楼、云梯、火炮等急击之，凡六日，贼众稍息。夜，官军梯而上，城遂破，贼众死者万余，生擒其将张雄等五百余人，汝为窜回源洞中自焚死。其将叶谅，以所部犯邵武军，世忠击斩之，余众悉平。

初，世忠疑城中人皆附贼，欲尽杀之，资政殿大学士李纲，时在福州，见世忠曰："建州百姓多无辜。"世忠受教，及城破，世忠令军人悉驻城上，毋得下。植旗于城之三面，令士民自相别，农者给牛、种使耕，商贾者弛征禁，为贼胁从者汰遣，独取其附贼者诛之，由是多所全活。及还师，父老请祀之，世忠曰："活尔曹者，李相公也。"

壬寅，帝御舟发绍兴，神武右军都统制张俊、中军统制巨师古以其军从；留右军统制官刘宝殿后，以吏部侍郎李弥大权知绍兴府，节制内外军马。时百司先渡江，扈卫者独执政与给事中、直学士院胡交修、中书舍人程俱、侍御史沈与求而已。晚，执政登御舟奏事。帝至钱清堰，乘马而行。

湖南安抚使向子諲，自曹成军中复归蓝山县。

初，成既入道州，会枢密院遣干办官左弼持诏书谕成，俾散遣江、淮等路民兵，独与堪出战人赴行在，听张俊节制。其徒为盗久，惮俊严明，不听。湖广宣抚使吴敏，时在桂州，以兵力微不能进。新中书舍人胡安国移书于敏，以谓："帅臣见执而方伯不能治，此方伯之耻，不知策将安出？愿速遣前军进，由昭、贺以通春陵，北檄荆自衡移永，东檄吴锡严兵宜章，而亲总中军急渡岭而北，下临清湘，据三湖上流之地。然后诘问曹成擅移屯所与执帅臣之罪，就檄子諲赴军前议事。若其悔罪自新，则与之招安；不然，断而讨之，胜负可决；若复延久，必生内变。矧迫东作之期，民失耕种，不待接刃，已投于沟壑矣。"敏然其言而不能用。

先是宣抚（使）〔司〕都统制兼参议马扩，尝驻军大名，为成所服，乃遣小校张布持敏檄谕成，成许受招，始释子諲。扩旋去。又数日，敏（词）〔祠〕命亦至，成遂复为乱。

甲辰，帝次萧山县。

丙午，帝至临安。

壬子，侍御史沈与求迁御史中丞。

时禁卫寡弱，兵权不在朝廷。与求言："陛下移跸东南，将图恢复之举，先务之急，宜莫如兵。汉有南北军；唐自府兵、圹骑之法既坏，犹内有神策诸卫，外有诸镇之兵，上下相维，使无偏重之势。今图大举而兵权不在朝廷，虽有枢密院及三省兵房、尚书兵部，但奉行文书而已。愿诏大臣讲求利害而举行之，使人情不骇而兵政益修，助成经理中兴之志。"

初，建昌军石陂寨卒丁喜、饶青等为乱，聚众数千人，而芦溪寨土兵杨招，与乡民乘之纵掠。喜寻死，其徒姚达代领其众，帝命徽猷阁待制、新知宣州刘洪道（统领）〔督统〕制官崔邦弼等往捕。至是刘洪道请济师,乃诏统制官韩世清自宣州遣兵三千。时奉议郎、知贵溪县符建中亦遣举人刘锐往说谕土兵,众皆听命。诏官其首,馀众分隶信州诸军。

金主诏曰:"昔辽人分士庶之族,赋役皆有等差,其悉均之。"

戊午,三衙奏定临安府左右厢巡为百有十五铺,用卒六百七十三人,三衙及本府兵各居其半。

辛酉,武功大夫、忠州团练使杨勍以所部四千屯吉州,恣横不法。建武军节度使、江西兵马副总管杨惟忠欲图之,乃与勍叙同姓之欢,邀会饮,伏兵诛之,遂并其兵,寻进惟忠军职一等。勍自建炎中为盗,践蹂福建、湖南诸州,及是乃败。

二月,丁卯,尚书吏部侍郎李光试礼部尚书,吏部侍郎李弥大试户部尚书,徽猷阁直学士、知漳州綦密礼试礼部侍郎,太常寺少卿程瑀试给事中。

庚午,资政殿大学士、提举临安府洞霄宫李纲为观文殿学士、荆湖、广南路宣抚使,兼知潭州。

前五日,直秘阁、知道州向子忞奏曹成犯道、贺二州,宰相吕颐浩、秦桧,因陈:"天下大计,当用二广财力,葺荆湖两路,使通京西,接陕右,此天下右臂。如京东诸州为叛臣所据,正如国初河东,且留以蔽敌。诸路先定,它时并力图之,似为未晚。"桧请身至湖外,自当一面,效羊祜襄阳故事,帝曰:"卿等当居中运裁,不可授人以柄。"至是命纲,仍令福建等路宣抚副使韩世忠以所部统制官任仕安一军三千人授纲,由汀州之任,又命权(河)〔湖〕东安抚使岳飞率(河)〔湖〕东副总管马友及诸将李宏、韩京、吴锡等共击成。

时新除舍人胡安国,避地(河)〔湖〕东,亦以书遗桧,言:"吴敏兵寡,宜就遣世忠以为之副,俾歼殄群寇,收拾(遣)〔遗〕民。人言向子諲忠节,在今日可以扶持纲常,愿怜其无救而陷于贼,复加任用,俾收后效。"

金赈上京路戍边之民。

癸酉,起居舍人廖刚权尚书吏部侍郎。

丁丑,诏邠门宣赞舍人崔增、枢密院准备将领赵延寿、单德忠、李振、徐文、武功大夫李捧、枢密院水军统制邵青所部兵,分为七将,以御前忠锐为名,内增、青仍作水军,并隶侍卫步军司,非枢密院得旨,毋得擅发,仍铸印赐之。

己卯,秦桧因奏事言:"每见陛下屈己从谏,中外士民,无不感悦。"帝曰:"如前日百姓揭牌题以'供御绣服',问之,乃十年前京师铺户用其旧牌,已令毁撤。不知者将谓旧习未除,朕所服者多缯素,岂复有绮绣也!"

癸未,帝始御讲殿。自巡幸以来,经筵久辍,至是复之。

乙酉,帝谕辅臣曰:"人主待臣下,当以至诚,若知其不可用,不若罢去,疑而留之,无益也。"又曰:"人主之德,莫大于仁。仁之一字,非尧、舜莫能当。"吕颐浩、秦桧曰:"圣学高明,以诚、仁二者治心,修身、正家、齐天下有馀裕矣。"

戊子,龙图阁待制、知抚州高卫,落职,与宫观。

卫言甘露降于州之祥符观,且为图上之。王居正论今日恐非天降祥瑞之时,〔言者劾卫〕崇饰诡谀,老不知愧,望赐罢黜,从之。

是月,知商州董先叛,附于刘豫。

先是邠门宣赞舍人李兴,以节制军马屯于商州,会先为陕虢安抚(使)〔司〕统制官耿嗣

2539

宗所迫来依，兴以兄事之。未几，河南镇抚使翟兴俾先知商州，先心慊之，密有害兴意，因置酒，伏甲执兴于坐，以镇抚使之命械兴赴河南，欲于中涂杀之。行两程，宿山林庵舍中，兴见群卒熟寐，乃荷械而去。逮晓，至洛阳，农家人识之，咨嗟熟视，遂破其械，以糇粮遗兴使去，其子女诸妾皆被害。兴既脱，复得麾下旧兵千馀，往来商、虢间，先既与兴为仇，且刘豫势渐盛，先不能军，遂以商、虢二州降豫。

初，淮西诸州多为剧盗所据，朝廷因而授之。郏门宣赞舍人、知濠州寇宏，虽受朝命，阴与伪宿州守胡斌通。李成之败也，襃信县射士许约，收其溃兵，入光州城，以收复告，即以约知光州。约与武节大夫、忠州刺史、知寿春府陈卞，皆与伪境往来，兼用绍兴、阜昌年号。光州土豪张昂，独率民兵据仙居县之石额山为寨。事闻，诏授昂忠翊郎、忠义兵民统领。至是北贾有至建康者，言中原之民苦刘豫虐政，皆望王师之来。江东安抚大使叶梦得闻之，即遣使抚谕卞、宏，二人皆听命。既而豫遣伪京西南路安抚使王彦先攻寿春，为卞所败，而宏遂与斌绝，卞寻复固始县。会豫众犯二州，卞弃城保南岸，梦得令统制官王冠、张俊等援之，豫众引去。

三月，壬辰朔，虔化县贼李敦仁补正修武郎、郏门祗候，其徒三十八人皆授官，分隶张俊等军中。

敦仁起书生，为盗三岁，蹂四州十县，最后为江东统制官颜子恭所破，至是始平。

淮西招抚使李光，执江东安抚大使司都统制韩世清于宣州。

初，光与副使王瓘将忠锐、神武军合万馀，以辛卯晦抵城下，时日已暮，隔溪而营。世清将迎谒，其濠寨将曰："不可。李尚书往淮西，而下寨甚严，非过军也，必有谋耳。"世清曰："我何罪？"遂收亲兵千馀人来谒。是夜，光与瓘共议。翼日，世清率诸将来贺月旦，守臣具食，瓘先以甲士守其从者。光谓世清曰："得旨，拣军往淮北，可批报诸军，令素队出城。"世清欲上马，马已持去。光命持黄榜入城，统领官杨明、吉荣闻之，谕其徒擐甲毋出。世清不得已批报诸军，众乃听命；择其壮者五千馀人隶神武前军，馀许自便。光又得世清所用舟九百艘，帛七十匹，遂执世清以归。其中军统领官赵琦，先以精锐二千讨贼于建昌，亦命琦赴行在。

水贼翟进犯汉阳军，杀武功大夫、权军事赵令㠁及吏民百馀人，掠舟船而去，遂以其众归于蕲黄镇抚使孔彦舟。

乙未，江西安抚大使李回言："湖东名贼曹成在道州，马友潭州，李宏岳州，刘忠处潭、岳之间，虽时相攻击，其实闻二宣抚之来，阴相交结，分布一路，为互援之计。马友据潭州逾半年，漕臣钱粮不得移用。今朝廷以岳飞知潭州，友安得不疑？飞亦安能引兵直赴潭州，与友共处？若使飞先往道州捕曹成，友必怀疑，阻害粮馈，则飞有腹背受敌之患。不若且置成不问，先引兵往袁州约友、宏，云讨忠，以俟二宣抚之来，庶使成不便过岭，最为长策。"

飞之将行也，回既谕以此意，复言于朝。吕颐浩、秦桧进呈，因言："湖广大寇，曹成为首，马友、刘忠次之。数贼相与交结，为辅车相依之势。"帝曰："宣抚使司兵到，必能平湖南诸寇，续次令转往湖北襄、汉间以通川、陕。譬如汉高祖先遣韩信破赵，复破齐，然后擒项籍。"乃诏飞勘量贼势，如未可进，且驻袁州以俟世忠会兵。时成已进犯岭南，飞亦移兵茶陵，而朝廷未知也。

戊戌，明州观察使、襄阳府邓随郢州镇抚使兼知襄阳府桑仲，为知郢州霍明所杀。

初，仲屡为王彦所败，欲再攻金州，镇抚(使)〔司〕副统制兼知邓州李横曰："不率三军入西川,即杀敌以图报国,勿坐困于此。"仲橄明曰:"金州草寇当道,当尽剿除。"明不从,每报之曰:"不知金州草寇主名为谁?"安复镇抚使陈规闻之,亦遣人谓明曰:"朝廷以郡授汝矣,汝谨勿附仲。"仲怒,阴有杀明意。明措置郢州,渐成井邑,亦有恋郢之心。仲以二十骑疾驰入郢州,明闻,谓其党曰:"太尉来,定见害。"明度仲以骏马日驰三百里,髻必解散,预备有力者为之束发。坐定,明卑词谢曰:"择日即起兵,岂敢违令! 事未须遽,莫要理发否?"仲欣诺。有力者既得其髻,即擒而杀之,囚其从者,而以反闻。

后镇抚司参谋官赵去疾归朝,帝问仲何如人,去疾曰:"忠义人也。"帝问其说,去疾曰:"仲尝为臣言,必欲取京师以献朝廷,第乞二文资以禄其子。"帝恻然感动,授仲二子昕、维将仕郎。

己亥,制授故南越王李乾德子阳焕静海军节度使、特进、检校太尉兼御史大夫、上柱国,封交趾郡王,仍赐推诚顺化功臣。自元丰后,大臣功号悉除之,独安南如故。

庚子,陕西都统司同统制官马杨政,及金战于方山原,败之。

时陇州移治方山原,守将范综以散卒兵数千驻原上。金人所命陕西经略使萨里干,与叛将张中彦、慕容洧合兵来侵,陕西都统制吴玠命政及吴璘、雷仲救之。大战三日,焚其寨,翼日,敌引去。政,临泾人,初为弓箭手,骁勇过人,玠用为统制。宣抚处置使张浚录其功,擢知凤州。

癸丑,武功大夫、忠州团练使、邻门宣赞舍人、河南府孟汝唐州镇抚使、知河南府兼节制应援河东、北兵马使翟兴,为其将官杨伟所杀。

初,伪齐刘豫将移都汴京,以兴屯伊阳山寨,惮之。豫每遣人往陕西,则假道于金人,由怀、卫、太行取蒲津济河以达,豫深苦之,尝遣迪功郎蒋颐持诏书遗兴,诱以王爵,兴戮颐而焚其书。豫计不行,乃阴遣人啖伟以厚利,伟遂杀兴,携其首奔豫。兴死年六十,其子兵马钤辖琮,收合馀兵保故寨,自是不复能军。事闻,诏赠兴保信军节度使。

甲寅,帝策试诸路类试奏名进士于讲殿。

帝谓辅臣曰:"朕此举,将以作成人才,为异日之用。若其言鲠亮切直,它日必端方不回之士。自崇宁以来,恶人敢言,士气不作,流弊至今,不可不革。"因手诏谕考官,直言者置之高等,(尤)〔凡〕谄佞者居下列。

盐官进士张九成对策曰:"祸难之作,天所以开圣。愿陛下以刚大为心,无遽以惊忧自阻。彼刘豫者,素无勋德,殊乏声称,天下徒见其背叛于君亲而委身于强敌耳,黠雏经营,有若儿戏。今日之计,当先用越王之法以骄之,使侈心肆意,无所忌惮,将见权臣争强,篡夺之祸起矣。臣观滨江郡县为守令者,类无远图,阳羡、惠山之民,何其被酷之深也! 率敛之(民)〔名〕,种类闳大,秋苗之外,又有苗头;苗头未已,又行八折;八折未已,又曰大姓;大姓竭矣,又曰经实;经实均矣,又曰均敷。均敷之外,名字未易数也;流离奔窜,益以无聊。臣窃谓前世中兴之主,大抵以刚德为尚;去谗节欲,远佞防奸,皆中兴之本也。今闾巷之人,皂隶之伍,皆知有父兄妻子之乐,室家聚处之欢。陛下虽贵为天子,富有四海,徒以金人之故,使陛下冬不得其温,夏不得其清,昏无所定,晨无所省,问寝之私,何时可遂? 在原之急,何时可救? 日往月来,何时可归? 望远伤怀,何时可释? 每感时遇物,想惟圣心雷厉,天泪雨流,思扫清蛮帐以迎二圣之车。若夫小民则不然,是以搜搅小虫,驰驱骏马,道路之言,有若上诬圣德者。深察其源,盖自彼阉人私求禽马,动以陛下为名,国之不祥也。今此曹名字稍有闻,此臣之所忧也。贤士大夫宴见有时，宦官女子实居前后；有时者易疏，前后者难间，圣情茌苒不知其非。不若使之安扫除之役，复门户之司，凡交结往来者有禁，干与政事者必诛。陛下日御便殿，亲近儒者，讲《诗》《书》之指趣，论古今之成败，将闻阉寺之言，如狐狸夜号而鸱枭昼舞也。"帝感其言，擢九成第一，以下二百五十九人及第、出身、〔同出身〕。而川、陕类省试合格进士杨希仲等一百二十人，皆即家赐第。

夏，四月，丁卯，金主诏曰："诸良人知情嫁奴者，听如故为妻；其不知而嫁者，去住悉从所欲。"

先是金主以皇弟安班贝勒嗣位，即以安班贝勒授其弟果。果既殁，久虚此位，而宗峻子亶，以太祖嫡孙当立，辅政大臣宗干等不以言，金主亦无立亶意。至是左副元帅宗翰、右副元帅宗辅、左监军完颜希尹等入朝，宗翰曰："储嗣虚位颇久，亶为先帝嫡孙，当立；不早定之，恐授非其人。宗翰日夜未尝忘此。"遂与宗辅、宗干、希尹定议，入言于金主，请之再三。金主以宗翰等皆大臣，义不可夺，乃从之。庚午，诏亶曰："尔为太祖之嫡孙，故命尔为安班贝勒。其无自谓幼冲，狎于童戏，惟敬厥德。"遂以皇子宗盘为古论贝勒，以左副元帅宗翰为古论右贝勒兼都元帅，以右副元帅宗辅为左副元帅。

翰林学士承旨兼侍读翟汝文参知政事。

辛未，复置诸州学官四十三员。

时言者论："文武之道，不可偏废。东晋之初，首开学校。顷缘议者务减吏员，诸州教授，例从镌减。今所在州郡添差管库捕盗者，无虑十数，何独于此而吝之？欲望稍修学官，使士子有所矜式，且廉退之士，不至弃遗。"

壬申，建武军节度使、江西兵马副总管杨惟忠讨军贼赵进，降之。

进寇江州之瑞昌，帅臣李回遣惟忠讨捕，时贼众万二千，官军八千而已。平旦，惟忠渡江，先锋将武德郎、邠门宣赞舍人傅选悉五军旗帜行，以壮军声。贼谍知之，曰："先锋尚如此，若全军而来，何可当也？"遂遣使迎降。诏以进为从义郎，其徒十三人皆授官，仍留江州屯驻。

己卯，执政奏事，帝谕二相曰："颐浩专治军旅，桧专理庶务，当如范蠡、大夫种分职。"先是吕颐浩闻桑仲进兵，乃大议出师，而身自督军北向，且言："近闻金、伪合兵以窥川、陕，若于来春举兵，必可牵制陕西之急。万一王师逐豫，则彼必震恐。因令韩世忠自西京入关，此亦一奇也。"及是帝谕辅臣，二人唯唯奉诏。

癸未，诏曰："朕寤寐中兴，累年于兹，任人共政，治效缺然。载加考绩，登庸二相，盖欲其谋断，协济事功，倚毗眷遇，体貌惟均。凡一时启拟荐闻之士，顾朕拔擢任使之间，随其才器，试可乃已，岂可二哉！尚虑进用之人，才或胜德，心则媚奥，潜效偏私，浸成离间，将见分朋植党，互相倾摇，由辨之不早辨也，可不戒哉！继自今，小大之臣，其各同心体国，敦尚中和，交修不逮。如或朋比阿附以害吾政治者，其令台谏论列闻奏，朕当严置典刑，以诛其意。"时吕颐浩、秦桧同秉政，桧知颐浩不为时论所与，乃多引知名之士为助，欲倾颐浩而专朝权。帝颇觉之，故下是诏。

乙酉，吕颐浩言："近至天竺祈晴，今雨少霁，可以上宽圣虑。"帝曰："朕宫中亦自育蚕，此不惟可候岁事，亦欲知女工艰难，事事质验。"

戊子，尚书左仆射、同中书门下平章事兼枢密院事吕颐浩都督江、淮、荆、浙诸军事。制曰："尽长江表里之雄,悉归经略;举宿将王侯之贵,咸听指呼。"时颐浩将谋出师,而秦桧之党亦建言:"昔周宣王内修外攘,故能中兴。今二相宜分任内外之事。"帝乃命颐浩总师,开府镇江。颐浩请辟参谋官以下文武七十七员,铸都督府印,赐激赏银帛二万匹两,上供经制钱三十万缗,米六万斛,度牒八百道,月给公帑钱二千缗,仍许召诸州守臣时暂至军前议事,皆从之。

己丑,给事中王叔敖守尚书户部侍郎兼侍读。

庚寅,金以鸭绿、混同江暴涨,命赈徙边戍户之在混同者。

是日,伪齐刘豫移都汴京,士民震骇。豫乃下诏以抚之,因与民约曰:"自今更不肆赦,不用宦官,不度僧道,文武杂用,不限资格。"尊其祖忠曰毅文皇帝,庙号徽祖;父曰睿仁皇帝,庙号衍祖。伪左丞相麟籍所〔签〕乡兵十馀万为皇子府十二军,以尚书户部郎中、兼权侍郎冯长宁参谋军事,(改)〔徙〕汴京留守〔益〕为京兆留守。

豫在开封,凡军国事以至赏刑斗讼,毋巨细申元帅府取决。沿河、沿淮及陕西、山东等路,皆驻北军。由是赋敛甚重,刑法太峻,民不聊生。时西京奉先卒李英卖玉碗与金人,豫疑其非人间物,验治得实,遂以其臣刘从善为河南沙淘官,谷浚为汴京沙淘官。于是两京民间窖藏及冢墓,破伐殆遍矣。

〔闰四月〕,癸巳,高丽国王楷遣其尚书礼部员外郎崔惟清、邸门祗候沈起入贡,诏秘书省校书郎王洋押伴。楷献金百两,银千两,帛二百匹,纸二百匹,人参五百斤,诏赐惟清、起金带,赐酒食于同文馆。

直秘阁、主管洪州玉隆观、衍圣公孔端友既卒,诏以其子玠为右承奉郎,封衍圣公。

丙申,神武副军都统制岳飞引兵击曹成于贺州境上,大破之。

初,成既得贺州,闻岳飞至,以兵守莫邪关。飞遣前军统制张宪攻关,军士郭进与旗头二人先登,进挥枪而出,杀其旗头,贼兵乱,官军齐进,遂入关。飞喜,补进秉义郎,解金束带以赐。官军既入关,贼兵散乱,第五将韩顺夫解鞍脱甲,以所虏妇人佐酒。贼党杨再兴率众直犯顺夫之营,官军退却,顺夫为再兴斫臂而死,飞怒,尽诛亲随兵,责其副将王某擒再兴以赎罪。会张宪与撞军统制王经皆至,再兴屡战,又杀飞之弟翻。官军追击不已,成屡败,众死者万数,成率馀兵屯桂岭。

丁酉,诏奉迎温州开元寺真宗神御赴行在。

初,章献明肃皇后以黄金铸章圣神御,帝恐其诲盗,故迁焉。因愀然谓宰辅曰:"朕播迁至此,不能以时荐享宗庙,奉衣冠出游,令祖宗神御越在海隅,念之坐不安席。"

丙午,神武副军都统制岳飞败曹成于桂岭,成拔寨遁去。贼将杨再兴为追骑所及,跳入深涧中,军士欲就杀之,再兴曰:"勿杀,当与我见岳公。"遂受缚。飞见之,解其缚曰:"汝壮士,吾不杀汝,当以忠义报国家。"再兴谢之,飞留以为将。

时成既为飞所破,遂走连州。飞命前军统制张宪追之,成窜蹙,又走郴州,守臣赵不群乘城固守,成转入邵州。会福建、江西、荆湖宣抚使韩世忠既平闽盗,乃旋师永嘉,若将就休息者,而道处、信,径至豫章江滨,连营数十里。群贼不虞其至,大惊,以为神。世忠闻成屡北,遣神武左军提举事务官、拱卫大夫、贵州刺史董旼往招之。成以其众就招,有(敕)〔郝〕晸独不从,率众走沅州,戴白巾,称为成报仇。晸后归于张宪。

庚戌,武德大夫、知池州王进言已复太平州。

先是江东安抚大使司统制官张俊、耿进等攻城，未能下，进以所部赴之。叛兵陆德等受招，进挺身而入。其次周青者，言不顺，进乃召使臣张镎叱令置对，乘贼不意，执青，斩其首。俄而耿进自西门，张俊自南门入，诸军既不相一，遂杀人纵掠，城中乱，兵马钤辖、权州事赵子𬙂乘间遁去。俊执德以献，伏诛。其后二人交讼其功，诏李光究实。光上进等及军士五千八百馀人功状于朝，帝命以功赎过，而子𬙂与镎皆勒停。

初，进在池州，尝以事械司理参军卫允迪而钉其手，言者交奏其状，未及究。至是吕颐浩遂命进以所部二千屯饶州。

德之始叛也，惧官军将至，谋尽黥城中少壮而屠其老弱，然后拥众渡江。慈湖寨兵马俊，适隶周青左右，得其谋，阴结其徒十人杀贼，然后谕众开门，其徒许之。俊归，语其妻孙氏，与之诀。至南门，伺青出上马，斫中颊，九人惧不敢前。俊与妻子皆遇害。青被伤卧旬日，贼党益落，官军四合，遂就诛。后赠俊修武郎，立祠，号登勇。

【译文】

宋纪一百十　起辛亥年（公元 1131 年）十月，止壬子年（公元 1132 年）四月，共七月。

绍兴元年　金天会九年（公元 1131 年）

冬季，十月，丁卯（初四），高宗诏令直秘阁李允文在大理寺赐死，其罪名是聚集军队，专横跋扈，擅用大权，专事杀戮。

己巳（初六），浙西安抚大使司统制官王德，用黄榜招抚水军统制邵青，不久就使邵青归降。

起初，邵青从镇江率领水军驻扎崇明镇，王德前去招捕，驻军青龙镇，亲自率领亲兵前往崇明，但被泥巷阻隔。邵青先派人铺设木板，在上面布满钉签，官军不知，争相渡过，很多人死于泥中。邵青远远地对王德说："太尉后面被潮水阻隔，我如果用数百人驾船扼守水陆要冲，那么太尉将粮食断绝而自毙了。然而怎能把人扼困在危险之中，太尉请赶快回去！"王德说："邵统制，你是壮士，何不归顺朝廷呢？"邵青说："可以。然而军中不能不违犯朝廷的法规，太尉可以乞求朝廷降一黄榜，凡以前所犯的罪行一概不加追究，我就与太尉一同归顺朝廷。"王德答应了他，并折箭立誓，奏报朝廷。高宗下诏说，因为邵青改过自新，可以根据他的乞求，以前的罪过，特与赦免。王德派遣使者携带黄榜给邵青看，邵青看到榜文，说他乞降，因而大怒。他的妻子对邵青说："你不记得你做贼下狱，我剪发卖钱送饭你吃了吗？现在既然已到如此田地，你还想辜负朝廷吗？"当时副统制、从义郎单德忠等人都想接受招抚，唯独统辖官阎在不愿意。几天以后，各将一大早去谒见邵青，单德忠就在座位上将阎在杀死，对众人说："敢有不归顺朝廷者如此处置！"众人默默不语。邵青听说后，挥泪出来说："单统制若想得到军印，应当好好地交付给他，为何要这样做呢！"单德忠以吞食土块表明自己的清白，然后劝邵青交出军队以赎罪；邵青听从他的劝说，于是接受了招抚。

庚午（初七），户部尚书孟庾被任命为参知政事。

江东安抚大使司上言李捧、华旺已接受招抚。高宗诏令挑选他们的兵众隶属于各将。

起初，张琪已逃去，李捧等人就率领所部接受刘洪道的招安，不久任命李捧为武经大夫、寿春府兵马钤辖，华旺为池州兵马都监。不久刘洪道上言："李捧所部精锐，可选得一万人。李捧容貌魁伟健壮，而且勇于战斗，虽然语言鄙俗，但每每契合用兵的机宜，又能不贪，采用

2544

众人的谋略而了解下面的情况。观察李捧的长处,恐怕不是平庸的将领所能达到的。"于是命令神武前军统制王瓒率领李捧的部众前往行在。

乙亥(十二日),起复明州观察使、陕西诸路都统制、秦凤路经略使吴玠,与金人在和尚原交战,大败敌人。

起初,金国陕西都统洛索去世,宗弼就会合各路兵马数万人谋划西进,宣抚处置使张浚命令吴玠先占据凤翔的和尚原以待金兵。宗弼在宝鸡县架设浮桥,渡过渭水攻打和尚原。吴玠和他的弟弟秦凤兵马都钤辖吴璘率领统制官雷仲等人,选拔强劲的弓弩手参战,分拨轮番射击,号称驻队,箭矢接连发射不断,并且密如雨下。金兵稍有退却,宋军就用奇兵截击,断绝金兵的粮道,共有三天。这天夜里,大破金兵,俘斩金兵首领和甲兵以万数,宗弼身中流矢两支,仅免身死,其指挥的军旗也被宋军缴获。

于是张浚秉承皇上旨意任命吴玠为镇西军节度使,吴璘为康州团练使、泾原路马步军副总管。这次战役,吴玠所部全军都晋升五等官资,而朝请郎、通判凤翔府兼经略司主管机宜文字陈远猷,也晋升为朝散大夫、直秘阁,秉义郎、阁门宣赞舍人王喜,晋升为左武大夫、威州刺史、宣抚司统领军马。

王喜,满城人。靖康初年,金兵进攻京师,陕右大为震动。王喜聚集壮士十八人,不到十天,归附的人很多,王喜在常乐镇为众人立保伍法,营建寨栅,号称"王万年"。王庶为节制使,上奏请授王喜为成忠郎。不久王喜就率领所部归附吴玠,吴玠任用他为秦州兵马钤辖,改为知同州。到这时王喜因为有奇功,于是急速升迁。

宗弼从河东回到燕山,左副元帅宗翰留宗弼在军中,改用陕西副统完颜杲为陕西经略使,领兵驻扎凤翔府,与吴玠相持。

壬午(十九日),福建民兵统领范汝为进入建州。范汝为据有建安,部众十余万人,甚至制造黄伞、红伞等,制置使辛企宗连年用兵也不能制服。到现在范汝为领兵入城,直秘阁王浚明以下都逃走,贼寇于是占据此城。

甲申(二十一日),起复龙图阁待制、知兴元府、利夔路制置使王庶升任徽猷阁直学士。

起初,王庶认为本路在籍兵士人数很少,于是登记兴元府、兴、洋州各城及三泉县的强壮者,每两丁取一丁,三丁取二丁,免征户名下物力钱二百千,号称义士。每五十人为一队,知县为军正,县尉为军副,每天在县检阅军队,每月在州检阅军队一次,不到半年,有兵数万。每次遇有敌人,就优厚犒赏他们。教练检阅有方,可以出战,则县令、县尉都改为京官秩俸。张浚将此上奏朝廷,所以有这道任命。此后会合兴、洋、三泉四郡的义士达七万余人。

戊子(二十五日),斩杀有门荫的人崔绍祖于越州街市,他的弟弟崔光祖发配琼州牢城,这是因为他们伪造上皇手诏,自称大元帅的缘故。

己丑(二十六日),升越州为绍兴府。

张琪从宣州逃走,想北降伪齐。这一天,知承州王林所派遣的总辖官、阁门祗候张赛在楚州生擒张琪,用槛车押赴行在。

壬辰(二十九日),录用程颐的孙子将仕郎程易为分宁令;五天后,又录用他家中一人为官。

这个月,伪齐刘豫派遣他的将领王世冲进犯庐州,守臣王亨设计引诱王世冲,杀了他,并大破他的兵众。

十一月,乙未(初二),江东安抚大使叶梦得初到建康。

当时建康荒凉残破,现有兵力不满三千人,各将散居它郡。叶梦得到后,就奏请令统制官韩世清一军从宣州移驻建康,派遣水军统制官崔增驻扎采石,及统制官阎皋分守要害,而王世清尚未到达。在这之前,王才占据横涧山,投降刘豫,随即带领伪知宿州胡斌率兵进犯。高宗诏令淮南宣抚使刘光世派兵招捕,叶梦得让统制官张俊从青阳小道与刘光世会合。吕颐浩想招降王才,于是命令王才率领所部前往行在。于是叶梦得派遣使臣张伟晓谕王才按诏书旨意行事,王才于是率领部将丁顺等三十余人渡过长江。王才惧怕治罪,请求留在建康。吕颐浩建议将淮西一郡授给王才,让他统领他的军队赴任,叶梦得认为不可。于是高宗诏令将王才从显武郎、阁门宣赞舍人升迁为武翼大夫、充任建康府兵马钤辖,淘汰遣散他的部众,选得正兵一千余人,分别隶属各军。

戊戌(初五),高宗下诏因会稽漕运不继,移驻临安,命令两浙转运副使徐康国兼权临安府,与内侍杨公弼先营造宫室。

先前尚书左仆射吕颐浩上言:"现在国运艰难,中原隔绝,江、淮之地,尚有盗贼,驻跸之地,最为急务。陛下应当先确定驻跸之地,使号令畅通川、陕,可以率兵顺流而下,漕运不至于艰难阻隔。然后迅速派出大军,一军从江西、湖南平定群盗,一军前往池州到建康府,处置完毕,招安尚怀有二心的人,于明年二三月间,使百姓得以耕田养蚕,那么我方的根基就建立起来了。然后乘酷暑之际,派遣精锐之兵,与刘光世渡过淮河夹击敌人而向北进击,由淮阳军、沂州进入密州以动摇青、郓,命令张浚亲自统领军队,由河中府进入绛州以震撼河东,乘两路遗留的我朝百姓怀念我大宋之心尚未泯灭的时候,让他们知道王师有收复中原的意图,这样中兴的大业就有希望了。如果不迅速这样做,犹豫徘徊过了春夏,那么金人它日再来,不仅大江之南,我朝的根本不能建立,而且日后的祸患也不可胜言了。臣曾经观察自古以来有作为的君主,将要夺取天下的,不身体力行,就不能平定祸乱,安定天下。臣希望陛下考察汉高祖在马背上治理天下的事迹,效法唐太宗不避风雨、奔波劳苦的事迹,以便尽快谋划中兴大业,不可迟缓。三四年来,金人刚刚退却,士大夫和进献言论之人,就以为太平无事,致使可乘之机的便利,往往受到阻碍抑制而不能施行。当今天下之势,可以说是危急,既已丧失了中原,仅存江、浙、闽、广几路而已,其间也大多曾经受到摧残破坏。浙江郡县,往往已遭到焚毁劫掠,浙东一路,在目前形势下,漕运都不便利。如果不转移驻跸到上流的州军,保全这几路,和逐渐靠近川、陕,使国家的命令容易通达四方,那么百姓就会不能耕种,号令就会被阻隔断绝。顷刻之间,已到秋冬,金人再来,那么即使想追悔,也来不及了。"到此时终于决定转移驻跸的计议。

参知政事孟庾被任命为福建、江西、荆湖宣抚使,神武左军都统制韩世忠为副使。当时朝廷还不知道范汝为占据建州,而议论的人都说神武副军都统制、福建制置使辛企宗怯懦轻敌,所以改派韩世忠从台州进军。

辛丑(初八),太常少卿赵子昼上言:"每年春分日祭祀禖神求子,自巡幸以来不再举行,虽然是多事之时,礼节仪式难以周全。至于求神免除无子之灾,求神赐给多子之福,以维系四方万里的人心,所以此礼不能或缺,希望从来年开始举行。"朝廷采纳了他的建议。

乙巳(十二日),在越州街市车裂武义大夫、阁门宣赞舍人张琪。

辛亥(十八日),升康州为德庆府。

壬子(十九日),高宗下手诏:"内外侍从各举荐所了解的三人,限五天内奏闻朝廷;举荐得当,将受上等赏赐,不要因为以前曾受到朝廷的治罪而是蔡京、王黼的门人而有所顾忌。"

在这之前,高宗得到陈襄举荐司马光等三十三人的奏章,非常喜好,所以有此手诏。礼部侍郎李正民,认为司马光等人都是不合时宜的人,因此高宗轻视他。

高宗诏令将天章阁祖宗遗像二十四位,权且在临安府院奉安,每月初一、十五日和各节日酌酒以献,供缮一份而已。

癸丑(二十日),守尚书司封员外郎待聘曾上言:"原庙设在外郡,有汉代旧例;而太庙神主,按礼应在国都。现在新都未定,应当参考古代军队出征车载神主的礼仪,将祖宗遗像取回安放到行宫,以彰明陛下的孝心。"

丙辰(二十三日),高宗诏令武功大夫、荣州团练使曹成率领所部前往行在,命令张俊派遣使者持诏书前往攸县赐给曹成。

当时朝散大夫、提举江西茶盐公事侯憲上言:"曹成现在占据衡山,控制要害之地,流毒三千里,谁也奈何不了他。马友现与李宏的溃散兵卒会合为一军,虽然驻兵在潭州,然而一向畏惧曹成。以前曹成在鄂地,马友从汉阳移兵到潭、衡以躲避他,他畏惧曹成的程度就可想而知了。臣料想贼人的意图,如果曹成由衡山顺流而下,马友必定放弃潭州而东入江西。因为前有孔彦舟相邻,后有曹成逼迫,西有刘忠抵拒,万一势穷力尽,马友就必定归附曹成而进攻江西。听说马友最近招兵买马,造成兵器,揣测他狡诈的内心,观望取舍,就在今春。朝廷如不早做处置,那么江西各郡,恐怕非朝廷所有;江西一失,那么二广就危急了。"高宗诏令将此奏交付宣抚司。

己未(二十六日),金国将赵氏远亲五百余人迁往上京。

辛酉(二十八日),伪齐秦凤经略使郭振率领数千骑兵劫掠白石镇,武节大夫、阁门宣赞舍人、宣抚司选锋将王彦与熙河统制官古合兵抵抗。贼兵大败,郭振被官军俘获,于是收复秦州。张浚秉承圣旨任命王彦为康州刺史。

壬戌(二十九日),曹成进犯安仁县,俘获湖东安抚使向子諲。

起初,曹成已驻扎攸县,而向子諲的军队不到一万人,安抚司驻在衡州安仁,派遣使者去招抚曹成,曹成也听从命令。向子諲于是送檄书给曹成任命他代理本司都统制,而命令各将,韩京率领一军西守衡阳,吴锡率领一军南定宜章,贼众迟疑徘徊不敢向南进犯有一百多天,上江各郡于是得以收获庄稼。后来援兵没有赶到,曹成愤恨向子諲挟制自己,随即率众向南进犯。向子諲派遣从事郎、权安抚司干办公事何彦猷、迪功郎、随军钱粮官张节夫去见曹成商议事情,与曹成在途中相遇,二人都逃走了。向子諲率领亲兵与曹成抗拒,从午时到申时,官军全部溃败。向子諲估计不能遏制,单骑冲入曹成军中,以国家威势晓谕曹成。曹成不服,于是劫掠安仁,进攻道州,俘获向子諲而离去。

金房镇抚使王彦斩杀中军统制官赵横、统领官门璋。

王彦打败李忠后,高唱凯歌而归,重赏将士,对待赵横仍和当初一样,始终不谈丰里的失败,赵横也不疑心。到这时王彦突然在球场会集各将,酒过四巡,呵斥赵横起来,数落他在丰里之战不做策应的罪行,将他与门璋一同斩首,又饮酒数巡后返回。

这个月,金主将陕西一带赐给刘豫,这是比照张邦昌所受封疆的先例。

十二月,乙丑(初二),赵子昼权尚书礼部侍郎。宋朝以宗族为侍从官,从赵子昼开始。

2547

己巳(初六),秘书少监傅崧卿被任命为权尚书吏部侍郎,充任淮东宣谕使。

辛未(初八),宣抚处置使张浚,秉承皇上旨意任命阁门宣赞舍人、知兴州、同统领秦凤等路军马李师颜为知成州,阁门宣赞舍人、利州路第三将柴斌为知兴州。

金兵攻破陕西时,李师颜是耀州知州,独自率领所部来归宋朝,其家属都被金兵所得。金人佩服他的忠义,派他的弟弟李师文来招降他,李师颜不予理睬,李师文最终被金人杀害,因此张浚提拔任用李师颜。

丁丑(十四日),高宗下手诏,大意是说:"近来由于国家有难,盗贼蜂起而没有平息,是因为奸邪贪赃的官吏没有体恤百姓的心意。等到动用王师时,而军需不免又取之于百姓。如此因循反复,日甚一日,想要百姓不为盗贼,是不可能的。可将建炎三年以前积累拖欠的钱粮,除形势户和公人之外,一概免除。如果州县不遵守诏令,和监司胁迫州县巧立名目催收的,一并除名。令御史台纠察,多出黄榜晓谕百姓。"又诏令三省:"准备按祖宗朝时依法判决贪赃官吏的旧制刻板印刷后下发,从现在起,如有违犯者,依法贬谪,并没收其家财。"

曹成到道州,守臣直秘阁向子忞听说后,聚集全城的官军,得到一百二十五人,让他们迎战,又派遣使者招抚曹成。官军走了三十里,与曹成遭遇,士兵都惊恐逃散了。曹成从东门而入,向子忞从西门奔逃才得以免祸,曹成于是占据道州。

戊寅(十五日),因为彗星出现,准许臣民密封上奏言事。

庚辰(十七日),桑仲派兵进攻复州,守臣修武郎祖逖弃城逃离。

诏令武翼大夫、阁门宣赞舍人、知海州薛安靖,朝散郎、通判州事李汇,一并前往行在。命令扬、楚等州宣抚使刘光世派遣将领统兵戍守。

薛安靖本是刘锡的属官,李汇曾是沙河簿,在沧州,二人相约南归。适逢刘豫派薛安靖守海州,到郡过了一年,就引诱率领签军盖谏等人,杀掉金人所任命的沂南、淮北都巡检使王企中及伪齐的戍守官兵,率领军民举城来归宋朝。不久朝廷任命薛安靖为浙西兵马副钤辖,赐李汇同进士出身、签书海宁军节度使判官厅公事。

甲申(二十一日),右司谏方孟卿上言:"祖宗旧例,谏官在后省设立官署,号为两省官。两省,是朝廷政令所出之处,祖宗以谏官居于两省,不会没有深刻的用意。现在行在的谏院,准许在皇城内建置,还没有固定的地方。希望命令按旧例随省设置官署。"高宗诏令谏院准许在行在的都堂附近设置官署。

丁亥(二十四日),上言者请求不要宽免贪赃的官吏,高宗说:"朕的本意是想一心崇尚仁德教化,考虑到赃吏残害百姓,虽有不得已者,然而又怎能忍心仓促地置缙绅于死地呢?像前次诏令那样杖击发遣就足够了。"

乙丑(二十六日),高宗诏令襄邓镇抚使桑仲、金房镇抚使王彦,解除积怨,体恤国家,不得自相侵扰。

起初,桑仲虽然接受任命,然而仍旧依恃兵多,再次图谋取得金州。这年冬季,桑仲将部众分为三路,一路进攻住口关,一路出击马郎岭,一路直捣洵阳县,让他的副都统制、武节大夫、荣州刺史李横统领他们,前军离金州三十里。王彦说:"贼兵以为我军弱少,所以兵分三路进攻以分解我军的兵力。现在我军先攻破他的坚锐,那么他的脆弱之部就不攻自退了。"当时贼兵的大部人马在马郎岭以北,王彦派遣统制焦文通防守住口关,而自己率领亲兵扎营马郎岭,与桑仲军对垒。双方一共大战六天,贼兵奔逃溃散。王彦纵兵追击,平定了均州。

绍兴二年 金天会十年(公元 1132 年)

春季,正月,癸巳朔(初一),高宗在绍兴。这一天,侍从官以下先出发,因为将要回到浙西。

甲午(初二),高宗诏令:"自今以后,科举恢复设置贤良方正能直言极谏科。"

丙申(初四),福建、江西、荆湖宣抚副使韩世忠包围建州。

先前韩世忠行军到福州,守臣程迈因盗贼正嚣张,想让韩世忠稍做停留以等待元宵节,韩世忠笑着说:"我将在元宵节凯旋来见您!"军队抵达延平,剑潭水流湍急危险,贼兵焚烧桥梁以抵抗官军。韩世忠匹马首先浮渡而过,军队随即渡过。距离百里左右地,范汝为已伐木埋竹,并布置铁蒺藜,开掘陷马坑,以便在各要冲之处抵抗官军。韩世忠于是收兵,从中路奔袭凤凰山;这天清晨,兵临城下,于是围城。过了四天,辛丑日(初九),收复建州。

起初,范汝为已被包围,固守城池,官军不能攻下。韩世忠用天桥、对楼、云梯、火炮等发起急攻,一共六天,贼众渐渐疲惫。夜间,官军沿梯而上,城即攻破,贼众死者一万余人,官军生擒贼将张雄等五百余人,范汝为逃窜到回源洞中自焚而死。他的将领叶谅,率领所部进犯邵武军,韩世忠率兵击杀了他,其余的贼众都被平定。

开始,韩世忠怀疑城中人都依附盗贼,想全部杀了他们。资政殿大学士李纲,当时在福州,见到韩世忠说:"建州百姓多是无辜。"韩世忠接受教诲,到城被攻破,韩世忠命令军人一律驻扎在城上,不得下城;在城的三面树立旗帜,令民众自相区别,对农民发给耕牛、种子让他们耕种,对商人放宽征收和禁令,被盗贼胁迫的人淘汰遣散,唯独抓那些依附盗贼的人诛杀,因此百姓大多保

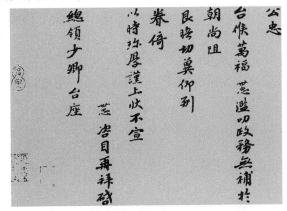

韩世忠书札

全了性命。等到回师时,城中父老请求建祠祭祀他,韩世忠说:"使你们活命的,是李相公。"

壬寅(初十),高宗的御舟从绍兴出发,神武右军都统制张俊、中军统制巨师古率领他们的军队随从;留下右军统制官刘宝殿后,任命吏部侍郎李弥大权知绍兴府,节制内外军马。当时百官已先渡江,护卫高宗的人只有执政与给事中、直学士院胡交修、中书舍人程俱、侍御史沈与求而已。晚上,执政上船奏事。高宗到达钱清堰,乘马而行。

湖南安抚使向子諲,从曹成军中又回到蓝山县。

当初,曹成已进入道州,恰逢枢密院派遣干办官左弼持诏书晓谕曹成,让他遣散江、淮等路的民兵,只与能出战的人前往行在,听从张俊的节制。曹成的部下久为盗贼,惧怕张俊的严明,不听诏命。湖广宣抚使吴敏,当时在桂州,因兵力弱不能进。新任中书舍人胡安国写信给吴敏,对他说:"帅臣被拘执而地方长官不能解救,这是地方长官的耻辱,不知您有什么计谋?希望迅速派出前军进发,由昭、贺而通向春陵,北发檄书令韩京由衡州转移到永州,东发檄书令吴锡在宜章严阵以待,而您亲自率领中军急速过岭北进,下临清湘,占据三湖上流之地。然后诘问曹成擅移驻地和执留帅臣的罪行,随即发檄书给向子諲令他到军前议事。

如果曹成悔罪自新，就对他招安；如果不然，就果断地讨伐他，胜负可以决定；如果又拖延长久，必生内乱。又临近春耕时节，百姓失去耕种之机，不等交兵，就已死而弃尸溪谷了。"吴敏认为他说的对但不能采用。

在这之前，宣抚司都统制兼参议马扩，曾驻军大名，为曹成所佩服，于是派小校张布带着吴敏的檄书去晓谕曹成，曹成许诺接受招安，才释放向子湮。马扩旋即离去。又过了几天，吴敏改任宫观官的命令也到了，曹成于是又作乱。

甲辰（十二日），高宗次留萧山县。

丙午（十四日），高宗到达临安。

壬子（二十日），侍御史沈与求升为御史中丞。

当时禁卫兵少力弱，兵权不在朝廷。沈与求上言："陛下移驾东南，将要图谋恢复的壮举，当务之急，应当莫过于军队。汉代有南北军；唐代从府兵、矿骑之法废坏之后，仍内有神策等卫兵，外有各藩镇的军队，上下相互维系，使军队没有偏重的形势。现在图谋大举而兵权不在朝廷，虽有枢密院及三省兵房、尚书兵部，只是奉旨颁行文书而已。希望诏令大臣讲求利害而集中兵权于朝廷，使人心不再惊骇而军政更加修明，助成治理中兴的大志。"

起初，建昌军石陂寨的兵卒丁喜、饶青等人作乱，聚众数千人，而芦溪寨士兵杨招，与乡民乘机任意抢掠。丁喜不久死去，他的同伙姚达代领他的部众。高宗命令徽猷阁待制、新任知宣州刘洪道督促统制官崔邦弼等人前去捕捉。这时刘洪道请求增派军队，于是诏令统制官韩世清从宣州派出三千人的军队。当时奉议郎、知贵溪县符建中也派举人刘锐前去说服、告谕士兵，兵众都听从命令。诏令士兵首领为官，其余兵众分别隶属信州各军。

金主下诏说："以前辽人分士族、庶族，赋税徭役都有等级差别，现在都已平摊。"

戊午（二十六日），三衙上奏定临安府左右厢巡为一百十五铺，用兵卒六百七十三人，三衙及本府兵各居其半。

辛酉（二十九日），武功大夫、忠州团练使杨勃率领所部四千人驻扎吉州，放纵横行不法。建武军节度使、江西兵马副总管杨惟忠想谋取杨勃，于是与杨勃叙谈同姓的欢娱，邀请杨勃聚会饮酒，设伏兵杀了杨勃，随即收编了他的军队，不久杨惟忠进军职一等。杨勃自建炎年间为盗贼，践踏蹂躏福建、湖南各州，这时才败亡。

二月，丁卯（初五），任命尚书吏部侍郎李光试礼部尚书，吏部侍郎李弥大试户部尚书，徽猷阁直学士、知漳州綦崇礼试礼部侍郎，太常寺少卿程瑀试给事中。

庚午（初八），资政殿大学士、提举临安府洞霄宫李纲被任命为观文殿学士、荆湖、广南路宣抚使，兼知潭州。

前五天，直秘阁、知道州向子忞上奏曹成进犯道、贺二州，宰相吕颐浩、秦桧，因此陈述说："天下大计，当用二广的财力，修葺荆湖两路，使之通达京西，连接陕右，这是天下的右臂。如果京东各州被叛臣所占据，正如建国初年的河东，暂且保留下来用以屏蔽敌人。各路先平定，将来合力对付曹成，似乎为时不晚。"秦桧请求亲自到湖外，独当一面，效法晋代羊祜在襄阳的先例，高宗说："爱卿等应当在朝廷运筹裁决，不可把权柄交给别人。"到这时任命李纲，还命令福建等路宣抚副使韩世忠将所部统制官任仕安一军三千人交给李纲，由汀州赴任，又命令权湖东安抚使岳飞率领湖东副总管马友及各将李宏、韩京、吴锡等共同攻打曹成。

当时新任舍人胡安国，躲避灾祸而居湖东，也写信给秦桧，信中说："吴敏兵少，应当立即派韩世忠做他的副手，让他们歼灭群盗，收聚整顿遗民。人说向子諲忠诚节义，在今日可以扶持纲常，希望怜悯他没有救援而身陷贼手，再加任用，以便收到后效。"

金国赈济上京路戍边的百姓。

癸酉(十一日)，起居舍人廖刚被任命为权尚书吏部侍郎。

丁丑(十五日)，诏令阁门宣赞舍人崔增、枢密院准备将领赵延寿、单德忠、李振、徐文、武功大夫李捧、枢密院水军统制邵青所部军队，分为七将，以御前忠锐为名，其中崔增、邵青仍作为水军，一并隶属于侍卫步军司，不是枢密院得到圣旨，不得擅自调发，仍铸印赐给他们。

己卯(十七日)，秦桧因奏事说："每每见到陛下委屈自己而听从进谏，朝廷内外的臣民，莫不感动欢悦。"高宗说："如前些天百姓的招牌上题写'供御绣服'，问后知道，竟是十年前京师铺户所用的旧牌，已命令撤毁。不知道的人将会说旧习未除，朕所穿的多是素丝的衣服，哪里有华美的丝织品呢！"

癸未(二十一日)，高宗开始亲临讲殿听讲。自从巡幸以来，经筵长期停止，到现在才恢复。

乙酉(二十三日)，高宗晓谕辅臣说："君主对待臣下，应当诚心诚意，如果知道他不可用，不如免去，怀疑他而又留用他，是没有益处的。"又说："君主的恩德，莫大于仁。仁这个字，非尧、舜没有人能够配得上。"吕颐浩、秦桧说："陛下学识高明，以诚、仁二者来修治内心，修身、正家、齐天下就有充裕了。"

戊子(二十六日)，龙图阁待制、知抚州高卫，被罢免贴职，授予宫观官。

高卫上言甘露降到抚州的祥符观，并且绘成图上奏。王居正论说现在恐怕不是天降祥瑞的时候，议论的人弹劾高卫，说他崇尚粉饰，阿谀奉迎，年老而不知羞愧，希望罢黜他，高宗同意这一建议。

这个月，知商州董先反叛，归附于刘豫。

在这之前，阁门宣赞舍人李兴，因节制军马驻扎在商州，恰逢董先被虢州安抚司统制官耿嗣宗所逼前来依附，李兴以兄礼对待他。不久，河南镇抚使翟先让董先任知商州，董先心里嫌恨李兴，暗中有加害李兴的意图，于是摆设酒宴，埋伏甲兵在酒席上捉住李兴，以镇抚使的命令给李兴带上刑具押赴河南，想在中途杀掉李兴。走了两程，在山林庵舍中宿夜，李兴见众卒熟睡，就戴着刑具逃走。到了天亮时，李兴抵达洛阳，农家人认识他，询问叹息仔细审视后，就砸破他身上的刑具，送给他干粮让他离去，他的子女诸妾都被害。李兴逃脱后，又得到部下旧兵一千余人，往来于商州、虢州之间。董先已与李兴为仇，而且刘豫的势力逐渐强盛，董先又不能统军，于是以商、虢二州投降刘豫。

起初，淮西各州多被大盗所占据，朝廷因此授给他们官职。阁门宣赞舍人、知濠州寇宏，虽然接受朝廷任命，但暗中与伪宿州知州胡斌串通。李成失败时，襃信县射士许约，收聚李成的溃散兵卒，进入光州城，以收复的名义报知朝廷，朝廷就任命许约为知光州。许约与武节大夫、忠州刺史、知寿春府陈卞，都与伪齐境内有往来，兼用绍兴、阜昌两个年号。光州土豪张昂，独自率领民兵占据仙居县的石额山作为军寨。此事朝廷闻知后，诏令授予张昂忠翊郎、忠义兵民统领。这时北方的商贾有到建康的，说中原的百姓苦于刘豫的暴政，都盼望王师的到来。江东安抚大使叶梦得听说后，就派遣使者安抚晓谕陈卞、寇宏，二人都听从命令。不久刘豫派伪京西南路安抚使王彦先攻打寿春，被陈卞击败，而寇宏与胡斌断绝往来，陈卞不久就收复了固始县。恰逢刘豫的兵众进犯濠、光二州,陈卜弃城退守南岸,叶梦得命令统制官王冠、张俊等人援助陈卜,刘豫的兵众退走。

三月,壬辰朔(初一),虔化县盗贼李敦仁补正修武郎、阁门祗候,他的同党三十八人都被授官,分别隶属于张俊等人的军中。

李敦仁书生出身,成为盗贼有三年,蹂躏四州十县,最后被江东统制官颜子恭击破,到现在才平定。

淮西招抚使李光,在宣州抓获江东安抚大使司都统制韩世清。

起初,李光和副使王璠统领忠锐、神武军共有一万余人,在辛卯晦(二月三十日)抵达宣州城下,此时已是黄昏,与城隔着溪水扎营。韩世清将去迎接拜见,他的濠寨将说:“不可以。李尚书前往淮西,但扎营非常严整,不像是过路的军队,一定有阴谋。”韩世清说:“我有何罪?”于是率领亲兵一千余人出来拜见。这天夜晚,李光与王璠一同商议。第二天,韩世清率领各将前来祝贺初一,守臣准备了食物,王璠先派甲士将韩世清的随从看守起来。李光对韩世清说:“得到圣旨,挑选军队前往淮北,可以批示报知各军,命令不带兵器列队出城。”韩世清将要上马,马已被牵走。李光命令拿着黄榜入城,统领官杨明、吉荣听说此事,就告诉他们的手下身披铠甲不得出去。韩世清不得已批示告知各军,兵才听从命令;选择韩世清军中精壮者五千余人隶属神武前军,其余的准许自便。李光又得到韩世清所用的船只九百艘,帛七十匹,于是拘捕韩世清而回。他的中军统领官赵琦,先率精锐二千人到建昌讨伐盗贼,也命令赵琦前往行在。

水贼翟进进犯汉阳军,杀武功大夫、权军事赵令嬠及官吏百姓百余人,劫掠舟船而去,随后带领他的兵众归附于蕲黄镇抚使孔彦舟。

乙未(初四),江西安抚大使李回上言:“湖东有名的盗贼曹成在道州,马友在潭州,李宏在岳州,刘忠处于潭、岳之间,虽然时有互相攻击,其实听说二宣抚的到来,就暗中勾结,分布一路,作互相支援的计谋。马友占据潭州超过半年,漕臣的钱粮不能调用。现在朝廷派岳飞知潭州,马友怎么会不怀疑?岳飞也怎么会带兵直赴潭州,与马友共处?假若让岳飞先到道州拘捕曹成,马友必定怀疑,阻碍破坏军粮的运送,那么岳飞就有腹背受敌的忧患。不如权且放下曹成不管,先带兵前往袁州约会马友、李宏,说要讨伐刘忠,以等待二宣抚的到来,或许能使曹成不便过岭,这最为长远计策。”

岳飞将要出发,李回已将此意告诉他,又上奏朝廷。吕颐浩、秦桧进呈高宗,因而说:“湖广的大盗贼中,曹成为首,马友、刘忠次之。这几个盗贼互相勾结,形成辅车相依之势。”高宗说:“宣抚使司兵到,必能平定湖南的各盗贼,接着命令他们转往湖北襄、汉之间以通达川、陕。譬如汉高祖先派韩信破赵,又破齐,然后擒获项籍。”于是诏令岳飞考察盗贼的情况,如果不能进军,就暂且驻扎袁州以等待韩世清来会师。当时曹成已进犯岭南,岳飞也移师到茶陵,但朝廷还不知道。

戊戌(初七),明州观察使、襄阳府、邓、随、郢州镇抚使兼知襄阳府桑仲,被知郢州霍明所杀。

起初,桑仲屡次被王彦打败,想再次攻打金州,镇抚司副统制兼知邓州李横说:“不率三军进入西川,就杀敌以报效国家,不要困守在这里。”桑仲发檄书给霍明说:“金州草寇当道,应当全部剿除。”霍明不服从,每每上报说:“不知金州草寇首领的姓名是谁?”安复镇抚使陈规听说此事,也派人对霍明说:"朝廷将郡授予你了,你要谨慎不要依附桑仲。"桑仲大怒,暗中有杀害霍明的意图。霍明治理郢州,逐渐形成市镇,也有眷念郢州的心意。桑仲率领二十名骑兵疾驰进入郢州,霍明闻知后,对他的党羽说:"太尉前来,我们一定被害。"霍明估计桑仲乘骏马日驰三百里,发髻必定散乱,就准备有臂力的人为他束发。桑仲坐定,霍明以谦卑的言辞道歉说:"选择日期就起兵,岂敢违抗命令!事情无须仓促,要不要梳理一下头发?"桑仲欣然答应。有臂力的人已抓到桑仲的发髻,立即擒获而杀了他,囚禁他的随从,而以桑仲反叛奏闻朝廷。

后来镇抚司参谋官赵去疾回到朝廷,高宗询问桑仲是什么样的人,赵去疾说:"是忠义之人。"高宗问他这样说的理由,赵去疾说:"桑仲曾经对臣说,一定要夺取京师献给朝廷,只乞求赐给二名文职的官职以恩禄他的儿子。"高宗悲伤感动,授予桑仲的两个儿子桑昕、桑维将仕郎。

己亥(初八),制书授予已故南越王李乾德的儿子李阳焕为静海军节度使、特进、检校太尉兼御史大夫、上柱国,封交趾郡王,还赐予他为推诚顺化功臣。自从元丰以后,大臣的功勋封号全部废除,唯独安南依然如故。

庚子(初九),陕西都统司同统制军马杨政,与金兵在方山原交战,打败了金兵。

当时陇州迁移治所到方山原,守将范综派散卒兵数千人驻扎在原上。金人所任命的陕西经略使萨里干,与叛将张中彦、慕容洧合兵前来侵扰,陕西都统制吴玠命令杨政及吴璘、雷仲去救援方山原。大战三天,焚烧金兵营寨,第二天,敌人退去。杨政,是临泾人,起初是弓箭手,骁勇过人,吴玠任用他为统制。宣抚处置使张浚记下杨政的战功,提拔他任知凤州。

癸丑(二十二日),武功大夫、忠州团练使、阁门宣赞舍人、河南府、孟、汝、唐州镇抚使、知河南府兼节制应援河东、北兵马使翟兴,被他的将官杨伟所杀。

起初,伪齐刘豫将迁都汴京,因翟兴驻扎在伊阳山寨,很害怕他。刘豫每次派人前往陕西,就向金人借道,由怀、卫、太行取道蒲津过了黄河才到达。刘豫对此深为苦恼,曾派遣迪功郎蒋颐带着诏书送给翟兴,以封王爵来引诱他。翟兴杀掉蒋颐并焚烧他带来的诏书。刘豫用计不成,就暗中派人用厚利引诱杨伟,杨伟于是杀了翟兴,携带他的首级投奔刘豫。翟兴死时年六十岁,他的儿子兵马钤辖翟琮,收聚他的剩余兵众保卫旧寨,从此不再能成军。此事朝廷知道后,诏令追赠翟兴保信军节度使。

甲寅(二十三日),高宗在讲殿策试各路类试奏名的进士。

高宗对辅臣说:"朕这样做,将用以促进人才成长,准备将来任用。如果他的言词刚直诚恳,将来必定是正直忠诚之士。自崇宁以来,恶人敢说话,士风不振,弊病相沿至今,不可不革除。"于是下手诏晓谕考官,直言的人放到高等,凡谄媚奉迎的人都居于下列。

盐官进士张九成对策说:"祸难的兴起,是上天用来开导圣上的。希望陛下以刚强大度为心,不要仓促地因为惊扰而妨碍自己。那个刘豫,一向没有功勋道德,更缺乏声名,天下人只看到他背叛君亲而委身于强敌,狡黠的幼禽经营国家,有如儿戏。今日的计策,应当先用越王的方法来骄纵他,使他放纵内心肆无忌惮,将会看到权臣争强好胜,篡夺的祸患就出现了。臣观察滨临长江郡县的郡守县令,大多没有长远的图谋,阳羡、惠山的百姓,受到的压榨是多么的深啊!聚敛的名目,种类宏大,秋苗之外,又有苗头;苗头没完,又实行八折;八折没完,又有大姓;大姓完了,又有经实;经实分摊了,又有均敷;均敷之外,名目难以计数。百姓

2553

流离奔窜,更加不能聊生。臣私下以为前世的中兴君主,大抵以刚直道德作为崇尚;屏除谗言,节制私欲,远离谄佞,防止奸邪,都是中兴的根本。现在里巷之人,田民之辈,都知道有父兄妻儿的快乐,全家团聚的欢娱。陛下虽然贵为天子,富有四海,只因金人的缘故,使陛下冬天不能为父母温床,夏天不能为父母扇凉,晚上不能向父母请安,早晨不能向父母问候,问候起居的私情,何时才能实现? 父兄的急难,何时才能解救? 日去月来,何时才能归返? 遥望远方心中所生的悲伤,何时才能冰释? 每每感叹时事变迁触景生情时,想到圣心猛疾如天雷,泪流如天雨,思念要扫清金蛮的军帐迎接二圣的车驾。至于一般的小民则不然,因此搜揽小虫,驰驱骏马,道路上的言论,有的好像误解圣德。深察其根源,大概因为那些阉人私下获取飞禽骏马,动辄就以陛下为名,这是国家的不祥之兆。现在这些人的名字逐渐有了声闻,这是臣所忧虑的。贤德的士大夫在皇上闲宴时受到召见有一定的时间,而宦官和女子拥在陛下前后;有时限的容易疏远,在前后的难以离间,圣上就会随着光阴荏苒而不知道这些情况的不对。不如让他们安于扫除的劳作,恢复他们对门户的管理,凡交结往来者要禁止,干预政事者必严惩。陛下每天亲临便殿,亲近儒学之人,讲述《诗》《书》的宗旨,谈论古今的成败,将会再听到宦官的话,就觉得如同狐狸在夜晚号叫、鸱枭在白天跳舞。"高宗被他的话所感动,提拔张九成为第一,以下二百五十九人为进士及第、进士出身和同进士出身。而川、陕类省试合格的进士杨希仲等一百一十人,都在家中赐予及第。

夏季,四月,丁卯(初六),金主下诏说:"各良家女子知情而嫁给奴仆的,听任他们依旧为妻;那些不知情而嫁奴仆的,去留都随本人的意愿。"

先前金主以皇帝安班贝勒继位,就将安班贝勒授给他的弟弟完颜果。完颜果已死,此位长期空虚,而完颜宗峻的儿子完颜亶,因是太祖嫡孙理当嗣立,辅政大臣完颜宗干等人不谈此事,金主也没有立完颜亶的意思。这时左副元帅完颜宗翰、右副元帅完颜宗辅、左监军完颜希尹等人入朝,宗翰说:"皇储之位空虚很久,完颜亶是先帝的嫡孙,应当立;不及早确定此事,恐怕会授给不应得到此位的人。宗翰日夜未曾忘记此事。"于是与宗辅、宗干、希尹确定此议,入朝对金主谈及此事,请求再三。金主因为宗翰等人都是大臣,按理不能改变,就同意了他们的奏议。

庚午(初九),金主诏令完颜亶说:"你是太祖的嫡孙,所以命你为安班贝勒。望你不要自以为年幼,就习惯儿童游戏,要恭敬而谨守道德。"于是任命皇子宗盘为古论贝勒,任命左副元帅宗翰为古论有贝勒兼都元帅,任命右副元帅宗辅为左副元帅。

翰林学士承旨兼侍读翟汝文被任命为参知政事。

辛未(初十),恢复设置各州学官四十三员。

当时的上言者议论:"文武之道,不可偏废。东晋初年,首开学校。近来因为议论者务求减少官吏,各州教授,照例裁减。现在各州郡增加差遣管库、捕盗的人,无疑要以十计数,为何独对学官如此吝啬呢? 希望稍微增加学官,使读书人有所效法,不至于被遗弃。"

壬申(十一日),建武军节度使、江西兵马副总管杨惟忠讨伐军贼赵进,使他投降。

赵进进犯江州的瑞昌,帅臣李回派遣杨惟忠前去讨伐捕捉,当时贼众一万二千人,官军只有八千人而已。清晨,杨惟忠渡江,先锋将武德郎、阁门宣赞舍人傅选,让五军都举着旗帜行进,以壮军势。贼军侦探得知后,说:"先锋尚且如此,如果全军都来,怎能抵挡?"于是派遣使者出迎投降。朝廷诏令以赵进任从义郎,他的党羽十三人都授官,仍留在江州驻扎。

己卯(十八日),执政大臣奏事,高宗晓谕二位宰相说:"吕颐浩专治军队,秦桧专理政务,应当像范蠡、大夫文种那样区分职守。"先前吕颐浩听说桑仲进兵,于是大谈出师,而且亲自督军北上,同时说:"近来听说金国、伪齐合兵以窥伺川、陕,如果在来年春季发兵,必定能牵制陕西的危急。万一王师驱逐刘豫,那么金国必定震恐。因此命令韩世忠从西京入关,这也是一出人意料的举动。"到这时高宗晓谕辅臣,二人恭敬地接受诏命。

癸未(二十二日),高宗下诏说:"朕日夜思念中兴,至今已有多年,任用人才共同理政,治理成效却很缺乏。经过考核官吏的政绩,举用两位宰相,希望他们谋略决断,协助事业成功,依赖宠信,同样以礼相待。凡一时拟议所推荐的人才,顾念朕在提拔任用之间,按照他的才能与器局,考核可用就行了,怎可有二心呢!尚且担忧进用的人,才能或许胜过道德,内心就会巴结权势,暗中效力而偏袒一方,逐渐形成离间不合,将会出现分别培植朋党,互相倾轧摇动,原因在于能辨明的不及早辨明,能不引以为戒吗!从今以后,大小朝臣,都要各自同心同德体恤国家,朴实崇尚中正和平,不断修补朝政缺失。如有人结党勾结、徇私迎合以危害我朝政治,就命令台谏论次评定奏闻朝廷,朕当依法严惩,以便铲除结党的意图。"当时吕颐浩、秦桧一同辅政,秦桧知道吕颐浩不被当时的议论所称赞,于是多引知名之士作为帮手,企图倾倒吕颐浩而专擅朝廷大权。高宗对此颇有察觉,所以下此诏书。

乙酉(二十四日),吕颐浩上言:"最近到天竺祈求天晴,现在多雨少晴,这样可以宽解圣上的忧虑。"高宗说:"朕在宫中也自己养蚕,这不仅可以候望年景和农事,也想知道女工的艰难,事事切实体验。"

戊子(二十七日),尚书左仆射、同中书门下平章事兼枢密院事吕颐浩都督江、淮、荆、浙诸军事。制书说:"所有长江内外的雄师,都归吕颐浩筹划治理;全体宿将王侯等权贵,都听从吕颐浩指挥调遣。"当时吕颐浩将要谋划出兵,而秦桧的党羽也建议说:"以前周宣王治理内政抵御外患,所以能成就中兴大业。现在二位宰相应当分别担任内外之事。"高宗于是命令吕颐浩总领军队,在镇江开设都督府。吕颐浩请求辟置参谋官以下文武官七十七名,铸造都督府印,赐给激赏银帛二万匹两,上缴的经制钱三十万缗,米六方斛,度牒八百道,每月给公帑钱二千缗,还准许召集各州守臣临时到军前议事,高宗都同意了他的请求。

己丑(二十八日),给事中王叔敖守尚书户部侍郎兼侍读。

庚寅(二十九日),金国因鸭绿江、混同江暴涨,命令赈济在混同江的徙边成户。

这一天,伪齐刘豫迁都汴京,百姓震动惊骇。刘豫于是下诏安抚百姓,因而与百姓约定说:"从今以后不再赦免罪人,不任用宦官,不准离俗出家为僧道,文武官员杂用,不限资格。"尊其祖父刘忠为毅文皇帝,庙号徽祖;其父为睿仁皇帝,庙号衍祖。伪左丞相刘麟登记签发的乡兵十余万人为皇子府十二军,任命尚书户部郎中、兼权侍郎冯长宁为参谋军事,改任汴京留守刘益为京兆留守。

刘豫在开封,凡军国大事以至赏罚诉讼,事无巨细都要申报元帅府裁决。沿黄河、沿淮河及陕西、山东等路,都驻扎着金兵。因此赋敛十分沉重,刑法过于苛峻,民不聊生。当时西京奉先兵卒李英卖玉琬给金人,刘豫怀疑玉碗不是人间寻常之物,通过检验得到证实,于是任命他的臣子刘从善为河南沙淘官,谷浚为汴京沙淘官。于是两京民间的窖藏及坟墓,都被毁坏殆尽。

闰四月,癸巳(初三),高丽国王王楷派遣其尚书礼部员外郎崔惟清、阁门祗候沈起入贡,高宗诏令秘书省校书郎王洋督率押伴。王楷贡献金百两、银千两、帛二百匹、纸二百匹，人参五百斤，高宗诏令赐给崔惟清、沈起金带，在同文馆赐给酒食。

直秘阁、主管洪州玉隆观、衍圣公孔端友已去世，诏令任命他的儿子孔玠为右承奉郎，封衍圣公。

丙申（初六），神武副军都统制岳飞率兵在贺州境内攻打曹成，大破曹成。

起初，曹成已得到贺州，听说岳飞到来，就派兵把守莫邪关。岳飞派遣前军统制张宪攻打，军士郭进与旗头二人先登上关，郭进挥枪杀出，杀死曹成的旗头，贼兵大乱，官军一齐进攻，于是攻入关上。岳飞大喜，补郭进为秉义郎，解下金束带赐给他。官军已攻入莫邪关，贼兵溃散混乱，第五将韩顺夫解鞍卸甲，用掳来的妇人陪酒。贼党杨再兴率领贼众直冲韩顺夫的营寨，官军退却，韩顺夫被杨再兴砍杀臂膀而死。岳飞大怒，全部杀掉韩顺夫的亲随兵，责令他的副将王某生擒杨再兴以赎罪。适逢张宪与后军统制王经都来了，杨再兴多次与官军交战，又杀掉岳飞的弟弟岳翻。官军追击不止，曹成多次失败，贼众死者以万数，曹成率残兵驻扎桂岭。

丁酉（初七），诏令奉迎温州开元寺真宗的遗像前往行在。

起初，章献明肃皇后用黄金铸造真宗的遗像，高宗恐怕会招引来盗贼，所以迁到行在。因而忧惧地对宰相说："朕流离迁徙到此，不能按时祭祀宗庙，手捧衣冠出游，使祖宗的遗像远隔海角，想到这些就座不安席。"

丙午（十六日），神武副军都统制岳飞在桂岭击败曹成，曹成拔起营寨逃去。贼将杨再兴被官军的骑兵追赶到，跳入深涧中，军士想就此杀掉他，杨再兴说："不要杀我，应当让我去见岳公。"于是接受捆绑。岳飞见到杨再兴，解开他的绑绳说："你是壮士，我不杀你，你应当以忠义报效国家。"杨再兴感谢岳飞，岳飞留用他为将。

当时曹成已被岳飞所击破，于是逃到连州。岳飞命令前军统制张宪追击曹成，曹成处境窘困，又逃到郴州，守臣赵不群登城固守，曹成转而进入邵州。适逢福建、江西、荆湖宣抚使韩世忠已平定闽中盗贼，于是回师永嘉，好像将要就地休息，却取道处州、信州，直抵豫章江滨，连营数十里。众贼没有料到韩世忠的到来，非常惊恐，以为是神兵。韩世忠听说曹成屡次败北，就派遣神武左军提举事务官、拱卫大夫、贵州刺史董旼前往招降曹成。曹成率领他的兵众接受招降，只有郝晸不服从，率众逃到沅州，头戴白巾，声称要为曹成报仇。郝晸后来归附于张宪。

庚戌（二十日），武德大夫、知池州王进上奏已收复太平州。

先前江东安抚大使司统制官张俊、耿进等进攻此城，不能攻下，王进率领所部前往。叛兵陆德等人接收招抚，王进挺身入城。次于陆德的头目叫周青，声称不顺从，王进于是召使臣张锌叱令他们对质，乘贼不备，擒住周青，砍下他的头。不久，耿进从西门，张俊从南门入城，各军互不统一，于是杀人并大肆抢掠，城中大乱，兵马铃辖、权州事赵子纲乘隙逃走。张俊擒获陆德进献朝廷，陆德被处斩。后来张俊、王进二人互相争功，朝廷诏令李光追查实情。李光向朝廷上奏王进等人及军士五千八百余人的功状，高宗命令以功赎过，而赵子纲和张锌均被勒停。

起初，王进在池州，曾因事给司理参军卫允迪枷上刑具而且钉他的手，上言者将此情交相奏报朝廷，没有来得及追究。到现在吕颐浩就命令王进率领所部二千人驻扎饶州。

陆德开始反叛时,惧怕官军将会到来,谋划将城中的青壮年全部处以黥刑并屠杀城中的老弱居民,然后率众渡过长江。慈湖寨兵马俊,适逢隶属周青左右,得知他们的阴谋,暗中组织他的同伙十人杀贼,然后晓谕众人开门,他的同伙答应了他。马俊回家后,告诉他的妻子孙氏,与她诀别。到了南门,等到周青出来上马之际,砍中他的脸颊,其余九人害怕不敢上前。马俊与妻子儿女都被害。周青受伤卧床十天,贼党更加零落,官军四面合围,于是被杀。后来追赠马俊为修武郎,为他修建祠庙,号登勇。

【原文】

宋纪一百十一　起玄黓困敦【壬子】五月,尽十二月,凡八月。

高宗受命中兴全功至德　圣神武文昭仁宪孝皇帝

绍兴二年　金天会十年【壬子,1132】　五月,庚申朔,日北至,祀皇地祇于天庆观之望祭殿,始用牲玉。

辛酉,捧日天武四厢都指挥使、建武军节度使、江西兵马副总管杨惟忠卒。

惟忠之讨赵进也,即军中得疾,还洪州,一日死。安抚大使李回收其军隶本司,以统制官傅选、胡友所部四千人为前后军,又命亲卫大夫、鼎州团练使祁超将馀兵五千充本司统制。

惟忠起行间,兼长战守,宣、政间,在陕西,颇有威名;及从帝至东南,官崇志满,不肯尽力,声誉日衰。薨年六十六,后谥恭勇。

庚午,岳飞奏破曹成于贺州。

壬申,蕲黄镇抚使孔彦舟言:"刘豫已迁汴京,金人留成甚寡,人苦科役,日望王师,土豪人户,尚有团练保险坚守不降者。诚能拜相臣为大元帅,宿重兵于淮南要害之地以为根本,指挥诸镇,分道进兵,将见天戈所指,州县望风降顺。因民所欲,藉以为兵,不必乞师于神武;取民所馀,资以为粮,不必仰给于县官。河南之地,指日可定,而京城孤立矣,一日会合,辐辏城下,而刘豫唾手可擒也。伏念臣昨任东平府钤辖,统领巡社乡兵,屡战获捷,京东军民,粗知姓名。见今所部将士,又多东北人,皆曾随臣出入行陈,习知山川,不烦乡道。伏望圣慈假借名目,稍重事权,使臣独当一路,自光之蔡,迤逦进兵。"诏赐敕书嘉奖,仍令就都督府计议。

丁丑,尚书左仆射、都督江淮荆浙诸军事吕颐浩总师次常州,而其前军将、武节大夫、荣州团练使赵延寿所部〔忠〕锐军叛于吕城镇。是日,叛兵过金坛县,奉议郎、知县事胡思忠率射士迎敌,为所败。贼以枪刺之,思忠曰:"宁杀令,毋掠藏库,杀平民。"贼怒,逐之至市河,思忠溺死。浙西安抚大使刘光世遣前军统制王德追叛兵,至建平县,及之,尽歼其众。后赠思忠三官,录其家一人。于是颐浩称疾不进。

壬午,诏:"泛海往山东者行军法。"牒报刘豫于登、密、淮阳造舟,论者恐贾舟为伪地所拘,则篙工柁师悉为贼用,故有是旨。

甲申,户部请诸路上供丝帛并半折钱,许之。是时江、浙、湖北、夔路岁额绸三十九万匹,江西、川、广、湖南、两浙绢二百七十三万匹,东川、两浙、湖南绫罗纻七万匹,成都府锦绮千八百馀匹段,皆有奇。

丙戌，诏置修政局。

时尚书左仆射吕颐浩既督军于外，右仆射秦桧乃奏设此局；命桧提举，而参知政事翟汝文同领之。又以尚书户部侍郎黄叔敖为参详官，起居郎胡世将、太常少卿王居正为参议，尚书右司员外郎吴表臣、〔屯田〕员外郎曾统、兵部员外郎楼炤、考功员外郎张嵲并为检讨官，置局如讲议司故事。仍诏侍从、台省寺监官、监司、守令各书所见。

六月，庚寅朔，贵州团练使、新知复州李宏引兵入潭州，执湖东招抚使马友，杀之。

时韩世忠将至长沙，宏遂有杀友之谋，是日，因其诣天庆观还，袭杀之于市。其将王进、王俊以所部数千人遁去。宏屯潭州。

辛卯，内殿进呈王大智所造军器，帝曰：“车战可用否？古法既废，不复闻用车取胜，莫若且令多造强弩。”

金遣使阅诸路丁壮，调赴军中。

癸巳，命广西经略司即韶州拨内帑钱三十万缗市战马。至是经略司言：“比岁不逞之徒，多以金银市马，鬻于群盗，故马直踊贵，望于《大观格》递增二分。”许之。旧格八等：马高四尺七寸者，直十五千；高四尺一寸者，直十三千；其馀以是为差。于是神武诸军皆缺马，乃命经略司以三百骑赐岳飞，二百骑赐张俊，又选千骑赴行在。然蛮马尤驵骏者，在其地或博黄金二十两，日行四百里；但官价有定数，故不能致此等焉。

己亥，江东安抚大使李光乞行宫增创后殿，仍修盖三省、枢密院、百司及营房等；许之。

其后帝手诏光，第令具体而微，毋困民力。辅臣进呈，帝曰：“但令如州治足矣。若止一殿，虽用数万缗，亦未为过。必事事相称，则土木之侈，伤财害民，何所不至？”

壬寅，翟汝文罢参知政事。

利州观察使、蕲黄镇抚使孔彦舟叛，降伪齐。

先是刘豫访得彦舟母、妻及子，厚给以禄，使其舅卢某持书招之，彦舟乃有叛意，未发。会报权邦彦入枢府，彦舟与之有隙，心不自安。时韩世清既伏诛，而韩世忠连破湖、湘群盗，顺流东归，彦舟疑其图己，遂决策叛去。幕客长洲王玠谏曰：“总管被命镇抚三州，任优禄厚，岂可负朝廷恩，自陷不义！”彦舟不听。玠再谏，遂面骂之；彦舟怒，杀玠，引所部降刘豫。

其统制官陈彦明不肯北去，与统领官、武翼郎郭谅率众千馀诣知江州刘绍先降。诏进彦明二官，与谅并为都督府准备将，仍赐敕书奖谕。

江西安抚大使李回闻彦舟遁，乃以本司右军统领李玠以所部知黄州。

乙巳，诏签书枢密院事权邦彦兼权参知政事。

甲寅，诏尚书左仆射、都督江淮荆浙诸军事吕颐浩令赴行在奏事。

初，颐浩甫出师，而其前军叛去。又闻桑仲死，颐浩不能进，遣参谋官傅崧卿以所部之建康，因引疾求罢，帝手诏封还所上章。颐浩复乞祠，乃命还朝，以崧卿权主管都督府职事。

乙卯，诏以辛企宗所部神武副军隶湖广宣抚使李纲，仍趣令之镇。

福建、江、湖宣抚使前军统制官解元，后军统制官程振，以所部入潭州，屯于子城之内。新知福州李宏，称疾不出。夜，宏中军由恩波门以遁，元遣将李义追击之。翼旦，元尽拘宏舟楫之在江皋者，引兵至寨中，见宏计事，因悉其兵械以归。世忠即以宏为宣抚司统制。时朝廷始闻马友死，以敕书劳宏，而宏已执矣。

是夏，金都元帅宗翰之白水泊避暑，试举人以词赋，得胡砺以下。先是试之日，宗翰立马

2559

场中,呼举人之年老者,诸生不谕其意,争跪于马前。宗翰据鞍,以鞭指麾,俾译者谕之曰:"汝无力老奴婢,胡为应试!汝能文章,则少年登科矣。今苟得官,自知日暮涂远,必受赇为子孙计,否则图财假手,何补于国!我欲杀汝,又念汝罪未著,姑听终场。倘有所犯,必杀毋赦。"诸生伏地叩头,愧恐而去。是举也,宗翰谕主司勿取中原人。

秋,七月,壬戌,复置湖北提举茶盐司。

癸亥,敕令广西经略司以盐博马,其后岁拨钦州盐二百万斤与之。

乙丑,给事中胡安国入对,帝曰:"闻卿大名,何为累召不至?"安国再拜辞谢,进曰:"臣闻保国必先定计,定计必先定都;建都择地,必先设险;设险分土,必先尊制,制国以守,必先恤民。夫国之有斯民,犹人之有元气,不可不恤也。除乱贼,选县令,轻赋敛,更弊法,省官吏,皆恤民之事也。而行此有道,必先立政;立政有经,必先核实;是非毁誉,各不乱真,此致理之大要也。是非核实,而后号令行,人心顺从,惟上所命,以守则固,以战则胜,以攻则服,天下定矣。然欲致此,顾人主之志尚何如耳。尚志所以立本也,正心所以决事也,养气所以制敌也,宏度所以用人也,宽隐所以明德也。具此五者,帝王之能事备矣。乞以核实而上十有五篇,付宰相参酌施行。"

己巳,江西安抚大使司奏孔彦舟北遁。诏趣岳飞移屯江州。

左司谏吴表臣言:"风闻伪齐于京东路每户科麻七斤,或者恐其以绳维舟,谋济江之计。今沿江津渡,皆当为备,就中采石,江稍狭而水缓,鉴之往事,备御尤当严密。"枢密院勘会,已令韩世忠屯建康府,岳飞屯江州,防扼江道。诏送沿江诸帅。

丙子,初,韩世忠进师讨刘忠,是日,至岳州之长乐渡,与贼对垒,贼开堑设伏以拒官军。

己卯,吕颐浩自镇江入见。庚辰,颐浩言:"金人顷侵建康,初自北岸掠小舟数十而济,既至南岸,恣行掠船,济渡军马。其取和州,渡江亦然。欲令江北诸渡,自九月朔日,惟于紧要渡口量留舟一二以备转送斥堠文字,馀舟皆泊南岸。至十月朔日以后,大江更不得通行,应公私舟船,悉令于南岸深港内隐藏;如违,篙梢并行军法。俟过防秋如旧。"从之。

是日,韩世忠先遣中后左右四军渡江,逼刘忠寨而屯。

先是世忠既移屯,乃弈棋饮酒,按兵不动者累日,众莫窥其际。一夕,独与亲信苏格便服联小骑直穿贼营,警夜者呼问,世忠曰:"我也。"盖已谍知贼中约以"我"字为号,故所向不疑,遂周览贼营而去。出,喜曰:"天赐我也!"即下令:"明日破贼会食。"遂命诸军拔栅前行,而潜令锐卒二千衔枚夜进,伏于山上。翼旦,世忠亲率选锋及前军俱进。暨战所,遣卒疾驰,入其中军望楼,植麾张盖,贼回顾惊溃,大败遁去。忠据白面山跨三年,及是乃败,其辎重皆为世忠所得。始,世忠之出也,宣抚使孟庾以师久劳,止之,世忠请期半月当驰捷以献,至是卒如所料。

甲申,吕颐浩言:"朝廷置沿海制置司,最为得策。然敌人舟从大海北来,抛洋直至定海县,此浙东路也。自通州入料角,放洋至青龙港,又沿流至(全)〔金〕山村、海盐县,直泊临安府江岸,此浙西路也。万一有警,制置一司必不能照应。望令仇悆专管浙东、浙西路,别除制置使一员专管浙东、福建。"从之。

丙戌,御史中丞沈与求试吏部尚书兼权翰林学士,尚书户部侍郎兼侍读、提领榷货务兼修政局详定官黄叔敖试户部尚书,试吏部侍郎兼直学士院綦崈礼与权兵部侍郎方孟卿两易,秘阁修撰、都督府随军转运使姚舜明权户部侍郎,殿中侍御史江跻守侍御史。

八月，甲午。近岁官吏坐赃抵死之人，率皆贷配，故犯法者滋多。至是钱塘县吏乐振，受贿当死，诏论如律，其徒始骇惧。大理寺丞姚焯因请以振刑名颁下诸州，从之。

金赈泰州戍边户。

金主如中京。

丙申，左司谏吴表臣言："时方艰危，州郡获全者无几，正赖贤守以循抚之。望用艺祖、汉宣帝、唐太宗、明皇故事，应郡守初自行在除授及代归赴阙者，并令引对。一则明示朝廷谨重郡守之意，使之尽心；二则可以揣知其人之贤否与其才之所堪，从而褒黜；三则自外来者，可询其所以为政与民情风俗之所安，而下情上通，不至壅蔽。"辅臣进呈，帝曰："郡守，民之师帅，若不得人，千里受弊。宜从之。"

辛丑，左司谏吴表臣言："大江之南，上自荆、鄂，下至常、润，不过十郡之间，其要紧处不过七渡：上流最急者三，荆南公安、石首、岳之北津；中流最紧者二，鄂之武昌，太平之采石；下流最紧者二，建康之宣化，镇江之瓜洲是也。惟此七渡，当择官兵，修器械。其馀数十处，或道路迂曲，或水陆不便，非大军往来径捷之处，略为之防足矣。又，十郡之间，地不过三千馀里，有一州占江面五百里者，有占百馀里者，远近、多寡、劳逸大不均。如七处渡口外，宜每县分定百里，专令巡尉守之，则力均而易守。"诏以付沿江守帅。

癸卯，淮东宣抚使刘光世言通问使、朝奉郎王伦还自金国。

始，朝廷遣人使敌，自宇文虚中之后，率募小臣或布衣借官以行，如伦及朱弁、魏行可、崔纵、洪皓、张邵、孙悟辈，皆为所拘。既而金都元帅宗翰在云中，遣都点检乌陵思谋至馆中，具言息兵议和之意，俾伦南归，须使人往议。宗翰贻帝书，略云："既欲不绝祭祀，岂宜过于吝爱，使不成国！"于是皓、弁皆得以家问附伦而归。伦至东京，与刘豫相见，豫遣伪邻门宣赞舍人马某伴押至境上。光世以闻，诏伦赴行在。

乙巳，德安围解。

李横自夏来围德安，未尝攻城会战，惟于城之西北隅造天桥成，填壕皆毕，乃鼓众临城。镇抚使陈规率军民乘城御之，规坐城楼，为炮折其足指，容色不变。围益急，粮饷不继，诸将请杀牛以代军食，规曰："杀牛代食，事穷矣！"因出家财以劳军，士气益振。孝感令韩诵来告曰："县有粟百斛，路梗不能通。"会大风雨，规命乘势呵殿而来，贼军疑其神卒，不敢击。规以书求援于朝，未报。横遣人来，愿得府之妓女而罢军，规不可，诸将曰："围城七十日矣，以一妇人活一城之众，不亦可乎？"规曰："使横即退，是我以妇人求和；况得之而未必退乎？"卒不予。

时横填壕不实而天桥陷，规以六十人持火枪自西门出，焚其天桥，城上以火牛助之，倏忽皆尽，横拔寨遁去。

甲寅，尚书右仆射、同中书门下平章事兼知枢密院事秦桧罢为观文殿学士、提举江州太平观。

桧与左仆射吕颐浩不谐，颐浩既引朱胜非还朝，复自内批(今)〔令〕日赴都堂议事，位知枢密院事上，欲以逼桧。会王伦来归，殿中侍御史黄龟年因劾桧专主和议，沮止国家恢复远图，且植党专权，渐不可长。桧即上章辞位，帝未许。前一日，颐浩与参知政事权邦彦留身帝前，复言桧之短。帝乃召兵部侍郎兼直学士院綦崇礼入对，出桧所献二策，大略欲以河北人还金，中原人还刘豫，如斯而已。帝谓崇礼曰："桧言'南人归南，北人归北'，朕北人，将安

2561

归?又桧言'臣为相数日,可以使耸动天下',今无闻。"窢礼请御笔付院。帝即索纸(笔)〔书〕付窢礼。窢礼退,未至院,而麻制已成。翼日,制责桧曰:"自诡得权而举事,当耸动于四方;逮兹居位以陈谋,首建明于二策。罔烛厥理,殊乖素期,念方委听之专,更责寅恭之效。而乃凭恃其党,排摈所憎,岂实汝心,殆为众误,顾窃弄于威柄,虑或长于奸朋。"桧既免,帝乃谕朝廷终不复用,仍榜朝堂。桧入相凡一年。

诏:"珍禽花木毋入临安诸门。"

夜四更,彗出于胃,帝忧之,命大官进素膳。

乙卯,诏:"防秋届期,建康修大内可罢。"

九月,戊午朔,观文殿学士、提举江州太平观秦桧落职。

时言者论:"陛下愤中国之未振,付桧以内修之事。而桧不知治体,信任非人,不以宽大之(故)〔政〕辅陛下仁厚之德,乃以苛刻为务,事图减削,过为裁抑,人心大摇,怨讟在路。又引用程瑀等,布列要路,党与既植,同门者互相借誉,异己者力肆排摈。桧为宰相,兼此二罪,尚何俟而不遣之乎?"故有是命。

己未,罢修政局,以议者言修政所讲多刻薄之士,失人心,致天变故也。

龙图阁待制、知温州洪拟试吏部尚书,徽猷阁待制、提举临安府洞霄宫郑滋试尚书兵部侍郎。

诏:"雩祀上帝,复以太宗配。"

辛酉,以彗星出,赦天下,应盗官物入己,罪抵死者不赦。内外臣庶,许直言时政阙失。行在和籴军粮,自今并用一色见钱银绢充籴本。免民间牛税一年。应盗贼啸聚去处,限十日出首,免罪,补官。川、陕豪户辇运军储,数多者与补承信郎至进义副尉。陕西诸叛将,许令自新,前罪一切不问。

朝奉郎、充河东大金军前(进)〔通〕问使王伦至行在。帝嘉其劳,诏:"伦去国五年,奉使有称,特迁右朝奉大夫、充右文殿修撰、主管万寿观。"伦言宇文虚中奉使日久,守节不屈。时虚中子右朝奉郎师瑗,奉其母居闽中,乃添差师瑗福建路转运判官。于是尚书左仆射吕颐浩议,当再遣使人以骄敌意。

壬戌,以左迪功郎潘致尧为左承议郎、假吏部侍郎,为大金奉表使兼军前通问;秉义郎高公绘为武经郎、假武功大夫、忠州刺史,副之。命伦作书与其近臣耶律绍文,且附香药、果茗、缣帛、金银进两宫,二后又减半;遗都元帅宗翰金二百两、银千两;遗右监军希尹、赐宇文虚中半之;遗耶律绍文银三百两、缣、币百匹,通问副使朱弁已下亦皆赐金。三省勘问,路由东京,乃令颐浩作书,以果茗、币帛遗刘麟。致尧、公绘,各官其家二人,赐金帛甚厚。

集英殿修撰、知平江府席益试尚书吏部侍郎,寻兼侍讲。

乙丑,观文殿学士、左宣奉大夫、提举醴泉观兼侍读朱胜非守尚书右仆射、同中书门下平章事。

初命沿江岸置烽火台以为斥堠,自当涂之褐山东、采石、芜湖、繁昌、三山至建康之马家渡、大城埂、池州之鹊头山,凡八所,旦举烟、暮举火各一以为信,有警即望之。

丙寅,军贼李通受都督府招安,傅崧卿以通为修武郎、本府亲兵前军统领。

辛未,诏:"自今应批降处分,系亲笔付出身者,并依旧作御笔行。"

甲戌,彗星没。

乙亥，御笔："尚书兵部侍郎兼直学士院綦崈礼为翰林学士。"自靖康后，从官以御笔除拜自此始。

丙子，诏："近降御笔处分事，多系宽恤及军期等事，与前此指挥事体不同，并经三省、枢密院。如或不当，自合奏禀，仍许给、舍缴驳，台谏论列，有司申审。若奉行违慢，止依违圣旨科罪。"是日进呈，帝谓辅臣曰："今日批降处分，虽出朕意，必经由三省、密院，与已前不同。"朱胜非曰："不经凤阁、鸾台，盖不谓之诏令。"吕颐浩曰："所以别于圣旨者，欲上下晓然知陛下德音所向也。"遂批旨申下。

戊寅，罢镇江府织御服罗。帝谕辅臣："方军兴，有司匮乏，岂可以朕服御之物为先！且省七万缗，助刘光世军费也。"

辛巳，太尉、神武左军都统制、福建、江西、荆湖等路宣抚副使韩世忠为江南东、西路宣抚使，置司建康府。沿江三大帅刘光世、李回、李光，并去所领扬、楚等州宣抚使名，其节制淮南诸州如故。惟荆湖、广东宣抚使李纲，止充湖南安抚使，湖北、广东并还所部。自分镇以来，前执政为帅者，例充安抚大使，至是右司谏刘裴屡言纲跋扈，吕颐浩将罢纲，故帅衔比江东、西减大字。

世忠言提举官董敗，招马友、曹成之众得八万人；诏户部侍郎姚舜明往衡、邵、辰、沅等州拣其军，仍应副沿路粮食。世忠还建康，乃置背嵬亲随军，皆骁勇绝伦者。

壬午，权尚书礼部侍郎赵子昼充徽猷阁待制、枢密都承旨。自改官制后，都承旨除文臣自子昼始。

丙戌，显谟阁直学士、知兴元府王似为端明殿学士、川陕等路宣抚处置副使，与张浚相见，同治事。

始，浚出使，第以宣抚处置为名，至是始带川陕及等路字。浚在川、陕，凡事虽以便宜行之，然于乡党亲旧之间，少所假借。于是士大夫有求于宣司而不得者，始起谤议于东南，大略谓浚杀曲端、赵哲为无辜，而任刘子羽、赵开为非是。朝廷疑之，将召归，先为（制）〔置〕副。时似已复还成都，而行在未知也。

丁亥，初，刘忠既为韩世忠所破，复聚众走淮西，驻于蕲阳口，世忠前军统制解元以舟师奄至，袭忠，大破之。忠与其徒数十人遁走北去，附于刘豫；以忠为登、莱、沂、密等州都巡检使。忠之将文广，率所部诣江西安抚大使李回降，回即以广为武翼郎、阁门宣赞舍人，充本司统领军马。

资政殿大学士宇文虚中在云中，闻金将侵蜀，遣使臣相偶间行以告宣抚处置使张浚，且赍帝所赐御封亲笔押字为信，两傍细字作道家符录隐语云："善持正教，有进无退。魔力已衰，坚忍可对。虚受忠言，宁殒无悔。"虚受忠言者，盖隐虚中之名也。又遗其家人书，言："中遭迫胁，幸全素守。惟期一节，不负社稷。一行百人，今存者十二三人。有人使行，可附数千缗物来，以救艰厄。昨有人自东北来，太上亦须茗药之属，无以应命，甚恨甚负。"于是虚中妻黎氏奏以缣、帛、茗、药附通问使潘致尧，而致尧已行矣。

伪齐长星见。伪太后翟氏死，谥曰慈献。

是秋，金主如燕山，都元帅宗翰、右副元帅宗辅、右监军希尹、左都监宗弼皆会。留右都监耶律伊都守大同府，左监军昌守祁州。

伊都久不迁，颇怨望，遂与燕山统军稿里谋为变，尽约燕、云之郡（首）〔守〕、契丹、汉儿，令悉诛女直之在官、在军者。天德知军伪许之,遣其妻来告。时希尹微闻其事而未信,偶猎居庸关上,遇驰书者,觉而获之。宗翰族稿里,命希尹诛伊都于大同。伊都微觉,父子以游猎为名,乃奔达勒达。达勒达先受希尹之命,其首领诈出迎,具食帐中,潜以兵围之。在勒达善射,无衣甲,伊都出敌不胜,父子皆死。

西京副留守李处能坐累诛。南京留守郭药师、河东南路步军都(统)〔总〕管萧某皆下狱,既而(狱)〔获〕免。处能,燕人,辽宰相俨之子,宣和末,自平州来归,拜延康殿学士,赐姓名赵敏修;金人交燕,复取以去。宗翰以药师家富于财,谓其可以动众,悉夺而囚之。

宗翰次室萧氏,本天祚之元妃,希尹杀之,谓宗翰曰:"彼与兄实为仇雠,然忍死事兄者,盖有待也。今事既不成,它日帷间,寸刃不测,可以害兄矣。希尹以爱兄故擅杀之。"宗翰泣谢。于是宗翰令诸路尽杀契丹。

金主闻伊都叛,未至燕而归。大赦。

彰德军节度副使高景山告知相州杜充阴通江南。先是充之孙自南方逃归,充不告官而擅纳之,遂下元帅府掠治。宗翰问之曰:"汝欲归江南邪?"充曰:"元帅敢归江南,监军敢归江南,惟充不敢归也。"诸帅相顾而笑。逾年乃释。

冬,十月,戊子朔,置孳生马监于饶州,命守臣提领,括神武诸军及郡县官牧马隶之,仍选使臣五人专主其事。

时言者以为"军旅之事,马政为急;多事以来,国马为强敌所侵,盗贼所有,其在诸军者无几。乞讲求孳生之利,于江东、西择水草善地,置地以牧之。"故有是命。

辛卯,朝议以坑冶所得不偿所费,悉罢监官,以县令领其事。至是江东转运副使马承奏存饶、信二州铜场,许之。二场皆产胆水,浸铁成铜。元祐中,始置饶州兴利场,岁额五万馀斤。绍圣三年,又置信州铅山场,岁额三十八万斤。其法以斤铁排胆水槽中,数日而出,三炼成铜,率用铁二斤四两而得铜一斤云。

癸巳,诏湖北安抚司后军统制官颜孝恭以所部还鄂州。孝恭初奉诏讨石陂军贼余照,照为官军所杀,其次李宝等百馀人皆就招。

戊戌,吕颐浩言:"建康米斗不及三百,欲于镇江上下积粟三十万斛,以助军用。"帝曰:"若精选兵十五万,分为三军,何事不成!祖宗取天下,兵数不过如此。"

庚子,直徽猷阁凌唐佐为伪齐所杀。

初,唐佐既降,刘豫因以唐佐知归德府。有尚书郎李亘者,乾封人,建炎末避地不及,豫使守大名。时通问副使宋汝为亦以豫命同知曹州。三人素相厚,汝为知豫无改悔意,与唐佐等疏其虚实,遣人持蜡书告于朝。唐佐、亘募得卒刘全、宋万、僧惠钦,汝为募民王现、邵邦光,皆十馀往返。尚书左仆射吕颐浩之过常州也,得唐佐从孙宪,授保义郎、邬门祗候,俾持帛书遗之。宪至睢阳,唐佐妻田氏使与馆客张约同食,宪疑不出,田氏曰:"无伤也。"既而为约所告,豫遣人捕唐佐并其家至京师,宪走得免。唐佐谏豫,责以大义,豫怒,斩唐佐于境上,下令曰:"唐佐结连江南谋反,斩首号令。其家属当从坐,贷死,送颍昌府拘管。"时全、万、惠钦为逻者所得,事泄,亘亦坐诛。先是武显大夫孙安道为应天府兵马钤辖,城陷,不得归,后谋挺身还朝,为人所告而死。事闻,赠安道忠州刺史;为亘立祠,名愍忠。

丁未,以孟冬荐飨太庙于温州。是月也,先祫祭。祠部员外郎、神主神御提点向宗厚言:"祭不欲数,乞用故事权罢时享。"礼官援《政和五礼新仪》,不从。于是祫祭、孟飨荐新、朔祭兼行于一月之间,非故事也。

己酉,诏:"帅臣、统兵官以公使酒酤卖者,取旨论罪。"

先是李纲为湖广宣抚使,请于所在州军造酒,许之。乃是吕颐浩因进呈言:"茶盐榷酤,今日所仰养兵。若三代井田、李唐府兵可复,则此皆可罢。不然,财用舍此何出?"朱胜非曰:"榷酤自汉武时因兵兴而有。"帝曰:"行之千馀年,不能改革,可见久长之利。"故有是旨。

诏湖北安抚使刘洪道、知鼎州程昌寓并力招捕湖寇杨太。

时太据洞庭,有众数万,又有周伦、杨钦、夏诚、刘衡之徒,大造车船及海鳅船,多至数百。车船者,置人于前后,踏车进退,每舟载兵千馀人。又设拍竿,长十馀丈,上置巨石,下作辘轳,遇官军船近,即倒拍竿击碎之,官军以此辄败。大率车船如陆战之陈兵,海鳅如陆战之轻兵。又,伦、钦虽各有寨,而专倚舟以为强,诚、衡虽各有舟,而专倚寨以为固,此其所恃也。韩世忠之在湖南也,遣使臣朱实往招之,太不听命。至是昌寓以奏,乃命趣捕之。

是月,尚书右仆射朱胜非上经营淮北五事,一谓:"国家屯军二十万,月费二百万缗,倘无变通,必致坐困。逆豫方行什一税法,聚以资敌,若王师不出,豫计得行。今当渡江取彼所积以实边圉,淮南既实,民力自宽。"二谓:"逆豫招到淮北山寨及知名贼二十六项,所以然者,彼谓官兵不敢出,逆贼能骤来耳。宜分为三军,声言取徐、邳而实取淮阳,声言趣京师而实取陈、蔡,声言入滨海而实取青、密,使豫闻之,必分兵拒守,然后大军出庐、寿,直捣宋、亳,豫必成擒矣。"三:"虑贼并力南下,今敌使既行,未有要约,不若先破豫兵,去其一助。"四:"大军一出,所得金帛,当明谕将帅,悉以赏军。"五:"淮北有土豪助顺者,就以为守将,俾自为备,则兵势益张。如此,则不三二年,中原可定。"帝纳之。

十一月,戊午朔,右谏议大夫徐俯入对,言大臣不可立威,宜与诸将论事。又言杜充一向威严,诸将不敢议事,其败以此。帝曰:"朕命大臣与诸将会食供职,卿特未知。"吕颐浩曰:"将相和则国安,岂可人情不通!"自颐浩、张浚执政,始与诸大将共食于朝堂,论者谓诸将便衣密坐,视大臣如僚友,阶级之法废矣。

己未,尚书工部侍郎韩肖胄,移吏部侍郎,仍兼工部;权吏部侍郎章谊,移刑部侍郎,仍兼工部。

金迁赵氏疏属于上京。

辛酉,伪齐刘豫召武功郎、河南镇抚司都统制董先至汴京,以为大总管府先锋将。

先是金房镇抚使王彦在金州,威声颇著,宣抚处置使张浚以彦节制商、虢、陕、华州。彦遣属官高士瑰率诸将以图商、虢,至紫岭,与先遇,官军败,统制官刘琦战死。然先以困迫,遂弃商州,彦以统制官邵隆知州事。

(乙)〔己〕巳,吕颐浩屡请因夏月举兵北向以复中原,且谓:"人事天时,今皆可为。何者?昨自维扬之变,兵械十亡八九,未几敌分三路入侵,江、浙兵散而为盗。自陛下专意军政,拣汰冗兵,修饬器甲,今张俊兵三万,有全装甲万副,刀枪弓箭皆备;韩世忠军四万,岳飞军二万三千,王瓘军一万三千,虽不如俊之军,亦皆精锐;刘光世军四万,老弱颇众,然选之亦可得其半。又,神武〔中〕军杨沂中,后军巨师古,皆不下万人,而御前忠锐如崔增、姚端、张守忠等军亦二万。臣上考太祖之取天下,正兵不过十万,况今有兵十六七万,何惮不为!且向者邵青扰通、泰,张琪劫徽、饶,李成破江、筠,范汝为据建、剑,孔彦舟、马友、曹成等为乱于江、湖,朝廷枝梧不暇,今悉已定。又,自敌之南牧,莫敢撄其锋者;近岁张俊获捷于四明,韩

2565

世忠扼于镇江,陈思击于长桥,而张荣又大捷于淮甸。良由敌贪残太甚,天意殆将悔祸。又,敌以中原付之刘豫,而豫烦碎不知国体,三尺童子知其不能立国,事固可料。观宇文虚中密奏,虽未可尽信,然敌骑连年不至淮甸,必有牵制。今韩世忠已到行在,臣愿睿断早定,命世忠、张俊与臣等共议,决策北向。令世忠由宿、泗,刘光世由徐、曹以入,又于明州留海船三百,只令范温、阎皋乘四月南风北去,径取东莱。此数路皆有粮可因,不必调民馈运。大兵既集,豫必北走。所得诸郡,就择土豪为守,敌举兵来争其地,则彼出我入,彼入我出,扰之数年,中原可复。况今之战兵,其精锐者皆中原之人,恐久而销磨,异时势必难举,此可为深惜者也。"

庚午,诏:"自今御笔并作圣旨行下。"时右谏议大夫徐俯言:"宣和以来所以分御笔、圣旨者,以违慢住滞,科罪轻重不同也。今明诏许缴驳论列,当依祖宗法作圣旨行下。方其批付三省,合称御笔,三省奉而行之,则合称圣旨,然后名正言顺。"上从之。

壬申,帝谕辅臣曰:"自昔中兴,岂有端坐不动于四方者!将来朕抚师江上。朕观周宣王修车马,备器械,其《车攻》复古一篇可见。若汉世祖起南阳,初与寻、邑之战,以少击众,大破昆阳。其下如唐肃宗虽不足道,而能用郭子仪、李光弼,以复王室。朕谓中兴之治,无有不用兵者。卿等与韩世忠曲折议此否?如朝廷细事,姑(待)〔付〕有司,卿等当熟讲利害。朕前日与世忠论至晚膳过时,夜思至四更不寝。朕与卿等固有定议,昨日批出,可更召侍从,日轮至都堂,给札条对来上,朕将参酌以决万全。"

吏部侍郎韩肖胄言:"今日之势,终当用兵。如晁错之论七国,以为削亦反不削亦反,金人犹是也。"继因赐对,面奏:"贼豫盗据中原,人心不附,宜出不意遣兵将鼓行进讨,声言翠华再幸金陵,督使过江。愿赐睿断,克成大勋。"时颐浩亦召世忠至都堂,谕以焚毁刘豫粮草事,世忠曰:"此乃清野之法,不可不行。"

礼部尚书洪拟独言:"国势强则战,将士勇则战,财用足则战,我为主彼为客则战。陛下前年幸会稽,今年幸临安,兴王之居未定,如唐肃宗之在关中,光武之在河内也。又,迩者诸将虽有邀击小胜,未见雷动电发以取大捷。又,江、浙农耕未尽复,淮甸盐策未尽通,平日廪给尚艰,缓急将何以济?又,千里馈粮,士有饥色,今使千里出战,则彼逸我劳。凡此皆未可言战也。"拟归家,语人曰:"吾知迎合可取高位,然岂以一身之故误国事耶!"

甲戌,潭、鼎、荆、鄂帅守李纲等四人约日会兵,收捕湖寇。

初,纲以湖广宣抚使赴湖南,闻曹成将自邵入衡以趋江西,而韩世忠所留提举官董旼亲兵才数百人,势不足以弹压,即驻师衡阳,遣使谕成,使散其众。成至衡,纲召与语,俾率其徐众四万诣建康。时马友之将步谅,有兵二万,掠衡山,泊吴集市。纲留统制官韩京屯茶陵以扼贼,而亲帅大军自白沙潜涉江,谅不虞其至,遂出降。至是以闻,诏纲精加拣汰,得七千馀人,隶诸军。

纲寻入潭州,械右朝奉郎、知醴陵县张觊属吏,权摄官以渐易置,赃吏稍戢。纲延见长老,问民疾苦,皆以盗贼、科率为言,乃檄州县,非使司命而擅科率者,以军法从事;应日前科须之物,并以正赋准折。又遣统制官郝晸降溃将王进于湘乡,吴锡擒王俊于邵。自是湖南境内溃兵为盗者悉平,惟湖寇杨太据洞庭,文榜指斥,言词不逊。纲命统领官李建、马准、吴锡分屯湘阴、益阳、桥口以备之。

湖南无水军,纲乃拘集沿江鱼户,得三千人,屯潭州,言于朝,乞合兵讨荡。诏湖北安抚使刘洪道、知鼎州程昌寓、荆南镇抚使解潜遣兵会之,仍权听纲节制。

壬午,龙图阁直学士、知湖州汪藻言:"自太上皇帝、渊圣皇帝及陛下建炎改元,至今三十馀年,并无日历。本朝宰相皆兼史馆,故书榻前议论之辞,则有时政记;柱下闻见之实,则有起居注。类而次之,谓之日历;条而成之,谓之实录;所以备记言,垂一代之典也。苟旷三十年之久,无一字之传,何以示来世?望许臣编集元符庚辰至建炎己酉三十年间诏旨,缮写进呈,以备修日历官采择。"许之。

自军兴,史官记录,靡有存者。藻尝于经筵面奏,乞命史官纂述《三朝日历》,会朝廷多事,未克行。比出守湖,而湖州不被寇,元符后所受御笔、手诏、赏功、罚罪等事皆全,藻因以为张本,又访诸故家士大夫以足之,凡六年乃成。

十二月,丁亥朔,诏:"闽盗范忠窃发,令神武前军左部统领申世景、御前忠锐第六将单德忠以所部二千速捕之,毋致滋长;如不即捕获扑灭,其帅守监司及应捕盗官,并重置宪典。"既而处州复告急,乃命忠锐第一将张守忠以精兵二千会之,权听守臣宋伯友节制,贼遂平。世景以劳自武功大夫加荣州刺史。

甲午,御笔严销金之禁。帝因览《韩琦家传》论戚里多作销金事,且闻都人以为服饰者甚众,故禁之。

观文殿学士、知潭州、充湖南安抚使李纲罢,以龙图阁直学士折彦质为湖南安抚使。

夜,行在临安府火,燔吏、工、刑部、御史台及公私室庐甚众,乙未旦乃灭。太常博士赵霈言:"国家以宋建号,用火纪德。今驻跸以来,未举大火之祭,望诏有司举行。"从之。

戊戌,端明殿学士、江东安抚大使赵鼎始至建康视事。时参知政事、权同都督江淮荆州诸军事孟庾,太尉、江南东西路宣抚使韩世忠,皆驻军府中。军中多招安强寇,鼎为二府,素有刚正之风,庾、世忠皆加礼,两军肃然知惧,民既安堵,商贾通行焉。

辛丑,给事中贾安宅试尚书工部侍郎。

宣抚处置使张浚,即成州置院,类试陕西〔发〕解进士,得周汉等十三人。浚承制赐汉进士出身,馀同出身。癸卯,以闻。

甲辰,诏张浚罢宣抚处置使,依旧知枢密院事,徽猷阁直学士知夔州卢法源为龙图阁学士、川陕宣抚处置副使,与王似同治事。

先二日,命驾部员外郎李愿往川、陕,因使持诏召浚还朝,且令与参赞公事刘子羽、主管机宜文字冯康国俱还,仍以亲兵千人护送。时法源奉祠居蜀,浚承制以法源代韩迪,言于朝;阅四日,遂有是命。寻以浚于国有功,久劳于外,令学士院降诏召赴枢庭,仍命学士撰蜡书十通,付宣抚副使王似书填赐诸叛将,略曰:"昨宣司参议刘子羽弄权用事,不通人情,今已召张浚还朝,更命王似,无复嫌隙,其早自归。"浚闻,乞祠,不许。

是日,帝谓大臣曰:"近引对元祐臣僚子弟,多不逮前人,亦一时迁谪,道路失教。元祐人才,皆自仁宗朝涵养,燕及子孙。自行经义取士,往往登科后再须修学,所以人才大坏,不适时用。"

辛亥,襄阳镇抚使李横败伪齐于杨石店,遂复汝州。

先是伪河南尹孟邦雄发永安陵,镇抚使翟琮愤不能平,思出奇以擒之;知虢州董振,亦与伪将先密谋以所部应琮。时襄阳粮乏,横不能军,乃引兵而北。敌自入中国,少能抗之,不意其猝至。横至汝州城下,守将武德大夫彭玘以城降。

2567

金人攻商州。

初，都元帅宗翰在云中，使陕西经略使完颜杲衰五路兵，与刘豫之招抚使刘麐来侵。时秦凤路副总管吴璘以兵驻和尚原，敌惧不得进，欲以奇取蜀，乃令叛将李彦琪驻秦州，窥仙人关以要吴玠，别将以游骑出熙河缀关师古，而大军由商於以进。师古与别将遇，败之。完颜杲至商州，斥堠将望风退走。守将邵隆度不能守，即退屯上津。

丙辰，知鼎州程昌寓令兵马副总管杜湛率将士冒雪入沅江县境，尽焚贼寨，夺舟取粮。

初，进士薛筹尝诣金国上书言事，金人执之以归刘豫。筹至汴京，复以丑言讦豫，欲令“系颈以组，与大臣同诣阙下，臣子之义，虽死犹生，或得以全其宗族。若夫缓一时之诛，忘终身之患，它日受擒，与妻子磔身东市，悔无所及。”豫大怒，欲斩之，张孝纯救解得免。

是岁，宗室赐名、命官十有八人。

大理寺言断大辟三百二十四。

【译文】

宋纪一百十一　起壬子年(公元 1132 年)五月，止十二月，共八月。

绍兴二年　金天会十年(公元 1132 年)

五月，庚申朔(初一)，夏至，在天庆观的望祭殿祭祀土地神，开始使用祭祀用的牺牲和玉器。

辛酉(初二)，捧日天武四厢都指挥使、建武军节度使、江西兵马副总管杨惟忠去世。

杨惟忠讨伐赵进，就在军中得病，回到洪州后，过了一天就去世了。安抚大使李回收编杨惟忠的军队隶属于自己的安抚司，让统制官傅选、胡友所属四千人做前后军，又命令亲卫大夫、鼎州团练使祁超率领其余的五千士兵充当自己的安抚司统制。

杨惟忠出身行伍，出战防守都很擅长，宣和、政和年间，在陕西很有威名；到跟随高宗到东南，官位尊贵志得意满，不肯尽力，声誉日渐衰微。死时年龄六十六岁，死后被授予恭勇谥号。

庚午(十一日)，岳飞上奏在贺州击破曹成。

壬申(十二日)，蕲黄镇抚使孔彦舟上言：“刘豫已经迁都汴京，金人留下戍守的军队很少；百姓苦于金人的捐税劳役，天天盼望官军；豪绅大户，还有通过办团练坚守险要而不投降的。如果真的能拜宰相为大元帅，在淮南要害之地驻扎重兵作为根本，指挥各镇，分路进军，将会出现官军所到之处，州县望风投降归顺的情形。顺应百姓的愿望，依靠他们组成军队，不必向神武军求兵；收取百姓的余粮，以此作为军粮，不必依赖朝廷的供给。这样，河南一带，很快就可以平定，而京城就会陷入孤立了，一旦各路兵马会合，聚集城下，那么刘豫就唾手可擒了。窃想臣以前任东平府钤辖时，统领亦耕亦战的乡兵，屡次出战都获得了胜利，京东的军民，都略知臣的姓名。现在所率领的将士，又多是东北人，都曾跟随臣出入军阵行列，熟知山川地形，不必烦劳向导带路。希望皇上假借名义，稍稍增加臣的权力，让臣能独当一面，从光州到蔡州，曲折进兵。”高宗下诏赐给孔彦舟敕书嘉奖，仍命令他到都督府谋划商议。

丁丑(十七日)，尚书左仆射、都督江、淮、荆、浙诸军事吕颐浩总领军队到达常州，然而他的前军将、武节大夫、荣州团练使赵延寿所部忠锐军在吕城镇叛变。这一天，叛军经过金坛县，奉议郎、知县事胡思忠率领射士迎击叛军，被叛军打败。叛军用枪刺胡思忠，胡思忠说：

"宁可杀死我县令,但不要抢掠府库,杀害平民百姓。"叛军大怒,把胡思忠驱赶到市河,胡思忠溺水身亡。浙西安抚大使刘光世派前军统制王德追击叛军,到建平县追上了叛军,将叛军全部歼灭。后来朝廷追赠胡思忠三官,录用他家中的一人为官。于是吕颐浩借口有病不再进军。

壬午(二十二日),朝廷诏令:"乘船过海前往山东的处以军法。"谍报说刘豫在登、密、淮阳造船,议论的人担心商船被伪地扣留,所以才有这样的诏令。

甲申(二十四日),户部请求允许各路上供的丝帛都二分之一折合成钱,被朝廷批准。这时江、浙、湖北、夔

岳飞像

路每年上供的定额是绸三十九万匹,江西、川、广、湖南、两浙绢二百七十三万匹,东川、两浙、湖南绫罗绝七万匹,成都府锦绮一千八百多匹段,都有余数。

丙戌(二十六日),朝廷诏令设置修政局。

此时尚书左仆射吕颐浩督军在外,右仆射秦桧就上奏设置修政局。高宗命令秦桧掌管,而让参知政事翟汝文一同主领此局。又让尚书户部侍郎黄叔敖担任参详官,起居郎胡世将、太常少卿王居正担任参议。尚书右司员外郎吴表臣、屯田员外郎曾统、兵部员外郎楼诏、考功员外郎张嵲都担任检讨官,官署设置依照讲议司旧例。还诏令侍从、台省寺监官、监司、守令分别写出各自所见的情况。

六月,庚寅朔(初一),贵州团练使、新任知复州李宏率兵攻入潭州,拘捕湖东招抚使马友,杀了他。

当时韩世忠将要到长沙,李宏于是有杀掉马友的阴谋。这一天,趁马友到天庆观后回来,李宏在街市上乘其不备杀死了马友。马友的部将王进、王俊率领所部数千人逃走。李宏驻扎潭州。

辛卯(初二),在内殿进呈王大智所造的军器,高宗说:"车战可以使用吗?古代的战法既然已经废弃,再没有听说使用战车取胜的,不如姑且下令多造些强劲的弓弩。"

金国派使者检核各路壮丁,选拔调往军中。

癸巳(初四),朝廷命令广西经略司到韶州拨内帑钱三十万缗买战马。到此时经略司说:

"近年来不法之徒,多用金银买马,再卖给群盗,所以马的价钱暴涨,希望在《大观格》递增价格十分之二。"朝廷允许这样做。按照旧格标准有八等:马高四尺七寸的,价值十五千;高四尺一寸的,价值十三千;其余的以此为等差类推。这时神武各军都缺马,于是命令经略司把三百骑赐给岳飞,二百骑赐给张俊,又选择一千骑前往行在。然而蛮马中特别健壮的,在当地有时能换取黄金二十两,日行四百里;但是官方的马价有定数,所以不能得到这样的骏马。

己亥(初十),江东安抚大使李光请求行宫增建后殿,还要修建三省、枢密院、百司和营房等;朝廷批准了他的请求。

在此之后,高宗下手诏给李光,只让殿宇建筑粗具规模就行,不要使民力困顿。辅臣进呈建筑规划,高宗说:"只要像州的治所那样就足够了。如果只是一殿,即使用几万缗,也不算过分。一定要事事都与名位相称,那么土木建筑的奢侈浪费,对百姓的伤害,什么程度不能达到!"

壬寅(十三日),翟汝文被罢免参知政事一职。

利州观察使、蕲黄镇抚使孔彦舟叛变,投降伪齐。

在这之前刘豫寻访到孔彦舟的母亲、妻子和儿子,给了他们优厚的俸禄。还让孔彦舟的舅舅卢某拿着书信去招降他,孔彦舟于是有了叛变的意图,但还没有表露出来。恰逢被告之权邦彦进入枢密院,孔彦舟和权邦彦有怨恨,因而自己心中不安。这时韩世清已经被处死,而韩世忠接连击破湖、湘的群盗,顺水而下向东归来,孔彦舟怀疑韩世忠谋取自己,于是决定叛变逃敌。幕府僚属长州人王玠劝谏说:"总管受命镇抚三州,官职高贵俸禄优厚,怎么能够辜负朝廷的恩宠;而自己陷入不义之中呢!"孔彦舟不听。王玠再次劝谏,并当面骂孔彦舟;孔彦舟大怒,杀死王玠,带领所属军队投降了刘豫。

孔彦舟的统制官陈彦明不肯到北边去投降刘豫,和统领官、武翼郎郭谅率领一千多人到知江州刘绍先那里归降。朝廷诏令提升陈彦明二级官职,和郭谅一起为都督府准备将,还赐给敕书奖励表彰二人。

江西安抚大使李回听说孔彦舟逃走,就让本安抚司右军统领李玠率领所部到黄州担任知州。

乙巳(十六日),朝廷诏令签书枢密院事权邦彦兼任参知政事。

甲寅(二十五日),朝廷诏令尚书左仆射、都督江、淮、荆、浙诸军事吕颐浩前往行在奏情。

起初,吕颐浩刚刚率兵出征,可是他的前军就叛变逃走了。接着又听说桑仲死了,吕颐浩不能进军,就派遣参谋官傅崧卿率领所部到建康,而自己借口有病请求罢免官职,高宗下手诏密封退还吕颐浩呈上的奏章。吕颐浩又请求祠禄,于是命令吕颐浩返回朝廷,让傅崧卿代管都督府职事。

乙卯(二十六日),朝廷诏令将辛企宗率领的神武副军隶属于湖广宣抚使李纲,还紧急命令此部前往镇所。

福建、江、湖宣抚使前军统制官解元,后军统制官程振,率领所部进入潭州,驻扎在子城内。新任知福州李宏,声称有病不出来。夜里,李宏的中军从恩波门逃走,解元派部将李义追击李宏的中军。第二天清晨,解元全部拘留了李宏停泊在江边的船只,带领军队到李宏的军寨中,会见李宏商议事情,就把李宏的人马兵器全都带回。韩世忠就以李宏担任宣抚司统制。这时朝廷才知道马友已死,发敕书慰劳李宏,然而李宏已被拘捕了。

这年夏季,金国都元帅宗翰到白水泊避暑,用词赋考举人,选取胡砺以下多人。在此之前考试的那天,宗翰立马在马场中央,召唤举人中年老的人,各位书生不明白他的意思,争相跪在他的马前。宗翰按着马鞍,用马鞭指挥,让翻译告诉他们说:"你们这些没有能力的老奴婢,为什么要来应试?你们如果能写文章,那年少时就已考中了。现在如果得了官职,自己知道日暮途穷,一定会接受贿赂为子孙打算,否则就会借他人之手谋取钱财,对国家能有什么好处!我想杀你们,又想你们的罪过没有显露,姑且允许考完这场。倘若有冒犯的地方,必杀不赦。"各位书生伏在地上磕头,惭愧恐惧地离去了。这次试举,宗翰告诉主管部门不要选取中原人。

秋季,七月,壬戌(初四),朝廷恢复设置湖北提举茶盐司。

癸亥(初五),朝廷敕令广西经略司用盐换马,以后每年拨钦州盐二百万斤给广西经略司。

乙丑(初七),给事中胡安国入朝奏对,高宗说:"听说过爱卿的大名,为什么多次召唤而爱卿不来呢?"胡安国再次揖拜道歉,进言说:"臣听说保卫国家一定要先制定计策,制定计策一定要先确定国都;建造国都选择地方,一定要先在险要之地设防;在险要之地设防划分土地,一定要先遵守制度;控制国家而守成,一定要先抚恤百姓。国家有了这些百姓,就好比人有了元气,不可以不抚恤。清除乱贼,选择县令,减轻赋税,更改有害的法令,精减官吏,都是抚恤百姓的事情。然而施行这些德道措施,一定要先建立制度;建立制度有基本原则,一定要先考查核实;是非毁誉,互不混淆,这是达到治理的关键。是非核实之后号令就会执行,人心顺从,只听从朝廷的命令,因而就会防守能坚固,出战能取胜,进攻能制服敌人,天下就平定了。然而要想达到这个目的,就要看君主的志向和崇尚如何了。崇尚心志可以用来树立根本,端正心术可以用来决断谋事,颐养正气可以用来制服敌人,宏大度量可以用来选用人才,宽洪容隐可以用来彰明德行。具备了这五个方面,帝王能做到的事就完全了。请求呈上以核实为题的十五篇奏章,交付宰相参酌施行。"

己巳(十一日),江西安抚大使司上奏孔彦舟逃往北方。朝廷诏令催促岳飞转移到江州驻扎。

左司谏吴表臣上言:"传闻伪齐在京东路向每户征收麻七斤,有人担心伪齐用绳连接船只,谋划渡江的计策。现在沿江渡口码头,都应当做好防备,其中采石一带,江面比较狭窄而水流缓慢,鉴于以往的事情,防御尤其应当严密。"枢密院审核议定,已命令韩世忠驻扎在建康府,岳飞驻扎在江州,扼守长江水道。朝廷诏令将部署送发沿江各军将领。

丙子(十八日),起初,韩世忠进兵讨伐刘忠,这天,到达岳州的长乐渡,与贼军营垒相对,贼兵挖开壕沟设置伏兵来抵御官军。

己卯(二十一日),吕颐浩从镇江入朝拜见高宗。

庚辰(二十二日),吕颐浩上言:"金人近年来侵犯建康,开始是从北岸抢掠几十只小船渡江,到达南岸后,大肆抢掠船只,用船只运送军马过江。他们攻取和州,也是像这样渡江的。希望命令江北各处渡口,从九月初一起,只在紧要的渡口酌情留一两只船,以备转送侦察敌情的情报和文件等,其余的船只都停泊在南岸。到十月初一以后,大江更不得通行,无论是公家和私人的船只,都命令在南岸深港内隐藏起来;如有违犯的,对撑船掌舵的以军法处置。等到过了防秋后一切照旧。"高宗听从了他的意见。

这一天,韩世忠先派中后左右四军渡过长江,逼近刘忠的军塞驻扎军队。

在这之前,韩世忠已经转移军队驻扎下来,就下棋饮酒,好多天都按兵不动,众人也摸不清他的底细。一天傍晚,韩世忠独自与亲信苏格穿着便服并骑马径直穿过贼营,贼营中夜间警戒的人大声喝问,韩世忠回答说:“我也。”因为已经刺探到贼营中约以“我”字为号令,所以所到之处都没有被怀疑,于是全部察看完贼营后才离去。出来后,韩世忠高兴地说:“这是上天赐给我的机会啊!”立即下令:“明天攻破敌人后会餐。”于是命令各军拔起寨栅前行,而秘密命令二千名精锐士兵衔枚夜间前进,埋伏在山上。第二天清晨,韩世忠亲自率领突击队和前军一道前进。到达战场后,派兵快速奔袭,进入贼营的中军望楼,竖起旗帜张开伞盖,贼军回头看到这种情形便惊恐溃散,大败而逃。刘忠占据白面山已超过了三年,到现在才失败,他的辎重全部被韩世忠缴获。开始,韩世忠出师时,宣抚使孟庾认为军队长期劳顿,阻止他出兵,韩世忠请求以半个月为期限到时一定献上捷报,到现在情况正像他所预料的那样。

甲申(二十六日),吕颐浩上言:“朝廷设置沿海制置司,最是上策。然而敌人的船只由北面从大海而来,漂洋直至定海县,这是浙东路。从通州进入料角,漂洋到达青龙港,又沿河流到达金山村、海盐县,直到停泊在临安府江岸,这是浙西路。万一有警报,一个制置司一定不能都照应得到。希望命令仇悆专门管理浙东、浙西路,另任命一名制置使专门管理浙东、福建。”朝廷听从了他的意见。

丙戌(二十八日),任命御史中丞沈与求为试吏部尚书兼权翰林学士,尚书户部侍郎兼侍读、提领榷货务兼修政局详定官黄叔敖为试户部尚书,试吏部侍郎兼直学士院綦密礼与权兵部侍郎方孟卿两人对调官职,秘阁修撰、都督府随军转运使姚舜明权户部侍郎,殿中侍御史江跻任侍御史。

八月,甲午(初七),近年官吏因贪污罪应当处死的人,大多都宽免发配,因此犯法的人越来越多。到现在钱塘县吏乐振,接受贿赂应当处死,诏令按刑律定罪处置,这类人才开始惧怕。大理寺丞姚焯因此请求把乐振判刑的文件颁布到各州,朝廷依从了他的请求。

金国赈济泰州的戍边户。

金主到中京。

丙申(初九),左司谏吴表臣上言:“现在正处在艰难危急之际,州郡得以保全的没有几个,必须依赖贤能的郡守来安抚它们。希望采用艺祖、汉宣帝、唐太宗、唐明皇的先例,凡是郡守开始在行在接受官职者和因更替回到行在的,都让他们入宫进见高宗,接受召见和问对。这样一则明确表示朝廷敬重郡守的意思,让他们为国家尽心尽力;二则可以揣度了解这个人是否贤德和他的才能是否能胜任,从而决定褒奖或黜免;三则从外边来到朝廷的人,可以向他询问如何处理政事以及民情风俗如何安定,从而做到下情上通,不至于受蒙蔽而视听不明。”辅臣呈上奏章后,高宗说:“郡守,是百姓的师帅,如果不能任用合适的人,就会使千里受害。应当听从他的意见。”

辛丑(十四日),左司谏吴表臣上言:“大江以南,上自荆、鄂,下至常、润,不过是十郡之地,其中紧要的地方不过是七处渡口:上流最紧要的渡口有三处,荆南的公安、石首,岳州的北津;中流最紧要的渡口有二处,鄂州的武昌,太平的采石;下流最紧要的渡口有二处,建康的宣化,镇江的瓜州就是这样的紧要之处。只有这七个渡口,应当挑选官兵,修造兵器。其余的数十处,有的道路曲折迂回,有的水陆交通不便,不是大军往来直接便利的地方,略加防备就足够了。还有，十郡之间，地域不过三千多里，有一州占有江面五百里的，有一州占有江面百余里的，远近、多少、劳逸很不平均。在七处渡口之外，应当每县分别划定一百里，专门命令巡尉防守，这样兵力均等而且易于防守。"诏令将这些奏折交付沿江的守帅。

癸卯（十六日），淮东宣抚使刘光世上奏说通问使、朝奉郎王伦从金国回来。

起初，朝廷派人出使敌国，从宇文虚中之后，大多是招募下级官吏或平民假借官职出行，如王伦和朱弁、魏行可、崔纵、洪皓、张邵、孙悟等人，都被金人拘留。不久金国都元帅宗翰在云中，派都点检乌陵思谋到宾馆，陈说停战议和的意思，让王伦回到南方，必须派人前往北方商议。宗翰送书信给高宗，大意是说："既然想不断绝祖宗的祭祀，怎么能过于吝惜，使国不成其为国！"于是洪皓、朱弁都把家信托付给王伦带回。王伦到了东京，与刘豫相见，刘豫派伪阁门宣赞舍人马某陪伴押送们到边境上。刘光世将这件事报告朝廷知道，诏令王伦前往行在。

乙巳（十八日），德安解围。

李横从入夏以来包围德安，不曾攻城交战，只在城的西北角造成天桥，填壕沟，全部完毕后，就鼓动士兵逼临城下。镇抚使陈规率领军民登城抵御李横。陈规坐镇城楼，被炮打断了脚趾，脸色不变。围城的形势更加紧急，粮饷接继不上，各将领请求杀牛来代替军粮，陈规说："杀牛代替军粮，抵抗的事情就会走上绝路！"于是拿出家财犒劳军队，士气更加振奋。孝感县令韩通来报告说："县里有粟一百斛，道路梗阻不能通行。"正赶上大风雨天，陈规命令他乘势带着随从前呼后拥而来，贼军怀疑陈规有神兵，不敢出去。陈规用书信向朝廷请求救援，没有回复。李横派人来，愿意得到府中的妓女后就罢兵，陈规没有答应，各将领说："围城已经七十天了，用一个妇人救活全城的人，不也是可行的吗？"陈规说："即使李横立即退兵，那是我用妇人求得的和；何况他得到妓女后未必退兵呢？"终于没有给李横妓女。

这时李横填壕填得不实因而天桥塌陷下来，陈规派六十人手拿火枪从城西门冲出；焚烧李横的天桥，城上用火牛助攻，一会儿天桥就全部烧毁了，李横拨起营寨就逃跑了。

甲寅（二十七日），尚书右仆射、同中书门下平章事兼知枢密院事秦桧被罢免，改任观文殿学士、提举江州太平观。

秦桧与左仆射吕颐浩不合，吕颐浩已经将朱胜非带回朝廷，又从内宫批示命令他每天前往都堂议事，职位在知枢密院事之上，想借此胁迫秦桧。恰好王伦从金国回来，殿中侍御史黄龟年于是弹劾秦桧一心注重和议，阻止国家恢复统一的远大目标，而且培植党羽专擅朝权，不能让这种逐渐发展的情况继续下去。秦桧就上奏章要求辞职，高宗没有准许。前一天，吕颐浩和参知政事权邦彦在退朝后留在高宗跟前，又说了秦桧的短处。高宗就召唤兵部侍郎兼直学士院綦崇礼入朝奏对。高宗拿出秦桧所献的二策，其大意是想把河北的人还给金国，中原的人还给刘豫，如此而已。高宗对綦崇礼说："秦桧说'南人归南，北人归北'，朕是北人，将归到哪里？秦桧又说'臣当宰相几天，可以使天下震动'，可是现在也没有听到什么。"綦崇礼请求高宗亲笔通知学士院，高宗就要来了纸和笔写命令交给綦崇礼。綦崇礼退出，还没有到学士院，而制书已经写成。第二天，制书指责秦桧说："自己诡称得到权力而兴举大事，一定会让四方震动；等到位居宰相陈述谋略时，首先申述的只是两条计策。不能洞悉道理，甚是辜负了平素的期望，念及正委任给他全权，就责成他恭敬地为政事效力。然而却凭借他的党羽，排斥他所憎恨的人。难道是你真实的用心，近乎被众人所误？看到他私自玩弄威势权柄,忧虑他或许只擅长邪恶结党。"秦桧已经罢免,高宗就告谕朝廷永不再起用秦桧,还在朝堂出榜昭示。秦桧入朝担任宰相共一年。

朝廷诏令:"珍贵的鸟兽花木不准进入临安城各门。"

夜里四更,彗星在胃宿出现,高宗对此很忧虑,命令掌管饮食的大官进献素食。

乙卯(二十八日),诏令:"防秋之时已到,在建康修建皇宫的事可以停止了。"

九月,戊午朔(初一),观文殿学士、提举江州太平观秦桧被免职。

当时进言的人议论说:"陛下愤恨中原没有收复,把修整内政的事情托付给秦桧。而秦桧不知治国的根本,信任行为不端的人,不以宽大的政治辅佐陛下仁厚的美德,却以严厉苛刻为致力的事情,遇事就谋取削减,节制约束过分,人心不稳,怨声载道。又任用程瑀等人,将他们安插在重要的地方,党羽培植起来后,同出一门的人互相吹捧,对异己则大肆排挤摈除。秦桧身为宰相,兼有这两项罪行,还等待什么而不遣责他呢?"所以才有这道命令。

己未(初二),撤销修政局,因为议论的人说修政局谈论的多是刻薄的事情,丧失人心,招致天象变故。

龙图阁待制、知温州洪拟被任命为吏部尚书,徽猷阁待制、提举临安府洞霄宫郑滋被任命为试尚书兵部侍郎。

朝廷诏令:"祭祀天地求雨时,恢复用太宗配享。"

辛酉(初四),由于彗星出现,大赦天下,凡是盗窃官方财物据归己有,而论罪当处死的不赦免。朝廷内外官吏平民,允许直接议论时政的阙漏过失。行在和爪军粮,从现在开始都用一色现钱银绢充当购买的本金。免去民间的牛税一年。凡属盗贼聚集的地方,限在十天之内出来自首,如能自首就赦免他的罪行,或录用为官。川、陕富豪大户用车运送军队储粮,运送数量多的可委任承信郎以至进义副尉等职。陕西各叛将,允许让他们改过自新,以前所犯的罪行一律不问。

朝奉郎、充任河东大金军前通问使王伦到达行在。高宗嘉奖他的功劳,下诏说:"王伦离开国都五年,奉命出使有好的名声,特此提升为右朝奉大夫、充任右文殿修撰、主管万寿观。"王伦说宇文虚中奉命出使时日长久,坚守气节不肯屈服。当时宇文虚中的儿子右朝奉郎宇文师瑗,侍奉他的母亲居住在闽中,就添差宇文师瑗担任福建路转运判官。于是尚书左仆射吕颐浩建议,应当再派使者前往金国使金人更加骄纵麻痹。

壬戌(初五),任命左迪功郎潘致尧为左承议郎、假吏部侍郎,担任大金奉表使兼军前通问;秉义郎高公绘为武经郎、假武功大夫、忠州刺史,作潘致尧的副手。命令王伦写信给金主的近臣耶律绍文,并且附带香药、果茗、缣帛、金银进献给徽、钦二帝,两位皇后再减半进献;赠送都元帅宗翰黄金二百两、白银一千两;赠送右监军希尹、赐给宇文虚中的各为赠送给宗翰的一半;赠送耶律绍文白银三百两,缣、币一百匹;通问副使朱弁以下也都赐给黄金。经三省调查核定,要途经东京,就命令吕颐浩写信,把果茗、币帛赠给刘麟。潘致尧、高公绘,被分别录用各家二人担任官职,赐予的金帛很丰厚。

集英殿修撰、知平江府席益为试尚书吏部侍郎,不久兼侍讲。

乙丑(初八),观文殿学士、左宣奉大夫、提举醴泉观兼侍读朱胜非守尚书右仆射、同中书门下平章事。

当初,命令沿江岸设置烽火台作为侦察警戒哨所,从当涂到褐山东面,采石、芜湖、繁昌、三山到建康的马家渡、大城埠、池州的鹊头山，共有八所，早上举烟、晚上举火各一次为信号，有紧急情况就遥看烽火台。

丙寅（初九），军贼李通接受都督府招安，傅崧卿让李通担任修武郎、本府亲兵前军统领。

辛未（十四日），朝廷下诏："从现在开始凡属批示处理的指令，和亲笔委任官吏的，都依照旧例按御笔执行。"

甲戌（十七日），彗星消失。

乙亥（十八日），高宗亲笔书写命令："尚书兵部侍郎兼直学士院綦崈礼为翰林学士。"从靖康年间以后，皇帝的侍从官用御笔的形式授官的从此开始。

丙子（十九日），高宗下诏说："近来降颁御笔处理事务，多属宽容体恤和军事期限等事，和这以前指挥的事体不同，都要经过三省、枢密院。如果有的不妥当，自当奏上禀明，仍然允许给事中，中书舍人缴退驳回，由召谏讨论评定，有关官吏审查。如果奉行延误怠慢，只按违抗圣旨定罪。"这一天进呈公文，高宗对辅臣说："今天批下的处理文件，虽然出于朕的意见，一定要经过三省、枢密院，与以前不同。"朱胜非说："不经过中书省、门下省，不能称作诏令。"吕颐浩说："之所以区别于圣旨，是想让上下明白知道陛下的意图是什么。"于是高宗批旨颁行天下。

戊寅（二十一日），停用镇江府织造皇帝用的罗织品。高宗告谕辅臣说："正在动用军队，主管部门财物缺乏，怎么可以把朕御服的衣料放在前面！暂且省下七万缗，资助刘光世的军费。"

辛巳（二十四日），太尉、神武左军都统制、福建、江西、荆湖等路宣抚副使韩世忠，担任江南东、西路宣抚使，在建康府设置宣抚司。沿江三大帅刘光世、李回、李光，都去掉所兼任的扬、楚等州的宣抚使名称，但他们还和以前一样节制淮南各州。只有荆湖、广东宣抚使李纲，只担任湖南安抚使，湖北、广东都归还原先所在的帅司。自从分别镇守以来，以前主持政务担任主帅的，照例充任安抚大使，到现在右司谏刘棐多次上奏李纲骄横跋扈，吕颐浩要罢免李纲，所以帅衔和江东、西相比，减少一个"大"字。

韩世忠上言提举官董旼，招抚马友、曹成的部众得八万人；诏令户部侍郎姚舜明到衡、邵、辰、沅等州从这些军队中选择，仍供应各路粮食。韩世忠回到建康，就设置背嵬亲随军，亲随军人人都是如鸷鸟一般勇猛无比的人。

壬午（二十五日），权尚书礼部侍郎赵子昼充任徽猷阁待制、枢密都承旨。自从官制改革以后，都承旨任用文臣从赵子昼开始。

丙戌（二十九日），显谟阁直学士、兴元府知府王似担任端明殿学士、川陕等路宣抚处置副使，与张浚相同，共同治理事务。

开始，张浚出使，只以宣抚处置为名，到现在才带川陕及等路文字。张浚在川、陕，凡事虽然可以根据情况自行处置，但是对于同乡亲朋故旧，很少借此权力给他们好处。于是士大夫有求于宣抚司而得不到满足的，开始向朝廷诽谤张浚，大概是说张浚所杀的曲端、赵哲是无罪的，而任用刘子羽、赵开是错误的。朝廷怀疑张浚，准备把他召回，先给他设置副职。这时王似已经又回到了成都，可是行在不知道这件事。

丁亥（三十日），起初，刘忠已经被韩世忠击破，又聚集了一帮人逃到淮西，驻扎在郵阳口；韩世忠的前军统制解元率水军突然杀到，袭击刘忠，大破刘忠。刘忠和他的部下几十人向北逃去,归附于刘豫;刘豫让刘忠担任登、莱、沂、密等州都巡检使。刘忠的部将文广,率领所部到江西安抚大使李回那里投降,李回就让文广担任武翼郎、阁门宣赞舍人,充任本安抚司统领军马。

资政殿大学士宇文虚中在云中,听说金人将要侵犯蜀地,就派遣使臣相偁走小路,去报告宣抚处置使张浚,并且带上高宗赐予的御封亲笔签字作为信物,在御封两旁用小字书写道家符箓隐语说:"善抚正教,有进无退。魔力已衰,坚忍可对。虚受忠言,宁殒无悔。"虚受忠言一句,其中隐匿着虚中的名字。又给他家中人写信,说:"出使期间遭到胁迫,幸好保全了操守。只期望守住一个节字,不辜负国家。一行百人,如今只剩下十二三人。如有人出使北行,可以附带几千缗物品来,以解救艰难危厄。昨天有人从东北来,太上皇也需要茶叶药材这类东西,我这里无法完成太上皇的命令,非常遗憾非常愧疚。"于是宇文虚中的妻子黎氏上奏将缣、帛、茗、药托付给通问使潘致尧,但潘致尧已经走了。

伪齐出现长星。伪太后翟氏去世,谥号叫慈献。

这年秋季,金主到燕山,都元帅宗翰、右副元帅宗辅、右监军希尹、左都监宗弼都前往会合。留下右都监耶律伊都守卫大同府,左监军完颜昌守卫祁州。

耶律伊都长时间没有升官,心里很不满意,于是和燕山统军稿里谋划叛变,尽约燕、云的郡守、契丹军、汉儿军,命令全部杀掉在官府、在军队中的女真人。天德知军假装答应他,派他的妻子来燕山报告。当时希尹听到了一点传闻但没有相信,偶然在居庸关上打猎,遇到了骑马传信的人,发觉并捕获了他。宗翰将稿里灭族,命令希尹在大同杀掉耶律伊都。耶律伊都略微觉察到这一点,父子就以游猎为名,于是投奔达勒达。达勒达事先已接受了希尹的命令,他的首领假装出来迎接,在帐中准备了食物,暗中派兵将伊都父子包围起来。达勒达善于射箭,没有穿衣甲,耶律伊都出战抵抗但没有取胜,父子两人都被杀死。

西京副留守李处能因受牵连被杀。南京留守郭药师、河东南路步军都总管萧某同时被捕下狱,不久得到赦免。李处能,燕人,辽宰相李俨的儿子,宣和末年,从平州来宋归降,拜延康殿学士,赐给赵敏修为姓名;金人交燕地,又被金人索取而去。宗翰认为郭药师家财颇丰,说他可以借此鼓动众人,夺去了他的全部财产并把他囚禁起来。

宗翰的妾萧氏,本来是辽天祚帝的元妃,希尹杀了她,对宗翰说:"她与兄实为仇敌,然而她忍痛不死而侍奉兄,大概是有所期待的。现在谋反已不成功,以后在帷帐之中,如有不测,短小的兵器也能杀害兄了。希尹我出于爱护兄所以擅自杀了她。"宗翰流着泪表示感谢。于是宗翰命令各路把契丹全部杀掉。

金主听到耶律伊都反叛,没有到燕山就返回。大赦天下。

彰德军节度副使高景山报告知相州杜充暗中与江南勾结。在这之前,杜充的孙子从南方逃回北方,杜充没有报告官府而擅自收下了他,于是被抓到元帅府拷打审讯。宗翰问杜充说:"你想回到江南去吗?"杜充说:"元帅敢投奔江南,监军敢投奔江南,只有杜充不敢投奔。"各位元帅相视而笑。过了一年就把杜充释放了。

冬季,十月,戊子朔(初一),在饶州设置孳生马监,命令饶州守臣掌管,集中神武诸军和郡县官府放牧的马隶属于孳生马监,还选派五名使臣专管此事。

当时议论的人认为:"军队的事情,关于马的政令最为紧急;从战事多发以来,国家的马被强敌侵夺,被盗贼占有,马在军队中的已没有多少了。请求讲求马匹繁殖的利益,在江东、江西选择水草肥美的地方,设置牧场来放养马匹。"所以有这道命令。

辛卯(初四),朝廷议论认为采矿冶炼的收入还抵不上所开销的费用,全部撤销了监官,让县令掌管此事。至此江东转运副使马承上奏保留饶、信二州的铜场,朝廷允许了他的请求。二州的铜场都出产胆水,浸泡在胆水中的铁可以成为铜。元祐年间,开始设置饶州兴利场,每年的定额是五万多斤。绍圣三年,又开办了信州铅山场,每年的定额是三十八万斤。其方法是:把一斤铁排列在胆水槽中,几天后取出,再多次冶炼成铜,大概用铁二斤四两可以炼得铜一斤。

癸巳(初六),高宗诏令湖北安抚司后军统制官颜孝恭率领其部下回鄂州。颜孝恭当初奉诏令讨伐石陂军贼余照,余照被官军所杀,他的副手李宝等一百多人全部接受招降。

戊戌(十一日),吕颐浩上言:"建康的米一斗不到三百钱,想到镇江上下聚积粮食三十万斛,用来资助军用。"高宗说:"如果精选十五万军队,分为三军,什么事做不成!祖宗攻取天下时,军队的数量也不过如此。"

庚子(十三日),直徽猷阁凌唐佐被伪齐所杀。

起初,凌唐佐已投降伪齐,刘豫就让凌唐佐担任知归德府。有个叫李亘的尚书郎,是乾封人,建炎末年来不及躲避,刘豫让他掌管大名。当时通问副使宋汝为也被刘豫任命为同知曹州。三个人向来友情深厚,宋汝为知道刘豫没有悔改的意思,和凌唐佐等人分条陈列刘豫的虚实,派人带着蜡书向宋朝廷报告。凌唐佐、李亘招募到士兵刘全、宋万、僧人惠钦,宋汝为招募到平民王现、邵邦光,他们在中原和江南之间已往返十几次。尚书左仆射吕颐浩经过常州,得到凌唐佐的侄孙凌宪,授给他保义郎、阁门祇候官职,让他带着帛书送给凌唐佐。凌宪到了睢阳,凌唐佐的妻子田氏让他和门客张约一同吃饭,凌宪有疑虑不肯出来,田氏说:"没有关系。"不久被张约告发,刘豫派人逮捕了凌唐佐及其家人押到汴京,凌宪逃走了没被捉住。凌唐佐劝谏刘豫,用大义谴责刘豫,刘豫大怒,在边境斩杀了凌唐佐,下令说:"凌唐佐勾结江南图谋反叛,斩首号令众人。他的家属本当连坐处罚,现在宽免死罪,送到颍昌府拘管。"当时刘全、宋万、僧人惠钦被巡逻的人抓到,事情泄露,李亘也牵连被杀。在这之前,武显大夫孙安道担任应天府兵马钤辖,城被攻陷,不能回来,后来谋划脱身回到朝廷,因被人告发而死。朝廷听到此事后,追赠孙安道忠州刺史;为李亘立祠,名叫愍忠祠。

丁未(二十日),在冬季的第一个月于温州荐飨太庙。这个月,先有祫祭。祠部员外郎、神主神御提点向宗厚说:"祭祀不要太频繁,请求按照旧例暂且停止四时的祭祀。"礼官援引《政和五礼新仪》,没有听从他的请求。于是祫祭、初冬享飨荐新、朔祭都在一个月里举行,这是没有先例的。

己酉(二十二日),朝廷诏令:"帅臣、统兵官因出卖公使酒的,申报听旨论罪。"

在这之前,李纲担任湖广宣抚使,请求在其所管辖的州军中造酒,获得朝廷批准。到现在吕颐浩因此事呈上奏章说:"茶盐酒官府专卖,是现在养兵的依靠。如果夏商周三代的井田,李唐的府兵可以恢复,那么这些都可以停止。不然的话,财赋国用舍此之外从何而出?"朱胜非说:"官府专卖酒从汉武帝时起因为大兴战事才有。"高宗说:"实行了一千多年,不能改革,可见有它的长久利益。"所以有这道诏旨。

朝廷诏令湖北安抚使刘洪道、知鼎州程昌寓合力招抚缉捕洞庭湖寇杨太。

当时杨太占据洞庭湖,有兵众几万人,还有周伦、杨钦、夏诚、刘衡这些党徒,大造车船和海鳅船,多达几百艘。所谓车船,是安排人在车船的前后两端,脚踏车轮驱动进退,每船可载装士兵一千多人。还设置有拍竿,长十多丈,上面放大石头,下面安装辘轳,遇到官军的船只靠近,就放倒拍竿击毁官船,官军因此常常失败。大概车船就像陆战中的阵兵,海鳅船就像陆战中的轻兵。另外,周伦、杨钦虽然各有军寨,却可以专门依靠舟船而称强,夏诚、刘衡虽然各有舟船,却可以专门依靠军寨来固守,这就是他们的倚恃。韩世忠在湖南时,派遣使臣朱实去招降他们,杨太不肯听命。至此程昌寓将此事上奏,于是朝廷命令迅速缉捕他们。

这个月,尚书右仆射朱胜非上奏经营淮北的五件事:第一件事是:“国家聚集军队二十万,每月耗费二百万缗,倘若不采取变通措施,一定会由此导致穷困。逆贼刘豫正在推行什一税法,聚积财货用来资助敌人,如果官军不出兵,刘豫的计划就能施行。现在应当渡过长江夺取刘豫所聚积的财货来充实我边疆,淮南充实了,百姓的财力自然就宽裕了。”第二件事是:“逆贼刘豫招集到淮北山寨和知名盗贼二十六伙,之所以会这样,是因为他们认为官军不敢出兵,而逆贼刘豫能很快到来罢了。应当把官军分为三军,声称攻取徐、邳而实际上攻取淮阳,声称奔赴汴京而实际上攻取陈、蔡,声称进入滨海而实际上攻取青、密,让刘豫知道这些后,一定会分兵拒守,然后我大军从庐、寿出击,直捣宋、亳,刘豫一定会成为我军的俘虏。”第三件事是:“担心敌贼合力南下,现在出使敌国的使者已经出发,还没有签订盟约,不如先打败刘豫的军队,除去敌人的一方援助力量。”第四件事是:“大军一出发,所得到的金银丝织品,应当明确地告诉将帅,全部用来犒赏军队。”第五件事是:“淮北的豪绅有资助归顺朝廷的人,就任命他担任守卫将领,让他们自己进行防备,那么官军的声势就会更加扩大。这样的话,就不出两三年,中原就可以平定。”高宗采纳了朱胜非的意见。

十一月,戊午朔(初一),右谏议大夫徐俯入朝奏对,说大臣不能树立自己的权威,应当与各位将领议论政事。又说杜充一向威严,各将领不敢和他议论政事,他的失败就因为如此。高宗说:“朕命令大臣与各将领相聚而食共同担任职务,爱卿唯独不知道。”吕颐浩说:“将相和睦那么国家就会安宁,怎么能人情不相通呢!”自从吕颐浩、张浚执掌政事,开始与各大将在朝堂一同进食,议论的人说各将领穿着便服靠近而坐,把大臣看成是同僚朋友,尊卑上下等级法规都废除了。

己未(初二),尚书工部侍郎韩肖胄,改任吏部侍郎,仍然兼职工部;权吏部侍郎章谊,改任刑部侍郎,仍然兼职工部。

金人将赵氏的远房亲属迁移到上京。

辛酉(初四),伪齐刘豫召武功郎、河南镇抚司都统制董先到汴京,让他担任大总管府先锋将。

在这之前金房镇抚使王彦在金州,威声特别显著,宣抚处置使张浚以王彦节制商、虢、陕、华州。王彦派属下官员高士瑰率领各将谋取商、虢,军队到了紫岭,和董先遭遇,官军失败,统制官刘琦战死。然而董先因为困难危急,就放弃了商州,王彦任命统制官邵隆为知州事。

己巳(十二日),吕颐浩多次请求乘夏季四月兴兵北上收复中原,并且说:“从人事天时上看,现在都可以北伐。为什么呢? 以前维扬之变,兵器丢弃八九成,不久敌人分三路入侵,江、浙的军队溃散而成为盗贼。自从陛下专心于军政,选择淘汰冗兵,修缮整饬兵器铠甲,现在张俊有军队三万,配有全套的铠甲一万副,刀枪弓箭都完备;韩世忠有军队四万,岳飞有军队二万三千,王璲有军队一万三千,虽然不如张俊的军队,但也都是精锐;刘光世有军队四万,老弱兵士较多,然而经过选择后也可以得到一半人。另外,神武中军杨沂中,后军巨师古,都不下万人,而御前忠锐军如崔增、姚端、张守忠等军队也有二万。臣追溯考察太祖夺取天下时,正规军队不过十万,况且如今的军队有十六七万之众,还怕什么不出兵!而且以前邵青侵扰通、泰,张琪劫掠徽、饶,李成攻破江、筠,范汝为占据建、剑,孔彦舟、马友、曹成等人祸乱江、湖,朝廷无暇抵抗,而现在都已平定。另外,自从敌人南侵,没有谁敢触犯其锋芒;近年来张俊在四明获得胜利,韩世忠扼守镇江,陈思在长桥攻击,而张荣又在淮甸获得大胜。实在是由于敌人过于贪婪残暴,上天恐怕将要为祸患而追悔。还有,敌人把中原交付给刘豫,然而刘豫举措繁碎不懂得国家的典章制度,连三尺儿童都知道他不能建立国家,事情本来是可以预料到的。看宇文虚中的密奏,虽然不可全信,但是敌人的骑兵连年不到淮甸,一定是有所牵制。现在韩世忠已到行在,臣希望陛下睿智明断早日决定,命令韩世忠、张俊与臣等共同商议,决策出兵北伐。命令韩世忠从宿、泗,刘光世从徐、曹进入中原,另外在明州保留海船三百艘,只命令范温、阎皋乘四月的南风北上,径直夺取东莱。这几路都有粮食可以取用,不必调百姓运送军粮。大军已经集结,刘豫必定北逃。所得到的各郡,就地挑选当地豪绅担任守臣,如敌人出兵来争夺这些地方,就敌出我入,敌入我出,这样骚扰敌人几年,中原就可以收复了。况且现在作战的士兵,其中的精锐者都是中原的人,恐怕时间久了他们收复中原的意志会被消磨殆尽,以后举事势必更难,这可是深为痛惜的事啊。"

庚午(十三日),朝廷诏令:"从今以后御笔都作为圣旨颁行天下。"当时右谏议大夫徐俯说:"宣和以来之所以分御笔、圣旨,是由于对二者违慢停滞,治罪的轻重不同。现在明诏准许辩驳讨论,应当按照祖宗旧法作为圣旨颁行天下。当其将要批付三省的,合称御笔,三省接受并施行的,就合称圣旨,然后名正言顺。"高宗听从了此言。

壬申(十五日),高宗晓谕辅臣说:"自古以来的中兴,哪有端坐而不行动于四方的!将来朕要在长江上抚慰军队。朕考察周宣王修饬车马,整备器械,从《车攻》复古一篇可以见到。像汉光武起兵南阳,最初与王寻、王邑作战,以少战多,在昆阳大败敌军。在那以后的如唐肃宗虽然没有什么值得称道的,但他能任用郭子仪、李光弼,使王室得以恢复。朕以为中兴之治,没有不用兵的。各位爱卿与韩世忠反复议论过此事没有?像朝廷的日常小事,姑且交代给有关官吏,你们应当认真研究讲述形势的利害。朕前天与韩世忠议论到过了晚膳时间,夜里思考到四更还未入寝。朕与你们本来有些事情已经议定,昨天已批示发出,可以再召侍从官,每天轮流到都堂,给他奏札分条记录对答意见后呈上来,朕将参酌以决定万全之策。"

吏部侍郎韩肖胄上言:"现在的形势,终归应当用兵。像晁错的议论七国,认为削藩也反叛不削藩也反叛,金人就是这样。"接着就赐对给他,他当面奏说:"逆贼刘豫窃据中原,人心不附,应当出其不意派兵将去敲着战鼓进军讨伐,声称皇帝将再度巡幸金陵,督促军队渡过长江。希望陛下赐给睿智的决断,一定能成就殊功伟业。"当时吕颐浩也召韩世忠到都堂,告诉他焚毁刘豫粮草的事宜,韩世忠说:"这是清野的方法,不能不做。"

礼部尚书洪拟独自认为:"国家势力强盛就出战,将士勇敢就出战,资财充足就出战,我方处于主动敌人处于被动就出战。陛下前年巡幸会稽,今年巡幸临安,振兴王业的根据地尚未确定,就像唐肃宗在关中,汉光武在河内那样。再有,近来各将虽然取得了阻击那样的小

2579

胜利,但还没有出现在电闪雷鸣般激战中取得的大捷。另外,江、浙的农业生产还没有完全恢复,淮甸的盐货也没有完全畅通,平时粮饷给养尚且艰难,危急时将靠什么来接济?还有,千里迢迢运送军粮,士兵面有饥色,现在让士兵千里出战,就会造成敌人安逸而我方疲劳。凡此种种都不能谈论出战。"洪拟回家后对人说:"我知道迎合朝议可以获取高位,但是怎么能为了自己的缘故而耽误国家大事呢!"

甲戌(十七日),潭、鼎、荆、鄂帅守李纲等四人约定日期会合军队,去捕捉湖寇。

起初,李纲以湖广宣抚使之职前往湖南,

宋代武士复原图

听说曹成将从邵州进入衡州以便奔赴江西,而韩世忠留下的提举官董旼只有亲兵几百人,他的势力还不足以镇压敌军,就在衡阳驻扎军队,派使者告诉曹成,让他遣散他的军队。曹成到衡阳,李纲召他来并和他谈话,让他率领他剩下的部众四万人到建康。当时马友的部将步谅,有军队二万,劫掠衡山,停留在吴集市。李纲留下统制官韩京驻扎茶陵以控制敌人,而自己亲率大军从白沙悄悄渡过长江,步谅没有料到李纲军到,于是出来投降。到现在朝廷才听说此事,就诏令李纲对收编的敌军精心选择淘汰,得到七千余人,隶属各军。

李纲不久进入潭州,用枷锁镣铐拘禁右朝奉郎、醴陵县知县张觊交官署审讯,权且代理官被逐渐撤换,赃官稍微有所收敛。李纲接见有威望的地方长老,询问百姓疾苦,他们都以盗贼、杂税作为谈论的内容,于是下发檄文到州县,没有宣抚使司的命令而擅自摊派杂税的,以军法论处;凡是以前摊派交纳的财物,一律按正赋标准折算。还派统制官郝晸在湘乡收降败将王进,吴锡在邵州捕捉王俊。从此湖南境内由散兵转为盗贼的都已平定,只有湖寇杨太占据洞庭湖,标榜指责,言词狂妄。李纲命令统领官李建、马准、吴锡分别驻扎湘阴、益阳、桥口来防备杨太。

湖南没有水军,李纲就拘集沿江的渔户,得到三千人,驻扎在潭州,把这件事报告朝廷,请求会合军队讨伐荡平湖寇。诏令湖北安抚使刘洪道、知鼎州程昌寓、荆南镇抚使解潜派兵和李纲会合，仍然权听李纲的节制。

壬午(二十五日)，龙图阁直学士、湖州知州汪藻上言："从太上皇帝、渊圣皇帝到陛下建炎改元，至今已三十多年，都没有日历。本朝宰相都兼管史馆，所以记载案前议论的言辞，就有了时政记；记载史官所听到和看到的事实，就有了起居注。将这些按类别次序编列起来，称之为日历；按条目写成的，称之为实录；用来备述记言，留传一代的典籍。假如空缺三十年之久，没有一个字留传，用什么昭示后世？希望允许臣编集元符庚辰(公元1100年)至建炎乙酉(公元1129年)三十年间的诏书圣旨，缮写后进呈朝廷，以备修撰日历的官吏选择使用。"高宗准许汪藻的请求。

自从战事兴起，史官的记录，没有保存下来的。汪藻曾经在经筵上面奏，请求任命史官撰述《三朝日历》，恰逢朝廷多事，没有能够进行。等到汪藻出任湖州知州，而湖州又不受贼寇侵扰，元符以后所承受的御笔、手诏、赏功、罚罪等文件都齐全，汪藻以此为撰述基础并加扩大，又寻访求教于世家大族士大夫作为补充，共用了六年时间才完成。

十二月，丁亥朔(初一)，朝廷下诏："闽盗范忠暗中起兵，命令神武前军左部统领申世景、御前忠锐第六将单德忠率领部属二千人迅速捕获范忠，不要让他继续发展；如果不能立即捕获扑灭，当地主帅、郡守、监司以及所有捕盗官，都依法重加处罚。"不久处州又告急，于是命令忠锐第一将张守忠率领精兵二千人前往会合，权且听从守臣宋伯友的节制，贼盗于是被平定。申世景因功从武功大夫加任荣州刺史。

甲午(初八)，御笔指令严格销金的禁令。高宗因为看到《韩琦家传》论及外戚贵族多做销金之事，并且听说京师里用金作服饰的人很多，所以要禁止销金。

观文殿学士、潭州知州、充任湖南安抚使李纲被罢免，任命龙图阁直学士折彦质担任湖南安抚使。

夜里，行在临安府失火，烧毁吏部、工部、刑部、御史台和公私房舍很多，乙未(初九)天亮，大火才熄灭。太常博士赵霈上奏说："国家建国号为宋，用火纪德。自从陛下出行中途暂住在此以来，没有举行过大火的祭祀，希望诏令主管官吏举行。"高宗同意赵霈的建议。

戊戌(十二日)，端明殿学士、江东安抚大使赵鼎开始到建康主持政事。当时参知政事、权同都督江、淮、荆州诸军事孟庾，太尉、江南东西路宣抚使韩世忠，都在建康府驻军。军队中有很多受招安的强盗。赵鼎掌管枢密院、中书门下二府，素来有刚正的名声，孟庾、韩世忠都对他更加恭敬有礼，两军肃然惧怕，百姓既已安居，商贾也能从事买卖流通。

辛丑(十五日)，给事中贾安宅被任命为试尚书工部侍郎。

宣抚处置使张浚，到成州设置官署，类省试陕西发解的进士，选得周汉等十三人。张浚以皇帝的名义赐给周汉进士出身，其余的同进士出身。

癸卯(十七日)，将此事报告给朝廷。

甲辰(十八日)，朝廷下诏罢免张浚宣抚处置使一职，仍旧任知枢密院事。徽猷阁直学士知夔州卢法源担任龙图阁学士、川陕宣抚处置副使，和王似一同管理政事。

前两天，朝廷命令驾部员外郎李愿前往川、陕，因而派他带着诏书召张浚还朝，并且命令和参赞公事刘子羽、主管机宜文字冯康国一起还朝，还用亲兵一千人护送。当时卢法源任宫观官闲住在蜀地，张浚以皇帝名义用卢法源代替韩迪，把这件事报告给朝廷；过了四天，终于有了这道诏命。不久,因为张浚对国家有功劳,长久奔波在外,命令学士院下诏令召张浚前往枢密院,仍命令学士院写蜡书十封,交付宣抚副使王似填写好后赐给各叛将,大意是:"以前宣抚司参议刘子羽滥用职权专断独行,不通人情,现在召张浚还朝,改命王似为宣抚处置使,不要再有嫌疑隔阂,你们早日自己归顺。"张浚听说后,请求改任宫观官,朝廷没有允许。

这天,高宗对大臣说:"最近召引元祐大臣子弟论对,他们大多都不如他们的先人,这也是一时遭贬,疲命道路失去教育机会。元祐时的人才,都是从仁宗朝培养教育的,使后世子孙得到益处。自从实行经义取士,往往登科以后还要下功夫学习,所以人才质量大大降低,不适合时势的需要。"

辛亥(二十五日),襄阳镇抚使李横在杨石店打败伪齐,于是收复了汝州。

在这之前,伪齐河南尹孟邦雄盗掘永安陵墓,镇抚使翟琮愤怒不平,想出奇策以捉拿孟邦雄;知虢州董振,也与伪将事先密谋以他的军队响应翟琮。当时襄阳粮食缺乏,李横的军队不能维持,于是率领军队北上。敌人自从侵入中原以后,很少有人能抵抗他们,没想到李横的军队突然来到。李横到了汝州城下,守将武德大夫彭玘以城投降。

金人进攻商州。

当初,都元帅宗翰在云中,派陕西经略使完颜杲聚集五路军队,与刘豫的招抚使刘夔来侵犯。当时秦凤路副总管吴璘率军队驻扎和尚原,敌人害怕不能前进,想用奇兵攻取蜀地,就命令叛将李彦琪驻扎在秦州,窥视仙人关以便要挟吴玠,别将带领游骑从熙河出发牵制关师古,而大军从商於进去。关师古与别将遭遇,打败别将。完颜杲到商州,侦察的将领望风退走。守将邵隆估计不能坚守,立即后退驻扎在上津。

丙辰(三十日),知鼎州程昌寓命令兵马副总管杜湛率领将士冒着雪进入沅江县境,全部焚毁盗贼的军寨,夺取了船只和粮食。

起初,进士薛笫曾到金国上书议论国事,金人把他抓起来并交给刘豫。薛笫到了汴京,又用恶言揭刘豫的短,想让刘豫"用绳子拴住脖子,和大臣一道到宫阙下,以尽臣子之义,虽死犹生,或许能保全宗族。如果延缓灭亡于一时,忘却终身的祸患,有朝一日被擒获,和妻子儿女一道被车裂于刑场,后悔也来不及了。"刘豫大怒,要斩杀薛笫,因张孝纯解救他才得以免死。

这一年,宗室中赐名、授官的有十八人。

大理寺宣布判死罪的有三百二十四人。

续资治通鉴卷第一百一十二

【原文】

宋纪一百十二　起昭阳赤奋若【癸丑】正月,尽九月,凡九月。

高宗受命中兴全功至德　圣神武文昭仁宪孝皇帝

绍兴三年　金天会十一年【癸丑,1133】　春,正月,丁巳朔,帝在临安。

是日,权河南镇抚使翟琮及权知虢州董振,以山寨馀众入潼关。后二日,琮入西京,伪齐留守孟邦雄方醉卧,遂俘其族以归。

庚申,襄阳镇抚使李横破颍顺军,降伪齐知军事、拱卫大夫、明州观察使兰和。后二日,败伪齐兵于长葛县。

甲子,命尚书户部侍郎姚舜明往建康总领大军钱粮,用都督江、淮、荆、浙诸军事孟庾请也。时诸军屯建康者,岁用钱粮五十馀万,皆户部财计,故命舜明领之。庾又言降授右武大夫、和州防御使马扩通晓军务,请以为参议官,从之。

李横复颍昌府。先一日,横引兵至城下,伪齐京西北路安抚使赵弼固守,横率将士急攻之,至日城陷,巷战不胜,遂遁去。刘豫闻横兵至,急遣先锋将董先使拒敌。先出京城,杀掳数百人,夺骑数百,走翟琮军,琮以先为镇抚(使)〔司〕都统制。

乙丑,诏曰:"廷尉,天下之平也。曹刿谓小大之狱,虽不能察,必以情,为忠之属,可以一战。不其然乎!可布告中外,应为吾士师者,各务仁平,济以哀矜。天高地卑,福善祸淫,莫遂尔情,罚及尔身。置此座右,永以为训。台属宪臣,常加检察,月具所平反刑狱以闻。三省岁终钩考,当议殿最。"

金人破金州。

先是宣抚处置使张浚,召本司都统制、节制兴、文、龙州吴玠,金、均、房州镇抚使兼本司同都统制王彦,利州路经略使兼知兴元府刘子羽,会于兴元,约金人若以大兵取蜀,即三帅相为应援。子羽闻敌至,谕彦,俾以强弩据险邀之;彦习用短兵,屡平小盗,不以子羽言介意。金州之西有姜子关,乃承平时商旅由子午谷入金、洋之路。金声言取姜子关路入汉阴县,故彦颇分兵守之,既而完颜杲自上津疾驰,不一日至洵阳境上,召汉阴统制官郭进,以三千人乘流夜发,遇于沙隈。金人舍骑来攻,战十合,金人见进军少,晡时,步卒并进,尘埃蔽日,进力战,败死。彦曰:"敌所以疾驰者,欲因吾粮食以入蜀耳。"即尽焚储积,退保石泉县。金人入金州,彦退趋西乡。会浚遣干办官甄瑶持手书督彦清野来会,遂逾西乡。

初,神武副军都统制岳飞在江州,军中粮乏,江西安抚大使李回,分其军之半万二千屯江州、筠州、临江、兴国军,而命飞以馀军即吉州屯驻,言于朝。丁卯,诏飞即以兵赴行在。

己巳,尚书吏部侍郎兼侍讲席益试工部尚书兼权吏部尚书,中书舍人兼侍讲陈与义试吏部侍郎。

庚午,诏大宗正司自广州还行在,以嗣濮王仲湜兼判大宗正事,奉濮安懿王神主及诸宗室俱行。

癸酉,初复大火之祭,配以阏伯,岁以辰戌月祀,用酒脯。

戊寅,神武中军统制杨沂中请以所选水军五百人创置第六将,许之。时中军才五千人也。

庚辰,用礼官议,岁以春秋二仲,遣宗室环卫官于法惠寺行望祭诸陵之礼。时庶事草创,位牌但以白木黄纸为之,绍兴末乃改作。

壬午,诏:"禁卫、神武、三衙诸军、御前忠锐、宰执亲兵,并支雪寒钱。"

二月,丁亥朔,升桂州为静江府,以帝尝领节度故也。

辛卯,置广西提举买马司于宾州,俸赐视监杂司,凡买马事,经略司毋得预。仍命拨本路上供、封桩、内藏钱各二十七万缗,钦州盐二百万斤,为买马费,以左朝请大夫新知建昌军李预提举。

陕西都统制吴玠,与金兵遇于真符县之饶风关。

先是知兴元府刘子羽,闻金州破,即遣统制官田晟守饶风关,拒金人来路,且驰檄召玠。时宣抚司未有行下,玠曰:"事迫矣,诸将不能办,我当自行。"直秘阁、主管机宜文字陈远猷请曰:"敌举国而来,其锋不可当。宣抚既命分守,各有守地,何苦远赴!万一不胜,悔之无及。"玠不听,自河池一日夜驰三百里。中道少止,子羽移书曰:"敌旦夕至饶风岭下,不守此,是无蜀也。公不前,子羽当往。"玠即复驰,与金人遇。玠军才数千人,益以洋州义士万三千人。玠先以黄柑遗完颜杲曰:"大军远来,聊奉止渴。今日决战,各忠所事。"完颜杲大惊,以杖击〔地〕曰:"吴玠,尔来何速耶!"时金房镇抚使王彦自西乡以八字军来会。诸军见援至,稍弛,玠怒,欲斩壕寨将;将走降金人,告以虚实,且言:"统制官郭仲荀地分虽险,兵寡弱易败。"乃纵所掠妇人还山寨,而自蝉溪岭绕出关背,夜以轻兵袭取之,仲荀果退走。金人既得山寨,遂乘高下阚饶风,而以精兵夹攻南师之背,南师尽却,玠斩之不能止。凡六日,关破。吴玠收馀兵趋西县,王彦收馀兵奔达州,四川大震。

癸巳,都司检详官奏下营田法于诸路行之,悉以陈规条画为主。其江北无牛之地,仍用古法,以二人拽一锄。凡授田,五人为甲,别给菜田五亩为庐舍、稻场,初年免田租之半。兵屯以使臣主之,以岁课多寡为殿最。

戊戌,诏:"要郡、次要郡守臣带兵马钤辖、路都监者并罢。"

己亥,金元帅府上言:"承诏赈军士,臣恐有司钱币将不继,请自元帅以下有禄者出钱助给之。"金主曰:"官有府库而取于臣下,此何理耶!其悉从官给。"

金监军完颜杲入兴元府,经(制)〔略〕司刘子羽焚其城而遁。

初,饶风关破,子羽与吴玠谋守定军山。玠惮子羽,遂西;子羽亦退屯三泉县,从兵不及三百,与士卒同粗粝,至取草木芽蘖食之,遗玠书曰:"子羽誓死于此,与公诀矣。"时玠在兴州之仙人关为守备,得书而泣。其爱将杨政大呼军门曰:"节使不可负刘待制,不然,政辈亦舍节使去。"玠乃从麾下由间道与子羽会于三泉。金游骑甚迫,玠夜视子羽,方酣寝,傍无警呵者,曰:"此何时,而简易乃尔!"子羽慨然曰:"吾死命矣,夫何言!"玠泣下,复往守仙人关。子羽约玠共屯三泉,玠曰:"关外,蜀之门户,不可轻弃。金人所以不敢轻入者,恐玠议其后耳。若相与居下,敌必随入险,则吾势日蹙,大事去矣。今经略既下,玠当由兴州、河池绕出敌后褒斜山谷,如行鼠穴。敌见玠绕出其后,谓将用奇设伏,邀其归路,势必狼顾。吾然后据险邀击,可使遁走,此所谓善败者不亡也。"子羽以潭毒山形斗拔,其上宽平有水,乃筑壁垒,凡十六日而成,其众稍集。既而统制官王俊又以五千人至,于是军势复振。

乙巳,河南镇抚司统制官李吉败伪齐兵于伊阳。

初,孟邦雄既为镇抚使翟琼所执,而邦雄之党梁进者复为刘豫守,袭琼所寓治凤牛山寨,琼设伏击之,尽殪。

庚戌,襄阳镇抚使李横为神武左副军统制、京西招抚使。

初,横既进兵,伪齐右武大夫、和州防御使、添差(陈)〔郑〕州兵马钤辖牛皋,武德大夫、知汝州彭玘,各以所部兵与横会。横以便宜命皋为蔡、唐州镇抚使,玘知汝州,〔言于朝,故有是命,〕仍赐横武翼郎以下告身三百,遂以皋为左武大夫、安州观察使。横又言:"臣已起兵抚定,克复神京,请命重兵宿将进屯淮西,按兵无动,以扬声援。"诏同都督江、淮、荆、湖诸军事孟庾,淮东宣抚使刘光世,江东宣抚使韩世忠措置。

王庶责江州,未行,张浚复起庶为参谋官,使诣巴州措置梁、洋一带。庶至,急散榜梁、洋境上,招其军民,不数日,远近来会。巴之北境即米仓山,下视兴元出兵之孔道。始,金人破金、商,无所得,已失望;完颜杲至金牛镇,不见兵,疑有伏,自以深入,恐无归路。及闻庶在巴州,吴玠阳为军书会诸将,欲断归路,敌逻得之,且野亡所掠,食少,乃引兵还兴元。

三月,丙辰朔,礼部尚书洪拟兼权吏部尚书。

〔庚申〕,初命神武后军统制兼都督府都统制巨师古以所部万人屯扬州。

甲子,资政殿学士、江西安抚大使、知洪州李回落职,提举江州太平观。

回老而慢,其下多纵弛,帅〔司〕屯兵数万,皆招收溃贼,既无所惮,又军食不足,恣其所为,郡民夜不解衣,惟恐生变。宣谕官刘大中至江西,奏回专权废法,且纵其子右宣教郎澡预政受金,及多辟亲党摄官,凡二十馀事。于是江西转运副使吴革、韩琼并罢,而澡勒停。

京西招抚使李横传檄诸军,收复东京。诏横自武功大夫、袁州防御使特迁右武大夫、忠州观察使。

己巳,徽猷阁待制、知平江府李擢试尚书工部侍郎,赴行在。

颍昌捷奏至。诏李横再进翊卫大夫,加赐空名告身一百,京西山寨并听横节制。

刘豫闻横入颍昌,遣使诣都元帅宗翰求援。横等军本群盗,虽勇而无纪律,见齐师所遗子女金帛,乃纵掠数日,置酒高会,金人闻而易之。豫遣其将李成以二万人迎敌,金遣左都监宗弼援之,败之于京城西北牟驼冈。横等军无甲,皆败走,敌亦不敢深逐也。颍昌复破,参议官谷城谭世则为敌所执,令其招横;横不答,世则遇害。

壬午,进韩世忠开府仪同三司、充淮南东路宣抚使,泗州置司。

朝廷以李横进(节)(帅)〔师〕,议遣大将,以刘光世兵不练而世忠忠勇,故遣之。仍赐世忠广马七纲,军士甲千副,激赏银帛三万匹两,又出钱百万缗,米二十八万斛,为半岁之用。

〔甲申〕,初,江西安抚大使司将官李宗谅、燕筠,以所部叛于筠州,引兵侵浏阳诸县,李(刚)〔纲〕为湖南安抚使,遣兵击降之。诏:"宗谅、筠戮于市,其众分隶诸军。"

夏,四月,丁亥,武翼郎、邠门宣赞舍人、知虢州董震为武节大夫、贵州刺史、权商、虢、陕州镇抚使。震言:"敌兵侵蜀,臣见调本军三千人自丰阳而西,绝敌粮道。万一四川将帅不能坚守,堕其谋计,思之寒心。今山东富庶如昔,金人重兵亦不在彼,望朝廷乘此机会,兴师深入,可以破伪齐之巢穴,兼牵制金人取四川之兵矣。"

尚书左仆射朱胜非以母忧去职。

己丑,韩世忠言:"近被旨措置建康府江南、北岸荒田,以为屯田之计。沿江荒田虽多,大半有主,难以如陕西例,乞募民承佃。"都督府请如世忠议。乃蠲三年租,田主有讼则归之,满五年不言,给佃人为永业。于是诏湖北、浙西、江西皆如之;寻又免科配徭役。

驾部员外郎韩膺胄论:"刑罚轻重,国祚短长系之。望追法仁祖旧章,凡狱官失入死者,终身罚之,虽经赦宥,永不收叙。"帝曰:"此仁祖之事也,其仁民详刑如此乎!"乃命有司申严行下。

辛卯,起复刘光世为检校太傅、江东宣抚使,屯镇江。

时光世与韩世忠更戍,世忠至镇江城下,而奸细入城,焚其府库;光世擒而鞫之,皆云世忠所遣,于是诉于帝。江东统制官王德请于光世曰:"韩公之来,独与德有隙耳,当身往见之。"其下皆谓不可,或请以骑行,德不听。世忠大惊,谓德曰:"公诚烈丈夫!曩者小嫌,各勿介意。"因置酒结欢而别。

金人去兴元。

自金人入梁、洋,蜀中复大震,剑南诸州皆为徙治之计。宣抚处置使张浚,亦下令移潼川军,闻者皆愤,或取其榜毁之。利州路经略使刘子羽遗浚书,为言己在此,敌必不南,浚乃止。

完颜杲留屯中梁山逾月,始自斜谷去兴元。子羽与吴玠谋以兵邀之于武关,不及。斜谷路狭,惟可单行,故凡所掠获,悉弃之于路。浚遣统制官王浚复洋州、兴元府。

杲既还凤翔,乃遣十馀人持书与旗来招子羽、玠,子羽尽斩之,惟留一人使还,曰:"为我语之,欲来即来,吾有死耳,何可招也!"玠亦遗杲书,以大义责之,杲乃止。

壬辰,移都督府于镇江,照应江、淮两军机务,于是建康府权货务都茶场亦移镇江。

癸巳,庆远军承宣使、神武前军统制王(爕)〔瓊〕为捧日天武四厢都指挥使兼淮南宣抚司都统制,仍诏神武后军统制巨师古、御前忠锐将崔增、李捧等并受韩世忠节度。于是世忠始去神武左军都统制,专为宣抚使。

乙未,宣抚处置司训练官杜福邀金人于兴元南龙潭,降其军四百。

丙申,伪齐将李成以众二万攻虢州,陷之。镇抚司统制官谢皋与之遇,举刃示敌曰:"此吾赤心也,汝宜视之!"遂剖心而死。权镇抚使董先率馀兵二千奔襄阳。

戊戌,湖南安抚使折彦质所遣统领官刘深以兵至鼎州。

时鼎寇杨么,众益盛,僭号大圣天王,旗帜亦书此字,且用以纪年,又以兵二万人寇公安县。彦质言么之势不减曹成,望朝廷勿轻此贼,乃命彦质督潭、鼎、荆南兵讨之。是日,湖北统领官颜孝恭亦以千九百人至鼎州城外。

庚子,诏改昭慈献烈皇太后谥曰昭慈圣献皇后。

诏:"复五帝、日月之祀,其礼视四方帝,祀以四立日,黄帝以季夏之土王日。春秋分朝日、夕月礼如感生帝。"

辛丑,荆南统制官罗广以所部三百五十人至鼎之城西,而军食不继,于是潭将刘深、鄂将颜孝恭,皆引所部去。后二日,广亦引兵北还,由是不克讨。然贼徒屡抗,多被杀,人心颇摇,乃肆伪赦,立钟相少子子义为太子,白杨太以下皆臣事之。

壬寅,诏:"昭慈圣献皇后同姓亲迁秩二等,异姓一等。"甲辰,封起复镇潼军节度使、开府仪同三司、醴泉观使孟忠厚为信安郡王,丙午,封哲宗美人慕容氏、魏氏并为婕妤,皆用后大祥推恩也。

录故太师文彦博孙纬世等三人并为迪功郎。

纬世父太仆卿维中,建炎中从帝渡江,至湖州而死,至是用守臣汪藻请而命之。

丁未,神武副军都统制岳飞,遣统领官张宪、王贵分道击虔寇彭友、李满,获之。飞自至虔州,日破一寨,贼徒震恐。友等先据龙泉,至是乃败。

戊申,武节大夫、明州观察使、浙西兵马钤辖史康民将所部至行在,以康民为御前忠锐第九将。

西南蕃武翼大夫、归州防御使、泸南夷界都大巡检使阿永,献马百有十二匹,泸州以闻,诏押赴行在。

阿永,乞第子也。元丰间,乞第既效顺,愿岁进马以见向化之心,官以银缯赏之,所得亡虑数倍。其后阿永所中之数,岁增不已,政和末,始立定额。每岁冬至后,蛮以马来州,遣官视之,自江门寨浮筏而下,蛮官及放马者九十三人,悉劳飨之,帅臣亲与为礼。诸蛮从而至者几二千人,皆以筏载白椹、茶、麻、酒、米、鹿豹皮、杂毡兰之属,博易于市,留三日乃去。马之直虽约二十千,然揆以银、彩之直,则每匹可九十馀千,自夷酉已下所给马直及散犒之物,岁用银帛四千馀匹两,盐六〔十〕〔千〕馀斤。银则取于夔之涪州及大宁,物、帛则果、遂、怀安。凡马之死于汉地者,亦以其直偿之。

辛亥,御前忠锐第七将徐文叛,奔伪齐。

文以所部屯明州城东,朱师闵将至,文觉之,夜以所部泛海舟而遁。未明,至定海县,忠锐第八将、武德郎赵琦以本军沿海拒敌,文乃去。沿海制置仇念率诸将追之,不及。

壬子,起复检校太傅、江东宣抚使刘光世再起复,以光世丁内艰故也。

五月,乙卯,帝谕大臣曰:"朕省阅天下事,日有常度,每退朝,阅群臣及四方章奏,稍暇即读书史,至申时而常程皆毕,乃习射,晚则复览投匦封事,日日如是也。"

丙戌,武翼郎、邠门宣赞舍人、权河南镇抚使翟琮为利州观察使。

琮言道路梗涩,缓急无兵救援,请亦隶宣抚处置使张浚,许之,遂诏有司以米二万石饷琮军,且及李横、牛皋、彭玘会兵牵制。时朝廷方嘉横敢勇向前,命横等直至京城,或径往长安,与抚司夹击。

江西安抚大使赵鼎奏:"襄阳居江、淮上流,乃川、陕襟喉之地,以横镇抚,诚为得策。今闻横、皋共起兵往东京,又闻伪齐亦会金人及遣李成领众西去;恐缘此纷扰不定,横乌合之众,将不能御,则决失襄阳,川、陕路绝,江、湖震动,其害可胜言哉!近有自襄阳来者,言横正缘乏食兼无衣,则其出兵固非得已。望诏有司时有资给,使横衣食足,则不假它图,然后责其守疆待敌,不得因小利出兵,则可久之计矣。"帝览鼎奏,始忧之。于是蜀口金骑已退,而董先、牛皋皆失守南奔,行在未知也。

丁巳,遣枢密院计议官任直清往襄阳、商、虢、河南抚谕,仍赐河南镇抚司黄金百两,为祭告诸陵之费。

己未,权河南镇抚使翟琮、权陕虢经略使董先言:"今岁臣等首同李横东击伪齐,京城震恐,复以无援,引兵而归,思之痛迫。臣等所管之地,东至郑州,西至京北,南涉伪境,北临大河,亦得两国虚实。但西南去宣抚司三千馀里,东南去行在四千馀里,外无应援,内乏粮储,势力孤绝。望选委重臣,于行朝宣抚司之中屯驻一司,以为声援。"诏报已令韩世忠充宣抚使,领大军屯淮南。

辛酉,诏筑第百间以居南班宗室,仍以睦亲宅为名。

故朝请大夫欧阳棐赠直秘阁,以元祐党人故也。

录故枢密副使包拯曾孙嗣直为迪功郎。

〔丁卯〕,神武中军统制杨沂中以大军至桐庐县,而魔贼缪罗与其徒八人已就招。诏沂中招捕馀党;宣谕官胡蒙,请榜谕其徒,能自首者免罪。既而沂中捕斩其徒九十有六人,诏沂中以旧官领保信军承宣使。

乱之始作也,凤林巡检、保义郎章甫,淳安尉、右迪功郎曹作肃,指使、保义郎徐詹,皆为所害;后各官其家一人。

乙亥,天申节,韩世忠进生鹿,帝不欲却,谕辅臣,将放之山林以适物性。

枢密院言:"已遣使诣大金议和,恐沿边守将辄发人马侵犯齐界,理宜约束。"诏:"出榜沿边晓谕,如敢违犯,令宣抚司依法施行。"

丙子,金房镇抚使王彦遣兵复金州。

初,金兵既还,彦遣本司统制官、武节郎许青,以所部千三百人出汉阴县,京西南路安抚使周贵迎战,青引兵横击,大败之,贵仅以身免,遂复金州。又败金兵于洵阳,乃弃均、房去。时军食益艰,张浚乃以彦兼宣抚司参议,驻兵达州,而留统制官、武功大夫格禧以兵三千守金、房。

庚辰,江西安抚大使赵鼎言:"岳、鄂为沿江上流控扼要害。鄂州虽有帅臣及军万馀,其间大半皆乌合之众,以至器械未备,万一有警,难以枝梧。欲候虔贼既平,令岳飞以全军往岳、鄂屯驻,不惟江西藉其声援,可保无虞,而湖南、二广亦获安妥。"诏俟飞平江西、湖广贼毕听旨。时朝廷闻李横失利,乃诏横等屯驻,非奉朝旨,毋得进兵。

辛巳,罢宣抚司便宜黜陟。

初,张浚既受黜陟之命,事重者敕行之。参知政事席益、签书枢密院徐俯大不平,指以为僭。及是浚还行在而王似等代之,故有是旨。

故承议郎胡端修,赠直秘阁,以元符上书入籍故也。

六月,甲申朔,荣州防御使、神武后军统制巨师古除名,广川编管。

初,师古以所部屯扬州,淮南宣抚使韩世忠令移屯泗上,师古称疾不出,世忠怒,劾之。诏统领官高举将其军还在。

丙戌,复置六部架阁库。

自崇宁间何执中为吏部,始建议置吏部架阁官。其后诸曹皆置,凡成案留部二年,然后后界而藏之,又八年,则委之金耀门文书库。

尚书吏部侍郎韩肖胄为端明殿学士、同签书枢密院事,充大金军前奉表通问使;给事中胡松年试工部尚书,充副使。肖胄子孙官七人,松年五人。

丁亥,入辞,肖胄言:"今大臣各徇己见,致和战未有定论。然和议乃权时宜以济艰难,它日国步安强,军声大振,理当别图。今臣等已行,愿毋先渝约。或半年不复命,必别有谋,宜速进兵,不可因臣等在彼间而缓之也。"

肖胄母文氏,闻肖胄当行,为言:"韩氏世为社稷臣,汝当受命即行,勿以老母为念。"帝闻之,诏特封荣国太夫人以宠其节。

庚辰,宣抚处置使张浚奏捷,且请赴行在,诏王似、卢法原督使趋赴任,仍降诏抚存蜀中,王彦特放罪,复往金州控扼。时浚方论却敌之功,将佐幕客皆以便宜迁秩。既则似、法原俱至蜀,浚遂与宝文阁直学士(洪州观察使)刘子羽、参议官、左通议大夫王庶、主管机宜文字、兵部员外郎冯康国、鼎州团练使、提举江州太平观刘锡、左朝散郎、利州路提点刑狱公事冯楫权枢密院计议官,偕行俱东。

甲午,神武前军统制兼淮南宣抚司都统制王𤩽为荆南府、潭、鼎、澧、岳、鄂等州制置使。

时鼎寇杨么复犯公安、石首二县,先五日,命湖南安抚使折彦质会荆鄂潭鼎统制官辛太、崔邦弼、任安、杜湛之众往讨。彦质数请济师,乃命𤩽总舟师以行,遣总锐第一将崔增、神武后军统领高进以所部五千从𤩽,又命韩世忠、刘光世各以舟五百与之,仍持五月粮以行,凡湖南、北兵并受𤩽节度。时知岳州范寅(数)〔敷〕遭内艰,以策献于湖南安抚使折彦质以闻。诏下其议,命王𤩽行之。

已而𤩽请招安金字牌。帝曰:"近来贼盗踵起,盖黄潜善等专务招安而无弭盗之术,高官厚禄以待渠魁,是赏盗也。么跳梁江湖,罪恶贯盈,故命讨之,何招安为!但令𤩽破贼后,止戮渠魁数人,贷其馀可也。"乃给黄榜十道,自么及黄诚、刘衡、周伦、皮真并近上知名头领不赦外,胁从之徒,一切不问。如从中自并及(头)〔投〕首(领),当议优与推恩。

已亥,罢沿海制置司,以海舟三百付明州守臣李承造总领,和州防御使张公裕同总领;仍命公裕居定海县,以总领海船所为名。

〔乙巳〕,初,韩世忠之军建康也,诏江东漕臣月给钱十万缗,以酒税、上供、经制等钱应副。至是刘光世移屯,又增月桩钱五万六千缗,转运判官、直秘阁刘景真等告之于朝,诏通融应副。自吕颐浩、朱胜非并相,以军用不足,创取江、浙、湖南诸路大军月桩钱,以上供、经制、系省、封桩等窠名充其数,茶盐钱盖不得用,所桩不能给十之一二,故郡邑多横赋于民,大为东南之患。

丙午,诏:"内外从官各举宗室一人,以备器使。"

先是右承事郎、知大宗正丞谢伋条上宗室五事:曰举贤才以强本支,更法制以除烦苛,择官师以专训导,继封爵以谨传袭,修图牒以辨亲疏。始,岐献简王仲忽为宗官,多所建白,论者以为立法太严。自渡江后,南班宗室才六十三员,学官久阙,袭封之典遂废,宗正有寺无官,故伋言之。时已用伋议,复置宗正少卿,因有是命,惟袭封不行。

丁未,诏:"即驻跸所在学置国子监,以学生随驾者三十六人为监生,置博士二员。"

江东宣抚使刘光世引兵发镇江。

时淮南宣抚使韩世忠屯登云门,光世惧其扼已,改途趣白鹭店;世忠遣兵千馀袭其后,光世觉之,乃止。既而光世奏世忠掠其甲士六十馀人,帝寻遣使和解,仍书贾复、寇恂事赐之。

戊申,武功大夫、高州刺史、枢密院准备差使王林,以所部充御前忠锐第十将。林,刘光世部曲也,忠锐第九将史康民荐其才,自承州召还,而有是命。

己酉,神武副军都统制岳飞自虔州班师。

壬子,右宣教郎王忠民至行在,宰相吕颐浩、签书枢密院事徐俯见之皆拜,舍于政府。忠民上疏力辞新命,且言:"臣为大金举兵,故自上大金国主三表,为辨理乞还二帝,本心报国,非求名禄。"帝不许。忠民以告置于椟中,藏之七宝山下。既见所奏留中,力恳求去,遂依商、虢镇抚使董先于军中。

癸丑,川陕宣抚司以三泉县为大安军,以武臣种友知军兼县事,文臣为判官兼县丞。

自陕西既破,买马路久不通,至是荣州防御使、知秦州、节制阶、文军马吴璘,始以茶彩招致小蕃三十八族以马来市,西马复通。

秋,七月,丙辰,吕颐浩言:"行宫北门未成而役未少,欲于忠锐第八将范温麾下,择不堪出战二百人助役,且令温自董之。"帝曰:"不可。四方闻之,以为使将帅舍甲兵而事营缮,非今日整兵经武之道。"

己未,置博学宏词科,用工部侍郎李擢奏。其法,以制、诏、书、表、露布、檄、箴、铭、记、赞、颂、序十二件为题,古今杂出六题,分三日试。命官除归明、流外、进纳及犯赃人外,愿试者以所业每题二篇纳礼部,下两制考校。堪召试者,每举附省试院收试,上等改京官、除馆职,中等减三年磨勘,下等减二年,并与堂除;奏补出身人,以赐进士及第、出身、同出身为三等之差。著为令。

初置提举孳生牧马监官,于饶州置司,俸赐视杂监司,(合)〔令〕枢密差干办官三员,本路给厩卒二百人,仍令统制官王进以所部护之。时益市马于广西,故先择牧地鄱阳,置官提举。

庚申,权商虢镇抚使董先奏虢州失守,待罪,诏先兼京西招抚司都统制,屯襄阳。

乙丑,尚书省言韩肖胄已至泗州,齐国馆伴官兵未到。时神武诸军护送者二千人,乃诏都督府以轻舟济其军食。

肖胄至汴梁,伪齐刘豫欲见之;副使胡松年曰:"见之无害。"豫之臣欲令以臣礼见,肖胄未有以答,松年曰:"皆大宋之臣,当用乱礼。"豫不能折。既见,松年长揖豫,叙寒温如平生。豫欲以君臣之礼傲之,松年曰:"松年与殿下比肩事主,不宜如是。"豫问:"主上如何?"松年曰:"圣主万寿。"豫曰:"其意何在?"松年曰:"主上之意,必欲复故疆而后已。"豫有惭色。

丙寅,尚书考功员外郎兼权监察御史朱异宣谕浙东、福建还。异出使九月,阅所按吏凡八人,荐士张九成等十二人。

丁卯,诏录用太祖、太宗、真宗、仁宗、英宗、神宗六朝勋臣自曹彬至蓝元振三百二十人子孙。先是徽猷阁待制宋伯友言:"艰难以来,中原隔绝,功臣子孙,凋丧殆尽;乞访其后,量材录用。"故有是旨。其后得赵普、〔赵〕安仁、范质、钱若水诸孙,皆官之。

己巳,枢密院计议官、权监察御史薛徽言宣谕湖南还。徽言出使九月,阅所按吏十六人,荐士刘延年等三人。

庚午,诏:"无职田选人及亲民小使臣,并给茶汤钱十千,职田少者通计增给。"

先是御笔增选人、小使臣俸以养廉,辅臣进呈,帝谕以"今饮食衣帛之直,比宣和不啻三倍,衣食不给而责以廉节,难矣。宜变旧法以权一时之宜。"户部尚书黄叔敖言:"文武官料钱,各有格法,不可独增选人、小使臣;乞令提刑司均州县职田于一路,通融应副,无职田及职田少者增支。"从之。

癸酉,宰相吕颐浩、参知政事席益、签书枢密院事徐俯,以旱乞罢政,帝曰:"与其去位,曷若同寅协恭,交修不逮,思所以克厌天心者!"颐浩等乃复视事。

时以旱故,诏群臣言阙政。礼部尚书洪拟曰:"法行之公,则人乐而气和;行之乖,则人怨而气偏。试以小事论之:近时监司守臣献羡馀则黜之,宣抚司献则受之,是行法止及疏远之臣也。有自庶僚为侍从,卧家视事,未尝人谢,得美职而去;若鼓院官移疾废朝,则斥罢之;是行法止及冗贱之官也。榷(贷)〔酤〕立法甚严,犯者籍家财以充赏;而大官有势者,连营列(陈)〔障〕,公行酤卖,则不敢问;是行法止及孤弱之家也。小事如此,推广而言之,则怨多而和气伤可知矣。"疏奏,帝嘉纳。

甲戌,神武中军统制兼提举宿卫亲兵杨沂中自严州还,以沂中兼带御器械。武功大夫、忠州团练使、邠门宣赞舍人、御前忠锐第四将范温以所部充神武中军左部统领。

乙亥,朱胜非起复旧官,守尚书右仆射、同中书门下平章事兼知枢密院事,特命睿思殿祇候陈彦臣宣押赴行在。

诏神武副军〔都〕统制岳飞选兵三千人移戍广州。

丙子,以久旱,诏诸路监司分按州县,亲录囚徒以察冤滞。

己卯,诏左武大夫、忠州防御使、知秦州张荣以所部赴行在。

庚辰,辅臣奏事,吕颐浩言雨足,帝曰:"日者亢旱,朕甚忧之,以穑事无望矣。今沾足如此,殆将有秋。《春秋》二百四十二年,书大有年者才一,书有年者再而已,以此知丰登之难得也。"先是自六月丙午不雨,帝命刍议狱刑,弛力役,进素膳,及是雨乃足,翼日,帝始御玉食焉。

八月,丙戌,初,忠锐第八将徐文既叛去,以所部海舟六十、官军四千三百,泛海至盐城县,遣使臣阚中纳款于伪齐,具言沿海无防御之人,可以径至二浙;且图驻跸所在军马之数,因密州草桥镇巡检包德闻于刘豫,豫大喜。是日,授文防御使、知莱州,以海舰二十益其军,令犯通、泰等州,且至淮南与大军会合。

戊子,金主以赵楒诬告其父昏德公谋反,命诛楒及其婿刘彦文。初,金人欲令其父子对质,会蔡(絛)〔翛〕力辨其诬,乃止。

己丑,命神武副军都统制岳飞赴行在,仍命飞以精卒万人留戍江州。

壬辰,川、陕等路宣抚处置副使王似言:"川、陕诸州应奏狱案,乞用便宜指挥,酌情断下,如张浚例。"许之。

甲午,帝谓大臣曰:"元祐党人固皆贤,然其中亦有不贤者乎?"吕颐浩等曰:"岂能皆贤!"徐俯曰:"若真元祐党人,岂不贤!但蔡京辈,凡己之所恶,欲终身废之者,必名之元祐之党,是以其中不免有小人。"帝曰:"若黄策之类是也。"俯曰:"黄策乃元符末上书狂直被罪,始,天下皆称之。如策比者,无虑十馀人,策不能固穷守节,陷于非义。其中亦有议论前后反复,奸恶猥琐,冒名其间,如杨畏、朱师服数人耳。"策以直秘阁、通判严州,受赇抵罪,故帝及之。

故降充宝文阁待制王觌,追复龙图阁学士。

乙未,诏:"河南镇抚使翟琮,且在襄阳府屯泊,听候朝旨。"

时梁、卫之地,悉沦伪境,琮屯伊阳之凤牛山,为伪齐所逼,孤立不能敌,率部曲突围奔襄阳。京西招讨使李横以闻,故有是命。

权商虢镇抚使董先,言有官军及老弱七千在襄阳,而李横兵已众,恐不能赡给,乃命先赴行在,先遂以其众依赵鼎于江西。

戊戌,金主诏曰:"比以军旅未定,尝命帅府自择人授官;今并从朝廷选法。"

己亥,以信安郡王孟忠厚为礼仪使,奉神御并诣温州。

甲辰,诏曰:"比者雨旸弗时,几坏苗稼,朕方寅畏忧惕;又复地震,苏、湖益甚,朕甚惧焉。盖天降灾,其应必至,皆朕失德,不能奉顺乾坤,协序阴阳之故。咨尔在外大小之臣,有能应变弭灾,辅朕不逮者,极言无隐。"

时已命诸路宪司起发州郡所负积年禁军阙额钱,是日,帝谕辅臣,恐不便于民,速令除放,遂以手诏付有司,自建炎以来皆蠲之。

乙巳,诏:"复置史馆,以从官兼修撰,馀兼直馆、检讨,若著作佐郎有阙,依元丰例差郎官兼领。"先是著作官全阙,以都官员外孔端朝权兼著作佐郎,至是吏部讨论而有此命。

己酉,侍御史辛炳言:"叨缀日参,见宰执有留身奏事者。臣窃谓天下有大利害,政事有大因革,人才之黜陟,赏罚之劝惩,相与敷陈于陛下之前,盖有不容不公者。留身之际,何所不有! 恐分朋植党之渐,为害滋大。欲望降旨,自今三省、枢密院朝殿进呈,讫不得留身,违者许御史台弹奏。"

辛亥,嗣濮王仲湜请诸州宗室,各以行尊者一人检察月俸钱米,许之。渡江后,宗子散居四方,故仲湜以为请。

是月,韩肖胄等始至云中,见金国都元帅宗翰议事。

九月,癸丑,秘书少监孙近请命前宰执供具建炎四年二月以前时政记,仍令修注官补建炎以来起居注,命百司日以朝廷所施行事报秘书省、进奏院,月报亦如之。

初,伪齐侍御史卢载阳上议,陈结南夷扰川、广之策,刘豫遣通判齐州傅维永及募进士宋困等五十馀人自登州泛海,册交趾郡王李阳焕为广王,且结连诸溪洞酋长,金主遣使毛都鲁等二十馀人偕行。

〔丙辰〕,时行宫外朝止一殿,日见群臣,省政事则谓之后殿,食后引公事则谓之内殿,双日讲读于斯则谓之讲殿。至是梁朽,前荣且坏,命有司缮治之。乃权御射殿,极卑陋,茆屋裁三楹,侍臣行列,巾裹触栋宇。

戊午,特进尚书左仆射、同中书门下平章事兼知枢密院事、都督江淮荆浙诸军事吕颐浩罢,为镇南军节度、开府仪同三司、提举临安府洞霄宫。

颐浩再相凡二年,侍御史辛炳劾其不恭不忠,败坏法度。及颐浩引疾求去,殿中侍御史常同因论其十罪,大略谓:"颐浩循蔡京、王黼故辙,重立茶盐法,专为谋利,一也。不于荆、淮立进取规模,惟务偷安,二也。所引用非贪鄙俗士即其亲旧,三也。民诉讼有再至者辄罪之,四也。赃吏吕应问、韩禧皆满数万,颐浩既受女谒,遂令移狱,欲罪元按官司,五也。台谏论事不合己意,则怒形于色,六也。近两将不协,几至交兵,不能辨曲直以申国威,而姑息之,七也。其心腹最喜者擢置台属,使采台中议论,八也。近者地震,抑而不奏,及降诏求言,又不引去,九也。每会亲党夜饮,男女杂坐,比言者论罢都漕司,遽托病乞出,十也。陛下未欲遽罢颐浩者,岂非以其有复辟之功乎? 臣谓功出众人,非一颐浩之力。纵使有功,宰相代天理物,张九龄所谓不以赏功者也。"疏入,因改命。

庚辰,神武副军都统制岳飞自江州来朝,赐金带、器甲。飞养子云,年尚少,帝亦以战袍戎器赐之。

辛酉,川陕宣抚司统领官吴胜,败伪齐兵于黄堆寨。

初,陕西同统制军马杨政率诸军深入至清水县,命胜与统领官杨从仪、程俊等率忠义人进讨。伪泾原第八将严千,以甲军千人,骑五百,筑莲花城,胜急击攻之。翼日,第十将宋师闵复以骑二千来援,胜等追杀无遗,获所部将十馀人,师闵仅以身免。胜还至腊家城,复与敌遇,步将从义郎彭宸战死。准备将、承信郎贺吉,为贼所获,曰:"吾不死于敌手。"遂自杀。是役也,将士死者百二十有三人,皆赠官,录其子。

丙寅,诏:"自今执政许留身奏事,如宰臣例。"

端明殿学士、江南西路安抚大使兼知洪州赵鼎为江南西路安抚制置大使兼知洪州,中卫大夫、武安军承宣使、神武副军都统制岳飞落阶官,为镇南军承宣使、江西沿江制置使,戍江州。飞言:"本路兵久不训习,乞留五千人屯洪州,二千人屯虔州、南安,馀军并随军训习。"诏飞、鼎同议。

先是飞在洪州,与江南兵马钤辖赵秉渊饮,大醉,击秉渊几死,帅臣李回奏劾之。及是帝戒飞止酒,飞遂不饮。

始,统制官傅选屯江州,李山知蕲州,皆受回节度。飞受命,奏乞选、山皆为本司统制,于是飞始能成军。江东宣抚使刘光世与秉渊素厚,奏秉渊还建康以避之。

时飞军月费钱十二万二千馀缗,米万四千五百馀斛,诏漕臣曾纡津致钱粮,为军中五月之费,而鼎督趣之。回与飞不协,至鼎,推诚待之,飞亦心服。

信安郡王孟忠厚上昭慈圣献皇后改谥册册于温州太庙,不改题神主。

戊辰,帝谓辅臣曰:"议者多言诸大将不宜益兵。汉高祖定天下,诸将兵至十数万,未尝以为疑,故能成功。今刘光世、韩世忠兵才各五万,张俊不满三万,议者已患其多,此不知时宜也。"席益曰:"方用兵之时,御诸将当如高祖,削平之后,待功臣当如光武。"前三日,诏以忠锐第九将史康民、第十将王林所部益俊军,又令第二将张守忠受俊节制,故言者及之。

己巳,权刑部侍郎章谊试兵部侍郎,大理卿李与权权刑部侍郎。

壬申,自军兴以来,机速事皆以白札子径下,有司既报行,然后赴给、舍书押降敕;其后拟官、(狱断)〔断狱〕皆然,两省之职殆废。至是中书舍人孙近言:"国家仿唐旧制,分建三省,凡政令之失中,赏刑之非当,其在中书,则舍人得以封还,其在门下,则给事得以论驳。盖先其未行而救正其失,则号令无反汗之嫌,政令无过举之迹。今给、舍但书押已行之事,虽欲论执而成命已行,非设官本意。望申严旧制,应非军期急速不可待,勿报;应给、舍书读,如无封驳,令画时行下。"

诏:"神武后军见在行在官兵八千人,并拨隶神武〔右军〕都统制张俊。"

乙亥,江东宣抚使刘光世为江东、淮西宣抚使,置司池州;淮南东路宣抚使韩世忠为建康、镇江府、淮南东路宣抚使,置司镇江府;神武前军统制、荆南府、潭、鼎、澧、岳、鄂等州制置使王𤩇为荆南府、岳、鄂、潭、鼎、澧、黄州、汉阳军制置使,置司鄂州;神武副军都统制、江西制置使岳飞为江南西路、舒、蕲州制置使,置司江州。赐光世钱十万缗,为营垒费。仍命世忠措置所部沿江至平江府、江阴军沿海地。侍卫亲军步军都指挥使、武泰军节度使、主管殿前司公事郭仲荀为检校少保、知明州兼沿海制置使,神武中军统制、提举宿卫亲兵杨沂中兼权殿前司公事。仍诏仲荀以绍兴府、温、台、明州为地分,自帅府外,应统兵官并得节制。

始,诸将拥重兵而无分定路分,故无所任责。朱胜非再相,始议分遣诸帅各据要会,某帅当某路,一定不复易。

戊寅，秘书省正字陈祖言请修建炎以来日历，从之。

庚辰，集英殿修撰苏迟权尚书刑部侍郎。

诏神武副军〔都〕统制、江西制置使岳飞所部改为神武后军，以飞为统制。

伪齐遣将与知光州许约合兵围固始县，知县事孙晖将所部遁去。淮西宣抚使刘光世，遣统制官郦琼等救之，未至，会淮西安抚使胡舜陟命准备将领、承议郎洪邦彦以乡兵来援。辛巳，贼弃城走。

是秋，金都元帅宗翰悉起女直土人散居汉地，惟金主及将相亲属卫兵之家得留。

【译文】

宋纪一百十二　起癸丑年(公元1133年)正月，止九月，共九月。

绍兴三年　金天会十一年(公元1133年)

春季，正月，丁巳朔(初一)，高宗在临安。

这天，权河南镇抚使翟琮及权知虢州董振，率领山寨剩余的人进入潼关。两天后，翟琮进入西京，伪齐留守孟邦雄正酒醉卧床，于是翟琮俘虏孟邦雄及其家族而返回。

庚申(初四)，襄阳镇抚使李横击破伪齐颍顺军，迫使伪齐知军事、拱卫大夫、明州观察使兰和投降。两天后，在长葛县击败伪齐军队。

甲子(初八)，命令尚书户部侍郎姚舜明前往建康总领大军钱粮，这是采纳都督江、淮、荆、浙诸军事孟庾的请求。当时各军驻扎在建康，每年花费钱粮五十余万，全都是户部结算的钱财，所以命令姚舜明去总领。孟庾又建议降授右武大夫、和州防御使马扩通晓军务，请求任命他为都督府参议官，高宗同意请求。

李横收复颍昌府。前一天，李横率军队到颍昌城下，伪齐京西北路安抚使赵弼固守，李横率领将士猛烈攻城，当日将城攻破，赵弼巷战不能取胜，于是弃城逃走。刘豫听说李横的军队来到，急忙派遣先锋将董先去抗敌。董先从京城出来后，杀死和俘虏伪齐军几百人，夺得战马几百匹，投奔翟琮军中，翟琮任命董先为镇抚司都统制。

乙丑(初九)，高宗下诏书说："廷尉，是公平裁决天下大小狱讼的官吏。曹刿说大小刑狱案件，虽然不能一一明察，但一定要根据实情处理，这是尽心尽力处理事务的表现，可以凭此一战。难道不是这样的吗？可以布告朝廷内外的官员，凡是作士大夫师表的人，都应各自致力于仁义平和，并给人以怜悯同情。天高地低，行善得福，作恶受祸，不要随心所欲地放纵你的情感，以致累及自身。要把这些座右铭，永远作为法则。御史台所属官员，要经常加以检察，每月上报所平反了的刑狱案件。三省年终检查考核，应当评议出最劣最优。"

金人攻破金州。

起初宣抚处置使张浚，召见本司都统制、节制兴、文、龙州吴玠，金、场、房州镇抚使兼本司同都统制王彦，利州路经略使兼知兴元府刘子羽，在兴元会合，约定金人如果派大军攻取蜀地，则吴、王、刘三位统帅应该互相呼应支援。刘子羽听说敌人来了，就告诉王彦，希望王彦派强弩手据险截击金军；王彦习惯于短兵相接，多次平定小股盗贼，对刘子羽的忠告不太在意。金州的西面有姜子关，是和平时期行商从子午谷进入金州、洋州的通道。金人扬言要夺取姜子关商路而进入汉阴县，所以王彦分出一部兵力据守姜子关。不久完颜杲从上津疾驰而来，不到一天就到了洵阳境上。张浚召见汉阴统制官郭进，率三千人乘夜顺流出发，在沙隈与金军遭遇。金人舍弃战马前来进攻,交战十个回合,金人看到郭进的军队很少,午后三时至五时,金军步兵全线出击,尘埃蔽日,郭进拼死力战,战败而死。王彦说:"敌人之所以疾驰而来,是想凭借我们的粮食攻入蜀地。"立即将储积的粮食全部焚毁,退兵据守石泉县。金人侵入金州,王彦退往西乡。恰逢张浚派遣干办官甄瑶携自己亲笔手令,督促王彦坚壁清野后来相会合,于是王彦越过西乡。

起初,神武副军都统制岳飞在江州,军中粮食缺乏,江西安抚大使李回,将岳飞军队的一半一万二千人分别驻扎在江州、筠州、临江、兴国军,而命令岳飞率领剩余的军队到吉州驻扎,并将此事上报朝廷。

丁卯(十一日),朝廷诏令岳飞立即率领军队前往行在。

己巳(十三日),尚书吏部侍郎兼侍讲席益出任工部尚书兼权吏部尚书,中书舍人兼侍讲陈与义出任吏部侍郎。

庚午(十四日),诏令大宗正司从广州回到行在,任命嗣濮王赵仲湜兼判大宗正事,奉濮安懿王的神主牌位及各宗室一同前来。

癸酉(十七日),开始恢复对火星的祭祀,并附带祭祀阏伯,每年于辰戌月举行祭祀,用酒浆、干肉做祭品。

戊寅(二十二日),神武中军统制杨沂中请求以他所选择的水军五百人创设御前忠锐第六将,得到批准。当时神武中军才有五千人。

庚辰(二十四日),朝廷采纳礼官的建议,每年以春秋两季的第二个月,派遣宗室环卫官在法惠寺举行望祭诸陵的典礼。当时各种事务处于初创阶段,先皇牌位只用白木黄纸制作,绍兴末年才改制。

壬午(二十六日),高宗诏令:"禁卫、神武、三衙诸军、御前忠锐、宰执亲兵,都支付给雪寒钱。"

二月,丁亥朔(初一),朝廷下令将桂州升格为静江府,是由于高宗曾在此兼领节度使的缘故。

辛卯(初五),在宾州设置广西提举买马司,其薪俸和例赐予监杂司相同,凡是买马的事务,经略司不得干预。还命令拨本路上供、封桩、内藏钱各二十七万缗,钦州盐二百万斤,作为买马的费用,任命左朝请大夫新任知建昌军李预为买马司提举。

陕西都统制吴玠,在真符县的饶风关与金兵遭遇。

先前,兴元府知府刘子羽,听说金州被金兵攻破,随即派遣统制官田晟据守饶风关,堵住金人的来路,并且速下檄文征召吴玠前来援救。当时宣抚司张浚的命令还没有下来,吴玠说:"事情已很紧急,各将领不能办,我应当亲自去解救。"直秘阁、主管机宜文字陈远猷请求吴玠说:"敌人举全国兵力而来,锐不可当。宣抚使张浚既然已命令分兵把守,各军都有各自的防守阵地,何苦要远赴饶风关抗敌!万一失败,后悔就来不及了。"吴玠不听,从河池出发,一昼夜急行军三百里。中途稍做休息,刘子羽送信给吴玠说:"敌人旦夕之间就要到达饶风岭下,如果不能坚守此地,蜀地无法保障。吴将军若不前往,我刘子羽一定前往。"吴玠立即急行军,与金人遭遇。吴玠的军队只有几千人,加上洋州的义士有一万三千人。吴玠先送黄柑给完颜杲说:"大军远道而来,聊送上黄柑以解行军之渴。今日决战,你我各自忠于自己的朝廷。"完颜杲大吃一惊,用杖击地说:"吴玠,你怎么来得如此之快!"当时金房镇抚使王彦从西乡率八字军前来与吴玠会合。各军看到援军到来,稍微有所放松,吴玠大怒,要斩杀壕寨守将;守将逃走投降了金人,告诉了宋军的虚实,并且说:"统制官郭仲荀守地虽然险峻,但兵力弱小容易攻破。"于是金人将掳掠的妇人放还山寨,而从蝉溪岭绕到饶风关背后,夜里派轻兵袭击,郭仲荀退走。金人得到郭仲荀山寨后,就居高临下虎视饶风关,而派精锐部队从背后夹攻宋军,宋军全部退却,吴玠虽阵斩退兵也不能制止。一共六天,饶风关被攻破。吴玠收拾残兵投奔达州,四川大为震动。

癸巳(初七),都司检详官奏请将营田法下发各路施行,都按陈规旧条为主。江北无牛之地,仍用古法,用二人拖一锄犁田。凡属授田,五人为甲,另外授给菜田五亩作为房舍、稻场、第一年田租免去一半。军屯让使臣主管,按每年课税的多少评定出最劣最优。

戊戌(十二日),高宗诏令:"重要州郡、次重要州郡的守臣所带兵马钤辖、路都监一律罢免。"

己亥(十三日),金元帅府上奏说:"承陛下诏令赈济军士,臣担心有关官吏钱币供给不上,请求允许自元帅以下有俸禄的将官出钱助给。"金主完颜晟说:"朝廷有府库却要臣下出钱,哪有这种道理! 所需费用一律由官府支付。"

金监军完颜杲进入兴元府,宋经略司刘子羽焚烧兴元城而逃走。

起初,饶风关被攻破,刘子羽和吴玠谋划据守定军山。吴玠畏惧刘子羽,于是率军向西而去;刘子羽也退扎在三泉县,随从的军队不到三百人。刘子羽和士兵同甘共苦,竟至于采摘草芽嫩枝充饥,还写信给吴玠说:"我刘子羽誓死于此,与您诀别了。"当时吴玠在兴州的仙人关担任守备,得到来信后流下了眼泪。他的爱将杨政在军门大声呼喊:"吴节使不要辜负刘待制,不然的话,我杨政等人也将离您而去。"吴玠于是随同部下由小道到三泉与刘子羽会合。金军的游骑离得很近,吴玠乘夜去见刘子羽,刘子羽正在酣睡,身旁没有警卫,说:"现在是什么时候了,还简易随便到如此程度!"刘子羽感慨地说:"我死于使命,还有什么可说的!"吴玠流下了眼泪,又去戍守仙人关。刘子羽约吴玠一同驻屯三泉县,吴玠说:"关外,是蜀地的门户,不可轻易放弃。金人之所以不敢轻易入侵,是怕我吴玠算计它的后路。如果你我一同留居于此,敌人必定跟着进入险要,那我们的形势就更为紧急了,大事就完了。现在战略已定,我应当由兴州、河池绕道到敌后褒斜山谷,如同穿行老鼠洞。敌人见我绕出其后,就会认为我军用奇计设埋伏,截击敌人的归路,敌人势必害怕后路被袭。我然后凭借险峻截击敌人,可以使敌人退走,这就是所说的善败者不致灭亡的道理。"刘子羽看到谭毒山形势陡峭挺拔,山上宽平而且有水,于是构筑壁垒,共用了十六天才修成,其部众也渐渐前来集合。不久统制官王俊又带领五千人到来,于是宋军的兵势又振作起来。

乙巳(十九日),河南镇抚司统制官李吉在伊阳击败伪齐军队。

起初,孟邦雄已被镇抚使翟琮所俘获,而孟邦雄的党徒梁进又为刘豫据守,袭击翟琮驻扎的凤牛山寨,翟琮设伏迎击梁进,将其全部歼灭。

庚戌(二十四日),襄阳镇抚使李横担任神武左副军统制、京西招抚使。

起初,李横进兵,伪齐右武大夫、和州防御使、添差郑州兵马钤辖牛皋,武德大夫、汝州知州彭玘,各率领所属军队与李横会合。李横相机任命牛皋为蔡、唐州镇抚使,彭玘为汝州知州,并上奏朝廷,所以有这道任命,朝廷于是赐给李横武翼郎以下委任状三百份,于是任命牛皋为左武大夫、安州观察使。李横又奏:"臣已起兵平定,并收复神京,请求派重兵由宿将率领驻扎淮西,按兵不动,用来对我的声援。"高宗诏令同都督江、淮、荆、湖诸军事孟庾,淮东宣抚使刘光世,江东宣抚使韩世忠筹措安排此事。

王庶被贬江州,还未成行,张浚又起用王庶担任参谋官,派他到巴州安排梁州、洋州一带的军事。王庶到后,很快在梁州、洋州境内散发檄文,招募当地军民,不几天,远近都有人来会合。巴州的北境是米仓山,居高临下可监视兴元出兵的孔道。开始,金人攻破金州、商州,没有什么收获,已经很失望;完颜杲到了金牛镇,不见宋军,怀疑有埋伏,自以为再深入的话,恐怕没有归路。等到听说王庶在巴州,吴玠又假作军书召集各将,要截断金兵的归路,金人的巡逻兵获得信件,又因山野无所掠获,粮食缺少,于是引兵退还兴元。

三月,丙辰朔(初一),礼部尚书洪拟兼任权吏部尚书。

庚申(初五),开始命令神武后军统制兼都督府统制巨师古率所部一万人驻扎扬州。

甲子(初九),资政殿学士、江西安抚大使、知洪州李回免职,改任提举江州太平观。

李回年老而懈怠,其部下大多放纵松懈,安抚司屯兵几万,都是招收的溃败贼寇,他们无所畏惧,又缺乏军粮,于是为所欲为,当地郡民夜不解衣,唯恐兵变祸乱发生。宣谕官刘大中到江西,奏报朝廷说李回专权废弛法纪,而且纵容自己的儿子右宣教郎李澡干预政事,收受贿金,还多任亲属党羽担任官职,一共二十余条罪行。于是江西转运副史吴革、韩琼一同被罢免,而李澡也被勒停。

京西招抚使李横发布檄文到各军,收复东京。高宗诏令李横从武功大夫、袁州防御使特升迁为右武大夫、忠州观察使。

己巳(十四日),徽猷阁待制、知平江府李擢任试尚书工部侍郎,赶赴行在。

颍昌的捷报报到行在。高宗诏令李横再升为翊卫大夫,再加赐空白委任状一百份,京西地区的山寨都听任李横节制。

刘豫听说李横进入颍昌,派遣使者到金都元帅宗翰处求援。李横等人的军队原来都是一群盗贼,虽然勇猛但没有纪律,看到伪齐军队遗弃的子女金帛,就纵兵掠抢了几天,摆酒宴大肆聚会,金人得知后很轻视李横。刘豫派遣部将李成率领二万人出战迎敌,金人派遣左都监宗弼来支援李成,在京城西北牟驼冈打败李横。李横等军没有铠甲,全部败走,敌人也不敢深入追逐。颍昌再次被敌人攻破,参议官谷城人谭世则被敌人俘获,敌人让他写信招降李横;李横不答应,谭世则被杀害。

壬午(二十七日),提升韩世忠为开府仪同三司、充任淮南东路宣抚使,在泗州设置官署。

朝廷因为李横进军,议论派遣大将,由于刘光世的军队训练不足而韩世忠义勇敢,所以派遣韩世忠前往。还赐给韩世忠广马七纲,军士甲衣千副,犒赏用银帛三万匹两,又拨钱一百万缗,米二十八万斛,作为半年的费用。

甲申(二十九日),起初,江西安抚大使司将官李宗谅、燕筠,率领部下在筠州反叛,引兵侵扰浏阳各县,李纲任湖南安抚使,派将叛军打败招降。朝廷诏令:"将李宗谅、燕筠在街市上处死,其部众分别隶属各军。"

夏季,四月,丁亥(初二),武翼郎、阁门宣赞舍人、知虢州董震被任命为武节大夫、贵州刺史、权商、虢、陕州镇抚使。董震上言:"敌军侵犯蜀地,臣现在调集本部军队三千人从丰阳向西进发,断绝敌人的粮道。万一四川的将帅不能坚守,中了敌人的计谋,想起来为之心寒。现在山东地区和从前一样富庶,金人的重兵也不在那一带,希望朝廷乘此机会,派兵深入山

2597

东地区,可以攻破伪齐的巢穴,另外能牵制金人攻取四川的兵力。"

尚书左仆射朱胜非因为丧母守孝而离开职位。

己丑(初四),韩世忠上言:"近来承受命令安排建康府长江南、北岸的荒田,作为屯田之计。长江沿岸一带荒田虽然很多,但大半田地都有主人,难以按照陕西的办法推行,请求招募百姓承佃耕种。"都督府请求按韩世忠的建议兴办。于是免征三年田租,如田主诉讼就将田地还给他,超过五年没人认领的,就给承佃人作为永业田。于是朝廷诏令湖北、浙西、江西都如此办理;不久又免去摊派杂役。

驾部员外郎韩膺胄议论:"刑罚的轻重,关系到国家命运的长短。希望能追溯效法仁宗时的旧章,凡属刑狱官吏误判死罪的,要受终身处罚,虽然经过赦免宽大,也永不录用。"高宗说:"这是仁宗皇帝时的事,他仁爱百姓审慎用刑达到如此程度?"于是命令有关官吏重申严格执行。

辛卯(初六),起复刘光世担任检校太傅、江东宣抚使,驻扎镇江。

当时刘光世和韩世忠换防,韩世忠来到镇江城下,奸细进入城内,焚烧官府仓库;刘光世抓住奸细进行审问,他们都说是韩世忠派来的。于是刘光世将此事上诉高宗。江东统制官王德对刘光世请求说:"韩世忠这次到来,唯独和我有嫌隙隔阂,我应当亲自去见他。"他的部下都说不要前往,有的请求派骑兵随行警卫,王德不听。韩世忠大为吃惊,对王德说:"您的确是刚正有气性的男子汉!以前的一点小小嫌隙,我们都不要介意了。"于是设宴与王德结欢而别。

金人离开兴元。

自从金人进入梁州、洋州,蜀中又大为震动,剑南的各州郡都计划迁徙治所。宣抚处置使张浚,也下令调移潼川军,听到的人都很气愤,有的还撕下官府布告当众毁掉。利州路经略使刘子羽写信给张浚,说自己还在这里,敌人一定不敢内侵,张浚于是收回成命。

完颜杲留守中梁山已超过一个月,开始从斜谷撤离兴元。刘子羽和吴玠谋划带兵在武关截击敌人,没有来得及。斜谷道路狭窄,只能容一人单行,所以金兵将所掠获的物资,全部丢弃在路上。张浚派遣统制官王浚去收复洋州、兴元府。

完颜杲已回到凤翔,于是派遣十余人携带书信和旗帜前来招降刘子羽、吴玠,刘子羽将这些人全部斩首,只留下一人回去,说:"替我告诉完颜杲,他要来就来,我以死奉陪,怎么可以招降!"吴玠也写信给完颜杲,以民族大义谴责他,完颜杲才停止了招降活动。

壬辰(初七),都督府从建康移往镇江,照应江、淮两处军队的机宜事务,于是建康府权货务都茶场也移往镇江。

癸巳(初八),庆远军承宣使、神武前军统制王瓒被任命为捧日天武四厢都指挥使兼淮南宣抚司都统制,还诏令神武后军统制巨师古、御前忠锐将崔增、李捧等人都受韩世忠节制。于是韩世忠辞去神武左军都统制之职,专任宣抚使。

乙未(初十),宣抚处置司训练官杜福在兴元南龙潭截击金军,降服金兵四百人。

丙申(十一日),伪齐将领李成率领部众二万人进攻虔州,攻陷虔州。镇抚司统制官谢皋与李成遭遇,举刀对敌人说:"这是我鲜红的心,你们应该看看!"于是剖出自己的心脏而死。权镇抚使董先率领剩下的部众二千人奔赴襄阳。

戊戌(十三日),湖南安抚使折彦质派遣的统领官刘深率兵到鼎州。

当时鼎州的盗寇杨么，部众越来越盛，僭号大圣天王，旗帜上也书写有这四字，并用来纪年，还率兵二万人进犯公安县。折彦质奏说杨么的势力不亚于曹成，希望朝廷不要轻视这股贼寇，朝廷就命令折彦质督统潭州、鼎州、荆南的军队讨伐杨么。这天，湖北统领官颜孝恭也率领一千九百人到达鼎州城外。

庚子（十五日），高宗下诏改昭慈献烈皇太后的谥号叫昭慈圣献皇后。

高宗下诏说："恢复对五帝、日月的祭祀，其礼仪比照四方帝，祭祀在四季的四个立日举行，祭祀黄帝在夏季的最后一月的土王日举行。春秋分朝日、夕月的礼祭比照感生帝的祭礼。"

辛丑（十六日），荆南统制官罗广率领所部三百五十人到达鼎州城西，但军粮供给不上，于是潭州将领刘深、鄂州将领颜孝恭，都率所部军队离去。两天后，罗广也引兵北还，于是不能讨伐杨么。然而贼寇多次发生内部争斗，许多人被杀，人心颇有动摇，于是宣布大赦，立钟相的小儿子钟子义为太子，自杨太（杨么）以下都如臣子一样事奉钟子义。

壬寅（十七日），高宗下诏："昭慈圣献皇后的同姓亲戚升秩二等，异姓亲戚升秩一等。"甲辰（十九日），封起复镇潼军节度使、开府仪同三司、醴泉观使孟忠厚为信安郡王，丙午（二十一日），封宋哲宗的美人慕容氏、魏氏都为婕妤，这都是因为皇后改谥大祥祭日而依例封赠的恩典。

录用已故太师文彦博孙子文纬世等三人同为迪功郎。

文纬世的父亲太仆卿文维中，建炎年中随从高宗渡江，到湖州而去世，到此时是采纳守臣汪藻的请求而录用的。

丁未（二十二日），神武副军都统制岳飞，派遣统领官张宪、王贵分路讨伐虔州贼寇彭友、李满，将他们俘获。岳飞亲自到虔州，每天攻破一个贼寨，使贼寇震惊恐惧。彭友等人先占据龙泉，到现在才被击败。

戊申（二十三日），武节大夫、明州观察使、浙西兵马钤辖史康民率领所部到行在，高宗任命史康民为御前忠锐第九将。

西南蕃武翼大夫、归州防御使、泸南夷界都大巡检使阿永，献马一百十二匹，泸州官府奏告朝廷，高宗诏令押送马匹到行在。

阿永，是乞第的儿子。元丰年间，乞第就已效忠归顺宋朝，愿意每年进献马匹以表明归服之心，官府则赏给他银、缯，乞第所得是他所贡的几倍。以后，阿永所得到的数目，每年不断增加，政和末年，开始订立定额。每年冬至后，西南蛮人送马到州境，由官府派人去察看，从江门寨乘筏顺流而下，蛮人官员和放马的九十三人，均受到官府的慰劳和供给伙食，州府的帅臣还亲自以礼接待。各蛮人随后进贡的几乎达二千人之众，都用筏载着白槠、茶、麻、酒、米、鹿豹皮、杂毡兰等物，在市场上交换，留住三天后才离去。一匹

宋陵龙形石雕

马的价值虽然约为二万，但计算赏给的银子彩绢的价值，则每匹马的价值达到九万多，自夷酋以下所给的马价及散发的犒赏货物，每年耗费银子彩绢四千余匹两，盐六千余斤。银取自

夔州路的涪州和大宁,物、帛则取于果、遂、怀安。凡属马匹死在汉地的,也要以马价偿还。

辛亥(二十六日),御前忠锐第七将徐文反叛,投奔伪齐。

徐文率领所部驻扎在明州城东,朱师闵将到,徐文察觉有异,连夜率领所部乘海船逃走。天还不亮,到达定海县。御前忠锐第八将、武德郎赵琦率领本部军队沿海抗拒徐文,徐文才北逃。沿海制置仇悆率领各将追赶徐文,没有追到。

壬子(二十七日),起复检校太傅、江东宣抚使刘光世再次中止服丧复职,是因刘光世丧母守孝的缘故。

五月,乙卯(初一),高宗晓谕大臣说:"朕审视天下之事,每天都有常规,每次退朝,阅览群臣及各方的奏章,稍有空闲就阅读经史书籍,到申时则常规安排才全部完毕,于是学习射箭,晚上则再阅览投在举报箱里的密封奏章,每天都是这样。"

丙戌(疑误),武翼郎、阁门宣赞舍人、权河南镇抚使翟琮被任命为利州观察使。

翟琮声称道路阻塞,危紧时无法派兵救援,请求也隶属于宣抚处置使张浚,高宗准许了他的请求,于是下诏命令有关官吏拨出米二万石作为翟琮军的军饷,而且命令李横、牛皋、彭玘会合军队牵制。当时朝廷正嘉奖李横勇敢向前,命令李横等人径直到达京城或长安,与宣抚司的军队夹击敌人。

江西安抚大使赵鼎上奏:"襄阳位居长江、淮河的上流,是川、陕的咽喉要地,派李横去镇抚,实在是策略正确。现在听说李横、牛皋一同起兵前往东京,又听说伪齐也会合金人又派遣李成率众往西而去,恐怕因此而纷扰不定。李横的军队是乌合之众,将领控制不住,这样襄阳一定会失陷,川、陕道路不通,造成江、湖地区人心震动,其祸害一言难尽!最近有从襄阳来的人,说李横正因为缺衣少食,那么他的出兵本来是迫不得已。希望陛下诏令有关官吏经常供应物资给养,使李横的军队丰衣足食,就会使他没有其他图谋。然后责令他守卫疆土准备御敌。"高宗阅览赵鼎的奏本后,开始感到担忧。这时,进入四川道口的金军骑兵已经退走,但董先、牛皋都失守向南逃奔,行在还不知道。

丁巳(初三),派遣枢密院计议官任直清前往襄阳、商州、虢州、河南安抚告谕,还赐给河南镇抚司黄金一百两,作为祭告先帝各陵的费用。

己未(初五),权河南镇抚使翟琮、权陕虢经略使董先上奏说:"今年臣等先同李横向东攻击伪齐,京城震惊恐慌,又因为得不到援助,引兵退回,想起来令人痛心之至。臣等所管辖的地方,东至郑州,西到京北,南接伪齐敌境,北临黄河,也能得到两国的虚实。但是西南离宣抚司三千余里,东南距行在四千余里,外无接应声援,内少储粮,势单力孤。希望选派重臣,在行在与宣抚司之间再驻扎一个官署,以作声援。"高宗下诏告知已命令韩世忠充任宣抚使,率领大军驻扎淮南。

辛酉(初七),高宗下诏令修建房屋一百间给南迁的宗室居住,还以睦亲宅命名。

已故朝请大夫欧阳棐被追赠直秘阁,这是因为他是元祐党人的缘故。

录用已故枢密副使包拯的曾孙包嗣直为迪功郎。

丁卯(十三日),神武中军统制杨沂中率领大军到桐庐县,而摩尼贼缪罗及其门徒八人已接受招降。高宗下诏命令杨沂中招抚缉捕摩尼贼余党;宣谕官胡蒙,请求张榜告谕摩尼教门徒,能自首者免罪。不久杨沂中捕获并处死摩尼教徒九十六人,高宗诏令杨沂中以原官加领保信军承宣使。

摩尼贼开始作乱时,凤林巡检、保义郎章甫,淳安尉、右迪功郎曹作肃,指使、保义郎徐詹,都被贼寇所杀;事后朝廷分别授予他们家的一人官职。

乙亥(二十一日),天申节,韩世忠进贡活鹿,高宗不想推却,晓谕辅臣,将鹿放归山林以适合它的本性。

枢密院奏言:"已派遣使节到大金议和,恐怕沿边境的守将擅自调动人马侵犯伪齐国界,理应加以约束。"高宗下诏:"发布榜文晓谕边界,如有敢违犯的,由宣抚司依法处置。"

丙子(二十二日),金房镇抚使王彦派遣军队收复金州。

起初,金兵已退还,王彦派遣本司统制官、武节郎许青,率领所部一千三百人从汉阴县出发,伪齐京西南路安抚使周贵迎战,许青引兵横击,大败周贵,仅周贵一人得以免死,于是收复金州。又在洵阳击败金兵,金兵于是放弃场州、房州离去。当时军中粮食更加困难,张浚于是任命王彦兼任宣抚司参议,驻扎军队于达州,而留下统制官、武功大夫格禧率领军队三千人据守金州、房州。

庚辰(二十六日),江西安抚大使赵鼎奏言:"岳州、鄂州地处长江上游,控制扼守要害之地。鄂州虽然有帅臣及军队一万多人,但其中多半是乌合之众,以至于武器军械都不齐备,万一有警报,恐怕难以支持。希望等到虔贼平定后,命令岳飞率领全军前往岳州、鄂州驻扎,不仅江西能凭借他的声势,还可以保无忧虑,而湖南、两广也能获得安稳。"高宗下诏令岳飞等到平定江西、湖广贼寇后听从召旨。当时朝廷听说李横失利,于是诏令李横等人驻扎原地,没有得到朝廷的诏旨,不得进兵。

辛巳(二十七日),罢免宣抚司不经上奏批准可升降进退官员的职权。

起初,张浚既被授予可自行处理官员升降进退的命令,重大的事情可以用敕令的形式施行。参知政事席益、签书枢密院徐俯大为不平,指责张浚越权。这时张浚回到行在,由王似等人代替张浚的职位,所以有这道命令。

已故承议郎胡端修,被追赠直秘阁,这是因他在元符时上书被列入党籍的缘故。

六月,甲申朔(初一),荣州防御使、神武后军统制巨师古被除名,交由广川编管。

起初,巨师古率领所部驻扎扬州,淮南宣抚使韩世忠命令他移驻泗水,巨师古声称有病不予理睬,韩世忠大怒,上奏朝廷弹劾巨师古。高宗下诏命令统领官高举率领巨师古的军队回到行在。

丙戌(初三),恢复设置六部架阁库。

自从崇宁年间何执中主管吏部,开始建议设置吏部架阁官。以后其他各部也都设置,凡已成文案的留部二年,然后交付架阁官收藏,再过八年,则送交金耀门文书库。

尚书吏部侍郎韩肖胄被任命为端明殿学士、同签书枢密院事,充任大金军前奉表通问使;任命给事中胡松年为试工部尚书,充任副使。韩肖胄的子孙被授予官职的七人,胡松年的子孙被授予官职者五人。

丁亥(初四),向高宗辞行时韩肖胄上奏说:"现在大臣各执己见,以致是战是和没有定论。然而和议是临时的权宜之计,用以度过艰难,他日国家逐渐安稳强大,军队声势大振,理应另有谋划。现在臣等已经成行,希望不要首先改变约定。如果半年后臣等不能回复使命。金人必然另有图谋,应当迅速进军,不可因为臣等在敌人那边而延误战机。"

韩肖胄的母亲文氏,听说韩肖胄要走了,就说:"韩家世代都是社稷之臣,你应当接受诏命立即就走,不要挂念老母。"高宗知道后,下诏特封她为荣国太夫人,以表示对她的高风亮节的尊崇。

庚辰(疑误),宣抚处置使张浚向朝廷禀奏捷报,而且请求前往行在。高宗诏令王似、卢法原督促他赶赴任所,还下诏命令抚慰蜀中百姓,王彦受到特别宽免,再前往金州扼守要冲。当时张浚正在议定退敌之功,他的将佐幕僚都以为可凭张浚有不经上奏便可自行处置官员升降官职的大权而升迁官职。不久,王似、卢法原一起到了蜀中,张浚于是和宝文阁直学士刘子羽,参议官、左通议大夫王庶,主管机宜文字、兵部员外郎冯康国,鼎州团练使、提举江州太平观刘锡,左朝散郎、利州路提点刑狱公事冯楫同为权枢密院计议官,一同东行。

甲午(十一日),神武前军统制兼淮南宣抚司都统制王瓂被任命为荆南府、潭、鼎、澧、岳、鄂等州制置使。

当时鼎州贼寇杨么再次进犯公安、石首二县,五天前,朝廷命令湖南安抚使折彦质会合荆、鄂、潭、鼎等州统制官辛太、崔邦弼、任安、杜湛的军队前去讨伐。折彦质几次请求增加援兵,于是命令王瓂统领水军出发,派遣忠锐第一将崔增、神武后军统制高进率领所部五千人跟随王瓂进发,又命令韩世忠、刘光世各调舟船五百艘给王瓂,并带上五个月粮食成行,凡湖南、湖北的军队都受王瓂指挥。当时知岳州范寅敷因母亲的丧事不能成行,就将计策献给湖南安抚使折彦质上奏朝廷。高宗下诏命令下发范寅敷的计策,命令王瓂按计策执行。

不久,王瓂请求朝廷给予招安金字牌。高宗说:"近来贼寇接踵而起,大概是黄潜善等人专门从事招安却没有消灭盗贼的办法,用高官厚禄等待盗贼首领,这是对盗贼的奖赏。杨么横行江湖,恶贯满盈,所以下令讨伐他,为什么还去招安!只是命令王瓂攻破贼寇之后,只处死几个盗贼首领,其余的可以宽免。"于是发给黄榜十道,除杨么和黄诚、刘衡、周伦、皮真以及几个知名头领罪不容赦之外,胁从的贼寇,一概不问罪。如贼寇中有反戈一击或投案自首的,应当议定从优给予奖赏。

己亥(十六日),撤销沿海制置司,将海船三百艘交付给明州守臣李承造总领,和州防御使张公裕同总领;还命令张公裕居住定海县,以总领海船所为名。

乙巳(二十二日),起初,韩世忠的军队驻在建康,高宗诏命江东转运使每月支给钱十万缗,以酒税、上供、经利等钱来应付,到这时刘光世移驻建康,又增加月桩钱五万六千缗,转运判官、直秘阁刘景真等人告知朝廷,高宗下诏命令通融给付。自从吕颐浩、朱胜非一同任宰相,由于军用不足,开始收取江、浙、湖南各路大军月桩钱,以上供、经制、系省、封桩等名目的钱来补充其数,茶盐钱都不准动用,所准备的钱不能达到应给付的十分之一二,所以州郡官府多向百姓横征暴敛,成为东南地区的巨大祸患。

丙午(二十三日),高宗下诏:"朝廷近臣各举宗室一人,以备量材任用。"

起初右承事郎、知大宗正丞谢伋分条上奏有关宗室的五件事:即举荐贤才以强固本支宗族,更新法制以革除烦法苛政,选择官师以专施训导,继承封爵以谨慎传袭,修治图牒以辨别亲疏。开始,岐献简王赵仲忽任大宗正司官,有许多建议,议论的人认为立法太严。自渡江后,南班宗室才六十三员,学员久缺,袭封的典礼废弛,宗正寺有寺无官,所以谢伋上言此事。这时已采用了谢伋的建议,重新设置宗正少卿,因此有了这道诏令,只是袭封没有施行。

丁未(二十四日),高宗下诏:"就在行在所在地方的学校设置国子监,以跟随车驾的三十六人为国子监学生,设置博士二人。"

江东宣抚使刘光世引兵从镇江出发。

当时淮南宣抚使韩世忠驻扎在登云门，刘光世惧怕韩世忠扼制自己，改道奔赴白鹭店；韩世忠派兵一千余人袭击刘光世的后路，被刘光世觉察到，于是停止行动。不久刘光世奏告朝廷称韩世忠掠走了他的甲士六十余人，高宗不久派遣使者去和解，还将贾复、寇恂的故事书写下来赐给二人。

戊申（二十五日），武功大夫、高州刺史、枢密院准备差使王林，率领所部充任御前忠锐第十将。王林是刘光世的部曲，忠锐第九将史康民推荐他的才能，从承州召回，因而有这道命令。

己酉（二十六日），神武副军都统制岳飞从虔州班师回朝。

壬子（二十九日），右宣教郎王忠民到行在，宰相吕颐浩、签书枢密院事徐俯见到他都下拜，安排他在政事堂居住。王忠民上疏极力推辞对他的新任命，而且奏言："臣因为大金举兵南侵，所以自己向大金国主上了三表，与他辩理并乞求归还二帝，本意是为了报效国家，并非贪求名誉俸禄。"高宗没有允许。王忠民将报告书放在木匣子中，藏在七宝山下。既已看到他的奏疏留在宫中，就极力恳求离去，于是投奔商、虢镇抚使董先军中。

癸丑（三十日），川陕宣抚司将三泉县升为大安军，任命武臣种友为知军兼县事，文臣为判官兼县丞。

自从陕西被金人攻破后，买马的路长久不通，到现在荣州防御使、知秦州、节制阶、文军马吴璘，开始用茶叶彩绸等招引小蕃三十八族以马来互市，使西北的马匹又能进入宋朝。

秋季，七月，丙辰（初三）吕颐浩奏言："行宫的北门还没有建成，而役夫很少，希望从忠锐第八将范温的麾下，选择不能出战的士兵二百人帮助修建，并且命令范温亲自督察。"高宗说："不行。天下的人知道后，会认为这是朕让将帅舍弃铠甲兵器而从事修建宫殿之事，这不是今天整顿军队经略武备的道理。"

己未（初六），设置博学宏词科，这是采用工部侍郎李擢的奏请。其方法是：以制、诏、书、表、露布、檄、箴、铭、记、赞、颂、序十二种文体为题，从古今之事中错杂出六道题目，分三天进行考试。朝廷命官除补官、流外官、买官和赃官外，愿意应试的将写好的每题两篇文章送交礼部，给两制官考校。适合召入进京参试的，每次举附送省试院收试，成绩上等的改任京官，授给馆职，中等的减去三年磨勘，下等的减去二年磨勘，并一起由政事堂选择任命官职；奏补出身的人，赐给进士及第、进士出身、同进士出身三等功名。这些都写入法令。

开始设置提举孳生牧马监官，在饶州设置官署，俸禄赐予比照杂监司，命令枢密院差遣干办官三名，饶州所属路调给喂马兵二百人，又命令统制官王进率领所部保护。当时多从广西买马，所以先在鄱阳选择牧马地，设置官员掌管。

庚申（初七），权商虢镇抚使董先上奏虢州失守，等待朝廷处罚，高宗下诏令董先兼任京西招抚司都统制，驻扎在襄阳。

乙丑（十二日），尚书省奏韩肖胄已到泗州，伪齐国的馆伴官兵还没有到。当时神武各军护送者有二千人，于是高宗召令都督府派轻舟接济军粮。

韩肖胄到了汴梁，伪齐刘豫想见他；副使胡松年说："见一下无妨。"刘豫的臣僚想让宋使以臣礼去见刘豫，韩肖胄没有答应，胡松年说："都是大宋之臣，应当用对等之礼相见。"刘豫不能使他屈服。见了面，胡松年向刘豫行长揖礼，像往常一样叙问寒暖。刘豫想以君臣之礼

2603

轻慢宋使,胡松年说:"我胡松年与殿下并肩侍奉君主,不应当这样。"刘豫问:"主上如何?"胡松年回答:"圣明的皇上万寿无疆。"刘豫又问:"他的意图何在?"胡松年回答:"主上的意图,是一定要收复故土后才肯罢休。"刘豫听后面有羞愧之色。

丙寅(十三日),尚书考功员外郎兼权监察御史朱异宣谕浙东、福建回朝。朱异出使九个月,阅审按察的官吏八人,举荐贤士张九成等十二人。

丁卯(十四日),高宗诏令录用太祖、太宗、真宗、仁宗、英宗、神宗六朝有功大臣从曹彬至蓝元振三百二十人的子孙为官。起初,徽猷阁待制宋伯友上奏:"自从国家遭受祸乱以来,中原与朝廷隔绝,有功之臣的子孙,几乎凋零死亡殆尽;乞求寻访他们的后代,量材录用。"所以有这道诏令。后来寻访到赵普、赵安仁、范质、钱若水等人的后代,都授给他们官职。

己巳(十六日),枢密院计议官、权监察御史薛徽言宣告谕旨后从湖南还朝。薛徽言出使九个月,审阅所按察的官吏十六人,举荐贤士刘延年等三人。

庚午(十七日),高宗下诏:"没有职田的候选官员和亲爱百姓的下级官吏,都给菜汤钱十千,职田少的通盘计算后也给予增加。"

先前高宗亲笔批示增加候选官、下级官吏的俸禄用来养廉,辅臣呈上意见后,高宗晓谕说:"现在饮食衣帛的价值,比宣和年间不只增加三倍,衣食不能供给而又要求官吏廉洁守法,难啊。应当更改旧法以适合目前的情况。"户部尚书黄叔敖上言:"文武官员的俸禄,各自都有成法规定,不能够单独增加候选官、下级官吏的俸禄;乞求命令提刑司将州县官吏的职田在其所属路调剂,通融给付,没有职田和职田少的增加给付。"高宗采纳了他的建议。

癸酉(二十日),宰相吕颐浩、参知政事席益、签书枢密院事徐俯,以天旱为由乞求罢免自己的官位,高宗说:"与其罢免官位,不如同僚间协力工作竭诚为政,不断修补朝廷缺失,考虑如何做才能满足上天的心愿!"吕颐浩等人于是重新办理政事。

当时由于旱灾的缘故,高宗诏令群臣议论朝政的缺失。礼部尚书洪拟说:"如果执法公道,那么人们欢乐而气氛融和;如果执法不正,那么人们怨恨而气氛偏颇。试以小事来论证:最近监司守臣贡献正赋外的杂税就拒收,而宣抚司都收下,这是执法只及于疏远之臣。有由各种官僚任侍从官的,躺在家里办公事,也未曾入朝谢恩,得到美职就离去;如果鼓院官因病没有入朝,就斥责罢免他们;这是执法只及于卑贱之官。有关官府专利卖酒的立法相当严厉,犯法者要没收家财以充作奖赏;而大官有权势者,连营摆摊公开酤酒买卖,却不敢过问;这是执法只及于势孤力弱之家。小事都这样,推广而言,则怨恨多而和气伤就可想而知了。"疏文奏到朝廷,受到高宗的嘉奖和采纳。

甲戌(二十一日),神武中军统制兼提举宿卫亲兵杨沂中从严州还朝,朝廷让杨沂中兼带御器械。武功大夫、忠州团练使、阁门宣赞舍人、御前忠锐第四将范温率领所部充任神武中军左部统领。

乙亥(二十二日),朱胜非起复旧官,守尚书右仆射、同中书门下平章事兼知枢密院事,特命睿思殿祗候陈彦臣押送宣命让朱胜非前往行在。

高宗诏令神武副军都统制岳飞挑选士兵三千人移防卫戍广州。

丙子(二十三日),因为久旱,高宗诏令各路监司分别按察州县,亲自讯视记录囚徒的罪状,以明察冤案和长期不决的积案。

己卯(二十六日),高宗诏令左武大夫、忠州防御使、知秦州张荣率领所部前往行在。

庚辰(二十七日),辅臣上朝奏事,吴颐浩说雨量充足,高宗说:"前些日子干旱严重,朕很忧虑,以为庄稼农事没有希望了。眼下雨水这样充足,大概秋收有指望。《春秋》二百四十二年,记载大丰收之年才一次,记载丰收之年只两次而已,因此可知丰收的难得。"先前从六月丙午(二十三日)不下雨以来,高宗命令商议刑狱之事,减轻力役,进献素食,到现在雨水才充足,第二天,高宗开始用美食。

八月,丙戌(初四),起初,忠锐第八将徐文已叛变而去,率领所部海船六十艘,官军四千三百人,渡海到达盐城县,派遣使臣阚中向伪齐投降,述说宋朝沿海一带没有防御的军队,可以径直抵达二浙;并画出宋高宗行在所在的兵马数目;通过密州草桥镇巡检包德告知刘豫,刘豫大为欢喜。这天,刘豫授予防御使、知莱州官职,以海船二十艘增强徐文的军队,命令徐文进犯通州、泰州等地,并且到淮南与伪齐大军会合。

戊子(初六),金主以赵楔诬告自己的父亲昏德公谋反,命令杀赵楔及其女婿刘彦文。起初,金人想让赵楔他们父子对质,正好蔡傶极力辨明是赵楔诬告,才停止。

己丑(初七),命令神武副军都统制岳飞赶赴行在,仍命令岳飞率领精兵一万人留守江州。

壬辰(初十),川、陕等路宣抚处置副使王似上言:"川、陕各州应向朝廷奏报狱案,乞求使用随机处置的权力指挥酌情做出决断,援引张浚的先例。"高宗准许了他。

甲午(十二日),高宗对大臣说:"元祐党人原本都是贤德之人,但其中也有不贤的人吗?"吕颐浩等人说:"怎么可能都是贤人!"徐俯说:"如果是元祐党人,哪能不是贤人君子!只是蔡京之流,凡是自己所厌恶的人,就想终身废弃不用,必定说他是元祐党人,所以其中免不了有小人。"高宗说:"像黄策那样的人就是。"徐俯说:"黄策是元符末年因上书疏狂直率而获罪的,开始,天下人都称赞他。像黄策这样的人,无疑还有十余人,黄策遭贬后不能安贫守节,陷入非议之中。其中也有些议论前后反复者,是些邪恶猥琐的小人,也名列党人中间,如杨畏、朱师服等数人。"黄策在直秘阁、通判严州任上,收受贿赂而犯罪,所以高宗提到了他。

已故降职充任宝文阁待制王觌,被朝廷追认恢复龙图阁学士官位。

乙未(十三日),高宗下诏:"河南镇抚使翟琮,暂且在襄阳府驻扎停留,听候朝廷诏旨。"

当时梁州、卫州一带,全部沦陷于伪齐,翟琮驻扎在伊阳的凤牛山,被伪齐所逼迫,孤立不能抵挡敌人,率领所部突围奔赴襄阳。京西招讨使李横将此事奏报朝廷,所以有这道诏令。

权商虢镇抚使董先,上奏说有官军和老弱士兵七千人在襄阳,而李横军队已很多,恐怕不能满足供给,于是命令董先前去行在,董先于是率领部众到江西投奔赵鼎。

戊戌(十六日),金主下诏说:"近来军旅之事不定,曾命令帅府自行选人授予官职;现在全都按照朝廷的选官法实行。"

己亥(十七日),任命信安郡王孟忠厚为礼仪使,奉先帝遗像一同往温州。

甲辰(二十二日),高宗下诏说:"近来天气雨晴不定,几乎毁坏了禾苗庄稼,朕正深为忧虑警惧;又发生了地震,苏州、湖州更为严重,朕很担忧。老天降下灾难,一定有报应出现,这都是朕的失德,不能奉顺乾坤,协调阴阳的缘故。征询你们在外的大小官吏,凡有能应变消灾,辅佐朕做得不够的地方的人,都畅所欲言,不必隐讳。"

当时朝廷已命令各路提点刑狱官署拨调州郡所拖欠多年的禁军阙额钱，这一天，高宗晓谕辅臣，恐怕这样不便于百姓，应迅速命令废除，于是亲笔写诏交付有关官吏，从建炎以来所欠的钱全部免除。

乙巳(二十三日)，高宗下诏："重新设置史馆，派侍从官兼任修撰，其他的官兼任直馆、检讨，如果著作左郎有缺，依照元丰年旧例差遣郎官兼领。"起先著作官全缺，由都官员外郎孔端朝权兼著作佐郎，至此经史部讨论而有这道诏令。

己酉(二十七日)，侍御史辛炳上言："臣有幸跟随上朝的每天上朝参拜，看到宰相重臣有在众人退朝后单独留下来奏事的。臣私下认为天下有大的利害之事，政事有大的因循和革新，人才的升降和进退，赏罚的劝勉和惩治，都要官员在陛下面前一一陈述，大概是不容许不公正的事情。但单独留下来奏事的时候，有什么事不说呢！臣担心拉帮结派树植党羽之势渐长，其危害会越来越大。希望陛下降旨，从今以后三省、枢密院上朝进呈，公事完后不得独自留下，违犯者允许御史台弹劾奏闻。"

辛亥(二十九日)，嗣濮王赵仲湜请求各州宗室，各以辈分高者一人检察每月的俸薪钱米，高宗同意这样做。渡江后，宗室子弟散居各方，所以赵仲湜有此请求。

这个月，韩肖胄等人才到云中，会见金国都元帅宗翰和他议事。

九月，癸丑(初二)，秘书少监孙近请求朝廷命令前任宰相大臣们提供建炎四年二月以前的时政纪，仍命令修注官补写建炎以来的起居注，命令百司每天将朝廷施行的政事呈报秘书省、进奏院，月报也照此办理。

起初，伪齐侍御史卢载阳上书建议，陈述结好南夷骚扰宋朝四川、两广的计策，刘豫派遣通判齐州傅维永及募得进士宋困等五十余人从登州航海，册封交趾郡王李阳焕为广王，并且联结各溪洞酋长，金主派遣使者毛都鲁等二十余人一同前往。

丙辰(初五)，当时行宫的外朝只有一座宫殿，每天上朝见群臣，处理政事则称之为后殿，吃饭后办公事则称之为内殿，双日在此讲读则称之为讲殿。到现在屋梁腐朽，前面的屋檐也已毁坏，高宗命令有关官署进行修缮整治。于是临时在御射殿处理朝政，射殿极其低矮简陋，茅屋才有三间，侍臣排列成行，头巾都触到了屋梁。

戊午(初七)，特进尚书左仆射、同中书门下平章事兼知枢密院事、都督江淮荆浙诸军事吕颐浩被罢免，改任镇南军节度、开府仪同三司、提举临安府洞霄宫。

吕颐浩第二次出任宰相共两年，侍御史弹劾他不恭不忠，败坏法度。到吕颐浩称病请求辞职时，殿中侍御史常同乘机论列吕颐浩十大罪状，大意是说："吕颐浩因循蔡京、王黼的老路常规，制定严厉的茶盐法，专为谋利，这是其一。不在江、淮建立北伐进取的规划战略，只知苟且偷安，这是其二。所引荐任用的人不是贪污鄙俗之士就是其亲属故旧之人，这是其三。百姓诉讼案情如有两次以上者，一到就给予定罪，这是其四。赃官吕应问、韩禧的赃款都满数万，吕颐浩已受女眷的请托，竟命令转换审理，并想加罪于原按察检举官司，这是其五。台谏论事不合自己的意图，就怒形于色，这是其六。近来两员将帅不和，差点就闹到交兵的地步，吕颐浩不能辨别是非曲直以申明国威，而姑息忍耐，这是其七。他的心腹亲信者被提拔安置在御史台，以便于他搜集掌握台中议论，这是其八。最近发生地震，他压抑下来而不奏报，等待陛下降诏广求谏言之时，又不引咎辞职，这是其九。每次聚会时亲信党羽，连夜宴饮，男女混坐不分，而近来有人议论他要罢免都漕司，才托病请求辞职，这是其十。陛下没有想急于罢免吕颐浩的官职，难道不是因为他有拥陛下复辟的功劳吗？臣以为功劳出自众人，并非吕颐浩一人的功劳。纵使吕颐浩有功，但宰相是替天治理万物的要职，正如张九龄所说的如此重要的宰相职位是不用赏功的。"疏奏呈上后，才有改任吕颐浩官职的诏令。

庚辰(疑误)，神武副军都统制岳飞从江州来朝，被赐给金带、器甲。岳飞的养子岳云，年纪还小，高宗也赐给他战袍兵器。

辛酉(初十)，川陕宣抚司统领官吴胜，在黄堆寨击败伪齐军队。

起初，陕西同统制军马杨政率领各军深入到清水县。命令吴胜和统领官杨从仪、程俊等率领忠义人讨伐伪齐。伪齐泾原第八将严千，率领甲兵一千人，骑兵五百人，修筑莲花城，吴胜急忙对他发起进攻。第二天，伪齐第十将宋师闵又率领骑兵二千人来支援，吴胜等人追杀敌军几乎全歼，俘获宋师闵所部将领十余人，宋师闵仅只身幸免而逃脱。吴胜回到腊家城，又与敌人遭遇，其步将从义郎彭宬战死。准备将、承信郎贺吉，被敌人俘获，说："我不能死于敌人之手。"于是自杀身亡。这次战役，宋军将士死亡一百二十三人，都被追赠官号，录用他们的儿子为官。

丙寅(十五日)，高宗诏令："从现在起朝参后执政大臣允许留身奏事，依照宰相大臣的惯例。"

端明殿学士、江南西路安抚大使兼洪州知州赵鼎担任江南西路安抚制置大使兼任知洪州，中卫大夫、武安军承宣使、神武副军都统制岳飞免去中卫大夫官称，任镇南军承宣使、江西沿江制置使，戍守江州。岳飞上言："本路军队长久没有训练，请求留下五千人驻扎洪州，二千人驻扎虔州、南安，其余的军队都随本部进行操练。"高宗诏令岳飞、赵鼎一同计议。

起初岳飞在洪州，和江南兵马钤辖赵秉渊饮酒，大醉，几乎将赵秉渊打死，帅臣李回上奏朝廷弹劾岳飞。到现在高宗要岳飞戒酒，岳飞才不饮酒。

起初，统制官傅选驻扎江州，李山任蕲州知州，都受李回的指挥。岳飞受命后，上奏乞求将傅选、李山调任本司统制，于是岳飞开始组成能独当一面的军队。江东宣抚使刘光世与赵秉渊向来交情深厚，上奏让赵秉渊回建康以回避岳飞。

当时岳飞的军队每月花费钱十二万二千余缗，米一万四千五百余斛，高宗诏令漕臣曾纡供给钱粮，准备军队五个月的费用，而由赵鼎督促办理。李回与岳飞不和，到赵鼎来后，对岳飞推诚相待，岳飞也表示心服。

信安郡王孟忠厚送上昭慈圣献皇后改谥的册，但没有改题神主牌位。

戊辰(十七日)，高宗对辅臣说："议论者多上言说各大将不宜增兵。汉高祖平定天下，各将领拥兵达到几十万，未曾为此而生疑虑，所以能够成功。如今刘光世、韩世忠的军队才各有五万，张俊的军队不满三万，而议论的人已担心军队太多，这是不知时宜。"席益说："正当用兵之时，应当像汉高祖那样统御军队，一旦削平祸乱之后，应当像汉光武帝那样对待功臣。"三天前，高宗诏令忠锐第九将史康民、第十将王林所部补充张俊军，又命令第二将张守忠接受张俊节制，所以议论者才论及此事。

己巳(十八日)，权刑部侍郎章谊试兵部侍郎，大理卿李与权被任命为权刑部侍郎。

壬申(二十一日)，自从军事兴起以来，军中机密紧急之事都用不盖印玺的札子直接下发，有关官吏已经执行，然后交赴给事中、中书舍人记载加盖印玺后发出敕令；以后对任命官员、决断公案都这样办理，使中书、门下两省的职权事务几乎荒废。这时中书舍人孙近上言：

"国家仿照唐朝的旧制,分别建立三省,凡政令的缺失不妥之处,赏刑的处理不当之处,若在中书省,则中书舍人有权予以封还,如在门下省,则给事中可以予以驳回。这样可以在政令还没有执行之前,能够补救它的缺失,那么号令就没有翻悔的嫌疑,政令也没有过失的迹象。现在给事中、中书舍人只是记载已执行的诏敕,虽然想对政令有所论驳但诏命已经执行,这不是设置中书、门下的本意。希望能申明严格执行日制,如果不是军期紧急不能等待,无须回报;凡给事中、中书舍人宣读诏敕,如果没有封还驳回,就按规定写明时间后下发执行。"

高宗诏令:"神武后军现在行在的官兵有八千人,全都拨给神武右军都统制张俊。"

乙亥(二十四日),江东宣抚使刘光世担任江东、淮西宣抚使,在池州设置官署;淮南东路宣抚使韩世忠被任命为建康、镇江府、淮南东路宣抚使,在镇江府设置官署;神武前军统制、荆南府、谭、鼎、澧、岳、鄂等州制置使王瓒担任荆南府、岳、鄂、谭、鼎、澧、黄州、汉阳军制置使,在鄂州设置官署;神武副军都统制、江西制置使岳飞担任江南西路、舒、蕲州制置使,在江州设置官署。赐给刘光世钱十万缗,作为修建营垒的费用。又命令韩世忠安排从沿江到平江府的所属军队及江阴军沿海地区。侍卫亲军步军都指挥使、武泰军节度使、主管殿前司公事郭仲荀担任检校少保、知明州兼任沿海制置使,神武中军统制、提举宿卫亲兵杨沂中兼任权殿前司公事。又诏令郭仲荀以绍兴府、温、台、明州为地界,自帅府外,所有统兵官都受他的节制。

开始,各将拥有重兵而没有划分地界,所以不负什么责任。朱胜非第二次任宰相,开始议论分别派遣各帅各自占据枢纽要害之地,某一将帅据守某一路,确定后一般不予变动。

戊寅(二十七日),秘书省正字陈祖言奏请修建炎以来的日历,高宗同意他的请求。

庚辰(二十九日),集英殿修撰苏迟被任命为权尚书刑部侍郎。

高宗诏令神武副军都统制、江西制置使岳飞所部改为神武后军,以岳飞为统制。

伪齐派遣将领与光州知州许约会合军队围攻固始县,知县事孙晖率领所部逃走。淮西宣抚使刘光世,派遣统制官郦琼等去救援,还未到达,适逢淮西安抚使胡舜陟命令准备将领、承议郎洪邦彦率领乡兵来救援。辛巳(三十日),伪齐军队弃城逃走。

这年秋季,金都元帅宗翰全部迁移女真土人散居汉地,只有金主和将相的亲属、卫兵的家属得以留居原地。

续资治通鉴卷第一百一十三

【原文】

宋纪一百十三　起昭阳赤奋若【癸丑】十月,尽阏逢摄提格【甲寅】六月,凡九月。

高宗受命中兴全功至德　圣神武文昭仁宪孝皇帝

绍兴三年　金天会十一年【癸丑,1133】　冬,十月,壬午朔,诏曰:"昨者出自朕意,分遣使人,授以手历,澄清诸道。逮胡蒙等还朝,偶缘它事相继而去,皆非有失使指。虑四远不知其由,妄意揣摩,将已行之事,苟简灭裂,颠倒纷纭,民受其弊,未还二使,不无疑虑,动辄畏缩,甚失临遣之意。三省可速行下诸路所陈利害,令监司郡县遵守,举荐人材,取旨录用。"时刘大中、明橐未还,恐郡邑观望,故有是诏。

礼部尚书兼权吏部尚书洪拟罢,为徽猷阁直学士、提举江州太平观,以殿中侍御史常同论其阿附王黼,在铨曹专任胥吏故也。先是帝以地震求言,拟与其子驾部员外郎兴祖偕上封事,论朝廷纪纲不正,语侵在位者,由是父子继罢。

癸未,朱胜非等上《吏部七司敕令格式》一百八十八卷。

自渡江以来,官司文籍散佚,无所稽考,议者以为铨法最为急务。会广东转运司以所录元丰、元祐吏部法来上,洪拟等乃以省记旧法及续降指挥详定,至是成书。

戊子,尚书工部侍郎李擢试礼部尚书,权刑部侍郎苏迟权工部侍郎。

庚寅,吴玠加检校少保,以总兵累年,捍御有功也。

甲午,大理国请入贡且卖马,帝谕大臣曰:"令卖马可也。进奉可勿许,安可利其虚名而劳民乎!"朱胜非曰:"异时广西奏大理入贡,事可为鉴。"帝曰:"遐方异域,何由得实! 彼云进奉,实利贾贩。第令帅臣、边将偿其马直,当价则马当继至,庶可增诸将骑兵,不为无益也。"

尚书吏部员外郎刘大中宣谕江南路还,以举刺官吏、申明利害、平反狱讼、科拨财赋为八册来上。大中出使仅一岁,所按吏二十人,荐士十六人。

己亥,伪齐陷邓州,以其将齐安上知州事。

辛丑,南丹蛮犯观州。

初,南丹州刺史莫公晟,政和间献地于朝,以为广西兵马钤辖,既而逃归。会武节郎黄昉知观州,遣兵略其部族,公晟怒,聚众数百人,以是夜围观州,焚宝积监。广西经略使刘彦适调融州土丁将兵往救之,公晟已去。昉坐免所居官。

癸卯,诏:"自绍兴元年正月朔以前,因群寇残破、占据去处乘时作过之人,限旨到日将已受词诉绝结,毋得枝蔓,日后毋得受理。"时言者以为自军兴以来,村民往往乘势剽劫,其罪大而考验明白者,固已就戮;然牵联党与,蔓及平人,或挟仇规利,转相告诉,人情不安,故有是命。

襄、邓、随、郢等州镇抚使李横,弃襄阳,奔荆南。

时伪齐将李成既得邓州,而刘豫之众有归襄阳者,横以为寇至,且军食不继,随引兵遁,成入襄阳。知随州李道闻之,亦弃城去,豫以其将王嵩知随州。

横之去襄阳也,欲依解潜以俟命,其参谋官直龙图阁赵去疾、属官右宣教郎阎大钧,劝使归朝待罪。横曰:"我有乌合之众,所至自谋衣食,人皆谓我为贼。万一诸郡不见纳,奈何?"二人曰:"我亦官军也,何至是?"已而湖北安抚使刘洪道果拒之,横大怒,欲杀二人,二人呼曰:"江西帅赵枢密可归也。"横犹未决,而赵鼎已遣粮舟至,其众遂安。时权商虢镇抚使董先、蔡州信阳军镇抚使牛皋,先已渡江至洪州;鼎复以银数千两犒横之众,且檄知黄州鲍贻逊迎劳于境上。横大喜,以所部如洪州。

荆、潭制置使王𤫉率水军至鼎口,与贼遇。贼乘舟船高数丈,以坚木二尺馀剡其两端,与矢石俱下,谓之木老鸦。官军乘湖海船低小,用短兵接战,不利,𤫉为流矢及木老鸦所中,退保桥口,留统制官崔增、吴全当下流,亲将神武(全)〔前〕军万馀人陆行趋鼎州。

伪齐引兵犯郢州,守将李简弃城去,刘豫以荆超伪知郢州。超,班直也,豫才而用之。

丙午,左承议郎、主管亳州明道宫王公彦进秩二等,以元符上书入籍故也。自是党人见在者皆还官。

戊申,诏:"今后省试并赴行在。"

自诸路置类省试,行之才二举,议者以为奸弊百端,且言:"本朝省试,必于六曹尚书、翰林学士中择知举,诸行侍郎、给事中择同知举,卿监为参详官,馆职、学官为点检官,又以御史监视,故能至公至当,厌服士心。今盗贼屏息,道路已通,若以此试复还礼部,不过括诸漕司所费输之行在,则必裕然有馀矣。"诏检正累降指挥,申严行(在)〔下〕,于是遂罢诸路类试。

庚戌,复置宗正少卿一员,太府、司农寺、军器、将作监各复置丞一员,太府、大理左断刑、右置狱各复增丞一员。

是月,伪齐将王彦先自亳州引兵至北寿春,扬兵淮上,有南渡意。江东、淮西宣抚使刘光世驻军建康,扼马家渡,遣统制官郦琼以所部驻无为军,为濠、庐声援,贼乃还。

十一月,丙辰,执政进呈修运河画一。帝曰:"有欲以五军不堪出战士卒充此役者固不可,又有言调民而役之者滋不可,惟旁郡厢军壮城捍江之属为宜。至于廪给之费,则不当吝。"朱胜非曰:"开河似非急务,而馈饷艰难,故不得已。然时方盛寒,役者良苦,临流居民,悉当迁避。至于畚揭所经,泥沙所积,当预空其处,则居民及富家以僦屋取赀者,皆非所便,恐议者或以为言。"帝曰:"禹卑宫室而尽力乎沟洫,浮言何恤焉!"

己未,诏:"王𤫉所部帅司并诸州军,并权听𤫉节制。"以𤫉言湖南、北安抚使折彦质、刘洪道不肯济师也。

彦质闻命,上疏言:"靖康中任河东宣抚(使副)〔副使〕,𤫉系臣部下兵官,兼曾体量行遣,嫌怨灼然。若使平时部属偏裨,一旦加乎其上,缓急听其凭凌,窃恐有亏国体。"诏:"彦质与𤫉同心讨贼,如托故避事,致有疏虞,当议重行窜责。"

庚申,罢楚州吴城县为镇。县自兵火后,居民才八十馀家,故废之。

礼部员外郎虞灉,请铨试初出官人,以经义、诗赋、时义、断案、律义为五场,就试人十分取七,榜首循一资,从之。

癸亥,诏:"诸路上供钱物,令户部岁终举劾稽违侵隐去处。"

武德大夫、高州刺史、阁门宣赞舍人、御前忠锐第一将崔增,右武大夫、忠州团练使、荆潭制置司水军统制吴全,与湖寇遇于阳武口,死之。

时荆潭制置使王瓒将水军,以前二日至下芷江口,翼日,知鼎州程昌寓亦至,共议取周伦寨。又翼日,增、全至阳武口,遇贼军船,皆寂然无声,呼之不应,增等以为空舟也,令湖海船倚梯而上。贼兵奋出,官军遂败,死者不知其数,增与全皆死。时统制官任士安,以万人屯赤沙湖,阻水不能救,贼收其弓矢甲胄,欲西袭官军,瓒遂并将增兵。后赠增一阶,加果州防御使,赠全二阶,加忠州防御使,录其子。

甲子,端明殿学士、同签书枢密院事韩肖胄、工部尚书胡松年使还,诏肖胄等速赴行在。

自帝即位,遣人入金,六七年未尝报聘;至是都元帅宗翰始遣安州团练使李永寿、职方郎中王翊等九人与肖胄偕来。

丙寅,金以伊兰路饥,赈之。

(甲戌)〔乙亥〕,诏复司马光十科举士之制,令文武侍从官岁各举三人。

戊寅,荆潭制置使王瓒以两遇贼皆败,二将俱死,郁郁无慺。会得江北警报,欲移师鄂州防江,程昌寓曰:"江北实无事,乃李横自弃襄阳;鄂州孤城,亦冀公速来少安尔。今二桥已就,事功垂成,大军一还,难以复合,愿公少留,共破三寨。若鄂州有警,疾驰尚可及也。"瓒不听。是日,瓒引大军还鄂州,留统制官王渥、赵兴及湖南将马准、步谅四军,权听昌寓节制。于是昌寓移屯上芷,决贼堤四百丈。

十二月,壬午,武翼大夫、吉州刺史、统制鼎州军马杜湛为湖北路兵马副都监,修武郎、阁门祗候、添差统制军马彭筠充东南第八将。

筠本与刘超合,有进士(咼)〔呙〕辅者,为张用所略;后辅入筠军中,与进士路居正劝筠立功归朝廷。时超据澧州,程昌寓遣兵击之,不胜。辅等令筠以药纸为书,陈破贼计,密遣安乡县〔监〕税刘汝舟持(指)〔诣〕湖西,乞掩杀超,昌寓亦遣使臣赍蜡书报之。超为筠所袭,败走,筠以所部诣昌寓降。昌寓有战士、乡兵合九千馀人,用湛为总帅,至是昌寓奏湛屡立奇功,筠临敌宣力,故皆擢之。既而录辅之劳,亦以为连州文学。

癸未,金赈哈兰路饥。

壬辰,右迪功郎、新监广州置口场盐税吴伸再上书请伐刘豫,且言:"今兵权所付,不过二三人,其有道家所忌,则赵括之徒可忧;其有战胜而骄,则武安君之祸可戒。"又言:"古人师克在和,今陛下将士虽众,孰讲廉、蔺之欢?则将帅之贤愚,不卜而可知也。今之主将,无非营私背公、蠹国害民之徒,广回易、擅权酤;所至州郡,则恣无厌之求,民力为之耗减;广收无用之兵以益请粮之数,则财赋之得失,不卜而可知也。今国家所赖者,止知有西北之兵,不知有东南之土,又况诸军无非溃亡之徒,子女既足,金帛亦丰,边境暂宁,则偷安以干廪食,至于临敌,岂不溃亡!此士卒之能否,不卜而可知也。今重兵皆在江南,而轻兵独当淮右,万一敌人掠我淮甸,对垒江旁,纵未南渡,两军相持,积以岁月,必有存亡。夫金人虽强,实不足虑;刘豫虽微,其祸可忧。臣以为先擒刘豫,则金人自定。金人反覆,陛下知之详矣;今又割中原以假刘豫,是并吞之谋已兆,而危亡之祸将及,岂可不为之计!今使命将至,不可中辍,万一厚

2611

有需求,臣愿陛下阳许阴违,俟其还报,乘其不疑,一怒亲征,刘豫可擒也。"

癸巳,诏:"修盖殿宇,迎奉祖宗神御赴行在。"

甲午,诏:"李横、翟琮、董先、李道、牛皋,并听岳飞节制,以图后效,仍令横等即江州屯驻。"初,横之在襄阳也,岳飞遣统领官张宪招之,不从。及横自黄州渡江,飞责横不相从之意,横引罪而已。于是道、皋已在江州,飞皆用为统制,就将其军,惟横等留南昌如故。

己亥,诏:"自今冬祀、夏祭、祈谷、雩祀,正配位并用犊。"从太常请也。

自巡幸以来,常祀天地以少牢,至是辅臣请复太牢以祭。事既行,博士王普,言故事惟大享明堂用太牢,乃止用犊。

丙午,金使李永寿、王翊至行在。

永寿等倨甚,右文殿修撰、都督府参议官王伦假吏部侍郎,即馆中与之计事。伦为翊道云中旧故,翊漫不为礼。少顷,诏赐永寿等衾褥,传旨勿拜,伦曰:"上嘉公辈远来,特命伦相劳,此殊恩也,宜拜以谢。"永寿始拜。

丁未,直龙图阁、知鼎州程昌寓,以掩击王善、刘超之功,升集英殿修撰。时王瓘已去,昌寓亦将所部还鼎州。

戊申,初,江西统制官傅枢赴行在,而所部在虔州,制置使岳飞移其军住江州屯驻。枢与飞故有隙,其弟统领(军)〔官〕机与飞军统领官王贵亦不平,机(军)〔单〕骑赴洪州。军行至长步,其右军部将元通率其徒千馀人遁去,进犯英州,掠范琼女而去,又围南雄州。事闻,诏本路帅司招捕。赵鼎奏戮机,诏贷死,送飞军前自效,既而通受广东经略使季陵招安。

己酉,金使李永寿、王翊入见。宰执分立御榻左右,工部尚书胡松年、假吏部侍郎王伦立于东朵殿,神武右军都统制张俊、神武中军统制杨沂中、带御器械刘光烈、韩世良立于殿西壁,俊等皆裹巾、戎服、佩剑。永寿等先进书于殿下,见毕升殿,传语馆伴使副赵子昼、杨应诚同上国书。匣乃朝廷自造,币帛亦预蓄以待之。永寿请还刘豫之俘及西北士民之在西南者,且欲画江以益刘豫。既退,命客省官赐酒食于殿门外,辞亦如之,其从者七人亦许至殿门,赐翊金帛皆如永寿之数。

殿中侍御史常同言:"先振国威,则和战常在我;若一意议和,则和战常在彼。靖康以来,分为两事,可为鉴戒。"帝因从容语(戒)〔武〕备曰:"今养兵已二十万有奇。"同曰:"未闻二十万兵而畏人者也。"

是岁,金元帅右都监宗弼引军攻和尚原,拔之。

时宣抚处置副使王似、卢法原同在阆中,乃命分陕、蜀之地,责守于诸将。自秦、凤至洋州,以利路制置使兼本司都统制吴玠主之,屯仙人关;自金、房至巴、达,以镇抚使兼本司参议同都统制王彦主之,屯达州;自文、龙至威、茂,以降授武略大夫、知绵州兼绵、威、茂州、石泉军沿边安抚使刘锜主之,屯巴西;自洮、岷至阶、成,以熙河路马步军总管、统制熙秦军马关师古主之,屯武都。

先是金人决意入蜀,遂攻和尚原,统制吴璘以无粮不能守,拔寨弃去。

绍兴四年　金天会十一年【甲寅,1134】　春,正月,辛亥朔,帝在临安。

乙卯,龙图阁学士、枢密都承旨章谊为大金军前奉表通问使,给事中孙近副之。

时议和不定,乃遣谊等请还两宫及河南地,命右文殿修撰王伦作书于金都元帅宗翰所亲耶律绍文、高庆裔,且以《资治通鉴》、木棉、虔布、龙凤茶遗之。

戊午，知鼎州程昌寓遣统制官杜湛，与荆湖制置使王璞所留统制官王渥等共引兵击杨太，己未，破（其）〔真〕皮寨，获其舟三十艘，湖中小寇始惧。

先是金以韩企先为尚书左丞相，召至上京，金主见之，惊异曰："朕畴昔尝梦此人，今果见之！"于是议定制度，损益旧章。企先博通经史，知前代故事，或因或革，咸取折衷焉。甲子，以改定制度宣示中外。

丙寅，金主如东京。

是日，金李永寿、王翊辞行，赐鞍马器币及其属银帛有差。翊日，永寿发临安，诏通问使章谊等偕行。

自张浚召还，而川陕宣抚处置副使王似、卢法原，人望素轻，颇不为都统制吴玠所惮。帝闻之，己巳，赐三人玺书，略曰："羊祜虽居大府，必任王濬以专征伐之图；李愬虽立殊勋，必礼裴度以正尊卑之分。传闻敌境尚列屯兵，宜益务于和衷，用力除于外患。"时玠为检校少保，位遇寖隆，故有是诏。

癸酉，辅臣进呈张浚奏："四川自七月以来，霖雨、地震，盖名山大川久阙降香，乞制祝文付下。"帝曰："霖雨、地震之灾，岂非重兵久在蜀，调发供馈，椎肤剥体，民怨所致？当修德抚民以应之，又何祷乎！"

浚漕河，以漕运不通故也。诏："役兵得遗物者，以十分之四给之；河中遗骸，听僧徒收瘗，数满二百，给度牒一道。"统用二浙厢军四千馀人，月馀而毕。

乙亥，徽猷阁待制、知镇江府胡世将试尚书礼部〔侍郎〕，秘书少监刘岑权刑部侍郎兼吏部侍郎，兼权礼部侍郎郑滋改权刑部侍郎。

降通山县为镇。

丁丑，召江西制置大使赵鼎赴行在，将以代席益也。鼎守洪都逾再岁，戢吏爱民，盗贼屏息，一方赖之。

戊寅，临安府火。

是月，秦州观察使、熙河兰廓路马步军总管关师古叛，降伪齐。

时师古自成都率选锋军统制李进、前军统制戴钺求粮于伪地，袭大潭县，掩骨谷城，叛将慕容洧拔寨遁去。师古深入至石要岭，遇敌兵，与战，大败。师古旋师大潭，内怀惭惧，单骑降于豫。自此失洮、岷之地，但馀阶、成而已。

二月，辛巳朔，张浚至潭州。

时鼎寇杨太既为官军所败，其党渐散，贼防之甚严，邻居失觉者，其罪死；间有得达官地，保甲又利其财而杀之。知鼎州程昌寓，乃募人能降者与获级同，故降者稍众。浚至，遂留左朝散郎、权枢密院计议官冯楫为荆湖抚谕，俾同安抚使折彦质措置招安。会岳州进士王朝倚在贼寨脱归，自言知贼虚实，诏赴都堂审问。后数日，有旨令王璞与彦质招安。然贼方恃水出没，其所据北达公安，西及鼎、澧，东至岳阳，南抵长沙之界，春夏耕耘，秋冬攻掠，跳梁自如，未有降意也。

乙酉，签书枢密院事徐俯兼权参知政事。

军贼檀成犯长杨县，荆南镇抚使解潜遣统领官、秉义郎、邹门祗候胡免捕斩之。

成本澧州官军，后从雷进于慈利县，忠翊郎、澧州沿边都巡检使雍从善尝与成战，成执而磔之，至是就戮。时群盗田政自襄阳引兵破夷陵，潜命峡州统制、策应夔路军马王恪往击之，斩其首。政,宜城人也。后赠从善三官,录其家一人。

戊子,监察御史明橐宣谕岭南还。橐出使一年三阅月,所按吏二十有七人,荐士朱敦儒等二十人。凡五使,所按吏总七十有九人,荐士五十有七人。而刘大中所劾多大吏;橐、朱异所举多闻人。又,薛徽言锐于有为,而橐、大中数言公私利弊,惟胡蒙奉承大臣风旨。

壬辰,工部尚书兼侍读兼权吏部尚书胡松年试吏部尚书。

乙未,诏参知政事、同都督江、淮、荆、浙诸军事孟庚赴行在,本府统制官姚端、李捧、王进,并以所部偕还,惟张云屯平江,李贵屯建康如故。

丙申,试尚书吏部侍郎兼侍讲兼直学士院陈与义移试礼部侍郎,胡世将权刑部侍郎,刘岑移吏部。与义以兼直院,故免剧曹。

辛丑,金左都监宗弼自宝鸡侵仙人关。

先是金既得和尚原,利州路制置使吴玠度金人必深入,乃预治垒于关侧,号杀金坪,严兵以待。玠弟秦凤副都总管璘在阶州,移书言:"杀金坪之地,去原尚远,前陈散漫,宜益治第二隘,示必死战,则可取胜。"至是宗弼果与其陕西经略使完颜杲,齐四川招抚使刘夔,率十万骑并进,攻铁山,凿崖开道,趣仙人关;既至,据高岭为壁,循东岭东下,直攻南军。玠自以万人当其前,璘率轻兵由七方关倍道而至,转运凡七日,昼夜不息。统制官郭震为宗弼所袭,破其寨,南军累败,玠斩震以徇,金人复攻之。

丙午,知枢密院事张浚至行在。

初,浚行至严州之新城,复上疏引咎求罢。殿中侍御史常同入对,论:"浚五年在外,误国非一。用李允文、王以宁、傅雱诸人,为荆湖害;以曲端、赵哲之良将,皆不得其死。以至擅造度牒,铸印记,赐敕减降,出给封赠、磨勘绫纸之类,皆有不臣之迹。及被召,尽掠公私之财,选精兵自卫出蜀。虽膏斧钺,不足以谢宗庙。若蚤正典刑,示天下不复用,则陕右之地,不劳师而自复矣。"

侍御史辛炳素憾浚,亦论浚误国犯分:"富平之役,赵哲转战用命,势力不敌而溃,浚乃诛哲,致其徒怨叛。又信王庶一言,杀曲端于狱中,端之部曲又皆叛去,其后日夜攻打川口,公行文檄求端于浚者是也。和尚原之战,〔王〕万年之功为多,浚乃抑之。万年怨愤叛去,与哲、端溃卒力窥川口,金人特因之耳。又用赵开营财利,行榷茶盐及隔槽酒法,苛细特甚,内结人怨,西蜀之不亡者幸也。凡朝廷所除监司郡守至,辄不许上,必己所命乃得赴。张深以老乞退,则令五日一赴宣司治事,此例安出哉!甚者擅肆赦宥,一岁凡再,自古便宜未有如是之专者也。湖南、北非浚地分,乃遣李允文、王以宁,假以便宜,肆行生杀,遂乱两路。败事而归,不自知罪,犹移文令葺治府第,浚谓枢廷之权为己家物乎?既被召,尽刷四川之财以行,尚敢托言那撥随军钱物应副解潜、程昌寓,欲以要功,不知钱何所从出哉?沿路札下荆、峡诸州,计置箭簳各数百万;又言如难计置,即具因依回报,是徒欲求进,不恤民力之困也。浚闻罢之始,则迁延不行,中则疑而有请,欲俟至潭州,道路无虞而后造朝,近又奏乞至衢州留数日修治器甲,今闻政府虚位,则至衢州一日而行,星夜兼程,不复留滞,何前缓而后急?"疏入,不报。

前一日,炳以急速请对,论:"浚为黄潜善所知,自兴元曹官一二年间引为侍从。及金人有窥江南意,乃避祸远去,引一时小人如刘子羽、程唐辈诛求聚敛,四川骚然。陛下初许浚便宜黜涉,盖以军事在远,不欲从中制也。浚辄立招贤馆,有视龙图阁之命,以孺人封号封参议官之妾。陛下常遣中使抚问,浚乃与之加秩,劳其远来,其狂悖甚矣。陛下遣郎官持节召之,浚乃偃塞迁延,既到鼎、澧间,擅差抚谕官骚扰州县。所为一至于此,望赐罢黜,明正典刑,以为人臣跋扈之戒。"

浚至行在,诏浚随行军马尽付神武中军统制杨沂中,逐行钱物隶内藏为封桩激赏库。浚既见,遂赴枢密院治事。

三月,辛亥朔,川陕宣抚(使)〔司〕都统制吴玠败金人于仙人关。

初,金右都监宗弼连战未决,玠遥与宗弼相见。宗弼遣人谓曰:"赵氏已衰,不可扶持;公来,当择善地百里而王之。"玠谢曰:"已事赵氏,不敢有贰。"

金人遣生兵万馀击玠营之左,玠分兵击却之,敌怒,拥众乘城。玠遣统制官杨政以刀枪手深入,统制官吴璘以刀画地,谓诸将曰:"死则死此,敢退者斩!"金人分为二陈,宗弼陈于东,将军韩常陈于西,南军苦战久,遂退屯第二隘。时军中颇有异议,欲别择形胜以守,璘曰:"方交而退,是不战而却也。吾度此敌走不久矣。"政亦言于玠曰:"此地为蜀扼塞,死不可失,当守以强弩,彼不敢舍此而攻关。"玠从之。

金人进攻第二隘,人被两铠,铁刃相连,鱼贯而上,璘督士死战,矢下如雨,金兵死者复践而登。完颜杲驻马四视久之,曰:"吾得之矣!"翼日,命诸军并力攻营之西北楼,统领官陇干姚仲登楼死战,楼已欹,仲以帛为绳,曳使复正;金人以火焚楼柱,仲取酒灭之。玠又遣政与统领官田晟以锐兵持(强力)〔长刀〕大斧击其左右,夜,布火四山,大震鼓随之。壬子夜,垒中大出兵,遣右军统领王庆及王武等诸将分紫白旗入金营,金兵惊溃,将军韩常射损左目,敌不能支,遂引兵宵遁。右军统制张彦劫横山寨,斩千馀级,玠遣统制官王浚设伏河池,扼其归路,又败之。

是举也,金人决意入蜀,自完颜杲已下,皆尽室以来,既不得志,遂还凤翔,授甲士田,为久留计,自是不复图蜀矣。

金人之始入也,玠檄召金房镇抚使王彦、熙河路总管关师古来援;师古已叛,彦亦不至,独绵、威、茂、石泉军安抚使刘锜以所部会之。玠闻师古叛,并其军麾下,厚资给焉,由是玠军益以精强。

戊午,端明殿学士、江南西路制置大使赵鼎参知政事。时鼎已召未至。

壬戌,参知政事、同都督江、淮、荆、浙诸军事孟庚自镇江至行在。

癸亥,侍御史辛炳试御史中丞,中书舍人唐辉试左谏议大夫。

礼部侍郎兼侍讲、权学士院陈与义言:"明堂之礼,有汉武汾上之制,绍兴元年,实已行之。若再举而行,适宜于今事,无戾于古典。"太常丞詹公荐、博士刘登亦言:"古人巡幸,自非封禅告成,未有行郊祀者。今岁若且祀明堂,实得权时之义。但绍兴元年,止设天地祖宗四位,不曾设皇祐百神。议者疑郊与明堂当间举。"帝乃命有司条具明堂典礼以闻。

乙丑,检校少保、奉国军节度使、知枢密院事张浚罢,为资政殿大学士、左通奉大夫、提举临安府洞霄宫。

时辛炳、常同论浚不已,帝未听。二人因录所上四章申浚,浚惧,即移疾待罪,且以吕颐浩在相位时书进呈,帝乃释然。炳又言:"前此人臣,未有如浚之跋扈僭拟、专恣误国、欺君慢上者,浚兼有众恶,望早赐窜黜。"同亦论奏如炳言,故浚遂罢,未几,谪福州居住。

癸酉,龙图阁直学士、知湖州汪藻上所编《元符庚辰以来诏旨》二百卷,诏送史馆。

2615

夏,四月,庚辰朔,制授吴玠定国军节度使、(州)〔川〕陕宣抚副使。玠因除宣副,遂移镇、加恩,帝赐以所御战袍、器甲,且赐亲笔曰:"朕恨阻远,不得拊卿之背也!"

玠素不为威仪,既除宣抚副使,简易如故。常负手步出,与军士立语,幕客请曰:"今大敌不远,安知无刺客?万一或有意外,岂不上负朝廷委任之意,下孤军民之望哉?"玠谢曰:"诚如君言。然玠意不在此。国家不知玠之不肖,使为宣抚,恐军民之间有冤抑无告者,为门吏所隔,无由自达耳。"幕客乃服。

癸未,宝文阁直学士、宣抚处置使参议官刘子羽,责授单州团练副使、白州安置;宝文阁学士、宣抚处置使参议官程唐,落职,提举江州太平观,本州居住。

丙戌,吴玠与金人战,败之,遂复凤、秦、陇州。

戊子,神武左副军统制李横,以襄阳失守,于国门待罪,诏放罪。

横与蔡、唐州、信阳军镇抚使牛皋、商、虢州镇抚使董先,自南昌随赵鼎赴行在,诏以其军万五千人属神武右军都统制张俊。皋见帝,因陈刘豫必灭之理,中原可复之计,乃命皋复往江州,听岳飞节制。

庚寅,置孳生牧马监于临安府。

庚子,诏江东宣抚使刘光世遣兵巡边。

初,襄阳既为伪齐将李成所据,川、陕路绝,湖、湘之民亦不奠居。朱胜非言:"襄阳上流,襟带吴、蜀,我若得之;进则可以蹙贼,退则可以保境。今陷于寇,所当先取。"帝曰:"今便可议,就委岳飞何如?"参知政事赵鼎曰:"知上流利害,无如飞者。"鼎因奏令淮东宣抚使韩世忠以万人屯泗上为疑兵;令光世选精兵出陈、蔡,庶几兵势相接。

癸卯,谏议大夫唐辉言:"伏见川陕宣抚司捷奏再至,谓敌兵尽去。臣窃思金人之来,拥众十馀万,是欲必得四川。然则方遣使议和而进兵攻取,此其素谋久矣。李成之在襄阳,盖与川、陕之师相表里,今不得志于川、陕,必与李成合兵,或侵荆南,或窥淮甸,必不肯一战遂已。望申敕诸帅,整军旅,远斥堠,备御加严,则为尽善。庙堂于上流及淮甸,宜讲求所以战守之策,尤不可缓。"乃命三省、枢密院讲求战守之策,仍札沿江诸帅严加备御。

丁未,以忠锐第一将隶神武军。初,崔增从荆南制置使王𤫮讨杨么,遇贼,战死,𤫮因请其军自隶,许之。

是月,金主至自东京。

五月,辛亥,直龙图阁、知建康府吕祉乞存旧行宫以为便殿,许之。

御史中丞辛炳言:"窃见祖宗朝宰相执政,员数稍多,每有所施设,必都堂聚议,参订可否而行之。故仁宗皇帝时,虽有西夏元昊之叛,而晏然若无事者,以韩琦、范仲淹辈同心协济也。臣得诸搢绅之间,咸谓顷者驻跸会稽,犹闻大臣每日会议,至三至四。自吕颐浩再相,专权自私,会食外往往各于邬子押文字,虽军旅之事,差除之属,亦有不同相关决者。陛下遭时多艰,四方未靖,一日二日万几,尽以付之二三大臣,间有横议害政者,不旋踵而遂去之,政欲庙堂之上同寅协恭,可否相济,以赞中兴之业也。愿诏大臣上体宵旰之意,每一号令之出,一政事之施,人材之进退,赏罚之劝惩,凡有涉于利害者,必商榷参订,审得其当,然后言于陛下而行之,尽复昔时会议故事,以踖前古都俞之风。金论既谐,宜无乖谬。兹事体大,惟陛下留意。"壬子,诏札与三省、枢院。

川陕宣抚司奏敌兵自凤翔退走,诏札与沿江诸帅、神武诸军,仍出榜晓谕。

甲寅,江西制置使岳飞复郢州。

初,飞既出师,诏淮西宣抚使刘光世发精兵万馀人援之,飞率统制官王万等自鄂渚趋襄阳,右仆射朱胜非许讫事建节,且命户部员外郎沈昭远往总军饷。参知政事赵鼎,请帝亲笔诏监司、帅守饷飞军无阙。飞将发,命军士毋得残民,禾稼皆秋毫不敢犯。遂引兵攻襄阳,军声大振。

乙卯,诏:"荆、浙、江、湖通接边报州军,并置拨铺,每二十里为一铺,增递卒五人,日增给食钱,月一更替。文书稽违,如传送金字牌法抵罪。提举官常切检点。"

辛酉,淮东宣抚使韩世忠奏,本军统兵官武功大夫、贵州刺史刘光弼乞升差,帝谓辅臣曰:"光弼必光世之家,兹事未便,恐光世疑也。"

世忠与光世交恶不已,至是世忠自扬州入朝,殿中侍御史常同言:"二臣蒙陛下厚恩,若不协心报国,一旦有急,其肯相援!望分是非,正典刑,以振纪纲。"帝以章示二人。它日,带御器械刘光烈召带御器械韩世良食,世良拒之,世忠见帝,因及其事,帝曰"世良等内诸司耳,设有不和,罢其一可也。至如大将,国家利害所系,汉贾复、寇恂以私愤几欲交兵,光武一言分之,即结友而去。卿与光世不睦,议者皆谓朝廷失驾驭之术,朕甚愧之。"世忠顿首请罪,曰:"敢不奉诏。它日见光世,当负荆以谢。"帝以其语谕辅臣,然二人卒不解。于是光弼更领夔州路兵马都监兼知黔州,仍旧从军。

甲子,参知政事孟庾兼权枢密院事。

甲戌,国子监丞王普上明堂典礼未正者十二事:其二,先荐牛,后羊豕;其三,尊罍之数;其四,升祠祭法酒于内法酒之上;其六,礼官冕服,旧自七旒以下,凡三等,今增为四等;其七,皇帝未后诣斋室,非三日斋之义,请改用质明;其八,行事官致祭,勿给酒;其九,以侍中、中书令等侍立待邪门官;其十,设席,升烟,奠册,勿以散吏;其十一,乐曲先制谱,后撰词,非是,请倚词制谱;其十二,皇帝还位,当歌大吕以易黄钟;皆从之。其一,请以玉爵易陶匏;其五,言《三礼图》祭器制度不合古,请用政和新体改造;皆未克行也。

诏:"神武右军选精锐军马三千人戍虔州,专一措置虔、吉一带盗贼,权听江西帅司节制。"先是岳飞出师,已破贼首钟十四等十馀寨,至是其徒周十隆等出没未已,遂命将官赵祥、李升以所部往讨之。

是月,江南西路、舒、蕲、黄、复州、汉阳军、德安府制置使岳飞引兵复襄阳府。初,伪齐将李成闻郢州失守,乃弃襄阳去,飞进军据守,遂复唐州。

六月,乙未,给事中胡交修试尚书刑部侍郎。

太白昼见,经天。

戊戌,诏:"神武军、神武副军统制、统领官并隶枢密院。"

辛丑,诏:"祖宗正史、实录、宝训、会要,令史馆各抄二本,一进入,一付秘阁。"

丙午,帝谓执政曰:"岳飞已复襄、郢,尼玛哈闻之必怒,况今正是六月(七)〔下〕旬,便可讲究防秋,傥敌人尚敢南来,朕当亲帅诸军迎敌。若复远避为泛海计,何以立国耶!"

权尚书吏部侍郎刘岑改户部。

是月,江西制置使岳飞复随州。

初,飞令前军统制张宪引兵攻随州,月馀不能下。神武后军中部统领兼(统)〔制〕置司中军统制牛皋请行,乃裹三日粮往,众皆笑之,粮未尽而城拔,生执其知州王嵩送襄阳府,磔于市。飞之复襄、郢也,选锋军统制董先颇有功。先、皋皆久在京西,故飞以为将。

荧惑犯南斗。

是夏,金都元帅宗翰、右监军希尹自云中之白水泊,左副元帅宗辅自燕山之望国崖,左监军昌自祁州之麻田大岭避暑。宗翰、希尹寻入见金主,右都监宗弼自凤翔还燕山府,率宗辅往会之。迁西京枢密院于归化州。

先是刘豫移书于金元帅府曰:"徐文一行久在海中,尽知江南利害。文言:'宋主在杭州,其候潮门外钱塘江内有船二百,宋主初走入海时于此上船。过钱塘江,别有河入越州,向明州定海口迤逦前去为昌国县,其县在海中,宋人聚船积粮之所。今大军可先往昌国攻取船粮,还趋明州城下夺取宋主御船,直抵钱塘江口。今自密州上船,如风势顺,五日夜可抵昌国;或风势稍缓,十日或半月即可至矣。'"至是,诸将会议,宗翰坚执以为可伐,宗弼曰:"江南卑湿,今士马困惫,粮储未丰,恐无成功。"宗翰曰:"都监务偷安尔!"宗辅亦谓豫所言不可行。后迄如宗弼言。

【译文】

宋纪一百十三　起癸丑年(公元1133年)十月,止甲寅年(公元1134年)六月,共九月。
绍兴三年　金天会十二年(公元1133年)

冬季,十月,壬午朔(初一),高宗下诏说:"以前出自朕的意旨,分别派遣使者,授给手历,整顿各道吏治。等到胡蒙等人还朝,又偶尔因其他事情相继而去,这都不是指派有错。考虑到四方远处不知原因,妄自按照自己的意图揣摩朕意,将已颁行的政事,草率应付,颠倒是非,民受其害,还未回朝的二位使者,不无疑虑,动不动就畏缩不前,与朕派遣他们出使时的旨意相去甚远。三省可以迅速派人下去到各路所陈述利害,命令监司郡县遵守,举荐人材,按照诏旨加以录用。"当时刘大中、明橐没有还朝,担心郡县官观望犹豫,所以有这道诏令。

礼部尚书兼权吏部尚书洪拟被罢免,改任徽猷阁直学士、提举江州太平观,这是因为殿中侍御史常同议论洪拟阿谀攀附王黼,在吏部各司专门依靠办理文书的小吏的缘故。先前高宗因为地震而求谏言,洪拟和儿子驾部员外郎洪兴祖一起呈上密封奏事,议论朝廷纪纲不正,言论所及侵犯在位的人物,因此父子相继被罢免。

癸未(初二),朱胜非等人呈上《吏部七司敕令格式》一百八十八卷。

自从南渡长江以来,官府的文献档案散佚,无从考稽,议论的人认为修定吏部法规是最紧急的事务。恰逢广东转运司将他们所录的元丰、元祐年间吏部法规呈上,洪拟等人仍以三省记录的旧法和陆续增补的新规定详加审定,到现在完成了《吏部七司敕令格式》一书。

戊子(初七),尚书工部侍郎李擢被任命为试礼部尚书,权刑部侍郎苏迟被任命为权工部侍郎。

庚寅(初九),吴玠加封检校少保名号,这是因为他领兵多年,御敌捍卫疆土有功的缘故。

甲午(十三日),大理国请求向宋朝入朝进贡并且卖马,高宗晓谕大臣说:"让他们卖马是可以的。入朝进贡是不能允许的,怎么可以利用他们的虚名而烦劳百姓呢!"朱胜非说:"前些时广西奏报大理国入朝进贡,那件事可以借鉴。"高宗说:"远方异域,从哪里得到实惠!他们说进贡,实际上是为了商贩求利。只要命令帅臣、边将偿还他们马的价钱,价格合理那么马匹就会陆续到来，或许可以增加各将的骑兵，不是没有益处的。"

尚书吏部员外郎刘大中宣告谕旨从江南路还朝，将举荐贤才、刺察官吏、申明利害关系、平反冤狱错案、征收摊派财赋等事写成八册呈报朝廷。刘大中出使仅一年，所按察的官吏有二十人，举荐贤士十六人。

己亥（十八日），伪齐军队攻陷邓州，任命伪齐将领齐安为邓州知事。

辛丑（二十日），南丹蛮进犯观州。

起初，南丹州刺史莫公晟，政和年间献土地给宋朝廷，被任命为广西兵马钤辖，不久逃回。适逢武节郎黄昉任观州知州，派遣军队攻略他的部族，莫公晟大怒，聚众数百人，在当夜包围观州，焚烧宝积监。广西经略使刘彦适调来融州土丁率兵前往救援，莫公晟已经退走。黄昉因此被罢免所任官职。

癸卯（二十二日），高宗诏令："自绍兴元年正月初一以前，因群盗摧残破坏、占据去处而乘机做过错事的人，限在圣旨到日将已经接受诉讼的案件，不得节外生枝，日后不得受理。"当时进言的人认为自战事兴起以来，村民往往乘势剽掠劫夺，其中罪恶大而审讯清楚的，固然已经处死；然而受牵连的党羽，蔓延到平民百姓，有的心怀私仇谋求私利，相互向上申诉，使得人心不安，所以有这道诏令。

襄、邓、随、郢等州镇抚使李横，放弃襄阳，奔赴荆南。

当时伪齐将领李成已经占得邓州，而刘豫的部众有回到襄阳的，李横以为是贼寇到来，而且军粮接济不上，于是随即率军逃走，李成进入襄阳。随州知州李道得知这件事后，也弃城逃走，刘豫派他的将领王嵩任随州知州。

李横放弃襄阳后，企图依靠解潜等待朝廷的命令，他的参谋官直龙图阁赵去疾、属官右宣教郎阎大钧，劝他还朝等待治罪。李横说："我拥有乌合之众，所到之处可以自谋衣食，人们都以为我是贼。万一各郡不接纳收容我，怎么办？"赵、阎二人说："我也是官军，为什么到如此田地？"不久湖北安抚使刘洪道果然拒绝李横，李横大怒，要杀掉赵、阎二人，二人大喊："江西统帅赵枢密那里可以投奔。"李横犹豫不决，而赵鼎已经派船送粮来了，李横的部众于是安定下来。当时权商赣州镇抚使董先、蔡州信阳军镇抚使牛皋，已先渡过长江到达洪州；赵鼎又送银数千两犒劳李横的部众，而且传檄黄州知州鲍贻逊在边境上迎接慰劳。李横非常欢喜，率领所部到达洪州。

荆、潭制置使王璪率领水军到达鼎口，与伪齐贼军遭遇。贼军所乘的船高几丈，用二尺长的坚硬木头削尖两头，与箭矢石头一齐射下，叫作木老鸦。官军所乘的湖海船又低又小，凭借短兵器迎战，作战不利，王璪被流矢和木老鸦击中，退兵保卫桥口，留下统制官崔增、吴全在下游抵挡，亲自率领神武前军一万余人从陆路赶赴鼎州。

伪齐引兵进犯郢州，郢州守将李简弃城逃走，刘豫任命荆超为郢州知州。荆超，是御用扈从兵，刘豫认为他有才而任用他。

丙午（二十五日），左承议郎、主管亳州明道宫王公彦提升官阶二级，这是因为他在元符年间上书被列为元祐党籍的缘故。从此，元祐党人健在者都已恢复官职。

戊申（二十七日），高宗下诏："今后省试都须前往行在。"

自从各路设置类省试，实行才两次，议论者认为奸诈弊病百出，而且说："本朝省试，必须在六曹尚书、翰林学士中选择知举，在各部侍郎、给事中选择同知举，卿监担任参详官、馆职、学官担任点官,又派御史来监考,所以能够公正无私,使读书人满意心服。如今盗贼已被平息,道路已经畅通,如果将省试还归礼部掌管,只不过是将各漕司所用费用交送到行在,那就必定充裕有余了。"高宗诏令检查改正已多次颁下的诏令,申明严格执行,于是才废除了各路类省试。

庚戌(二十九日),恢复设置宗正少卿一员,太府、司农寺、军器、将作监各恢复设置丞一员,太府、大理左断刑、右置狱各恢复增置丞一员。

这个月,伪齐将领王彦先从亳州引兵到达北寿春,在淮上陈兵扬威,有南渡的意图。江东、淮西宣抚使刘光世驻扎军队在建康,扼守马家渡,派遣统制官郦琼率领所部驻扎无为军,作为濠州、庐州的声援,贼军于是退回。

十一月,丙辰(初五),执政大臣进呈修运河规划。高宗说:"有人想用五军中不能出战的士兵来充当修运河的劳力,这固然不可,又有人说抽调民工充当劳力,这更不可,只有用邻近州郡厢军中的壮城军捍江军等军队较为适宜,至于供给他们的俸禄薪给,就不应当吝啬了。"朱胜非说:"开运河似乎不是什么急务,而供给饷钱都很困难,所以不得已才那样做。然而季节正当盛寒,劳力十分辛苦,临近运河的居民,要全部迁移。至于运土所经过的道路,泥沙堆积的地方,都要预先空出来,这样居民和富家以出租房屋获取收益的,都不是很便利,恐怕议论的人们要以此作为话柄了。"高宗说:"大禹降低宫室规格而尽力于开沟挖渠,没有根据的话何足忧虑!"

已未(初八),高宗下诏:"王瓒所部帅司和诸州军队,都暂听王瓒的节制。"这是由于王瓒奏言湖南、北安抚使折彦质、刘洪道不肯增援军队的缘故。

折彦质接到命令,上疏说:"靖康年间臣任河东宣抚副使时,王瓒是臣的部下军官,加上臣曾对他查核处罚,互相之间怨恨猜忌明显。如果让平时的部属裨将,一旦加于自己之上,轻重缓急任由他侵犯欺凌,臣私下恐怕有损国体。"高宗于是下诏说:"折彦质和王瓒应同心讨贼,如果以借口逃避职责,造成疏忽错误,就当按重罪论处放逐远谪。"

庚申(初九),撤销楚州吴城县改为镇。吴城县自从遭兵火后,居民只有八十余家,所以废除县制。

礼部员外郎虞愿,请求吏部铨试初出做官的人,以经义、诗赋、时义、断案、律义为科目考试五场,从参加考试的人中取十分之七,榜首官职提升一级,高宗同意。

癸亥(十二日),高宗诏令:"各路上供的钱物,令户部年终举报核查其中违法侵吞和隐瞒钱物的去处。"

武德大夫、高州刺史、阁门宣赞舍人、御前忠锐第一将崔增,右武大夫、忠州团练使、荆潭制置司水军统制吴全,与湖寇在阳武口遭遇,均战死。

当时荆潭制置使王瓒率领水军,在两天前来到下苎江口,第二天,知鼎州程昌寓也赶到,共同商议袭取周伦的军寨。再一天,崔增、吴全到达阳武口,遇到贼军船只,但都寂然无声,呼唤它也无人答应,崔增等人以为是空船,就命令湖海船官兵扶梯而上。贼兵突然出现,官军于是失败,死者不计其数,崔增和吴全均战死。这时统制官任士安,率领万余人驻扎赤沙湖,因湖水阻隔不能相救,贼兵收集官军的弓矢甲胄,想往西袭击官军,王瓒于是收编了崔增的军队。以后朝廷追赠崔增官阶一级,加授果州防御使,追赠吴全官阶二级,加授忠州防御使,录用他们的儿子做官。

甲子(十三日),端明殿学士、同签书枢密院事韩肖胄、工部尚书胡松年出使金国后还朝,高宗诏令韩肖胄等人速赴行在。

自从高宗即皇帝位,派人出使金国以来,六七年来没有得到金人使者的回访;到这时金国都元帅宗翰开始派遣安州团练使李永寿、职方郎中王翊等九人与韩肖胄一同来宋。

丙寅(十五日),金国因为伊兰路发生饥荒,赈济灾民。

乙亥(二十四日),高宗下诏恢复司马光的十科举士的制度,命令文武侍从官每年各举荐三人。

戊寅(二十七日),荆潭制置使王瓒因为两次遭遇贼兵都失败了,二名将领都战死,郁郁不乐。恰逢得到江北警报,想将军队北移以防守鄂州江面,程昌寓说:"江北实际上无事,是李横自己放弃襄阳;鄂州是座孤城,也希望您速来坐镇方可少许安定。现在两座桥已经修成,事功将成,大军一回,难以再调集,希望您再稍许留些时日,一同攻破三个贼寨。如果鄂州有警报,快速驰援还是来得及的。"王瓒不听。这天,王瓒率领大军回到鄂州,留下统制官王渥、赵兴和湖南将马准、步谅四支军队,暂听程昌寓的节制。于是程昌寓转移所部驻扎在上芷,决毁贼寇修筑的土堤四百丈。

十二月,壬午(初二),武翼大夫、吉州刺史、统制鼎州军马杜湛被任命为湖北路兵马副都监,修武郎、阁门祗候、添差统制军马彭筠充任东南第八将。

彭筠本来与贼刘超合势,有一位叫呙辅的进士,被张用抢劫;后来呙辅进入彭筠的军队中,与进士路居正一道劝彭筠立功归顺朝廷。当时刘超占据澧州,程昌寓派兵攻打他,没有取胜。呙辅等人让彭筠用药纸写书信,陈述攻破贼兵的计策,秘密派遣安乡县监税刘汝舟携信到湖西,请求掩杀刘超,程昌寓也派遣使臣送来蜡书报告彭筠。刘超被彭筠袭击,战败逃走,彭筠率领所部投降程昌寓。程昌寓有战士、乡兵共九千余人,任用杜湛为总帅,至此程昌寓向朝廷奏报杜湛屡立奇功,彭筠临敌为官军效力,所以他们都得以升官。不久记录呙辅的功劳,任命他为连州文学。

癸未(初三),金国赈济哈兰路饥荒。

壬辰(十二日),右迪功郎、新监广州寘口场盐税吴伸再次上书朝廷请求讨伐刘豫,而且说:"今天握有兵权的人,不过二三人,其中如果说有道家所忌讳的,就是纸上谈兵的赵括之徒值得忧虑;其中如果因战胜而骄傲的,那么武安君之祸足可为戒。"又说:"古人军队无往不克在于内部和睦,如今陛下的将士虽然众多,但谁能像廉颇、蔺相如那样彼此融洽相处呢?而将帅是贤明还是愚蠢,不用卜筮就可以知道了。如今的主将,没有不是营私舞弊,背公济私,祸国害民之徒的,他们广为经商,擅自酤酒;所到州郡,就恣行所欲贪得无厌,百姓的财力为之耗减;广收无用之兵以增加粮饷的数额,那么财赋的得失,不用卜筮就可以知道了。现在国家所依赖的,只知道有西北的军队,不知道有东南的士兵,更何况各军无非是些败亡之徒,子女已经足够,金帛也很丰厚,边境暂时安宁,就苟且偷安求取国家的钱粮,至于遇到敌人,怎么能不溃败逃亡!这样的士兵能否胜任打仗,不用卜筮就可以知道了。目前重兵都在江南,而轻兵独自担当淮右,万一敌人攻掠我淮甸,对垒长江边,纵然没有渡江南下,两军相持,岁月一久,必定有存亡之虑。金兵虽然强大,实不足虑;刘豫虽然弱小,但其祸患尤可为忧。臣以为先擒刘豫,则金人自可平定。金人反复无常,陛下非常了解;如今金人又割走中原借给刘豫,这是他们并吞宋朝的阴谋已经显露,而宋朝危亡的大祸即将到来,怎么能不为

2621

此而做好准备计策！现在和议的使者就要来到,不可以中途辞绝,万一对方提出过高的要求,臣希望陛下表面上许诺而暗地里违拒,等到他们回去报告,乘其对我不疑之际,由陛下奋而亲征,刘豫就可以捉到了。"

癸巳(十三日),高宗下诏:"修盖殿宇,迎奉祖宗的神像来行在。"

甲午(十四日),高宗下诏:"李横、翟琮、董先、李道、牛皋,都听从岳飞的节制,以图日后报效国家,仍命令李横等人到江州驻扎。"起初,李横在襄阳时,岳飞派遣统领官张宪招他,他不服从。到李横从黄州渡江时,岳飞斥责李横不听从命令,李横表示谢罪而已。这时李道、牛皋已在江州,岳飞均任用他们为统制,仍然率领原来的军队,只有李横等人仍然留在南昌。

己亥(十九日),高宗诏令:"从今以后冬祀、夏祭、祈谷、雩祀,正配位都用牛犊。"这是采纳太常寺的请求。

自高宗巡幸以来,常用小猪羊来祭祀天地,到现在辅臣请求恢复用杀牛来祭祀。祭祀举行完后,博士王普,上言依照旧例只有大享明堂才用牛,于是只用牛犊。

丙午(二十六日),金国使者李永寿、王翊到达行在。

李永寿等人十分傲慢,右文殿修撰、都督府参议官王伦代借吏部侍郎名义,到宾馆同他们议事。王伦是王翊在云中的旧故,但王翊轻漫无礼。一会儿,高宗诏令赐给李永寿等人被褥,传旨可免去跪拜礼,王伦说:"皇上嘉许你等远道而来,特命令我王伦慰劳接待,这是特殊的恩典,应该下拜表示感谢。"李永寿才跪拜致谢。

丁未(二十七日),直龙图阁、知鼎州程昌寓,由于掩击王善、刘超之功,升任集英殿修撰。当时王瓘已经离去,程昌寓也率领所部回到鼎州。

戊申(二十八日),起初,江西统制官傅枢赶赴行在,但其所部军队留在虔州,制置使岳飞将其军队移往江州驻扎。傅枢与岳飞以前有隔阂,他的弟弟统领官傅机与岳飞军统领官王贵也有私怨,傅机自己单骑来到洪州。其所部军队到达长步时,其右军部将元通率领部众一千余人逃去,进犯英州,掳掠范琼的女儿而去,接着又围困南雄州。此事奏闻于朝廷后,高宗诏令本路帅司前去招降追捕。赵鼎上奏处死傅机,高宗下诏免他一死,送往岳飞军中效力,不久元通接受广东经略使季陵招安。

己酉(二十九日),金国使臣李永寿、王翊入殿拜见高宗。宰执大臣分别站立在高宗御榻的左右两边,工部尚书胡松年、假吏部侍郎王伦站立在东朵殿,神武右军都统制张俊、神武中军统制杨沂中、带御器械刘光烈、韩世良站立在殿西壁,张俊等人都头裹围巾、身着戎服、佩带宝剑。李永寿等人先进国书于殿下,接见完毕后升殿,于是传话馆伴使副赵子昼、杨应诚一同呈上国书。书匣子是宋朝廷自己制造的,币帛也是预先准备好用以接待的。李永寿请求归还刘豫的俘虏和在西南的西北士民,而且要划长江以北地区来扩充刘豫的疆土。退朝后,高宗命令客省官员在殿门外赐给李永寿等人酒食,并有相应的言辞,李永寿的随从七人也被允许到殿门,赐给王翊金帛的数目如李永寿的一样多。

殿中侍御史常同上言:"先振国威,则和战主动权常掌握在我手中;如果一意议和,则和战主动权就会常在敌手。靖康年以来,把振国威和议和分为两件事情,应该引以为戒。"高宗于是从容地谈论武备:"现在养兵已达二十万有余。"常同说:"还没有听说有二十万军队而畏惧别人的。"

这一年,金国元帅右都监宗弼率领军队攻打和尚原,将和尚原攻克。

当时宣抚处置副使王似、卢法原同在四川阆中,于是朝廷命令在陕西、四川地区分片据守,让各将各守其责。从秦州、凤州到洋州,由利路制置使兼本司都统制吴玠主管,驻扎仙人关;从金州、房州到巴州、达州,由镇抚使兼本司参议同都统制王彦主管,驻扎达州;从文州、龙州到威州、茂州,由降授武略大夫、知绵州兼绵州、威州、茂州、石泉军沿边安抚使刘锜主管,驻扎巴西;从洮州、岷州到阶州、成州,由熙和路马步军总管、统制熙秦军马关师古主管,驻扎武都。

起初金人决意侵入蜀中,于是攻占和尚原,宋军统制吴璘因为没有军粮不能坚守,拔起军寨放弃和尚原退走。

绍兴四年 金天会十一年(公元 1134 年)

春季,正月,辛亥朔(初一),高宗在临安。

乙卯(初五),龙图阁学士、枢密都承旨章谊被任命为大金军前奉表通问使,给事中孙近担任副使。

当时议和定不下来,于是派遣章谊等人向金国请求归还徽、钦二帝及河南的土地,命令右文殿修撰王伦写信给金都元帅宗翰亲信耶律绍文、高庆裔,而且将《资治通鉴》、木棉、虔布、龙凤茶送给他们。

戊午(初八),鼎州知州程昌寓派遣统制官杜湛,与荆湖制置使王瓒所留下的统制官王渥等人共同率领军队攻打杨太,己未(初九),攻破真皮军寨,缴获贼船三十艘,洞庭湖中的小股贼寇开始感到畏惧。

起先,金国任用韩企先为尚书左丞相,召他到上京,金主见了他,惊异地说:"朕从前曾梦见此人,今天果然见到了他!"于是与他商议制定制度之事,对旧的制度删补修改。韩企先广通经史,熟知前代典章故事,有的沿用,有的改革,都折中采用。

甲子(十四日),金朝廷把改定后的制度向朝廷内外宣示。

丙寅(十六日),金主到东京。

这天,金国使臣李永寿、王翊辞行,高宗赐给鞍马器币及其下属银帛不等。次日,李永寿从临安出发,高宗诏令通问使章谊等人一同前往。

自从张浚被召还朝,而川陕宣抚处置副使王似、卢法原,声望素来不高,很不被都统制吴玠所敬畏。高宗知道了此事,己巳(十九日),赐给三人玺书,大意说:"羊祜虽然居于高级官府,却必定任命王濬来专门掌握征伐的谋划;李愬虽然建立了特殊功勋,却必定以礼对待斐度以端正尊卑的名分。传闻敌境尚驻陈军队,尔等应该更加注意精诚团结,努力扫除外患。"当时吴玠是检校少保,官位礼遇逐渐提高,所以有这道诏令。

癸酉(二十三日),辅臣进呈张浚的奏疏:"四川自七月来,出现大暴雨、地震,大概是名山大川很久没被祈祷烧香的缘故,请求制作祝文颁下。"高宗说:"大暴雨、地震灾害,难道不是重兵久驻蜀中,征调赋税供给军饷,对百姓敲骨剥肤,使百姓怨恨而造成的吗?应当修德爱民来对付天灾,又何必去祷告呢!"

疏浚运河,是因为漕运不通的缘故。高宗下诏说:"参加疏浚的役兵挖到遗物的,将十分之四给他们;河中的遗骸,听任僧徒收敛埋葬,数满二百,给度牒一道。"共用二浙厢军四千余人,一个多月完工。

乙亥(二十五日),徽猷阁待制、知镇江府胡世将任试尚书礼部侍郎,秘书少监刘岑任权刑部侍郎兼吏部侍郎,兼权礼部侍郎郑滋改任权刑部侍郎。

降通山县为镇。

丁丑(二十七日),召江西制置大使赵鼎前往行在,将被任命替代席益。赵鼎戍守洪州超过两年,澄清吏治抚爱百姓,盗贼平息,所在一方依赖于他。

戊寅(二十八日),临安府失火。

这个月,秦州观察使、熙河兰廓路马步军总管关师古反叛,投降伪齐。

当时关师古从成都率领选锋军统制李进、前军统制戴钺在伪齐地区寻求粮食,袭击大潭县,偷袭骨公城,叛将慕容洧拔起军寨逃去。关师古率领深入到石要岭,遭遇敌军,大败。关师古回师大潭,内心怀有惭愧恐惧,一个人骑着马向刘豫投降。从此宋朝失去了洮州、岷州之地,只剩下阶州、成州而已。

二月,辛巳朔(初一),张浚到潭州。

当时鼎州贼寇杨太已被官军打败,其党徒逐渐散去,贼寇防范很严,有人逃走而邻居没有觉察者,处以死罪;若有人逃到官军地区的,保甲又贪图他的财物而将他杀害。鼎州知州程昌㝢,于是招募人去招降,如能招降的与阵战斩获敌首一样有赏,因而投降的人稍微增多。张浚到后,就留下左朝散郎、权枢密院计议官冯檝担任荆湖抚谕,让他与安抚使折彦质一道处理招安。恰逢岳州进士王朝倚从贼寨逃脱回来,自称知道贼寇虚实,高宗于是下诏召王朝倚到尚书都堂审问。几天后,朝廷有旨令王瓒与折彦质进行招安。然而贼寇正依恃湖水出没,其所占据的地方北达公安,西至鼎、澧,东到岳阳,南抵长沙地界,春夏耕耘,秋冬攻掠,横行自如,没有投降的意思。

乙酉(初五),签书枢密院事徐俯被任命为兼权参知政事。

军贼檀成进犯长杨县,荆南镇抚使解潜派遣统领官、秉义郎、阁门祇候胡免抓获檀成并将他斩首。

檀成原本是澧州官军,后来跟随雷进到慈利县,忠翊郎、澧州沿边都巡检使雍从善曾与檀成作战,檀成抓住了雍从善并将他车裂,至此檀成也被处死。当时一群盗贼由田政率领从襄阳攻破夷陵,解潜命令峡州统制、策应夔路军马王恪前去讨伐,将田政斩首。田政,是宣城人。后来朝廷追赠雍从善三个官阶,录用其家一人为官。

戊子(初八),监察御史明橐宣布谕旨岭南后还朝。明橐出使有一年零三个月,所按察的官吏有二十七人,举荐贤士朱敦儒等二十人。朝廷共五次派宣布谕旨的监察御史出使,所按察的官吏总共有七十九人,举荐贤士五十七人。其中刘大中所弹劾的多是大官吏;明橐、朱异所举荐的多是名人。另外,薛徽言敢作敢为,而明橐、刘大中多次谈论公私利弊,只有胡蒙迎合大臣的旨趣。

壬辰(十二日),工部尚书兼侍读兼权吏部尚书胡松年被任命为试吏部尚书。

乙未(十五日),高宗诏令参知政事、同都督江、淮、荆、浙诸军事孟庾赶赴行在,本府统制官姚端、李捧、王进,都率领其所部一起还朝;只有张云驻扎平江,李贵驻扎建康照旧。

丙申(十六日),试尚书吏部侍郎兼侍讲兼直学士院陈与仪调任试礼部侍郎,胡世将被任命为权刑部侍郎;刘岑调任吏部。陈与义因为兼直学士院,所以免去政务繁杂的吏部职事。

辛丑(二十一日),金国左都监宗弼从宝鸡侵犯仙人关。

起先金国已得到和尚原,利州路制置使吴玠估计金人一定会深入,于是预先在仙人关旁修筑堡垒,号称杀金坪,严阵以待。吴玠的弟弟秦凤副都总管吴璘在阶州,送来书信说:"杀金坪之地,距离和尚原还很远,前面的阵地散漫,应当再修筑第二道隘口,以表示必死决战,这样才能取胜。"这时宗弼果然与金国陕西经略使完颜杲,伪齐四川招抚使刘夔,率领十万骑兵一起前进,进攻铁山,凿崖开道,直取仙人关;到了战地后,金军占据高高的山岭作为壁垒,沿着东岭东下,直抵宋军发起攻击。吴玠亲自率领一万人抵挡在前,吴璘率领轻兵从七方关日夜兼程赶来,辗转走了七天,昼夜不停。统制官郭震被宗弼所袭击,营寨被攻破,宋军屡次失败,吴玠将郭震斩首示众,而金军再次发动了进攻。

丙午(二十六日),知枢密院事张浚来到行在。

起初,张浚到达严州的新城,再次向朝廷上疏引咎请求罢官。殿中侍御史常同入朝奏对,对高宗论说:"张浚在外五年,误国不止一次。任用李允文、王以宁、傅雱等人,成为荆湖的祸害;而曲端、赵哲这样的良将,却都不得善终。竟至于擅自制造度牒,和铸印章,不经朝廷批准就擅自对罪犯赐予赦免减刑,发给封官赠官的官方文告和增减磨勘期限的绫纸等等,都有为臣不忠的迹象。等到被召还朝时,又尽量掠夺公私财物,挑选精兵充当卫士而出蜀地。即使用斧钺砍下他的头颅,也不足以向宗庙谢罪。如果早一点将他绳之以法,告示天下永不录用张浚,那么陕右之地,无须烦劳军队而自然收复了。"

侍御史辛炳一向怨恨张浚,也议论张浚误国违犯名分:"富平之役,赵哲转战拼命,由于势力不敌而溃败,张俊竟诛杀赵哲,致使赵哲的部众怨愤反叛。又偏信王庶的一句话,在狱中杀死曲端,以致曲端的部下又都反叛离去,他们后来日夜攻打川口,公开发布檄文向张浚索要曲端。和尚原之战,王万年的战功较多,张浚竟压抑他。王万年怨愤反叛而去,与赵哲、曲端的溃散的士兵力战图谋夺取川口,金人正是因此而得逞。又任用赵开经营财利,推行榷盐榷茶和隔槽酒法,法纪苛刻又特别琐细,与百姓结下深深怨恨,西蜀之地没有灭亡实是侥幸。凡是朝廷所任命的监司郡守到任,张浚往往不准上任,一定要通过自己所任命的官才得以赴任。张深因为年老乞求退休,张浚却命令他每隔五天要到宣司办事,这种事例出自哪里!更有甚者擅自任意赦免宽宥罪犯,一年就有好几次,自古以来有随机自行处置事宜权力的人也没有像这样专横的。湖南、湖北并非张浚管辖权限内的地方,张浚却派遣李允文、王以宁,让他们也借随机处置的权力,任意生杀,于是使湖南、湖北两路混乱不堪。如此败坏政事而还朝,却不知道自己有罪,还发文命令修治私家府宅,张浚难道认为枢密院的权力是自己家中之物吗?既受朝廷召回,却尽量搜刮四川的财物后才走,还敢托言挪取随军钱物供给解潜、程昌寓,想以此邀功,难道不知道这些钱物是从哪里来的吗?还朝时沿路向荆、峡各州下发公文,要求置办箭及箭杆各数百万支;又说如果难以置办,应立即将原因回报给他,这是只想到自己升官进职,却不体怜百姓财力的困顿。张浚刚得知免去他的官职时,又拖延不上路,中途又疑虑而提出请求,企图等到到潭州,道路上没有危险后才到朝廷,最近又上奏请求到衢州留驻几天修治器甲,现在听说中书宰相虚位缺人,到了衢州后只过了一天就赶路,星夜兼程,不再留滞,为何先前缓慢而后来又紧急呢?"奏疏进入殿中,没有批复。

一天前,辛炳紧急要求奏对,议论说:"张浚为黄潜善所知遇,从兴元府的曹官,一两年间就被提拔为侍从官。等到金人有窥取江南的意图,张浚却避祸远离而去,率领一时小人刘子羽、程唐等人,索求聚敛钱财,使四川骚动不安。陛下当初允许张浚自行斟酌升降官吏,是因为军事在远方,不想从中干预。张浚就随意设立招贤馆,比照龙图阁的命令,用妇人的尊称给参议官的妾封号。陛下曾经派遣宫廷使臣去抚劳慰问,张浚却给他们加官进秩,慰劳他们的远道而来,他是狂妄到了极点。陛下派遣郎官召他还朝,张浚却拖延行程,到了鼎州、澧州之间,擅自差遣抚谕官骚扰抚州县。他的所作所为到了如此地步,希望陛下罢免张浚,明正典刑,作为对人臣专横跋扈的戒鉴。"

张浚到了行在,高宗诏令张浚的随行军马,交付神武中军统制杨沂中,所携带的钱物一律隶属于内藏建立封桩激赏库。张浚见了高宗后,就到枢密院处理事务。

三月,辛亥朔(初一),川陕宣抚司都统制吴玠在仙人关击败金人。

起初,金国右都监宗弼连续苦战未决胜负,吴玠在远处与宗弼相见。宗弼派人喊话道:"赵氏已经衰落,不可扶持;您如果能来,一定选择好地百里封您为王。"吴玠道谢说:"我已经事奉赵氏,不敢有二心。"

金人派遣生兵一万余人攻击吴玠军营的左侧,吴玠分兵将敌人击退,金人大怒,拥众兵攻城。吴玠派遣统制官杨政率领刀枪手深入敌阵,统制官吴璘用刀画地,对各将说:"要死就死在这里,敢退者斩!"金军分成两个军阵,宗弼列阵于东,将军韩常列阵于西,宋军苦战很久,于是退守第二道关口。当时军中很有异议,企图另外选择险要的地形据守,吴璘说:"刚交战就退却,是不战而退却。我料定敌人不久就要逃走了。"杨政也对吴玠说:"此地是蜀中要塞,死也不能丢失,应当派强弩手防守,敌人不敢放弃此地而去进攻仙人关。"吴玠依从了他的意见。

金兵进攻第二道关口,士兵每人都穿有两副铠甲,铁刃相连,鱼贯而上。吴璘督促士兵死战,箭如雨下,金兵踩着死者身体而登上。完颜杲骑在马上向四野观察很久,说:"我们得到此地了!"第二天,命令各军合力进攻宋营的西北楼,统领官陇干人姚仲登楼死战,楼已倾斜,姚仲用帛结成绳,将楼拉正;金兵用火焚烧楼柱,姚仲取酒来扑灭火。吴玠又派杨政与统领官田晟率领精锐士兵手拿长刀大斧攻击金兵的左右,夜晚,在四周山上放火,随后大声擂鼓。壬子(初二)夜里,军营中宋军大批出动,派右军统领王庆及王武等各将分别举紫色旗白色旗冲入金营中,金兵惊恐溃败,将军韩常左眼被射伤,敌人支持不住,于是引军连夜逃走。右军统制张彦袭取横山寨,斩杀敌首千余级,吴玠派遣统制官王浚在河池设下埋伏,扼住敌人的归路,再次打败敌人。

这次战役,金人决意要进入蜀地,自完颜杲以下,都全家出动;既然吃了败仗,就回到凤翔,授给士兵田地,作长久打算,从此不再谋图入蜀了。

金人开始进入的时候,吴玠传檄召金房镇抚使王彦、熙河路总管关师古前来支援;关师古已经反叛,王彦也没有到来,只有绵、威、茂、石泉军安抚使刘锜率领所部来会合。吴玠听说关师古反叛后,收编他的部下,发给丰厚的给养,因此吴玠的军队更加精锐强大了。

戊午(初八),端明殿学士、江南西路制置大使赵鼎被任命为参知政事。当时赵鼎已被召还朝但没有到达。

壬戌(十二日),参知政事、同都督江、淮、荆、浙诸军事孟庾从镇江到行在。

癸亥(十三日),侍御史辛炳被任命为试御史中丞,中书舍人唐辉被任命为试左谏议大夫。

礼部侍郎兼侍讲、权学士院陈与义上言:"明堂的祭礼,有汉武的汾上之制,绍兴元年,实际上已经施行。如果再施行,适合今天的事情,不要违背古代典章礼制。"太常丞詹公荐、博士刘登也上言："古时帝王巡幸，假如不是泰山封禅告成，没有举行郊祀典礼的。今年如果将做明堂祀礼，实在是符合时变的意义。但是绍兴元年，只设置了天地祖宗四个牌位，不曾设置皇祐时设过的百神牌位。议论者怀疑郊祀与明堂祀礼应当分别举行。"高宗于是命令有关官吏将明堂典礼逐条报奏朝廷。

乙丑(十五日)，检校少保、奉国军节度使、知枢密院事张浚被罢免，改任资政殿大学士、左通奉大夫、提举临安府洞霄宫。

当时辛炳、常同不断论劾张浚，高宗不听。二人于是抄录所上的四份奏章送给张浚，张浚感到惧怕，立即称病待罪，而且把吕颐浩在宰相任职时的信呈上，高宗才消除疑虑。辛炳又上言："以前的人臣，没有像张浚那样专横跋扈、僭越职权、专权恣意误国、欺君慢上的。张浚兼有多种罪恶，希望早日赐他放逐贬谪。"常同也像辛炳一样论奏，所以张浚才被罢免，不久，贬谪张浚到福州居住。

癸酉(二十三日)，龙图阁直学士、湖州知州汪藻呈上所编撰的《元符庚辰以来诏旨》二百卷，高宗诏令送交史馆。

夏季，四月，庚辰朔(初一)，朝廷授予吴玠定国军节度使、川陕宣抚副使。吴玠由于任宣抚副使，于是提高节度使等级、增加恩典，高宗赐给他御用战袍、器甲，而且赐给亲笔信说："朕恨关山险阻道路遥远，不能亲抚您的背！"

吴玠一向不做威严之态，既任宣抚副使，依然平易如故。经常背着手步行而出，与军士站着说话，有幕客说："如今大敌不远，怎么知道没有刺客？万一出现意外，岂不是上辜负朝廷的委任意图，下对不住军民的希望吗？"吴玠道谢说："正如您所说。然而吴玠我的用意并不在此。国家不知道吴玠的不肖，派我做宣抚，我恐怕军民之间有冤屈压抑无处申告的，被守门的官吏所阻隔，没有途径表达自己的愿望啊。"幕客听后心服。

癸未(初四)，宝文阁直学士、宣抚处置使参议官刘子羽，受处责降任单州团练副使、白州安置；宝文阁学士、宣抚处置使参议官程唐，被免去贴职，改任提举江州太平观，本州居住。

丙戌(初七)，吴玠与金兵作战，打败敌人，于是收复凤、秦、陇三州。

戊子(初九)，神武左副军统制李横，因为襄阳失守，在国都城门待罪，高宗下诏免罪。

李横与蔡、唐州、信阳军镇抚使牛皋，商、虢州镇抚使董先，从南昌随赵鼎前往行在，高宗诏令调他们的军队一万五千人隶属于神武右军都统制张俊。牛皋见到高宗，乘机陈述刘豫必定灭亡的道理，中原能够收复的计策，于是命令牛皋再去江州，听由岳飞节制。

庚寅(十一日)，设置挈生牧马监于临安府。

庚子(二十一日)，高宗诏令江东宣抚使刘光世派遣军队巡边。

起初，襄阳已被伪齐将领李成占据，川、陕的道路断绝，湖、湘的百姓也不安居。朱胜非上言："襄阳上流，是吴、蜀的屏障，我若占有它，进攻则可以胁迫敌贼，退守则可以保卫国境。如今却沦陷于敌手，应当首先攻取。"高宗说："现在就可以商议，就委交给岳飞怎么样？"参知政事赵鼎说："熟悉上流利害的，没有谁比得上岳飞。"赵鼎于是上奏让淮东宣抚使韩世忠率领一万人驻扎泗上作为疑兵；命令刘光世挑选精兵从陈州、蔡州出发，两支军队的势力几乎相连接。

癸卯(二十四日)，谏议大夫唐辉上言："臣见川陕宣抚司的捷报又来了，说敌人全部退走。臣窃思金人来的时候，拥兵十多万，是想必得四川。然而刚派使臣来议和却发兵进攻，这是金人一贯的计谋。李成在襄阳,大概是与川、陕的金兵内外结合,金兵现在川、陕不得志,必定会与李成的军队会合,或许侵犯荆南,或许窥取淮甸,必定不肯一战罢休。希望陛下告谕各帅,整顿军旅,远设警戒,严加防备,这才是最善之策。朝廷对于上流及淮甸,应当讲求用以战守的计策,尤其不可延缓。"于是高宗命令三省、枢密院讲求战守之策,还写成文书发给沿江各帅令严加防备。

丁未(二十八日),将忠锐第一将隶属于神武军。当初,崔增跟从荆南制置使王瓕讨伐杨幺,与湖贼遭遇,力战而死,王瓕于是请求将他的军队隶属于自己统率,高宗予以批准。

这个月,金主抵达东京。

五月,辛亥(初二),直龙图阁、知建康府吕祉请求保存旧行宫作为便殿,高宗同意。

御史中丞辛炳上言:"臣看祖宗朝的宰相执政,人数较多,每有所实行设置,都在都堂聚会商议,互相参订可否后再执行。所以在仁宗皇帝时,虽然有西夏元昊的叛乱,而朝廷安然无事,这是因为韩琦、范仲淹等人同心协力的缘故。臣从各缙绅之中了解情况,他们都说以前圣上驻跸会稽时,还能听说大臣每天举行会议,有时一天三次,或一天四次。自从吕颐浩第二次任宰相,专权自私,除了会食时在一起外,都各自在阁屋签署文字,即使是军队的事情,差遣任命官吏等事,也有不在一起互相讨论做出决策。陛下正处于危难时机,天下没有安定,日理万机,都交给二三位大臣去办,有时也有横加妄议为害朝政的人,不久就将他罢免,就是要使庙堂之上同僚同心协力,互相帮助,一起辅助中兴大业。希望陛下诏令大臣体会圣上起早贪黑的意思,每一号令一经发出,每一个政事的施行,人才的进退,赏罚的劝惩,凡是有关国家利害的,必定商榷参订,审议出其中恰当可行的,然而上言于陛下而付诸实行,尽量恢复昔日的旧制,以继承古代君臣之间问答融洽的风气。所有议论既然已很和谐,自然不会违背出错。此事关系重大,希望陛下留意。"

壬子(初三),高宗下诏,将辛炳的意见写成文书下发给三省、枢密院。

川陕宣抚司上奏敌军从凤翔退走,高宗下诏将奏告写成文书发给沿江各帅、神武各军,而且发布榜文晓谕百姓。

甲寅(初五),江西制置使岳飞收复郢州。

起初,岳飞已经出师,高宗诏令淮西宣抚使刘光世调精兵一万余人援助岳飞,岳飞率领统制官王万等人从鄂渚赶赴襄阳,右仆射朱胜非许诺事成后授予节度使官秩,而且命令户部员外郎沈昭远前往总领军饷。参加政事赵鼎,请求高宗亲笔下诏给监司、帅守,向岳飞军提供军饷,不得有误。岳飞将要出发,命令士兵不得残害百姓,做到禾苗庄稼秋毫无犯。岳飞于是率领军队进攻襄阳,军声大振。

乙卯(初六),高宗下诏说:"荆、浙、江、湖有边报往来的州军,都设置传递文书的驿站,每隔二十里设置一铺,增加传递兵五人,每日增加饭钱,每月轮换一次。文书传递延压有误,按照传递金字牌法论处。提举官要经常切实地检查。"

辛酉(十二日),淮东宣抚使韩世忠上奏,本军统兵官武功大夫、贵州刺史刘光弼乞求提升职务,高宗对辅臣说:"刘光弼必定是刘光世的本家,此事不予便利,恐怕引起刘光世的疑虑。"

韩世忠与刘光世不断发生摩擦,这时韩世忠从扬州还朝;殿中侍御史常同上言:"韩、刘二臣承蒙陛下的厚恩,如果不能同心协力报效国家,一旦有紧急军事,怎么肯互相援救!希望分清是非,正明刑典,以振纪纲。"高宗将常同的奏章给他们二人看。另一天,带御器械刘光烈请带御器械韩世良吃饭,韩世良拒绝了他,韩世忠见了高宗,谈及此事,高宗说:"韩世良等人是内诸司官,如有不和,可以罢免其中一个。至如大将,是国家的利害之所在,东汉时贾复、寇恂因为私愤差点动武,汉光武帝一言相劝,他们就交友而去。你与刘光世不和,议论的人都说是朝廷缺乏驾驭臣下之术,朕很惭愧。"韩世忠顿首请罪,说:"臣不敢奉承陛下的诏令。以后见到刘光世,我应当负荆请罪。"高

岳飞坐像

宗将他的话晓谕辅臣,但是二人最终没有和解。于是刘光弼改任夔州路兵马都监兼知黔州,仍在军中服务。

甲子(十五日),参知政事孟庾被任命兼权枢密院事。

甲戌(二十五日),国子监丞王普呈上明堂典礼不适当的事例十二条:其第二条是先献牛,后献羊、猪;其第三条是尊罍的数目;其第四条是,升祠祭法酒于内法酒之上;其第六条是,礼官的冠冕服饰,旧制是从七旒以下,共三等,现在增加到四等;其第七条是,皇帝未时后到斋室,若不是三日斋的意思,请求改在黎明时刻;其第八条是,行事官致祭时,不要给酒;其第九条是,让侍中、中书令等侍立等待阁门官;其第十条是,设席、升烟、奠册,不要用散吏;其第十一条是,乐曲先制谱,后撰词,不对,请按词谱曲;其第十二条是,皇帝还位,应当歌大吕来替代黄钟;高宗全都表示同意。其一,请用玉爵换陶匏;其五,说《三礼图》祭器制度不合古礼,请用政和年间的新礼改造;这两条都没能实行。

高宗诏令:"神武右军选择精锐军马三千人戍守虔州,专门处置虔州、吉州一带的盗贼,暂听江西帅司节制。"先前岳飞出师,已经攻破贼首钟十四等十余寨,至此时钟十四的党徒周十隆等人不断出没,于是命令将官赵禅、李升率领所部前往讨伐。

这个月,江南西路、舒州、蕲州、黄州、复州、汉阳军、德安府制置使岳飞引兵收复襄阳府。起初,伪齐将领李成听说郢州失守,于是放弃襄阳而逃,岳飞进军据守,于是收复唐州。

六月,乙未(十七日),给事中胡交修被任命为试尚书刑部侍郎。

太白星在白天出现,经过天空。

戊戌(二十日),高宗诏令:"神武军、神武副军统制、统领官一同隶属于枢密院。"

辛丑(二十三日),高宗诏令:"祖宗的正史、实录、宝训、会要,命令史馆各抄二本,一本

进入内殿,一本交付秘阁。"

丙午(二十八日),高宗对宰执大臣说:"岳飞已经收复襄阳、郢州,尼玛哈得知后必然发怒,何况现在正是六月下旬,正好可以讲求防秋,假如敌人还敢南来,朕应当亲自率领各军迎敌。如果再作渡海的计划以远避敌人,怎么能够立国呢!"

权尚书吏部侍郎刘岑改任户部侍郎。

这个月,江西制置使岳飞收复随州。

起初,岳飞命令前军统制张宪率领军队攻打随州,一个多月都没有攻下。神武后军中部统领兼制置司中军统制牛皋请求前往,于是携带三天的军粮出发,众人都笑他,但结果粮食没完而城已被攻克,并生擒伪齐随州知州王嵩押送襄阳府,在街市上将王嵩车裂。岳飞收复襄阳、郢州,选锋军统制董先很有功劳。董先、牛皋都久在京西,所以岳飞任命他们为将。

火星进犯南斗。

这年夏季,金都元帅宗翰、右监军希尹从云中到白水泊,左副元帅宗辅从燕山到望国崖,左监军完颜昌从祁州到麻田大岭避暑。宗翰、希尹不久入见金主,右都监宗弼从凤翔回到燕山府,率领宗辅去相会。将西京枢密院迁到归化州。

先前刘豫送书信给金元帅府说:"徐文一队人马久在海中,尽知江南利害。徐文说:'宋主在杭州,其候潮门外钱塘江内有船二百艘,宋主初次逃入大海时就是从这里上船的。过钱塘江,另外有河入越州,向明州定海口曲折而去是昌国县,这个县在海中,是宋人聚积船只粮食的地方。现在大军可以先到昌国县攻取船只粮食,然后直奔明州城下夺取宋主的御船,直抵钱塘江口。现在从密州上船,顺乘风势,五天五夜就可以抵达昌国县;如果风势稍缓,十天十夜或半个月就可达到了。'"这时,各将会议商讨,宗翰坚持可以伐宋,宗弼说:"江南地方卑湿,如今人马困乏,粮储不足,恐怕不能成功。"宗翰说:"都监只想偷安吗!"宗辅也对刘豫所说的认为不可行。后来的结果正如宗弼所言。

续资治通鉴卷第一百一十四

【原文】

宋纪一百十四　起阏逢摄提格【甲寅】七月,尽十二月,凡六月。

高宗受命中兴全功至德　圣神武文昭仁宪孝皇帝

绍兴四年　金天会十二年【甲寅,1134】　秋,七月,戊申朔,吏部尚书兼侍讲胡松年充端明殿学士、签书枢密院事。

徽猷阁待制、知临安府梁汝嘉试尚书户部侍郎兼知临安府。

己酉,龙图阁学士、知镇江府沈与求复为吏部尚书。

建昌军乱,杀知军事、左朝请郎刘滂。

建昌兵素骄,邀取无艺,滂以法裁之。及是市肆聚博,群卒掠取不从,遂毁撤其肆,殴伤其人,滂杖而责偿之,众愤。兵马监押沈敦智以俸缗代偿,且以言激众,军士修达、饶青等相与作乱,杀滂及其家,通判军事张械、判官赵不停皆死。贼遂胁寓居左中大夫、提举亳州明道宫张义叔权军事,尽刺强壮为兵,欲纵掠傍郡,义叔谕止之,乃婴城自守。

滂,东阳人,尝为太常博士,用近臣詹义、汪藻、李公彦荐,守建昌军,及是遇害。

癸丑,水贼杨钦攻鼎州杜木寨,破之。

时折彦质自湖南报制置使王璞,以为贼三不可招。璞乃遣兵践其禾稼,贼乘大水攻寨,破之。中训郎、鼎州游奕将许筌为所杀,官军死者不可胜数,贼愈增气。

乙卯,祠部员外郎范同言:“师克在和。大抵刚果豪健之士,以气相高,始由小嫌,浸成大衅。然古之贤将,急公家,弃私仇,舍怨忘愤,终成令名者,盖不乏人。陛下拔用才杰,礼遇勋贤,备极荣宠,固将凭藉忠力,扫除腥秽,一清寰宇,恢复祖宗之业。而道途窃议,以为将帅忘辑睦之义,记纤介之怨,或享高位而忌嫉轧己,或恃勋劳而排抑新进。审如是,它日必有重贻圣虑者。欲望明示至意,及其细微,易于改图,使之视春秋诸卿以为戒,追汉、唐名将而踵其迹,岂惟社稷是赖,而勋名宠位,尤享始终,亦陛下保全之德也。”诏札与诸将帅。先是刘光世、韩世忠久不叶,而岳飞自列校拔起,颇为世忠与张俊所忌,故同及之。

甲子,江西、安、复等州制置使岳飞复邓州。

时李成既遁去,与金、齐合兵,屯邓州之西北。飞遣统制官王贵出光化,张宪出横林,前二日至城下。成兵来战,统制官董先出奇要击,大败之。成党高仲入城据守,将士蚁附而上,遂克之。飞移屯德安府。

丙寅,神武右军统领官赵详等引兵入建昌军,执叛兵,诛之。

先是朝廷命详自虔州进兵,而江西制置使胡世将亦遣左朝请大夫、本司参议官侯悫、中军统领官邱赟与之会。前一日,悫等至城下,权军事、左中大夫张義叔遣叛兵刘净等就招。翼日,军中胁从者六百馀人解甲出城,其首谋犹不出。悫等纵兵入城,贼败走,追杀五百馀人。时降者尚怀反侧,悫尽诛之。既而義叔待罪于朝,士民言其有抚定之劳,乃诏放罪。于是叛兵所掠金帛子女,多为悫所取而去。

辛未,龙图阁学士、枢密都承旨章谊、给事中孙近使金国还,入见。

初,谊等至云中,与都元帅宗翰、右监军希尹论事,不少屈。金人谕令亟还,谊等曰:“万里衔命,兼迎两宫,必须得请。”乃令金吾卫上将军萧庆受书。

初,谊等之行,论李永寿所需三事,金人互有可否,独画疆一事未定。而宗翰答书,又约以淮南毋得屯驻军马,盖欲画疆以益刘豫也。

谊等还,至睢阳,为豫所留,以计得免。帝嘉劳久之。

乙亥,龙图阁学士、枢密都承旨章谊试刑部尚书,给事中孙近试尚书吏部侍郎兼直学士院。

执政进呈赵详已平建昌叛兵,帝曰:“官兵既入城,宁免玉石俱焚?”赵鼎进曰:“未必敢肆杀戮,恐须劫掠耳。”帝愀然不悦曰:“斯民无辜,遽遭此祸,其令有司优恤之。”

丁丑,刘豫闻岳飞复襄阳,遣使乞师于金主以求入寇,金主以方遣韩肖胄、章谊来聘,未可起兵。齐奉仪郎罗诱上南征议于豫,豫大悦,以诱为行军谋主。

是月,豫调登、莱、沂、密、海五郡军民之兵二万人,屯密之胶西县,集民间之舟大小五百,装为战舰,以其邻门宣赞舍人、知密州刘某充都统领,叛将徐文为前军,声言欲袭定海县。

八月,戊寅朔,宗正少卿兼直史馆范冲入见,帝云:“以史事召卿。两朝大典,皆为奸臣所坏,若此时更不修定,异时何以得本末!”冲因论熙宁创制,元祐复古,绍圣以降,弛张不一,本末先后,各有所因,不可不深究而详论。帝云:“如何?”对曰:“臣闻万世无弊者道也,随时损益者事也。祖宗之法,诚有弊处,但当补缉,不可变更。仁宗时,大臣如吕夷简之徒,持之甚坚;范仲淹等初不然之,议论不合,遂攻夷简,仲淹坐此迁谪。及仲淹执政,犹欲伸前志,久而自知其不可行,遂已。王安石自任己见,尽变祖宗法度,上误神宗,天下之乱,实兆于此。”帝曰:“极是。朕最爱元祐。”帝又论史事,冲对:“先臣修《神宗实录》,大意止是尽书王安石过失,以明非神宗之意。其后蔡卞怨书其妻父事,遂言哲宗绍述神宗,其实乃蔡卞绍述王安石也。至《哲宗实录》,亦闻尽出奸臣私意。”帝曰:“皆是私意。”冲对:“未论其它,当先明宣仁圣烈诬谤。”帝曰:“正当辨此事。本朝母后皆贤,前世莫及。道君皇帝圣性高明,乃为蔡京等所误。当时蔡京外引小人,内结阉官,作奇伎淫巧以惑上心,所谓逢君之恶。”冲对:“道君皇帝止缘京等以绍述二字劫持,不得已而从之。”帝曰:“人君之孝,不在如此,当以安社稷为孝之大。”帝又论王安石之奸曰:“至今犹有说安石是者。近日有人要行安石法度,不知人情何故直至如此!”冲对曰:“昔程颐尝问臣,‘安石为害于天下者何事?’臣对以新法。颐曰:‘不然。新法之为害未为甚,有一人能改之即已矣。安石心术不正为最大。盖已坏天下人心术,将不可变。’臣初未以为然。其后乃知安石顺其利欲之心,使人迷其常性,久而不知自此,所谓坏天下人心术。”帝曰:“安石至今岂可尚存王爵!”

庚辰,御札:“参知政事赵鼎知枢密院事,充川陕宣抚处置使。”

戊子,赵鼎改都督川、陕、荆、襄诸军事。先是鼎因奏事言:“臣今于所行,与吴玠为同事,或当节制之邪?"帝悟,故有是命。

己丑,赵鼎开都督府治事。鼎奏以秘书省正字杨晨、枢密院编修霍蠡、太府寺丞王良存并充干办公事,从之。

辛卯,殿中侍御史张致远言:"广东循、惠、韶、连数州,与郴、虔接壤,自邻国深入,残破无馀。今则郴寇未残,韶、连疲于守御,而广州之观音,惠州之河源,循州之兴宁,千百为群,绯绿异服,横行肆掠,以众为强。吴锡既还,湖南韩京素称怯弱,海荒迥远,奏报稽时。臣闻朝廷遣赵详一军招捕虔寇,因降德音,开其自新之路。广东与虔,犬牙错境,今号魁首,多是虔人。愿推广于天恩,以抚绥于遐域,令(祥)〔详〕与京相为声援,谕虔守与广东帅审处事宜,得强梗而必诛,贷胁从而罔治,乘此军力,悉务讨平。仍严养寇之刑,虽去官不宥;大革相聚之弊,每先事而图。非惟良民不陷于非辜,庶几陛下得行于仁政。"从之。

乙未,左宣教郎、守尚书吏部员外(部)〔郎〕魏良臣为左朝散郎、充大金国军前奉表通问使,武德郎、邠门宣赞舍人王绘为武显大夫副之;仍命良臣假工部侍郎,绘假右武大夫、果州团练使。

诏以余杭县南上下湖地置孳生牧马监,命临安府守臣兼提举。每马五百匹为一监,牡一而牝四之,岁产驹三分毙二上下,皆有赏罚。

丙申,诏追王安石舒王告。

己亥,虔州兴国县南木寨周十隆等千六百人奉德音出降,江西制置司统领官毛佐、王赟、赵恕往受之。未成,官军掠其妇女;十隆惧,复与其徒奔突水南而去,遂掠汀、循诸州。

辛丑,给事中唐煇试尚书礼部侍郎,仍兼侍(郎读)讲。

壬寅,神武后军统制、充江南西路荆南制置使岳飞为清远军节度使、湖北路荆襄潭州制置使。

先是神武前军统制王𤦺,在湖北连年,不能讨贼。会岳飞复襄阳赏功,枢密院因言:"杨太等作过日久,先因张浚奏乞招安,特与放罪,许令出首,而迁延累月,终无悛心,理难容贷。𤦺出师逾岁,不能成功,与潭、鼎帅守每事忿争,不务协心,致一方受弊。"乃诏专委飞措画讨捕,仍令知鼎州程昌寓自上流进兵,湖南制置大使司遣马准、步谅两军听昌寓节制,荆南镇抚使解潜亦遣兵船约期进讨;命𤦺将所部还江州。飞时年三十二,自渡江后,诸将建节,未有如飞之年少者。

户部侍郎兼权临安府梁汝嘉奏:"明堂行礼殿成,乞提领官以次推赏。"帝曰:"朕爱惜名器以待战士,土木之功,岂当转官!但可等第支赏耳。"

九月,丁未朔,直徽猷阁、主管临安府洞霄宫富谟为江南西路转运副使,应副岳飞大军钱粮。

己酉,左中奉大夫、知开州耿自求为川、陕、荆、襄都督府随军转运副使,赵鼎所辟也。

荆南制置司统制官王概,以所部叛于鼎州之城外,西奔桃源县。庚戌,县寨统制官李皋遣小将龚亨率乡兵击败之。制置使王𤦺遣兵追至桃源,而概已死,乃责皋取败兵器甲,皋复责亨,亨亦随叛。会𤦺闻罢命,而知鼎州程昌寓念亨屡充选锋,勇而敢战,作手书招之,亨即复归。于是知鄂州程千秋遣准备使唤李宝入周伦寨,招安以归,诏以宝为进义副尉。昌寓又乞选辰、沅、靖州峒丁牌弩手三百人相兼使唤,从之。

庚申,命象州防御使士街朝享太庙神主于温州。

辛酉,合祀天地于明堂。起复尚书右仆射朱胜非为大礼使,惟不入殿门,它职如故。

初,绍兴宗祀止设天地祖宗四位,至是始设从祀神位四百四十三,用祭器七千五百七十一,(祭)〔登〕歌乐四十,祭服六十三,玉十,犊四,羊、豕各二十有二,分献官五十八,奉礼郎四,乐舞工共二百八十七,而五帝、神州地祇,帝不亲献,用崇宁礼也。始议设从祀诸神七百十一位,会议者请裁省,而礼官言:“十二阶三百六十位无神名,请每阶各设三十五位,每羊豕各二,正备一副,登歌之乐通作宫架之曲。”皆许之。又以祭玉不备,请除苍璧、黄琮外,依天圣故事用珉。既而得玉甚美,然尺寸不及礼经,乃命随宜制造。言者请如祖宗故事,权御台门肆〔赦〕。议裁省者,以为宫门地隘,仪卫不能容,乃止。宣赦于常御殿前,三卫班直、宿卫忠佐忠锐将兵、神武右军、中军七万二千八百馀人,共支钱二百三十一万馀缗。刘光世、韩世忠、岳飞、王燮四军,十二万一千六百馀人,共支钱二十八万馀缗。合内外诸军,二百五十九万馀缗,视元年明堂增支九十四万馀缗。而宰执、百官诸司给赐,以军兴权住。礼毕,大赦天下。

乙丑,诏:“三省、枢密院录黄、画黄,并依祖宗条例施行。”

先是侍御史魏矼言:“国家法度森严,讲若画一。凡成命之出,必先录黄;其过两省,则给、舍得以封驳;其下所属,则台谏得以论列;已而传之邸报,虽遐方僻邑,莫不如家至户晓;此万世良法也。臣窃闻近世三省、枢密院,间有不用录黄而直降指挥者,亦有虽画黄而不下部者;纪纲弛废,莫此为甚。欲望特诏三省、枢密院,常切遵守旧典,以示至公。遇两院御史诣省院检察日,除实系机密边事外,悉令取索点检,如有违戾,即具弹奏。自古人臣弄权罔上,固自有术,防微杜渐,得不慎哉!惟陛下留神省察。”故有是旨。

吏部员外郎魏良臣、邠门宣赞舍人王绘,辞往金国军前通问。帝曰:“卿等此行,不须与人计较言语,卑词厚礼,岁币、岁贡之类不须较。见尼玛哈,可为言宇文虚中久在金国,其父母老,日望其归,令早放还。又言襄阳诸郡皆故地,因李成侵犯不已,遂命岳飞收复。”良臣等出,遇神武右军都统制张俊来白事,俊为二人言:“有探报,金人大举,今过南京。”良臣等乞再对,不报。

初,刘豫既纳其臣罗诱南征议,乃遣知枢密院事卢伟卿见金主,具言:“宋人自大梁五迁,皆失其土。若假兵五万下两淮,南逐五百里,则吴、越又将弃而失之,货财子女,不求自得。然后择金国贤王或有德者立为淮王,王盱眙,使山东唇齿之势成,晏然无南顾之患,则两河自定矣。青、冀之地,古称上土,耕桑以时,富庶可待,则宋之微略,又何足较其得失!”金主命诸将议之。旋以宗辅权左副元帅,右监军昌权右副元帅,调兵五万人以应豫。又以右都监宗弼尝过江,知地险易,使将前军。宗辅下令:“燕、云诸路汉军,并令亲行,毋得募人充役。”

豫遂命其子伪诸路大总管、尚书左丞相梁国公麟领东西道行台尚书令,合兵南侵。始议自顺昌趋合淝,攻历阳,由采石以济。签军都制置使李成谓:“签民兵尽,除山东饷道辽远,又虑岳飞之军自襄阳出攻其背,不如沿汴直犯泗州,渡淮,以大军扼盱眙,据其津要,分兵下滁、和、扬州,大治舟楫,西自采石以攻金陵,南自瓜洲以攻京口,仍分兵东下,掠海、楚之粮,庶为大利。”于是骑兵自泗攻滁,步兵自楚攻承。

谍报至,举朝震恐。或劝帝它幸,议散百司,赵鼎独曰:“战而不捷,去未晚也。”帝用鼎计。

侍御史魏矼尝言:“陛下宵衣旰食,将大有为,而所任一相,未闻有所施设,惟知今日勘当，明日看详，今日进呈一二细事，明日启拟一二故人，政务山积于上，贤能陆沈于下，方且月一求去，徒为纷扰，宜亟从所请以慰公议。”先是右仆射朱胜非，因久雨乞行策免故事以消天变，又以馀服为请；章十二上，帝许以俟总章礼毕如所请，且有保全旧臣之谕。至是祀明堂已毕，胜非复求去，且论当罢者十一事，矼亦疏胜非五罪，由是得请。

鼎之为参预也，尝与诸将论防秋大计，独张俊曰：“避将何之？惟向前一步庶可脱。当聚天下兵守平江，俟贼退徐为之计。”鼎曰：“公言避非策，是也；以天下之兵守一州之地，非也。公但坚向前之议足矣。”鼎盖阴有所处，故每日留身陈用兵大计，帝意悟，又(俊密使)〔密使俊〕为之助。至是决意亲征，留鼎不遣入蜀，鼎奏用十月七日西行，许之。然帝方向鼎，已有命相之意矣。

戊辰，龙图阁学士、知静江府折彦质充川、陕、荆、襄都督府参谋官，不许辞避，用赵鼎奏也。

庚午，起复左宣奉大夫、守尚书左仆射、同中书门下平章事兼知枢密院事、监修国史朱胜非，解官持馀服，从所请也。

左宣教郎、主管江州太平观朱震守尚书祠部员外郎兼川、陕、荆、襄都督府〔详议官〕。

辛未，金人及刘豫之兵分道渡淮。壬申，知楚州、武功大夫、和州防御使樊序弃城去，淮东宣抚使韩世忠自承州退保镇江府。

癸酉，左中大夫、知枢密院事、都督川、陕、荆、襄诸军事赵鼎为左通议大夫、守尚书左仆射、同中书门下平章事兼知枢密院事。

初，鼎奏禀朝辞，帝曰：“卿岂可远去！当相卿，付以今日大计。”制下，朝士动色相庆。

甲戌，吏部尚书兼权翰林学士兼侍读沈与求为参知政事。

冬，十月，丙子朔，淮东宣抚使韩世忠奏金及刘豫之兵攻承州、楚州。帝谓辅臣曰：“朕为二圣在远，生灵久罹涂炭，屈己请和，而金复用兵，朕当亲总六军，临江决战。”赵鼎曰：“累年退避，敌情益骄。今亲征出于圣断，武将奋勇，决可成功。臣等愿效区区，亦以图报。”遂诏神武右军都统制张俊以所部往援世忠，又令淮西宣抚使刘光世移军建康，车驾定日起发。

丁丑，参知政事孟庾为行宫留守，从权措置百司(军)〔事〕务，仍铸印以赐。庾请即尚书省置司，行移如本省体式，合行事从权便宜施〔行〕，置降赐激赏公使库如都督府例。又请秘书省、史馆书籍，三省、枢密院诸部案牍，各差本司官一员，于深僻处收寄；大理寺、官告、审院、左藏、东西交引、度牒库、南北库、都茶、草料场官吏并留；太常、司农、太府寺、将作、军器监、进奏、文思院、杂买务并量行存留；宗正寺、国子监、敕令所、大宗正司、杂卖场，并令从便。庾又请留台官一员以警违慢，皆许之。庾乞辍留精兵三千人，分擘使唤，乃命留神武中军五百人及统制官王进一军，又令殿前马步军司及忠锐第五将、临安府将兵皆听庾节制。

戊寅，洪州观察使、权知濮安懿王国令士从乞徙神主、神貌往稳便州军安奉，从之。于是(观)〔亲〕贤宅宗子，绍兴府大宗正司，皆从便避兵矣。

己卯，太尉、定江、昭庆军节度使、神武右军〔都〕统制张俊为浙西、江东宣抚使。

淮东宣抚使韩世忠以所部至自镇江，复如扬州。初，帝闻金兵渡淮，再以札赐世忠，略曰：“今敌气正锐，又皆小舟轻捷，可以横江径渡浙西，趋行朝无数舍之远，朕甚忧之。建康诸渡，旧为敌冲，万一透漏，存亡所系。朕虽不德，无以君国子民；而祖宗德泽犹在人心，所宜深念累世涵养之恩，永垂千载忠谊之烈。”世忠读诏感泣，遂进屯扬州。

初,金兵渡淮,探者未得其实,以为来兵甚少。赵鼎曰:"金人前入我境,乃以我为敌国也,故纵兵四掠,其锋可畏。今行刘豫之境,犹即其国中也,故按队徐行,不作虚声,然亦不足深畏。"

庚辰,左朝请郎、主管江州太平观范振添差江南东路转运判官,右朝散大夫逢汝霖添差江南西路转运判官,应办移屯大军事务。

癸未,左通奉大夫、福州居住张浚为资政殿学士、提举万寿观兼侍读,不许辞免,日下起发。赵鼎言:"浚可当大事,顾今执政无如浚者,陛下若不终弃,必于此时用之。"故有是命。

诏沿海制置使郭仲荀兼总领海船。

丙戌,诏遣签书枢密院事胡松年先往镇江、建康府,与诸将会议进兵,因以觇敌情。帝曰:"先遣大臣,谕以朕意,庶几诸将贾勇争先。"沈与求曰:"真宗澶渊之役,先遣陈尧叟,此故事也。"

诏:"常程事并权住,俟过防秋取旨。"

殿中侍御史张致远言:"车驾总师临江,乞速降黄榜,(须)〔预〕行约束,每事务在简省,稍有配率,许人陈告;仍委侍从、台谏官觉察弹劾。"从之。

诏刑部尚书章谊、吏部侍郎兼直学士院孙近、户部侍郎刘岑、中书舍人王居正、右司谏赵霈、殿中侍御史张致远、右司员外郎王绪、枢密院检详诸房文字陈昂、吏部郎官汪思温、度支郎官李元瀹及诸司局官,并令扈从。吏部侍郎郑滋、礼部侍郎唐辉、刑部侍郎胡交修、起居舍人刘大中、监察御史张绚并留临安府。于是台臣检正、都司郎官,或往军前,或押案牍往傍郡收寄,在临安府才十馀人而已。

丁亥,降授右武大夫、和州防御使马扩复拱卫大夫、明州观察使、充枢密院都承旨。扩入对,遂有是命。翊日,赵鼎奏:"陛下用人如此,何患不得其死力!"帝曰:"扩知兵法,有谋略,不止于斗将而已。"孟庚因奏以扩兼留守司参议官。

戊子,胡松年辞行。

时淮西宣抚使刘光世密遣属官告赵鼎曰:"相公本入蜀,有警乃留,何故与它人负许大事?"鼎恐帝意移,复乘间言:"今日之势,若敌兵渡江,恐其别有措置,不如向时尚有复振之理。战固危道,有败亦有成,不犹愈于退而必亡者乎?且金、齐俱来,以吾事力对之,诚为不侔,然汉败王寻,晋破苻坚,特在人心而已。自诏亲征,士皆贾勇,陛下养兵十年,正在一日。"由是浮言不能入矣。

参知政事沈与求兼权枢密院事。

太常寺请车驾所过十里内神祠及名山大川,并遣官致祭,从之。

严州桐庐县进士方行之献家财七千缗助军,户部乞许行献纳,依例补官,从之。

淮东宣抚使韩世忠邀击金人于大仪镇,败之。

初,奉使魏良臣、王绘在镇江,被旨趋行,乃以是月丙戌渡江,丁亥,至扬子桥,遇世忠,遣使臣督令出界。时朝廷已知承、楚路绝,乃连伪界引伴官牒付良臣等,令于阻截处照验,又令淮东帅司召募使臣,说谕承、楚州令放过奉使。良臣等至扬州东门外,遇先锋军自城中还,问之,云相公令往江头把隘。入城,见世忠坐谯门上,顷之,流星庚牌沓至,世忠出示良臣等,乃得旨令移屯守江。世忠留食,良臣等辞以欲见参议官陈桷、提举官董旼,遂过桷等共饭。世忠遣人传刺谢良臣、绘,且速桷等还。桷、旼送二人出北门,绘与桷有旧,驻马久之,以老幼为托。晚，宿大仪镇。

翼日，行数里，遇金骑百十控弦而来，良臣命其徒下马，大呼曰："勿射，此来讲和。"敌乃引骑还天长，问："皇帝何在？"良臣对曰："在杭州。"又问："韩家何在？士马几何？"绘曰："在扬州，来时已还镇江矣。"又曰："得无用计，复还掩我否？"绘曰："此兵家事，使人安得知！"去城六七里，遇金将聂呼贝勒，同入城，问讲和事。且言："自泗水来，所在州县，多见恤刑手诏及戒石铭，皇帝恤民如此。"又问："秦中丞何在？"绘答以"今带职奉祠，居温州"。又言："尝作相，今罢去，得非恐为军前所取故耶？"绘曰："顷实居相位逾年，坚欲求去，无它也。"又问："韩家何在？"良臣曰："来时亲见人马出东门，望瓜洲去矣。"绘曰："侍郎未可为此言。用兵，讲和，自是二事。虽得旨抽回，将在军，君命有所不受。还与不还，使人不可得而知也。"

初，世忠度良臣已远，乃上马，令军中曰："视吾鞭所向。"于时引军次大仪镇，勒兵（马）〔为〕五陈，设伏二十馀处，戒之曰："闻鼓声，则起而击敌。"聂呼贝勒闻世忠退军，喜甚，引骑数百趋江口，距大仪镇五里，其将托卜嘉拥铁骑过五陈之东，世忠与战，不利，统制呼延通救之，得免。世忠传小麾鸣鼓，伏者四起，五军旗与金旗杂出，金军乱，弓刀无所施，而南师迭进，背嵬军各持长斧，上揕人胸，下捎马足，敌全装陷泥淖中，人马俱毙，遂擒托卜嘉。世忠又遣董旼兵往天长县，遇金人于鸦口桥，擒四十馀人。

己丑，（礼部尚书）〔尚书礼部〕侍郎唐辉兼权兵部侍郎。

金人围濠州。

淮东宣抚使前军统制解元与金人战于承州，败之。

初，金人至近郊，元知之，逆料金人朔日食时必至城下，乃伏百人于路要之，又伏百人于城之东北岳庙下，自引四百人伏于要路之一隅。令曰："金人以高邮无兵，不知我在高邮，必轻易而进。俟金人过，我当先出掩之，伏要路者见我麾旗，则立帜以待。金人进退无路，必取岳庙走矣，果然，则伏者出。"又密使人伏樊良，俟金人过，则决河岸以隔其归路。时金人果径趋城下，元密数之，有一百五十骑，乃以伏兵出，麾旗以招伏要路者，伏兵皆立帜以待。金人大惊，遂向岳庙走，元率兵追之，擒一百四十八人，战马器械皆为元所得。

初，聂呼贝勒既败归，召奉使魏良臣等至天长南门外。良臣等下马，金骑拥之而前。聂呼愤甚，脱所服貂帽，按剑瞋目谓曰："汝等来讲和，且谓韩家人马已还，乃阴来害我！"诸将举刃示之，良臣等曰："使人讲和，止为国家。韩世忠既以两使人为饵，安得知其计？"往返良久，乃曰："汝往见元帅。"遂由宝应县用黄河渡船以济。

右副元帅昌遣接伴官团练使萧揭禄、少监李聿兴来迓。聿兴见良臣，问："所议何事？"良臣曰："此来为江南欲守见存之地，每岁贡银绢二十五万匹两。"绘云："见存之地，谓章谊回日所存之地。"聿兴又云："兵事先论曲直，师直为壮。淮南州县，已是大国曾经略交定与大齐，后来江南擅自占据；及大兵到来，又令韩世忠掩其不备。"良臣等云："经略州县事，前此书中初未尝言及，止言淮南不得屯兵，本朝一如大国所教。"聿兴云："襄阳州县，皆大齐已有之地，何为乃令岳飞侵夺？"良臣云："襄阳之地，王伦回日系属江南，后李成为刘齐所用，遂来侵扰。又结杨么，欲裂地而王之。江南恐其包藏祸心，难以立国，遂遣岳飞收复，即非生事。"聿兴云："元帅欲见国书。"遂以议事、迎请二圣二书授之。揭禄又问："秦中丞安否？此人原在此军中，煞是好人。"良臣等对如初。聿兴再云："奈何更求复故地？"绘云："以中间丞相惠书有云：'既欲不绝祭祀，岂肯过为吝爱，使不成国。'是以江南敢再三恳告。若或不从，却是使不成国。"聿兴云:"大齐虽号皇帝,然只是本朝一附庸,指挥使令,无不如意。"又云:"此去杭州,几日可以往回?"绘云:"星夜兼程,往回不过半月。"聿兴曰:"昨日书,元帅已令译字,一二日可得见矣。"

庚寅,诏信安郡王孟忠厚迎奉泰宁寺昭慈圣献皇后御容往稳便州军安奉。

壬辰,定国军承宣使、秦凤路马步军副都总管、知秦州兼节制阶、文州统制军马吴璘为熙河兰廓路经略安抚使、知熙州、统制关外军马,明州观察使、环庆路马步军副都总管兼知庆阳府杨政为环庆路经略安抚使、知庆阳府、同统制官关外军马兼节制成、凤、兴州,用宣抚使奏也。关师古之叛也,其所部阶、成二州犹在,故命璘分领之。自富平败后,五路之地悉属伪齐,经略使虚名而已。

癸巳,江东、淮西宣抚使刘光世引军屯建康府。

甲午,尚书户部侍郎刘岑兼工部侍郎,中书舍人王居正兼礼部、兵部侍郎。

初令江、浙民悉纳折帛钱,用户部侍郎梁汝嘉请也。

是时行都月费钱百馀万缗,且拨发军马,财无所出,故令民输绸全折,输帛者半折见钱,每匹五千二百省,折帛钱自此益重。汝嘉等又请江、浙丝并折见钱,绵半折钱,诸路各委漕臣一员,计纲起发赴行在。

遣侍御史魏矼往刘光世、监察御史田如鳌往张俊军前计事。

是时光世军马家渡,俊军采石矶,帝命趋二人往援韩世忠,而光世等军权相敌,且持私隙,莫肯协心。矼至光世军中,谕之曰:"彼众我寡,合力犹惧不支,况军自为心,将何以战!为诸公计,当减怨隙,不独可以报国,身亦有利。"光世意许,矼因劝之移书二帅以示无它,使为掎角。已而二帅皆复书交致其情,光世遂以书奏于帝。于是光世移军太平州。

丙申,金人破濠州,守臣邠门宣赞舍人寇宏弃城走,右宣教郎、通判州事国奉卿为所杀。

先是宏率军民城守,城中兵少,大率以三人当一〔女〕头,军民与僧道相参,每十人为一甲,不得内顾。每一慢道,以二长刀监守,无故上下者杀之。宏昼夜巡行城上,北军以冲车、云梯攻城,作铁锤,上施狼牙钉,有沿云梯而上者,槌击之,头鍪与脑俱碎,尸积于城下,而北军来者不止,凡八昼夜不休。宏知不可为,乃开北门,弃妻子,携老母与寡嫂弃城而去,士卒从之者七十馀人。宏之出也,声言发舟,欲以计破敌。奉卿信之,既而乃知欲为遁计,已登舟,不可入城矣。奉卿尤宏曰:"何不明言于我,携一妾两子,而弃之死地耶?"宏以奉卿为怨己,遂杀之。后以死事闻,赠官与荫。宏既去,权兵马钤辖丁成自南门投拜,兵马都监魏进自东门投拜。金人问:"宏家属何在?"成曰:"偕去矣。"已而闻为成所匿,遂斩成于市,取宏、奉卿家属置于军中,以其将赵荣知州事。

初,敌围城急,将官杨照跃上角楼,以枪刺敌之执黑旗者,洞腹抽肠而死,照俄中流矢死。统领官丁元与金人遇于十八里洲,金人围之,元大呼,告其徒以毋得负国,于是一舟二百人皆被害,无得免者。事闻,并赠承信郎,录其子云。

丁酉,执政进呈车驾进发顿宿次序。帝曰:"朕奉己至薄,况此行本以安民,岂可过为烦扰!又恐州县以调夫修治道路为名,并缘为弊。"赵鼎曰:"朝廷累行约束,丁宁备至。"沈与求曰:"诸将之兵分屯江岸,而敌骑遝巡淮甸之间,恐久或生变,当遣岳飞自上流取间道乘虚击之,敌骑必有反顾之患。"帝曰:"当如此措置,兵贵拙速,不宜巧迟,机事一失,恐成后悔,宜速谕之。"

戊戌，帝登舟，发临安府，奉天章阁祖宗神御以行，主管殿前司公事刘锡、神武中军统制杨沂中皆以其军从。帝不以玩好自随，御舟三十馀艘，所载书籍而已。帝既发，乃命六宫自温州泛海往泉州。晚，泊临平镇。

刘光世乞与韩世忠均支钱粮。帝曰："诸将之兵，用命则一，其所支钱粮，岂容有异！此皆吕颐浩不公之弊。"赵鼎曰："朝廷举措既当，诸将自服。今不公如此，必致纷纷。乞下光世会合得钱米之数然后行。"沈与求曰："岂唯钱粮，至于赏罚亦然。惟至公可以服天下，故赏则知劝，罚则知畏。"帝曰："大臣不公，何以服众！"鼎曰："苟为不公，则赏虽厚，人不以为恩，罚虽严，人不以为威。"帝曰："朕亲总六师，正当公示赏罚。"

己亥，帝次崇德县。韩世忠遣翊卫大夫、宣州观察使、本司提举一行事务董旼，右朝奉郎、直秘阁、本司参议官陈桷，以所俘金兵一百八人献行在，因言承州陈殁人，乞厚加赠，帝蹙然曰："使人死于锋镝之下，诚为可悯。可令收拾遗骸，于镇江府择地埋瘗，仍岁度童行一名照管。"乃诏旼真除宣州观察使，桷迁右朝奉大夫、充秘阁修撰，中奉大夫、相州观察使解元落阶官为同州观察使，武功大夫、康州刺史呼延通为吉州刺史。

庚子，帝次秀州北门外。

辛丑，帝次吴江县。时知县杨同哀供张以待乘舆之至，民有一家当费三百缣者，其人不伏，械系之。御史张致远三上策论其扰民，同竟罢去。

壬寅，御舟次姑苏。帝乘马入居平江府行宫。守臣孙祐进御膳，其卓子极弊，且有僧寺题识，帝不以为嫌。它日，谓赵鼎曰："朕念往日艰难，虽居处隘陋，饮食菲薄，亦所甘心。若边境已清，郡邑既定，迎还二圣，再安九庙，帝王之尊固在。"赵鼎曰："陛下规模宏远如此，则天下幸甚。"

故赠承事郎陈东、欧阳澈，并加赠朝奉郎、秘阁修撰，更与恩泽二资，赐官田十顷。

赵鼎进呈韩世忠奏札，因论建炎之初，黄潜善、汪伯彦擅权专杀，（应）置二人于极典。上曰："朕初即位，昧于治体，听用非人，至今痛恨。赠官推恩，犹未足以称朕悔过之意，可更赠官赐田。虽然，死者不可复生，追痛无已。"

甲辰，金右副元帅完颜昌召通问使魏良臣、王绘相见，旁有四人，皆衣纱袍、头巾、球靴，与良臣等同席地而坐。昌问劳久之，谕云："俟三二日左元帅来，议事毕，画定事节，遣汝等归。"良臣退。于时右副元帅昌在泗州，右都监宗弼在天长，〔左〕副元帅宗辅尚未至也。

乙巳，淮西安抚使仇悆遣兵击金人于寿春府，败之。

初，亲征诏未至，庐州人哗言弃淮保江，悆得旨，急录以示人，人皆思奋；且遣其子津间道告急，帝命为右迪功郎。会敌进据寿春、安丰，悆遣兵出奇直抵城下，与守将孙晖合兵击之，敌战败却去，渡淮，南军入城。翼日，遂复安丰县。

十一月，戊申，胡松年自江上还，入见。帝问控御之计，松年曰："臣到镇江、建康，备见韩世忠、刘光世军中将士奋励，争欲吞噬敌人，必能屏护王室，建立奇勋。"帝曰："数年以来，庙堂玩习虚文而不明实效，侍从、台谏搜剔细务而不知大体，故未能靖祸患，济艰难。非朕夙夜留心治军旅，备器械，今日敌骑侵轶，何以御之！"赵鼎曰："臣等躬闻圣训，敢不自竭驽钝，少副陛下责实之意！"

庚戌，承、〔楚、泰〕州水寨民兵并与放十年租税，科役〔久〕，仍发钱米赡之。

时承州水寨首领徐康、〔潘〕通等遣兵邀击金兵，俘女直数十。既命以官，寻又赐米万石。

壬子，诏曰："朕以两宫万里，一别九年，觊迎銮辂之还，期遂庭闱之奉。故暴虎冯河之怒，敌虽逞于(冯临)〔凶残〕；而投鼠忌器之嫌，朕宁甘于屈辱；是以卑辞遣使，屈己通和。仰怀故国之庙祧，至于霣涕；俯见中原之父老，宁不汗颜！比得强敌之情，稍有休兵之议，而叛臣刘豫，惧祸及身，造为事端，间谍和好，签我赤子，胁使征行，涉地称兵，操戈犯顺，大逆不道，一至于斯！警奏既闻，神人共愤，皆愿挺身而效死，不忍与贼以俱生。今朕此行，士气百倍。虽自篡承之后，每乖举错之方；尚念祖宗在天之灵，共刷国家累岁之耻，殱彼逆党，成此隽功。念惟夙宵跋履之勤，仍蹈锋镝战争之苦，兴言及此，无所措躬。然而能建非常之功，即有不次之赏，初诏具在，朕不食言。咨尔六师，咸体朕意。"

川陕宣抚司统制官杨从仪败敌于腊家城。

岳飞之取襄阳也，朝廷命宣抚副使吴玠乘机牵制。玠遣从仪以兵入伪地，遇敌，胜之。

丁巳，诏曰："朕以逆臣刘豫称兵南向，警奏既闻，神人共愤。朕不敢复蹈前辙，为退避自安之计，而重贻江、浙赤子流离屠戮之祸，乃下罪己之诏，亲总六师，临幸江滨，督励将士。然而兴师十万，日费千金，动众劳人，俱所不免，每一念此，恻然疚怀！尚觊诸路监司、帅守与夫郡邑大小之臣，夙夜究心，以体朕意，凡借贷、催科有须于众者，毋得纵吏，并缘为奸；凡盗贼奸宄辄生窥伺者，务绝其萌，毋令窃发。其或乘时扰攘，恣无名之敛，容奸玩寇，失稽察之方，致使吾民横罹困苦，有一于此，必罚无赦。候军事稍定，当遣(庭)〔廷〕臣，循行(群)〔郡〕国。"

戊午，签书枢密院事胡松年兼权参知政事，以沈与求按行江上(事)〔故〕也。

时松江既有备，商贾往来自如，通、泰出纳盐货如故。帝见士气大振，捷音日闻，欲渡江决战，赵鼎曰："退既不可，渡江非策也。金兵远来，利于速战，岂可与之争锋！兵家以气为主，三鼓既衰矣，姑守江使不得渡，徐观其势以决万全。且豫犹不亲临，止遣其子，岂烦至尊与逆雏决胜负哉！"于是遣与求按行江上，与诸将议可否，始知敌骑大集，其数甚众。与求回，言沿江居民旋造屋为肆，敌虽对岸，略不畏之。

金人破滁州。于是淮西、江东宣抚使刘光世移军建康府，淮东宣抚使韩世忠移军镇江府，浙西、江东宣抚使张俊移军常州。

己未，资政殿学士、提举万寿观兼侍读张浚知枢密院事。

浚之未至也，请遣岳飞渡江入淮西，以牵制金兵之在淮东者，帝从之。及入见，帝问鼎："浚方略何如?"鼎曰："浚锐于功名而得众心，可以独任。"于是帝复用之。

辛酉，观文殿学士、提举临安府洞霄宫李纲言："今刘豫悉兵南下，其境内必虚。倘命信臣乘此机会，捣颍昌以临畿甸，电发霆击，出其不意，则豫必大震惧，呼还丑类以自营救，王师追蹑，必有可胜之理。非惟牵制南牧之兵，亦有恢复中原之兆，此上策也。朝廷或以兹事体大，则銮舆驻跸江上，势须号召上流之兵，顺流而下，旌旗金鼓，千里相望，以助声势，则敌人虽众，岂敢南渡！仍召大将率其全师，进屯淮南要害之地，设(其)〔奇〕邀击，绝其粮道，豫必退遁。保全东南，徐议攻讨，此中策也。万一有借亲(兵)〔征〕之名，为顺动之计，委一二大将捍敌于后，则臣恐车驾号令不行，敌得乘间深入，州县望风奔溃，其为患有不可胜言者，此最下策也。往岁金人南渡，意在侵掠，既得子女玉帛，时方暑则势必还师。今刘豫使之渡江而南，必谋割据，将何以为善后之计哉！今日为退避之计则不可。朝廷措置得宜，将士用命，则安知敌非送死于我！顾一时机会，所以应之何如耳。望降出臣章，与二三大臣熟议。"

初，张浚之谪福州也，纲亦寓居焉，浚服其忠义，除前隙，更相亲善。及浚召入，纲因以奏疏附进，帝曰："纲去国数年，无一字到朝廷，今有此奏，岂非以朕总师亲临大江，合纲之意乎！所陈亦今日急务，可降诏奖谕。"

癸亥，龙图阁直学士、新除都督府参谋官折彦质为枢密都承旨，星夜兼程前来供职。降充集英殿修撰、知鼎州程昌寓复徽猷阁待制，充都督府参议官。

淮西宣抚司统制官、中亮大夫、同州观察使、知兰州王德，与敌遇于滁州之桑根〔坡〕，败之，生擒十馀人赴行在。

甲子，诏曰："张浚爱君爱国，出于诚心。顷属多艰，首唱大义，固有功于王室，仍雅志于中原，谓关中据天下上游，未有舍此而能兴起者，于敌战胜之后，慨然请行。究所施为，无愧人臣之义；论其成败，是亦兵家之常。矧权重一方，爱憎易致，远在千里，疑似难明，则道路怨谤之言，与夫台谏闻风之误，盖无足怪。比复召置之宥密，而观其恐惧怵惕，（知）〔如〕不自安，意者尚虑中外或有所未察欤？夫使尽忠竭节之臣，怀明哲保身之戒，朕甚愧焉！可令学士院降诏，出榜朝堂。"

丙寅，初，河东忠义（将军）〔军将〕赵云尝出兵与敌战，至是敌执其父福及母张氏以招之，且许云平阳府路副总管，云不顾，遂杀福，囚张氏于绛州。久之，云间道奔岳飞军中。既而飞遣云渡河，云因击垣曲县，复取其母。飞以为小将。

己巳，淮西宣抚司选锋副统制王师晟、亲兵副统制张锜复寿春府，执其知府王靖。

辛未，起复秘阁修撰、知岳州程千秋移知鼎州，左朝奉郎张嵲知岳州。

帝览除目，问嵲才术如何，赵鼎曰："闻其能办事。"帝曰："不须更问某人荐，惟才是用。"胡松年曰："朝廷用人，不可不慎，用一君子则君子进，用一小人则小人进。"帝曰："君子刚正而易疏，小人柔佞而易亲。朕于任用听察之间，不敢少忽也。"

知枢密院事张浚往镇江视师。

时金人于滁上造舟，有渡江之意。赵鼎密为帝言曰："今日之举，虽天人咸助，然自古用兵，不能保其必胜，事至即应之，庶不仓猝。万一金人渡江，陛下当亲总卫士，趋常、润，督诸将，乘其未集，并力血战，未必不胜。或遏不住，则由它道复归临安，坚守吴江，敌亦安能深入！臣与张浚分纠诸将，或腰截，或尾袭，各自为谋，天下事无不集矣。"主管殿前司公事刘锡、神武中军统制杨沂中见鼎曰："探报如此，驾莫须动？"鼎曰："俟敌已渡江，方遣二君率兵趋常、润，并力一战以决存亡，更无它术。"锡等声言曰："相公可谓大胆。"鼎曰："事已至此，不得不然。二君，随驾之亲兵也，缓急正赖为用，岂可先出此言！"锡等乃退。

金左副元帅完颜昌遣通问使魏良臣、王绘归行在。

昌拥三百馀骑，遇于涂，问难再三，良臣等答昌如初见聿兴之语。昌言："既欲讲和，当务至诚，不可奸诈。况小小掩袭，何益于事！如欲战，先约定一日，两军对敌则可。我国中只以仁义行师，若一面讲和，又一面使人掩不备，如此，恐江南终为将臣所误，如向来大军至汴京，姚平仲劫寨事可见。本朝事体，秦桧皆知，若未信，且当问之。"良臣等以此来有上大金皇帝表、二圣、二后表、丞相、元帅物录六封，乞留军前。译者云："大金皇帝表可留，它书持去。"

十二月，乙亥朔，尚书吏部员外郎魏良臣，邻门宣赞舍人王绘，至自金国军前，对于内殿，帝问劳甚渥。

侍御史魏矼言："朝廷前此三遣和使，而大金继有报聘，礼意周旋，信言可考。顷复专使寻好,未有衅隙。兹乃刘豫父子造兵端,本谋窥江,初无和意。使人未见国相报书,来自近甸,此而可信,覆辙未远。今大兵坐扼天险,援师舣舟上流,精锐无虑十万。彼刘豫挟金为重,签军本吾赤子,人心向背,久当自携;持重以待之,轻兵以扰之,吾计得矣。惟陛下为宗社生灵之重,仰顺天意,俯从人欲,饬励诸将,力图攻守。"帝甚纳其言。

辛巳,命行宫留守司中军统制王进以所部屯泰州,防通、泰,应援淮东水寨,权听帅司节制。

伪齐保义郎刘远特补忠翊郎。远,同州人,从刘麟入寇,与其徒六人自盱眙脱身来归,皆录之。

丙戌夜,月犯昴,太史以为敌灭之象,帝以谕辅臣。胡松年曰:"天象如此,中兴可期。"帝曰:"范蠡有言:'天应至矣,人事未尽也。'更在朝廷措置何如耳。"

丁亥,知福州张守言:"臣闻韩世忠所献敌俘,已就戮于嘉禾,远近欣快,不谋同辞。然臣窃谓凡所献俘,若使皆是金人或它国借助,则宜尽剿除,俾无遗育。至于两河、山东诸路之民,则皆陛下赤子也,刘豫驱迫以来,必非得已。若临陈杀戮,势固不免,至于俘执而至,容有所矜。请凡所得俘内,有签军则宜谕以恩信,以示不忍杀之之意,可特贷而归之;或愿留者,亦听其便。不惟得先王胁从罔治之义,而刘豫之兵可使自溃,后虽日杀而驱之使前,将不复为用矣。"疏奏,诏奖〔之〕。

壬辰,湖北制置司统制官牛皋、徐庆,败金兵于庐州。

时金增兵复侵淮右,仇念尽发戍军千人拒之,既而败北,无一还者,遂求救于湖北制置使岳飞,飞遣皋、庆率二千人往援。庆,飞爱将也。是日,皋、庆从骑数十先至,坐未定,斥堠报金人五千骑将逼城。时湖北军未集,念色动不安,皋曰:"无畏也,当为公退之。"即与庆以从骑出城,谓敌众曰:"牛皋在此,尔辈何为见侵!"乃展帜示之,金兵失色。皋舞稍径前,金兵疑有伏,即奔溃,皋率骑追之,金兵自相践死,馀皆遁去。时淮西宣抚使刘光世亦遣统制官靳赛,至慎县而还。

丁酉,侍御史魏矼言:"日食正旦,乞下有司讲求故事。"帝曰:"日蚀虽是躔度之交,术家能逆知之,《春秋》日食必书,谨天戒也。矼之言良惬朕意,宜下有司,讲求故事,凡可以消变者,悉举行之。"

川陕宣抚副使吴玠奏:"夏国主数通书,有不忘本朝之意。及折可求族属列(御)〔衔〕申上玠,云见今训练士马,俟玠出师渡河,即为内援击敌,上报国恩。"帝曰:"此皆祖宗在天之灵扶祐所致,亦有以见人心同愤也。"

戊戌,责授单州团练副使刘子羽复右朝散大夫、提举江州太平观。

时吴玠复辞两镇之节,且言:"子羽累年从军,亦薄有忠勤可录。念其父韐,靖康间死节京城;今子羽罪虽自取,然炎荒万里,毒雾熏蒸,老母在家,殆无生理。诚恐子羽斥死岭海,无复自新,非陛下善及子孙之意。伏望圣慈特许臣纳前件官,少赎子羽之罪,量移近地,得以自新。"三省勘会,子羽与吴玠书所论边事,迹状可考,乃复元官,与宫观。翼日,诏玠笃于风义,诏奖谕。士大夫以此多玠之义,而服子羽之知人焉。

庚子,金人退师。

初,右副元帅完颜昌在泗州,而右都监宗弼屯于竹塾镇,尝以书币遗淮东宣抚使韩世忠约战。世忠方与诸将饮,即席遣伶人张轸、王愈持橘茗为报书,略曰:"元帅军士良苦,下谕约战,敢不疾治行李以奉承指挥也!"时金师即为世忠所扼,会天雨雪,粮道不通,野无所掠,至杀马而食,军皆怨愤。旋闻金主有疾,将军韩常谓宗弼曰:"今士无斗志,况吾君疾笃,内或有变,惟速归为善。"宗弼然之,夜引还。

金军已去,乃遣人谕刘麟及其弟猊。于是麟等弃辎重遁去,昼夜兼行二百馀里,至宿州,方少憩。

辛丑,刑部尚书章谊兼权户部尚书。

癸卯,参知政事沈与求兼权枢密院事。

金人去滁州。

是役也,金据滁州凡四十有七日,神武右军将官卢师迪引兵至竹塾镇,遇敌,败之。

【译文】

宋纪一百十四　起甲寅年(公元1134年)七月,止十二月,共六月。

绍兴四年　金天会十二年(公元1134年)

秋季,七月,戊申朔(初一),吏部尚书兼侍讲胡松年充任端明殿学士、签书枢密院事。

徽猷阁待制、知临安府梁汝嘉被任命为试尚书户部侍郎兼知临安府。

己酉(初二),龙图阁学士、镇江府知府沈与求复任吏部尚书。

建昌军叛乱,杀知军事、左朝请郎刘滂。

建昌军一向骄横,索取没有限度,刘滂用法律制裁他们。这时市场店镇聚众赌博,士卒们进行掠夺而不听从货主,于是捣毁其店铺,打伤店铺人员,刘滂使用杖刑并责令赔偿,众兵愤怒。兵马监押沈敦智用俸钱代行赔偿,而且用言语激怒众兵;军士修达、饶青等人一同作乱,杀死刘滂及其家人,通判军事张械、判官赵不停都被杀死。贼寇于是胁迫寓居左中大夫、提举亳州明道宫张羲叔暂代军事,将强壮的人都抓来刺上字作为士兵,想纵使他们掠夺邻郡,张羲叔劝谕制止了他们,于是环城自守。

刘滂,东阳人,曾是太常博士,因近臣詹义、汪藻、李公彦推荐,出守建昌军,至此被害。

癸丑(初六),水贼杨钦进攻鼎州杜木寨,将寨攻破。

当时折彦质从湖南报告制置使王璨,认为贼寇有三条罪状不可招安。王璨于是派遣军队践踏水贼的禾苗庄稼,水贼乘洪水攻击杜木寨,攻破该寨。中训郎、鼎州游奕将许筌被贼所杀,官军死者不可胜数,贼寇气焰更为嚣张。

乙卯(初八),祠部员外郎范同奏言:"军队克敌制胜在于和睦。大概刚毅果敢豪爽雄健之士,彼此好胜,开始是一点小嫌疑,逐渐演变成大仇恨。然而古代的贤将,急公家之所急,抛弃私仇,舍怨忘愤,终于成就好名声的,并不乏人。陛下选拔任用才杰,礼遇功勋贤士,给予他们极高的荣誉宠爱,本是凭借他们的忠诚能力,扫除腥秽,一清寰宇,恢复祖宗的基业。然而道途私议,以为将帅忘却和睦之义,记恨纤细怨仇,或者享受高位而嫉妒贤才自相倾轧,或者倚仗功勋而压抑新进。如果真是如此,他日一定有使圣上忧虑无穷的事情。希望陛下明示旨意,在其萌芽细微之时,容易改正,让他们以春秋诸卿作为借鉴,追随汉、唐名将而继承其事迹,岂止是社稷的依赖,而且勋名宠位,尤其可以终身享用,也是陛下的深厚恩德。"高宗下诏发札子给各将帅。先前刘先世、韩世忠长久不和,而岳飞从列校开始提拔,深为韩世忠和张俊所忌妒,因而范同提到了这事。

甲子(十七日),江西、安、复等州制置使岳飞收复邓州。

当时李成已经逃去,与金兵、伪齐兵会合,驻扎在邓州的西北。岳飞派遣统制官王贵从光化出兵,张宪从横林出兵,两天前抵达邓州城下。李成的军队出来作战,统制官董先派出奇兵截击,大败李成的军队。李成的党徒高仲入城据守,宋军将士如蚂蚁一样爬城而上,于是攻克邓州。岳飞移兵驻扎德安府。

丙寅(十九日),神武右军统领官赵详等人引兵进入建昌军,抓住叛乱的士兵,杀了他们。

起先朝廷命令赵详从虔州进军,而江西制置使胡世将也派遣左朝请大夫、本司参议官侯悫、中军统领官邱赟与他会合。一天前,侯悫等人到了建昌城下,权军事、左中大夫张义叔派遣叛军刘净等就地接受招安。第二天,建昌军中的胁从者六百余人解甲出城,叛兵主谋还没有出城。侯悫等人纵兵入城,叛贼败走,被迫杀五百余人。当时投降的人还怀有反复之心,侯悫将他们全都杀死。不久张义叔等待朝廷治罪,兵民都说他有安抚平定的功劳,于是高宗诏令赦免他的罪。于是叛兵所掠走的金帛子女,多被侯悫获取带走。

辛未(二十四日),龙图阁学士、枢密都承旨章谊、给事中孙近出使金国后还朝,入殿见高宗。

起初章谊等人到云中,与金都元帅宗翰、右监军希尹谈论事情,没有丝毫卑屈。金人下令让章谊速回,章谊等人说:"万里奉命来到金国,并要迎接徽、钦二帝回宋,必须有回书。"于是金国命令金吾卫上将军萧庆授予回书。

当初,章谊等人出行,论说李永寿所需的三件事,金人互有可否,唯独划定疆界一事未定。而宗翰回信,又约定在淮甸不得驻扎军马,大概是想划定疆界以扩大刘豫的疆土。

章谊等人回国,到睢阳,被刘豫所留,用计才脱身。高宗嘉奖慰劳他们多次。

乙亥(二十八日),龙图阁学士、枢密都承旨章谊被任命试刑部尚书,给事中孙近被任命试尚书吏部侍郎兼直学士院。

执政进呈赵详已平定建昌叛军,高宗说:"官军既已入城,怎么能避免玉石俱焚?"赵鼎进言说:"未必敢大肆杀戮,恐怕会劫掠财物。"高宗忧惧不高兴地说:"百姓无辜,突然遭此惨祸,应该命令有关官吏优抚恤慰他们。"

丁丑(三十日),刘豫听说岳飞收复襄阳,派遣使者请求金国派军队入侵宋朝,金主完颜晟以宋朝刚刚派韩肖胄、章谊来访,不可发兵。伪齐奉仪郎罗诱向刘豫呈上南征的奏议,刘豫非常高兴,任命罗诱为行军谋主。

这个月,刘豫调集登、莱、沂、密、海五郡军民中的军队二万人,驻扎在密州的胶西县,收集民间的船大小五百只,装备成战舰,派其阁门宣赞舍人、密州知州刘某充任都统领,叛将徐文作为前军,声称要袭取定海县。

八月,戊寅朔(初一),宗正少卿兼直史馆范冲入见高宗。高宗说:"为修史一事召卿来。两朝大典,都被奸臣破坏,如果现在再不修订,将来如何知道本末!"范冲因而论及熙宁创制,元祐复古,绍圣以来,弛张不一,本末先后,各有所因,不可不深究而详论。高宗说:"怎么办?"范冲回答说:"臣听说万世无弊者是道,随时增减的是事。祖宗之法,实有弊端,但应当修补,不可变更。仁宗时,大臣如吕夷简之徒,对变法态度坚决;范仲淹等人起初不以为然,议论不合,于是攻击吕夷简,范仲淹因此被贬谪。到范仲淹执政时,还想申明前志,许久自知推行不通,于是停止。王安石坚持己见,彻底改变祖宗法度,上误神宗,天下的祸乱,实在是从此开始的。"高宗说:"所言极是。朕最爱元祐。"高宗又论及史事,范冲回答说:"先前的大臣修《神宗实录》,大意只是尽写王安石的过失,以申明变法不是神宗的本意。以后蔡卞埋怨写进了他岳父的事情,就说哲宗继承神宗,其实是蔡卞继承王安石。至于《哲宗实录》,也听说完全出于奸臣的私意。"高宗说:"都是私意。"范冲接着说:"不论其他,应当先明辨对宣仁圣烈帝后的诽谤。"高宗说:"正应当明辨此事。本想母后都很贤惠,前世没有能赶得上的。道君皇帝圣性高明,是被蔡京等人所误。当时蔡京外引小人,内结阉官,制作奇伎淫巧来迷惑皇上的心,所谓逢迎皇帝的罪恶。"范冲回答说:"道君皇帝只是因为蔡京等人用继承二字相要挟,不得已而依从他们。"高宗说:"皇帝的孝,不在如此,应当以安定社稷为孝之大。"高宗又论及王安石之奸说:"至今还有人说王安石是对的。近日有人要推行王安石的法度,不知人情为什么竟到了这种地步!"范冲回答说:"以前程颐曾经问臣,'王安石为害天下的是哪些事情?'臣回答是新法。程颐说:'不对。新法的为害并不是最厉害的,有一个人能改变它就行了。王安石心术不正是最大的为害。大概已败坏了天下人的心术,将不可改变。'臣开始不以为然。以后才知道王安石顺应人的利欲之心,使人迷失其本性,久而久之不知自己也被改变,所谓败坏天下人心术。"高宗说:"王安石至今怎么还留存王爵!"

庚辰(初三),高宗御札命令:"参知政事赵鼎为知枢密院事,充任川陕宣抚处置使。"

戊子(十一日),赵鼎改任都督川、陕、荆、襄诸军事。先前赵鼎因奏事说:"臣今天所任新职,与吴玠是同事,还是应当节制他呢?"高宗醒悟,所以有这道命令。

已丑(十二日),赵鼎到都督府办事。赵鼎奏请任命秘书省正字杨晨、枢密院编修霍蠡、太府寺丞王良存都充任干办公事,高宗同意。

辛卯(十四日),殿中侍御史张致远奏言:"广东循、惠、韶、连几州,与郴州、虔州接壤,自从邻国深入,残破不堪。现在郴州的贼寇还未消灭,韶州、连州疲于防守,而广州的观音,惠州的河源,循州的兴宁,贼寇千人百人为一群,穿着红绿色奇异服装,横行霸道,肆意抢掠,靠人多势众逞强。吴锡已经还朝,湖南的韩京素来怯弱,滨海茫茫,曲折遥远,奏报朝廷延误时日。臣听说朝廷派遣赵详率领一支军队招捕虔州的贼寇,因降下德音,给他们开一条自新之路。广东与虔州,边境犬牙交错,现在号称魁首的,多是虔州人。愿推广天恩,抚绥远域,命令赵详与韩京相互声援,谕令虔州守臣与广东帅臣谨慎处理事宜,捉到强硬的必须诛杀,胁从的不治罪,乘此军力,务必全部讨平。还要严行养成寇患的刑法,即使罢官也不能宽免;大改相聚闹事的弊病,做到防微杜渐。这样不仅良民不致陷于无辜受祸,或许陛下也能施行仁政。"高宗同意。

乙未(十八日),左宣教郎、守尚书吏部员外郎魏良臣被任命为左朝散郎、充任大金国军前奉表通问使,武德郎、阁门宣赞舍人王绘为武显大夫通问副使;又任命魏良臣为假工部侍郎,王绘为假右武大夫、果州团练使。

高宗诏令将余杭县南上下湖之地设置孳生牧马监,任命临安府守臣兼任提举。每五百匹马为一监,公马一匹而母马四匹相配,年产马驹是否成活三分之二左右,都分别有赏罚。

丙申(十九日),高宗下诏追夺王安石舒王的文告。

已亥(二十二日),虔州兴国县南木寨周十隆等一千六百人尊奉德音投降,江西制置司统领官毛佐、王赟、赵恕前往受降。受降不成,官军掠夺他们的妇女;周十隆惧怕,又和其党徒突奔水南而去,于是掠夺汀、循等州。

辛丑(二十四日),给事中唐煇被任为试尚书礼部侍郎,还兼侍讲。

壬寅(二十五日),神武后军统制,充任江南西路荆南制置使岳飞被任为清远军节度使、湖北路荆襄潭州制置使。

起初,神武前军统制王瑽,在湖北多年,不能讨贼。适逢岳飞收复襄阳赏功,枢密院因此上言:"杨太等人作恶很久,先因张浚奏请招安,朝廷特予宽免其罪,允许让他们自首,但杨太拖延了几个月,终无悔改之心,按理再难宽免。王瑽出兵一年多,不能成功,与潭州、鼎州帅守常常因事愤怒争执,不能同心协力,致使一方受害。"高宗于是下诏专门委交岳飞谋划讨捕贼寇事宜,还命令鼎州知州程昌寓从上游进兵,湖南制置大使司派遣马准、步谅两军听从程昌寓的节制,荆南镇抚使解潜也派遣军队约定时间前去讨伐;命令王瑽率领所部回到江州。岳飞时年三十二岁,自从渡江南下以后,各将被任命为节度使的,没有像岳飞这样年轻的。

户部侍郎兼权临安府梁汝嘉上奏:"明堂行礼殿修成,请求给提领官以下依次行赏升官。"高宗说:"朕爱惜钟鼎宝器一般对待战士,土木建筑的一点功劳,怎么应当升官!只可以按级次支给一点赏物而已。"

九月,丁未朔(初一),直徽猷阁、主管临安府洞霄宫富谟被任命为江南西路转运副使,供应岳飞大军钱粮。

己酉(初三),左中奉大夫、知开州耿自求被任命为川、陕、荆、襄都督府随军转运副使,他是赵鼎所征召的。

荆南制置司统制官王概,率领所部在鼎州城外反叛,西奔桃源县。

庚戌(初四),县寨统制官李皋派遣小将龚亨率领乡兵击败王概。制置使王瑽派兵追到桃源,而王概已死,于是责令李皋收取败兵的兵器铠甲,李皋又责成龚亨,龚亨也随即叛变。适逢王瑽听说被罢免的命令,而鼎州知州程昌寓念及龚亨多次充任选锋,作战勇敢,亲笔写信招抚龚亨,龚亨就回来了。于是鄂州知州程千秋派遣准备使招抚李宝进入周伦寨,招安后归来,高宗下诏任命李宝为进义副校。程昌寓又请求选辰、沅、靖州、山峒兵和牌弩手三百人一起调用使唤,高宗依从了他的请求。

庚申(十四日),命令象州防御使赵士街在温州朝享太庙神主。

辛酉(十五日),在明堂合祀天地。起复尚书右仆射朱胜非为大礼使,只是不入殿门,其他官职如故。

起初,绍兴宗祀只设天地祖宗四个神位,这时开始设从祀神位四百四十三个,使用祭器七千五百七十一件,登歌乐四十首,祭服六十三种,玉器十件,牛犊四头,羊、猪各二十二只,分献官五十八人,奉礼郎四人,乐舞工共二百八十七人,而五帝、神州地祇,皇帝不亲自献祭,采用崇宁礼仪。开始议论设从祀诸神七百一十一位,与会者请求裁减,而礼官说:"十二阶三百六十位无神名,请每阶各设三十五位,每位羊猪各二只,正备一副,登歌之乐通作宫架之曲。"高宗都准许。又因祭玉不齐备,请求除苍璧、黄琮外,依照天圣年间的旧例,用珉代替。不久得到的玉很美,然而尺寸不合礼经,于是命令临时随意制造。议论者请求依照祖宗旧例,暂在召门宽赦罪人。议论裁减的人,认为宫门地方狭窄,仪卫容不下,于是停止。在常御殿前宣布大赦,三卫班直、宿卫忠佐忠锐将兵、神武右军、中军七万二千八百余人,共支钱二百三十一万余缗。刘光世、韩世忠、岳飞、王瑽四军,十二万一千六百余人,共支钱二十八万余缗。总计内外各军,共支二百五十九万余缗,比绍兴元年的明堂增支九十四万余缗。而执宰、百官各司的给赐，因军兴而暂停。祭礼完毕，大赦天下。

乙丑(十九日)，高宗诏令："三省、枢密院的录黄、画黄等手续，都按照祖宗条例施行。"

先前侍御史魏矼奏言："国家法度森严，讲求划一。凡成命发出，必须先绿黄；经过中书、门下两省时，则给事中、中书舍人可以封还驳正；下发有关官署后，则台谏官可以依条评论；然后用邸报传布，虽然是远方偏僻的县邑，没有不做到家喻户晓的；这是万世良法，臣私下听说近来三省、枢密院，有时有不用录黄而径直下发指示的，也有虽用画黄而不下发的；纪纲弛废，没有比这更严重的。希望陛下特此诏令三省、枢密院，平常切实遵守旧典，以示最为公正。遇到两院御史到省院检察时，除确是机密边防大事外，都要让他们索取查点，如有违背的，立即具情加以弹劾上奏。自古人臣玩弄权术欺罔君上，固然自有整治他们的法术，防微杜渐，不得不慎！希望陛下留神省察。"所以有这道诏旨。

吏部员外郎魏良臣、阁门宣赞舍人王绘，辞行赴任金国军前通问。高宗说："卿等这次出使，不须与人计较言语，谦词厚礼、岁币、岁贡之类不须计较。见到尼玛哈，可以说宇文虚中久在金国，其父母年老，时刻盼望他回来，希望早日放他回来。还可以说襄阳各郡都是故地，由于李成不断侵犯，于是命令岳飞收复。"魏良臣等人出殿，遇到神武右军都统制张俊来禀报公事，张俊对二人说："有探报，金人将大举兴兵，现在已过南京。"魏良臣等人请求与高宗再次答对，没有答复。

起初，刘豫既已采纳他的臣下罗诱的南征建议，就派知枢密院卢伟卿去见金主完颜晟，陈述说："宋人从大梁五次南迁，都丧失了领土。如果借给五万军队南下两淮，向南追逐五百里，那么宋人的吴、越两地又将放弃而丧失，货财子女，不求自得。然后选择金国的贤王或有德者立为淮王，建都盱眙，使山东形成唇齿相依之势，将安然没有南顾之患，两河也就自然安定了。青州、冀州之地，古称上土，按时耕种采桑，富庶可以得到，那么宋人的微薄贿赂，又何必计较得失！"金主完颜晟命令各将商议此事。不久以宗辅代理左副元帅，右监军完颜昌代理右副元帅，调集军队五万人以应刘豫的请求。又因为右都监宗弼曾经渡过长江，知道地形的险易，让他率领前军。宗辅下令："燕、云各路汉军，都须亲自进军，不得招募人来充役。"

刘豫于是命令他的儿子伪诸路大总管、尚书左丞相梁国公刘麟率领东西道行台尚书令，与金兵会合南侵。最初计议从顺昌到合肥，进攻历阳，由采石渡过长江。签军都制置使李成说："签发民兵已经用完，除山东饷道遥远外，还忧虑岳飞的军队从襄阳攻击我军侧背，不如沿汴水直犯泗州，渡过淮河，以大军扼守盱眙，占据其渡口要塞，分兵攻取滁州、和州、扬州，大造舟船，西从采石进攻金陵，南从瓜州进攻京口，然后分兵东下，掠取海州、楚州的粮食，或许是最大胜利。"于是骑兵从泗州进攻滁州，步军从楚州进攻承州。

谍报传到，宋朝举朝震动惶恐。有的劝高宗他迁，建议遣散百司，赵鼎独自劝说："作战而不胜，再走也不晚。"高宗采用赵鼎的计策。

侍御史魏矼曾上奏："陛下勤于政务，将大有作为，但所委任的一位宰相，却没听说有什么安排，只知道今日勘审，明日查阅，今日呈进一两件小事，明日请求一二位旧友，政务堆积如山推给皇上，贤才能人被压抑而隐居在下面，况且每月请求一次辞职，徒然生出纷扰，应当赶紧依从这位宰相的请求以平息公众议论。"先前右仆射朱胜非，因为久雨请求实行任免旧例以消灭天变，又以守孝未完请求辞职；奏章上了十二次，高宗允许等到明堂大礼完毕再批准他的请求，还有保全旧臣的诏谕。到这时明堂祀礼完毕，朱胜非再次请求辞职，并且论及应当罢免的理由十一条,魏矼也上疏劾奏朱胜非五条罪状,因此他的辞职请求得以批准。

赵鼎参与政事,曾经和各将讨论防秋大计,唯独张俊说:"躲避将到什么地方呢?只有向前进一步或许可以脱险。应当聚集天下的军队守卫平江,等到敌人退去后再从容计议。"赵鼎说:"您说躲避不是良策,是对的;用天下的军队守卫一州一地,是不对的。您只坚持向前的议论就足够了。"赵鼎大概暗中有所用心,所以每天朝议后单独留下来陈述用兵大计,高宗有所醒悟,又秘密让张俊帮助赵鼎。至此高宗决意亲征,留下赵鼎不派人入蜀,赵鼎上奏请在十月七日西行,高宗同意。然而高宗正倾向于赵鼎,已有任命他为相的意思。

戊辰(二十二日),龙图阁学士、静江府知府折彦质充任川、陕、荆、襄都督府参谋官,不许推辞躲避朝廷的任命,这是采纳赵鼎的奏请。

庚午(二十四日),起复左宣奉大夫、守尚书左仆射、同中书门下平章事兼知枢密院事、监修国史朱胜非,解除职务继续守孝,这是遵从他的请求。

左宣教郎、主管江州太平观朱震被任为守尚书祠部员外郎兼川、陕、荆、襄都督府详议官。

辛未(二十五日),金人和刘豫的军队分道渡淮河。

壬申(二十六日),知楚州、武功大夫、和州防御使樊序弃城而去,淮东宣抚使韩世忠从承州退保镇江府。

癸酉(二十七日),左中大夫、知枢密院事、都督川、陕、荆、襄诸军事赵鼎被任命为左通议大夫、守尚书左仆射、同中书门下平章事兼知枢密院事。

起初,赵鼎奏禀朝廷辞行,高宗说:"爱卿岂可远去!应当任命卿为相,交给卿今日的大计。"诏令发下后,朝中官吏欢颜相庆。

甲戌(二十八日),吏部尚书兼权翰林学士兼侍读沈与求被任命为参知政事。

冬季,十月,丙子朔(初一),淮东宣抚使韩世忠上奏禀告金国和刘豫的军队进攻承州、楚州。高宗对辅臣说:"朕因为二圣在远方,生灵久遭涂炭,屈己求和,而金国再次用兵,朕应当亲自统率六军,临江决战。"赵鼎说:"连年退避,敌情更加骄横。现在亲征是出于皇上的圣断,武将奋勇,必定可以成功。臣等愿意效区区之力,报效国家。"高宗于是诏令神武右军都统制张俊率领所部去援助韩世忠,又令淮西宣抚使刘光世移军建康,高宗定下日期出发。

丁丑(初二),参知政事孟庾被任命为行宫留守,暂时处理百司事务,还赐给他铸印。孟庾请求到尚书省设置官署,公文发行按尚书省体式,应办政事可不经奏准相机施行,设置降赐激赏公使库依照都督府惯例。又请求将秘书省、史馆书籍,三省、枢密院各部案牍,各差遣本司官吏一名,在深僻处收藏;大理寺、官告院、审院、左藏库、东西交引库、度牒库、南北库、都茶场、草料场官吏一并留下;太常寺、司农寺、太府寺、将作监、军器监、进奏院、文思院、杂买务都量行存留;宗正寺、国子监、敕令所、大宗正司、杂卖场,都令其从便。孟庾又请求留下御史召官一名警告违犯怠慢者,高宗都予以批准。孟庾乞请留下精兵三千人,分开使唤,于是命令留下神武中军五百人和统制官王进的军队,又命令殿前马步军司和忠锐第五将、临安府将兵都听从孟庾节制。

戊寅(初三),洪州观察使、权知濮安懿王国令赵士从乞求迁徙神主牌位、神像到稳妥的州军安奉,高宗同意他的乞求。于是亲贤宅宗子,绍兴府大宗正司,都顺便躲避兵祸了。

己卯(初四),太尉、定江、昭庆军节度使、神武右军都统制张俊被任命为浙西、江东宣抚使。

淮东宣抚使韩世忠率领所部到镇江,又从镇江到扬州。起初,高宗得知金兵渡淮河,再次修书给韩世忠,大意说:"如今敌人气势正盛,又都是轻捷小船,可以横渡长江直渡浙西,距离临都没有多远,朕甚忧虑。建康各渡口,以前是抵抗要冲,万一漏守,有关朝廷存亡。朕虽无德,不能做国家子民的君主;但是祖宗的德望恩泽还在人心,应该深念累世涵养之恩,永垂千载忠谊之烈。"韩世忠读罢诏书感动得流泪,于是进兵驻扎扬州。

开始,金兵渡淮河,探子不得实情,以为来兵很少。赵鼎说:"金人以前侵入我境,是视我朝为敌国,所以纵兵四处劫掠,其兵锋可畏。如今走的是刘豫地境,如同走在自己的国中,所以按队形慢行,不虚张声势,但也不必太畏惧。"

庚辰(初五),左朝请郎、主管江州太平观范振被任命为编外江南东路转运判官,右朝散大夫逄汝霖被任命为编外江南西路转运判官,应办移屯大军的事务。

癸未(初八),左通奉大夫、福州居住的张浚被任命为资政殿学士、提举万寿观兼侍读,不许辞免,立即起程出发。赵鼎奏言:"张浚可以当大事,看到当今执政没有比得上张浚的,陛下如果不想终身废弃他,必须在此时用他。"所以有这道命令。

高宗诏令沿海制置使郭仲荀兼总领海船。

丙戌(十一日),高宗诏令派遣签书枢密院事胡松年先到镇江、建康府,与各将会商进军,借以视察敌情。高宗说:"先派遣大臣,晓谕朕的意旨,或许诸将会奋勇争先。"沈与求说:"真宗时澶渊之役,先派遣陈尧叟,这是旧例。"

高宗诏令:"日常政事都暂时停止,等过了防秋再听旨。"

殿中侍御史张致远奏言:"陛下总领军队亲临长江,请求速下黄榜,预先约束,每件事务都须简明扼要,对百姓稍加摊派者,允许人陈告;再委任侍从官、台谏官觉察弹劾。"高宗予以批准。

高宗诏令刑部尚书章谊、吏部侍郎兼直学士院孙近、户部侍郎刘岑、中书舍人王居正、右司谏赵霈、殿中侍御史张致远、右司员外郎王绹、枢密院检详诸房文字陈昂、吏部郎官汪思温、度支郎官李元瀹及诸司局官,都令随从御驾征讨。吏部侍郎郑滋、礼部侍郎唐辉、刑部侍郎胡交修、起居舍人刘大中、监察御史张绚一并留在临安府。于是台臣检正、都司郎官,有的到军前,有的押送案牍到邻郡收存,在临安府的才有十多人而已。

丁亥(十二日),降授右武大夫、和州防御使马扩恢复为拱卫大夫、明州观察使、充任枢密院都承旨。马扩入见皇帝奏对,于是有这道诏命。第二天,赵鼎上奏:"陛下用人如此,何患不得他们拼死效力!"高宗说:"马扩知晓兵法,有谋略,不只是一个勇将而已。"孟庾因而奏请任命马扩兼留守司参议官。

戊子(十三日),胡松年入朝向高宗辞行。

当时淮西宣抚使刘光世秘密派遣属官告知赵鼎说:"相公您本应入蜀,有紧急情况才留下,为什么与他人负责大事呢?"赵鼎恐怕高宗改变主意,又乘机上言:"今日之势,如果敌兵渡江,恐怕他们另有安排,不像往日还有再度振作之理。战争本是危险之道,有败也有胜,不是还胜过退而必亡吗?而且金、齐一起来,以我们的力量对抗敌人,实在是不相等,但汉光武帝打败王寻,东晋击破苻坚,重要的是在于人心而已。自陛下诏令亲征,士兵们都奋勇争先,陛下养兵十年,用兵正在一日。"由此浮言不能再入高宗之耳了。

参知政事沈与求兼任权枢密院事。

太常寺请求在高宗车驾所经过的十里内的神祠及名山大川,都派遣官员致祭礼,高宗同意。

严州桐庐县进士方行之献出家财七千缗资助军队,户部乞求允许人们献纳财物,依照惯例授予官职,高宗同意。

淮东宣抚使韩世忠在大仪镇截击金兵,打败了金兵。

起初,奉使魏良臣、王绘在镇江,奉旨快行往金国议和,于是在这个月丙戌(十一日),渡过长江,丁亥(十二日),至扬子桥,遇到韩世忠,派遣使臣督促他们出国界。当时朝廷已知道承州、楚州道路不通,于是将伪齐界引伴官文牒交给魏良臣等人,让他们在敌界阻截处出示照验,又命令淮东帅司招募使臣,向承州、楚州之敌讲明情由放过议和奉使。魏良世等人到扬州东门外,遇到先锋军从城中回来,就问他们,说韩世忠命令他们前往江头把守要津。进入扬州城后,看见韩世忠坐在谯门上,不一会儿,流星庚牌纷至沓来,韩世忠出示给魏良臣等人看,于是得到旨令移军屯守长江。韩世忠留他们吃饭,魏良臣等人推辞说要见参议官陈桷、提举官董旼,于是到陈桷等人那里一同吃饭。韩世忠派人送信斥责魏良臣、王绘,而且令他们从陈桷等处速回。陈桷、董旼送魏、王二人出北门,王绘与陈桷有旧情,驻马相谈许久,还把家中老幼托付给陈桷。晚上,在大仪镇留宿。

第二天,走了几里路,遇到金骑百十人持弓箭赶来,魏良臣命令随从下马,大声呼喊:"不要射,我们是来讲和的。"敌人于是带着魏良臣等人骑马回到天长,问道:"皇帝在哪里?"韩良臣回答说:"在杭州。"又问:"韩世忠在哪里? 兵马有多少?"王绘说:"在扬州,我们来时他已回到镇江。"又说:"是不是用计,再返回掩杀我军?"王绘说:"这是兵家之事,做使臣的怎么能知道!"离天长城六七里地时,遇到金将聂呼贝勒,和他一同入城,谈论议和的事情。聂呼贝勒说:"从泗水来,看到所在州县,有用刑要慎重的手诏和戒石铭,宋皇帝怜恤百姓竟至如此。"又问:"秦桧中丞在哪里?"王绘回答说:"现正带职奉祠,居住温州。"又问:"曾经当过宰相,如今已罢去相位,莫非是因为曾在军阵前被我俘获的缘故?"王绘说:"以前秦桧实居相位一年多,坚决要求辞职,没有其他原因。"又问:"韩世忠在哪里?"魏良臣说:"我们来时亲眼见到他的人马从东门出,往瓜州去了。"王绘说:"侍郎不可以说这样的话。用兵,讲和,自然是两回事。虽然得到圣旨要调回,但将在军中,君命有所不受。还与不还,使臣不得而知。"

起初,韩世忠估计魏良臣已走远,才上马,对军中下令:"看着我的鞭子所指的方向。"当时率领军队到大仪镇,将兵力排列五阵,设伏二十余处,告诫他们说:"听到鼓声,就起来攻击敌人。"聂呼贝勒听说韩世忠退军,很高兴,带领骑兵数百直趋长江口,距离大仪镇五里,他的将领托卜嘉拥着铁骑从韩世忠所设五阵的东面经过,韩世忠与他们交战,不利,统制呼延通前来救援,才得以幸免。韩世忠传下小旗命令击鼓,伏兵四起,五阵军旗与金旗杂出一起,金军大乱,弓和刀无法施展,而宋军不断进攻,背嵬军各人手持长斧,上刺人胸,下削马足,敌人全都陷入泥淖之中,人马俱毙,于是生擒托卜嘉。韩世忠又派遣董旼军队前往天长县,在鸦口桥和金人遭遇,活捉四十余人。

己丑(十四日),尚书礼部侍郎唐煇被任命为权兵部侍郎。

金人包围濠州。

淮东宣抚使前军统制解元在承州与金人交战，打败了金人。

起初，金人到了近郊，解元得知，预料金人第二天吃饭时必到城下，于是在路上埋伏百人截击敌人，又埋伏百人在城东北岳庙下，自己带领四百人埋伏在要道的一角。命令说："金人以为高邮没有军队，不知道我在高邮，必定轻易冒进。等到金人过来，我当先出来袭击他们，在要道埋伏的看见我挥旗，就竖起旗帜严阵以待。金人进退无路，必定取道岳庙而退，如果金兵这样，那伏兵就可出去。"又秘密派人在樊良埋伏，等到金人过来，就决开河堤隔断敌人的归路。当时金人果然直趋城下，解元暗自计算一下，有一百五十名骑兵，于是命令伏兵出击，挥旗招呼在要路的伏兵，伏兵都竖起旗帜严阵以待。金人大惊，于是向岳庙退走，解元率军追击，活捉一百四十八人，战马器械都被解元缴获。

起初，聂呼贝勒已战败退回，召奉使魏良臣等人来到天长门外。魏良臣等人下马，金国骑兵将他们拥到聂呼贝勒跟前。聂呼贝勒非常气愤，脱掉所穿的貂帽，按剑瞪着眼睛说："你们来讲和，还说韩世忠的人马已经回去，是阴谋害我！"诸将举刀示威，魏良臣等人说："使者讲和，只为国家。韩世忠让我们两个使者作诱饵，我们怎么能知道他的计谋呢？"来回走了很久，聂呼贝勒于是说："你去见元帅。"于是从宝应县用黄河渡船将魏良臣等人送过河去。

右副元帅完颜昌派遣接伴官团练使萧揭禄、少监李聿兴前来迎接。李聿兴见到魏良臣，问："要议什么事？"魏良臣说："这次来是为了江南要保守现存的土地，每年向金国贡给银绢二十五万匹两。"王绘说："现存的地方，是指章谊上次还朝时的所存之地。"李聿兴又说："战事先论曲直，师出有理者为强壮。淮南州县，已是大金国曾经筹划约定交给大齐国的，后来宋朝擅自占据；到大军到来，又派韩世忠来偷袭。"魏良臣等人说："管理州县的事，上次议和书中开始并没有提及，只是讲淮南不得驻军，本朝一贯遵循大金国的教训。"李聿兴说："襄阳的州县，都是大齐已占有的土地，为什么又令岳飞来侵夺？"魏良臣说："襄阳之地，王伦出使金国还朝时是属江南，后来李成被刘豫齐国所利用，便来侵扰。又勾结杨么，企图裂地称王建国。宋朝恐怕李成包藏祸心，难以立国，所以就派岳飞去收复，这不是滋生事端。"李聿兴说："元帅想看国书。"于是魏良臣把关于议和之事、迎请两位皇帝的两份国书给他。萧揭禄又问："秦桧中丞好吗？此人原在我军中，真是好人。"魏良臣等人对答如初。李聿兴又说："为什么又要求恢复故地？"王绘说："在中间丞相的惠书中说：'既想不断绝祭祀，怎么肯过于吝啬，使得国将不国。'因此江南才敢再三恳求乞告。如果不答应，却是使宋朝国将不国了。"李聿兴说："大齐虽然号称皇帝，但只是本朝的一个附庸，指挥使令，无不如意。"又说："从这里去杭州，几天可以往返？"王绘说："星夜兼程，往返不过半月。"李聿兴说："昨天的国书，元帅已命令翻译成女真文字，一两天就可以看到了。"

庚寅（十五日），高宗诏令信安郡王孟忠厚迎奉泰宁寺昭慈圣献皇后的御像到稳便安全的州军安奉。

壬辰（十七日），定国军承宣使、秦凤路马步军副都总管、知秦州兼节制阶、文州统制军马吴璘被任命为熙河兰廓路经略安抚使、知熙州、统制关外军马，明州观察使、环庆路马步军副都总管兼知庆阳府杨政被任命为环庆路经略安抚使、知庆阳府、同统制关外军马兼节制成、凤、兴州，这是采用宣抚使的奏请。关师古叛变，他所管辖阶、成二州还在，所以命令吴璘分领管理。自从富平战败后，五路之地全属伪齐，经略使只有虚名而已。

癸巳（十八日），江东、淮西宣抚使刘光世率领军队驻扎建康府。

甲午(十九日),尚书户部侍郎刘岑兼任工部侍郎,中书舍人王居正兼任礼部、兵部侍郎。开始命令江、浙的百姓都缴纳折帛钱,这是采用户部侍郎梁汝嘉的奏请。

这时行都每月耗费钱百余万缗,而且要调拨发运军马,财用没有出处,所以命令百姓交纳绸的全部折成现钱,交纳帛的一半折成现钱,每匹五千二百省陌,折帛钱从此越来越重。梁汝嘉等人又请求江、浙交纳的丝都折成现钱,绵一半折成现钱,诸路各委派漕臣一员,将钱汇集成纲发往行在。

派遣侍御史魏矼到刘光世军前、监察御史田如鳌到张俊军前议事。

当时刘光世驻军马家渡,张俊驻军采石矶,高宗督促二人前去援助韩世忠,但刘光世等人军权相当,而且抱有私怨,不肯同心协力。魏矼到了刘光世军中,晓谕他说:“敌众我寡,合力对敌恐怕还支持不住,况且各军各自有打算,将如何作战!为各位计议,应当减去怨隙,不但可以报国,对自身也有利。”刘光世同意,魏矼就劝他写信给韩、张二帅以表示没有他意,成为犄角之势。不久二帅都回信交换情况,刘光世于是将信上奏高宗。于是刘光世转移军队到太平州。

丙申(二十一日),金兵攻破濠州,守臣阁门宣赞舍人寇宏弃城逃走,右宣教郎、通判州事国奉卿被寇宏所杀。

先前寇宏率领军民守城,城中兵少,大概三个人把守一女墙垛口,军民和僧侣道士互相掺杂,每十人为一甲,不得回头看。每处慢道,用两个手持长刀的人监守,无故上下的斩杀。寇宏昼夜在城上巡行,金兵用冲车、云梯攻城,宋军制作铁锤,上面设有狼牙钉,有敌人爬云梯而上的,就用锤击杀,使敌人头盔脑袋俱碎,尸体堆积在城下,但敌人前来不止,共八昼夜没有停止。寇宏知道守不住城,就打开北门,丢下妻子儿女,携带老母和寡嫂弃城而去,跟随他逃去的士卒有七十余人。寇宏出城后,声称调发舟船,想用计破敌。开始国奉卿相信他,后来才知道他企图设计逃走,已经上了船,不能入城了。国奉卿责怪寇宏说:“为什么不向我明言,而携带一妾二子走,你想把他们弃之于死敌吗?”寇宏认为国奉卿是在怨恨自己,于是杀了他。后来将国奉卿之死奏告朝廷,朝廷追赠给他官职并录用他的儿子。寇宏已走,权兵马钤辖丁成从城南门投降,兵马都监魏进从城东门投降。金兵问:“寇宏的家属在哪里?”丁成说:“都已逃走了。”不久得知是被丁成藏匿,于是斩杀丁成于街市,抓到寇宏、国奉卿家属放在军中,任命部将赵荣为知州事。

起初,敌人围城很急,将官杨照跃上角楼,用枪刺杀执黑旗的敌兵,穿过腹部抽出肠子而死,杨照不久突中流矢而死。统领官丁元与金兵在十八里洲遭遇,被金兵包围,丁元大声呼喊,告诉部下不得辜负国家,于是一船二百人都被杀死,无一幸免。此事奏报朝廷,都被赠给承信郎官衔,录用他们的儿子为官。

丁酉(二十二日),执政进呈皇帝车驾进发停顿住宿的次序。高宗说:“朕自己的奉养已很微薄,况且这次出行本为安民,怎么可以过于烦扰!又恐怕州县以抽调役夫修治道路为名,并借以舞弊。”赵鼎说:“朝廷多次实行约束,叮咛备至。”沈与求说:“诸将的军队分别驻扎江边,而敌人的骑兵在淮甸之间巡游,恐怕日久生变,应当派遣岳飞从上游取小道乘虚攻击敌人,敌骑必有后顾之忧。”高宗说:“应当这样处置,兵贵神速,不宜迟疑,机会一失,恐怕会成后悔,应当迅速诏谕他们。”

戊戌(二十三日),高宗登上舟船,从临安府出发,奉着天章阁神宗的神御前行,主管殿前司公事刘锡、神武中军统制杨沂中都率领军队随行。高宗不带供玩赏的器物随行,御船有三十余艘,所载的都是书籍而已。高宗已出发,于是命令六宫从温州渡海去泉州。晚上,在临平镇停泊。

刘光世请求与韩世忠平均支取钱粮。高宗说:"诸将的军队,一样为国效力,所支取的钱粮,岂能容许有异!这都是吕颐浩不公平的弊害。"赵鼎说:"朝廷举措得当,诸将自然服从。现在如此不公,必然招致纷争。请求发给刘光世总计应得的钱米数目然后再施行。"沈与求说:"岂止是钱粮,至于赏罚也是一样。唯有至公至正才可以服天下,所以赏赐使人知道劝勉,惩罚使人知道畏服。"高宗说:"大臣不公,怎么能服众!"赵鼎说:"如果不公,那么赏赐虽然丰厚,人们不认为是恩德,惩罚虽然严厉,人们不认为是威严。"高宗说:"朕亲自总领六师,正是要公正地宣示赏罚。"

己亥(二十四日),高宗到了崇德县。韩世忠派遣翊卫大夫、宣州观察使、本司提举一行事务董旼,右朝奉郎、直秘阁、本司参议官陈桷,将所俘获的金兵一百零八人献给行在,顺便说到在承州阵亡的人员,请求厚加赠赐,高宗忧虑道:"使人死在锋镝之下,实在是可怜。可命令收拾遗骸,在镇江府选择地方埋葬,还要每年度一名童行为僧照管。"于是诏令董旼为宣州观察使,陈桷为右朝奉大夫、充任秘阁修撰,中奉大夫、相州观察使解元去掉中奉大夫官衔,担任同州观察使,武功大夫、康州刺史呼延通为吉州刺史。

庚子(二十五日),高宗到秀州北门外。

辛丑(二十六日),高宗到吴江县。当时知县杨同聚集物资等待皇帝到来,有一户人家要花费三百匹缣,此人不服,被上枷捆绑。御史张致远三次上策论劾杨同扰民,杨同竟被罢免。

壬寅(二十七日),御船到姑苏。高宗乘马入居平江府行宫。守臣孙祐进供御膳,吃饭时的桌子极其破陋,而且有僧寺题字,但高宗并不嫌弃。有一天,高宗对赵鼎说:"朕念及往日的艰难,虽然居住之处窄陋,饮食菲薄,也心甘情愿。如果边境太平,郡邑安定,迎还二圣,再设九庙,帝王之尊就依然存在。"赵鼎说:"陛下规模如此宏远,则是天下万幸。"

已故赠承事郎陈东、欧阳澈,一并加赠朝奉郎、秘阁修撰,并加给恩泽二资,赐给官田十顷。

赵鼎进呈韩世忠的奏札,因此议论建炎初年,黄潜善、汪伯彦擅权专杀,将二人处以极刑。高宗说:"朕当时刚刚即位,对治理国事不太熟悉,用人不当,至今仍很痛恨。赠官推恩,还不足以表达朕的悔过之意,可以加赠官爵和赐田。虽然这样,但死者不可复生,朕还是追悔痛心不已。"

甲辰(二十九日),金国右副元帅完颜昌召通问使魏良臣、王绘相见,旁边有四个人,都穿纱袍、戴头巾、穿球靴,与魏良臣等人一同席地而坐。完颜昌劳问许久,告谕说:"过两三天左元帅要来,议事完毕,商定事情情节后,送你们回去。"魏良臣退下。这时右副元帅完颜昌在泗州,右都监宗弼在天长,左副元帅宗辅还没到。

乙巳(三十日),淮西安抚使仇念派遣军队在寿春府攻打金兵,并打败金兵。

起初,皇帝亲征的诏令未到,庐州人传言要弃淮保江,仇念得到诏旨,急忙抄录下来给人看,人们都想奋勇杀敌;仇念还派儿子仇津取小道向朝廷告急,高宗任命仇津为右迪功郎。适逢敌人进据寿春、安丰,仇念派遣军队出奇兵直抵城下,与守将孙晖合兵出击,敌人战败退却,渡过淮河,宋军进入寿春城。第二天,就收复了安丰县。

2653

十一月,戊申(初三),胡松年由长江上还朝,入见高宗。高宗询问防御的计策,胡松年说:"臣到镇江、建康,全看到韩世忠、刘光世军队中将士奋勇励志,争着要去消灭敌人,一定能够保护王室,建立奇勋。"高宗说:"几年以来,朝廷玩弄虚文而不求实效,侍从、台谏搜罗挑剔细小事务,而不知大体,所以未能消除祸患,拯救艰难。如果不是朕日夜留心治理军队,整备器械,今日敌骑侵犯袭击,凭什么来抵御敌人!"赵鼎说:"臣等亲自聆听陛下圣训,怎敢不竭尽愚钝之才,以稍有符合陛下要求务实的旨意!"

庚戌(初五),承州、楚州、泰州水寨民兵一并免去十年租税,科配徭役日久的,仍发给钱米赡养他们。

当时承州水寨首领徐康、潘通等人派遣军队截击金兵,俘获女真人几十人。已任命他们为官,不久又赐给米万石。

壬子(初七),高宗下诏说:"朕因为两宫二圣远离万里,一别九年,盼望迎接銮驾回还,以期了结奉还太上皇皇位的心愿。所以有勇无谋的敌人,得逞于凶残蛮横;朕为了避免投鼠忌器之嫌,宁愿甘心屈辱;因而卑词遣使出使金国,屈己求和。仰怀故国的祖庙,不禁流涕落泪;俯瞰中原的父老,怎能不羞愧汗颜!最近得知强敌的情报,稍有休兵的意向,而叛臣刘豫,害怕祸及自身,制造事端,离间和好,征发我中原百姓,胁迫他们从军远征,所到之处动用武力,操戈犯上作乱,大逆不道,竟至于此!奏闻警报,神人共愤,都甘愿挺身拼命报效国家,不愿与逆贼一道苟活。今天朕此次亲征出行,士气百倍。虽然朕自继承皇位之后,在举措之间常有失误的地方;但还念祖宗在天之灵,希望共同洗刷多年的耻辱,消灭逆贼叛党,成就这次的殊功伟业。念及夙兴夜寐跋涉的辛勤,还要甘冒刀枪箭矢战争的劳苦,说到这里,不知所措。然而能建树非常的功勋,就会有破格的奖赏,当初的诏令文本具在,朕决不食言。咨告六师将士,你们都要体会朕的旨意。"

川陕宣抚司统制官杨从仪在腊家城打败敌人。

岳飞收复襄阳时,朝廷命令宣抚副使吴玠乘机牵制。吴玠派遣杨从仪率领军队进入伪齐地境,遇到敌人,战胜了敌人。

丁巳(十二日),高宗下诏说:"朕因为逆臣刘豫兴兵南侵,听到警报,神人共愤。朕不敢重蹈前辙,采取退避自安的计策,而再次留给江浙百姓流离失所惨遭杀戮的灾祸,于是下罪己之诏,亲自总领六师,巡幸长江之滨,督促激励将士。然而兴师十万,日贯千金,动众劳人,在所难免,每当念及这些,油然而生恻隐内疚之心!还希望诸路监司、帅守与郡邑大小官员,日夜尽心操劳,以体会朕的旨意,凡是借贷、催税有须从百姓出者,不得纵容官吏,乘机勒索为奸;凡是盗贼奸宄专门趁机窥伺作恶者,务须杜绝于萌芽状态,不让它在暗中发生。若有人乘机扰乱,恣意进行无名的聚敛,包容奸贼玩忽职守,不去稽查案情,致使百姓横遭困苦,一经发现,必须惩罚不赦。等待战事稍定,应当派遣朝廷大臣,逐个巡行郡国。"

戊午(十三日),签书枢密院事胡松年兼任权参知政事,这是因为沈与求巡行江上的事务的缘故。

当时松江已有防备,商贾往来自如,通州、泰州盐货交易如故。高宗看到士气大振,捷报频传,想渡江决战,赵鼎说:"退既不可,渡江也非良策。金兵远道而来,利于速战,怎能去与他们争锋!兵家以气为主,三鼓士气就衰竭了,姑且守住长江使敌人不得南渡,慢慢观察敌情以决定万全之策。而且刘豫没有亲临前线,只派遣他的儿子,怎能烦劳陛下至尊去与逆贼小儿一决胜负呢!"于是派遣沈与求巡行江上,与诸将商议是否可行,才知道敌骑大规模集结,军队数量很多。沈与求回来,声称沿江居民不久前造屋开店,敌人虽在对岸,并不怎么害怕。

金兵攻破滁州。于是淮西、江东宣抚使刘光世移军驻扎建康府,淮东宣抚使韩世忠移军驻扎镇江府,浙西、江东宣抚使张俊移军驻扎常州。

己未(十四日),资政殿学士、提举万寿宫兼侍读张浚被任命为知枢密院事。

张浚未到时,请求派遣岳飞渡江进入淮西,以牵制金兵在淮东的军队,高宗同意他的请求。到张浚入见高宗,高宗问赵鼎:"张浚的方略如何?"赵鼎说:"张浚于心求取功名而得众心,可以独当一面。"于是高宗再次起用张浚。

辛酉(十六日),观文殿学士、提举临安府洞霄宫李纲奏言:"现在刘豫倾巢兴兵南下,其境内必然空虚。如果命令亲信大臣乘此机会,直捣颍昌,兵临京畿,发起闪电攻击,出其不意,那么刘豫必定非常惊恐,呼唤他的乌合之众前去营救自己,官军跟踪追击,必有取胜之理。不但牵制南侵的敌军,也有恢复中原的先兆,这是上策。朝廷可能以为这事关系重大,那么陛下的銮驾就泊驻在长江上,势必号召上游的军队,顺流而下,旌旗金鼓,千里相望,以助声势,那么敌人虽然众多,岂敢南渡! 还要召大将率领他的全军,进驻淮南要害之地,设下奇兵截击敌军,断绝敌人的粮道,刘豫必定退却逃走。保全东南,慢慢计议征讨,这是中策。万一有人借亲征之名,作顺势行动的计划,委派一二员大将在后面防御敌人,那么臣恐怕陛下的号令不能贯彻执行,敌人会乘机深入,州县望风奔溃,这样的话祸患不可胜说,这是最下策。往年金兵南渡,意在侵掠,得到子女玉帛后,呆到盛夏季节势必还师。如今刘豫兴兵渡江南下,一定图谋割据,将怎样制定善后的计策呢! 今日作退避之计是不行的。朝廷如果措施得当,将士用命,那怎么知道敌人一定要送死于我呢! 要看一时机会,怎么做出应付措施。希望陛下发出为臣的奏章,与二三位大臣详加计议。"

起初,张浚被贬谪福州时,李纲也寓居于此,张浚佩服他的忠义,消除前怨,互相更加亲善。到张浚被召入见,李纲就将奏疏托付给张浚进呈,高宗说:"李纲离开国都几年,没有一字到朝廷,现在有这份奏疏,难道不是因为朕总领大军亲临长江,正合李纲的心意吗! 李纲所陈述的也是今日的急务,可以降诏奖谕。"

癸亥(十八日),龙图阁直学士、新任都督府参谋官折彦质被任命为枢密都承旨,星夜兼程前来供职。降职充任集英殿修撰、知鼎州程昌寓恢复徽猷阁待制,充任都督府参议官。

淮西宣抚司统制官、中亮大夫、同州观察使、知兰州王德,在滁州的桑根坡遭遇敌人,打败了敌人,生擒十余人前往行在。

甲子(十九日),高宗下诏说:"张浚爱君爱国,出于诚心。先前政局诸多艰难,张浚首倡大义,确实对王室有功,而且素来有志收复中原,说关中占据天下的上游,没有舍弃关中而能够兴起的;对敌作战得胜之后,慷慨请求前行。考查他的所作所为,他无愧于人臣之义;说到他的成败,这也是兵家常事。况且由于他在当时权重一方,容易招致爱恨,远在千里之外,猜疑似乎难以澄清,那么道路上的怨恨诽谤之言,与台谏闻风奏劾之误,就不足为怪了。近来又重新召他还朝参与机密事宜,而观他恐惧警惕,心中不能自安,是不是还在疑虑朝廷内外或许还有没有明察的事呢? 使尽忠竭节之臣,还怀有明哲保身之戒,朕甚感惭愧! 可命令学士院下诏,在朝堂出榜。"

丙寅(二十一日)，起初，河东忠义军将赵云曾经出兵与敌人作战，这时，敌人抓住他的父亲赵福和母亲张氏来招降他，而且许诺赵云任平阳府路副总管，赵云不予理会，于是敌人杀了赵福，囚禁张氏在绛州。过了很久，赵云由小路投奔到岳飞军中。不久岳飞派遣赵云渡河，赵云因而攻打垣曲县，救出他的母亲。岳飞任命他为小将。

己巳(二十四日)，淮西宣抚司选锋副统制王师晟、亲兵副统制张锜收复寿春府，捉住伪齐知府王靖。

辛未(二十六日)，起复秘阁修撰、知岳州程千秋改任知鼎州，左朝奉郎张宷知岳州。

高宗阅览任免名册，询问张宷才智学术如何，赵鼎说："听说他能办事。"高宗说："无须再问谁推荐，唯才是用。"胡松年说："朝廷用人，不可不慎重，用一君子则君子得以进用，用一小人则小人得以进用。"高宗说："君子刚正而容易疏远，小人奸柔而容易亲近。朕在任用考察人才方面，不敢有稍微地疏忽。"

知枢密院事张浚前往镇江巡视军队。

当时金兵在滁水上造船，有渡江的企图。赵鼎对高宗密言："今天的举动，虽然天上世间都来帮助，然而自由用兵，不能保证必胜，事情发生了就要应付，尽量不至于仓促。万一金兵渡江，陛下应当亲自总领卫士，速赴常州、润州，督促诸将，乘敌人还没有集结，合力血战；未必不胜。即便遏制不住，就由他路回到临安；坚守吴江，敌人也怎么敢深入！臣与张浚分别纠合诸将，或拦腰截击，或尾随袭杀，各自谋划，天下事就没有不成功的了。"主管殿前司公事刘锡、神武中军统制杨沂中见到赵鼎说："有探报如此，皇上的车驾或许要移动？"赵鼎说："等到敌人已经渡江，将再派二位率领军队速往常州、润州，合力一战以决存亡，别无他法。"刘锡等人声称："相公您真是大胆。"赵鼎说："事已至此，不得不这样。二位，是皇上随驾的亲兵，缓急之时必须依赖你们效力，怎么可以先说出这样话！"刘锡等人才告退。

金国左副元帅完颜昌遣送通问使魏良臣、王绘回还宋朝行在。

完颜昌带领三百多骑兵，在路途中与魏良臣等人相遇，再三诘问，魏良臣等人照当初会见李津兴时说的那样回答完颜昌。完颜昌说："既要讲和，应当有诚意，不能奸诈。何况小小的偷袭，对议和有什么好处呢！如果想打仗，事先约定一个时日，两军对阵就行了。我国中只以仁义行师，如若一面讲和，又一面派出人偷袭无备的我军，这样，恐怕江南终将被将臣所误，如以前大军到汴京，姚平仲劫寨的事就是见证。本朝的事情，秦桧都知道，如果不信，将可当面问他。"魏良臣等人因这次来议和，有上大金皇帝表、二圣、二后表、丞相、元帅的礼物清单六封，乞求留在军中。翻译的人说："大金皇帝表可以留下，其他的书信可以拿回。"

十二月，乙亥朔(初一)，尚书吏部员外郎魏良臣，阁门宣赞舍人王绘，从金军中回朝，在内殿奏对，高宗劳慰很优厚。

侍御史魏矼上言："朝廷在这之前三次派遣议和使臣，而大金随后也有回拜。礼意应酬，所言信用有据可查。最近又专门派使者前来寻求通好，未见有仇怨。现在是刘豫父子制造战端，其本意是图谋窥视长江，一开始就没有议和的意思。使臣没有看到金国宰相的报书，来自近旬，由此而相信它，那失败的危险就不远了。如今大军扼守天险，援军兵船停泊长江上游，精锐军队无疑有十万。那刘豫挟持金国为重，其签军本来就是我朝百姓，人心向背，早该自己心中清楚；用重兵等待敌人，用轻兵扰袭敌人，我们的计谋就可以成功了。只希望陛下以祖宗社稷百姓生灵为重，上顺天意，下从民心，激励诸将，力图攻守。"高宗深表同意并采纳。

辛巳(初七),命令行宫留守司中军统制王进率领所部驻扎泰州,防守通州、泰州,接应援助淮东水寨,权听帅司节制。

伪齐保义郎刘远被特授予忠翊郎。刘远,同州人,跟从刘麟入侵,与部下六人从盱眙脱身回归宋朝,都被录用。

丙戌(十二日)夜,月亮经犯昴星,太史认为是敌人灭亡的兆象,高宗将此告谕辅臣。胡松年说:"天象如此,中兴有望。"高宗说:"范蠡说过:'天象应映到了,人事还未尽。'更在于朝廷措施如何了。"

丁亥(十三日),知福州张守上言:"臣听说韩世忠所献的敌军俘虏,已在嘉禾杀死,远近欢欣,异口同声称快。然而臣私下认为,凡是所献的俘虏,假若都是金人或他的助战者,就应该全部剿灭,使之不留遗种。至于两河、山东诸路的百姓,那就全是陛下的子民,是被刘豫驱使胁迫而来,一定是不得已。如果临阵杀戮,固然势所难免,至于俘虏抓获而来的,应宽容怜悯。请求在所有的俘虏内,对凡是被征调的我朝百姓应该宣谕恩信,以表示不忍杀死他们的善意,可以特赦宽免放他们回去;若有愿意留下来的,也听其顺便。这样不仅得到先王对胁从不予问治的大义,而刘豫的军队可以使之不战自溃了,以后即使被敌人每天屠杀并驱使当兵,他们也将不再为敌人效命了。"呈上奏疏后,高宗诏令嘉奖。

壬辰(十八日),湖北制置司统制官牛皋、徐庆,在庐州打败金兵。

当时金国增兵再次侵犯淮右,仇念派出全部戍守的士兵一千人抗拒敌人,不久败北,无一生还,于是求救于湖北制置使岳飞,岳飞派遣牛皋、徐庆率领二千人前去援救。徐庆是岳飞的爱将。这一天,牛皋、徐庆的随从骑兵数十人先到达,还没有坐定,斥堠哨所报告金人的五千骑兵将逼庐州城。当时湖北的宋军没有集结,仇念色变不安,牛皋说:"不必害怕,我将为您击退敌人。"立即与徐庆率随从骑兵出城,对敌众说:"牛皋在此,你们为何侵扰!"于是展开旗帜给金兵看,金兵大惊失色。牛皋挥舞长矛径直往前,金兵怀疑有伏兵,立即奔逃溃散,牛皋率领骑兵追击金兵,金兵自相践踏而死,余下的全部逃去。当时淮西宣抚使刘光世也派遣统制官靳赛,到慎县后就返回去了。

丁酉(二十三日),侍御史魏矼说:"日食在正月初一出现,乞求下诏给有关官吏研究旧例。"高宗说:"日蚀虽然是日月五星运行度次的交错,但方术家能推算得知,《春秋》中日食必作记载,是谨守天戒。魏矼所言很合朕的意思,应下诏给有关官吏,研究旧例,凡是可以消除灾变的事情,都可以举报实行。"

川陕宣抚副使吴玠上奏:"夏国主数次通信,有不忘本朝的意思。到折可求的族属列衔申报于我,说现在正在训练兵马,等待我出师渡河,就作为内援攻打敌人,上报国恩。"高宗说:"这都是祖宗在天之灵保佑的结果,也由此可见人心同愤。"

戊戌(二十四日),原被降职惩处的官为单州团练副使的刘子羽恢复官职为右朝散大夫、提举江州太平观。

当时吴玠再次推辞两镇节度使之命,而且上言:"刘子羽多年从军,也有些忠诚勤劳可记。念及他的父亲刘韐,靖康年间保全气节死于京师;如今刘子羽罪过虽是自取,然而被贬到炎热荒野万里之外,虽毒雾薰蒸,家有老母,几乎无法生活。我实在是担心刘子羽贬死在岭海,没有机会自新,这不是陛下善遇子孙的意思。臣希望陛下慈悲,特许臣交回自己的升迁命令,以稍许赎回刘子羽的罪过,酌情调他到近地,使他得以自新。"三省审核商议,刘子羽与吴玠的信所论及的边事,迹状可考,于是恢复刘子羽的原官,授予提举太平观。第二天,高宗诏令吴玠诚信风范,应受到奖谕。士大夫因此大多称赞吴玠的义气,而佩服刘子羽的知人。

庚子(二十六日),金兵退军。

起初,右副元帅完颜昌在泗州,而右都监宗弼驻扎在竹塾镇,曾经送书信礼物给淮东宣抚使韩世忠约战。韩世忠正在和诸将饮宴,即席派遣伶人张轸、王愈带着橘子茶叶去回报,大意说:"元帅的军队很苦,下谕与我约战,哪敢不尽快整理行李以奉承指挥!"当时金军已被韩世忠扼制,恰逢天降雨雪,粮道不通,四野无所掠取,以至杀马而食,军队都是怨愤。不久听说金主有病,将军韩常对宗弼说:"如今军无斗志,何况我国国君病重,国内或许有变,只有速归为好。"宗弼认为他言之有理,于是连夜率军归返。

金兵已去,然后才告诉刘麟及其弟弟刘猊。于是刘麟等人丢弃辎重逃去,日夜兼程二百余里,到了宿州,才稍微休息。

辛丑(二十七日),刑部尚书章谊被任命为兼权户部尚书。

癸卯(二十九日),参知政事沈与求被任命为兼权枢密院事。

金兵离开滁州。

这次战役,金兵占据滁州四十七天,神武右军将官卢师迪率军到竹塾镇,遇到敌人,将敌人打败。